Officina Etruscologia

2.

ISBN 9788860490766

via Virginia Agnelli, 58
http://www.officinaedizioni.it
http://www.officinaetruscologia.it

Sara Neri

IL TORNIO E IL PENNELLO

Ceramica depurata di tradizione geometrica di epoca orientalizzante in Etruria meridionale (Veio, Cerveteri, Tarquinia e Vulci)

officina edizioni

Ai miei genitori e
a zia Roberta

Questo lavoro è l'esito del dottorato di ricerca in Etruscologia da me discusso nel 2007 presso la Sapienza, Università di Roma, al cui collegio dei docenti è indirizzata la mia gratitudine. Un ringraziamento caloroso è rivolto alla Prof.ssa Gilda Bartoloni, che, dalle prime battute fino alla presente edizione, ha sostenuto e stimolato la mia ricerca con partecipazione e competenza; la mia riconoscenza va inoltre alla Prof.ssa Giovanna Bagnasco Gianni per aver alimentato un costruttivo confronto, alla Prof.ssa Annette Rathje per la paziente opera di revisione e i suggerimenti preziosi e alla Dott.ssa Anna Maria Moretti, Soprintendente per i Beni Archeologici dell'Etruria meridionale, per essermi potuta avvalere di materiali inediti. Sono profondamente grata alla Dott.ssa Francesca Boitani per la disponibilità costante e la possibilità generosamente offerta di vivere l'emozione e condividere lo studio di vecchi e nuovi scavi.

Ringrazio sinceramente Maria Helena Marchetti, Gloria Galante e Tommaso Magliaro, che con liberalità hanno messo a mia disposizione il frutto delle loro ricerche inedite, e gli amici studiosi che in questi anni mi hanno pungolata con la loro curiosità e le loro osservazioni, tra i molti ricordo Maria Cristina Biella e Folco Biagi. Un pensiero riconoscente corre a Carlo Brecciaroli, mio Virgilio in terra veiente e custode generoso delle memorie locali. Un grazie finale è rivolto all'editore, al comitato scientifico e alla redazione, che hanno reso possibile questo volume.

Indice

The potter's wheel and the paintbrush. Orientalizing Depurata Wares of Geometric Tradition from Southern Etruria (Veii, Caere, Tarquinii and Vulci)

Summary

The volume is the outcome of a PhD Dissertation in Etruscology at "Sapienza" Università di Roma and deals with the series of the so-called *depurata* wares of geometric tradition, known in Etruria during the Orientalizing period, with a concentration in the mid of it.
Three main groups, which have in common tighter or looser connections with Greek tradition and which correspond to different areas of production and of distribution, can be distinguished. They have also been called in the scientific literature in different ways: Italo-geometric, rather than Etruscan-geometric or Subgeometric pottery. These labels have not been always used univocally, are justified by well-established traditions of studies and are examined in the preface. More in detail, it is possible to distinguish the pottery with friezes of herons and with linear decorations, attested in the district of *Veii* and *Caere*, from the one with a clear and direct proto-Corinthian and Cuman inspiration, known mainly at *Tarquinii*, and from the so-called *Metopengattung* with its focus at *Vulci*. The more complex figurative manifestations go along with these productions without sharp caesuras both from a productive point of view and chronologically. For this reason these manifestations have been taken into consideration as well.
The *Metopengattung*, using the definition coined by A. Åkerstrom, slavishly and anachronistically repeats the decorative patterns of the Euboian and Cycladic late-geometric pottery, introduced in the Etruscan region during the second half of the 8th cent. BC by Greek artisans, to whom the beginning of the great creative season of *Vulci* can be attributed. With the end of the century the external contribution dries up in this production, which is characterized by a weak differentiation, a limited circulation and which is firmly fastened to the local morphological repertoire and refractory to proto-Corinthian influences, which, thanks to the conquest of the Tyrrhenian markets, mould the contemporary series. These proto-Corinthian influences, on the other hand, find a more fertile land outside the region of *Vulci*, as clearly attested by the adoption in local productions of specific types and forms, mostly connected with the practice of the banquet (ovoid and pyriform *oinochoai*, tall-*kotylai* and *skyphoi*). *Tarquinii* holds a particular position: the proto-Corinthian tradition is there strongly permeated by colonial components and is accepted without filters. The outcomes of this situation are series, which are very close to the original ones.
Where the proto-Corinthian morphological repertoire does not arrive, the local production show connections with other streams of inspiration: *ollae*, jugs and *amphorae* are a direct derivation from the *Metopengattung*, while, for instance, the bowls decorated with bands have clear links with the series of *Caere* and *Veii*. These influences become more and more important during the Orientalizing period.
If among the external components the proto-Corinthian is prevalent, other stimuli, such as the Euboian ones, are not absent, as clearly attested in the works of the so-called Pittore dei Cavalli Allungati.
In the southern district the reception of proto-Corinthian models is ambivalent, if compared to the situation described for *Tarquinii*: next to the exact imitation of foreign models, some shapes show new elaborations elsewhere unknown, with an anomalous combination of decorative elements with the presence of many morphological variants. This phenomenon must be located in a wider productive climate, in which the proto-Corinthian elements are, although important, only one of the several streams of inspiration, which converge in a morphological and decorative repertoire based on local tradition.
During the Orientalizing Period several subgeometric productions blossom. From a morphological point of view the repertoire is rather variegated and involves all the principal

shapes of the period: *oinochoai*, which do not completely respect the proto-Corinthian prototypes, elongating the form and increasing the rays, amphorae, small *situlae*, various types of *ollae*, jugs, bowls and plates. The decorative repertoire is more restricted: bands and simple linear decorative motives, lines of dots, fishes and obviously herons birds. These last ones are eponymous of a sort of sub-group.

During the first half of the 7th cent. BC *Caere* becomes the heart of the great orientalizing ceramography, studied by R. Dik and M. Martelli. The so-called Pittore delle Gru, Pittore di Amsterdam and, in a more evident way, the Pittore dell'Eptacordo show the capacity of combining local tradition with Greek stimuli, in which insular and Attic influences must be included. And these last influences resound also in some vases attributed to the Veientan ceramographer known as Pittore di Narce.

The study considers with a descriptive typology 1575 exemplars, already published with the exception of a group of vases from *Veii*. Morphological and decorative families are distinguished for each shape. These families determine groups, in which specific types or exemplars, which cannot be precisely organized, are considered.

The combined analysis of this typology, of the chronological and territorial distribution of single types and groups and, finally, of some morphological and decorative specific aspects are the basis to recognize and to locate productions and craft *ateliers*. This kind of analysis gives us the opportunity to trace the centres of production also for a sizeable group of vases, which are anonymous and part of the commonest series.

The articulation and the distribution of the majority of the exemplars among the different production areas permit both the identification of the peculiarities of single *ateliers* and the reconstruction of the dynamics, which characterize the entire production.

As far as the first aspect is concerned, *Veii* is an exemplary case: its productive reality, although influenced by Caeretan models, shows since the initial stages a remarkable independence and a capacity to project its craft influence in the nearby *Ager Faliscus*. The Pittore di Narce's works, enriched by new meaningful documents, and the Pittore delle Gru's proposed activity are clear evidences of this phenomenon. As far as the Pittore delle Gru is concerned, new acquisitions and the recovery of some R. Dik's remarks (perhaps not enough well-grounded scholar) give us the opportunity to suppose, without reducing the importance and the continuity of the Caeretan *atelier*, a transfer of the painter in the mature phase of its career from *Caere* to *Veii*, where he created a workshop responsible for the production of the Veientan exemplars, found at *Veii*, in the Faliscan region and appeared in the antiquarian market.

As far as the second aspect is concerned, the consistency of the documental basis is of primary importance. The quantification of the productions and of the typological change in its diachronical perspective is necessary to define precisely the evolutionary dynamics of this type of pottery. The main traced steps are the following. Between the end of the 8th and the beginning of the 7th cent. BC a boundary can be traced between a limited production, still linked to the geometric tradition of the Villanovan period, and another one with a wide diffusion and bearer of new styles and stimuli. From a productive point of view the watershed is recognizable from the incredible increasing of the volumes. Different series attested in many sites become stronger and typologically influent to the detriment of the diffusion of other local types. Furthermore a lack of balance appears among different productions of different sites. This phenomenon is especially evident around the middle of the 7th cent. BC, when the definitive success of the *Caeretan-Veientan* district can be traced. At *Tarquinii* and *Vulci* the depletion of the productions, linked to the the Greek traditions (respectively of proto-Corinthian influence and of the *Metopengattung*), causes a lacuna in the productions of *depurata* wares, that will be filled only towards the end of the century by the more standardized series and above all thanks to new classes, such as the Etrusco-Corinthian ware and the so-called "*ceramica a bande*".

Presentazione

Il volume, nato dal dottorato di ricerca in Etruscologia condotto presso l'Università degli Studi di Roma "La Sapienza", affronta l'analisi delle serie in ceramica depurata con decorazione dipinta di tradizione geometrica diffuse in Etruria nel corso dell'età orientalizzante, con particolare attenzione ai momenti centrali del periodo.

Nella classe, variamente denominata ceramica italo-geometrica, etrusco-geometrica o ancora subgeometrica, si distinguono le ceramiche ad aironi e a decorazione prevalentemente lineare del distretto veiente-ceretano, quelle di diretta ispirazione protocorinzia-cumana, diffuse principalmente a Tarquinia e, infine, la *Metopengattung* con epicentro nel vulcente; a queste si affiancano, inoltre, le manifestazioni figurative più complesse, che l'assenza di cesure nette con le serie precedenti, sia a livello cronologico che sul piano produttivo, ha imposto di includere nello studio.

Il campione di 1575 esemplari, rappresentati da materiale edito ad eccezione di un nucleo di ceramiche veienti, è analizzato alla luce di una tipologia di genere descrittivo. Nell'ambito di ciascuna forma si distinguono famiglie morfologiche e decorative, che individuano a loro volta gruppi all'interno dei quali sono inseriti i singoli tipi, completi di eventuali varietà e varianti, o gli esemplari non puntualmente inquadrabili. L'analisi combinata della tipologia elaborata, della distribuzione cronologica e territoriale dei singoli tipi e gruppi e, infine, di alcuni specifici aspetti morfologico-decorativi risulta la base per l'individuazione e la localizzazione di produzioni e officine locali, permettendo di rintracciare i centri di pertinenza anche per un cospicuo gruppo di testimonianze adespote appartenenti alle serie più comuni.

L'articolazione e la ripartizione della maggior parte del materiale fra i centri di produzione costituisce un osservatorio privilegiato sia per la ricomposizione dei caratteri propri delle officine sia, a livello più generale, per lo studio delle dinamiche che percorrono l'intera produzione.

Sara Neri, grazie alla consistenza della base documentaria e attraverso la quantificazione dei volumi produttivi e del grado di ricambio tipologico colto nella sua dimensione diacronica, riesce a puntualizzare le dinamiche di evoluzione della classe. Si segnalano all'attenzione alcuni passaggi salienti. Gli anni a cavallo tra VIII e VII sec. a.C. segnano il discrimine fra una produzione di nicchia, ancora intimamente legata alla tradizione geometrica di età villanoviana, e una di grande diffusione portatrice di nuovi stili e sollecitazioni; sul piano strettamente produttivo tale discrimine si manifesta nell'incremento vertiginoso del volume della produzione e nell'aumento cospicuo della varietà tipologica, associati ad un forte ricambio formale. Già a partire dal secondo quarto del VII sec. a.C., si delinea una progressiva tendenza alla standardizzazione produttiva, ravvisabile nella maggiore incidenza quantitativa e tipologica acquisita dalle serie comuni a più siti, a discapito di quelle di marca prettamente locale; nei rapporti interni tra le produzioni dei singoli centri si determina inoltre uno squilibrio evidente attorno alla metà del secolo, quando si registra la definitiva affermazione del distretto ceretano-veiente a fronte dei centri di Tarquinia e Vulci, dove l'esaurirsi delle produzioni di più stretta osservanza greca, rispettivamente di marca protocorinzia e della *Metopengattung*, provoca una lacuna nelle produzioni in depurata che verrà colmata solo verso la fine del secolo dalle serie più standardizzate e, soprattutto, dall'affacciarsi di nuove classi, quali la ceramica etrusco-corinzia e quella a bande.

L'appartenenza dell'autrice al gruppo di lavoro del Progetto Veio, iniziativa promossa nell'ambito delle collaborazioni tra la Sapienza Università di Roma e la Soprintendenza per i Beni Archeologici dell'Etruria meridionale concernente la promozione delle ricerche e l'edizione degli scavi (di cui può definirsi un primo risultato il volume *L'abitato etrusco di Veio. Ricerche dell'Università di Roma «La Sapienza»* (1). - *Cisterne, pozzi e fosse*, Roma 2009), le ha permesso di poter presentare i materiali della classe inediti provenienti da questa città etrusca, sia dall'area abitata che dalle ricche necropoli.

Sara Neri, del resto, è una delle collaboratrici della Soprintendenza per l'area di Veio, collaborando assiduamente con il funzionario di zona, Francesca Boitani, insieme alla quale ha pubblicato i materiali provenienti sia dalle mura ("La donna delle Fornaci di Veio-Campetti", in *Scienze dell'Antichità* 14, 2007-08, pp. 833-868; "Nuove indagini sulle mura di Veio nei pressi di porta Nord Ovest", in *La Città Murata in Etruria. Atti del XXV Convegno di Studi Etruschi ed Italici*, (Chianciano Terme, Sarteano, Chiusi 2005), Pisa 2008, pp. 34-152) che dalla necropoli ("Riflessi della ceramica geometrica nella più antica pittura veiente", in *Atti del XVII Congresso Internazionale di Archeologia Classica - Incontri tra culture nel mondo mediterraneo antico*, Roma 2008 cds.).

La conoscenza dei manufatti archeologici da parte della giovane autrice è inoltre provata dai lavori sui reperti populoniesi dell'abitato di Poggio del Telegrafo e delle tombe di Poggio delle Granate, venuti in luce negli scavi del Dipartimento di Scienze Storiche Archeologiche e Antropologiche dell'Antichità della Sapienza di Roma, e dallo studio dei materiali metallici del Museo delle Antichità Etrusche ed Italiche della Sapienza

Gilda Bartoloni

1. Definizione della ricerca e stato degli studi

Se paragonata ad altre classi, la definizione terminologica delle produzioni in ceramica depurata dipinta presenti in area etrusca nel periodo orientalizzante risulta tutt'altro che univoca. La varietà terminologica trae origine dall'inadeguatezza di una definizione di classe fondata esclusivamente su basi tecniche e materiali, come consueto per gli impasti o il bucchero. Non costituendo tali elementi delle discriminanti sufficienti, è stato necessario chiamare in causa considerazioni di altro ordine, innanzitutto stilistico, capaci di restituire, inoltre, la necessaria prospettiva storica a delle produzioni che si caratterizzano principalmente come imitazioni ed elaborazioni di prototipi e modelli ellenici.

Il legame di filiazione con le serie greche è portato all'attenzione dagli studi di A. Blakeway, che propone un'articolazione divenuta ormai canonica delle ceramiche locali[1], tra prodotti realizzati in Etruria da artigiani greci, vasi imitanti fedelmente i prototipi ellenici e, infine, rielaborazioni in chiave locale degli stessi modelli[2]; quest'ultima categoria è assunta come testimonianza della capacità etrusca di adattamento agli stimoli esterni in opposizione alla passiva imitazione[3]. Allo studioso va inoltre il merito di aver sottolineato la necessità di uno studio globale della mole di vasi dipinti di tardo VIII e VII sec. a.C., il cui inquadramento all'epoca appare ancora frazionato in una miriade di classificazioni basate sulla più o mena diretta correlazione con le singole fabbriche greche. Esemplificativa di quest'utima tendenza è la distinzione operata da C. Albizzati nell'edizione della collezione del Vaticano, tra la componente protocorinzia e quella più marcatamente geometrica, diremmo noi di stampo euboico-cicladico, corrispondente alla classificazione in "Imitazioni etrusco-laziali di vasi geometrici protocorinzi" e "Ceramica italica di stile geometrico"; quest'ultima categoria, comprendendo vasi della *Metopengattung*, ma anche coppe ad aironi, ollette a fasce e piatti con decorazione lineare, risulta una classe definita, più che in base a specifiche caratteristiche, per esclusione e in negativo rispetto alla precedente[4]. La difficoltà di ravvisare fonti d'ispirazione unitarie e, quindi, terminologie conseguenti traspare nella critica di P. Mingazzini alla tassonomia dell'Albizzati, alla quale contrappone l'adozione generalizzata di subgeometrico, riservando quella di italo-geometrico ai vasi di tradizione villanoviana[5].

---

[1] Ridgway 1990, in part. p. 67; D'Agostino 1990, p. 78.

[2] Blakeway 1932-1933, p. 192. Per le ultime due categorie lo studioso avanzò inoltre una terminologia diversificata, indicandole rispettivamente con le definizioni di "*Greco-Italian Geometric*" e "*Italo-Geometric*" e confinando l'adozione di "*Italian-Geometric*" alle produzioni indigene estranee alle influenze elleniche.

[3] Blakeway 1935, p. 130.

[4] Albizzati 1924-1929, pp. 7-13.

[5] Mingazzini 1930, p. 103.

Malgrado gli appelli alla globalità di studio e terminologia e l'edizione, avvenuta nel frattempo, dell'opera di Å. Åkerström sullo stile geometrico in Italia[6], la tendenza alla parcellizzazione sopravvive e si manifesta nel proliferare di definizioni, non sempre coerentemente concordanti, che costellano i lavori sulla protostoria laziale e romana di P.G. Gierow[7] ed E. Gjerstad[8], pubblicati tra la metà degli anni cinquanta e quella del decennio successivo.

Una svolta nella conoscenza della classe, e conseguentemente della sua definizione, è segnata dall'attento lavoro di classificazione e studio dei materiali conservati nel Museo di Tarquinia ad opera di F. Canciani. Quest'ultimo opta per l'adozione del generico vocabolo italo-geometrico, relegando le questioni concernenti l'inquadramento stilistico, non inficianti dunque il concetto stesso di classe, alla trattazione dei singoli pezzi o nuclei di materiale. Tali principi sono ancora applicati un decennio dopo nell'edizione del CVA di Grosseto da parte di E. Mangani e O. Paoletti. La fine degli anni settanta vede l'affermarsi, grazie agli importanti contributi di G. Colonna[9], E. La Rocca[10], F. Canciani[11] e F. Buranelli[12] sui materiali e sulle fabbriche romane ed etrusco-meridionali, delle definizioni di italo-geometrica ed etrusco-geometrica, in questo caso riferite principalmente alle produzioni di VIII sec. a.C. L'impulso rinnovato alla ricerca è determinato, inoltre, dai nuovi dati offerti dall'indagine del sepolcreto veiente dei Quattro Fontanili e da quelli provenienti dalle scoperte pitecusane, che pongono con nuovo vigore il problema dei complessi rapporti esistenti tra produzioni locali e greche, affrontato nel fondamentale incontro di studi tenutosi a Napoli nel 1976[13].

Negli anni Ottanta è ormai sedimentata la visione unitaria della classe e la sua indicazione è affidata a tre definizioni correntemente accettate: etrusco-geometrica, italo-geometrica e subgeometrica. Tutte evidenziano la dipendenza dal geometrico greco, a ragione considerata elemento discriminante fin dagli studi di A. Blakeway; le prime due pongono l'accento

---

[6] Åkerström 1943.

[7] Gierow 1966.

[8] Gjerstad 1966. Contro l'eccessiva parcellizzazione della terminologia adottata nelle opere in questione: Ridgway 1968, a favore tuttavia di una maggiore puntualità terminologica a fronte dell'adozione generalizzata di *italo-geometric* per prodotti direttamente imitanti modelli PC, e Canciani 1974, premessa, che estende la questione anche alla classificazione adottata da W. Müller (Müller 1959), già criticata nella recensione dedicata al volume da R. M. Cook in *Gnomon*, 32, 1960, p. 383.

[9] Mangani, Paoletti 1986; Colonna 1977a; Colonna 1980.

[10] La Rocca 1974-1975; La Rocca 1977; La Rocca 1978.

[11] Canciani 1974-1975; Canciani 1976.

[12] Buranelli 1980.

[13] *La céramique* 1982.

sull'ambito in cui la lezione viene recepita[14], la terza porta in evidenza il dato cronologico-stilistico. Con il termine di subgeometrica è infatti solitamente distinta la ceramica di VII sec. a.C., in cui gli elementi geometrici persistono in un attardamento e stravolgimento ormai distante dagli archetipi ellenici propriamente geometrici, spesso con particolare riferimento alle serie con decorazione ad aironi.

Più labile e confuso il campo di applicazione degli altri due termini. Solitamente etrusco-geometrico è riferito alla ceramica di VIII sec. a.C. o, più ampiamente, alle serie in cui salda permane la dipendenza dai modelli tardo-geometrici[15]; la definizione di italo-geometrica è applicata, invece, con accezione più generica sia alle produzioni di VIII sec. a.C. che a quelle di VII sec. a. C.[16].

A partire dal 1987, con la pubblicazione de *La ceramica degli Etruschi*, F. Canciani e M. Martelli nel trattare le produzioni di VIII e VII secolo avvalorano, sulla scorta di Å. Åkerström[17], la distinzione tra ceramica etrusco-geometrica, che, erede della tradizione e dei modelli propri del TG greco[18], dopo una fase di imitazione fiorisce a partire dal terzo quarto dell'VIII sec. a.C. grazie all'avvio di *ateliers* responsabili di produzioni originali ed espressione di un gusto locale, e ceramica subgeometrica. Quest'ultima identifica l'ingente produzione, radicata nei maggiori centri etrusco-meridionali, di vasi che morfologicamente e decorativamente mostrano una composita mescolanza di modelli locali e greci desunti dal precedente filone euboico-cicladico, cui si sommano intense sollecitazioni protocorinzie e cumane. Fra le produzioni più correnti sono distinguibili due diverse categorie: le serie a decorazione lineare con aironi e pesci e la *Metopengattung*, corrispondenti, sul piano territoriale, alla suddivisione fra comparto ceretano-veiente da una parte e vulcente dall'altra, con Tarquinia in posizione intermedia[19]. Di particolare rilevanza appare l'inserimento sotto la definizione di subgeometrica della serie

[14] Nel solco già tracciato da F. Canciani, tendente ad una definizione globale di italo-geometrica, si inserisce il fondamentale contributo relativo alla *Metopengattung* di G. Bartoloni (Bartoloni 1984); nei lavori sui materiali degli scavi sulla Civita di Tarquinia, la denominazione di ceramica etrusco-geometrica, inizialmente considerata come un sottogruppo (Bagnasco Gianni 1986, p. 149) e poi ormai svincolata, costituente una classe autonoma (Bagnasco Gianni 2001, p. 339) sottolinea, invece, il carattere propriamente etrusco di queste produzioni.

[15] Gilotta 1985, pp. 102-103.

[16] L. Malnati, A. Tarella, in *Milano* 1980, pp. 80-82, l'applicazione dei termini non è tuttavia rigida come si evince dalla pubblicazione di alcuni contesti ceretani, dove, sebbene in nuce, si avverte una contrapposizione tra italo-geometrica, volta a indicare le produzioni di VIII sec. a.C., e subgeometrica per quelle di VII sec. a.C.

[17] Åkerström 1943.

[18] Sulla stessa linea si pone la distinzione operata da M. A. Rizzo in occasione della pubblicazione di alcuni notevoli exx. della produzione ceretana d'ispirazione tardo-geometrica (Rizzo 1989a).

[19] Martelli 1987a, p. 16.

della *Metopengattung*, che, probabilmente in virtù dell'anacronismo derivante dall'attardamento eclatante di moduli geometrici in piena età orientalizzante, risulta sovente di incerta collocazione nella letteratura. Tali distinzioni non possono tuttavia attendere a una funzione di rigida demarcazione, poiché "se in generale nella cultura figurativa d'Etruria non si manifesta fra geometrico e orientalizzante una drastica cesura, ciò tanto più vale per la pittura vascolare che esemplarmente riflette la gradualità del passaggio e una sostanziale saldatura del nuovo codice al precedente"[20]. La difficoltà di tracciare rigidi confini si avverte inoltre nell'impostazione stessa del volume, attraverso ad esempio l'inserimento delle ceramiche considerate i prototipi della *Metopengattung* nel capitolo dedicato alla ceramica etrusco-geometrica e nella definizione di ceramica orientalizzante adottata per le produzioni di VII sec. a.C.; quest'ultima scelta è forse motivata non solo dall'inclusione nella trattazione delle serie *white on red*, ma anche, implicitamente, dall'inadeguatezza del termine in relazione ad opere di spicco come quelle del Pittore dell'Eptacordo.

Di diverso avviso è S. Stuart Leach, che, nella pubblicazione risalente allo stesso anno dedicata alla ceramica subgeometrica dell'Etruria meridionale, ripropone con vigore la distinzione tra ceramica italo-geometrica, in cui viene relegata la *Metopengattung* per le affinità con le serie più antiche assimilabili a talune produzione d'impasto, e subgeometrica, in cui è, invece, confinato il vasellame di prevalente ispirazione protocorinzia e tardo-geometrica. Se poco percebile è il discrimine tra le diverse tradizioni di appartenenza, ancor più sfumato risulta l'ambito territoriale del contributo, che, concentrato sull'Etruria meridionale, abbraccia la produzione di Narce, escludendo al contempo le serie tarquiniesi, che almeno nella fase media e recente dell'orientalizzazione mostrano stretti legami con quelle ceretano-veienti[21].

Nel corso dello stesso decennio compaiono alcuni fondamentali contributi, che collocano in primo piano le manifestazioni più complesse della ceramografia orientalizzante, attraverso l'individuazione di precise personalità artistiche operanti a Cerveteri. Fra queste un ruolo di primo piano spetta al Pittore delle Gru, riconosciuto da R. Dik, che ne ha esaltato l'intimità con la corrente fenicizzante dell'arte orientalizzante[22]. Tale connessione risulta presto smentita da M. Martelli che, oltre a sottolineare la presenza di vigorose sollecitazioni di stampo greco nelle sue raffigurazioni, arricchisce notevolmente il novero delle attribuzione del Pittore attraverso un certosino lavoro di ricognizione nei magazzini e nel mercato antiquario; la studiosa ne ribadisce inoltre il carattere marcatamente ceretano, a fronte di un supposto spostamento dell'*atelier* a Veio e nell'agro falisco ipotizzato dallo studioso olandese[23].

---

20 Martelli 1987a, p. 16.

21 Leach 1987, in part. sulla definizione della classe pp. 18-19, 115.

22 Dik 1980.

23 Martelli 1984; Martelli 1987b.

Sempre a M. Martelli si deve l'identificazione dell'altra grande personalità, in misura ancora più marcata imbevuta della lezione greca, protoattica e insulare, che domina la scena ceretana a cavallo tra l'orientalizzante antico e medio: il Pittore dell'Eptacordo[24]. Di poco successiva è l'opera del Pittore di Amsterdam, anch'esso analizzato dai due studiosi ricordati[25].

Alla fine degli anni Ottanta, il panorama ceretano si arricchisce di alcuni importanti documenti che gettano luce sulla produzione orientalizzante più antica e sulle sue connessioni con la sfera pitecusana, portati all'attenzione dal lavoro di studio e riorganizzazione dei contesti conservati nei depositi della Soprintendenza intrapreso da M.A. Rizzo[26], i cui esiti ultimi sono costituiti dal recente contributo incentrato sulla fase tardo-villanoviana, che restituisce a Cerveteri, al pari degli altri centri, un ruolo attivo di recezione e rielaborazione delle ceramiche greche già nel corso dell'VIII sec. a.C.[27].

Nella prima metà degli anni Novanta, si segnala l'edizione della monografia di M. Micozzi dedicata alla ceramica *white on red*, che, lungi dal rappresentare un'esperienza isolata, rivela intime connessioni con la ceramica depurata coeva anche a livello produttivo, come dimostra palesemente l'opera bilingue del Pittore delle Gru[28]. Pressappoco contemporaneo è il lavoro di S. Bruni sulle serie depurate tarquiniesi[29], sulle quali si focalizzano gli studi agli inizi del decennio successivo, grazie alla riedizione dei materiali conservati nel Museo di Tarquinia e alla pubblicazione integrale delle ricerche condotte sulla Civita della città. Se il primo contributo, curato da S. Tanci e C. Tortoioli, si inserisce nel filone "tradizionale"[30] degli studi, ponendosi in diretta continuità, pure nelle scelte terminologiche, con l'opera di Canciani, il secondo sposta l'accento sugli aspetti più propriamente artigianali delle serie: nel lavoro di G. Bagnasco Gianni l'individuazione dei nuclei produttivi, innanzitutto mirata ad un sicuro discernimento di materiali locali e allogeni, è affiancata dall'isolamento di corpi ceramici specifici, la cui riconoscibilità, affidata in prima istanza all'esame autoptico, è verificata tramite analisi chimico-fisiche[31].

La difficoltà di costringere l'ingente mole di materiale in un'unica definizione è emersa con vigore nella fase di raccolta e inquadramento dei dati contestuale alla ricerca e giustifica di pari passo la scelta adottata in questa sede di una terminologia "generica". Tale impostazione è sostanziata dalla

---

[24] Martelli 1988; recentemente nuove attribuzioni ai Pittori dell'Eptacordo e delle Gru in Martelli 2001.

[25] Dik 1981a.

[26] Rizzo 1989a.

[27] Rizzo 2005.

[28] Micozzi 1994; sulla diversificazione delle produzioni afferenti ai singoli *ateliers* già Martelli 1987a, p. 259.

[29] Bruni 1994.

[30] Tanci, Tortoioli 2002.

[31] Bagnasco Gianni 2001, p. 27.

volontà, seppure ambiziosa, di restituire una visione d'insieme e globale del panorama produttivo; essa non rappresenta, dunque, un atto di rinuncia nei confronti dell'individuazione di categorie più serrate, quanto la valorizzazione degli elementi di continuità tra filoni in alcuni casi ben isolabili. Le diverse tradizioni coesistenti[32], quasi costantemente rivisitate alla luce delle esperienze locali e ben evidenti nella disamina degli studi precedentemente affrontata, costituiscono l'ossatura naturale nell'analisi delle testimonianze, a patto che la circoscrizione dei loro limiti non assurga a confine invalicabile.

Premettendo il carattere approssimativo proprio di una generalizzazione, è possibile aggregare le serie in esame attorno a tre poli principali, accomunati dal legame più o meno saldo con la tradizione greca, che si riflette nell'adozione preferenziale di sintassi decorative di stampo geometrico: le serie ad aironi e a decorazione prevalentemente lineare del distretto veiente-ceretano, quelle di diretta ispirazione protocorinzia-cumana a Tarquinia e infine la *Metopengattung* nel vulcente. Tuttavia, allontanandosi da questo livello di astrazione, si nota come appaia più sfumato il limite delle demarcazioni. Sul piano territoriale un esempio eclatante è rappresentato dalle produzioni della prima metà del VII sec. a.C. di Tarquinia, in cui convivono tutte le correnti individuate[33], o ancora da quelle del distretto vulcente in cui, malgrado la rigorosa aderenza ai canoni euboico-cicladici, attorno alla metà del secolo prende avvio una serie numericamente limitata di ollette stamnoidi d'ispirazione meridionale in cui sopravvivono elementi della precedente *Metopengattung*. Sul piano stilistico le contaminazioni tra filoni sono numerose; oltre al segnalato caso vulcente, si ricordano alcune serie veienti, rappresentate da piatti, olle, fra cui alcune significativamente riferibili al Pittore di Narce, in cui traspare un gusto spiccato per lo schema metopale o per motivi decorativi geometrici che trova un parallelo nel filone euboico-cicladico. L'assenza di cesure nette riscontrabile sia a livello cronologico che sul piano produttivo, determinata dalla probabile coesistenza nell'ambito delle stesse botteghe, ha imposto di considerare e includere nello studio anche le opere in cui affiora una sensibilità narrativa nuova propagata da ceramografi di spicco. Come portato in luce dai nutriti studi sulla ceramografia greca, prime fra tutte le ricerche condotte da J. N. Coldstream, l'esperienza geometrica rappresenta un elemento fondamentale per la comprensione delle manifestazioni orientalizzanti, sia perché ne costituisce il naturale sostrato, come ben esemplificato dal sorgere di un protagonista del Protoattico, quale il

---

[32] La presenza di correnti distinte, dipendenti dagli stili regionali greci, è stata messa in luce da G. Colonna già nell'ambito della produzione più antica, ancora rigorosamente aderente ai canoni geometrici e dominata dall'esperienza euboica (COLONNA 1980, pp. 603-604).

[33] Risulta completamente assente la ceramica ad aironi, mentre sono attestate anche a livello cronologico molto alto le serie con decorazione a fasce: a titolo d'esempio la coppa deposta nella t. 65.1 di Macchia della Turchina (T. MT. 65.1/4).

[34] COLDSTREAM 1968a, pp. 53-54, 87; COLDSTREAM 1977, p. 119.

Pittore di Analatos, dalle tardive formulazioni tardo-geometriche[34], sia perché, seppure subendo evoluzioni, ne diviene uno degli interlocutori fondamentali, come testimonia, in ambiente corinzio, il flusso di ceramiche di pregio a prevalente decorazione geometrico-lineare che invade i mercati, innanzitutto tirrenici, nella prima metà del VII sec. a.C.[35]. A titolo di esempio, si può richiamare per Tarquinia il caso del Pittore dei Cavalli Allungati che, accanto alle manifestazioni più rilevanti con scene di carattere mitico, si dedica, forse attraverso la sua cerchia, ad oinochoai con decorazione semplificata; a Cerveteri fiorisce, a fianco delle personalità maggiori, l'opera della Bottega dei Pesci di Stoccolma in cui l'influenza protocorinzia si fonde al gusto locale sia in opere di maggior impegno, quale l'anfora eponima, che in produzioni correnti assimilabili in tutto alle serie ad aironi, se non per la sostituzione delle canoniche figure di volatili con teorie di pesci. Lo stesso Pittore delle Gru, o almeno certamente la sua cerchia, si dedica all'esecuzione di vasi in cui le manifestazioni grandiose lasciano posto a motivi decorativi semplificati di ascendenza geometrica[36].

È necessaria un'ultima avvertenza per quanto attiene l'inclusione delle opere di maggior impegno figurativo: la constatazione del maggior grado di approfondimento rivolto dagli studi alle manifestazioni più complesse della ceramografia orientalizzante ha determinato in questa sede il polarizzarsi dell'attenzione sulle coeve produzioni di stampo geometrico e subgeometrico, al fine di circoscriverne i centri di produzione, l'eventuale rete di diffusione dei modelli e, ove possibile, le connessioni con le opere dei singoli ceramografi e delle loro cerchie.

La definizione dei limiti della ricerca è stata operata sui tre livelli distinti ma interdipendenti, costituiti dall'aspetto teorico, ora affrontato, da quello cronologico e infine dalla distribuzione territoriale.

Da un punto di vista cronologico, l'analisi è incentrata sulle fasi antica e media dell'orientalizzante e particolare attenzione è stata rivolta alle testimonianze di VII sec. a.C.. La presenza di forti elementi di continuità tra produzione tardo-geometrica e orientalizzante, ricordata precedentemente, ha imposto l'introduzione di una cesura interna alle serie stesse: tra le produzioni orientalizzanti databili nel corso dell'ultimo quarto dell'VIII sec. a.C., sono state incluse a pieno titolo nella ricerca tutte quelle che si caratterizzano come capostipiti di serie ampiamente attestate nel secolo successivo, di contro non sono state considerate, se non in sede di elaborazione dei dati, quei tipi e forme la cui diffusione appare limitata alla fine dell'età del Ferro e alla fase iniziale dell'orientalizzante antico e che ricadono a pieno titolo nella

[35] Coldstream 1977, p. 172; per l'inquadramento della sequenza corinzia ancora fondamentale risulta Payne 1933.

[36] Cfr. cap. V. 2-3, pp. 244-249, 253.

tradizione di stampo tardo-geometrico attiva nel terzo quarto dell'VIII sec. a.C.. Nello specifico, rientrano in tale categoria askoi configurati[37], crateri[38], biconici[39], brocchette a bocca circolare[40] e lebeti[41]. Per quanto attiene il limite cronologico inferiore, si è ritenuto opportuno inglobare nell'orbita del progetto oltre a quei tipi con continuità di vita dalla fase media a quella recente dell'orientalizzante, anche quelli che, diffusi nell'ultimo trentennio del VII sec. a. C., per caratteristiche generali si pongono come diretti epigoni.

Infine, l'ambito territoriale è stato circoscritto ai quattro principali centri dell'Etruria meridionale (Veio, Cerveteri, Tarquinia e Vulci) e ai loro territori, per il loro carattere di promotori e maggiori produttori della classe; nella ricomposizione del quadro generale un posto di primo piano spetta inoltre all'agro falisco-capenate, in cui le serie in esame, fiorite precocemente, mostrano una chiara connessione con le limitrofe fabbriche veienti e ceretane (*fig. 1).*

---

[37] Fra questi, quelli con corpo a botte (Rudiger 1960, tipo B, pp. 50-62, 103-123) attestati a Veio (Casale del Fosso, t. 881: Buranelli *et al.* 1997, pp. 76, 79, fig. 37; Macchia della Comunità, t. IV: Adriani 1930, p. 50, n. 1, fig. 2), nel vulcente (Canciani 1974, p. 36, nn. 1-5, tav. 28.1-5), e sul mercato antiquario da un'ex. con corpo a botte orizzontale e alto piede (*Christie's, Fine Antiquities*, April 25 2001, London, n. 156, p. 97), quelli configurati ad uccello (Vulci, Poggio Maremma t. del 6/9/1966: Moretti Sgubini 2001, III.B.4, p. 190, tav. XIII; III.B.11, p. 193; provenienza sconosciuta: Canciani 1987, n. 11, p. 246 con bibl.; Bisenzio, Olmo Bello t. X: Canciani 1987, n. 17, p. 250 con bibl.) e infine l'ex. di tradizione ancora villanoviana dalla t. del Guerriero di Tarquinia (Hencken 1968, p. 213, fig. 190.a, p. 212); in generale sugli askoi zoomorfi da ultima: Bettini 1988, pp. 70-72.

[38] Per i crateri si rinvia all'opera di catalogazione e attribuzione di H.P. Isler (Isler 1983, con bibl. prec.), da integrare con Canciani 1987, pp. 242-244, Moretti Sgubini 2001, III.B.2, p. 189, tav. XII (t. del 6/9/1966 da Poggio Maremma, Vulci), *Christie's, Fine Antiquities*, April 25 2001, London, n. 158, p. 97.

[39] La serie è rappresentata da exx. omogeneamente databili all'ultimo quarto dell'VIII sec. a.C., provenienti per la maggior parte dal vulcente; si ricordano il biconico dalla t. di Poggio Mengarelli, in associazione ad un'olla stamnoide e un'oinochoe al contrario inseriti nel presente catalogo alla luce delle ragioni sopra esposte (Canciani 1974-1975, pp. 79-80, figg. 1-3, con diffusione e bibl.; Canciani 1987, n. 7.2 con bibl.), l'ex. da Pitigliano (Bartoloni 1984, pp. 103-104, fig. 1, tav. I), uno proveniente da sequestro (Delpino, Fugazzola Delpino 1976, pp. 1-2, tavv. I-III), il vaso deposto nella t. 35 di Poggio dell'Impiccato a Tarquinia (Delpino, Fugazzola Delpino 1976, p. 5, tav. IV.1; Hencken 1968, pp. 152-153, fig. 139. e-f, riportati come due vasi diversi), e poi una coppia priva di provenienza sconosciuta (Canciani 1987, n. 14, p. 249 con bibli.; *Kunst der Antike*, Galerie G. Puhze, 1993, n. 163)

[40] Per le quali si rinvia a Canciani 1974, p. 34, comm. tav. 26.1-4; Bartoloni 1984, p. 110, Boitani 2001, p. 109)

[41] A titolo d'esempio, si segnala il lebete dalla t. del 14/6/1963 di Cavalupo a Vulci (Moretti Sgubini 1986, p. 73, tavv. XXXIV, XXXVI.4, XXXVII; Canciani 1987, n. 13, p. 248, attribuito al Pittore Argivo) e numerosi exx. dal mercato antiquario decorati con tecnica bicroma (*Tiere und Mischwesen* V, J. D. Cahan Auction, Basel dez. 2005, n. 39 probabilmente identificabile con *Munzen und Medaillen*, A-G., Italische Keramik, Basel 1984, n. 6; *Kunst der Antike*, Hamburg, 2000, n. 47).

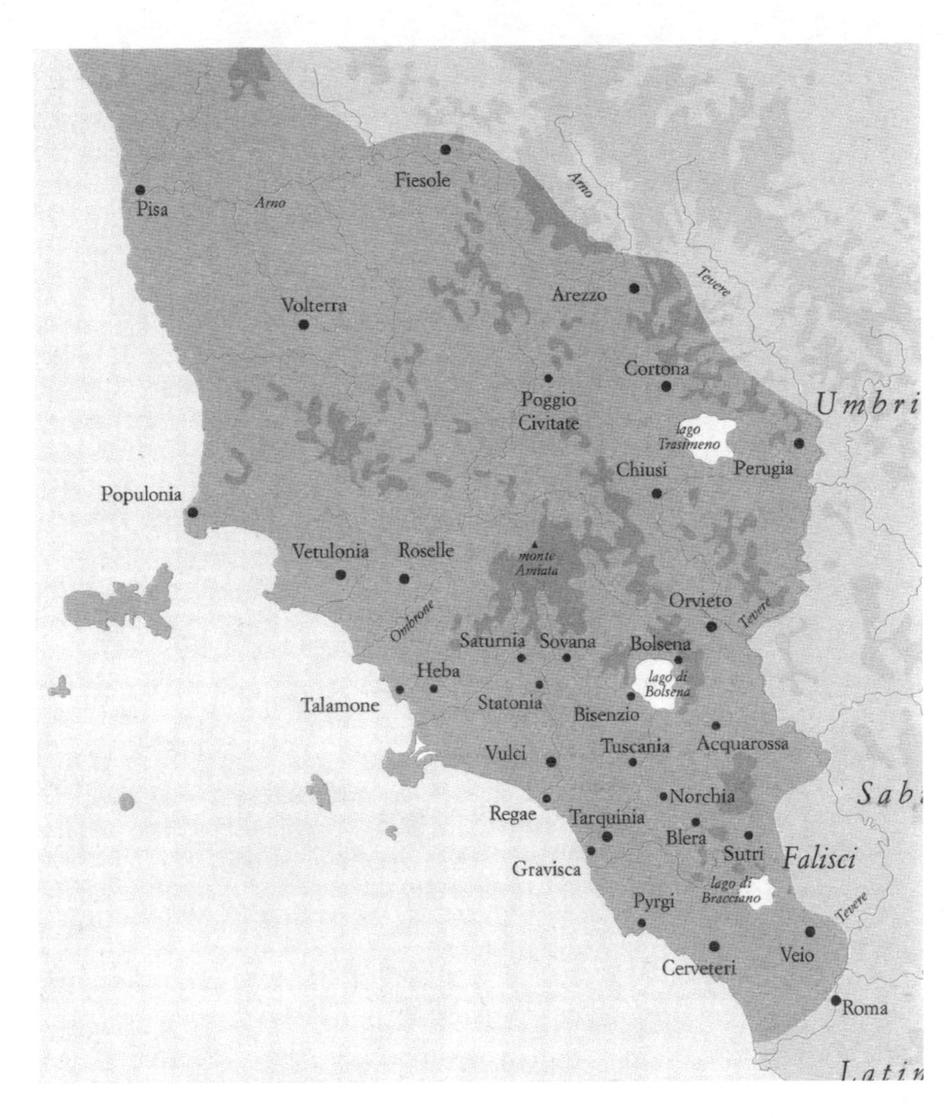

Fig. 1. Carta dell'Etruria (da *Paris* 1992)

II. La classificazione tipologica

II. 1. Metodo e criteri tipologici

La classificazione adottata procede da un approccio di tipo empirico, che considera il tipo come entità globale e non come semplice somma dei singoli attributi. L'accento è posto sull'analisi degli attributi nominali, assunti di volta in volta come significativi in base alla preliminare osservazione del *record* archeologico disponibile.
Un' impostazione di tipo analitico, incentrata sulla codificazione indipendente di parametri in primo luogo metrici, è sembrata infatti ridondante per la classe in esame, caratterizzata da un pronunciato livello di standardizzazione rispetto all'orizzonte protostorico in cui tale scelta ha trovato maggior campo di applicazione[1].

L'unita tassonomica base è rappresentata dal tipo concepito secondo la definizione avanzata da R. Peroni nel 1967[2], e già in parte anticipata da V. G. Childe[3], come "immagine mentale stabile, investita di una certa forza socialmente normativa che si trasmette in vari modi e per vie diverse da individuo ad individuo, da gruppo a gruppo". Il carattere di riconoscibilità del tipo, in quanto espressione determinata di un ambito precisabile, e il suo valore ufficiale, conferitogli dalla più o meno implicita accettazione da parte di una data comunità, autorizzano ad avvalersi della classificazione tipologica quale strumento di analisi. Ovviamente ogni singolo manufatto è considerabile come il risultato del concorrere di diversi fattori reciprocamente influenzabili, di ordine ideale, formale, tecnico ed economico[4], che incidono sulla realizzazione, determinando un'oscillazione del carattere dei singoli attributi e, quindi, del campo di variabilità interno.

Resi noti i postulati iniziali, è necessario precisare i criteri utilizzati nell'identificazioni dei comparti tassonomici: si è optato per una tipologia di tipo descrittivo e gerarchico, che procede dalle macro-ripartizioni in categorie, classi (nel caso specifico l'oggetto stesso del presente lavoro) e in forme fino a quelle più

---

[1] Le stesse esigenze hanno determinato la preferenza accordata ad un metodo empirico, che, finalizzato alla creazione di una tipologia di ordine funzionale, è stato applicato nello studio dei materiali della necropoli laziale di Osteria dell'Osa (Bietti Sestieri, De Santis 1992, p. 220). Sulla classificazione di tipo analitico: La Place 1964; Guerreschi, Cecchin 1985.

[2] Peroni 1967, p. 157; la definizione è ripresa poi dallo stesso R. Peroni e inserita in un sistema globale di classificazione (Peroni 1994, pp. 26-28).

[3] Childe 1960.

[4] P. Piana Agostinetti grazie allo studio di diverse produzioni ceramiche laziali di età moderna, ha messo in evidenza come la regolarità di esecuzione risulti spesso determinata da fattori di ordine eterogeneo, legati non solo al mercato e ai metodi produttivi, ma anche ad elementi, ancor più difficilmente ponderabili per il mondo antico, connessi alla sfera delle dinamiche sociali e professionali (Piana Agostinetti 1988-1989, pp. 688-190).

specifiche in famiglie tipologiche e, infine, in tipi, comprensivi delle possibili varietà e varianti. L'individuazione delle forme[5] e dei tipi è affidata esclusivamente a criteri morfologici, che fanno appello a quelle caratteristiche identificate come intrinseche al manufatto da J. C. Gardin[6]. L'esclusione, a questo stadio del lavoro, di considerazioni di ordine funzionale è stata dettata dalla convinzione che la tipologia costituisca uno strumento di per sé insufficiente per l'identificazione della destinazione d'uso[7], puntualizzabile solo grazie all'integrazione con dati forniti da fonti di estrazione diversa, disponibili seppure in misura non esaustiva per il periodo in esame, e dall'analisi approfondita dei contesti di provenienza[8].

Similmente a quanto proposto nel 1981 da J.P. Morel[9] per lo studio della vernice nera, si è adottato un sistema aperto. Nel lavoro di Morel, concernente solo le forme, il sistema è visualizzabile come un diagramma ad albero; nel caso presente, invece, la classificazione è imperniata attorno a due poli rappresentati dagli aspetti morfologici e da quelli decorativi. Questa duplice ottica è motivata dal ruolo nettamente caratterizzante assunto nella classe dal partito decorativo[10], di immediata percezione non solo per lo studioso moderno, ma anche per il fruitore antico e quindi, presumibilmente, tra gli elementi fondanti di quella immagine mentale cui risponde il concetto stesso di tipo.

Il sistema è quindi visualizzabile con una griglia, sulla cui ordinata compaiono i raggruppamenti, o famiglie tipologiche, determinati dall'analisi della forma (indicati da una lettera maiuscola) e sulla ascissa quelle individuati sulla base della sintassi decorativa (denominate da una lettera minuscola)[11]; si definiscono così delle caselle in cui sono inseriti i tipi affini, sia da un punto di vista decorativo che tettonico. I vantaggi di tale approccio sono rappresentati dalla

---

[5] Queste sono esposte secondo l'ordine proposto dal *Dizionario terminologico delle ceramiche d'impasto di età orientalizzante* (Parise Badoni 2000), cui si è fatto inoltre generale riferimento per la terminologia adottata.

[6] J. C. Gardin definisce come caratteristiche intrinseche del vaso la forma, la semiotica (decorazione e iscrizioni) e la fisica (materiale e tecnica). Quest'ultimo aspetto, seppure apparentemente omogeneo a livello di suddivisione in classe, deve essere oggetto di un'analisi distinta e in un secondo momento sovrapponibile a quella di ordine tipologico, da applicarsi ai singoli manufatti (Gardin 1979, p. 119, ripreso poi in Pucci 1983, p. 286).

[7] G. Pucci ha sottolineato il rischio di simili operazioni affermando che "la classificazione funzionale mentre pretende di arrivare ad un'interpretazione, di fatto già la presuppone" (Pucci 1983, p. 282).

[8] Un valido apporto al chiarimento e alla precisazione della destinazione di determinate forme può essere fornito dalle attestazioni epigrafiche (Colonna 1973-1974; Bagnasco Gianni 1996).

[9] Morel 1981.

[10] L'importanza del modello decorativo è evidenziata dal fatto che, in combinazione alla forma, denomina i nuclei peculiari di materiale appartenenti alla classe (Bagnasco Gianni 2001, p. 342).

[11] La ripartizione in famiglie tipologiche è articolata in modo variabile, poiché, coerentemente a quanto dichiarato nella premessa, i criteri adottati derivano dall'analisi preliminare e globale degli exx. e rispondono, quindi, alle esigenze interne di ciascuna forma.

possibilità, propria di una tipologia aperta, di immettere nuovi tipi e soprattutto di collocare nel sistema anche quegli esemplari che sfuggono al momento ad un inquadramento specifico. Questa articolazione in gruppi permette, inoltre, di dare ragione del carattere eterogeneo della produzione, senza che questo rappresenti un ostacolo alla necessaria visione d'insieme.

Nella distinzione in tipi (indicati da un numero arabo) sono privilegiati gli aspetti propriamente morfologici, maggiormente indicativi a livello cronologico all'interno di una produzione, quale quella in esame, in cui nel repertorio decorativo si manifestano frequentemente fenomeni di attardamento e contaminazione. Ad uno stadio ancora più minuto possono comparire poi delle varietà, indicate da lettere minuscole e definite da un'ulteriore partizione del campo di variabilità articolato principalmente sulla base del tessuto decorativo, e infine eventuali varianti, rappresentate da singoli esemplari collocabili al di là di una strozzatura del medesimo campo.

Riepilogando, ogni tipo risulta quindi contrassegnato da almeno quattro elementi, il cui scioglimento ne consente la puntuale collocazione nello schema tipologico; alla sua descrizione fa seguito la distribuzione corredata della principale bibliografia di riferimento.

Es. Oinochoe C d 3 a

Forma	*Famiglia tipologica morfologica*	*Famiglia tipologica decorativa*	*Tipo*	*Varietà*	*Variante*
Oinochoe	C	d	3	a	variante 1

Ciascun esemplare è inoltre individuato, al posto di un unico numero progressivo, da una sigla identificativa che ne dichiara univocamente la provenienza. Il codice di identificazione è formato da una prima sezione comprendente l'abbreviazione del sito di origine, e quando necessario della necropoli, dall'indicazione della tomba e infine, separato da una barra obliqua, da un numero arabo che fa riferimento alla numerazione progressiva dei singoli oggetti all'interno di ciascun contesto[12]. Solo per gli esemplari inediti è riportata nell'*Appendice 1* una scheda sintetica.

Sito	*Necropoli*	*Tomba*	*N. progressivo*
Es. V.C.II/1			
V = Veio	C = Casalaccio	II	1
Es. V.a/4			
V = Veio	a = adespota		4
Es. PS/72			
PS = Prov. sconosciuta			72

[12] Nel caso siano disponibili solo informazione parziali, come per gli exx. adespoti o per quelli genericamente riconducibili ad un territorio, sono omesse alcune delle voci indicate.

Abbreviazioni adottate

V = Veio	CF = Casale del Fosso P = Picazzano MM = Monte Michele V = Vaccareccia MA = Monte Aguzzo MC = Macchia della Comunità C = Casalaccio Pz = Pozzuolo R = Riserva del Bagno MO = Monte Oliviero a = adespota
PG = Pantano di Grano Si = Passo della Sibilla Vo = Volusia SM = Monte S. Michele Tr = Trevignano Romano	
C = Cerveteri	B = Banditaccia L = Laghetto MA = Monte Abatone Bu = Bufolareccia S = Sorbo Mn = Manganello MdO = Monte dell'Oro tM = tumulo di Montetosto a = adespota
Ce = Casaletti di Ceri Gi = San Giuliano Ba = Barbarano Romano Bl = Blera SG = San Giovenale Ci = Civitavecchia	
T = Tarquinia	M = Monterozzi MT = Macchia della Turchina G = Gallinaro Ar = Arcatelle a = adespota
Tu = Tuscania	S = Scalette PM = Pian di Mola AT = Ara del Tufo
Vu = Vulci	P = Polledrara C = Cavalupo O = Osteria PM = Poggio Maremma PA = Ponte dell'Abbadia a = adespota
M = Monte Aùto PB = Poggio Buco a = adespota Pi = Pitigliano Ca = Castro S = Sovana O = Orbetello Vu t = territorio di Vulci	
PS = provenienzasconosciuta	

II. 2. Forme, tipi e varietà

II.2.1 *Aryballoi (tav. 1)*

Nel caso degli aryballoi la marcata omogeneità morfologica e decorativa ha reso superfluo un preliminare inquadramento in gruppi tipologici.

TIPO 1: collo sottile; corpo ovoide espanso di grandi dimensioni (h 11,9-14 cm), con spalla e ventre arrotondati; largo piede ad anello. Decorazione a fasce e linee. (*tav. 1*)

- Distribuzione:

Veio, Casale del Fosso t. 863, tre exx.(V.CF.863/1-3): BURANELLI *et al.* 1997, p. 83, tav. VIII.b.
Veio, Macchia della Comunità t. 14, (V.MC.14/1): inedito, (*app. 1, n.1*).
Veio, Macchia della Comunità t. 33, (V.MC.33/1): inedito, *(app. 1, n. 2; tav. 1.1).*
Veio, Macchia della Comunità t. 44, (V.MC.44): inedito, (*app. 1, n. 3*).
Veio, Pozzuolo t. 2, (V.Pz.2/1): inedito, (*app. 1, n. 4*).

TIPO 2: corpo ovoide di dimensioni più ridotte (h 5-10 cm, con punto di addensamento tra i 6 e i 7 cm), con spalla distinta/arrotondata; piede ad anello. Decorazione a fasce e linee. (*tav. 1*)

Varietà a: corpo espanso con spalla arrotondata.

- Distribuzione:

Veio, Monte Michele sporadico, (V.MM/1): CRISTOFANI 1969, p. 50, n. 9, p. 51, fig. 25, tav. XXV.5.
Veio, Casalaccio t. III, (V.C.III/1): VIGHI 1935, p. 49, n. 29, tav. 3/I.
Veio, Pozzuolo t. 10, (V.Pz.10/1): inedito, (*app. 1, n. 5*).
Cerveteri, Banditaccia t. 75, (C.B.75/1): RICCI 1955, c. 492, n. 53, fig. 115.4.
Cerveteri, Monte Abatone t. 90, (C.MA.90/11): A. PUGNETTI, in *Milano* 1986a, p. 80, n. 94, p. 81, fig. 94.
Cerveteri, Monte Abatone t. 90, (C.MA.90/12): A. PUGNETTI, in *Milano* 1986a, p. 80, n. 96, p. 81, fig. 96.
Tarquinia, Macchia della Turchina t. 65,1, (T.MT.65,1/1): BRUNI 1986, p. 225, n. 640, p. 226, fig. 220. *(tav. 1.2)*
Poggio Buco, sporadico (PB.a/82): A. CONTI, in *Grosseto* 2009, p. 135, n. 5.12 con bibl. prec.
Provenienza sconosciuta (coll. A. Castellani), (PS/1): MINGAZZINI 1930, p. 11, n. 332, tav. XVI.3.
Avvicinabile alla varietà: Veio, Macchia della Comunità t. 31, (V.MC.31/1): inedito, (*app. 1, n. 6*).

Varietà b: corpo espanso con spalla distinta.

- Distribuzione:

Veio, Casale del Fosso t. 863, (V.CF.863/4): BURANELLI *et alii* 1997, p. 83, tav. VIII.b.
Veio, Macchia della Comunità t. 35, (V.MC.35/1): inedito, (*app. 1, n. 7*).
Veio, Macchia della Comunità t. 44, (V.MC.44/1): inedito, (*app. 1, n. 8*).
Veio, Macchia della Comunità t. 44, (V.MC.44/2): inedito, (*app. 1, n. 9; tav. 1.3).*

Veio, Macchia della Comunità t. 44, (V.MC.44/3): inedito, (*app. 1, n. 10*).
Veio, Casalaccio t. III, (V.C.III/2): Vighi 1935, p. 49, n. 30, tav. 3/I.
Cerveteri, Monte Abatone t. 89 (prima dep.), (C.MA.89/1): A. Pugnetti, in *Milano* 1986a, p. 62, n. 59, p. 63, fig. 59.
Cerveteri, Monte Abatone t. 90 (prima dep.), (C.MA.90/1): A. Pugnetti, in *Milano* 1986a, p. 78, n. 86, p. 79, fig. 86.
Cerveteri, Monte Abatone t. 90, (C.MA.90/13): A. Pugnetti, in *Milano* 1986a, p. 80, n. 93, p. 81, fig. 93.
Cerveteri, Monte Abatone t. 90, (C.MA.90/14): A. Pugnetti, in *Milano* 1986a, p. 80, n. 95, p. 81, fig. 95.

Varianti:
Veio, Macchia della Comunità t. 44, (V.MC.44/4): inedito, *(app. 1, n. 11; tav. 1.4)*.
Volusia, t. 4 (dromos), (Vo.4/4): Carbonara *et al.* 1996, p. 65, n. 49, figg. 120-120a. *(tav. 1.5)*
Cerveteri, Monte Abatone t. 89 (seconda dep.), (C.MA.89/6): A. Pugnetti, in *Milano* 1986a, p. 62, n. 60, p. 63, fig. 60.

Varietà c: corpo slanciato
• Distribuzione:
Veio, Picazzano t. XVI, (V.P.XVI/1): Palm 1952, p. 56, n. 18, tav. III.18.
Veio, Vaccareccia sporadico, (V.V/1): Papi 1988, p. 102, n. 14.
Veio, Macchia della Comunità t. 33, (V.MC.33/2): inedito, (*app. 1, n. 12*).
Veio, Macchia della Comunità t. 44, (V.MC.44/5): inedito, *(app. 1, n. 13; tav. 1.6)*.
Veio, Casalaccio t. III, (V.C.III/3): Vighi 1935, p. 49, n. 31, tav. 3/I.
Cerveteri, Monte Abatone t. 90 (prima dep.), (C.MA.90/2): A. Pugnetti, in *Milano* 1986a, p. 78, n. 85, p. 79, fig. 85.
Tarquinia, Monterozzi t. XXV (scavi Cultrera), (T.M.25/1): Cultrera 1930, p. 136, figg. 20-23; Hencken 1968, p. 394, p. 385, fig. 383.d.

Variante: Veio, Monte Michele sporadico, (V.MM/2): Cristofani 1969, p. 50, n. 8, p. 51, fig. 25, tav. XXV.5.

Tipo 3: corpo cilindrico (*tav. 1*)
• Distribuzione:
Veio, Casale del Fosso t. 863 (seconda dep.), (V.CF.863/5): Buranelli *et al.* 1997, p. 83, nota 80, tav. VIII.b, con bibl. prec. *(tav. 1.7)*
Veio, Casalaccio t. III, (V.C.III/4): Vighi 1935, p. 49, n. 32, tav. 3/I.

Unicum: Provenienza sconosciuta (mercato antiquario), (PS/150): *Sotheby's*, 22 February 1965, lot 135; Williams 1986, p. 298, fig. 21; Martelli 1994a, p. 86.

Esemplari non inseribili in tipologia:
Tarquinia, Monterozzi t. XXXVIII (scavi Cultrera), (T.M.38/1): Cultrera 1930, p. 153, n. 3.

Aryballoi ovoidi con decorazione a fasce sono attestati nel corso della fase matura dell'orientalizzante medio e nel recente. Per quanto concerne la distribuzione, va sottolineato l'addensarsi delle presenze a Veio e Cerveteri, a fronte di attestazioni sporadiche a Tarquinia e di una vera e propria lacuna nei centri vulcenti, forse solo parzialmente imputabile ad una carenza documentaria.

Nel mondo greco gli aryballoi con decorazione a semplici bande compaiono nella fase media del periodo dei "*conical aryballoi*"[13], ai quali rinvia il tipo 1 con largo piede, corpo molto espanso e dimensioni cospicue[14]. Nella produzione ellenica esemplari di tali dimensioni, con altezza superiore agli 8 cm, compaiono nella fase finale della serie conica per proseguire nella successiva fase ovoide[15]. In questo periodo prosegue la tradizione decorativa a semplici bande, ora però caratterizzate dall'uso di linee sovradipinte purpuree o accompagnate da file di punti, solitamente associate ad una forma tendente al piriforme con piede più piccolo[16]. Per questi motivi, malgrado la coincidenza cronologica con le serie ovoidi, è forse il caso di rintracciare gli archetipi delle produzioni etrusche anche del tipo 2 nelle serie "*conical*"[17] con decorazione a bande, la cui diffusione interessa, grosso modo, il secondo quarto del VII a.C.[18].

Date queste premesse, non sembra sussistere uno scarto consistentemente apprezzabile a livello cronologico, né tanto meno produttivo, fra i due principali tipi individuati e le eventuali varietà afferenti: solo nel caso del tipo 1 è, in via del tutto preliminare, ipotizzabile una produzione veiente concentrata nel corso dell'orientalizzante recente, come sembrerebbe suggerire l'omogeneità dei contesti di rinvenimento. Per le tre varietà in cui si articola il tipo 2 non appaiono al momento significative differenze, se non forse la durata limitata all'orientalizzante medio avanzato per la varietà a, tuttavia non verificabile con certezza data l'impossibilità di attribuire puntualmente ad una deposizione alcuni esemplari presenti nella tomba a camera 90 di Monte Abatone, il cui utilizzo si protrae dal secondo all'ultimo quarto del VII sec. a.C. Esemplari assimilabili risultano contemporaneamente attestati nel vicino Lazio e nell'agro falisco[19].

---

[13] NEEFT 1987, List LXI, pp. 121-124, 236.

[14] A titolo d'esempio, si ricorda l'aryballos MPC dalla t. 142 di Pitecusa (*Pithekoussai* I, p, 103, n. 3 tav. 52.3).

[15] NEEFT 1987, pp. 330, 380, fig. 193.

[16] NEEFT 1987, pp. 122, 330.

[17] A conferma si ricorda un ex. PC di transizione verso l'ovoide proveniente dalla t. XXII (605) di Pontecagnano, databile nel corso del primo quarto del VII sec. a.C. (D'AGOSTINO 1968, p. 91, n. 3, fig. 11.3), puntualmente confrontabile con il tipo 2b; la nostra variante 2b trova un riscontro puntuale in un ex. del medio protocorinzio II (660-650 a.C) dal santuario di Francavilla Marittima (J. CHRISTIANSEN, "scheda 20", in VAN DER WIELEN *et al.* 2006, pp. 95-96, n. 20, fig. 1.21).

[18] Cfr. nota 13.

[19] Con il tipo 1 confrontabili alcuni exx. dalla stipe votiva di *Satricum* (*Roma* 1976, cat. 108, p. 330, n.5, tav. LXXXVII.B.5) e dalla t. 70 di Acqua Acetosa Laurentina (BEDINI 1992, p. 90, n. 97), nello stesso corredo risultavano inoltre presenti quattro aryballoi vicini al tipo 2a (BEDINI 1990, p. 53, fig. 26); ulteriori confronti per quest'ultima varietà nella t. II di *Satricum* (*Roma* 1976, cat. 111, p. 338, n. 8, tav. XCI.B.8) databile tra il secondo e il terzo quarto del VII sec. a.C.

All'orientalizzante recente si datano gli esemplari con corpo cilindrico variamente articolato, che afferiscono al tipo 3. Un *unicum* è costituito dall'aryballos comparso nel mercato antiquario (PS/150), che rappresenta la trasposizione in argilla depurata di una classe di unguentari irsuti in vetro, attribuita ad officine ceretane attive tra la metà del VII sec. a.C. e i primi anni del VI sec. a.C. La pertinenza dell'esemplare al centro etrusco-meridionale è inoltre corroborata dalla somiglianza dei motivi decorativi presenti con quelli tipici della ceramografia ceretana alto e medio orientalizzante, suggerendone al contempo una cronologia nell'ambito di quest'ultima fase[20].

La denominazione della forma restituita dalle attestazioni epigrafiche è affidata a termini diversificati di comune derivazione dal greco: *leχtumza,* dal vocabolo omerico designante il vaso per contenere l'olio*, aska* dal tema in *–o askòs* che indica genericamente un contenitore in pelle, e infine, *qutum*, solitamente associato alla forma dell'oinochoe.

La varietà terminologica trova giustificazione nel legame con la funzione del vaso, piuttosto che con la sua puntuale declinazione morfologica[21].

A partire dall'orientalizzante medio, e soprattutto dalla metà del VII sec. a.C., il proliferare di unguentari di fattura locale, a fronte dell'esclusiva presenza di esemplari d'importazione nelle fasi precedenti, può trovare rispondenza sul piano economico con l'incremento e lo sviluppo di un produzione autonoma di essenze oleose[22] e su quello ideologico-sociale con il diffondersi delle pratiche cosmetiche, attuate in vita e/o nel trattamento cerimoniale dei defunti, anche negli strati medi della società, come manifesterebbe il carattere non certo eccellente di alcuni corredi[23].

Per la varietà b si segnalano alcuni exx. omologhi nella t. 64B di Narce (HALL DOHAN 1942, p. 75, n. 34, tav. XXXIX.34), nel Lazio, nella deposizione XXV di Riserva del Truglio (GIEROW 1964, p. 196, n.6, fig. 114.6, orientalizzante recente) e nella t. principesca II di *Satricum* (WAARSENBURG 1995, p. 281, tav. 44.2.66), tutte posteriori alle precoci produzioni locali, ancora del primo quarto del VII sec. a.C., documentate nella t. XXIII (623) di Pontecagnano (D'AGOSTINO 1968, p. 91, n. 3, fig. 11.3)

[20] Sulla produzione in vetro: MARTELLI 1994a, in particolare per l'ex. in esame, p. 86.

[21] BAGNASCO GIANNI 1996, pp. 310-311, 315-316.

[22] LAMBRUGO 2002, pp. 554-555; da ultimo FRÈRE 2007, in part. pp. 108-110.

[23] La presenza in corredi pertinenti ad ambo i sessi sembrerebbe dar ragione dell'impiego degli unguentari nel corso delle cerimonie funebri (COLONNA 1995, p. 332, con rif.); in un orizzonte cronologico più antico, il passo biblico del profeta Amos testimonia l'uso di cospargere il corpo di essenze oleose durante la cerimonia del banchetto sdraiato, pratica che sembra trovare riscontro in Occidente nelle evidenze archeologiche rappresentate dai contesti pitecusani, in particolare la t. 168 di S. Montano, e dal corredo della t. 152 di Castel di Decima (BARTOLONI 2002, pp. 65-66).

II.2.2 *Lekythoi (Tav. 1)*

Presenze isolate nel repertorio etrusco, le lekythoi compaiono con caratteri morfologici molto eterogenei, che concorrono ad accentuarne le interferenze morfologiche con aryballoi ed oinochoai[24]. Per le dimensioni contenute, la conformazione ovoide, il collo cilindrico e il bocchello tondo, caratteristiche queste atte alla conservazione e all'uso di oli cosmetici, si accosta ai primi l'esemplare V.a/14[25]. L'esemplare PS/162, attribuito alla Bottega del Pittore delle Gru, rinvia invece, alla forma dell'oinochoe per la bocca trilobata, malgrado il corpo troncoconico riecheggi il profilo proprio di alcuni unguentari di ascendenza orientale, attestati significativamente nella varietà con collo ricurvo nell'Egeo orientale e a Pitecusa, tra i terminali privilegiati dei traffici diretti in Occidente. Attorno alla metà del VII sec. a.C., il contenitore troncoconico è accolto, seppure in modo ancora marginale, nelle serie d'impasto e bucchero etrusche, ma solo con l'orientalizzante recente esso incontra grande fortuna grazie alla produzione etrusco-corinzia di alabastra a fondo piano[26].

• Distribuzione:

Veio (V.a/14): Delpino 1985, p. 207, n. 115, tav. XVIII.115. *(tav. 1.9)*

Provenienza sconosciuta (mercato antiquario), (PS/162): Martelli 2001, p. 16, fig. 46. *(tav. 1.9)*

[24] Nizzo 2007, p. 125.

[25] In Etruria una replica fedele dei prototipi greci è costituita dalla lekythos geometrica dalla t. dell'1/10/1955 di Cavalupo a Vulci (Moretti Sgubini 1986, p. 77, tav. XL.3), confrontabile con un ex. di produzione locale di tipo B120(AL)A2a documentato nella necropoli di Pitecusa nel TG II (Nizzo 2007, p. 126); sulla diffusione della *neck-ridge* lekythos in area tirrenica ed egea: Peserico 1996, pp. 904-906.

[26] Bellelli 2007, pp. 295-297, che individua l'antecedente diretto del tipo nell'evoluzione della brocca a fungo di origine fenicia, sulla distribuzione della quale si rinvia a Peserico 1996, pp. 908-909, fig. 4.

II.2.3 *Fiasche (tav. 1)*

Due soli esemplari non tipologizzabili.

- Distribuzione:

Veio, raccolta di superficie (UT 27), (V.27/1): NERI 2008, pp. 87-88, 107, fig. 1 *(tav. 1.11).*

Provenienza sconosciuta (coll. A. Castellani), (PS/2): MINGAZZINI 1930, p. 110, n. 331, tav. XVIII.6; MARZOLI 1989, p. 78, n. I 1. *(tav. 1.10).*

Le riproduzioni di fiasca del pellegrino appaiono piuttosto rare nella ceramica italo-geometrica, essendo al momento costituite dai due soli esemplari presentati in questa sede: l'uno proveniente da Veio e l'altro forse proveniente da Chiusi, di plausibile manifattura ceretana, conservato nella Collezione Castellani[27].

Fra gli esemplari fittili maggiormente rappresentate risultano le realizzazioni in impasto e bucchero, di cui sono note circa una trentina di attestazioni distribuite fra l'Etruria meridionale, l'agro falisco, l'area umbra e la Campania nel corso del VII sec. a.C., con addensamento delle presenza nell'ambito dell'orientalizzante antico; piuttosto ridotto è, invece, il numero degli esemplari in ceramica etrusco-corinzia e arcaica[28].

---

[27] In base ad una notizia riportata da G. Camporeale (CAMPOREALE 1991, p. 21, nota 1), al novero delle attestazioni è da aggregarsi una fiasca in argilla figulina con decorazione geometrica conservata ad Hannover, Kestner Museum 1982.9.

[28] Agli undici exx. segnalati da D. Marzoli (MARZOLI 1989, pp. 79-81, tavv. 39-40) sono da aggiungersi le integrazioni annotate da G. Camporeale (CAMPOREALE 1991, p. 21, nota 1) e quelle presenti in NERI 2008, pp. 91-95, per un totale di circa trenta attestazioni qui sinteticamete elencate. *Dall'Etruria*: 1) Cerveteri, ceramica etrusco-corinzia (Pittore della Fiasca da Pellegrino), 600 a.C. (MARTELLI 1987, p. 274, n. 56 con bibl. prec.); 2) Veio, deposito votivo di Campetti, impasto, ex. miniaturistico (VAGNETTI 1971, p. 107, n. 9, tav. LIX. 2); 3) Monte Romano, loc. Vallicelle, sporadico, bucchero (FORTINI 1987, p. 92, n. 17, figg. 16-17); 4) Pitigliano, Gradone, t. a camera, impasto (GALLI 1912, p. 490, fig. 52.a-b; MARZOLI 1989, p. 78, I 6, tav. 40.I.6); 5) Lago dell'Accesa, necropoli del Fosso di Sodacavalli, t. 27, impasto, inizi VII sec. a.C. (LEVI 1933, c. 70, fig. 24; MARZOLI 1989, p. 78, I 3, tav. 39.I 3); 6) Chiusi, ceramica etrusco-corinzia (G.C. CIANFERONI, in *Edinburgh* 2004, p. 87, n. 140); 7) Chiusi, impasto/bucchero (LEVI 1933, c. 11, fig. 30a; MARZOLI 1989, p. 78, tav. 39. I 2; MAGGIANI 1999, p. 64, nota 10); 8) Chiusi, Poggio Gaiella, importazione, bucchero, fine VII sec. a.C. (MAGGIANI 1999); 9) agro chiusino, loc. Fattoria del Borghetto, bucchero (MONACI 1965, p. 451, n. 261, fig. 12.d.). *Dall'agro falisco-capenate*: 10) Narce, t. 43, impasto, fine VIII sec. a.C. (HALL DOHAN 1942, p. 7, n. 2, tav. I.2; MARZOLI 1989, p. 78, tav. 39. I 4); 11) Faleri, necropoli a Nord di Montarano, t. 2, impasto, prima metà del VII sec. a.C. (BENEDETTINI-PARISE BADONI 2000, p. 75, tav. II.2.); in base ad una recente revisione deve essere espunta l'altra fiasca dell'agro falisco riportata nelle liste Marzoli come n. I 5 proveniente dalla località Cancitto, in quanto duplicazione del n. 11 (BIELLA cds, con accurata ricostruzione della vicenda). *Dalla Sabina*: 12) Poggio Sommavilla, t. III, impasto, ex. miniaturistico/pendente, fine VII sec. a.C. (MARTELLI 1974, p. 118, nota 1 con bibl.; da ultima BAGNASCO GIANNI 2006). *Dall'Umbria*: 13) Terni, S. Pietro in Campo, t. 7 (STEFANI 1916, p. 206; MARZOLI 1989, p. 78, I 9); 14) Terni, S. Pietro in Campo, t. 18, impasto, metà VII sec. a.C. (STEFANI 1916, p. 207, fig. 15; MARZOLI 1989, p. 78, I 10, tav. 40. I 10); 15)Todi, impasto (CVA *Todi*, p. 4, n. 19, tav.16.9; MARZOLI 1989, p. 79, tav. 40. I 11). *Dalla Campania*: 16) S. Marzano del Sarno, t. 122, impasto, terzo quarto dell'VIII sec. a.C.

La produzione più ingente è però composta dalle fiasche in lamina di bronzo sbalzata diffuse tra la fine dell'età del Ferro e la prima fase orientalizzante (metà VIII-primo quarto del VII sec. a.C.), in corredi di guerrieri. Sul piano della tettonica, esse si diversificano dalle realizzazioni fittili per l'assenza di vere e proprie anse passanti e l'inserzione di una maniglia ai lati dell'imboccatura[29].

L'origine della forma è da ravvisarsi in prototipi orientali: l'ipotesi di leggere nella borracce etrusche una derivazione dalle note fiasche di Capodanno[30] a capo lenticolare, lontane da molti degli esemplari fittili per conformazione e cronologia, va forse ridimensionata a quella di un influsso tardivo esercitato in un momento avanzato del VII sec. a.C. dai nuovi apporti "egiziani" sulla più antica tradizione morfologica; quest'ultima, propagata dalle fiasche in lamina bronzea, già vantava, infatti, taluni esemplari lenticolari. Più convincente appare la tesi di una rielaborazione a partire dalle fiasche ceramiche levantine[31]. In particolar modo, almeno gli esemplari fittili, sono strettamente assimilabili, per

---

(Gastaldi 1979, p. 43, n. 23, fig. 32.5); 15) S. Marzano del Sarno, t. 125, impasto (Gastaldi 1979, p. 43, n. 23); 17) Suessula, ex. inedito (Cit. in Marzoli 1989, p. 78, I 8); 18) Sala Consilina, t. B. 61, ceramica dipinta in rosso e nero, prima metà del VI sec. a.C. (fase IIIC) (De La Genière 1968, pp. 140, 326, n. 8 tav. 41.8; Marzoli 1989, p. 78, I 7); 19) Sala Consilina, t. D. 171, ceramica dipinta, seconda metà del VI sec. a.C. (fase IIID) (De La Genière 1968, p. 140); 20) *Caudium*, t. 2133, impasto, orientalizzante antico (Fariello Sarno 2000, pp. 57, 63, fig. 2); 21) *Caudium,* t. 944, impasto (Cit. in Fariello Sarno 2000, p. 57, nota 8); 22) area irpina, t. 16 Morra De Sanctis (Cit. in Fariello Sarno 2000, p. 57, nota 8). *Provenienza sconosciuta*: 23) Etruria meridionale/agro falisco-capenate (?), (coll. C.A), impasto, seconda metà del VII sec. a.C. (Camporeale 1991, p. 21, n. 21, tav. XI.c-d); 24) Etruria meridionale/ agro falisco-capenate (?), (coll. C.A), bucchero, seconda metà del VII sec. a.C. (Camporeale 1991, p. 138, n. 139, tav. CIV.g-h); 25) Etruria meridionale (?) (Hannover, Kestner Museum (1982.9), ceramica italo-geometrica (Cit. in Camporeale 1991, p. 21, nota 1; cfr. nota prec.); 26) Etruria meridionale (?) (coll. C.A.), bucchero, fine del VII sec. a.C. (Camporeale 1991, p. 138, n. 140, tav. CIV.d-e); 27) Etruria meridionale (?),(coll. C.A.), bucchero, fine del VII sec. a.C. (Camporeale 1991, p. 138, n. 140, tav. CIV.d-e); 28) Etruria meridionale (?) (Berlino), bucchero (Fortini 1987, p. 92, tavv.. XVIIa-b); 29) Etruria, (coll. privata), ceramica dipinta, primo ventennio del V sec. a.C. (Arias 1969, pp. 27-37, tavv. IX-XI).

[29] Sulle fiasche del pellegrino in bronzo: Marzoli 1989; Marzoli 1998.

[30] Martelli 1987d, p. 274, n. 56. Le fiasche di Capodanno sono prodotte in Egitto, e occasionalmente importate in Etruria, solo sotto la XXVI Dinastia (663-525 a.C.), in particolar modo attorno al 600 a.C. e durante il regno di Amasis (568-525 a.C.).Queste, considerate l'evoluzione dei contenitori in faïence apparsi nel Nuovo Regno (1557-1085 a.C.) con la XVIII Dinastia, si discostano dagli exx. italici per alcune particolarità, quali la presenza di due sole anse impostate verticalmente ai lati del collo, comune anche alla serie di fabbrica orientale in ceramica (Bartoloni, Moscati 1995, p. 41; Bartoloni 2005 p. 43, note 53-54 con diffusione e bibl. prec.). In generale sulle fiasche egizie: Hölbl 1979, pp. 34-41, tav col I.2, II.2-3, tavv. 1-; Aubet 1980, in particolare p. 54 e p. 55, nota 4 con diffusione e relativa bibl..

[31] Per le fiasche fittili, l'esistenza di modelli differenziati, passibili tuttavia di reciproche interferenze, è stata portata all'attenzione da A. Maggiani, quale origine di due distinti filoni tipologici rappresentati da exx. con corpo asimmetrico e di forma lenticolare (Maggiani 1994, p.94; da ultima Neri 2008, pp. 95-99).

la tettonica del corpo, forma e disposizione delle anse passanti, alle fiasche di tipo Bartoloni I, attribuite a fabbriche vicino-orientali, più probabilmente filistee[32], precocemente attestate nel Mediterraneo occidentale, come mostrano le loro riproduzioni nuragiche sia simboliche, in bronzo per i pendenti, che funzionali in impasto[33]. Almeno per la Sardegna è stato ipotizzato che l'adozione di una forma carica di forti valenze ideologiche, suggerite dalla natura dei contesti dei rinvenimento, adombri il valore stesso del suo contenuto da identificarsi probabilmente con il vino, la cui coltura risulterebbe precocemente introdotta nell'isola nel Bronzo finale da *prospectores* orientali[34]. Una simile funzione è peraltro ipotizzabile anche per le fiasche italiche in ceramica, che per la fragilità del materiale e spesso per la forma scarsamente adatta al trasporto veloce, come palese nel caso del corpo fortemente bombato dell'ex. V.27/1, non sembrano atte a un semplice utilizzo come borracce per l'acqua; quest'ultima destinazione, eminentemente militare, è peraltro ipotizzata per gli esemplari in bronzo[35].

Per quanto concerne un più puntuale inquadramento degli esemplari in analisi, alla luce di quanto esposto e in considerazione dell'assenza o della scarsa rappresentatività dei loro contesti di provenienza, sembra possibile avanzare al momento solo alcune osservazioni di carattere generale. La fiasca Castellani (PS/2) appare per morfologia e sintassi decorativa avvicinabile alle realizzazioni in impasto, mentre la tettonica anomala dell'esemplare veiente (V.27/1) con profilo fortemente biconvesso la rende piuttosto assimilabile ai già ricordati prototipi orientali di tipo I, di cui però le poche redazioni in argilla depurata dipinta note in Occidente non appaiono precedenti al VI sec. a.C.[36]. Tale orizzonte cronologico è senza dubbio da escludersi per la fiasca V.27/1, sia per l'associazione di rinvenimento con materiali omogeneamente databili nell'arco della prima metà del VII sec. a.C., sia per il partito decorativo pienamente orientalizzante; la possibilità di anticipare la comparsa di esemplari in ce-

---

[32] Bartoloni, Moscati 1995, p. 39-43; Bartoloni 2005, pp. 37-38, note 35-38 con diffusione in Palestina, Cipro e Fenicia con relativa bibl.

[33] Sui pendenti in bronzo nuragici: Lo Schiavo 2002, pp. 65-67 con bibl. prec. Sugli exx. sardi in impasto: Lo Schiavo 2000, pp. 215-17 con diffusione e bibl.; Lo Schiavo 2002, p. 65; Fadda 2002, pp. 314-315, ex. da S. Imbenia con collo conformato a nuraghe che ne sottolinea la carica simbolica.

[34] Lo Schiavo 2002, p. 65. Sulla tesi del vettore orientale per l'arrivo della coltura della vite in Sardegna e le relative testimonianze del Bronzo finale, da ultimo Bartoloni 2005, p. 40, nota 47, a favore, inoltre, di una componente esclusivamente levantina, filistea, nella trasmissione del modello della fiasca in Sardegna, contro la tesi del ruolo attivo svolto da Cipro sostenuta da D. Marzoli (Marzoli 1989, p. 14) e F. Lo Schiavo (Lo Schiavo 1996, pp. 847-848).

[35] Sulla funzione delle fiasche: Mingazzini 1967, con rassegna delle fonti antiche. In particolar modo, sull'uso militare si veda p. 345, mentre su quello civile, affermatosi in seguito, come contenitore di vino puro paragonabile al nostro liquore, p. 348.

[36] Sulle fiasche in figulina dipinta in Sardegna: Lo Schiavo 2000, pp. 212-214 con bibl.

ramica depurata dipinta è del resto suffragata dalla fiasca siciliana dalla t. 105 di Villasmundo databile nella seconda metà dell'VIII sec. a.C.[37]. Benchè l'esemplare veiente resti un pezzo isolato, sembra tuttavia ragionevole attribuirlo ad una produzione locale, sia in base all'esame autoptico della pasta, che per le affinità decorative con un nucleo di olle stamnoidi di esclusiva provenienza veiente (olle di tipo Ca 2 e Dc 1).

II.2.4 *Askoi (tav. 2)*

Il numero limitato degli esemplari, che ha reso superflua l'articolazione in gruppi tipologici, e l'ampia variabilità morfologica e decorativa hanno impedito la puntuale collocazione tipologica dei pezzi, al di là di una generica distinzione tra askoi con corpo ad anello orizzontale (tipo 1) e quelli con sviluppo verticale (tipo 2). Ulteriori precisazioni sono quindi affidate alla trattazione dei singoli vasi.

Tipo 1 (*tav. 2*)

- Distribuzione:

Veio, Monte Michele t. 5 (camera inumazione femminile), (V.MM.5/7): Boitani 1982, p. 102, tav. XXXVI.2; Boitani 1985, p. 544, tav. XCVI.b; Boitani 2001b, p. 117, n. I.G.8.23.

Veio (provenienza incerta), (V.a/1 bis): inedito, *(app. 1, n. 14; tavv. 2.1, 33.7).*

Cerveteri, Monte Abatone t. 4 (camera principale), (C.MA.4/1): Rizzo 2007, p. 30, n. 28, fig. 37.

Cerveteri (coll. Campana), (C.a/19): Pottier 1897 tav. 32.

Tarquinia, (T.a/1): Tanci, Tortoioli 2002, p. 86, n. 147, fig. 89.

Tarquinia, (T.a/2): Canciani 1974, p. 36, nn. 7-8, tav. 27.7-8 con bibl. *(tav. 2.2)*

Tuscania, Scalette, t. a tumulo 1989, (Tu.S.t/1): Moretti Sgubini 2000, pp. 181-182, fig. 7.

Tuscania, Pian di Mola, tomba a fenditura superiore (1969), (Tu.PM.t/1969/1): Moretti Sgubini 2000, p. 184, nota 9.

Poggio Buco, Podere Sadun t. VII, (PB.VII/1): Bartoloni 1972, p. 84, n. 41, p. 85, fig. 38, tav. XLVI e-f. *(tav. 2.3)*

Pitigliano, valle delle Fontanelle/Fratenuti t. a due camere, (Pi.a/3): A. Conti, in *Grosseto* 2008, p. 141, n. 5.30 con bibl.

Provenienza sconosciuta (mercato antiquario), (PS/3): *Munzen und Medaillen*, A-G., Antike Vasen, Basel 1977, n. 3.

Provenienza sconosciuta (mercato antiquario), (PS/4): *Kunst der Antike*, Galerie G. Puhze, 1979, n. 37. *(tav. 2.4)*

Provenienza sconosciuta, (PS/143): Sieveking, Hackl 1912, p. 74, n. 621, tav. 26.621.

Provenienza sconosciuta (coll. R. Hess, ex coll. Paolozzi), (PS/160): Reusser 1988, p. 24, n. E.20.

La forma dell'askos ad anello orizzontale è piuttosto rara: al momento, il *dossier* delle attestazioni supera di poco la decina di unità, distribuite nei prin-

[37] Albanese Procelli 2006, p. 116, con bibl. prec.

cipali centri dell'Etruria meridionale: la limitatezza numerica e l'alta incidenza di esemplari adespoti non consentono di puntualizzarne i centri di produzione specifici. Per quanto concerne la cronologia, il tipo appare almeno a partire dal momento iniziale dell'orientalizzante medio, come suggerito dalla datazione della deposizione femminile della t. 5 di Monte Michele; alla stessa fase potrebbero forse essere ricondotti gli esemplari tarquiniesi (T.a/1-2) e il PS/160, assegnabile probabilmente alla stessa officina di T.a/2. In particolare, è forse ipotizzabile una lieve anteriorità dell'askos T.a/1, in base alla forma compressa con collo meno sviluppato, che lo avvicina agli esemplari veienti, e al partito decorativo, con particolare riferimento alla catena di doppi triangoli contrapposti sul collo simile a quella di V.a/1bis. Agli esemplari tarquiniesi sono, inoltre, avvicinabili alcuni askoi rinvenuti ad Acqua Acetosa Laurentina, databili tra la metà ed il terzo quarto del VII sec. a.C.[38]. La produzione prosegue nell'orientalizzante recente con decorazione standardizzata: con raggi, come nell'ex. PB.VII/1 e in quello PS/3, o con linguette o tremoli sul corpo, come condiviso rispettivamente dalla coppia di askoi C.a/19 e PS/4 e dall'ex. Pi.a/3, che si pongono per l'uso di tale partito ormai nell'orbita della produzione etrusco-corinzia. Non esclusivo delle serie subgeometriche, l'askos ad anello orizzontale[39] compare anche con redazioni in impasto[40].

Un discorso a parte merita l'askos V.a/1bis, plausibilmente proveniente da Veio[41], in virtù dell'eccezionalità morfologico-decorativa e della probabile cronologia alta che lo pone all'inizio della serie italo-geometrica. La prima anomalia è costituita dalla forma stessa del corpo privo di foro centrale, che non trova confronti validi[42] e può forse essere considerata indice di sperimentalità, tanto più se si considera che la sua sintassi decorativa si allinea fedelmente alle formulazioni più canoniche ad anello. Del tutto eccezionale risulta la presenza del serpente plastico sull'ansa, tipico dell'esperienza vascolare greca, soprattutto attica TG e orientalizzante, dove appare strettamente connesso alla sfera funeraria e quasi assente nella ceramica etrusca; gli unici riscontri sono costituiti da un esemplare dalla t. 81 di Castel di Decima,

---

[38] Rispettivamente askos dalla t. 70 (Bedini 1992, p. 90, n. 94; Bellelli 2007) e 65 (A. Bedini in *Alimentazione* 1987, p. 163, n. 45).

[39] Rizzo 2007, p. 30, n. 28 con diffusione e relativa bibl. in Etruria e nel Lazio.

[40] Ex. con decorazione incisa da Capena, S. Martino t. LIV (Felletti Maj 1953, p. 6, n. 9, tav. 3.9); askos *white on red* (Micozzi 1994, p. 273, n. 191, tav. LV.b)

[41] Sull'attendibilità del contesto e dello stesso oggetto grava, tuttavia, qualche dubbio imputabile alla natura della documentazione; in particolare la Prof.ssa M. Martelli, cui ho sottoposto la riproduzione fotografica e che colgo l'occasione per ringraziare, ha espresso perplessità circa l'autenticità dell'askos, in considerazione della morfologia anomala.

[42] Senza implicare rapporti di filiazione, la forma ricorda la Lisenförming della tipologia elaborata da U. Rudiger, cui affluiscono gli askoi a bocchello tondo destinati ai culti funebri diffusi nel Sud Italia durante il IV sec. a.C., con lontani antecedenti micenei (Rudiger 1966/1967, pp. 1-9: p. 7). Inoltre, Rudiger 1960 pp. 75-88, 173-176, (tipo F) che raccoglie exx. attestati tra il VI sec.a. C. e l'età ellenistica.

databile attorno al 680 a.C.[43], e da un askos in depurata proveniente dalla t. 133 della Laurentina, in cui compare nella medesima posizione un serpente plastico, sebbene, coerentemente con la decorazione dipinta, la sua esecuzione appaia più veloce e corsiva e la tettonica del corpo più rigida[44]. Infine, la presenza della doppia catena di raggi sul collo contribuisce ad introdurre alcune considerazioni cronologiche: il motivo compare infatti anche sull'anfora senza dubbio attribuibile all'opera del Pittore delle Gru plausibilmente in associazione all'askos; sebbene compromessa dal carattere stesso della documentazione, la somiglianza di vernice e argilla riscontrabile tra i due pezzi, unita all'esecuzione raffinata dell'askos, rende plausibile la pertinenza di quest'ultimo allo stesso *atelier*, determinandone una datazione almeno negli anni a cavallo tra la fine dell'orientalizzante antico e la fase successiva e collocandolo quindi, come anticipato, all'inizio della serie.

Una cronologia alta per il tipo non desta stupore sia in considerazione dell'esistenza di precedenti ellenici di età tardo-geometrica e poi orientalizzante[45] sia alla luce della lunga confidenza del mondo etrusco con la forma; quest'ultima è, infatti, testimoniata dagli esemplari in impasto villanoviani, caratterizzati da elementi autonomi rispetto alle formulazioni orientalizzanti, quali l'eventuale presenza di peducci e la doppia imboccatura, sovente conformata a protome animale[46].

TIPO 2 (*tav. 2*)

- Distribuzione:

Cerveteri, Banditaccia t. 78, (C.B.78/1): RIZZO 1989a, p. 24-25, figg. 32-35. *(tav. 2.6)*

Provenienza sconosciuta, (PS/5): MARTELLI 1987a, p. 255, n. 27 con bibl., tra cui BLOMBERG *et al.* 1983, p. 82, n. 1, p. 81, fig. 48, tav. 37.41. *(tav. 2.5)*

Provenienza sconosciuta, (PS/144): SIEVEKING, HACKL, 1912, p. 74, n. 623, tav. 26.623.

Ancor più raro nelle serie subgeometriche risulta l'askos ad anello verticale,

---

[43] *Paris* 1977, p. 383, n. 415.

[44] A. BEDINI, in *Roma* 2006, p. 475, n. II.954.

[45] Sugli askoi greci tardo geometrici, tralasciati da G. Camporeale nella sua trattazione sugli exx. villanoviani (CAMPOREALE 1964), ha richiamato l'attenzione F. Canciani (CANCIANI 1974, p. 36, comm. tav. 27.7), segnalandone la presenza nella ceramica attica (LULLIES 1952, p. 29, tav. 129.10-11; GARDNER 1904, pp. 213-316: p. 293, fig. 501.) e beotica (BOEHLAU 1888, pp. 325-364: p. 341, n.61, fig. 22, F 304 askos con becco conformato a protome di ariete), in cui compare ancora nella seconda metà del VII sec. a.C. (SCHAUENBURG 1954, p. 40, tav. 22.7-8). La forma è inoltre frequente nella produzione cicladica (BARTOLONI 1972, p. 224), nella variante con imboccatura tonda, come mostrano i rinvenimenti di Delo (Delos X, pp. 43-48, nn. 80-106, tavv. XVI-XVIII; Delos XVII, nn. 42-59, tavv. XLVII-XLVIII). Askoi con forma più elaborata, solitamente con piedi e colli multipli sono attestati inoltre ad *Aetos* (ROBERTSON 1948, p. 89, nn. 540-541, tav. 40, 540-541). In genere sulla diffusione dell'askos ad anello: RUDIGER 1960 pp. 88-92, 177-184 (tipo G)

[46] Sulla categoria: CAMPOREALE 1964; inoltre, per le attestazioni visentine da ultima BETTINI 1988, p. 72, nota 27.

rappresentato da tre soli esemplari, la cui cronologia oscilla tra il primo quarto del VII sec. a.C., per quello proveniente dalla t. 78 della Banditaccia, e una più generica nell'ambito della prima metà del VII sec. a.C., per l'esemplare adespota PS/5. La forma, di derivazione cipriota e riprodotta anche in impasto[47], appare diffusa nel mondo greco e coloniale, come testimoniano i rinvenimenti di Itaca[48] e Cuma[49], coevi alle attestazioni etrusche.

II.2.5 *Bottiglie* (*tav.* 2)

Anche per questa forma risultano valide le considerazioni avanzate per la precedente. La difficoltà di individuare tipi specifici non esclude tuttavia la possibilità di delineare almeno dei raggruppamenti fondati principalmente sulla morfologia della spalla e del corpo; meno incisiva sembra, viceversa, l'analisi della decorazione, il cui unico elemento di variabilità è rappresentato dalla campitura del ventre o dalla presenza di gruppi distanziati di fasce, compresenti nei medesimi nuclei morfologici.

- Distribuzione:

Tarquinia, Monterozzi, t. del Guerriero, (T.M.G/1): Hencken 1968, pp. 214-215, fig. 191.g, con bibl.; *Berlin* 1988, p. 69, n. A 4.60. *(tav. 2.7)*

Tarquinia, Monterozzi, t. del Guerriero, (T.M.G/2): Hencken 1968, pp. 214-215, fig. 191.g, con bibl.; *Berlin* 1988, p. 68, n. A 4.59.

Tarquinia, Monterozzi t. XLIII (scavi Cultrera), (T.M.43/1): Cultrera 1930, p. 156, n. 6, fig. 36. *(tav. 2.12)*

Tarquinia, (T.a/3): Canciani 1974, p. 34, n. 5, tav. 26.5 con bibl.

Tarquinia, (T.a/4): Canciani 1974, p. 35, n. 6, tav. 26.6. *(tav. 2.10)*

Tarquinia, (T.a/5): Canciani 1974, p. 35, n. 7 con bibl. *(tav. 2.9)*

Tarquinia, (T.a/6): Canciani 1974, p. 35, n. 8, tav. 26.8 con bibl.

Tarquinia, (T.a/7): Canciani 1974, p. 35, n. 10, tav. 26.10 con bibl. *(tav. 2.11)*

Vulci, Mandrione di Cavalupo t. A, (Vu.C.A/1): Falconi Amorelli 1969, p. 184, n. 10, tav. 36.a; Falconi Amorelli 1977, p. 75, tav. XXVIII.d. *(tav. 2.8)*

L'esiguità numerica degli esemplari, congiunta alla presenza di variazioni non macroscopiche, ma tuttavia significative, nella tettonica, penalizza una puntuale articolazione tipologica. Sono esempio della variabilità morfologica conformazione del labbro, svasato negli esemplari T.a/4 e T.a/3 (in quest'ultimo caso associato a un corpo particolarmente espanso), o a colletto, ma anche l'articolazione del corpo, che, sebbene generalmente cilindrico, varia da forme più espanse (come nel caso ricordato) ad altre più slanciate. Più omogenea risulta la sintassi decorativa, che prevede l'uso costante di una fascia ondulata sulla spalla, eccezion fatta per gli esemplari della tomba del Guerriero decorati da cerchi concentrici, e

---

[47] Si segnalano un ex. in impasto con decorazione incisa dalla t. CXXVIII dell'Esquilino (Gjerstad 1956, p. 262, n. 6, fig. 232.6), databile nell'orientalizzante recente e una coppia dalla t. 70 di Acqua Acetosa Laurentina della metà del VII sec. a.C. (Bedini 1990, p. 53, fig. 25; Bedini 1992, p. 90, nn. 95-96).

[48] Robertson 1948, p. 89, nn. 545 e 547, tav. 40. 545 e 547.

[49] Gabrici 1913a, tav. XXXIX.2; Benton 1953, p. 329.

gruppi di linee estesi su tutto il corpo o limitati al settore superiore negli esemplari con ventre dipinto. L'origine della forma è senza dubbio da ricercarsi in ambito euboico[50], sebbene inizialmente fosse stata avanzata la candidatura del mondo greco-coloniale[51]. Quest'ultimo, tuttavia, recepisce precocemente i modelli per dare avvio a floride produzioni regionali[52], le cui più antiche attestazioni, coeve agli esemplari trilobati della tomba del Guerriero e della tomba A di Mandrione di Cavalupo, risalgono alla fine dell'VIII sec. a.C[53]; esse testimoniano, ancora una volta, il raggio d'azione degli interessi euboici nel Mediterraneo occidentale. Per i motivi sopra ricordati e soprattutto per l'assenza delle originarie associazioni di corredo, risulta difficile stabilire una scansione interna cronologica: il nucleo principale (T.a/3-6), in base ai confronti con esemplari coloniali[54], si colloca nel corso dell'orientalizzante antico; l'esemplare T.a/7, che mostra nella morfologia maggiori elementi di divergenza nella serie, è datato da F. Canciani genericamente nel corso del VII sec. a.C., probabilmente in un momento non iniziale come suggerirebbe la somiglianza con alcuni esemplari campani diffusi tra la metà del VII sec. a.C.[55] e l'orientalizzante recente[56].

II.2.6 Oinochoai (tavv. 3-11)

La forma, estranea al repertorio villanoviano, appare in Etruria nell'VIII sec. a.C. in seguito al contatto con il mondo greco. La componente ellenica, evidente negli esemplari dei gruppi B e C imitanti in modo più o meno fedele prototipi protocorinzi, non è esclusiva, come testimoniato dalle oinochoai del gruppo A ispirate alle note brocchette fenicio-cipriote.

La documentazione epigrafica ha restituito la denominazione etrusca del

---

[50] Canciani 1976, p. 28; F. Canciani, in *La céramique* 1982, p. 194.

[51] Canciani 1974, p. 35, comm. a tav. 26.5

[52] Senza pretesa di esaustività: F. Canciani, in *La céramique* 1982, p. 194 per gli exx. euboici e i rinvenimenti di Cartagine; Canciani 1974, p. 35, comm. a tav. 26.5, con distribuzione degli exx. greco-coloniali, con particolare riferimento alle attestazioni più antiche; inoltre per la Campania: D'Agostino 1968, p. 103, nota 1 con diffusione e bibl.; Borriello 1991, tavv. 17-18; da ultimo G. Tigano, in *Atene* 2003, p. 321, con diffusione e relativa bibl. a Mylai, Zancle, Naxos, Reggio, Metauro e Pitecusa. Altre attestazioni dalla Campania sono citate in riferimento ai singoli exx. presi in esame.

[53] D'Agostino 1968, pp. 102-103; Canciani 1974, p. 35, comm. a tav. 26.5, con distribuzione degli exx. greco-coloniali, con particolare riferimento alle attestazioni più antiche.

[54] Per il n. T.a/4 confronti con exx. campani da Suessula, conservati nella collezione Spinelli (Borriello 1991, p. 23, tav. 17.2-3) e dalla t. 514 di Capua (Johannowsky 1983, p. 157, n. 21, tav. XLVIII.11); T.a/6 trova omologhi a Suessula, nella medesima collezione (Borriello 1991, p. 24, tav. 18.2) e inoltre a Pitecusa nelle tt. 242 (*Pithekoussai* I, p. 296, n.2, tav. 95.2) e 623 (*Pithekoussai* I, p. 606, n. 4, tav. 176.4) entrambe riferibili a TG II. Si ricorda, inoltre, una bottiglia adespota conservata al British Museum (Williams 1986, p. 298, fig. 19).

[55] Suessula, coll. Spinelli (Borriello 1991, p. 24, n.4, tav. 18.4).

[56] Coppia di bottiglie dalla t. 1357 di S. Valentino Torio, divergenti, però per la conformazione svasata del labbro e la minore rastrematura del corpo (De Spagnolis 2001, p. 121, nn. 6-7, figg. 71-72).

vaso indicato dal termine *qutum*, ascrivibile ai più antichi imprestiti dal greco: all'origine si collocherebbe il vocabolo κῶθος, indicante la fiasca, trasmesso, per mediazione siceliota, tra la fine dell'VIII e gli inizi del VII sec. a.C.[57].

L'adozione di una denominazione unica per vasi diversi (aryballoi, vasi a fiasca), caratterizzati da ascendenze diversificate e da una morfologia eterogenea, trova ragione nella pertinenza del termine più che alla specifica forma vascolare alla funzione da essa svolta[58]. A partire dall'ultimo quarto del VII sec. a.C. l'uso del vocabolo *qutum* decade, sostituito dai termini *pruχum* e *ulpaia*[59].

		Famiglie morfologiche			
		A: tipo fenicio-cipriota	B: corpo ovoide	C: corpo ovoide tendente al piriforme	D: corpo compresso
Famiglie decorative	a: dec. di tipo metopale	gruppo Aa: tipi 1-7			
	b: dec. continua, con raggi	gruppo Ab: tipo 1	gruppo Bb: tipi 1-9	gruppo Cb: tipi 1-6	gruppo Db: tipi 1-4
	c dec. esclusivamente lineare:			gruppo Cc: tipo 1	

Gruppo Aa: Bocca trilobata; collo troncoconico a profilo concavo; corpo globulare/ovoide; ansa verticale lievemente sormontante. Decorazione principalmente di tipo metopale, più raramente continuo: sul collo fascia ondulata/registro con motivi triangolari o fasce ondulate verticali/linee; metope/più raramente motivi continui sulla spalla/registri sovrapposti campiti da metope o da motivi continui sulla metà superiore del corpo; fasce e linee sul resto del corpo.

Il gruppo accoglie al suo interno oinochoai che si ispirano morfologicamente alle brocche di tipo fenicio-cipriota[60] ampiamente attestate in Etruria e nel Lazio, sia con esemplari in metallo prezioso, più vicini per la scelta del materiale ai prototipi orientali, che con redazioni in impasto e bucchero[61].

Negli esemplari in argilla figulina è riscontrabile un'ampia varietà morfologica, cui non corrisponde uno scarto apprezzabile sul piano cronologico. La gamma varia da tipi fedeli agli originali, da ricondursi come ormai acquisito al mondo orientale[62], a tipi più distanti, per conformazione generale con ampio collo, fino a vasi che rivelano nella tettonica generale con collo distinto la commistione con modelli protocorinzi (tipo Aa 8).

57 Colonna 1973-1974, pp. 140-142.

58 Bagnasco Gianni 1996, pp. 309-310, 315.

59 Colonna 1973-1974, p. 142.

60 Diverge solamente il tipo Aa 8 che mostra maggiori affinità con i modelli greci.

61 Rasmussen 1979, tipo 2a, pp. 76-77, tav. 7.

62 Per la derivazione da modelli ciprioti: Camporeale 1962, p. 62; a favore di un originaria matrice fenicia, poi trasmessa a Cipro e al Mediterraneo occidentale: Culican 1968; Aubet 1971, pp. 52-53.

Più omogenea risulta, invece, la sintassi decorativa, articolata generalmente in un registro principale, metopale o a pannello, applicato sulla spalla e talvolta accompagnato da una decorazione secondaria sul collo, mentre il resto del corpo è campito da fasce; solo nel tipo Aa 6 trova espressione una maggiore complessità decorativa nella distribuzione dei motivi canonici su più registri sovrapposti, che interessano nella maggior parte dei vasi l'intera superficie.

TIPO Aa 1: collo sviluppato; corpo globulare/ovoide espanso. *(tav. 3)*
Varietà a: corpo globulare (h 19,4-24 cm, ad eccezione di T.a/12: h 15,6 cm).
• Distribuzione:
Tarquinia, (T.a/11): ÅKERSTRÖM 1943, p. 91, n. 4, tav. 24.8; CANCIANI 1974, p. 26, nn. 7-8, tav. 18.7-8; TANCI, TORTOIOLI 2002, p. 62, n. 96, tav. III.d (gruppo M).
Tarquinia, (T.a/12): CANCIANI 1974, p. 31, n. 7, tav. 22.7; COLONNA 1977d, p. 78, tav. XXX.f; TANCI, TORTOIOLI 2002, p. 71, n. 119, fig. 71 (gruppo P).
Tarquinia, (T.a/13): CANCIANI 1974, p. 30, n. 6, tav. 22.6; TANCI, TORTOIOLI 2002, p. 72, n. 121, fig. 73 (gruppo P). *(tav. 3.1)*
Poggio Buco, Podere Sadun t. D, (PB.D/1): MATTEUCIG 1951, p. 34, n. 20, tav. X.3.
Provenienza sconosciuta (coll. Poggiali), (PS/7): CHERICI 1988, p. 87, n. 86, tav. L.c.

Varietà b: corpo ovoide tendente al globulare con ventre arrotondato (h 22,3-27 cm).
• Distribuzione:
Tarquinia, (T.a/15): ÅKERSTRÖM 1943, p. 91, tav. 24.7; COLDSTREAM 1968b p. 371, n. 4; CANCIANI 1974, p. 27, nn. 4-5, tav. 19.4-5; TANCI, TORTOIOLI 2002, p. 60, n. 92 (gruppo M). *(tav. 3.2)*
Tarquinia, (T.a/16): CAMPOREALE 1967, p. 114, n. 4; COLDSTREAM 1968b, p. 371, n. 4; CANCIANI 1974, p. 27, nn. 6-7, tav. 19.6-7; TANCI, TORTOIOLI 2002, n. 101, p. 63, fig. 56.
Provenienza sconosciuta (coll. A. Castellani), (PS/8): MINGAZZINI 1930, p. 105, n. 319, tav. XVII.1.

Varietà c: corpo ovoide espanso con ventre rastremato, dimensioni minori (h 7,5-13,5 cm).
• Distribuzione:
Tarquinia, Gallinaro t. 8, (T.G.8/1): HENCKEN 1968, pp. 345-346, fig. 345.e, con bibl.; L. DONATI, in *Portoferraio* 1985, p. 75, n. 247. *(tav. 3.3)*
Tarquinia, Gallinaro t. 8, (T.G.8/2): HENCKEN 1968, pp. 345-346, fig. 345.f, con bibl.; L. DONATI, in *Portoferraio* 1985, p. 75, n. 246.
Tarquinia, Gallinaro t. 8, (T.G.8/3): HENCKEN 1968, p. 345; L. DONATI, in *Portoferraio* 1985, p. 75, n. 248.
Tarquinia, (T.a/14): TANCI, TORTOIOLI 2002, p. 62, n. 98, fig. 55 (gruppo M).
Poggio Buco, t. 7, (PB.7/1): PELLEGRINI 1989, p. 69, n. 218, tav. XLIV.
Poggio Buco, (PB.a/1): PELLEGRINI 1989, p. 69, n. 219, tav. XLIV.
Provenienza sconosciuta, (PS/9): METZGER *et al.* 1979, p. 41, n. 5, tav. 31.5.
Variante:
Tarquinia, (T.a/17): TANCI, TORTOIOLI 2002, p. 63, n. 99, tav. IV.a (gruppo M). *(tav. 3.4)*

Il tipo Aa 1 varietà a accoglie cinque esemplari, di cui i tre conservati nel Museo di Tarquinia (T.a/11-13) e quello appartenente alla collezione Poggiali (PS/7) privi di contesto di rinvenimento. Il quinto vaso proviene, invece, dalla t. D di Poggio Buco: sebbene la forma sia prossima alle oinochoai tarquiniesi, la presenza di un ulteriore registro decorativo sulla spalla, con il motivo dei tratti alterni, ricollegandolo a un nutrito gruppo di oinochoai quasi interamente di origine vulcente o da Poggio Buco (tipo 6), lo identifica probabilmente come una formulazione locale. Per quanto attiene all'aspetto cronologico, le oinochoai tarquiniesi sono state assegnate, sulla sola base dell'analisi formale, agli anni intorno al 700 a. C., cronologia peraltro condivisa da un confronto narcense[63], mentre il corredo della t. D sembra databile nel secondo quarto del VII sec. a.C.

La varietà b, con due soli esemplari da Tarquinia (T.a/15-16) e un terzo appartenente alla collezione Castellani (PS/8), si distingue per la forma più ovoide del corpo: anche in questo caso l'assenza di dati di rinvenimento non consente una precisazione cronologica della varietà, genericamente ascrivibile alla prima metà del VII sec. a.C., in base all'appartenenza stilistica alla *Metopengattung*.

Per la varietà c, con collo più sottile e corpo più compresso con spalla accentuata, sembra invece possibile circoscrivere la datazione nell'ambito del primo quarto del VII sec. a.C., momento in cui è databile il corredo della tomba a fossa 8 di Poggio Gallinaro, che ha restituito una coppia di oinochoai di tale varietà, e cui rinvia un'attestazione dall'agro falisco[64]. Nessuna indicazione cronologica è invece disponibile per i due esemplari da Poggio Buco (PB.7/1; PB.a/1), per T.a/14 e, infine, per uno conservato nel Museo di Bellinzona (PS/9), che completano le attestazioni riferibili alla varietà.

Avvicinabile alla varietà c risulta un'oinochoe deposta nella tomba vetuloniese delle Tre Navicelle[65]: l'esemplare, senza dubbio identificabile come importazione, si distingue esclusivamente per la forma meno slanciata e il collo poco sviluppato.

TIPO Aa 2: collo sottile sviluppato; corpo globulare (h 12,3-22,6 cm). *(tav. 3)*
- Distribuzione:

Cerveteri, Banditaccia, t. Mengarelli IX, (C.B.IX./2): LEACH 1987, p. 63, n. 150, fig. 41 (oinochoe 1b).

Tarquinia, Monterozzi t. XVI (fossa scavi Cultrera), (T.M.16/1): CULTRERA 1930, p. 132, fig. 17; HENCKEN 1968, p. 384, fig. 373.b; CANCIANI 1974, p. 25, n. 1, tav. 18.1, con ulteriore bibl.

---

63 Oinochoe dalla t. 27M di Narce, in particolar modo avvicinabile agli exx. della serie con collo più sottile, ai quali l'accomuna, inoltre, il repertorio decorativo con fascia ondulata sul collo e registro con tratti alterni sulla spalla (HALL DOHAN 1942, p. 28, n. 20, tav. XIV.20).

64 HALL DOHAN 1942, p. 25, n. 14, tav. XII.14 (t. 4F di Narce).

65 O. PAOLETTI, in *Portoferraio* 1985, p. 73, n. 216.

Tarquinia, (T.a/19): Canciani 1974, p. 25, n. 2, tav. 18.2; Tanci, Tortoioli 2002, p. 59, n. 89 (gruppo M).
Tarquinia, (T.a/20): Åkerström 1943, p. 91, n. 2, tav. 24.2; Canciani 1974, p. 26, n. 3, tav. 18.3; Tanci, Tortoioli 2002, p. 59, n. 90. *(tav. 3.5)*
Tarquinia, (T.a/21): Canciani 1974, p. 26, n. 1, tav. 19.1; Tanci, Tortoioli 2002, p. 62, n. 97, fig. 54 (gruppo M).
Tarquinia, (T.a/22): Canciani 1974, p. 27, n. 2, tav. 19.2; Tanci, Tortoioli 2002, p. 64, n. 103, fig. 58 (gruppo M). *(tav. 3.6)*
Tarquinia, (T.a/23): Canciani 1974, p. 26, n. 5, tav. 18.5; Tanci, Tortoioli 2002, p. 60, n. 91, fig. 53 (gruppo M).

Variante: Provenienza sconosciuta (mercato antiquario), (PS/10): *Kunst der Antike*, Galerie G. Puhze, 1979, n. 96. *(tav. 3.7)*

Il tipo Aa 2 è rappresentato da oinochoai di quasi esclusiva provenienza tarquiniese, caratterizzate, morfologicamente, dal collo sottile e dal corpo globulare e, dal punto di vista decorativo, dalla presenza pressoché costante di un motivo accessorio sul collo associato al comune schema metopale. Si distaccano dal quadro tracciato solo l'oinochoe T.M.16/1, per la presenza del motivo a ovoli connessi da tangenti sulla spalla e la forma molto compressa, fattori reputati da F. Canciani come indice di antichità, che trova peraltro conforto nel contesto di appartenenza, e l'ex. T.a/23, in cui la decorazione è costituita da gruppi di tratti verticali. Il carattere per lo più adespota delle attestazioni, se si eccettuano l'esemplare tarquiniese già ricordato e uno ceretano dalla t. IX della Banditaccia (C.B.IX/2), non permette di verificarne puntualmente la durata cronologica: non è da escludersi che il tipo, certamente presente nell'orientalizzante antico, perduri anche nel secondo quarto del VII sec. a.C., coerentemente alla durata della *Metopengattung*, cui appartengono la maggior parte dei vasi trattati. F. Canciani ha ricondotto le oinochoai tarquiniesi, insieme a poche altre qui confluite nei tipi Aa 1a, Aa 4a e interamente nel tipo Aa 4b, a produzione tarquiniese.

Tipo Aa 3: collo basso e largo, corpo globulare/ovoide compresso. *(tav. 3)*

Varietà a: corpo ovoide compresso; cerchi concentrici sulla spalla (h 14,6-19,1 cm).

- Distribuzione:

Tarquinia, (T.a/24): Canciani 1974, p. 28, nn. 4-5, tav. 20.4-5; Tanci, Tortoioli 2002, p. 66, n. 109, fig. 64 (gruppo N). *(tav. 3.8)*
Tarquinia, (T.a/25): Canciani 1974, p. 28, nn. 6, 9, tav. 20.6,9; Tanci, Tortoioli 2002, p. 67, n. 111.
Tarquinia, (T.a/26): Canciani 1974, p. 28, n. 7, tav. 20.7; Tanci, Tortoioli 2002, p. 67, n. 110 (gruppo N).

Avvicinabili alla varietà a, alcuni esemplari con corpo marcatamente globulare:

Cerveteri, Laghetto II, t. a fossa 319, (C.L.319/1): Cavagnaro Vanoni 1966, p. 216, n. 1, tav. 42; L. Cavagnaro Vanoni, in *Milano* 1980, p. 148, n. 1. *(tav. 3.9)*
Vulci, t. 22, (Vu.22/1): Hall Dohan 1942, p. 89, n. 13, tav. XLVII.13. *(tav. 3.10)*

Varietà b: corpo ovoide compresso; motivi triangolari sulla spalla (h 17,1-18,3 cm).

• Distribuzione:

Tarquinia, (T.a/18): CANCIANI 1974, p. 28, n. 8, tav. 20.8; TANCI, TORTOIOLI 2002, p. 66, n. 107, fig. 62 (gruppo N). *(tav. 3.11)*

Tarquinia, (T.a/27): CANCIANI 1974, p. 28, n. 3, tav. 20.3; TANCI, TORTOIOLI 2002, p. 65, n. 106, fig. 61 (gruppo N).

Il tipo Aa 3, in cui convergono oinochoai con corpo molto compresso e largo collo, si articola in due varietà.

La varietà a è composta da un gruppo molto omogeneo di tre oinochoai tarquiniesi, in cui compare, unico caso riscontato, una decorazione a cerchi concentrici sulla spalla, ispirata al *Kreis-und Wallwrbadenn-Stil* [66]. La loro produzione è stata ricondotta da F. Canciani ad un'unica officina operante *in loco* negli anni immediatamente precedenti la fine dell'VIII sec. a.C.

Avvicinabili per partito decorativo risultano due oinochoai provenienti rispettivamente dalla tomba a fossa 319 della necropoli ceretana del Laghetto II (C.L.319/1), il cui corredo è databile alla fine dell'VIII sec. a.C., e dalla tomba 22 di Vulci (Vu.22/1), pressoché contemporanea.

Diverso partito decorativo presenta invece la varietà b costituita da due sole oinochoai tarquiniesi (T.a/18; T.a/27).

TIPO Aa 4: collo sottile sviluppato; corpo ovoide. *(tav. 4)*

Varietà a: collo sottile e sviluppato; corpo ovoide slanciato; motivi triangolari/gruppi di tratti verticali sulla spalla (h 12,5-25,5 cm).

• Distribuzione:

Tarquinia, (T.a/28): TANCI, TORTOIOLI 2002, p. 70, n. 117, fig. 69 (gruppo P).

Tarquinia, (T.a/29): CANCIANI 1974, p. 26, n. 9, tav. 18.9; TANCI, TORTOIOLI 2002, p. 61, n. 95 (gruppo M).

Tarquinia, (T.a/30): TANCI, TORTOIOLI 2002, p. 71, n. 118, fig. 70 (gruppo P).

Tarquinia, (T.a/31): CANCIANI 1974, p. 27, n. 8, tav. 19.8; TANCI, TORTOIOLI 2002, p. 64, n. 104, fig. 59 (gruppo M). *(tav. 4.1)*

Vulci, probabilmente Ponte della Badia (scavi 1919), (Vu.a/1): FALCONI AMORELLI 1983, p. 124, n. 122, p. 121, fig. 51.

Poggio Buco, t. 22, (PB.22/1): PELLEGRINI 1989, p. 69, n. 217, tav. XLIV.

Varietà b: collo sottile molto sviluppato; corpo ovoide arrotondato; sulla spalla motivi continui/triangolari/gruppi di tratti; sul collo talvolta registro decorato linearmente (h 13-20,5 cm)

• Distribuzione:

Barbarano Romano, Caiolo, Tumulo I t. B (camera), (Ba.I/1): CARUSO 1986, p. 133, tav. LIX.2; CARUSO 2000, p. 249, tav. II.c.

Tarquinia, (T.a/32): CANCIANI 1974, p. 26, n. 6, tav. 18.6; TANCI, TORTOIOLI 2002, p. 60,

---

[66] CANCIANI 1974, p. 28, comm. a tav. 20.4.

n. 93 (gruppo M). *(tav. 4.2)*

Tarquinia, (T.a/33): Ricci Portoghesi 1968, p. 316; Canciani 1974, p. 26, n. 4, tav. 18.4; Tanci, Tortoioli 2002, p. 61, n. 94, fig. 53 (gruppo M).

Poggio Buco, t. 17, (PB.17/1): Pellegrini 1989, p. 68, n. 216, tav. XLIV.

Variante:

Tarquinia, (T.a/34): Gabrici 1913a, p. 99, fig. 53; Canciani 1974 , p. 27, n. 3, tav. 19.3; Tanci, Tortoioli 2002, p. 64, n. 102, fig. 57 (gruppo M). *(tav. 4.3)*

Le cinque oinochoai della varietà a, accomunate dalla forma slanciata, risultano poco omogenee per decorazione: l'esemplare T.a/29 reca la medesima decorazione a triangoli e tratti obliqui del tipo Aa 3b, ridotta a semplici tratti in quello T.a/28, mentre le altre due, una tarquiniese (T.a/31) l'altra dalla t. 22 di Poggio Buco (PB.22/1), presentano il più diffuso schema metopale. Non esistendo dati associativi, non è possibile proporre una cronologia puntuale: bisogna tuttavia segnalare la datazione proposta da F. Canciani agli inizi del VII sec. a.C. per l'ex. T.a/29 con decorazione anomala[67].

Le stesse carenze inficiano anche per la varietà b la possibilità di verificare e circoscrivere la cronologia, solo ipoteticamente collocabile nei primi decenni del VII sec. a.C, sulla base della datazione del corredo del tumulo di Barbarano, che ne ha restituito un esemplare (Ba.I/1), e di una generica somiglianza con il tipo Aa 2.

Tipo Aa 5: collo troncoconico largo e sviluppato; corpo ovoide/ovoide slanciato. Decorazione bicroma. *(tav. 4)*

Varietà a: corpo ovoide (h 13,4-17,8 cm).

- Distribuzione:

Tarquinia, (T.a/35): Ricci Portoghesi 1968, p. 310, n. 6, tavv. 71.f, 72.a; Canciani 1974, p. 29, nn. 8-9, tav. 21.8-9; con ulteriore bibl. *(tav. 4.4)*

Tarquinia, (T.a/36): Canciani 1974, p. 31, nn. 8-9, tav. 22.8-9 con bibl. prec.; Tanci, Tortoioli 2002, p. 71, n. 120, fig. 72 (gruppo P).

Varietà b: corpo ovoide slanciato, dimensioni maggiori (h 22,4-24,6 cm).

- Distribuzione:

Tarquinia, (T.a/37): Ricci Portoghesi 1968, p. 310, n. 5, tav. 71.e; Canciani 1974, p. 30, nn. 2-3, tav. 22.2-3 con ulteriore bibl. *(tav. 4.5)*

Tarquinia, (T.a/38): Ricci Portoghesi 1968, p. 309; Canciani 1974, p. 29, n. 6, tav. 21.6.

Piuttosto uniforme da un punto di vista decorativo, per sintassi e tecnica bicroma, il tipo si articola in due varietà, individuate dalla diversa proporzione tra collo e corpo e rappresentate ognuna da una coppia di oinochoai

[67] In Campania tale sintassi decorativa permane ancora nella seconda metà del VII sec. a.C., come testimonia un'oinochoe morfologicamente diversa da Suessula conservata nella collezione Spinelli (Borriello 1991, p. 13, tav. 8.4).

tarquiniesi: la varietà a con collo basso e la b con collo slanciato. La scelta della bicromia, d'ispirazione cipriota, circoscrive la datazione del tipo intorno al 700 a.C. Con tecnica analoga è decorata un oinochoe miniaturistica (T.a/9; gruppo Aa), che non trova puntuale collocazione nella tipologia.

TIPO Aa 6: collo lievemente concavo; corpo ovoide/ovoide con pareti tese. Decorazione distribuita su più registri interessanti l'intera superficie del vaso. *(tav. 4)*

Varietà a: corpo ovoide; decorazione metopale sulla spalla, fasce ondulate su collo e ventre (h 18,2-23 cm).

- Distribuzione:

Tarquinia, (T.a/39): ÅKERSTRÖM 1943, p. 90, n. 1, tav. 24,1; CANCIANI 1974, p. 30, n. 4, tav. 22.4; TANCI, TORTOIOLI 2002, p. 51, n. 73, fig. 43 (gruppo I). *(tav. 4.6)*

Tarquinia, (T.a/47): ÅKERSTRÖM 1943, p. 90, n. 1, tav. 24.1; CANCIANI 1974, p. 30, n. 4, tav. 22.4.

Vulci, Osteria-Poggio Mengarelli, (Vu.O.t/1): CANCIANI 1974-1975, p. 80, figg. 1, 4; CANCIANI 1987, p. 244, n. 7.1 con bibl.

Variante:

Tarquinia, (T.a/40): ÅKERSTRÖM 1943, p. 90, n. 2, tav. 24.3; CANCIANI 1974, p. 30, n. 1, tav. 22.1; TANCI, TORTOIOLI 2002, p. 51, n. 72, fig. 42 (gruppo I). *(tav. 4.7)*

Varietà b: corpo ovoide; decorazione a pannello sulla spalla, registri variamente campiti sul collo e sul ventre (h 16-18,2 cm).

- Distribuzione:

Poggio Buco, Podere Sadun t. D, (PB.D/2): MATTEUCIG 1951, p. 34, n. 21, tav. X.4. *(tav. 4.8)*

Poggio Buco, t. VI, (PB.VI/1): BARTOLONI 1972, p. 66, n. 3, p. 67, fig. 30, tav. XXXIII b.

Avvicinabile alla varietà:

Tuscania, Pian di Mola, tomba a fenditura superiore (1969), (Tu.PM.t/1969/2): MORETTI SGUBINI 2000, p. 184, nota 9.

Varietà c: corpo ovoide con pareti a profilo teso; decorazione metopale sulla spalla; registri variamente campiti sul collo e sul ventre (h 19-24 cm).

- Distribuzione:

Tarquinia, (T.a/41): CANCIANI 1974,p. 30, n. 5, tav. 22.5.

Vulci, Ponte della Badia, t. XIII, (Vu.PA.13/1): GSELL 1891, p. 50, n. 3, tav. I.8.

Poggio Buco, Podere Insuglietti t. E, (PB.E/1): MATTEUCIG 1951, p. 38, n. 44, tav. XIII.19,

Poggio Buco, t. VI, (PB.VI/2): BARTOLONI 1972, p. 66, n. 2, p. 67, fig. 30, tav. XXXIII.a.

Poggio Buco, (PB.a/2): MANGANI, PAOLETTI 1986, p. 24, n. 1, tav. 22.1.

Poggio Buco, (PB.a/3): MANGANI, PAOLETTI 1986, p. 24, n. 3, tav. 22.3.

Poggio Buco, (PB.a/4): MANGANI, PAOLETTI 1986, p. 24, nn. 4-5, tav. 22.4-5.

Poggio Buco, (PB.a/5): BARTOLONI 1972, gruppo A, p. 158, n. 6, p. 157, fig. 77, tav. CV.a.

Provenienza sconosciuta, (PS/12): ALBIZZATI 1924-1929, p. 9, n. 31, tav. 3.

Provenienza sconosciuta (mercato antiquario), (PS/13): *Kunst der Antike*, Galerie G. Puhze, 1979, n. 34. *(tav. 4.9)*

Il tipo è rappresentato da un nutrito gruppo di oinochoai di quasi esclusiva provenienza dall'agro vulcente.

La varietà a comprende un solo esemplare di cui risulta nota la provenienza: l'oinochoe Vu. O.t/1 appartenente al corredo della t. del 1966 di Poggio Mengarelli, databile nell'ultimo quarto dell'VIII sec. a.C. In virtù della cronologia alta e dei tratti ancora sperimentali della forma, con collo largo e ventre arrotondato, essa sembra potersi considerare il prototipo della serie. Per forma e decorazione semplificate rispetto alle altre formulazioni sono avvicinabili due esemplari da Tarquinia (T.a/39, T.a/47), già ritenuti allogeni da Canciani, mentre anomala risulta l'oinochoe, sempre conservata a Tarquinia e qui identificata come variante (T.a/40).

La varietà b, pur condividendo con le oinochoai precedenti il profilo arrotondato del corpo, mostra a livello decorativo quella sovrapposizione di registri tipica della varietà successiva. Il campione, piuttosto modesto, appare costituito da due soli esemplari di Poggio Buco, l'uno proveniente dalla t. VI (PB.VI/1) e l'altro dalla t. D (PB.D/2), e da una terza oinochoe di provenienza tuscaniese (Tu.PM.t/1969/2).

Infine, la varietà c, copiosamente rappresentata da nove oinochoai provenienti soprattutto da Poggio Buco, è pienamente distinguibile per la forma tesa del corpo, rigorosamente associata ad una decorazione a registri sovrapposti con motivi decorativi ricorrenti. La presenza di due oinochoai di varietà b e c nello stesso corredo (t. VI di Poggio Buco), dimostra l'assenza di uno scarto cronologico o, per lo meno, di una sovrapposizione nell'adozione della varietà. Si ricorda infine che la varietà c risulta attestata anche nella t. E del medesimo centro, un sepolcro a camera per il quale non si esclude la presenza di più deposizioni.

Riassumendo, all'inizio della serie, a cavallo tra l'VIII e il VII secolo a.C., è collocabile la varietà a, cui seguirebbero nel corso della prima metà del VII, o più probabilmente del secondo quarto del VII sec. a.C., le altre due varietà.

Tipo Aa 7: collo alto lievemente concavo tendente al troncoconico; corpo ovoide con pareti leggermente arrotondate. Decorazione di tipo continuo su registri sovrapposti (h 2,8-25 cm). *(tav. 4)*

- Distribuzione:

Veio, Vaccareccia t. IX, (V.V.IX/1): Palm 1952, p. 65, n. 15, tav. XX.15. *(tav. 4.10)*

Veio, Vaccareccia t. XI, (V.V.XI/1); Felletti Maj 1953, p. 10, n. 1, tav. 10.1, con bibl. prec.; Palm 1952, p. 67, n. 5, tav. XXI.5

Avvicinabile al tipo, ma con collo maggiormente sviluppato:

Veio, Vaccareccia sporadico, (V.V/2): Papi 1988, p. 97, n. 3. *(tav. 4.11)*

Il tipo è rappresentato da due soli esemplari veienti (V.V.IX/1; V.V.XI/1), provenienti dalle tt. IX e XI di Vaccareccia datate nel corso del primo quarto del VII sec. a.C, cui è avvicinabile un esemplare adespota dalla medesima necropoli (V.V/2). Gli esemplari veienti si distaccano dalle oinochoai finora considerate per la forma affusolata con scarsa scansione tra le singole parti del corpo, che trova confronti in alcuni esemplari laziali leggermente più recenti[68], e per l'adozione di motivi decorativi di diversa matrice: accanto al meandro ricorre, infatti, in entrambe le oinochoai il motivo a losanga puntinata di estrazione PCA. Una generica rassomiglianza connette, inoltre, i vasi in esame ad un gruppo di oinochoai ceretano-veienti diffuse nella prima metà del VII sec. a.c. (tipo Cb 5).

Tipo Aa 8: collo sviluppato lievemente concavo; corpo ovoide con spalla distinta. Decorazione metopale sulla spalla (h 18,7-20,1 cm). *(tav. 4)*

- Distribuzione:

Tarquinia, Monterozzi t. *"fossa with a bronze bowl and geometric vases"*, (T.M.t/1): Hencken 1968, p. 358, fig. 356 a; Canciani 1974, p. 29, n. 2, tav. 21.2 con ulteriore bibl.; Tanci, Tortoioli 2002, p. 68, n. 113, fig. 66 (gruppo O). *(tav. 4.12)*

Tarquinia, (T.a/42): Canciani 1974, p. 29, nn. 4-5, tav. 21.4-5; Tanci, Tortoioli 2002, p. 69 , n. 114 (gruppo O).

Tuscania, Scalette, t. a tumulo 1989, (Tu.S.t/2): Moretti Sgubini 2000, pp. 181-182, fig. 7.

Castro, t. a cassa (scavi 1958), (Ca.t/1): Colonna 1977b, p. 199, tav. XLI.c.

Provenienza sconosciuta (coll. Marburg 1923) (PS/14): Van Ingen 1933, p. 39, tav. 20.8.

Varianti:

Cerveteri, Laghetto t. 274, (C.L.274/1): Cavagnaro Vanoni 1966, p. 210, n. 1, tav. 35.1; Zampieri 1991, p. 129, n. 59. *(tav. 4.13)*

Provenienza sconosciuta, (PS/171): A. Segbers, in *Bonn* 2008, p. 133, n. 181.

Il campione è costituito da due oinochoai conservate a Tarquinia (T.M.t/1; T.a/42), datate da F. Canciani al 700 a. C., da un esemplare conservato nel Museo del Michigan (PS/14), con buona probabilità riferibile alla stessa officina, e infine da due esemplari rispettivamente provenienti da Tuscania e Castro (Tu.S.t./2; Ca.t/1). Sono da considerarsi varianti l'oinochoe dal corredo della t. 274 del Laghetto (C.L.274/1), per il profilo gonfio del collo, e l'ex. PS/171, per l'assenza di campitura nelle metope e la peculiare decorazione del collo a linea spezzata, che, trovando confronti puntuali nell'oinochoe V.V./2, vicina al tipo Aa 7, e nelle situle (cap. II.2.9), suggerisce la pertinenza del pezzo a officine ceretano-veienti. Come il tipo precedente, anche queste oinochoai mostrano elementi di contaminazione con la coeva tradizione derivata da modelli greci,

[68] Coppia di exx. da Osteria dell'Osa, tt. 213 (Bietti Sestieri, De Santis 1992, p. 851, n. 4, fig. 3c.69.4 , tipo 95 g); e 601 (Eaedem , p. 851, n. 15, fig. 3c.73.15, tipo 95 i), entrambe databili nella fase IV A2.

che in questo caso esercita un influsso preponderante sia sulla morfologia che sulla sintassi decorativa. In particolar modo, per l'esemplare T.a/42 risultano stringenti le analogie con un'oinochoe pitecusana di probabile fabbrica euboica[69], che conferma per il tipo la cronologia agli inizi del VII sec. a.C.

Esemplari genericamente ascrivibili al gruppo Aa:

Veio, (V.a/11): DELPINO 1985, p. 208, n. 116, tav. XVIII.116.

Tarquinia, Poggio delle Arcatelle t. a fossa, (T.Ar.t/1): JACOPI 1955, tav. 2,5; HENCKEN 1968, p. 356, fig. 356 b; TANCI, TORTOIOLI 2002, p. 70, n. 116, fig. 68 (gruppo P). *(tav. 4.16)*

Tarquinia, (T.a/8): JACOPI 1955, tav. 2.8. *(tav. 4.14)*

Tarquinia, (T.a/9): CANCIANI 1974, p. 24, n. 10, tav. 17.10; TANCI, TORTOIOLI 2002, p. 63, n. 100, tav. IV.a (gruppo M). *(tav. 4.15)*

Provenienza sconosciuta, (PS/11): CANCIANI 1987, p. 249, n. 15.

Tarquinia, (T.a/43): CANCIANI 1974, p. 20, n. 9, tav. 15.9; TANCI, TORTOIOLI 2002, p. 58, n. 87, fig. 51 (gruppo L).

GRUPPO Ab: bocca trilobata; collo troncoconico a profilo concavo; corpo globulare/ovoide; ansa verticale lievemente sormontante. Decorazione con raggi sul collo e sulla spalla.

TIPO Ab 1: collo sottile troncoconico; corpo globulare; ansa sinuosa. Decorazione con raggi sul collo e sulla spalla (h 12,3 cm). *(tav. 4)*

- Distribuzione:

Tarquinia, (T.a/44): CANCIANI 1974, p. 23, n. 8, tav. 17.8; TANCI, TORTOIOLI 2002, p. 49, n. 68, fig. 39 (gruppo H). *(tav. 4.18)*

Tarquinia, (T.a/45): CANCIANI 1974, p. 23, n. 9, tav. 17,9; COLONNA 1977d, p. 78, tav. XXX.d; TANCI, TORTOIOLI 2002, p. 49, n. 69, fig. 40 (gruppo H).

L'unico tipo costitutivo del gruppo è rappresentato unicamente da due sole oinochoai conservate a Tarquinia, che, sebbene nella forma siano assimilabili alle brocchette di tipo fenicio-cipriota, recano una decorazione inconsueta con fasce e file di raggi pendenti ed eretti, tipica invece delle oinochoai ovoidi/tendenti al piriforme. Entrambe i pezzi sono stati riferiti da F. Canciani ad una bottega tarquiniese. Avvicinabili al tipo sono infine due oinochoai dalla t. XVIII di Picazzano, databile nell'orientalizzante medio (V.P.XIII/1), e una della Vaccareccia (V.V.X/1).

Genericamente ascrivibile al gruppo Ab:

Veio, Picazzano, t. XIII, (V.P.XIII/1): PALM 1952, p. 54, n. 8, tav. II.8; FELLETTI MAJ 1953, p. 10, n. 1, tav. 11.1, con bibl. prec. *(tav. 4.17)*

Veio, Vaccareccia, t. X, (V.V.X/1): PALM 1952, p. 66, n. 22, tav. XXI.22; FELLETTI MAJ 1953, p. 10, n. 4, tav. 10.4, con bibl. prec.

---

[69] *Pithekoussai* I, p. 631, n. 1, tav. 182 (t. 652, TG II): l'unica discrepanza è costituita dalla campitura delle metope con il diffuso motivo della losanga reticolata, comune al tipo Aa 1b.

Esemplari genericamente ascrivibili al gruppo A:
Cerveteri, Banditaccia, t. Mengarelli IX, (C.B.IX/1): LEACH 1987, p. 63, n. 149 (oinochoe 1b).
Cerveteri, Laghetto I, t. a camera 71, (C.L.71/2): CAVAGNARO VANONI 1966 p. 96, n. 1, tav. 10.
Cerveteri, Laghetto, t. 471, (C.L.471/1): LEACH 1987, p. 62, n. 146 (oinochoe 1b).
Tarquinia, Monterozzi t. XVII (scavi Cultrera), (T.M.17/1): CULTRERA 1930, p. 153, n. 1.

GRUPPO B

Confluiscono nel gruppo oinochoai con corpo ovoide, i cui modelli di riferimento sono rintracciabili nel PCA e nel PCM. Ampia risulta la varietà decorativa, gravitante solitamente sulla presenza costante di raggi sulla spalla, occasionalmente estesi anche al collo o al ventre. All'interno del gruppo appare inoltre riconoscibile l'opera di personalità artistiche di rilievo, nella maggior parte dei casi legate all'ambiente tarquiniese, comparto cui è da riferirsi la quasi totalità delle attestazioni ivi considerate.

GRUPPO Bb: bocca trilobata; collo troncoconico/cilindrico largo; corpo ovoide/ovoide espanso con pareti arrotondate. Decorazione: solitamente raggi sulla spalla, eventualmente anche sul collo, spesso associati a registri multipli sul corpo.

TIPO Bb 1: largo e basso collo cilindrico; corpo ovoide con spalla sfuggente (h 12-20 cm). Gruppi di tremoli orizzontali sul collo e sulla spalla, sormontanti una fila di metope; sul ventre linee e fasce. *(tav. 5)*

- Distribuzione:

Tarquinia, Monterozzi t. "*fossa with a bronze bowl and geometric vases*", (T.M.t/2): HENCKEN 1968, p. 358, fig. 356 b.
Tarquinia, (T.a/49): CANCIANI 1974, p. 20, n. 6, tav. 15.6; TANCI, TORTOIOLI 2002, p. 56, n. 82, fig. 48 (gruppo L).
Tarquinia, (T.a/50): CANCIANI 1974, p. 20, n. 7, tav. 15.7; TANCI, TORTOIOLI 2002, p. 56, n. 83, fig. 49 (gruppo L). *(tav. 5.1)*

Il tipo è costituito da tre oinochoai tarquiniesi, nettamente caratterizzate da un punto di vista tettonico dalla spalla sfuggente e il collo ampio, attribuite da F. Canciani alla stessa fabbrica responsabile della produzione delle oinochoai di tipo Aa 3a. Tuttavia, la presenza di file di raggi e l'inserzione di un sottile registro metopale in corrispondenza del massimo punto di espansione, nonché l'aspetto generale del corpo, le rende, a mio avviso, piuttosto avvicinabili al tipo Bb 2. Da un punto di vista cronologico tale slittamento non comporterebbe uno iato apprezzabile.

TIPO Bb 2: largo collo cilindrico; corpo ovoide con spalla arrotondata. Nel punto di massima espansione registri sovrapposti variamente decorati, sul ventre raggi. *(tav. 5)*

Varietà a: registri con decorazione geometrica (h. 20,1-26,3 cm).
• Distribuzione:
Tarquinia, (T.a/53): CANCIANI 1974, p. 22, nn. 6-7, tav. 16.6-7, con bibl.; TANCI, TORTOIOLI 2002, p. 42, n. 50, tav. II.C (gruppo E). *(tav. 5.2)*
Tarquinia, (T.a/54): CANCIANI 1974, p. 22, nn. 8-9, tav. 16.8-9; TANCI, TORTOIOLI 2002, p. 42, n. 51, fig. 30 (gruppo E).
Variante:
Tarquinia, (T.a/55): CANCIANI 1974, p. 23, n. 7, tav. 17.7; TANCI, TORTOIOLI 2002, p. 48, n. 66, fig. 38 (gruppo G). *(tav. 5.3)*

Varietà b: registro centrale con teoria di pesci/cavalli; di dimensioni lievemente maggiori rispetto alla varietà a (h. 28,4 -31,1).
• Distribuzione:
Tarquinia, (T.a/56): CANCIANI 1974, p. 22, n. 5, tav. 16.5. *(tav. 5.4)*
Tarquinia, (T.a/57): CANCIANI 1974, p. 21, nn. 1-2, tav. 16.1-2; TANCI, TORTOIOLI 2002, p. 40, n. 47, fig. 29 (gruppo E).
Tarquinia, (T.a/58): GSELL 1891, p. 388, fig. 96; MONTELIUS 1895-1910, tav. 293.2-3; GABRICI 1913a, fig. 143 a-b; GABRICI 1913b, p. 94, fig. 38 a-b; JACOPI 1955, tav. 1.1; MARTELLI 1984, p. 6, fig. 16; CATALDI 1986, p. 233, n. 680; TANCI, TORTOIOLI 2002, p. 41, n. 49, tav. II.a-b (gruppo E). *(tav. 5.5)*
Tarquinia, (T.a/59): GSELL 1891, p. 386, fig. 94; MONTELIUS 1895-1910, tav. 292.4; GABRICI 1913a, p. 93, fig. 36; CANCIANI 1974, p. 22, nn. 3-4, tav. 16.3-4; TANCI, TORTOIOLI 2002, p. 40, n. 48, tav. I d (gruppo E).
Variante:
Provenienza sconosciuta, probabilmente dall'Etruria (già coll. Pizzati), (PS/17): CANCIANI 1987, p. 253, n. 25 con bibl. *(tav. 5.6)*

Sotto tale denominazione si raccolgono oinochoai uscite dalla medesima officina e caratterizzate da una ricca decorazione a registri sovrapposti, comprendenti motivi puramente geometrici (varietà a)[70] o animalistici, nello specifico teorie di pesci (varietà b). All'ultima varietà sono inoltre avvicinabili due vasi d'eccezione: l'oinochoe eponima del Pittore dei Cavalli Allungati (T.a/58) e la nota oinochoe conservata al *British Museum* con scena di commiato (PS/17), in cui J.N. Coldstream ha riconosciuto le figure di Teseo e Arianna e ravvisato la mano del medesimo artista. A tale personalità, un artigiano euboico immigrato a Tarquinia nei primi anni del VII secolo a.C., cui non sono estranee suggestioni di matrice attica e protocorinzia, o alla sua cerchia, è da

[70] La forma trova riscontro in un'oinochoe di produzione locale deposta nella t. 152 di Pitecusa databile nel TG II: in particolar modo si sottolinea, malgrado la sintassi decorativa differente, il ricorrere sulla spalla del motivo a tratti intersecati presente anche nell' ex. T.a/52 (*Pithekoussai* I, n. 2, p. 188, tav. 58.2).

imputarsi la realizzazione delle oinochoai di tipo 2, come già ipotizzato da S. Bruni[71]. A tale *dossier* lo studioso ha recentemente aggiunto due ulteriori pezzi: uno inedito proveniente da sequestro[72] ed un altro, menzionato da R. Dik, attribuito anch'esso a Tarquinia. Oltre alle componenti già accennate, sono presenti inoltre nella varietà b, come già rilevato da F. Canciani, richiami all'opera di un altro grande ceramografo attivo a Tarquinia nel medesimo momento, il Pittore delle Palme[73].

TIPO Bb 3: collo cilindrico poco sviluppato; corpo ovoide con spalla arrotondata. Decorazione limitata alla spalla. *(tav. 5)*

Varietà a: sul collo fasce ondulate verticali/tremoli; tremoli, associati o meno a raggi, sulla spalla; sul ventre linee e fasce (h 25-28,3 cm).

• Distribuzione:

Tarquinia, Gallinaro t. 8, (T.G.8/4): HENCKEN 1968, pp. 345-346, fig. 344.a, con bibl.; L. DONATI, in *Portoferraio* 1985, p. 74, n. 243.

Tarquinia, Gallinaro t. 8, (T.G.8/5): HENCKEN 1968, pp. 345-346, fig. 344.d, con bibl.; L. DONATI, in *Portoferraio* 1985, p. 75, n. 244.

Tarquinia, (T.a/60): CANCIANI 1974, p. 19, n. 5, tav. 14.5; TANCI, TORTOIOLI 2002, p. 28, n. 20 (gruppo B). *(tav. 5.7)*

Avvicinabile alla varietà:

Tarquinia, Gallinaro t. 8, (T.G.8/6): HENCKEN 1968, pp. 345-346, fig. 345.d, con bibl.; L. DONATI, in *Portoferraio* 1985, p. 75, n. 245. *(tav. 5.8)*

Varietà b: sul collo raggi; sulla spalla catena di losanghe/raggi associati a teorie di pesci (h 26,3-30,5 cm).

• Distribuzione:

Tarquinia, Monterozzi t. a "*camera with a ribbed*", (T.M.tc/1): HELBIG 1885, p. 80, n. 1 (identificazione probabile); PASQUI 1885, p. 472; HENCKEN 1968, p. 363; CANCIANI 1974, p. 19, n. 1, tav. 14.1; TANCI, TORTOIOLI 2002, p. 29, n. 23, fig. 14 (gruppo B).

Tarquinia, (T.a/61): CANCIANI 1974, p. 19, n. 2, tav. 14.2; TANCI, TORTOIOLI 2002, p. 27, n. 19, fig. 12 (gruppo B). *(tav. 5.9)*

La varietà a è rappresentata da tre esemplari tarquiniesi, uno conservato nella raccolta comunale (T.a/60), e altri due provenienti dalla t. a fossa 8 di Poggio Gallinaro (T.G.8/4-5), datata nel primo quarto del VII secolo a.C. La coppia, formalmente identica e opera della stessa mano, presenta, al posto della consueta pittura uniforme nella parte inferiore del ventre, una catena di esse coricate agganciate, che per la grande estensione ricordano nell'aspetto generale la linea ondulata tipica della coeva produzione attribuita alla bottega di Bocchoris. Lo stesso contesto ha, inoltre, restituito un esemplare con decorazione puramente lineare e con labbro brevissimo, che per la tettonica gene-

---

[71] BRUNI 1994, p. 300, con bibl. prec.

[72] Inv. 3686/ sequestro n. 25061962.

[73] DIK 1981b, p. 78, nota 36, tav. 23.1; CANCIANI 1974, p. 22.

rale può essere accostato alla varietà a, costituendone una variante (T.G.8/6). Quest'ultimo esemplare trova un omologo pressoché coevo in un'anomala versione a bocca tonda, presente nella t. 16 della necropoli capenate di S. Martino[74].

La varietà b, caratterizzata da raggi sul collo, mostra invece una maggiore varietà decorativa: sebbene il campione appaia molto ristretto, la spalla reca in un caso (T.a/61) una catena di losanghe reticolate, tipica della produzione vulcente e tarquiniese, e nell'altro (T.M.tc/1) una teoria di pesci, mediati probabilmente da modelli PCM. La cronologia del tipo nei primi anni del VII sec. a.C., suggerita dall'unico contesto noto, è ulteriormente confortata dai numerosi esemplari, morfologicamente affini ed evocanti modelli PCA, presenti in contesti pitecusani appartenenti alla fase locale TG II[75].

Il tipo Bb 3 presenta nella forma e genericamente nella sintassi decorativa analogie con un'oinochoe di produzione locale dalla t. 147 di Pitecusa[76], puntualmente confrontabile per la decorazione del collo, condivisa dall'oinochoe dalla t. 65,1 di Macchia della Turchina (T.MT.65,1/1), e della spalla, avvicinabile all'oinochoe dalla tomba 6337 di Monterozzi (T.M.6337/1, tipo 4a).

Tipo Bb 4: collo poco sviluppato; corpo ovoide espanso con spalla arrotondata lievemente sfuggente. Decorazione limitata alla spalla. *(tav. 5)*

Varietà a: raggi sul collo, sulla spalla raggi sormontanti un registro con metope, sul ventre linee e fascia/motivi a gancio (h 21,7-22 cm).

- Distribuzione:

Tarquinia, Monterozzi t. 6337, (T.M.6337/1): Cataldi 2001, p. 96, n. 2 , p. 99, fig. 119.

Tarquinia, (T.a/62): Canciani 1974, p. 20, n. 3, tav. 15.3; Tanci, Tortoioli 2002, p. 57, n. 84 (gruppo L).

Tarquinia, (T.a/63): Åkerström 1943, p. 90, n. 3, tav. 24.4; Camporeale 1967, p. 114, n. 4; Canciani 1974, p. 20, n. 4, tav. 15.4; Tanci, Tortoioli 2002, p. 57, n. 85 (gruppo L). *(tav. 5.10)*

Varietà b: sul collo linea ondulata, sulla spalla raggi (h 18,7-19,7 cm).

- Distribuzione:

Tarquinia, (T.a/64): Canciani 1974, p. 20, n. 8, tav. 15.8; Tanci, Tortoioli 2002, p. 58, n. 88 (gruppo L).

Tarquinia, (T.a/65): Åkerström 1943, p. 90, n. 4, tav. 24.6; Camporeale 1967, p. 114, n. 4; Canciani 1974, p. 20, n. 5, tav. 15.5; Tanci, Tortoioli 2002, p. 57, n. 86 (gruppo L). *(tav. 5.11)*

---

[74] Da ultima: Mura Sommella 2004-2005, p. 268, p. 269, fig. 51.

[75] Tt. 148 (*Pithekoussai* I, p. 183, n.1, tav. 55.1), 160 (*ibidem*, p. 201, n. 1, tav. 62.1), 162 (*ibidem*, p. 205, 1, tav. 64.1), 454 (*ibidem*, p. 458, n. 1, tav. 135.1); 181 (*ibidem*, p. 235, n. 1, tav. 77.1), quest'ultimo ex. in particolar modo avvicinabile per la sintassi decorativa alle oinochoai T.G.8/4-5.

[76] *Pithekoussai* I, p. 180, n. 1, tav. 54.1.

La varietà a del tipo Bb 4 è costituita da due esemplari provenienti dalla Raccolta Comunale Tarquiniese, cui sembra assimilabile per forma e sintassi decorativa un'oinochoe recentemente rinvenuta nella necropoli di Monterozzi (T.M.6337/1), che si differenzia per la presenza di raggi nella parte inferiore del ventre, negli altri esemplari citati dipinta a vernice, e per l'inserzione nel tessuto decorativo di motivi a gancio pendenti e eretti, che trovano un parallelo nella kotyle realizzata dalla bottega di Bocchoris (T.B/2). Per quanto concerne l'inquadramento cronologico della varietà, la datazione del corredo della tomba 6337 tra la fine dell'VIII-inizi del VII sec. a.C. coincide sostanzialmente con quella già proposta da F. Canciani per le due oinochoai conservate nel Museo e con quella dell'evidenza pitecusana[77].

Nessun dato di rinvenimento è invece disponibile per le due oinochoai tarquiniesi che costituiscono la varietà b, caratterizzata da una sintassi decorativa semplificata; per la varietà è proponibile una datazione analoga a quella del nucleo precedente, in considerazione delle affinità morfologiche e decorative.

Tipo Bb 5: collo poco sviluppato; corpo ovoide espanso con spalla arrotondata. Decorazione distribuita su più registri sovrapposti, comprendenti raggi, gruppi di tremoli verticali e motivi ad esse; sul ventre linee e fascia. *(tav. 5)*

Varietà a: corpo ovoide espanso; registri comprendenti raggi, tremoli e motivi ad esse (h 24,8-27,8 cm; PS/19: 34,5 cm).

- Distribuzione:

Passo della Sibilla t. A, (Si.A/1): Raddatz 1983, p. 210, n. 6, fig. 2.1, tav. 29.1.

Tarquinia, (T.a/66): Canciani 1974, p. 19, n. 3, tav. 14.3; Tanci, Tortoioli 2002, p. 29, n. 22 (gruppo B). *(tav. 5.12)*

Tarquinia, (T.a/67): Canciani 1974, p. 19, n. 4, tav. 14.4; Tanci, Tortoioli 2002, p. 28, n. 21, fig. 13 (gruppo B).

Provenienza sconosciuta (coll. A. Castellani), (PS/19): Mingazzini 1930, p. 105, n. 320, tav. XVII.2.

Provenienza sconosciuta (coll. Marburg 1923), (PS/20): Van Ingen 1933, p. 39, tav. 20.9.

Variante:

Provenienza sconosciuta, (PS/18): Giglioli, Bianco 1965, p. 3, n. 4, tav. 3.4. *(tav. 5.13)*

Varietà b: corpo ovoide; registri sovrapposti sul corpo decorati da raggi (h 25,5-30 cm).

- Distribuzione:

Tarquinia, Monterozzi t. XXXII (scavi Cultrera), (T.M.32/1): Cultrera 1930, p. 147, n. 1; Bruni 1986a, p. 275, n. 708 d, p. 277, fig. 270.

---

[77] Ex. dalla t. 147, databile nel TG II (*Pithekoussai* I, p. 180, n. 1 tav. 54.1), in particolar modo confrontabile per la sintassi decorativa con l'oinochoe T.M.6337/1, da cui diverge solo per il ventre dipinto.

Tarquinia, (T.a/68): CANCIANI 1974, p. 28, n. 2, tav. 20.2; TANCI, TORTOIOLI 2002, p. 50, n. 71 (gruppo I).
Tarquinia, (T.a/69): CANCIANI 1974, p. 27, n. 1, tav. 20.1; TANCI, TORTOIOLI 2002, p. 50, n. 70, fig. 41 (gruppo I). *(tav. 5.14)*
Provenienza sconosciuta, (acquistato a Roma) (PS/21): PIETILÄ-CASTRÉN *et al.* 2003, p. 98, n. 1, fig. 176, tav. 66. 1a-b.

Il tipo si articola in due varietà, determinate dalla conformazione del collo e dal suo rapporto con l'altezza globale del vaso. Con l'unica eccezione dell'oinochoe di varietà b proveniente dalla t. 32 di Monterozzi (T.M.32/1), datata nel corso della prima metà del VII secolo a.C., e dell'esemplare dal Passo della Sibilla, afferente alla varietà a (Si.A/1), non sono note le associazioni originarie dei materiali. Tutte le oinochoai conservate nel museo di Tarquinia sono state attribuite da F. Canciani, assieme a quelle confluite nei tipi Bb 3 e Bb 9a della presente classificazione, ad un'unica bottega attiva a Tarquinia nei primi decenni del VII sec. a.C., cui lo stesso studioso avvicina due esemplari conservati nei Musei Capitolini (PS/19) e nel Museo del Michigan (PS 20), riferibili alla varietà a del tipo 5. Quest'ultima include, inoltre, un'oinochoe recentemente edita nel CVA della Finlandia[78] (PS/21), che, conseguentemente a quanto esposto, è da riferirsi a fabbrica tarquiniese. Una significativa eccezione alla distribuzione tarquiniese delle attestazioni è costituita, come accennato, dall'esemplare del territorio veiente: la somiglianza, riscontrabile anche nell'adozione dei motivi a esse condivisi dall'esemplare T.a/66, può forse giustificarsi con la comune aderenza agli stessi modelli PCM[79] o, meno probabilmente, trovare ragione in una dipendenza da quelli tarquiniesi.

TIPO Bb 6: alto collo cilindrico; corpo ovoide slanciato con spalla arrotondata. Decorazione distribuita in più registri sovrapposti decorati da raggi, presenti anche sul ventre; presso la base raggi (h 33,5 cm). *(tav. 5)*

- Distribuzione:

Tarquinia, tomba di Bocchoris, (T.B/1): HENCKEN 1968, p. 374, fig. 367.a; CANCIANI 1974, p. 23, n. 2, tav. 17.2 con ulteriore bibl. prec.; TANCI, TORTOIOLI 2002, p. 47, n. 62, fig. 37 (gruppo G); HOFFMANN 2004, p. 95, n. I/52.b.
Tarquinia, (T.a/70): CANCIANI 1974, p. 23, n. 1, tav. 17.1; TANCI, TORTOIOLI 2002, p. 47, n. 63, tav. II.d (gruppo G). *(tav. 5.15)*

Costituiscono il tipo due oinochoai tarquiniesi, l'una integra e l'altra frammentaria. Quest'ultima, proveniente dalla tomba di Bocchoris, permette di individuare nel primo decennio del VII sec. a.C. la cronologia del nucleo.

---

[78] L' ex. adespota risulta acquistato sul mercato antiquario romano.
[79] CANCIANI 1974, p. 19, comm. a tav. 14.1 con rif.; si segnala inoltre un'oinochoe dalla t. 168 di S. Valentino Torio della locale fase III B, in particolar modo affine alla varietà a per la presenza di gruppi di tremoli sul corpo (DE SPAGNOLIS 2001, p. 76, fig. 24).

TIPO Bb 7: corpo ovoide espanso con spalla arrotondata. Decorazione limitata alla spalla, costituita da raggi associati o meno a metope; sul ventre linee orizzontali, presso il fondo linea ondulata (h 25,8-30 cm). *(tav. 6)*

- Distribuzione:

Tarquinia, (T.a/71): CANCIANI 1974, p. 11, nn. 7-8, tav. 5.7-8; TANCI, TORTOIOLI 2002, p. 27, n. 18, tav. I.a (gruppo B).
Tarquinia, (T.a/72): CANCIANI 1974, p. 11, n. 3, tav. 4.3; TANCI, TORTOIOLI 2002, p. 25 , n. 12 (gruppo B).
Tarquinia, (T.a/73): CANCIANI 1974, p. 11, nn. 3-4, tav. 5.3-4; TANCI, TORTOIOLI 2002, p. 25, n. 14 (gruppo B). *(tav. 6.1)*
Tarquinia, (T.a/74): CANCIANI 1974, p. 12, nn. 1-2, tav. 6.1-2; TANCI, TORTOIOLI 2002, p. 26, n. 15, fig. 9 (gruppo B).
Tarquinia, (T.a/75): CANCIANI 1974, p. 12, nn. 3-4, tav. 6.3-4; TANCI, TORTOIOLI 2002, p. 26, n. 16, fig. 10 (gruppo B).
Tarquinia, (T.a/76): GSELL 1891, p. 382, fig. 88; CANCIANI 1974, p. 11, nn. 5-6, tav. 5.5-6; TANCI, TORTOIOLI 2002, p. 25, n. 13, fig. 8 (gruppo B).

Variante:

Tarquinia, Monterozzi t. 66, (T.M.66/1): ROMANELLI 1943, p. 314, figg. 1-3; HENCKEN 1968, p. 391, fig. 382 b, tav. 150; CANCIANI 1974, p. 10, n. 1-2-4, tav. 4.1,2,4; BARTOLONI, DELPINO 1975, p. 12, nota 32; CANCIANI 1987, p. 253, n. 21. *(tav. 6.2)*

Allo stesso periodo del tipo precedente, gli inizi del VII sec. a.C., è ascrivibile il tipo Bb7, rappresentato da un nutrito gruppo di esemplari tarquiniesi, imitanti creazioni del PCA e del PCM[80], per lo più privi dei contesti originari e unitariamente attribuiti da F. Canciani all'attività dell'officina di Bocchoris. Caratteristica è l'adozione della linea sinuosa sul collo e sul ventre del vaso, attestata inoltre su alcune oinochoai pitecusane di produzione locale[81]. Alla stessa bottega è da ricondursi l'oinochoe della t. 66 degli scavi Romanelli (T.M.66/1), qui indicata come variante per la presenza di un elaborata decorazione animalistica, che presenta confronti stringenti con la kotyle dalla tomba di Bocchoris.

TIPO Bb 8: corpo ovoide espanso con spalla arrotondata. Decorazione di tipo floreale estesa sulla spalla e sul ventre (h 28,2-29,1 cm). *(tav. 6)*

- Distribuzione:

Tarquinia, (T.a/77): CANCIANI 1974, p. 11, nn. 1-2, tav. 5.1-2; TANCI, TORTOIOLI 2002, p. 27, n. 17, fig. 11 (gruppo B). *(tav. 6.3)*
Provenienza sconosciuta (coll. Pesciotti), (PS/22): CANCIANI 1976, p. 28, figg. 6-8, con bibl. prec.; CANCIANI 1987, p. 251, n. 20.

La bottega di Bocchoris mostra alcune sostanziali affinità con il Gruppo

---

[80] CANCIANI 1974, p. 10, n. 1 con rif.; agli stessi prototipi PCM si ispira l'oinochoe deposta nella t. XCV della necropoli esquilina (*Roma* 1976, cat. 42, p. 140, n. 8, tav. XX.B.8).

[81] Exx. morfologicamente affini dalle tt. 161, del TG I (*Pithekoussai* I, p. 203, n. 1, tav. 63.1), 469 (*ibidem*, p. 470, n. 1, tav. 138.1), e 158 a, del TG II (*ibidem*, p. 195, n. 1, tav. 64.1).

Cuma[82], individuato da F. Canciani: queste parentele diventano evidenti nel caso dell'oinochoe tarquiniese T.a/77 inserita nel tipo Bb 8 della presente tipologia. All'oinochoe citata è inoltre avvicinabile un esemplare adespota dalla collezione Pesciotti (PS/22), anch'esso di ispirazione cumana, in cui compare, al posto della consueta linea ondulata in prossimità del piede, tipica della produzione di Bocchoris, la più diffusa corona di raggi; il tipo è inquadrabile nel corso del primo decennio del VII sec. a.C.

TIPO Bb 9: corpo ovoide espanso con spalla arrotondata e ventre leggermente rastremato/arrotondato. Decorazione: metope/pannello/raggi sul collo; raggi sulla spalla; linee e raggi sul ventre. *(tav. 6)*

Varietà a: ventre rastremato (h 26,5-28,5 cm).
- Distribuzione:

Tarquinia, (T.a/78): GABRICI 1913a, p. 93, fig. 37; CANCIANI 1974, p. 19, tav. 14.6-7; F. COLIVICCHI, in *Venezia* 2000, p. 600, n. 185; TANCI, TORTOIOLI 2002, p. 55, n. 81 (gruppo L). *(tav. 6.4)*
Tarquinia, (T.a/79): CANCIANI 1974, p. 20, n. 1, tav. 15.1; TANCI, TORTOIOLI 2002, p. 55, n. 80, (gruppo L).
Tarquinia, (T.a/80): CANCIANI 1974, p. 19, n. 8, tav. 14.8; TANCI, TORTOIOLI 2002, p. 55, n. 79, fig. 47 (gruppo L).

Varietà b: ventre arrotondato (h 28,5-29,5).
- Distribuzione:

Tarquinia, (T.a/81): CANCIANI 1974, p. 23, nn. 3,6, tav. 17.3,6; TANCI, TORTOIOLI 2002, p. 46, n. 61 (gruppo G). *(tav. 6.5)*
Tarquinia, (T.a/82): CANCIANI 1974, p. 23, n. 4, tav. 17.4; TANCI, TORTOIOLI 2002, p. 48, n. 65 (gruppo G).

Le oinochoai che confluiscono nel tipo, tutte di origine tarquiniese, appartengono ad un gruppo poco nutrito di esemplari ovoidi, che recano un partito decorativo con doppia corona di raggi sulla spalla e sul ventre, tra i più diffusi nelle oinochoai con corpo slanciato tendente al piriforme (Gruppo Cb).

Sono presenti due varietà, articolate in base alla più o meno pronunciata conformazione ovoide del corpo: la varietà a con ventre maggiormente rastremato rinvia a modelli PCM[83], mentre l'altra varietà, per la fisionomia fortemente arrotondata, richiama più da vicino le caratteristiche del gruppo Cuma[84]. La perdita dei dati relativi ai contesti d'appartenenza non permette di indicarne con puntualità la cronologia, genericamente inquadrata da F. Can-

---

[82] Sul gruppo Cuma: BENSON 1989, pp. 28-31, tavv. 8-11, con elenco delle attribuzioni, riferibili a due officine: *Workshop Cumae* e il suo esito più tardo, ancora nell'ambito del EPC, *Vine Workshop* che preclude alla bottega del *Toulouse Group* attiva nel MPC I (IDEM, pp. 41-42, tavv. 13-14).

[83] CANCIANI 1974, p. 20, comm. a tav. 14.6 con rif.

[84] CANCIANI 1974, p. 24, comm. a tav. 17.2.

ciani nella prima metà del VII sec. a.C. e limitata, in seguito, al primo quarto dello stesso secolo nella pubblicazione dei materiali tarquiniesi curata da S. Tanci e C. Tortoioli. Quest'ultima proposta appare confortata dalla datazione della nota t. 152 di Decima, che ha restituito un esemplare puntualmente confrontabile con la varietà a e, in particolare per la sintassi decorativa del collo, con l'oinochoe T.a/78[85].

Ascrivibili al gruppo Bb una coppia di oinochoai di grandi dimensioni (h attorno ai 43 cm ca) *(tav. 6)*:

Vulci, Poggio Maremma, t. del 6/9/1966, (Vu.PM.1966/1): Moretti Sgubini 2001, p. 189, III.B.3, tav. XIII. *(tav. 6.9)*

Provenienza sconosciuta (coll. Pesciotti), (PS/16): Canciani 1976, p. 27, figg.3-5, con bibl. prec.; La Rocca 1978, p. 491, figg. 18-19. *(tav. 6.10)*

ed inoltre gli esemplari *(tav. 6):*

Tarquinia, (T.a/48): Gabrici 1913a, p. 98, p. 101, fig. 155; Canciani 1974, p. 16, nn. 1-4, tav. 10.1-4; Tanci, Tortoioli 2002, p. 53, n. 77, fig. 45, tav. III c. *(tav. 6.8)*

Tarquinia, (T.a/51): Canciani 1974, p. 31, n. 11, tav. 22.11; Tanci, Tortoioli 2002, p. 48, n. 67 (gruppo G). *(tav. 6.6)*

Tarquinia, (T.a/52): Canciani 1974, p. 18, n. 5, tav. 13.5; Tanci, Tortoioli 2002, p. 20, n. 3, fig. 3 (gruppo A). *(tav. 6.7)*

Provenienza sconosciuta, (PS/15): Rükert 1996, p. 45, tav. 23.4.

Non direttamente inseribili nello schema tipologico risultano le due oinochoai con ansa bifora e decorazione elaborata di stampo geometrico, databili nel corso dell'orientalizzante antico: una adespota, appartenente alla Collezione Pesciotti, l'altra proveniente dalla t. vulcente del 6/9/1966 di Poggio Maremma, ancora databile nell'ultimo quarto dell'VIII sec. a.C. Entrambi i vasi, attribuiti alla Bottega del Biconico di Vulci, sono dunque opera di un'artista euboico immigrato che non esita a fondere tradizione ellenica e locale[86].

Si ricordano inoltre due esemplari conservati a Tarquinia: il primo, T.a/51, mostra una commistione di caratteri tra le oinochoai Aa 7 e Bb 3 variante ed è stato datato da F. Canciani agli inizi del VII sec. a.C.[87]; alla seconda metà del secolo, è stata, invece, attribuita dallo stesso autore l'oinochoe T.a/50[88].

Gruppo Cb: collo sviluppato; corpo ovoide tendente al piriforme. Decorazione: prevalente presenza di raggi sulla spalla, sovente apposti anche sul collo.

Confluisce nel gruppo una vasta serie di oinochoai a corpo ovoide tendente al piriforme, con spalla ampia e distinta. Come il precedente, anche questo nu-

---

85 Bartoloni 1975, p. 298, n. 3, figg. 82.3, 84.

86 Per l'analisi dei modelli greci, principalmente di matrice euboica, propri della forma adottata, dei motivi e della sintassi decorativa, si rinvia a Canciani 1976, p. 28 con bibl.

87 Canciani 1974, p. 31, comm. a tav. 22.11.

88 Canciani 1974, p. 18, comm. a tav. 13.5.

cleo adotta specialmente nella morfologia i modelli PC, ora però principalmente attinti alle esperienze della fase media e tarda[89]. Rispetto al gruppo precedente, la gamma decorativa appare meno varia: ad eccezione degli esemplari con decorazione animalistica, raccolti nel tipo Cb1, gli schemi più usuali prevedono una decorazione accessoria sul collo (metope/pannello, triangoli o fila di esse orizzontali) e una fila di raggi sulla spalla, associata o meno a registri con *chevrons*; a queste combinazioni corrispondono sia esemplari con ventre dipinto che con corona di cuspidi alla base.

TIPO Cb 1: corpo ovoide tendente al piriforme con pareti arrotondate. Decorazione: sul collo metope/motivo a reticolo; sulla spalla teoria di pesci associata o meno a fila di raggi, al di sotto eventuale registro decorativo (h 28-32 cm). *(tav. 7)*

- Distribuzione:

Tarquinia, Monterozzi t. XXV (scavi Cultrera), (T.M.25/2): CULTRERA 1930, p. 138, n. 6, fig. 22.

Tarquinia, Monterozzi t. a camera (scavi Marchese), (T.M.m/1): MARCHESE 1944-1945, p. 18, n. 11, fig. 6; HENCKEN 1968, p. 396, fig. 384 d; CANCIANI 1974, p. 17, nn. 1-2, tav. 12.1-2; TANCI, TORTOIOLI 2002, p. 38, n. 44, fig. 26 (gruppo D).

Tarquinia, Monterozzi t. a camera (scavi Marchese), (T.M.m/2): MARCHESE 1944-1945, n. 10, p. 18, fig. 5, HENCKEN 1968, p. 396, fig. 384 f; CANCIANI 1974, p. 17, n. 5, tav. 12.3; CANCIANI 1987, p. 252, n. 23 con ulteriore bibl.; TANCI, TORTOIOLI 2002, n. 45, p. 38, fig. 27 (gruppo D). *(tav. 7.1)*

Tarquinia, (T.a./86): CANCIANI 1974, p. 17, nn. 2-3, 6, tav. 11.2, 3, 6; TANCI, TORTOIOLI 2002, p. 36, n. 41, fig. 233, tav. I.c (gruppo D).

Provenienza sconosciuta, (PS/24): CANCIANI 1987, n. 24; J. BIERS, in *Venezia* 2000, p. 556, n. 50 con bibl. prec.

Provenienza sconosciuta, (PS/156): SZILÀGYI 1989, p. 622, tav. II.c con bibl. prec.; *Jerusalem* 1991, p. 208, n. 273.

Provenienza sconosciuta, (mercato antiquario) (PS/157): *Sotheby's, Antiquities,* July 1, 1969, London, n. 223; SZILÀGYI 1989, p. 622, tav. II.b.

Variante:

Tarquinia, (T.a./87): CANCIANI 1974, p. 16, nn. 1,4, tav. 11.1,4; TANCI, TORTOIOLI 2002, p. 37, n. 42, fig. 24 (Gruppo D). *(tav. 7.2)*

Nel tipo converge il nucleo produttivo attribuito al Pittore delle Palme. L'attività del ceramografo, localizzata a Tarquinia in base alla provenienza circoscritta dei suoi prodotti, si colloca nel corso della prima metà del VII sec. a.C. o, più probabilmente, del primo quarto dello stesso. Evidenti risultano i richiami alla ceramografia protocorinzia e all'esperienza coloniale, ravvisabili sia nell'impiego della forma di derivazione PCM delle oinochoai, che nell'adozione del motivo dei pesci[90]. L'associazione tra la forma dell'oinochoe e il motivo del mare, cui fa allusione la presenza dei pesci o rimanda più direttamente la raffigu-

[89] Sulla diffusione delle oinochoai d'ispirazione PCM e PCT nel Lazio: *Formazione* 1980, tipo 22, tav. 28 (periodo IVA).

[90] CANCIANI 1987, p. 252 con riferimenti e inquadramento della figura del pittore; si aggiunga inoltre TANCI, TORTOIOLI 2002, p. 191.

razione della nave presente sul vaso nel Museo Marittimo di Israele (PS/156) e su quello della *Columbia University* (PS/24)[91], è stata riletta da L. Cerchiai, che, prendendo spunto dal noto piatto di Acqua Acetosa Laurentina, ha evidenziato la forte valenza simbolica che connota l'omologazione tra la potenza del vino (la forma) e quella del mare (la decorazione), causa in entrambi i casi di effetti spesso incontrollabili e disastrosi, come l'ebbrezza e il naufragio, omologazione già implicita nell'espressione omerica *Oinops pontos*[92].

È inoltre forse avvicinabile al tipo un esemplare con ansa tortile (T.M.25/2), che mostra tuttavia nella decorazione anche notevoli affinità con il tipo Cb 6.

Tipo Cb 2: collo sottile e sviluppato; corpo ovoide tendente al piriforme con spalla nettamente distinta. Decorazione: sul collo fila di esse continua/metope/pannello; sulla spalla, al di sotto dei raggi, registri con gruppi di *chevrons*; ventre dipinto/con raggi. *(tav. 7)*

Varietà a: sul collo fila di esse; ventre dipinto (h 25,5-29 cm).

- Distribuzione:

Tarquinia, (T.a./88): Canciani 1974, p. 13, n. 2, tav. 7.2.

Tarquinia, (T.a./89): Canciani 1974, p. 12, n. 1, tav. 7.1; Tanci, Tortoioli 2002, p. 32, n. 30, fig. 19 (gruppo C). *(tav. 7.3)*

Tarquinia, (T.a./90): Canciani 1974, p. 13, n. 7, tav. 7.7; Tanci, Tortoioli 2002, p. 31, fig. 17, n. 27 (gruppo C).

Tarquinia, (T.a./91): Canciani 1974, p. 13, n. 8, tav. 8.1; Tanci, Tortoioli 2002, p. 24, n. 11, fig. 7 (gruppo A).

Varietà b: sul collo metope/raggi; ventre dipinto (h 26,5-28,3 cm).

- Distribuzione:

Tarquinia, (T.a./92): Canciani 1974, p. 13, n. 8, tav. 7.8; Tanci, Tortoioli 2002, p. 23, n. 10, fig. 6 (gruppo A). *(tav. 7.4)*

Provenienza sconosciuta, (Coll. Università Torino, n. 2085) (PS/25): Lo Porto 1969, p. 3, n. 5, tav. 1.5.

Variante:

Tarquinia, (T.a./93): Canciani 1974, p. 18, n. 6, tav. 13.6; Tanci, Tortoioli 2002, p. 35, n. 39 (gruppo C). *(tav. 7.5)*

Varietà c: sul collo fila di esse; sulla spalla raggi contornati; sul ventre raggi (h 27,5-32,8 cm).

---

[91] Nell' ex. PS/24 il mare troverebbe, inoltre, una diretta ed esplicita rappresentazione nel motivo a linee ondulate, che si dispiega nella zona inferiore del ventre (Martelli 1987a, p. 253, n. 24). A supporto di tale lettura, recentemente rifiutata per un'interpretazione puramente decorativa basata sull'assenza nei documenti figurati etruschi coevi di raffigurazioni fisiche del mare, evocato esclusivamente attraverso gli elementi ad esso connaturati (Pizzirani 2005, p. 255), si pone l'uso anomalo di ondulazioni multiple giustificabile solo con la volontà di rendere i flutti, laddove più comune appare l'adozione della linea singola, come nel caso delle oinochoai della Bottega di Bocchoris (tipo Bb7-8).

[92] Cerchiai 2002, p. 32.

• Distribuzione:

Tarquinia, (T.a./94): CANCIANI 1974, p. 13, nn. 5-6, tav. 7.5-6; TANCI, TORTOIOLI 2002, p. 30, n. 25(gruppo C).

Tarquinia, (T.a./95): CANCIANI 1974, p. 12, n. 5, tav. 6.5; TANCI, TORTOIOLI 2002, p. 30, n. 24, fig. 15 (gruppo C). *(tav. 7.6)*

Tarquinia, (T.a./96): CANCIANI 1974, p. 12, nn. 6-7, tav. 6.6-7; TANCI, TORTOIOLI 2002, p. 31, n. 26, fig. 16 (gruppo C).

Varietà d: sul collo pannello; sul ventre raggi contornati (28,8-33 cm).

• Distribuzione:

Tarquinia, Monterozzi t. a camera (scavi Marchese), (T.M.m/3): MARCHESE 1944-1945, p. 17, n. 4; HENCKEN 1968, p. 394; CANCIANI 1974, p. 10, n. 4, tav. 3.4; TANCI, TORTOIOLI 2002, p. 22, n. 8 (gruppo A).

Tarquinia, Monterozzi t. a camera (scavi Marchese), (T.M.m/4): MARCHESE 1944-1945, p. 17, n. 3; HENCKEN 1968, p. 395; CANCIANI 1974, p. 10, n. 6, tav. 3.6; TANCI, TORTOIOLI 2002,p. 22, n. 5, (gruppo A).

Tarquinia, Monterozzi t. a camera (scavi Marchese), (T.M.m/5): MARCHESE 1944-1945, p. 17, n. 2; HENCKEN 1968, p. 395; CANCIANI 1974, p. 10, nn. 5, 7, tav. 3.5,7; TANCI, TORTOIOLI 2002, p. 21, n. 5 (gruppo A). *(tav. 7.7)*

Tarquinia, (T.a./97): CANCIANI 1974, p. 9, n. 2, tav. 3.2; TANCI, TORTOIOLI 2002, p. 22, n. 7 (gruppo A).

Tarquinia, (T.a./98): CANCIANI 1974, p. 10, n. 3, tav. 3.3; TANCI, TORTOIOLI 2002, p. 21, n. 4, fig. 4.

Provenienza sconosciuta, (mercato antiquario) (PS/26): *Antiquities*, c. Ede, London, Catalogue 145, n. 24; *Antiquities*, c. Ede, London, Catalogue 150, 1990.

Variante:

Tarquinia, Monterozzi t. 62 (scavi Cultrera), (T.M.62/1): CULTRERA 1930, tomba 62, B 4, p. 182; CANCIANI 1974, p. 20, n. 2, tav. 15.2. *(tav. 7.8)*

Il tipo Cb 2 raccoglie oinochoai, per la maggior parte conservate nella Raccolta Comunale Tarquiniese, ispirate a modelli del PCM largamente imitati anche in ambito coloniale[93]. Sulla base del partito decorativo si distingue un gruppo caratterizzato dalla presenza di esse correnti sul collo presente sia nella versione a ventre dipinto (tipo Cb 2a), che in quella con corona di raggi (tipo Cb 2 c), coincidente con un nucleo già isolato da F. Canciani; entrambe le varietà sono state datate da S. Tanci e C. Tortoioli nel corso del primo quarto del

---

[93] A titolo d'es. si segnalano alcuni exx. dalla necropoli pitecusana, più nello specifico, per la varietà a: oinochoe MPC d'imitazione locale dalla t. 144 con decorazione analoga (*Pithekoussai*, tav. 52.1, p. 175, n. 1); per le varietà c-d: oinochoe, morfologicamente affine, imitante modelli MPC dalla t. 470 (*ibidem*, p. 471, n. 1, tav. 139.1); per la varietà c: ex. da Capua (MINGAZZINI 1969, p. 4, n. 7, tav. 1.7); per la varietà d: simili oinochoai di produzione locale dalla t. 271 (*Pithekoussai* I, p. 324, n. 1, tav. 103.1) e 272 (*ibidem*, p. 328, n. 1, tav. 105.1), quest'ultima a sua volta assimilabile per il partito decorativo, eccezion fatta che per la presenza di raggi sul ventre, ad exx. della varietà b (T.a/92); inoltre oinochoe originale MPC deposta nella t. XXIII (691) di Pontecagnano, databile nel secondo quarto del VII sec. a.C. (D'AGOSTINO 1968, p. 167, n. 24, fig. 61.24); ex. da San Valentino Torio, t. 1364 databile nel secondo quarto del VII sec. a.C. (DE SPAGNOLIS 2001, p. 96, n. 12, fig. 40).

VII sec. a.C., sebbene non risultino chiaramente esplicitati i criteri cronologici. Un secondo raggruppamento prevede, invece, l'inserzione del motivo a esse in un pannello delimitato da metope o la presenza esclusiva di quest'ultime ed, inoltre, la sostituzione delle cuspidi consuete con raggi contornati (Cb 2b-d). Quest'ultimo elemento è stato indicato come caratterizzante la produzione di una bottega tarquiniese identificata da S. Tanci e C. Tortoioli[94], attiva nel corso del secondo quarto del VII sec. a.C. Come nel caso precedente, tali oinochoai si presentano nella doppia versione con corpo verniciato (varietà b) o con cuspidi (varietà d), quest'ultima coincidente con un gruppo di oinochoai già individuato da F. Canciani. Non rientra nella produzione dell'officina l'oinochoe T.a/93 (= RC 7191), variante della varietà b, ricondotta da S. Bruni ad un diverso nucleo produttivo, cui apparterrebbero inoltre le oinochoai RC 3982 e RC 7863 e la kotyle T.a/262 (= RC 1755).

Al *dossier* degli esemplari di varietà b è ora da aggiungersi un'oinochoe conservata nel Museo delle Antichità di Torino (PS/25), di probabile produzione tarquiniese.

Tipo Cb 3: collo slanciato lievemente concavo; corpo ovoide tendente al piriforme con spalla nettamente distinta. Decorazione sul collo fila di esse; ventre dipinto/ con raggi. *(tavv. 7-8)*

Varietà a: sulla spalla fila di esse; ventre dipinto (h 24-31,5 cm).

- Distribuzione:

Tarquinia, Macchia della Turchina t. 65,1, (T.MT.65,1/2): Bruni 1986, p. 226, n. 643, p. 225, fig. 217.

Tarquinia, Macchia della Turchina t. 65,1, (T.MT.65,1/3) (?): Bruni 1986, p. 225, n. 642.

Tarquinia, Tumulo di Poggio Gallinaro, (T.G.t/1): Petrizzi 1986, p. 210, n. 572, (fig. 173), fig. 174.

Tarquinia, (T.a./99): Canciani 1974, p. 14, nn. 1-2, tav. 9.1-2; Tanci, Tortoioli 2002, p. 20, n. 2, fig. 2 (gruppo A).

Provenienza sconosciuta, (PS/28): Busing-Kolbe 1977, p. 33, tav. 13.3-4. *(tav. 7.9)*

Varietà b: sulla spalla raggi, ventre dipinto (h 19,7-30 cm).

- Distribuzione:

Tarquinia, Monterozzi t. XXV (scavi Cultrera), (T.M.25/4): Cultrera 1930, p. 138, n. 9, fig. 22; Hencken 1968, pp. 385, 394, fig. 383.e; Rasmussen 1979, p. 18, n. 18, tav. 45.300.

Tarquinia, Monterozzi t. XXV (scavi Cultrera), (T.M.25/5): Cultrera 1930, p. 138, n. 7, fig. 22.

Tarquinia, Monterozzi t. XXV (scavi Cultrera), (T.M.25/6): Cultrera 1930, p. 138, n. 8, fig. 22.

Tarquinia, Tumulo di Poggio Gallinaro, (T.G.t/2): Petrizzi 1986, p. 210, n. 573, (fig. 174) fig. 173.

Tarquinia, (T.a/101): Canciani 1974, p. 14, n. 2, tav. 8.2; Tanci, Tortoioli 2002, p. 33, n. 32. *(tav. 7.10)*

[94] Tanci, Tortoioli 2002, p. 191.

Tarquinia, (T.a/102): CANCIANI 1974, p. 14, nn. 4-5, tav. 8.4-5; TANCI, TORTOIOLI 2002, p. 34, n. 35 (gruppo C).
Tarquinia, (T.a/103): CANCIANI 1974, p. 14, n. 6, tav. 8.6; TANCI, TORTOIOLI 2002, p. 33, n. 33 (gruppo C).
Tarquinia, (T.a/104): CANCIANI 1974, p. 14, n. 7, tav. 8.7; TANCI, TORTOIOLI 2002, p. 33, n. 34 (gruppo C).
Tarquinia, (T.a/106): CANCIANI 1974, p. 19, n. 8, tav. 13.8; TANCI, TORTOIOLI 2002, p. 34, n. 37 (gruppo C).

Varianti:

Tarquinia, Monterozzi t. XXXVIII (scavi Cultrera), (T.M.38/2): CULTRERA 1930, p. 152, B 1; CANCIANI 1974, p. 15, n. 4, tav. 9.4, con ulteriori rif. *(tav. 7.12)*
Tarquinia, (T.a/107): CANCIANI 1974, p. 15, nn. 5-6, tav. 9.5-6; TANCI, TORTOIOLI 2002, p. 36, n. 40 (gruppo D). *(tav. 7.11)*

Varietà c: sulla spalla e sul ventre raggi (h 17,2-30 cm).

- Distribuzione:

Tarquinia, Tumulo di Poggio Gallinaro, (T.G.t/3): PETRIZZI 1986, p. 210, n. 571, fig. 172.
Tarquinia, Tumulo di Poggio Gallinaro, (T.G.t/4): PETRIZZI 1986, p. 210, n. 570.
Tarquinia, Tumulo di Poggio Gallinaro, (T.G.t/5): PETRIZZI 1986, p. 210, n. 569, fig. 171.
Tarquinia, (T.a/109): CANCIANI 1974, p. 12, n. 8, tav. 6.8; TANCI, TORTOIOLI 2002, p. 31, n. 28 (gruppo C).
Tarquinia, (T.a/110): MONTELIUS 1895-1910, tav. 293.1; CANCIANI 1974, p. 13, nn. 3-4, tav. 7.3-4; TANCI, TORTOIOLI 2002, p. 32, n. 29 (gruppo C). *(tav. 8.1)*

Varianti:

Vulci, Ponte della Badia, t. LVI, (Vu.PA.56/1): GSELL 1891, n. 1, p. 131, tav. I.7; cit. in MANGANI 1995, p. 413.
Provenienza sconosciuta (da coll. Biondelli), (PS/29): RICCIONI 1961, p. 4, n. 7, tav. 2.7a-b. *(tav. 8.2)*
Provenienza sconosciuta (mercato antiquario), (PS/30): *Sotheby's, Antiquities,* July 10, 1990, London, p. 168, n. 495. *(tav. 8.3)*

Varietà d: corpo slanciato con ventre molto rastremato; sulla spalla fila di esse/raggi (h 14,5-24,7 cm).

- Distribuzione:

Tarquinia, Monterozzi t. XXV (scavi Cultrera), (T.M.25/3): CULTRERA 1930, p. 138, n. 10, fig. 22; RASMUSSEN 1979, p. 19, n. 21, tav. 45.301.
Tarquinia, (T.a/100): CANCIANI 1974, p. 15, n. 3, tav. 9.3; TANCI, TORTOIOLI 2002, p. 35, n. 38.
Tarquinia, (T.a/105): CANCIANI 1974, p. 14, n. 3, tav. 8.3; TANCI, TORTOIOLI 2002, p. 32, n. 31, fig. 20 (gruppo C).
Tarquinia, (T.a/108): CANCIANI 1974, p. 14, nn. 8-9, tav. 8.8-9; TANCI, TORTOIOLI 2002, p. 34, n. 36 (gruppo C). *(tav. 8.4)*

Varietà e: corpo con pareti arrotondate; sul collo fascia ondulata; ventre dipinto (13,7-18 cm)

- Distribuzione:

Tarquinia, (T.a/112): CANCIANI 1974, n. 1, p. 28, n. 1, tav. 21; TANCI, TORTOIOLI 2002, n. 112, p. 68, fig. 65 (gruppo O). *(tav. 8.5)*

Tarquinia, (T.a/113): CANCIANI 1974, p. 30, n. 10, tav. 21.10; TANCI, TORTOIOLI 2002, p. 69, n. 115, fig. 67 (gruppo O).
Provenienza sconosciuta, (PS/146): *Art of Ancient World*, XII, New York-London, 2000, n. 255.

Varietà f: sul collo metope; sul corpo linee; ventre dipinto.
• Distribuzione:
Cerveteri, Monte Abatone, t. a camera 352, (C.MA.352/1): L. MALNATI, in *Milano* 1980, p. 226, n. 81.
Cerveteri, (C.a/4): POTTIER 1897, p. 37, tav. 31; D. BRIQUEL, in NASO 1991, pp. 115-120 con rif. *(tav. 8.6)*

Nel tipo sono raccolte numerose oinochoai di prevalente origine tarquiniese, ispirate a modelli PCM[95], che recano un partito decorativo omogeneo, il cui elemento caratterizzante è costituito da una fila di esse sul collo, nel caso della varietà a, esteso a decorare anche la spalla. Le altre varietà presentano invece sulla spalla la canonica corona di raggi, presente (varietà c), o meno (varietà d), anche sul ventre. I pochi contesti noti di provenienza degli esemplari non sembrano evidenziare uno scarto cronologico apprezzabile tra le varietà individuate: i capisaldi della datazione sono costituiti per la varietà a dalla t. 65.1 di Macchia della Turchina, datata attorno al 675 a. C., e per la varietà c dalla deposizione più antica del tumulo di Poggio Gallinaro, collocata nel secondo quarto del VII sec. a.C. Dallo stesso contesto provengono poi due oinochoai una di varietà a (T.G.t/1) e l'altra di varietà b (T.G.t/2), ma assegnate ad una deposizione successiva avvenuta nel corso della seconda metà del VII sec. a.C.; tale attribuzione riposa sulla somiglianza con un esemplare proveniente dalla t. Cultrera XXV[96] (T.M.25/4-6, varietà b), ascritto, anche in questo caso solo ipoteticamente, alla seconda deposizione del contesto.

Dal momento che le oinochoai, secondo quanto già proposto da S. Tanci e C. Tortoioli, sono forse riconducibili all'opera di una stessa bottega in base all'uniformità decorativa e tecnica, sembra plausibile ipotizzare la pertinenza degli esemplari di varietà b e c citati non alle ultime deposizioni ma a quelle iniziali, sia nel caso del tumulo di Poggio Gallinaro che in quello della tomba XXV, con una durata del tipo limitata al secondo quarto del VII sec. a.C.

Differisce dal quadro tracciato finora la varietà e, che, sebbene simile per partito decorativo, mostra un minore rigore nella decorazione e una forma leggermente più ovoide; rappresentata da due soli esemplari della Raccolta Comunale, la varietà è solo indicativamente databile nel corso della prima metà del VII sec. a.C.

---

[95] Il tipo trova riscontri nella forma con un'oinochoe, anch'essa mutuata da modelli PCM, dalla t. a fossa XVIII di Pontecagnano (D'AGOSTINO 1968, p. 154, n. 8, fig. 52.8).

[96] Nello stesso contesto si ricorda anche la presenza dell' ex. T.M.25/3 ricondotto alla varietà d.

All'esclusiva origine tarquiniese fanno cccezione solo poche oinochoai adespote: una conservata nel museo di Mainz (PS/28, tipo Cb 3a), un'altra proveniente dal mercato antiquario (PS/146, Cb 3e) e, infine, due riconducibili alla varietà c, che mostrano una maggiore variabilità decorativa tramite l'inserzione di motivi animalistici, quali il serpente (PS/29) e la teoria di pesci (PS/30); quest'ultime rivelano, inoltre, nella resa dei corpi analogie con le figure adotte dal tarquiniese Pittore delle Palme.

Conclude la rassegna la varietà f, rappresentata da una coppia di oinochoai di probabile origine ceretana della collezione Campana D 70-71 con iscrizione graffita[97] e da un esemplare deposto nella t. 352 di Monte Abatone, ispirato a modelli PCM.[98]: la cronologia della varietà è collocabile nel corso del secondo quarto del VII sec. a.C., più probabilmente nel momento iniziale, come suggerirebbe inoltre il tipo di grafia per l'esemplare Campana[99].

TIPO Cb 4: corpo ovoide. Decorazione principale costituita da raggi disposti sul collo e sulla spalla; ventre dipinto/con raggi. *(tavv. 8-9)*

Varietà a: collo slanciato; ventre dipinto (h 16,5-34 cm).

- Distribuzione:

Veio, Monte Michele t. 5 (camera, inc. maschile), (V.MM.5/1): BOITANI 1982, p. 101; BOITANI 1985, p. 546, tav. C.f.

Veio, Vaccareccia, t. XI, (V.V.XI/2): PALM 1952, p. 67, n. 4, tav. XXI.4; FELLETTI MAJ 1953, p. 10, n. 2, tav. 10.2, con bibl. prec.

Tarquinia, (T.a/84): CANCIANI 1974, p. 23, n. 5, tav. 17.5; TANCI, TORTOIOLI 2002, p. 47, n. 64 (gruppo G).

Tarquinia, (T.a/114): CANCIANI 1974, p. 18, n. 3, tav. 13.3; TANCI, TORTOIOLI 2002, p. 45, n. 59, fig. 35 (gruppo F). *(tav. 8.7)*

Varianti:

Tarquinia, Monterozzi t. LIX (scavi Cultrera), (T.M.49/1): CULTRERA 1930, p. 175; HENCKEN 1968, pp. 384-385, fig. 374.e. *(tav. 8.8)*

Tarquinia, (T.a/83): CANCIANI 1974, p. 27, n. 9, tav. 19.9; TANCI, TORTOIOLI 2002 p. 65, n. 105, fig. 60 (gruppo M). *(tav. 8.9)*

---

[97] Da ultimo sul tipo GRAN-AYMERICH 1991; recentemente sulle iscrizioni: BRIQUEL 1991 con bibl. prec.

[98] Exx. anch'essi di ispirazione PCM da San Valentino Torio in contesti del secondo quarto del VII sec. a.C.: nella t. 1367 ex. puntualmente confrontabile (DE SPAGNOLIS 2001, p. 102, n. 11, fig. 47 con diffusione e bibl.); con raggi alla base dalla t. 1364 (EADEM, p. 97, n. 6, fig. 43); privo di metope sul collo dalla t. 1366 (EADEM, p. 99, n. 3, fig. 45). Si segnala inoltre un'oinochoe dalla t. 268 dalla Valle del Sarno, confrontabile per la decorazione ispirata a modelli PCA (D'AGOSTINO 1979, p. 67, n. 12, fig. 38.4); alla fase successiva sono invece da riferirsi gli exx. con spalla più distinta e ventre maggiormente rastremato, morfologicamente affini a D 70 e D 71 (IDEM, p. 67, nota 33). Questi ultimi sono puntualmente confrontabili con un una coppia di exx., tra cui almeno uno proveniente da Abella, conservati al *British Museum* (WILLIAMS 1986, p. 297, fig. 16).

[99] COLONNA 1977c, tav. XXX; COLONNA 1984, p. 298; BRIQUEL 1991, p. 125.

Varietà b: collo poco sviluppato; ventre dipinto (h 24,5-27,5 cm).
• Distribuzione:
Tarquinia, (T.a/115): CANCIANI 1974, p. 15, n. 8, tav. 9.8; TANCI, TORTOIOLI 2002, p. 44, n. 54 (gruppo F).
Tarquinia, (T.a/116): CANCIANI 1974, p. 15, n. 11, tav. 9.11; TANCI, TORTOIOLI 2002, p. 45, n. 57, fig. 33 (gruppo F). *(tav. 8.10)*

Varietà c: collo poco sviluppato; sul collo doppia fila di triangoli contrapposti; ventre dipinto (h 26,2-27 cm).
• Distribuzione:
Tarquinia, (T.a/117): CANCIANI 1974, p. 15, n. 9, tav. 9.9; TANCI, TORTOIOLI 2002, p. 44, n. 56.
Tarquinia, (T.a/118): CANCIANI 1974, p. 15, n. 10, tav. 9.10; TANCI, TORTOIOLI 2002, p. 44, n. 55, fig. 32 (gruppo F). *(tav. 8.11)*
Varianti:
Veio, Macchia della Comunità t. 33, (V.MC.33/3): inedito, *(app. 1, n. 15; tav. 8.12).*
Provenienza sconosciuta (mercato antiquario), (PS/32): CANCIANI 1966, p. 75, tav. 127.9. *(tav. 8.13)*

Varietà d: collo slanciato; sul ventre raggi (h 25-33,2 cm)
• Distribuzione:
Veio, Macchia della Comunità t. 13, (V.MC.13/1): inedito, (*app. 1, n. 16*).
Veio, Macchia della Comunità t. 13, (V.MC.13/2): inedito, (*app. 1, n. 17*).
Veio, Macchia della Comunità t. 13, (V.MC.13/3): inedito, (*app. 1, n. 18*).
Veio, Macchia della Comunità t. 39, (V.MC.39/1): inedito, (*app. 1, n. 19*).
Veio, Macchia della Comunità t. 39, (V.MC.39/2): inedito, (*app. 1, n. 20; tav. 9.1*).
Veio, Macchia della Comunità t. 64, (V.MC.64/1): inedito, (*app. 1, n. 21*).
Veio, Pozzuolo t. 1, (V.Pz.1/1): inedito, (*app. 1, n. 22*).
Veio, (V.a/12): DELPINO 1985, p. 208, n. 117, tav. XVIII.117.
Cerveteri, Bufolareccia, t. a camera 182, (C.Bu.182/1): CAVAGNARO VANONI 1966, p. 35, n. 3, tav. 33.
San Giovenale, Porzarago, t. 11, (SG.11/1): BERGGREN, BERGGREN 1972, p. 75, n. 11, tav. XXXVI.11.
Tarquinia, (T.a/119): CANCIANI 1974, p. 15, n. 7, tav. 9.7; TANCI, TORTOIOLI 2002, p. 43, n. 52 (gruppo F).
Tarquinia, (T.a/120): CANCIANI 1974, p. 18, n. 7, tav. 13.7; TANCI, TORTOIOLI 2002, p. 43, n. 53, fig. 31 (gruppo F).
Tarquinia, (T.a/121): PAOLUCCI 1991, p. 27, n. 58, tav. VI.
Tarquinia, (T.a/122): CANCIANI 1974, p. 18, nn. 1-2, tav. 13.1-2; TANCI, TORTOIOLI 2002, p. 45, n. 58, fig. 34 (gruppo F).
Varianti:
Veio, Pozzuolo t. 2, (V.Pz.2/2): inedito, (*app. 1, n. 23*).
Tarquinia, (T.a/85): CANCIANI 1974, p. 18, n. 4, tav. 13.4; TANCI, TORTOIOLI 2002, p. 46, n. 60, fig. 36 (gruppo F). *(tav. 9.2)*
Provenienza sconosciuta, (PS/172): E. SEGBERS, in *Bonn* 2008, p. 133, n. 182.

Varietà e: collo poco sviluppato; sul ventre raggi (h 26-28 cm).
• Distribuzione:
Veio, Macchia della Comunità t. 34, (V.MC.34/1): inedito, (*app. 1, n. 24*).

Veio, Macchia della Comunità t. 34, (V.MC.34/2): inedito, (*app. 1, n. 25; tav. 9.3*).
Veio, Casalaccio t. IV, (V.C.IV/1): Vighi 1935, p. 52, n. 17, tav. 1/I.
Veio, Casalaccio t. IV, (V.C.V/1): Vighi 1935, pp. 53, 55, n. 23, fig. 5.
Varianti:
Cerveteri, Monte Abatone t. 90 (seconda dep.), (C.MA.90/5): A. Pugnetti, in *Milano* 1986a, p. 74, n. 61, p. 73, fig. 61. *(tav. 9.5)*
Provenienza sconosciuta (mercato antiquario), (PS/33): *Munzen und Medaillen*, A-G., Antike Vasen, Basel 1977, n. 2; *Munzen und Medaillen*, A-G., Italische Keramik, Basel 1984, n. 13. *(tav. 9.4)*

Ascrivibili genericamente al tipo:
Veio, Pozzuolo t. 3, (V.PZ.3/1): inedito, (*app. 1, n. 26*).
Volusia t 4 (dromos), (Vo.4/6): Carbonara *et al.* 1996, p. 67, n. 52, fig. 123, (varietà a,c?).
Veio, Pozzuolo t. 7, (V.PZ.7/1): inedito, (*app. 1, n. 27*).
Cerveteri, Banditaccia; t. Mengarelli VIII, (C.B.VIII./1): Leach 1987, p. 63, n. 148.
Cerveteri, Bufolareccia t. dei Denti di Lupo, (C.Bu.DL/1): Naso 1991, p. 53, n. 10, fig. 17.2, (varietà d,e?).

Le varietà a e b del tipo sono caratterizzate dalla presenza di fasce orizzontali nella parte inferiore del ventre. Le oinochoai di varietà a, di prevalente provenienza veiente e tarquiniese, sono attestate nel corso della prima metà del VII sec a.C., come dimostrano gli esemplari deposti nella t. XI di Vaccareccia (primo quarto del VII sec. a.C.) e nella t. 5 di Monte Michele (secondo quarto del VII sec. a.C.). L'oinochoe T.a/114 è stata datata da F. Canciani nella prima metà del VII sec. a.C., cronologia da limitarsi al secondo quarto in base al recente lavoro di S. Tanci e C. Tortoioli; tuttavia, la presenza di un'oinochoe morfologicamente simile nella t. 16 di S. Martino a Capena, datata nel primo quarto del VII sec. a.C.[100], sembra suggerirne la contemporaneità con gli altri pezzi afferenti alla varietà.

Più controversa risulta la cronologia della varietà b, distinta sulla base della maggiore ampiezza del collo: gli unici due vasi afferenti al sottogruppo, conservati nella Raccolta Tarquiniese (T.a/115-116), sono infatti privi del contesto di provenienza.

Nettamente caratterizzata dal punto di vista decorativo appare la varietà c, costituita da due oinochoai tarquiniesi con doppia fila di triangoli contrapposti sul collo, attribuite da S. Tanci e C. Tortoioli al secondo quarto del VII sec. a.C. Simile partito decorativo presenta anche l'oinochoe veiente, identificata come variante, proveniente dalla t. 33 di Macchia della Comunità, databile nel 630 a.C (V.MC.33/3).

Le ultime due varietà riuniscono invece oinochoai con fila di raggi attorno al ventre e si distinguono in base alla conformazione del collo: sottile, nel caso

[100] Mura Sommella 2004-2005, pp. 268-269, fig. 52, la sintassi decorativa richiama invece gli exx. di varietà c.

della varietà d ed ampio, in quello della varietà e. Entrambe sono ampiamente diffuse nell'Etruria meridionale. Sebbene largamente influenzato dall'entità del campione considerato, sembra tuttavia possibile ipotizzare una lieve anteriorità della varietà d, le cui attestazioni iniziano attorno alla metà del secolo per proseguire fino all'orientalizzante recente iniziale, con una scansione cronologica condivisa dagli omologhi laziali[101]. Il picco delle presenze della varietà e si addensa nell'orientalizzante recente, quando la serie è documentata anche nella vicina Sabina[102]. A questo stessa varietà sono riferibili due varianti (C.MA.90/5; PS/33), che, al posto della consueta decorazione a corona di raggi sul collo, presentano reticolati puntinati o una fascia ondulata, con confronti puntuali nel Lazio[103].

TIPO Cb 5: collo sottile/largo; corpo ovoide poco espanso. Decorazione continua con motivi lineari/aironi/pesci. *(tav. 9)*

Varietà a: collo largo; sulla spalla aironi/pesci (h 25,2-27,3 cm).

- Distribuzione:

Cerveteri, Laghetto t. 65, (C.L.65/1): CAVAGNARO VANONI 1966, p. 91, n. 1, tav. 6; A. TARELLA, in *Milano* 1980, p. 259, n. 15; MARTELLI 1987a, p. 256 n. 28. 1; LEACH 1987, p. 103, n. 7, fig. 10.43; ALBERICI VARINI 1999, p. 63, n. 17, tav. LXII, fig. 91.

Cerveteri, Laghetto t. 65, (C.L.65/2): CAVAGNARO VANONI 1966, p. 91, n. 2, tav. 6; A. TARELLA, in *Milano* 1980, p. 259, n. 16; MARTELLI 1987, p. 256, n. 28. 2; LEACH 1987, p. 106, nn. 6, 16; ALBERICI VARINI 1999, p. 63, n. 18, tav. LXIII, fig. 92. *(tav. 9.6)*

Provenienza sconosciuta (PS/174): TRENDALL 1948, p. 247, fig. 50.a,d; MARTELLI 1987a, p. 21, nota 13, n. 9.

Varietà b: collo sottile; corpo ovoide più slanciato; decorazione prevalentemente lineare con eventuale presenza di serpente/aironi nella metà superiore del corpo (h. 14-28 cm).

- Distribuzione:

Veio, Picazzano t. XX, (V.P.XX/1): PALM 1952, p. 59, n. 29, tav. VIII.26; FELLETTI MAJ 1953, p. 10, n. 3, tav. 10.3, con bibl. prec.

Veio, Monte Michele t. C, (V.MM.C/2): CRISTOFANI 1969, p. 28, n. 12, fig. 9, tav. XI.2.

Veio, Vaccareccia t. IX, (V.V.IX/2): PALM 1952, p. 65, n. 14, tav. XX.14.

Veio, Riserva del Bagno t. V (prima dep.), (V.R.V/1): BURANELLI 1982, p. 94, n. 1, p. 93, fig. 2.1.

Cerveteri, Monte Abatone t. 89 (prima dep.), (C.MA.89/2): A. PUGNETTI, in *Milano* 1986a, p. 60, n. 51, p. 61, fig. 51. *(tav. 9.7)*

Avvicinabile alla varietà b:

Tarquinia, (T.a/123): GSELL 1891, p. 387, fig. 95; MONTELIUS 1895-1910, tav. 292;

---

[101] Stipe votiva di *Satricum*: *Roma* 1976, cat. 108, p. 332, n. 15, tav. LXXXVII.B.15, si veda, inoltre, la nota successiva.

[102] Per Colle del Giglio: SANTORO 1996, p. 211, tav. XI.b.

[103] Identico partito decorativo ricorre su un'oinochoe dalla t. 224 di Osteria dell'Osa della fase IVB, altrimenti affine per la forma alla varietà d (BIETTI SESTIERI, DE SANTIS 1992, p. 857, n. 8, fig. 3c.84.8, tipo 95 h).

MONTELIUS 1912, tav. 39.9; GABRICI 1913a, fig. 145; GABRICI 1913b, p. 95, fig. 42; JACOPI 1955, tav. I.5; TANCI, TORTOIOLI 2002, p. 39, n. 46, fig. 28, tav. I.b (gruppo D). *(tav. 9.9)*

Varietà c: collo largo; corpo ovoide arrotondato. Decorazione: sulla spalla motivi animalistici; sul ventre raggi.

- Distribuzione:

Cerveteri, Banditaccia, tumulo III, (prima dep.), (C.B.III./1): CRISTOFANI, RIZZO 1987, p. 157, tav. XXVI.2; LEACH 1987, p. 62, n. 147, fig. 44 (oinochoe 2a); MARTELLI 1987a, p. 17, nota 13, n. 7.

Cerveteri, Banditaccia, t. Mengarelli XX, (C.B.XX./1): LEACH 1987, p. 64, n. 153 (oinochoe 2a).

San Giovenale, La Staffa t. 1, (S.G.1/1): OSTENBERG, VESSBERG 1972, p. 4, n. 3, fig. 5.3.

Provenienza sconosciuta (coll. A. Castellani), (PS/34): MINGAZZINI 1930, p. 105, n. 321, tav. XVII.3. *(tav. 9.8)*

Questo tipo di oinochoai si distingue, sul piano decorativo, per l'assenza di corone di raggi sulla spalla sostituite da motivi lineari o animalistici e, su quello formale, per il profilo dolce del corpo con spalla generalmente scarsamente distinta.

Le tre varietà individuate appaiono nettamente diversificate sul piano formale, scansione cui sembra corrispondere sia una diversa area di diffusione che una distinta cronologia. La varietà a, con collo largo e teoria di animali sulla spalla, è rappresentata da una coppia di esemplari provenienti dalla t. 65 del Laghetto (C.L.65/1-2), datata nel corso del primo quarto del VII sec. a.C., momento cui è riferibile un simile esemplare narcense[104], e da un esemplare adespota, attribuito da M. Martelli alla Bottega dei Pesci di Stoccolma.

L'origine ceretana è condivisa dalla varietà c, probabilmente leggermente più tarda, come sembrano suggerire i dati associativi che rinviano all'orientalizzante medio.

La varietà b con collo sottile, avvicinabile a prototipi PCM[105], e decorazione per lo più lineare accoglie un numero maggiore di attestazioni distribuite tra Veio e Cerveteri: sebbene un esemplare appaia ancora inquadrabile nel corso del primo quarto del VII sec. a.C. (V.V.IX/2), il resto delle testimonianze si concentra nel venticinquennio successivo del secolo, in sostanziale contemporaneità con la varietà precedente. Nell'ex. V.P.XX/1, la resa veloce della decorazione, con una predilezione per i tratti arcuati e le linee tremule, trova rispondenza su un'oinochoe morfologicamente simile deposta nella t. 2.LX del terzo

---

[104] HALL DOHAN 1942, p. 55, n. 5, tav. XXX.5 (t. 1).

[105] Si ricorda un'oinochoe d'imitazione PCM dalla t. 140 di Pitecusa (*Pithekoussai* I, p. 171, n. 1, tav. 51.1) ed un'altra, sempre dipendente da modelli PCM, da Suessula (coll. Spinelli) databile nella prima metà del VII sec. a.C., avvicinabile in particolar modo agli exx. V.MM.C/2 e C.MA.352/1 (BORRIELLO 1991, p. 11, tav. 7.4-5).

sepolcreto a sud di Pizzo Piede a Narce[106]; tali affinità appaiono tanto strette da poter suggerire l'appartenenza alla stessa mano. Dal momento che gli aironi sul vaso veiente, per la fisionomia corposa e le proporzioni tozze, risultano prossimi a quelli adottati nella produzione più corsiva del Pittore di Narce e considerato che nello stesso contesto narcense è presente un'olla del ceramografo, sembra possibile per proprietà transitiva attribuire le due oinochoai al Pittore[107], o per lo meno alla sua officina. Va, infine, segnalata l'anomala decorazione della spalla, con brevi raggi pieni alternati a triangoli eretti reticolati, che accomuna l'ex. PS/34 (varietà c) alla ricordata oinochoe PS/174.

Tipo Cb 6: collo slanciato; corpo ovoide arrotondato. Decorazione con raggi sul collo, sulla spalla e sul ventre; serpente nel punto di massima espansione (h 27,7-30 cm). *(tav. 9)*

- Distribuzione:

Tarquinia, (T.a/124): Gabrici 1913a, p. 95, fig. 40; Gabrici 1913b, p. 386, fig. 140; Canciani 1974, p. 17, nn. 4-5, tav. 12.4-5; Tanci, Tortoioli 2002, p. 37, fig. 25, n. 43 (gruppo D). *(tav. 9.10)*

Tarquinia, (T.a/125): Canciani 1974, p. 9, n. 1, tav. 3.1; Tanci, Tortoioli 2002, p. 19, n. 1, fig. 1 (gruppo A).

Provenienza sconosciuta, (PS/169): *Jerusalem* 1991, p. 207, n. 272.

Il tipo riunisce tre soli esemplari, il cui modello ispiratore è rappresentato da oinochoai PCM mediate attraverso l'esperienza cumana, come suggerisce l'adozione del motivo del serpente sinuoso. La cronologia del tipo, affidata alla sola analisi stilistica in assenza dei contesti di provenienza, è inquadrata nel corso della prima metà del VII sec. a.C da F. Canciani e nel solo secondo quarto da S. Tanci e C. Tortoioli, arco cronologico cui rinvia, peraltro, un noto esemplare da *Satricum*[108].

Genericamente ascrivibili al gruppo Cb risultano una serie di oinochoai, caratterizzate per la massima parte da una sintassi decorativa esuberante, che le rende difficilmente aggregabili ai nuclei tipologici delineati; tra queste sembrano attribuibili alla stessa manifattura gli exx. C.a/2 e PS/169; ad una bottega cerite vanno, poi, ricondotte le oinochoai PS/27 e C.MdO.t/1 imitanti le oinochoai cumane con clessidre sul collo[109]. *(tav. 10)*

Cerveteri, Monte Abatone t. 297, (C.MA.297/1): Leach 1987, p. 65, n. 156 (oinochoe 2b). *(tav. 10.6)*

Cerveteri, Monte Abatone, t. a camera 352, (C.MA.352/2): Bonghi Jovino 1979, p. 143, fig. 140; L. Malnati, in *Milano* 1980, p. 226, n. 82. *(tav. 10.8)*

---

[106] *Narce* 1894, c. 477, n. 14, c. 284, fig. 138. Sul contesto, con particolare riferimento all'eccezionale documentazione epigrafica ivi presente, da ultima Biella cds.

[107] Cfr cap. V.1, p. 238.

[108] *Roma* 1976, cat. 111, p. 338, n. 1, tav. XCI.B.1 (t. II).

[109] Rizzo 2006, pp. 373, 378, n. 1.

Cerveteri, Laghetto t. 608, (C.L.608/1): esposta al Museo Archeologico di Cerveteri.
Cerveteri, Monte dell'Oro t. (C.MdO.t./1): RIZZO 2006, pp. 373, 378, n. 1, fig. 6.
Cerveteri (coll. Campana), (C.a/1): POTTIER 1897, p. 37, tav. 31. *(tav. 10.11)*
Cerveteri (coll. Campana), (C.a/2): POTTIER 1897, p. 38, tav. 31; DIK 1981b, tav. 20.3; MARTELLI 1987a, p. 17, nota 13, n. 8. *(tav. 10.2)*
Cerveteri (coll. Campana), (C.a/3): POTTIER 1897, p. 37, tav. 31; MARTELLI 1987a, p. 17, nota 13. *(tav. 10.4)*
Tarquinia, Tumulo di Poggio Gallinaro, (T.G.t/6): PETRIZZI 1986, p. 210, n. 568.
Tarquinia, Tumulo di Poggio Gallinaro, (T.G.t/7): PETRIZZI 1986, p. 210, n. 567, fig. 170. *(tav. 10.5)*
Tarquinia, (T.a/127): CANCIANI 1974, p. 29, nn. 3,7, tav. 21.3,7; TANCI, TORTOIOLI 2002, p. 66, n. 108, fig. 63 (gruppo N).
Tarquinia, (T.a/128): TANCI, TORTOIOLI 2002, p. 53, n. 78, fig. 46. *(tav. 10.10)*
Tarquinia, (T.a/129): GABRICI 1913a, fig. 144; GABRICI 1913b, p. 92, fig. 33; TANCI, TORTOIOLI 2002, p. 22, n. 9, fig. 5 (gruppo A). *(tav. 10.9)*
Tarquinia, (T.a/130): GABRICI 1913a, tav. 24.1; CRISTOFANI 1984, p. 172; TANCI, TORTOIOLI 2002, p. 53, n. 76, tav. III b.
PS/23
Provenienza sconosciuta (coll. A Castellani), (PS/27): MINGAZZINI 1930, p. 106, n. 322, tav. XVII.4. *(tav. 10.7)*
Provenienza sconosciuta (mercato antiquario), (PS/31): *Art of Ancient World*, XII, New York-London, 2000, n. 254.
Provenienza sconosciuta, (PS/35): *Archeologia*, F. Semenzato, Roma 1990, n. 276. *(tav. 10.3)*
Provenienza sconosciuta, (Italia), (PS/36): POTTIER 1897, p. 37, tav. 31.
Provenienza sconosciuta (PS/168): *Jerusalem* 1991, p. 209, n. 274.

Segue un elenco delle oinochoai note dalla letteratura, ma prive di riproduzioni grafiche, per le quali l'impossibilità di una ricognizione autoptica ha impedito un puntuale collocamento nello schema tipologico.

In base alle descrizioni fornite sono inseribili nel gruppo Cb:

Volusia, t. 4 (camera; banchina di fondo), (Vo.4/1): CARBONARA *et al.* 1996, p. 66, n. 51, p. 67, figg. 122-122a.
Cerveteri, Banditaccia Tumulo I t. 2 (camera), (C.B.2/1): RICCI 1955, c.221, n. 1, fig. 12.5.
Cerveteri, Banditaccia Tumulo I t. 2 (camera), (C.B.2/9): RICCI 1955, 1, fig. 12.2; DIK 1981b, tav. 20.1-2.
Cerveteri, Banditaccia t. 75, (C.B.75/2): RICCI 1955, c. 489, n. 2.
Cerveteri, Banditaccia t. 75, (C.B.75/3): RICCI 1955, c. 489, n. 8.
Cerveteri, Banditaccia t. 75, (C.B.75/4): RICCI 1955, c. 489, n. 11.
Cerveteri, Banditaccia t. 75, (C.B.75/5): RICCI 1955, c. 489, n. 13.
Cerveteri, Banditaccia t. 75, (C.B.75/6): RICCI 1955, c. 490, n. 15.
Cerveteri, Banditaccia t. a camera 227, (C.B.227/1): RICCI 1955, c. 699, n. 1.
Cerveteri, Banditaccia t. Mengarelli XVII, (C.B.XVII./1): LEACH 1987, p. 64, n. 152 (oinochoe 2a).
Cerveteri, Laghetto I t. a camera 163, (C.L.163/1): CAVAGNARO VANONI 1966, p. 118, n. 1.
Cerveteri, Laghetto t. 417, (C.L.417/1): LEACH 1987, p. 62, n. 145 (oinochoe 2c).

GRUPPO Cc: collo largo; corpo ovoide poco espanso con spalla breve. Decorazione esclusivamente lineare.

TIPO Cc 1: collo cilindrico largo/ sottile. *(tav. 10)*
Varietà a: collo largo (h 27 cm)
- Distribuzione:

Veio, Macchia della Comunità t. VII (V.MC.VII/1): ADRIANI 1930, p. 54, n. 4. *(tav. 10.12)*
Veio, Macchia della Comunità t. VII (V.MC.VII/2): ADRIANI 1930, p. 54, n. 3, p. 53, fig. 4.-2.

Varietà b: collo sottile (h 20-26,3 cm).
- Distribuzione:

Veio, Macchia della Comunità t. VII (V.MC.VII/3): ADRIANI 1930, p. 54, n. 4, p. 53, fig. 4. *(tav. 10.12)*
Veio, Macchia della Comunità t. VII (V.MC.VII/4): ADRIANI 1930, p. 54, n. 5, p. 53, fig. 4. *(tav. 10.12)*
Veio, Macchia della Comunità t. 12, (V.MC.12/1): inedito, (*app. 1, n. 28*).
Veio, (V.a/13): DELPINO 1985, p. 208, n. 118, tav. XVIII.118.
Volusia, t. 10, (Vo.10/1): CARBONARA *et al.* 1996, figg. 207-207a, p. 109, n. 27, p. 109.
Cerveteri, Laghetto I t. a camera 75, (C.L.75/1) (?): CAVAGNARO VANONI 1966, p. 99, n. 3.
Cerveteri, Monte Abatone t. 79 (prima dep.), (C.MA.79/1): B. BOSIO, in *Milano* 1986a, p. 47, n. 19, p. 48, fig. 19.

Il tipo accoglie oinochoai con esclusiva decorazione lineare, distinte in due varietà sulla base dell'ampiezza del collo. Tale differenza formale non sembra corrispondere ad uno scarto cronologico: le presenze si concentrano infatti omogeneamente nel corso dell'orientalizzante recente, momento cui appaiono ben attestate anche nel vicino Lazio[110]. Mentre gli esemplari etruschi rappresentano gli esiti più tardi della produzione subgeometrica, ponendosi come elemento di congiunzione con le incipienti serie etrusco-corinzie a decorazione lineare, alcuni esemplari databili attorno alla metà del VII sec. a.C. da *Calatia* dimostrano la precocità nell'elaborazione del tipo dei centri campani[111].

GRUPPO Db: alto collo concavo; corpo compresso a profilo globulare schiacciato/ovoide; ampio piede ad anello/disco. Decorazione lineare.

Il gruppo, costituito da un numero esiguo di attestazioni provenienti da Tarquinia, raccoglie oinochoai dal corpo lenticolare. Il corpo richiama da vicino

---

[110] Per la varietà a, cfr. gli exx.: *Roma* 1976, cat. 47, p. 149, n. 2, tav. XXIII.E.2 (Fidene, sporadico); GIEROW 1964, p. 107, n. 10, p. 106, fig. 53 (Grottaferrata); BIETTI SESTIERI, DE SANTIS 1992, p. 862, n. 3, fig. 3c.99.3, tipo 95 i (Osteria dell'Osa, t. 207); per la varietà b: BIETTI SESTIERI, DE SANTIS 1992, p. 843, n. 6, fig. 3c.53.6 (Osteria dell'Osa, t. 343), confrontabile per forma.

[111] Ex. dalla t. 284 della necropoli nord-orientale di *Calatia*, in particolar modo avvicinabile alla varietà b (LAFORGIA 2003, p. 158, n. 102, figg. 135-136).

forme protocorinzie e greco-orientali; dal momento che quest'ultime con bocca tonda non appaiono prima della metà del VII sec.a.C., in ritardo rispetto agli esemplari etruschi, sembra maggiormente accreditabile l'ipotesi di una comune dipendenza delle serie greche e locali da uno stesso modello[112].

TIPO Db 1: collo sottile; corpo compresso globulare. Decorazione con raggi sul collo e sulla spalla (h 15,3-maggiore di 22,2 cm). *(tav. 11)*

- Distribuzione:

Tarquinia, Monterozzi t. a camera, (T.M.m/1): HENCKEN 1968, p. 396, fig. 384 e; CANCIANI 1974, p. 32, nn. 3-5, tav. 24.3-5, con ulteriore bibl.; TANCI, TORTOIOLI 2002, p. 75, n. 129, fig. 78, tav. IV b (gruppo P).

Tarquinia, (T.a/131): CANCIANI 1974, p. 31, n. 2, tav. 23.2; TANCI, TORTOIOLI 2002, p. 73, n. 124 (gruppo P). *(tav. 11.1)*

Tuscania, Pian di Mola, t. a fenditura superiore (1969), (Tu.PM.t/1969/3): MORETTI SGUBINI 2000, p. 184, nota 9.

Variante:

Tarquinia, (T.a/132): CANCIANI 1974, p. 31, n. 1, tav. 23.1; TANCI, TORTOIOLI 2002, p. 72, n. 123 (gruppo P). *(tav. 11.2)*

Il tipo 1 è costituito da tre soli esemplari con motivi di triangoli pendenti sovrapposti su più registri, databili nel corso della prima metà del VII sec. a.C. (T.a/131 varietà a: verso il 700 a.C.) e riferibili ad officina tarquiniese.

TIPO Db 2: collo largo; corpo compresso globulare. Raggi sulla spalla e registro decorato nel punto di massima espansione. *(tav. 11)*

Varietà a: sul collo registro con fila di esse correnti; sul corpo registro con motivo a treccia/gruppi di *chevrons* (h 21-21,6 cm).

- Distribuzione:

Tarquinia, (T.a/134): CANCIANI 1974, p. 32, nn. 1-2, tav. 24.1-2; TANCI, TORTOIOLI 2002, p. 74, n. 128, fig. 77 (gruppo P). *(tav. 11.4)*

Vulci, (Vu.a/3): HAFNER 1951, p. 22, tav. 52.4.

Avvicinabile al tipo:

Tarquinia, "da una tomba a doppia deposizione", (T.t/2): JACOPI 1955, tav. 1.3; TANCI, TORTOIOLI 2002, p. 76, n. 132, fig. 79, tav. IV.c (gruppo P). *(tav. 11.3)*

Varietà b: sul corpo registro con pesci (h 23,5 cm).

- Distribuzione:

Tarquinia, "da una tomba a doppia deposizione", (T.t/1): CANCIANI 1974, p. 31, n. 3, tav. 23.3 con bibl. prec.; TANCI, TORTOIOLI 2002, p. 73, n. 126, fig 75 (gruppo P). *(tav. 11.5)*

Il tipo 2 con collo più ampio e ventre meno compresso è costituito da un'oinochoe attribuita al pittore delle Palme (varietà b) e da due esemplari

---

[112] CANCIANI 1987, p. 252.

con decorazione semplificata (varietà a): fra questi l'esemplare del Museo di Karlsruhe (Vu.a/3), probabilmente proveniente da Vulci, presenta una fascia ondulata in prossimità del fondo tipica delle oinochoai della bottega di Bocchoris di tipo Bb 7. La cronologia del tipo è compresa nella prima metà del VII sec. a.C., più probabilmente nel corso del primo quarto dello stesso.

TIPO Db 3: breve e largo collo; corpo globulare leggermente compresso. Decorazione con raggi sul collo, sulla spalla e sul ventre (h 18,7-24,8 cm). *(tav. 11)*

- Distribuzione:

Tarquinia, (T.a/135): CANCIANI 1974, p. 32, nn. 4-5, tav. 23.4-5; TANCI, TORTOIOLI 2002, p. 74, n. 127, fig. 76 (gruppo P). *(tav. 11.6)*
Tarquinia, (T.a/136): CANCIANI 1974, p. 33, nn. 3-4, tav. 25.3-4; TANCI, TORTOIOLI 2002, p. 76, n. 131 (gruppo P).
Tarquinia, (T.a/137): CANCIANI 1974, p. 33, nn. 1-2, tav. 25.1-2; TANCI, TORTOIOLI 2002, p. 75, n. 130 (gruppo P).
Vulci, Osteria t. a camera 125 (21-9-1962), (Vu.O.125/1): *MAV II*, p. 12, n. 205.

Avvicinabile alla varietà:

Provenienza sconosciuta (coll. Cecchini, Proceno), (PS/37): MICHETTI 2003, pp. 156, 177, fig. 6. *(tav. 11/7)*

Più nutrito è il gruppo di oinochoai afferenti al tipo 3, con decorazione a raggi del tutto simile a quella riscontrata nel tipo Cb 4 d-e, e come queste inquadrabile nella seconda metà del VII sec. a.C.

TIPO Db 4: breve e largo collo; corpo ovoide. Decorazione costituita prevalentemente da raggi (h 15,8-20,5 cm). *(tav. 11)*

- Distribuzione:

Vulci, (Vu.a/2): MANGANI, PAOLETTI 1986, p. 24, n. 2, tav. 22.2. *(tav. 11.8)*
Vulci (territorio), (Vu t/1): CHELINI 2004, p. 50, n. 19, tav. III.19.

Avvicinabile alla varietà:

Volusia, t. 10, (Vo.10/2): CARBONARA *et al.* 1996, p. 109, n. 28, p. 110, figg. 208-208a. *(tav. 11.9)*

Accanto alla provenienza tarquiniese si affianca una presenza vulcente più consistente, che diviene pressoché esclusiva per il tipo Db 4, la cui forme denuncia ormai l'influsso di modelli diversi dal protocorinzio, probabilmente di estrazione greco-orientale, e l'incipiente gravitazione nell'ambito della produzione etrusco-corinzia.

Ascrivibile genericamente al gruppo:

Tarquinia, Monterozzi t. XXXVIII (scavi Cultrera), (T.M.38/3): CULTRERA 1930, p. 152, n. 2.

A causa dell'eccessiva frammentarietà degli oggetti oppure per l'impossibilità di un esame autoptico, nel caso di esemplari editi privi di corredo grafico, nessuna puntualizzazione tipologica è possibile per gli esemplari:

Veio, Vaccareccia sporadico, (V.V/21): Papi 1988, p. 119, n. 6.
Veio, Vaccareccia sporadico, (V.V/22): Papi 1988, p. 119, n. 7.
Veio, Macchia della Comunità t. 21, (V.MC.21/1): inedito, (*app. 1, n. 29*).
Veio, Pozzuolo t. 2, (V.Pz.2/3): inedito, (*app. 1, n. 30*).
Volusia, t. 1, (Vo.1/1): Carbonara *et al.* 1996, p. 37, n. 50, fig. 59.
Cerveteri, Banditaccia t. della Capanna (loculo destro), (C.B.11/4): Ricci 1955, c. 359, n. 69.
Cerveteri, Banditaccia t. 403/404 a camera, (C.B.403/3): Ricci 1955, c. 917, n. 5; c. 919, n. 16.
Cerveteri, Banditaccia t. 404 a camera (camera destra), (C.B.404/3): Ricci 1955, c. 922, n. 30.
Cerveteri, Laghetto I, t. a camera 66, (C.L.66/1): Cavagnaro Vanoni 1966, p. 92, n. 5; Alberici 1997, p. 20, n. 11, fig. 12, tav. XIII.
Cerveteri, Laghetto I, t. a camera 67, (C.L.67/1): Cavagnaro Vanoni 1966, p. 93, n. 3.
Cerveteri, Bufolareccia t. a camera 94, (C.Bu.94/1): Cavagnaro Vanoni 1966, p. 23.
Cerveteri, Bufolareccia t. a camera 94, (C.Bu.94/2): Cavagnaro Vanoni 1966, p. 23.
Cerveteri, Bufolareccia t. a camera 182, (C.Bu.182/2): Cavagnaro Vanoni 1966, p. 35, n. 4.
Barbarano Romano, Caiolo, Tumulo I t. B (camera), (Ba.I/2): Caruso 1986, p. 133, tav. LIX.3.
Tarquinia, (T.a/133): Tanci, Tortoioli 2002, p. 73, n. 125 (gruppo P).
Provenienza sconosciuta (Etruria meridionale: sequestro 1960), (PS/6): Bocci 1961, p. 89, tav. XXV.

Unicum:

Tarquinia, Monterozzi, t. del Guerriero, (T.M.G./3): Hencken 1968, pp. 213, 219, fig. 194.b, con bibl.; *Berlin* 1988, p. 68, n. A 4.58; Hoffmann 2004, p. 92, n. I/31.j.

II.2.7 *Anfore (tavv. 12-15)*

In base alle caratteristiche tettoniche, le anfore sono state aggregate in tre gruppi tipologici. Il gruppo A è individuato dall'articolata scansione morfologica del vaso, che prevede un alto collo, più o meno allungato, corpo ovoide o ovoide espanso e, infine, piede troncoconico anch'esso sviluppato. La decorazione associata è di norma composta dai canonici motivi subgeometrici, lineari o animalistici con teorie di pesci e aironi, quest'ultime solitamente relegate nel fregio principale apposto sulla spalla. Sono presenti, tuttavia, anche manifestazioni più complesse con raffigurazioni di quadrupedi gradienti o in lotta estese su l'intera superficie del corpo e talora sconfinanti sul collo, riconducibili a personalità di rilievo.

Il nucleo morfologico B accoglie anfore su basso piede con corpo ovoide tendente al piriforme. Al suo interno sono distinguibili tre ulteriori raggruppamenti: nel sottogruppo Ba convergono poche anfore decorate secondo modi e stili tipici della tradizione geometrica, cui corrispondono precisi elementi tettonici, attestate in territorio vulcente agli inizi dell'orientalizzante antico; il gruppo Bb si pone, per sintassi e motivi decorativi, nel solco della produzione pienamente orientalizzante; il gruppo Bc, invece, con decorazione esclusivamente lineare presenta aspetti morfologici che lo individuano come *trait d'union* con la coeva produzione etrusco-corinzia.

Infine, il gruppo C si distingue nettamente dai precedenti per la presenza di anse orizzontali impostate sul corpo del vaso.

Assenti nella tradizione villanoviana più antica, le anfore di grandi dimensioni appaiono solo nella fase finale del periodo, come portato dell'immissione di nuove forme desunte dal patrimonio greco. Non sempre agevole risulta puntualizzare i modelli e le fonti da cui prende avvio il processo di appropriazione, anche alla luce di un marcato fenomeno di rielaborazione e innovazione maturato rapidamente nella ceramica etrusca. Un'eccezione è rappresentata dalle poche anfore afferenti al Gruppo Ba che rivelano nella tettonica e nella decorazione geometrica ad essa associata una chiara dipendenza dalla *neck-handled amphora*[113], diffusa nel tardo geometrico attico[114] ed euboico-cicladico[115].

Per il gruppo A è stato invece chiamato in causa un legame più o meno diretto con il tipo della *belly-handled amphora,* diffusa a partire dal tardo-geometrico e in età orientalizzante nell'ambito della *koiné* euboica-cicladica-beotica[116]; le anfore etrusche condividono con queste serie il corpo ovoide con collo e piede sviluppati, ma si distinguono al contempo per la disposizione verticale delle anse, laddove gli esemplari greci presentano di doppie maniglie orizzontali impostate sulla spalla[117]. Quest'ultima caratteristica è riscontrabile, invece, nelle anfore del gruppo C, sulla cui formulazione sembra plausibile abbia agito la familiarità con la forma del biconico.

Accanto alla tesi di un influsso esercitato da modelli allogeni, non sembra tuttavia da sminuire la possibilità di uno sviluppo autonomo in ambito etrusco della forma, che, a partire dalle sollecitazioni offerte dai modelli tardo-geometrici, presto imitati dalle anfore del Gruppo B nel corso della seconda metà dell'VIII sec. a.C., approda alle anfore del gruppo A agli inizi del VII sec. a.C.[118].

---

113 Sulla derivazione da questo tipo di anfora: MICOZZI 1994, p. 32, nota 48, con bibl.

114 COLDSTREAM 1968a, pp. 33, 60, tavv. 8.c-d, 10.a, 11.a-b, g, 14.c, 15.a.

115 Per il TG cicladico si segnalano gli exx.: COLDSTREAM 1968a, p. 174, 178, tavv. 36.d-e, 37. b ; *Delos X*, pp. 18-19, tavv. V.16-17; Vi.18-19 (gruppo Aa); inoltre, ex. TG da Xeropolis (deposit B): *Lefkandi* I, p. 61, n. 71, tav. 44.71.

116 COLDSTREAM 1968a, pp. 179, 190, 202, tavv. 41.e, 45.c; per gli exx. beotici: RÜCKERT 1976, pp. 23-25, tavv. 5-14; per quelli di *Naxos*: ZAPHIROPOULOS 1983.

117 MICOZZI 1994, p. 32.

118 In tal senso risulta significativa la stretta somiglianza, eccezion fatta per la diversa altezza del piede, con alcuni exx. cicladici ad anse verticali (*Delos X*, tavv. XX-XXII).

		Famiglie morfologiche		
		A: corpo ovoide, alto piede, anse verticali	B: corpo ovoide tendente al piriforme, anse verticali	C: corpo ovoide, anse orizzontali
Famiglie decorative	a: dec. di tipo metopale		gruppo Ba	
	b: dec. continua, con motivi animalistici e lineari	gruppo Ab: tipi 1-7	gruppo Bb	gruppo Cb
	c dec. esclusivamente lineare		gruppo Bc: tipi 1-2	

Gruppo Ab: breve labbro a tesa; collo cilindrico/lievemente concavo; corpo ovoide; alto piede a tromba/troncoconico; anse verticali impostate sul labbro/nella metà superiore del collo. Decorazione con motivi lineari e animalistici.

Tipo Ab 1: collo lievemente troncoconico; corpo ovoide con spalla distinta; anse impostate sul labbro e al di sotto di esso. Fregio principale sulla spalla. *(tav. 12)*

Varietà a: anse impostate sul labbro (h 46-47.9 cm)

- Distribuzione:

Cerveteri, Banditaccia tumulo III bis a nord di *Marce Ursus*, (C.B.IIIbis/1): Martelli 1987a, p. 2, fig. 11.

Cerveteri, (C.a/7): Dik 1981a, p. 52, fig. 2, tav. 6; Martelli 1987a, p. 2.

Provenienza sconosciuta (mercato antiquario, Coll. Elie Borowski), (PS/39): *Christie's, Antiquities*, June, 12, 2000, New York, p. 128, n. 132.

Provenienza sconosciuta (sequestro R. Fraticelli), (PS/40): Martelli 1987a, p. 257, n. 30; Martelli 1987a, p. 2 (*tav. 12.1*).

Provenienza sconosciuta, (PS/147): Christiansen 1984, p. 15, fig. 11, nota 22.

Varietà b: anse impostate sul collo immediatamente al di sotto del labbro (h 42-47 cm).

- Distribuzione:

Cerveteri, Banditaccia t. 25 (scavi Lerici), (C.B.25/2): Colonna 1970, pp. 657-658, nota 2; Dik 1981a, p. 49, n. 3, tav. 8; Martelli 1987a, p. 2; Sartori 1999, p. 123, n.1, tav. XV; Sartori 2002, p. 20, n. 15, tav. XI, fig. 19 (*tav. 12.2*).

Cerveteri, Banditaccia t. 25 (scavi Lerici), (C.B.25/3): Colonna 1970, pp. 657-658, nota 2; Dik 1981a, p. 49, n. 4, tav. 8; Sartori 1999, p. 123, n. 2, tav. XVI; Sartori 2002, p. 20, n. 16, tav. XI, fig. 20.

Cerveteri, Banditaccia t. 79, (C.B.79/1): Ricci 1955, c. 501, n. 3, fig. 119.1; Dik 1981a, p. 49, n. 2, tav. 7.

Cerveteri, Banditaccia t. 79, (C.B.79/2): Dik 1981a, p. 49, n. 1; Ricci 1955, c. 501, n. 2, fig. 119.1.

Cerveteri, Banditaccia t. 2006, (C.B.2006/1): Rizzo, 1989a, p. 21, fig. 19.

Cerveteri, Banditaccia t. 2006, (C.B.2006/2): Rizzo, 1989a, p. 21, fig. 20.

Cerveteri, (C.a/8): Pottier 1897, p. 36, tav. 30.

Provenienza sconosciuta, (mercato antiquario), (PS/41): *Kunst der Antike*, Hamburg, 2000, n. 47.

Le anfore afferenti al tipo sono accomunate dalla forma ovoide leggermente espansa del corpo e dalla presenza di un collo di altezza limitata con profilo lievemente troncoconico. Le anse si impostano direttamente sul labbro (tipo Ab 1a) o nel quarto superiore del collo (tipo Ab 1b).

La varietà a è rappresentata da cinque sole anfore: l'unica provenienza nota è relativa all'esemplare dal tumulo III bis della necropoli ceretana della Banditaccia (C.B.IIIbis/1), attribuito da M. Martelli al Pittore dei Pesci di Civitavecchia, la cui opera eponima (PS/40) confluisce nella varietà in discussione. Fortemente omogeneo è il partito decorativo della serie (fregio con teoria di pesci sulla spalla, linee e fasce di vario spessore sul corpo e motivo a reticolo sul collo), cui aderisce puntualmente anche l'anfora, conservata al *Louvre* (C.a/7). Anche quest'ultima è con ogni probabilità riferibile al medesimo ceramografo[119], come suggerisce non solo la generale somiglianza stilistica, ma anche la presenza degli stessi elementi accessori, come il motivo degli *chevrons* inseriti nel fregio ad evocare probabilmente le onde marine; completano il *dossier* un'anfora appartenente alla collezione Borowski (PS/39), recentemente apparsa sul mercato antiquario, ed una conservata alla *Ny Carlsberg Glyptotek* (PS/147).

La varietà b raccoglie otto esemplari di esclusiva provenienza ceretana, che, a fronte di una forte unitarietà morfologica, mostrano una maggiore varietà decorativa: accanto al consueto motivo dei pesci apposto sull'anfora della t. 25 della Banditaccia (C.B.25/2), anch'essa attribuita all'opera del Pittore dei Pesci di Civitavecchia[120], compare, su un esemplare proveniente dal medesimo contesto, un fregio articolato con figure di volatili (C.B.25/3). Nei restanti tre casi ricorrono, invece, i diffusissimi aironi. Anche la decorazione accessoria è più varia: in un caso, il collo è decorato dal motivo a reticolo, proprio della varietà precedente, e negli altri da triangoli campiti linearmente variamente combinati, mentre il ventre presenta talvolta una decorazione a corona di raggi sviluppati dal fondo. Tali variazioni non sembrano comportare alcuna implicazione cronologica.

Completa la rassegna una coppia di anfore provenienti dalla prima deposizione del tumulo ceretano della Speranza (C.B.2006/1-2) ed un altro esemplare, lievemente difforme per sintassi decorativa, recentemente apparso sul mercato antiquario tedesco (PS/41).

La cronologia dei contesti noti suggerisce per l'intero tipo una datazione nell'ambito del primo quarto del VII sec. a.C.; all'interno della serie, con certezza risulta lievemente anteriore solo l'esemplare proveniente dalla t. 79 della Banditaccia (C.B.79/1; tipo Ab 1b), il cui corredo è collocabile negli anni di passaggio tra VIII e VII sec. a.C.

TIPO Ab 2: collo lievemente concavo; corpo ovoide slanciato con spalla distinta; piede a tromba basso; anse poco espanse impostate sul labbro. Decora-

---

[119] MARTELLI 1987a, n. 30, p. 257.

[120] Cfr. nota prec.

zione principale sulla spalla, associata ad ulteriori registri decorativi sul corpo (h 40-47 cm). *(tav. 12)*

- Distribuzione:

Cerveteri, Banditaccia t. 25 (scavi Lerici), (C.B.25/4): LEACH 1987, p. 76, n. 193; SARTORI 1999, p. 127, n. 3, tav. XVII; SARTORI 2002, p. 20, n. 17, tav. XII, fig. 21.
Cerveteri, Banditaccia t. 25 (scavi Lerici), (C.B.25/5): LEACH 1987, p. 76, n. 194; SARTORI 1999, p. 127, n. 4, tav. XVIII; SARTORI 2002, p. 21, n. 18, tav. XII, fig. 22.
Cerveteri, Banditaccia t. Mengarelli XX, (C.B.XX./2): LEACH 1987, p. 77, n. 197 (amphora 2a).
Cerveteri, Monte Abatone t. 76, (C.MA.76/1): B. BOSIO, in *Milano* 1986a, p. 39, n. 50, p. 41, fig. 50.
Cerveteri, Monte Abatone t. 76, (C.MA.76/1): B. BOSIO, in *Milano* 1986a, p. 41, n. 51, p. 39, fig. 51 (*tav. 12.3*).
Provenienza sconosciuta (Cerveteri?), (PS/148): esposta nel Museo Archeologico di Firenze.
Provenienza sconosciuta, (PS/161): SPINOLA 1979, p. 5.

La forte omogeneità morfologica e decorativa fa delle cinque anfore afferenti al tipo un gruppo compatto, con ogni probabilità assegnabile ad unico *atelier* operante a Cerveteri. Le attestazioni sono costituite da da due esemplar adespoti conservati nel Museo Archeologico di Firenze (PS/148) e nel Museo Martini di Torino (PS/161) e da due coppie di anfore deposte nelle tt. 25 della Banditaccia e 76 di Monte Abatone, cronologicamente contemporanee e ascrivibili al primo quarto del VII sec. a.C. In questo periodo va dunque inquadrata l'attività della bottega, i cui caratteri distintivi sono individuabili nella sovrapposizione di molteplici registri decorativi, in cui predominano i triangoli campiti a puntini e, nel tratto prossimo all'imposta del collo, i gruppi di tratti verticali associati o meno alla catena di esse coricate; quest'ultima alternativa ricorre in un esemplare di ogni contesto, forse per la ricerca voluta di differenziazione all'interno di ciascuna coppia. I motivi accessori descritti, nonché il tipo stesso dell'airone con corpo sinuoso e snello e con occhio a risparmio, compaiono inoltre nell'anfora proveniente dalla t. II di Casaletti di Ceri, morfologicamente divergente per l'alto piede e l'impostarsi delle anse al di sotto del labbro, che forse potrebbe collegarsi ad una produzione leggermente più tarda della medesima bottega (cfr. tipo Ab 3c). Al nucleo è probabilmente aggregabile, sulla base della sola descrizione, un esemplare deposto nella t. XX Mengarelli (C.B.XX/2).

TIPO Ab 3: collo sottile/ampio lievemente concavo; corpo ovoide espanso/slanciato con spalla scarsamente distinta; anse impostate nel terzo superiore/a metà del collo. Fregio principale nel punto di massima espansione. *(tav. 12)*

Varietà a: collo largo; corpo ovoide espanso; anse impostate a metà del collo (h 42-53 cm).

- Distribuzione:

Veio (provenienza incerta), (V.a/1): inedita, *(app. 1, n. 31; tav. 33.7)*.

Veio, Grotta Gramiccia t. 2, (V.GG.2/1): BOITANI *et al.* cds.
Veio, Grotta Gramiccia t. 2, (V.GG.2/2): BOITANI *et al.* cds.
Veio, (V.a/5): BOITANI *et al.* cds.
Cerveteri, Banditaccia, tumulo del Colonnello, (C.B.I/1): MARTELLI 1984, p. 12, fig. 33, con bibl.; MARTELLI 2001, p. 5, fig. 10.
Cerveteri, Banditaccia, tumulo del Colonnello, (C.B.I/2): DIK 1981a, p. 52, nota 34; MARTELLI 1984, p. 11, figg. 30-32; MARTELLI 2001, p. 5, fig. 9 (*tav. 12.4*).
Cerveteri, Banditaccia, tumulo della Speranza, t. 1 (prima dep.), (C.B.1/1): RIZZO 1989a, p. 33, fig. 63; RIZZO 1990, p. 55, n. 4, p. 57, fig. 57.
Cerveteri, Monte Abatone t. 4 (camera principale), (C.MA.4/2): RIZZO 2007, p. 30, n. 27, fig. 63.
Provenienza sconosciuta (mercato antiquario), (PS/42): MARTELLI 2001, p. 12, fig. 35; *Galerie Gunter Puhze* , 12, p. 15, n. 155.
Provenienza sconosciuta (coll. privata nel Canton Ticino), (PS/45): MARTELLI 2001, p. 15, fig. 45.
Provenienza sconosciuta (mercato antiquario), (PS/46): MARTELLI 2001, p. 12, fig. 38, nota 57 con bibl. prec.

Avvicinabili alla varietà:
Cerveteri, Banditaccia, t. della Capanna, (C.B.11/1): RICCI 1955, c. 346, figg. 73-77; DIK 1981a, p. 50, n. 7, tav. 9; MARTELLI 1984, p. 4, fig. 8, nota 13, con ulteriore bibl.; MARTELLI 1987a, pp. 5, 8, figg. 19-22; MARTELLI 2001, p. 9, nn. 21-22 (*tav. 12.6*).
Cerveteri, Banditaccia t. dell'Affienatora, (C.B.A/1): DIK 1981a, p. 50, n. 5; MARTELLI 1984, p. 4, fig. 7; MARTELLI 1987a, p. 258, n. 33; MARTELLI 1987b, p. 3, figg. 1-4 (*tav. 12.5*).

Varietà b: collo sottile; corpo ovoide; anse impostate nel terzo superiore del collo (h 40-44,5 cm).

- Distribuzione:

Veio, Casale del Fosso t. 868, (V.CF.868/1): DIK 1980, pp. 20-21, fig. 1, tav. 1.2-3; DIK 1981a, p. 53, fig. 5; MARTELLI 1987b, p. 2, figg. 5-9; BURANELLI *et al.* 1997, pp. 81-82, fig. 52; MARTELLI 2001, p. 8, figg. 16-19. *(tav. 12.7)*
Veio, Grotta Gramiccia t. 3, (V.GG.3/1): BOITANI *et al.* cds.
Cerveteri, necropoli sconosciuta, t. 39, (C.39/1): DIK 1981a, p. 51, nota 25.
Cerveteri, Laghetto I t. a camera 154, (C.L.154/1): CAVAGNARO VANONI 1966, p. 115, n. 1, tav. 33.
Cerveteri, Laghetto II t. 245 (Lerici), (C.L.245/1): CAVAGNARO VANONI 1966, p. 201, nn. 2-3, tav 24.2; DIK 1980, p. 21, n. 2; DIK 1981a, p. 51, n. 11; MARTELLI 2001, p. 9, n. 3; C. MARINA, in BAGNASCO GIANNI 2002, p. 156, n. 19.
Cerveteri, Laghetto II t. 245 (Lerici), (C.L.245/2): CAVAGNARO VANONI 1966, p. 201, nn. 2-3; DIK 1981a, p. 51, n. 11; C. MARINA, in BAGNASCO GIANNI 2002, p. 165, n. 20.
Cerveteri, (C.a/9): *Amsterdam* 1989, p. 213, n. 71.
Provenienza sconosciuta, (PS/44): MARTELLI 1987a, p. 257, n. 31, con bibl. fra cui si segnalano DIK 1981b, p. 73, b, tav. 20.4; BLOMBERG *et al.* 1983, p. 84, n. 1-2, p. 82, fig. 49, tav. 38.1-2.
Provenienza sconosciuta, (PS/164): SZILÀGYI 2007, pp. 17-19, tav. 3.
Provenienza sconosciuta, (PS/173): *Solothurn* 1967, p. 68, n. 182, tav. 26.182; MARTELLI 1987a, p. 21, nota 13, n. 5.

Variante:
Cerveteri, Banditaccia tumulo I t. 2 (camera principale), (C.B.2/2): RICCI 1955, c. 216,

n. 2, fig. 10.2; DIK 1981a, p. 51, n. 13, tav. 20; MARTELLI 1987a, p. 17, nota 13, n. 2. *(tav. 12.8)*

Varietà c: collo sottile; corpo ovoide slanciato con spalla quasi sfuggente; anse impostate nel terzo superiore del collo (h 51,5-56,3 cm).

- Distribuzione:

Cerveteri, Banditaccia, tumulo del Colonnello t. I, (C.B.I/3): DIK 1980, pp. 21-22, n. 1, fig. 4, tav. 3.2-4; MARTELLI 1987b, pp. 2, 5, fig. 10; MARTELLI 2001, p. 9, n. 2, fig. 20.

Cerveteri, (C.a/10): DIK 1980, p. 22, n. 4, tav. 4.2; MARTELLI 2001, p. 9, n. 5.

Cerveteri, (C.a/11): POTTIER 1897, p. 37, tav. 30; DIK 1980, p. 22, n. 3, tav. 4.1, con bibl. da integrare con MARTELLI 1987a, p. 17, nota 14; MARTELLI 2001, p. 9, n. 4. *(tav. 12.9)*

Casaletti di Ceri, t. II, (Ce.II/1): COLONNA 1968, p. 268, n. 6; DIK 1981a, p. 50, n. 8, tav. 13; MARTELLI 1984, p. 4, fig. 9.

Provenienza sconosciuta (mercato antiquario, Londra 1974), (PS/158): DIK 1980, p. 20, nota 30; SZILÀGYI 1989, p. 627, tav. II.d.

Variante:

Cerveteri, Banditaccia t. 26, (C.B.26/1): A. TARELLA, in *Milano* 1980, p. 249, n. 9, fig. 9, p. 248; LEACH 1987, p. 76, n. 195; SARTORI 2002, p. 30, n. 9, tav. XVIII, fig. 38. *(tav. 12.10)*

Il tipo è rappresentato da anfore dal corpo espanso arrotondato con piede piuttosto largo e basso, che presentano generalmente le anse impostate attorno alla metà o nel terzo superiore del collo. Rispetto agli esemplari precedenti, l'impegno decorativo è notevole: le raffigurazioni presenti sul corpo sono sia di modulo più grande, tanto da estendersi talvolta sul collo, che di maggiore complessità, contemplando processioni di quadrupedi, almeno nel caso della varietà a. Alle varietà, distinte sulla base del minore (varietà a) o maggiore (varietà b-c) sviluppo del collo e del corpo, non sembra corrispondere un ampio iato cronologico[121].

La varietà a è rappresentata da esemplari di provenienza ceretana e veiente. Il tipo accoglie opere attribuite alle officine gravitanti attorno alle personalità di spicco della ceramografia orientalizzante ceretana, se non ai maestri stessi[122]. Alla cerchia del Pittore dell'Eptacordo è riferita la coppia di anfore dal tumulo del Colonnello[123](C.B.I/1-2). Figurano poi due esemplari con decorazione rigorosamente geometrica molto affini fra loro, provenienti rispettivamente dalla

---

[121] Si veda inoltre il paragrafo dedicato alla produzione del Pittore delle Gru e della sua Bottega (cap. V.2, pp. 244-249), alla quale è riconducile gran parte delle anfore afferenti al tipo.

[122] È rigoroso precisare che tutte le attribuzioni riportate in questa sede, salvo i casi in cui non sia espressamente indicato, fanno capo ai fondamentali contributi di Marina Martelli: MARTELLI 1984; MARTELLI 1987a; MARTELLI 1987b; MARTELLI 1987c; MARTELLI 1988; MARTELLI 2001.

[123] L'attribuzione dell'anfora operata da R. Dik nel 1980 è tuttavia da assumersi con cautela, dal momento che il numero d'inventario (46678) riportato è stato ricondotto ad un'altra delle anfore provenienti dal corredo (MARTELLI 1987b, p. 2, nota 11).

camera centrale della t. 4 di Monte Abatone[124] (C.MA.4/2) e dalla deposizione più antica del tumulo della Speranza (C.B.1/1). Il nucleo più consistente è tuttavia rappresentato dalle anfore connesse al Pittore delle Gru: alla fase iniziale dell'opera del ceramografo sono da riferirsi gli esemplari con corpo globulare deposti nella t. dell'Affienatora (C.B.A/1) e in quella della Capanna (C.B.11/1), che ne supportano la datazione agli inizi del VII sec. a.C., mentre ad una fase leggermente più tarda va attribuita l'anfora con cervo trafitto e *trapeza* (PS/42). Afferenti alla bottega del maestro sono infine quattro anfore, morfologicamente molto vicine alla PS/42, che recano rappresentazione di cavalli (PS/46 e V.GG.2/1), anche nella variante alata (V.GG.2/2), e una più inconsueta figura di ariete (PS/45) e che risultano avvicinabili a tre esemplari provenienti da un'unica tomba di Narce[125], riferiti anch'essi all'*atelier*. Almeno per gli esemplari da Veio e da Narce, quest'ultimi comprendenti l'oinochoe con cavallo alato deposta nel medesimo contesto, le affinità appaiono tanto stringenti da suggerire un'identità di mano.

Vorrei infine richiamare l'attenzione sull'esemplare V.a/1, molto plausibilmente proveniente da Veio. Le modalità dell'acquisizione, dovuta ad un'unica foto corredata dall'indicazione del sito, e conseguentemente della documentazione, limitata ad una visione parziale del vaso, non permettono di poter affinare l'analisi del fittile, senza alcun dubbio da ricondursi al Pittore delle Gru. Tale paternità, confortata dalla prof.ssa M. Martelli, cui vanno i miei più sentiti ringraziamenti, riposa sulla presenza di tratti decorativi ricorrenti nella produzione ad esso legata: tra questi, oltre alla sintassi con fregio principale sul corpo, si segnala la rigorosa scansione della zona inferiore del ventre, con fila di cuspidi inquadrata da due gruppi i linee a loro volta sormontanti due fasce; tale schema ricorre identico nelle anfore autografe PS/42 e V.CF.868/1 e, infine, nell'esemplare PS /46 ricondotto alla bottega, in cui bisogna tuttavia rilevare la resa poco curata e disomogenea delle cuspidi. L'albero trova confronti puntuali in quello che, nella già citata anfora V.CF.868/1, si estende fino ad interessare anche il collo. La figura, con ogni probabilità rappresentante un cavallo, è realizzata a contorno; purtroppo non è possibile verificare la presenza di campiture interne al corpo che potrebbero fornire un valido elemento di raffronto. Il riempimento della coda a reticolo non trova puntuali confronti: le somiglianze più stringenti sono costituite dalla figura equina dell'anfora dalla tomba dell'Affienatora. Alla fine di questa disamina, pur restando valide le condizioni iniziali circa una puntuale attribuzione del pezzo, mi sembra tuttavia rilevante la preponderanza degli elementi di affinità con le opere direttamente imputabili al maestro.

---

[124] Il contesto conteneva originariamente un'altra anfora, dispersa poco dopo il rinvenimento, simile all'ex. C.MA.4/2, ma con pesci (Rizzo 2007, p. 29, n. 26).

[125] Dalla t. 8 (LXI) del sepolcreto a sud di Contrada Morgi, contente inoltre un'oinochoe con cavallo alato e due kotylai con pesci e volatili, oltre che un lotto di piatti ad aironi e a decorazione geometrica (*Narce* 1894, c. 529, nn. 40-42, fig. 144; da ultima: Martelli 2001, p. 16, figg. 43-44, con bibl. prec.).

Nella varietà b confluiscono alcune opere del Pittore delle Gru, fra esse la ricordata anfora V.CF.868/1, l'esemplare anch'esso di provenienza veiente V.GG.3/1 e il ceretano C.L.245/1, e vasi riferibili alla Bottega dei Pesci di Stoccolma, rappresentati dall'anfora eponima (PS/44) e da una in collezione privata (PS/173). Dei dieci esemplari assegnati alla varietà, tre risultano omogenei da un punto di vista decorativo: similmente alla varietà successiva il corpo è interessato da raggi sulla spalla e sul ventre, mentre nel punto di massima espansione corre un fregio con pesci[126]. Non aderiscono rigorosamente a tale modulo le anfore di maggiore impegno decorativo, che presentano un secondo fregio con pesci sulla spalla (C.B.2/2), l'intero corpo scandito da registri sovrapposti (PS/44), teorie di capridi e grifi rispettivamente negli esemplari C.a/9 e PS/164 e nelle opere del Pittore delle Gru (V.CF.868/1 e V.GG.3/1). La varietà, di prevalente produzione ceretana, è databile nel primo quarto del VII sec. a.C., più probabilmente negli anni finali del venticinquennio[127].

Delle cinque anfore afferenti alla varietà c, ben tre sono con certezza attribuibili al Pittore delle Gru (C.B.I/3, C.a/10-11), una risulta almeno gravitare nell'ambito della sua officina (PS/158), mentre l'esemplare proveniente dalla t. II di Casaletti di Ceri presenta tratti del tutto autonomi (Ce.II/1).

Di esclusiva provenienza ceretana, i vasi sono accomunati dallo sviluppo del collo sottile, che li avvicina agli esemplari di tipo 4, associato però ad un corpo ovoide con spalla arrotondata non distinta. La sintassi decorativa si articola in moduli ricorrenti, che prevedono sul collo la tipica fila di triangoli contrapposti e numerosi registri di raggi sul corpo, con il fregio principale decorato con figure di animali disposto sul ventre: "gru", nell'anfora proveniente dalla t. I del tumulo del Colonnello (C.B.I/3) e in quella genericamente ricondotta a Cerveteri (C.a/10), e pesci puntinati, in quella appartenente alla collezione Campana (C.a/11= D 57). Diverge dal quadro tracciato l'anfora di provenienza sconosciuta con cervo pascente (PS/158) e quella da Ceri (CeII/1), la cui decorazione richiama quella presente nelle anfore di tipo 2. Più inusuale risulta la decorazione dell'anfora dalla t. 26 della Banditaccia (C.B.26/6), inquadrabile nel secondo quarto del VII sec. a.C., per la sintassi riecheggiante esemplari più antichi di tipo Ab 1, decorati con triangoli campiti linearmente sul collo e fregio di aironi limitato alla spalla, mentre fasce e linee ricoprono il resto del corpo; tali difformità la identificano come una variante.

---

[126] Appartengono a questo nucleo le anfore provenienti dalla t. 245 del Laghetto II (C.L.245/1), attribuita al Pittore delle Gru, dalla t. 154 della stessa necropoli (C.L.154/1) e dalla t. 39 (C.39/1). Sulla possibile ambientazione veiente delle opere più recenti del Pittore delle Gru, tra le quali le anfore V.CF.868/1 e V.GG.3/1, cfr. cap. V.2, pp. 244-249.

[127] Poco prima del 675 a.C. sono infatti datate sia la t. 2 del tumulo I, che la t. 245 del Laghetto; una datazione intorno al 680 a.C. è stata inoltre indicata, su base stilistica, da M. Martelli per l'anfora adespota di Stoccolma (PS/44). Tale orizzonte è confermato dalla recente acquisizione veiente (V.GG.3/1), il cui contesto di appartenenza si colloca tra il 680 e il 660 a.C.

Riassumendo, sotto l'aspetto cronologico le tre varietà non sembrano presentare uno scarto molto sensibile: con l'eccezione delle anfore individuate come varianti del tipo Ba 3a, ancora ascrivibili agli inizi del VII sec. a.C., il resto delle attestazioni si distribuisce nel corso del primo quarto del secolo. Per la varietà a l'unico elemento non omogeneo è costituto dall'anfora C.MA.4/2 della t. Monte Abatone 4, datata attorno alla metà del secolo. La varietà b prosegue ancora alle soglie dell'orientalizzante medio come testimoniano le deposizioni 245 del Laghetto a Cerveteri e la 868 di Casale del Fosso a Veio; ugualmente accade per la varietà c, come suggerisce il corredo della t. II di Casaletti di Ceri.

Secondo R. Dik sarebbe riscontrabile una tendenza evolutiva da forme piriformi vero esemplari più slanciati e ovoidi, assimilabili a quest'ultima varietà[128].

TIPO Ab 4: alto collo sottile; corpo ovoide tendente al piriforme; alto piede a tromba; anse impostate nel terzo superiore del collo. Decorazione principale sul corpo, in corrispondenza della massima espansione (h 46 cm ca). *(tav. 13)*

- Distribuzione:

Cerveteri, Monte Abatone t. 90 (prima dep.), (C.MA.90/3): A. PUGNETTI, in *Milano* 1986a, p. 76, n. 74, p. 77, fig. 74.

Cerveteri, Monte Abatone t. 90 (prima dep.), (C.MA.90/4): DIK 1981a, p. 56, fig. 7, tav. 31; A. PUGNETTI, in *Milano* 1986a, p. 76, n. 73, fig. 73.

Cerveteri (?), (C.a/12): H.A.G. BRIJDER, in *Venezia* 2000, p. 607, n. 211 con bibl. esaustiva, fra cui si segnalano in particolar modo: DIK 1981a, pp. 45-48, fig. 8, tavv. 1-4, 322; MARTELLI 1987a, p. 265, n. 41, p. 94, fig. 41. *(tav. 13.1)*

Il tipo è rappresentato da tre anfore: è disponibile un'esauriente documentazione sul contesto di rinvenimento solamente per la coppia proveniente dalla deposizione più antica della t. 90 di Monte Abatone, databile tra il secondo e il terzo quarto del VII sec. a.C. Stessa cronologia, stabilita su base stilistica, condivide il terzo esemplare adespota conservato nel Museo Allard Pierson e oggetto della nota pubblicazione da parte di R. Dik[129]. L'esemplare si distingue per la complessa raffigurazione di carattere narrativo identificata da M. Martelli con l'episodio mitico della lotta tra Medea e il drago della Colchide, tratto dalla saga degli Argonauti. L'anfora è stata attribuita all'opera di un ceramografo ceretano che da questa prende il nome di Pittore di Amsterdam (660-640 a.C). Alla stessa mano, o perlomeno al medesimo *atelier*, sono inoltre da riferirsi le due anfore precedentemente citate, accomunate all'opera autografa anche dall'uso di puntinatura, mentre la paternità risulta discussa per due coppie di anfore in impasto *red on white*, l'una di provenienza ignota conservata a Monaco[130] e l'altra da Orvieto al *National Museum*

---

[128] DIK 1980, p. 18.

[129] DIK 1981a.

[130] SIEVEKING, HACKL 1912, p. 70, nn. 600-601, tav. 25.

di Copenaghen[131].

TIPO Ab 5: alto/basso e ampio collo troncoconico; corpo ovoide; alto piede a tromba/troncoconico; anse impostate sul terzo superiore del collo/sul labbro. Decorazione esclusivamente lineare. *(tav. 13)*

Varietà a: alto collo; anse impostate nel terzo superiore del collo; piede a tromba.

- Distribuzione:

Veio, Monte Michele t. 5 (camera inumazione femminile), (V.MM.5/8): BOITANI 1985, p. 544, tav. XCVI.a. *(tav. 13.2)*
Passo della Sibilla t. A, (Si.A/2): RADDATZ 1983, p. 211, n. 11, fig. 5.2, tav. 29.4.
Provenienza sconosciuta, (coll. R. Hess), (PS/163): HESS 1963, p. 24.

Avvicinabile alla varietà:
Veio, Pozzuolo t. 1, (V.Pz.1/2): inedita, (*app. 1, n. 32*).

Varietà b: basso e ampio collo; anse impostate sul labbro; piede a tromba.

- Distribuzione:

Passo della Sibilla t. A, (Si.A/3): RADDATZ 1983, p. 211, n. 10, fig. 5.1, tav. 29.3. *(tav. 13.3)*
Passo della Sibilla t. B, (Si.B/1): RADDATZ 1983, p. 229, n. 1, fig. 9.1.
Passo della Sibilla t. B, (Si.B/2): RADDATZ 1983, p. 230, n. 2, fig. 9.2.
Ipoteticamente attribuibile alla varietà: Veio, Riserva del Bagno t. II, (V.R.II/1): inedita, (*app. 1, n. 33*).

Varietà c: collo molto alto; anse impostate sul labbro/al di sotto del labbro; piede troncoconico molto sviluppato (h 49-54,5 cm).

- Distribuzione:

Veio, Macchia della Comunità t. 34, (V.MC.34/3): inedita, (*app. 1, n. 34*).
Veio, Macchia della Comunità t. 34, (V.MC.34/4): inedita, (*app. 1, n. 35*).
Provenienza sconosciuta (coll. Poggiali), (PS/47): CHERICI 1988, p. 90, n. 88, tav. LII.a. *(tav. 13.4)*

Pochissimi esemplari, di esclusiva provenienza veiente, aderiscono al tipo. La varietà a è costituita al momento di vasi deposti in due contesti databili al secondo quarto del VII sec. a.C., rispettivamente la t. 5 di Monte Michele e la t. A di Passo della Sibilla. L'elemento caratterizzante è costituito dal largo e alto collo, sul cui terzo superiore si impostano due anse verticali; la scomparsa della decorazione dipinta nell'esemplare di Monte Michele non permette purtroppo di confermare la ricorrenza di schemi e motivi decorativi.

---

[131] MARTELLI 1987a, n. 41, p. 265; BLINKEBERG, JOHANSEN, p. 161, nn. 1-2, tav. 208, 1-2 a-b.; per il Pittore di Amsterdam si veda inoltre MARTELLI 1987c. Contro il riconoscimento come opere autografe degli exx. d'impasto avanzato da M. Martelli, si veda COLONNA 2003, p. 518, a favore di una loro filiazione orvietana.

Il collo scarsamente sviluppato, decorato da una doppia fila di triangoli contrapposti, distingue la varietà b, costituita da alcune anfore (Si.A/3; Si.B/1-2) da Passo della Sibilla (tt. A e B), alle quali forse risulta aggregabile un frammento della parte superiore di un anfora dalla t. II di Riserva del Bagno (V.R.II/1).

La varietà c presenta una scansione tettonica simile alla varietà a, in cui acquista, tuttavia, una maggiore rilevanza lo sviluppo del piede, che cresce in altezza fino ad assumere una forma troncoconica. Le anse si impostano sul labbro o subito al di sotto di esso: negli unici esemplari attestati, una coppia di anfore proveniente dalla t. 34 di Macchia della Comunità (V.MC.34/3-4) e una adespota dalla collezione Poggiali[132] (PS/47), cui sono da aggiungersi le due anfore dalla tomba di Piani del Pavone al confine del territorio veiente[133], la decorazione dipinta si articola in fasce e raggi organizzati secondo uno schema canonico diffuso anche sulle coeve oinochoai (tipo Cb 4).

Malgrado la limitatezza numerica del campione, è tuttavia possibile ipotizzare un processo evolutivo che conduce da anfore di varietà a e b, ancora inquadrabili nell'orientalizzante medio iniziale e avvicinabili nella tettonica generale ad esemplari coevi ceretani (ad esempio le anfore di tipo Ab 3), a esemplari di tipo c, diffusi nella seconda metà del VII sec. a.C., più probabilmente nel terzo quarto, morfologiamente avvicinabili alle anfore quadriansate di tipo Ab 6a-b. Le analogie con questi vasi, unanimemente attribuite a botteghe veienti, nonché l'esclusiva provenienza da Veio degli esemplari dichiarano la loro connessione con officine locali.

Tipo Ab 6: collo troncoconico; corpo ovoide; piede a tromba; quattro (raramente due) anse impostate sul quarto superiore del collo. Decorazione esclusivamente lineare, talora associata a pesci sulla spalla. *(tav. 13)*

Varietà a: decorazione lineare (h 56 ca cm)

- Distribuzione:

Veio, Monte Oliviero t. II (cella destra), (V.MO.II/1): Stefani 1928, pp. 103-104, a, fig. 17; Dik 1981a, p. 56, n. 4.

Veio, Monte Oliviero t. II (cella destra), (V.MO.II/2): Stefani 1928, a, p. 103; Dik 1981a, p. 56, n. 5; Cosentino 1988, p. 77, n. II, 6.a.

Trevignano, t. dei Flabelli, (Tr.t/1): Dik 1981a, p. 56, nota 40.

Trevignano, t. dei Flabelli, (Tr.t/2): M. Moretti, in *Viterbo* 1970, p. 26, n. 11; Dik 1981a, p. 56, nota 40, fig. 6, tav. 29; Caruso 2005, p. 303, fig. 2.

---

[132] L'anfora in questione è senza dubbio riconducibile, in base alle forti analogie con gli altri exx. del tipo, alla produzione veiente del terzo quarto del VII sec. a.C.; è dunque da respingere l'affinità, richiamata dal suo editore, con i modelli greci TG e le loro imitazioni, fra cui la nota anfora dalla t. C di Mandrione di Cavalupo a Vulci, che ne collocherebbero la datazione nella prima metà del VII sec. a.C. (Cherici 1988, pp. 91-92).

[133] Rizzo 1996, p. 483, tav.III.12.

Provenienza sconosciuta, (PS/48): Dik 1981a, p. 56, nota 40, tav. 30; *Amsterdam* 1989, p. 213, n. 68. *(tav. 13.5)*
Provenienza sconosciuta (Veio ?), (PS/49): Dik 1981, p. 56, nota 40, tav. 30; *Amsterdam* 1989, p. 213, n. 68.

Varianti:

Veio, t. Campana (Prima camera?), (V.c/1): Cristofani, Zevi 1965, p. 11, n. 8, tavv. VII.1-2, XII. *(tav. 13.7)*
Provenienza sconosciuta, (PS/50): Dik 1981a, p. 56, n. 6, con bibl. prec.; Rükert 1996, p. 45, tav. 23.3; *(tav. 13.6)*

Varietà b: metope sul collo, pesci sulla spalla (h 39,5-46,5 cm).

- Distribuzione:

Veio, Monte Michele t. D, (V.MM.D/1): Cristofani, Zevi 1965, p. 284, n. 1, tav. XCIV, I; Cristofani 1969, p. 34, n. 21, p. 36, fig. 14, tav. XVII.1; Dik 1981a, p. 56, n. 7.
Veio, Monte Michele t. D, (V.MM.D/2): Cristofani, Zevi 1965, p. 284, n. 2, tav. XCIV, II; Cristofani 1969, p. 34, n. 22, p. 36, fig. 14, tav. XVII.2; Dik 1981a, p. 56, n. 8.
Veio, Monte Michele t. D, (V.MM.D/3): Cristofani, Zevi 1965, p. 284, n. 3, tav. XCIC, III; Cristofani 1969, p. 34, n. 23, p. 36, fig. 14, tav. XVII.3; Dik 1981a, p. 56, n. 9.
Veio, Monte Michele t. D, (V.MM.D/4): Cristofani, Zevi 1965, p. 284, n. 4, tav. XCIV, IV; Cristofani 1969, p. 34, n. 24, p. 36, fig. 14, tav. XVII.4; Dik 1981a, p. 56, n. 10.
Veio, Monte Michele t. D, (V.MM.D/5): Cristofani 1969, p. 34, n. 20; Dik 1981a, p. 56, n. 11.
Veio, tumulo di Vaccareccia vano II, (V.V.t/2): Stefani 1935, p. 342, n. 1, fig. 15a; Dik 1981a, p. 53, n. 1.
Veio, tumulo di Vaccareccia vano II, (V.V.t/3): Stefani 1935, p. 342, n. 2, fig. 15b; Dik 1981a, p. 53, n. 2; De Santis 2003, p. 92, n. 113, tav. XIIIb.
Veio, tumulo di Vaccareccia vano III, (V.V.t/5): Stefani 1935, p. 346, figg. 18-19; Dik 1981a, p. 53, n. 3.
Veio, tumulo di Monte Aguzzo (V.MA/1): Michetti 2009.
Veio, (V.a/8): Delpino 1985, p. 207, n. 112, tav.XVII.112.
Provenienza sconosciuta, (PS/51): Rouillard 1980, p. 49, n. 1; tav. 10.1-3. *(tav. 13.8)*
Provenienza sconosciuta, (PS/52): Rouillard 1980, n. 4, p. 49, tav. 10.4-6.

Confluiscono nel tipo le anfore quadriansate, articolate in due varietà distinte in base al partito decorativo.

La varietà a condivide con il tipo 5c la decorazione puramente lineare con triangoli, raggi e fasce. Gli esemplari afferenti alla varietà sono costituiti da una coppia di anfore adespote appartenti ad una collezione privata (PS/48-49), da una dalla t. dei Flabelli di Trevignano (Tr.t/1-2), contesto databile nella seconda metà del VII sec. a.C., e, infine, da due esemplari deposti nel tumulo di Monte Oliviero (V.MO. II/1-2). Si segnala, inoltre, l'anfora del gruppo Campana (V.C/1), che per il collo estremamente basso è da considerarsi una variante, così come quella conservata a Tübingen (PS/50).

Figure di pesci sulla spalla e una decorazione in schema metopale con l'inserzione di caratteristici elementi a gancio caratterizzano la varietà b. Vi figurano cinque esemplari (V.MM.D/1-5) provenienti dalla t. D di Monte Michele (630 a.C), tre anfore (V.V.t/2-3, 5) deposte nel tumulo di Vaccareccia (vani II e III), databili nel corso dell'orientalizzante recente[134], una coppia conservata nel museo di *Bourges* (PS/51-52) e un esemplare dal tumulo di Monte Aguzzo (V.MA./1). Quest'ultimo, eccezionalmente biansato come l'anfora PS/52, si distingue per la decorazione esuberante con volatili campiti, che riecheggiano le figure predilette dal Pittore delle Gru e che tovano un riscontro puntuale nella ricordata coppia di anfore deposta nella t. 3 di Piani del Pavone[135], attribuibile senza dubbio alcuno alla medesima mano[136].

Le anfore descritte sono con ogni probabilità da riferirsi a produzione veiente, caratterizzata dall'adozione preferenziale della forma quadriansata; la stretta somiglianza nella resa dei pesci e nel loro disporsi suggeriscono inoltre di connetterle ad un unico *atelier,* attivo in una fase non inoltrata dell'orientalizzante recente. Ad un orizzonte di poco precedente, forse coincidente con l'avvio stesso della manifattura, sarebbero plausibilmente da ricondurre gli esemplari di Monte Aguzzo e Piani del Pavone, che rivelano nella forma e nella decorazione ancora forte l'impronta della bottega del Pittore delle Gru[137].

La figura del pesce, stilisticamente affine all'ultima varietà esaminata, ricorre sulla spalla delle anfore di tipo Ab 7, attribuibili ad un'officina ceretana pressappoco coeva.

TIPO Ab 7: collo concavo; corpo ovoide tendente al piriforme; basso piede a tromba. Decorazione lineare/pesci (h 42 cm ca). *(tav. 13)*

- Distribuzione:

Cerveteri, Laghetto I t. 64, (C.L.64/1): CAVAGNARO VANONI 1966, p. 89, n. 8; DIK, DONKER 1980, fig. 8; DIK 1981a, p. 52, n. 16, tav. 25; ALBERICI VARINI 1999, p. 47, n. 60, tav. XLV, fig. 62. *(tav. 13.9)*

Cerveteri, Laghetto I t. 64, (C.L.64/2): CAVAGNARO VANONI 1966, p. 89, n. 9; DIK, DONKER 1980, fig. 8; DIK 1981a, p. 52, n. 15, tav. 25; ALBERICI VARINI 1999, p. 48, n. 61, tav. XLVI, fig. 63.

Segue un elenco delle anfore, la cui sola descrizione fornita nella letteratura non è sufficiente a proporne una puntuale collocazione tipologica; sembra comunque plausibile che la maggior parte degli esemplari afferiscano al gruppo Ab:

Veio, Vaccareccia sporadico, (V.V/4): PAPI 1988, p. 117, n. 1.

Veio, Vaccareccia sporadico, (V.V/5): PAPI 1988, p. 117, n. 2.

Cerveteri, Banditaccia t. della Capanna (loculo destro), (C.B.11/5): RICCI 1955, c. 356, n. 6.

Cerveteri, Banditaccia t. della Capanna (loculo destro), (C.B.11/6): RICCI 1955, c. 357, n. 23.

---

[134] Rispetto agli exx. di Monte Michele il collo appare lievemente meno sviluppato.

[135] RIZZO 1996, p. 483, tav. III.13, associate ad un'altra coppia con semplice decorazione a triangoli.

[136] Dettagliata analisi stilistica dell'ex. di Monte Aguzzo e puntuale collocazione nella coeva produzione in MICHETTI 2009.

[137] Per le possibili connessioni tra i due *ateliers* cfr. cap. V.2, pp. 244-249.

Cerveteri, Banditaccia tumulo III, (prima dep.), (C.B.III/3): CRISTOFANI, RIZZO 1987, p. 157.
Cerveteri, Banditaccia tumulo III, (prima dep.), (C.B.III/4): CRISTOFANI, RIZZO 1987, p. 157.
Cerveteri, Banditaccia tumulo III, (prima dep.), (C.B.III/12): CRISTOFANI, RIZZO 1987, p. 157.
Cerveteri, Laghetto II t. a camera 185 (camera centrale), (C.L.185/1): CAVAGNARO VANONI 1966, p. 179, n. 1.
Cerveteri (?), (C.a/5): DIK 1981a, p. 52.

La pertinenza al gruppo Ab è certa invece per gli esemplari:
Veio, Monte Michele t. B, (V.MM.B/1): CRISTOFANI 1969, p. 22, n. 19.
Veio, Monte Michele t. 5 (camera, inc. maschile), (V.MM.5/2): BOITANI 1982, p. 101, tavv. XXXV.2, XXXVI.1; BOITANI 1985, p. 546.
Veio, Monte Michele t. 5 (camera, inc. maschile), (V.MM.5/3): BOITANI 1982, p. 101; BOITANI 1985, p. 546.
Veio, Monte Michele t. 5 (camera, inc. maschile), (V.MM.5/4): BOITANI 1982, p. 101; BOITANI 1985, p. 546.
Veio, Monte Michele t. 5 (camera, inc. maschile), (V.MM.5/5): BOITANI 1982, p. 101; BOITANI 1985, p. 546.
Veio, Monte Michele t. 5 (camera, inum. femminile), (V.MM.5/9): BOITANI 1985, p. 544.
Veio, Monte Michele sporadico, (V.MM/3): CRISTOFANI 1969, p. 50, n. 10, p. 51, fig. 25, tav. XXV.5.
Veio, Pozzuolo t. 2, (V.Pz.2/5): inedita, (*app. 1, n. 36*).
Veio, Pozzuolo t. 2, (V.Pz.2/6): inedita, (*app. 1, n. 37*).
Veio, Pozzuolo t. 4, (V.Pz. 4/1): inedita, (*app. 1, n. 38).*
Veio, Pozzuolo t. 6, (V.Pz. 6/1): inedita, (*app. 1, n. 39).*
Veio, Monte Oliviero t. I (camera principale), (V.MO.I/3): STEFANI 1928, g, p. 102[138].
Veio, Monte Oliviero t. III (celletta di sinistra), (V.MO.III/5): STEFANI 1928, p. 105[139].
Cerveteri, Banditaccia t. 75, (C.B.75/7): RICCI 1955, c. 494, n. 83.
Cerveteri, Banditaccia t. 181, (C.B.181/1): RICCI 1955, c. 649, n. 20.
Cerveteri, (C.a/6): POTTIER 1897, p. 37, tav. 30; DIK 1981b, tav. 23.2.

GRUPPO Ba: brevissimo labbro a tesa orizzontale; collo leggermente concavo dotato o meno di collarino rilevato; corpo ovoide espanso con piede ad anello/disco. Decorazione di tipo geometrico organizzata in schema metopale e a pannello su registri sovrapposti (h 32,5-41,8), ad eccezione degli exx. PS/56, 58. *(tav. 14)*

- Distribuzione:

Vulci, Cavalupo t. dell'1/10/1955, (Vu.C.1955/1): MORETTI SGUBINI 1986, p. 76, tav. XXXIX; A. M. MORETTI SGUBINI, in BOITANI 1990, p. 26, n. 11.
Vulci, Cavalupo t. dell'1/10/1955, (Vu.C.1955/2): MORETTI SGUBINI 1986, p. 76, tav. XXXIX; A. M. MORETTI SGUBINI, in BOITANI 1990, p. 26, n. 12.
Vulci, Polledrara-Legnisina, recupero 1963, (Vu.P.1963/1): MORETTI SGUBINI 1994, p. 15, tav. II.5.
Vulci, t. 22, (Vu.22/2): HALL DOHAN 1942, p. 88, n. 5, tav. XLVIII.5. *(tav. 14.1)*

---

[138] "Resti di due grandi anfore munite di larghe anse e colorate totalmente di rosso".
[139] "Due grandi anfore di argilla chiara".

Provenienza sconosciuta (coll. privata svizzera), (PS/56): MARTELLI 2001, pp. 2-5, con bibl. prec. in part. p. 5, nota 15 sull'attribuzione del pezzo, precedentemente assegnato al Pittore Argivo.
Provenienza sconosciuta (già coll. Chigi Zondadari), (PS/57): CANCIANI 1987, p. 246, n. 9 con bibl. *(tav. 14.2)*
Provenienza sconosciuta (mercato antiquario), (PS/58): *Kunst der Antike,* Galerie G. Puhze, 1993, n. 164; MARTELLI 2001. *(tav. 14.3)*

GRUPPO Bb: brevissimo labbro a tesa orizzontale; collo leggermente concavo/troncoconico dotato o meno di collarino rilevato; corpo ovoide con piede ad anello/basso piede a tromba; anse verticali impostate nel terzo superiore del collo/al di sotto del labbro. Decorazione di tipo lineare, spesso associata a scene complesse di carattere narrativo o a raffigurazioni animalistiche (h 30,5-45,8 cm). *(tav. 14)*

- Distribuzione:

Veio, Casale del Fosso t. 1090, (V.CF.1090/1): BURANELLI *et al.* 1997, pp. 80, 82, fig. 46.; SZILÀGYI 2006, pp. 44-45, n. 1, fig. 8. *(tav. 14.9)*
Veio, (V.a/7): DELPINO 1985, p. 207, n. 111, tav. XVII.111.
Cerveteri, Banditaccia t. Mengarelli XVIII(?), (C.B.XVIII/2): LEACH 1987, p. 76, n. 196, (amphora 1).
Cerveteri, Laghetto I t. a camera 75, (C.L.75/2): CAVAGNARO VANONI 1966, p. 99, n. 1; LEACH 1987, p. 74, n. 189, figg. 11, 49 (amphora 1). *(tav. 14.5)*
Cerveteri, Monte Abatone t. 83, (C.MA.83/1): B. BOSIO, in *Milano* 1986a, p. 53, n. 7, p. 52, fig. 7; MARTELLI 1987a, p. 17, nota 13, n. 4. *(tav. 14.4)*
Provenienza sconosciuta (coll. privata), (PS/53): MARTELLI 2001, pp. 2-5, con bibl. prec. *(tav. 14.7)*
Provenienza sconosciuta (coll. T. Fujita), (PS/54): MARTELLI 1987, p. 263, n. 3, con bibl. prec.; MARTELLI 2001, pp. 2-5, nota 2, con bibl. prec. *(tav. 14.6)*
Provenienza sconosciuta (mercato antiquario), (PS/55): MARTELLI 2001, p. 12, fig. 36, nota 47 con bibl. prec. *(tav. 14.8)*

Il gruppo Bb raccoglie un nucleo piuttosto eterogeneo di anfore: fra queste le opere del Pittore dell'Eptacordo (PS/52-53), un'anfora del Pittore delle Gru (PS/55), alla quale, sebbene non puntualmente, è avvicinabile per forma un'esemplare *red on white* dalla t. XVIII di Picazzano a Veio, uno attribuibile al Pittore di Narce (V.CF.1090/1) ed uno ricondotto alla Bottega dei Pesci di Stoccolma (C.MA.83/1), che condivide con le anfore V.a/7 e C.L.75/2 la presenza del collarino rilevato, già apparso nel gruppo Ba[140].

GRUPPO Bc: orlo ad echino; corpo ovoide espanso/piriforme; piede a disco/bassissimo piede a tromba; anse impostate nel quarto superiore del collo. Decorazione lineare.

---

[140] Per un'analisi delle opere del Pittore dell'Eptacordo: MARTELLI 1988; MARTELLI 2001, pp. 3-5 con bibl. prec.; si veda inoltre il cap. III.2 dedicato alla decorazione figurata, pp. 201-202, 204-206. Per l'ex. di Picazzano: PALM 1952, p. 57, n. 1, tav. VI.1.

Ad una diversa temperie stilistica e culturale è invece riconducibile il sottogruppo Bc, con esemplari di norma dipinti con decorazione di tipo semplificato con fasce, linee ondulate e raggi. Al contrario del gruppo precedente, la presenza delle anfore in esame si concentra nel corso della seconda metà del VII sec. a.C., con qualche attestazione che scende fino agli anni iniziali del secolo successivo.

TIPO Bc 1: alto collo cilindrico; corpo ovoide; piede a disco (h 34,8-36 cm). *(tav. 15)*

- Distribuzione:

Cerveteri, Monte Abatone t. 79 (prima dep.), (C.MA.79/2): B. BOSIO, in *Milano* 1986a, p. 48, n. 22, fig. 22. *(tav. 15.3)*
Cerveteri, Monte Abatone t. 79 (prima dep.), (C.MA.79/3): B. BOSIO, in *Milano* 1986a, p. 48, n. 23, fig. 23.

Il tipo è rappresentato da un'unica coppia di anfore attribuite alla deposizione più antica della tomba 79 di Monte Abatone: l'elemento distintivo è costituito dal grande sviluppo del collo.

TIPO Bc 2: basso collo cilindrico; corpo ovoide/piriforme; basso piede a tromba/piede a disco. *(tav. 15)*

Varietà a: corpo ovoide espanso; basso piede a tromba/a disco (h 29-35,4 cm).

- Distribuzione.

Veio, Picazzano t. XX, (V.P.XX/2): PALM 1952, p. 59, n. 28, tav. VIII.28. *(tav. 15.4)*
Veio, Macchia della Comunità t. 24, (V.MC.24/1): inedita, (*app. 1, n. 40*).
Veio, Macchia della Comunità t. 24, (V.MC.24/2): inedita, (*app. 1, n. 41*).
Veio, t. a fossa, (V.t/1): *Amsterdam* 1989, p. 214, n. 81.
Veio, t. a fossa, (V.t/2): *Amsterdam* 1989, p. 214, n. 81.
Cerveteri, Bufolareccia t. 86 (camera lat. sin.), (C.Bu.86/2): RASMUSSEN 1979, p. 16, n. 6.26; COEN 1991, p. 27, n. 67, tav. XIX c.
Cerveteri, Bufolareccia t. 86 (camera lat. sin.), (C.Bu.86/3): RASMUSSEN 1979, p. 16, n. 6.27; COEN 1991, p. 28, n. 68, tav. XIX d.

Varietà b: corpo piriforme; piede a disco (h 32-38,8 cm).

- Distribuzione:

Veio, Casalaccio t. V, (V.CV/2): VIGHI 1935, pp. 53-54, n. 22, fig. 5.
Cerveteri, Monte Abatone t. 90 (seconda dep.), (C.MA.90/6): A. PUGNETTI, in *Milano* 1986a, p. 72, n. 56, fig. 56.
Cerveteri, Monte Abatone t. 90 (seconda dep.), (C.MA.90/7): A. PUGNETTI, in *Milano* 1986a, p. 74, n. 57, p. 73, fig. 57. *(tav. 15.5)*

Le anfore afferenti al tipo si distinguono dalle precedenti per la minore altezza del collo e per la generale tendenza all'arrotondamento del corpo (ovoide nelle varietà a; con profilo piriforme e basso piede a tromba nella varietà b).

Nel caso della varietà a, le anfore provenienti dalla camera sinistra della t. 86 della Bufolareccia, databile tra il 640 e il 630 a.C., e soprattutto l'esemplare della t. XX di Picazzano, attribuita da M. Cristofani all'orientalizzante medio, propongono come termine iniziale per la serie l'orientalizzante medio, probabilmente evoluto; la varietà b sembra, al contrario, limitata alla fase recente[141].

Afferenti al gruppo Bc:
Veio, Vaccareccia sporadico, (V.V/3): PAPI 1988, p. 97, n. 2.
Veio, Macchia della Comunità t. 21, (V.MC.21/3): inedita, (*app. 1, n. 42*).
Cerveteri, Monte Abatone t. 426 (camera lat. sin.), (C.MA.426/1): COEN 1991, p. 58, n. 61, tav. XLVIII b. *(tav. 15.2)*
Cerveteri, Laghetto I t. a camera 143, (C.L.143): CAVAGNARO VANONI 1966, p. 110, n. 2, tav. 28. *(tav. 15.1)*

GRUPPO Cb: breve labbro a tesa; alto collo troncoconico; corpo ovoide con pareti arrotondate; basso piede a tromba; anse a bastoncello orizzontali impostate sulla spalla. *(tav. 15)*

- Distribuzione:

Trevignano, t. dei Flabelli, (Tr.t/3): DIK 1980, tav. 4,6; DIK 1981a, p. 56, nota 40; CARUSO 2005, p. 305, tav. II.b. *(tav. 15.7)*
Trevignano, t. dei Flabelli, (Tr.t/4): DIK 1980, tav. 4,6; DIK 1981a, p. 56, nota 40; CARUSO 2005, p. 305, tav. II.b. *(tav. 15.8)*
Cerveteri, Monte Abatone t. 297, (C.MA.297/2): MARTELLI 1987, p. 261, n. 37 con bibl. prec.; MARTELLI 2001, pp. 2-5, nota 3; recentemente STEINGRÄBER 2006, p. 39. *(tav. 15.6)*

Convergono nel gruppo pochi esemplari caratterizzati dalla presenza di anse orizzontali, fra cui il celebre biconico del Pittore dell'Eptacordo (C.MA.297/2) e una coppia di esemplari dalla t. dei Flabelli di Trevignano (Tr.t/3-4), ricondotti al Pittore delle Gru da I. Caruso o più convincentemente alla sua cerchia da R. Dik[142].

Unica:
Cerveteri, Banditaccia tumulo III, (prima dep.), (C.B.III/5): CRISTOFANI, RIZZO 1987, p. 157, tav. XXVI.3.
Vulci, Polledrara t. del Guerriero, (Vu.P.G/1): MORETTI SGUBINI 2003, pp. 14-15, note 32-34, fig. 12; MORETTI SGUBINI 2004, p. 154, n. II.e.1.

---

[141] Alla fine del VII sec. a.C. si data un ex. assimilabile alla varietà in questione dalla t. 108 di Decima (CORDANO 1975, p. 395, n. 2, figg. 36.2, 40).

[142] DIK 1980, p. 24.

II.2.8 *Anforette* (*tav. 16*)

		Famiglie morfologiche	
		A: corpo ovoide compresso e breve collo	*B: corpo ovoide e alto collo.*
Famiglie decorative	*a: dec. di tipo metopale*	*gruppo Aa: tipo 1*	
	b: dec. lineare		*gruppo Bb: tipo 1*

Gruppo Aa: breve labbro svasato; collo troncoconico; ventre ovoide; anse a doppio bastoncello intrecciate. Sulla spalla decorazione con metope campite da losanghe reticolate/zigzag.

Tipo Aa 1

Varietà a: metope decorate da losanghe (h 8,5-12,2 cm). *(tav. 16)*
- Distribuzione:

Tarquinia, Monterozzi t. XVI (fossa scavi Cultrera), (T.M.16/2): Cultrera 1930, p. 132, fig. 17; Hencken 1968, p. 384, fig. 373.d.
Tarquinia, Monterozzi tumulo Zanobi (t. Romanelli LXXXIII), (T.M.83/1): Hencken 1968, p. 382; Canciani 1974, p. 50, n. 12, tav. 36.12; da ultimo Palmieri 2005, p. 10, nota 27, fig. 6.a.
Tarquinia, Monterozzi tumulo Zanobi (t. Romanelli LXXXIII), (T.M.83/2): Palmieri 2005, p. 10, nota 27, p. 13, fig. 6.a, con bibl. prec.
Tarquinia, (T.a/138): Canciani 1974, p. 50, n. 2, tav. 37.2.
Tarquinia, (T.a/139): Canciani 1974, p. 51, n. 3, tav. 37.3.
Tarquinia, (T.a/140): Canciani 1974, p. 50, n. 4, tav. 37.4; Canciani 1987, p. 246, n. 8.
Tarquinia, (T.a/141): Canciani 1974, p. 50, n. 1, tav. 37.1. *(tav. 16.1)*
Poggio Buco, t. a fossa XXV, (PB.XXV/1): Boehlau 1900, p. 173, n. 18, fig. 12.1.
Poggio Buco, podere Sadun (PB.t/1): De Puma 1986, p. 55, n. 1, tav. 16. b-c.
Poggio Buco, (PB.a/7): Mangani, Paoletti 1986, p. 38, n. 2, tav. 32.2.
Poggio Buco, (PB.a/8): Mangani, Paoletti 1986, p. 37, n. 1, tav 32.1.
Vulci, territorio, (Vu t/2): Chelini 2004, p. 52, n. 23, tav. IV.23.
Vulci, territorio, (Vu t/3): Chelini 2004, p. 52, n. 24, tav. IV.24.
Provenienza sconosciuta, (PS/23): Williams 1986, p. 298, fig. 18.
Provenienza sconosciuta, (Dono Paolozzi: Chiusi ?), (PS/60): Albizzati 1924-1929, p. 9, n. 34, tav. 3.
Provenienza sconosciuta, (PS/61): Albizzati 1924-1929, p. 9, n. 33, tav. 3.
Provenienza sconosciuta, (PS/62): Canciani 1966, p. 75, tav. 127.3-128.

Varianti:

Tarquinia, (T.a/142): Jacopi 1955, tav. 2.3. *(tav. 16.3)*
Poggio Buco, t. VI, (PB.VI/3): Bartoloni 1972, p. 66, n. 1, p. 67, fig. 30, tav. XXXII a-b.
Poggio Buco, (PB.a/6): Bartoloni 1972, gruppo A, p. 156, n. 5, p. 157, fig. 77, tav. CV b. *(tav. 16.4)*
Provenienza sconosciuta (coll. Poggiali), (PS/63): Cherici 1988, p. 86, n. 85, tav. L.b. *(tav. 16.2)*

Varietà b: metope decorate da zigzag (h 10,6-10,9 cm).
- Distribuzione:

Tarquinia, (T.a/143): CANCIANI 1974, p. 50, n. 9, tav. 36.9.
Tarquinia, (T.a/144): CANCIANI 1974, p. 50, n. 10, tav. 36.10, con bibl.
Tarquinia, (T.a/145): CANCIANI 1974, p. 50, n. 11, tav. 36.11, con bibl. *(tav. 16.5)*
Varianti:
Vulci, probabilmente da Ponte della Badia (scavi 1919), (Vu.a/4): FALCONI AMORELLI 1983, p. 126, n. 123, pp. 125-127, figg. 53-54. *(tav. 16.6)*
Tuscania, Pian di Mola t. 3 del 20/2/1973, (Tu.PM.3/1): RUGGIERI, MORETTI SGUBINI 1986, p. 238, nota 11, tav. XCVII.1.
Provenienza sconosciuta, (PS/149): esposta nel Museo Archeologico di Firenze.

Il tipo Aa 1 è rappresentato da anforette con collo breve e anse a bastoncello intrecciate lievemente sormontanti, con diffusione limitata ai territori di Tarquinia e Vulci.

La varietà a con decorazione metopale decorata da losanghe è costituita da sette esemplari provenienti da Tarquinia e da quattro rinvenuti a Poggio Buco; a questi si aggiungono una coppia dall'agro vulcente e quattro esemplari di provenienza sconosciuta. La scarsità dei contesti di rinvenimento non consente di precisarne la cronologia, basata unicamente sulla cifra stilistica e ricondotta genericamente all'orientalizzante antico, più probabilmente agli inizi del VII sec. a.C. Fanno eccezione l'esemplare tarquiniese dalla t. XVI di Monterozzi (T.M.16/2) e la coppia di anforette dal corredo del tumulo Zanobi (T.M.83/1-2), entrambe databili ai primi decenni del VII sec. a.C.. Una delle varianti (PB.VI/3), caratterizzata da una maggiore profondità del ventre, viene a costituire il termine più basso di diffusione, essendo presente nella tomba VI di Poggio Buco, che dati di scavo e tipo di struttura tombale collocano attorno al secondo quarto del VII sec. a.C.[143].

Difficoltà analoghe incontra la cronologia della varietà b con metope campite da zigzag orizzontale, rappresentata da un nucleo omogeneo di anforette tarquiniesi. In questo caso, gli unici dati di rinvenimento disponibili riguardano una variante (Tu.PM.3/1), attestata nella t. 3 della necropoli tuscaniese di Pian di Mola, databile intorno al 700 a.C., mentre nessuna informazione sussiste sull'esemplare vulcente anch'esso identificato come variante (Vu.a/4).

Alla rigida distribuzione tarquiniese-vulcente degli esemplari fa eccezione un'anforetta con decorazione anomala[144] dalla t. 3 (XXXXVII) del sepolcreto N.N. Montarano di *Falerii*, già segnalata dal Pasqui per l'impiego di un'argilla depurata di colore giallo chiaro estranea alla manifattura locale[145].

GRUPPO Bb: breve labbro svasato; alto collo troncoconico; corpo ovoide profondo; anse a nastro. Decorazione di tipo lineare.

---

143 MAGGIANI 1981, p. 81.

144 Sulla spalla è presente un pannello comprendente quadrati campiti linearmente disposti alternamente su due file.

145 COZZA, PASQUI 1981, p. 28, n. 19.

TIPO Bb 1: (h 11,8 cm). *(tav. 16)*
• Distribuzione:
Tarquinia, (T.a/146): CANCIANI 1974, p. 49, n. 7, tav. 36.7. *(tav. 16.7)*
Tarquinia, (T.a/147): CANCIANI 1974, p. 50, n. 8, tav. 36.8.

Il tipo Bb 1, con collo distinto e anse a nastro, è composto da due esemplari tarquiniesi, con decorazione continua sulla spalla. Sono assimilabili per la forma a realizzazioni in impasto, quali le anforette a spirali, diffuse già a partire dal terzo quarto inoltrato dell'VIII sec. a.C. in Etruria meridionale, nel Lazio e in Campania[146]. È da rilevare la provenienza tarquiniese degli esemplari, che avvalora la funzione del centro quale cardine e confine tra due tradizioni diverse di produzione.

II.2.9 *Situle* (*tav. 16*)
Considerata l'omogeneità morfologica e decorativa degli esemplari, non si è resa necessaria la distinzione di gruppi tipologici.

I vasetti situliformi si distribuiscono in due tipi individuati dall'articolazione tettonica della forma: a profilo continuo in combinazione a ventre poco sviluppato quasi compresso nel tipo 1, con collo e spalla nettamente distinti associati a ventre ovoide nel tipo 2.

TIPO 1: largo collo troncoconico lievemente concavo; corpo compresso con spalla sfuggente/distinta. *(tav. 16)*

Varietà a: spalla sfuggente (h 11-13,5 cm).
• Distribuzione:
Cerveteri, Banditaccia t. 25, (C.B.25/1): COLONNA 1970, p. 657, nota 2, n. 4, fig. 9; SARTORI 2002, p. 19, n. 14, tav. XI.
Cerveteri, Monte Abatone t. 89 (prima dep.), (C.MA.89/3): A. PUGNETTI, in *Milano* 1986a, p. 60, n. 52, p. 61, fig. 52. *(tav. 16.8)*
Cerveteri, Monte Abatone t. 89 (prima dep.), (C.MA.89/4): A. PUGNETTI, in *Milano* 1986a, p. 61, n. 53, p. 62, fig. 53.
Cerveteri, Monte Abatone t. 89 (prima dep.), (C.MA.89/5): A. PUGNETTI, in *Milano* 1986a, p. 61, n. 54, p. 62, fig. 54.
Provenienza sconosciuta (mercato antiquario), (PS/85): *Antiquities*, c. Ede, London, Catalogue 145, n. 25.
Variante:
Cerveteri, Laghetto t. 274, (C.L.274/2): CAVAGNARO VANONI 1966, p. 210, n. 2, tav. 35.2; ZAMPIERI 1991, p. 130, n. 60. *(tav. 16.9)*

Varietà b: spalla distinta (h 13,6-17,3 cm).
• Distribuzione:

[146] COLONNA 1970; BEIJER 1978; RASMUSSEN 1979, tipo 1a, p. 69, tavv. 1-2.

Cerveteri, Laghetto I t. a camera 63, (C.L.63/1): CAVAGNARO VANONI 1966, p. 88, n. 2, tav. 3.
Cerveteri, Laghetto II t. a camera 360, (C.L.360/1): CAVAGNARO VANONI 1966, p. 223, n. 1, tav. 53.
Cerveteri, Bufolareccia t. a camera 182, (C.Bu.182/4): CAVAGNARO VANONI 1966, p. 35, n. 5, tav. 33.
Provenienza sconosciuta (coll. A. Castellani), (PS/86): MINGAZZINI 1930, p. 107, n. 324, tav. XVIII.2. *(tav. 16.10)*
Variante:
Cerveteri, Laghetto I t. a camera 138, (C.L.138/1): CAVAGNARO VANONI 1966, p.107, n. 1, tav. 23. *(tav. 16.11)*

Gli esemplari di tipo 1, di esclusiva provenienza ceretana, presentano un'ulteriore ripartizione in due varietà. In base ai contesti esaminati, la varietà a sembra essere in uso nel corso della primo quarto del VII sec. a.C., anche al di fuori dell'Etruria come attesta l'esemplare di importazione da Lavinio[147]. La varietà b pressoché coeva perdura fino agli anni iniziali dell'orientalizzante medio, come sembra suggerire la sua attestazione nella t. 63 del Laghetto I.

Tipo 2: collo troncoconico/collo sottile lievemente concavo; corpo ovoide/ ovoide slanciato con spalla distinta. *(tav. 16)*

Varietà a: collo troncoconico; corpo ovoide (h 14,6-15,3 cm).
- Distribuzione:

Veio, Macchia della Comunità t. 33, (V.MC.33/4): inedita, (*app. 1, n. 43; tav. 16.12*).
Veio, Macchia della Comunità t. 64, (V.MC.64/3): inedita, (*app. 1, n. 44*).
Veio, Pozzuolo t. 10, (V.Pz.10/2): inedita, (*app. 1, n. 45*).
Provenienza sconosciuta (coll. A. Castellani), (PS/87): MINGAZZINI 1930, p. 107, n. 323, tav. XIII.1.
Varianti:
Cerveteri, Laghetto I t. a camera 73, (C.L.73/1): CAVAGNARO VANONI 1966, p. 97, n. 1, tav. 14.
Cerveteri, Bufolareccia t. 86 (camera lat. sin.), (C.Bu.86/1): RASMUSSEN 1979, p. 15, n. 6.20; COEN 1991, p. 28, n. 69, tav. XX.a.

Varietà b: collo lievemente concavo; corpo ovoide slanciato (h 14,5-21,4 cm).
- Distribuzione:

Veio, Macchia della Comunità t. 31, (V.MC.31/2): inedita, (*app. 1, n. 46*).
Veio, Macchia della Comunità t. 44, (V.MC.44/6): inedita, (*app. 1, n. 47; tav. 16.13*).
Veio, Macchia della Comunità t. 64, (V.MC.64/2): inedita, (*app. 1, n. 48*).
Provenienza sconosciuta (coll. A. Castellani), (PS/88): MINGAZZINI 1930, p. 107, n. 327, tav. XVIII.3.

---

[147] *Roma* 1976, cat. 100, p. 304, n. 1, tav. LXXVIII.1 (t. LXII).

Provenienza sconosciuta (coll. A. Castellani), (PS/89): Mingazzini 1930, p. 108, n. 328, tav. XVIII.4. *(tav. 16.14)*

Unicum: Provenienza sconosciuta, (PS/90): Dräger 1996, p. 51, tav. 32.3.

Afferenti alla forma:
Cerveteri, Banditaccia t. 103, (C.B.103/1): Ricci 1955, c. 528, n. 21.
Cerveteri, Banditaccia t. 181, (C.B.181/2): Ricci 1955, c. 649, n. 7.
Cerveteri, Banditaccia t. 308, (C.B.308/1): Ricci 1955, c. 797, n. 7.
Cerveteri, Banditaccia t. Mengarelli XVIII, (C.B.XVIII/3): Leach 1987, p. 70, n. 172.
Cerveteri, Laghetto I t. a camera 63, (C.L.63/2): Cavagnaro Vanoni 1966, p. 88, n. 3.
Cerveteri, Laghetto I t. a camera 154, (C.L.154/2): Cavagnaro Vanoni 1966, p. 115, n. 2.
Provenienza sconosciuta (coll. A. Castellani), (PS/91): Mingazzini 1930, p. 107, n. 325.
Provenienza sconosciuta (coll. A. Castellani), (PS/92): Mingazzini 1930, p. 108, n. 326.

A differenza del precedente, il tipo 2 è costituito prevalentemente da esemplari provenienti da Veio: le uniche attestazioni ceretane sono rappresentate da due situle identificate come varianti della varietà a. Sensibilmente diversa risulta anche la cronologia dei contesti, tutti inquadrabili nell'ultimo trentennio del VII sec. a.C., con la significativa eccezione della camera laterale sinistra di Bufolareccia 86, di poco più antica.

In base alla netta scansione cronologica e topografica dei tipi e delle varietà individuate, è possibile ricostruire l'evoluzione diacronica della forma[148], le cui origini vanno ricercate nella tradizione villanoviana, come dimostra la situla in ceramica depurata proveniente dalla tomba veiente CD 11 di Quattro Fontanili databile tra il secondo e il terzo quarto del VIII sec. a.C[149], costituente un *trait d'union* con esemplari d'impasto decorato ad incisione di IX sec. a.C. attestati a Cerveteri[150]. Agli inizi della produzione, nel corso del primo quarto del VII sec. a.C., è da porsi la serie ceretana che, morfologicamente ancora vicina all'esemplare veiente di Quattro Fontanili, è rappresentata dal tipo 1, la cui varietà b, con corpo maggiormente sviluppato, testimonia una tendenza all'allungamento delle forme che si paleserà successivamente. Nell'orientalizzante recente è postulabile la nascita di officine locali anche a Veio, che danno avvio a realizzazioni, nettamente riconoscibili sul piano tettonico, che soppiantano i modelli ceretani cui si ispirano e che nel centro emanatore sembrano ormai esser decaduti

[148] Già P. Mingazzini aveva ipotizzato una successione cronologica dagli esemplari più tozzi a quelli più slanciati, indiziata anche dall'uso di sintassi decorative diverse agli estremi della serie, ma conviventi nelle forme intermedie; la sequenza risultava tuttavia concentrata nell'arco di un'unica generazione (Mingazzini 1930, p. 106).

[149] L'ipotesi, già avanzata da O. Paoletti, è stata da ultimo riproposta da F. Boitani (Boitani 2001a, I. G. 6, p. 108, con bibl. prec.).

[150] Bettini 2009, pp. 111-112 (gruppo I), cui si aggiunga la situla del corredo della t. 409 del Sorbo, esposta nel Museo Nazionale di Cerveteri.

dall'uso. Tale legame di filiazione è ulteriormente confortato dal perdurare nelle situle veienti tardo-orientalizzanti dei moduli decorativi delle più antiche serie ceretane. Bisogna tuttavia richiamare l'attenzione su una situla, puntualmente confrontabile con il tipo 2b, deposta nel corredo della t. 152 di Decima, ancora databile nel primo quarto del VII sec. a.C.[151]. La cronologia alta dell'esemplare, necessariamente di fabbrica etrusca e più probabilmente ceretana, induce ad anticipare l'inizio di questa serie, plausibilmente da ambientarsi a Cerveteri, e ritenere la mancanza di attestazioni una semplice lacuna documentaria; in tal modo si verrebbe almeno in parte a colmare lo iato crono-tipologico che separa la produzione ceretana dalla sua derivazione veiente.

II.2.10 *Olle* (*tavv. 17-21*)

La forma dell'olla, per il suo carattere di elementare funzionalità, vanta una lunga e radicata tradizione nella ceramica d'impasto dell'età del Ferro. In questo solco, si inserisce la produzione di forme con labbro svasato, qui raccolte nel gruppo B. Sebbene temperato, un elemento di novità rispetto ai precedenti villanoviani è rappresentato dalla nascita in età orientalizzante delle olle comunemente definite stamnoidi, che nella presenta tipologia sono state distinte in base alla morfologia del labbro a colletto o indistinto con orlo piano, rispettivamente nei gruppi C e D. Quest'innovazione è stata attribuita, almeno parzialmente, all'influsso esercitato sul repertorio morfologico locale dalle pissidi globulari greche di fabbrica continentale e insulare[152]. Meno agevole risulta definire portata e veicoli del fenomeno: il rinvenimento di un'olla stamnoide di ipotizzata produzione pitecusana di stile tardo-geometrico nel *tophet* di S. Antioco[153] ha evidenziato la complessità delle interrelazioni esistenti tra i repertori locali, sollevando l'alternativa, forse eccessivamente schematica, tra una derivazione diretta dalle produzioni medio-tirreniche, come proposto dal suo editore, e l'esito di una più articolata circolazione di conoscenza tra le fabbriche pitecusane e l'area etrusco-meridionale[154].

Un nucleo a parte è, infine, costituto dalle olle del Gruppo A, distanti dagli esemplari finora trattati per caratteristiche morfologiche e conseguen-

---

[151] Bartoloni 1975, p. 304, n. 4, figg. 82.4, 85.

[152] Martelli 1987a, p. 255, n. 26. A proposito dell'ambiente corinzio e argivo si veda Canciani 1966, p. 72, tav. 126, n. 4-5; per gli exx. cicladici: *Delos XV*, p. 79, nn. 34-35, tav. XXXVIII.34-35 (gruppo Bb) coppia di pissidi geometriche molto vicini alle olle di gruppo D. Le olle a colletto (gruppo C) mostrano invece particolare affinità con una pisside globulare da Itaca, posta dall'editore del contesto all'inizio della sequenza delle canoniche pissidi globulari con anse erette e labbro poco sviluppato, la cui la forma molto larga suggerisce una derivazione dal pithos (Robertson 1948, pp. 25, 27, 53, n. 63, tavv. 3.63 e 5.63).

[153] Tronchetti 1979, pp. 201-205, tavv. LXVII-LXVIII, per cui si rinvia al commento al tipo Ca 1 della presente tipologia.

[154] Sulla discussione in atto con relativi riferimenti bibliografici si veda il commento al tipo Ca 1.

temente funzionali, che le rendono piuttosto assimilabili a vasi atti al versare liquidi e non solo alla loro conservazione. Tale destinazione sembra inoltre indicata dalle affinità formali e decorative con alcuni esemplari di fiasche vere e proprie diffuse in Campania durante la locale fase II, divergenti solo per il maggiore sviluppo del collo, identificate come forme indigene rivestite di una sintassi decorativa di matrice greca[155].

		Famiglie morfologiche			
		A: corpo globulare compresso, con alto collo (h 20,4-25 cm)	B: corpo ovoide/ ovoide espanso con labbro svasato	C: corpo ovoide/ ovoide espanso con labbro a colletto	D: corpo ovoide/ ovoide espanso con orlo piano ingrossato
Famiglie decorative	a: dec. di tipo metopale		Gruppo Ba: tipi 1-3	Gruppo Ca: tipi 1-2	
	b: dec. continua, con raggi				gruppo Db: tipo 1
	c decorazione esclusivamente lineare	gruppo Ac	gruppo Bc: tipi 1-2	Gruppo Cc: tipo 1	gruppo Dc: tipi 1-4
	d: dec. con pesci e/o aironi		gruppo Bd	gruppo Cd: tipo 1	gruppo Dd: tipi 1-2
	e: dec. con motivi animalistici			gruppo Ce: tipi 1-3	

Gruppo A

Gruppo Ac: breve labbro svasato/tesa orizzontale; collo sottile e alto; corpo globulare compresso con spalla ampia. Decorazione di tipo geometrico (h 20,4-25 cm). *(tav. 17)*

- Distribuzione:

Civitavecchia, La Castellina, (Ci/1): Toti 1967, p. 81, fig. 9,8; La Rocca 1978, p. 486, fig. 14; Isler 1983, p. 25, n. 11.

Vulci, Mandrione di Cavalupo t. B, (Vu.C.B/1): Falconi Amorelli 1969, p. 197, n. 15, tav. XXXVII.b; Falconi Amorelli 1977, p. 75, tav. XXVIII.e; La Rocca 1978, pp. 486-7, fig. 12; Isler 1983, p. 25, n. 6.

Vulci, Poggio Maremma t. del 6/9/1966, (Vu.PM.1966/2): Moretti Sgubini 2001, III.B.5, p. 190, tav. XIII.

Vulci, (Vu.a/5): La Rocca 1978, p. 486, fig. 13a; Isler 1983, p. 25, n. 8.

Vulci, (Vu.a/6): La Rocca 1978, p. 486, fig. 13b; Isler 1983, p. 25, n. 9.

Provenienza sconosciuta (mercato antiquario, "da Agnelotti, Vulci 1964"), (PS/64): Busing-Kolbe 1977, p. 33, tav. 13.6; La Rocca 1978, p. 486, nota 108; Isler 1983, p. 25, n. 10. *(tav. 17.1)*

Variante:

Provenienza sconosciuta (mercato antiquario, "da Agnelotti, Vulci 1964"), (PS/65): Busing-Kolbe 1977, p. 33, tav. 13.5; Isler 1983, p. 25, n. 12.

---

[155] Esempi a Capua, nella necropoli di Fornaci, nella t. 42 di II fase iniziale (Johannowsky 1983, p. 107, n 3, tav. XIV. 1), e nella tomba 684 (*ibidem*, p. 123, n. 3, tav. XXIV.3).

Si tratta di un limitato gruppo di otto esemplari con collo stretto, morfologicamente molto omogenei, che presentano solitamente una decorazione geometrica poco articolata, che prevede il corpo interamente decorato da linee orizzontali, interrotte in corrispondenza della spalla da catene di triangoli o da piccoli gruppi di *chevrons*[156]. Differisce da questo schema ricorrente solo un'olla vulcente dalla necropoli di Poggio Maremma (Vu.PM.1966/2), recante una ricca sintassi decorativa. L'addensarsi dei rinvenimenti a Vulci, con l'unica eccezione del frammento dalla Castellina, rendono estremamente plausibile l'attribuzione al centro dell'intera produzione[157], inquadrabile nel corso dell'ultimo quarto del VIII sec. a.C., come suggeriscono le cronologie dei due soli contesti databili (la t. B di Cavalupo[158] e la t. di Poggio Maremma) In particolare, il gruppo è stato avvicinato all'attività della Bottega del Cratere Ticinese da H.P. Isler; tuttavia, le affinità stilistiche del citato rinvenimento di Poggio Maremma con l'olla Bendinelli (Vu.a/9), connessa all'opera del Pittore Argivo, non escludono che il ceramografo o la sua cerchia possano essere i responsabili di questa serie[159].

Gruppo B

Un nucleo consistente di olle, di quasi esclusiva provenienza dall'agro vulcente, è caratterizzato da labbro poco sviluppato, atto all'incasso del coperchio, e da una decorazione metopale, che, almeno per i tipi Ba1 e Ba2, ne rende chiara l'appartenenza alla *Metopengattung*[160].

Diverso è il caso offerto dagli esemplari afferenti al tipo Ba 3 e ai gruppi Bc e Bd, riconducibil nella loro totalità a fabbriche ceretano-veienti e tarquiniesi: morfologicamente queste olle sono assimilabili alla coeve produzioni in impasto, per lo più rosso, per le quali è nota, grazie alle attestazioni epigrafiche, la denominazione etrusca di *θịna,* comune anche all'area latina nella forma non aspirata *tina.* La derivazione dal greco δίνος, concordemente a quanto riportato da Varrone per il vaso latino, conferma la destinazione conviviale dell'olla con funzione apparentabile a quella svolta successivamente dal cratere[161].

Le stesse iscrizioni, ove presenti, testimoniano peraltro la pertinenza spesso femminile del vaso, che in qualità di contenitore per eccellenza riveste un

---

[156] Cfr. nota prec.

[157] La Rocca 1978, p. 486.

[158] Il corredo, nella prima edizione collocato nella prima metà dell'VII sec. a.C., è stato poi datato da E. La Rocca nel terzo quarto dell'VIII sec. a.C. (La Rocca 1978, p. 486). Sulla Bottega del Cratere Ticinese: Isler 1983, pp. 25-26.

[159] Moretti Sgubini 2001, p. 191 con bibl. prec.

[160] Nella ceramica etrusco-geometrica la forma è documentata anche da manifestazioni con decorazione più impegnativa, quali i due exx. adespoti avvicinati alla Bottega del Biconico di Vulci, l'uno conservato a Toronto e l'altro transitato sul mercato antiquario (Paoletti 2009, pp. 665-657, figg. 3-5).

[161] Colonna 1973-1974, pp. 145-146.

ruolo essenziale nella conservazione e nella gestione delle scorte domestiche, cui la signora presiedeva[162].

Gruppo Ba: labbro breve svasato/svasato leggermente ricurvo; corpo globulare/ovoide biansato/privo di anse. Decorazione a schema metopale sulla spalla.

Tipo Ba 1: labbro breve svasato con profilo leggermente ricurvo; corpo globulare/ovoide con pareti arrotondate; coppia di anse a bastoncello impostate sopra la spalla. Sulla spalla metope/pannello campite da losanghe reticolate. *(tav. 17)*

Varietà a: corpo globulare; decorazione metopale (h 14,1-20,5 cm).
- Distribuzione:

Vulci Osteria, sporadico (28-7-1962), (Vu.O/1): *MAV II*, p. 33, n. 713.
Poggio Buco, (PB.a/9): Mangani, Paoletti 1986, p. 26, n. 4, tav. 23.4. *(tav. 17.2)*
Orbetello, loc. Brilletto t. 1, (O.B.1/1): Ciampoltrini, Paoletti 1995, p. 58, n. 6, tav. XVIa, con bibl. prec.; Chelini 2004, p. 40, n. 6, tav. I.6.
Provenienza sconosciuta, (PS/67): A. Romualdi, in *Piombino* 1989, p. 71, n. 77.

Varietà b: corpo ovoide arrotondato; decorazione metopale (h 14,5-19 cm).
- Distribuzione:

Tarquinia, (T.a/149): Canciani 1974 p. 38, n. 6, tav. 29.6. *(tav. 17.3)*
Vulci, probabilmente da Ponte della Badia (scavi 1919), (Vu.a/7): Falconi Amorelli 1983, p. 122, n. 118. p. 123, fig. 52.
Poggio Buco, t. 8 (PB.8/1): Pellegrini 1989, p. 70, n. 221, tav. XLIV.
Poggio Buco, (PB.a/10): Mangani, Paoletti 1986, p. 26, n. 3, fig. 17, tav. 23.3.
Variante:
Poggio Buco, (PB.a/11): Pellegrini 1989, p. 70, n. 220, tav. XLIV. *(tav. 17.4)*

Varietà c: corpo ovoide arrotondato; decorazione a pannello (h 18 cm).
- Distribuzione:

Vulci, Osteria-Poggio Mengarelli, (Vu.O.t/2): Canciani 1974-1975, p. 80, figg. 1, 5; Canciani 1987, p. 245, n. 7.3 con bibl. *(tav. 17.5)*

Il tipo Ba1 appare riconducibile ad una produzione di Vulci o del suo agro, come attesta l'omogenea diffusione dei rinvenimenti, la cui cronologia non sembra puntualmente precisabile data la scarsità di contesti noti. L'inizio della produzione è stabilito dall'olla vulcente della t. di Poggio Mengarelli databile all'ultimo quarto del VIII sec. a.C, che si distacca dal gruppo per la presenza della decorazione a pannello. Quest'ultimo elemento non sembra tuttavia rivestire un particolare significato cronologico, data la compresenza nello stesso

---

[162] Colonna 1977c, p. 179, nota 14.

corredo della comune decorazione metopale sull'oinochoe Vu.O-t/1[163] e data l'alternanza tra metopa e pannello centrale con losanghe riscontrabile comunemente anche su altre forme, quali le anforette.

Tipo Ba 2: labbro breve molto svasato; breve gola quasi rettilinea; corpo globulare; dimensioni modeste (h 8,4-12,3 cm). Decorazione con metope campite da *chevrons* poste sulla spalla. *(tav. 17)*

- Distribuzione:

Tarquinia, (T.a/150): Canciani 1974, p. 35, n. 9, tav. 35.9. *(tav. 17.6)*
Poggio Buco, (PB.a/80): Pellegrini 1989, p. 68, n. 215, tav. XLIV.
Provenienza sconosciuta (Dono Paolozzi: Chiusi?), (PS/68): Albizzati 1924-1929, p. 9, n. 36, tav. 3.

Un nucleo a se stante è formato da tre olle con decorazione metopale a *chevrons*, anomale sia per la forma globulare che per le dimensioni ridotte. L'esemplare conservato a Tarquinia (T.a/150) è stato ritenuto da F. Canciani importazione vulcente; il dato trova riscontro nella presenza a Poggio Buco del PB.a/80, inizialmente interpretato come fiasca, e nell'ipotetica provenienza da Chiusi, centro nell'orbita dei traffici vulcenti, dell'olla vaticana (PS/68). Al tipo sembra, inoltre, da riferirsi un frammento rinvenuto negli scavi intrapresi nell'abitato di Pitigliano[164]. Bisogna, infine, segnalare la somiglianza con un gruppo di olle veienti annoverate nel tipo Ba 3, datato nell'orientalizzante recente. L'assenza delle originarie associazioni di materiale non consente di circoscrivere la cronologia del tipo Ba 2, genericamente inquadrabile nella prima metà del VII sec. a.C.. in base alla sua pertinenza alla *Metopengattung*.

Tipo Ba 3: labbro breve molto svasato; breve gola quasi rettilinea; corpo ovoide. Decorazione con metope campite da *chevrons* poste sulla spalla (h 17,1-18 cm). *(tav. 17)*

- Distribuzione:

Veio, Macchia della Comunità t. 71, (V.MC.71/1): inedito, (*app. 1, n. 49*).
Volusia, t. 4, (Vo.4/2): Carbonara *et al.* 1996, p. 68, n. 53, figg. 124-124a. *(tav. 17.7)*

Del tutto simili e probabilmente attribuibili alla stessa officina veiente attiva nell'Orientalizzante recente risultano le olle dalla t. 4 di Volusia e dalla t. 71 di Macchia della Comunità, la cui decorazione trova riscontro in esemplari provenienti sia da Veio che dall'agro (tipo Dc 1).

Riconducibili al gruppo:

Tarquinia, Monterozzi t. "*fossa with a bronze bowl and geometric vases*", (T.M.t/3): Canciani 1974, p. 37, n. 1, tav. 29.1 con bibl. *(tav. 17.9)*

---

[163] L'olla e l'oinochoe sono state realizzate dagli aiuti della Bottega del Biconico di Vulci, mentre il biconico eponimo è stato attribuito alla mano del maestro (Canciani 1987, p. 245).

[164] Pellegrini 2003, p. 303, tav. II.1.

Tarquinia, (T.a/148): Canciani 1974, p. 37, n. 2, tav. 29.2.
Provenienza sconosciuta (mercato antiquario), (PS/66): *Christie's Antiquities,* June 8, 2001, New York, p. 120, n. 193; *Christie's Antiquities*, December 7, 2000, New York, p. 109, n. 504.

Unicum:
Vulci, territorio, (VU t/4): Chelini 2004, p. 50, n. 18, tav. III.18. *(tav. 17.8)*
Provenienza sconosciuta (mercato antiquario), (PS/69): *Kunst der Antike*, Galerie G. Puhze, 1998, n. 157.

Gruppo Bc: labbro ampio molto svasato; corpo ovoide biansato/privo di anse. Decorazione esclusivamente lineare.

Tipo Bc 1: olla biansata (h 18,5-26,7 cm). *(tav. 17)*
- Distribuzione:

Veio, Macchia della Comunità t. 24, (V.MC.24/3): inedito, (*app. 1, n. 50*).
Tarquinia, (T.a/151): Canciani 1974, p. 38, n. 1, tav. 30.1.
Tarquinia, (T.a/152): Canciani 1974, p. 38, n. 2, tav. 30.2. *(tav. 17.11)*
Tarquinia, (T.a/153): Tanci, Tortoioli 2002, p. 143, n. 245, tav. X.d.
Variante:
Cerveteri, Laghetto I t. a camera 66, (C.L.66/2): Cavagnaro Vanoni 1966, p. 92, n. 2; Alberici 1997, p. 19, n. 8, fig. 10, tav. XI-XII. *(tav. 17.12)*

Tipo Bc 2: esemplari privi di anse (h 11,6 cm). *(tav. 17)*
- Distribuzione:

Veio, Macchia della Comunità t. 47, (V.MC.47/1): inedito, (*app. 1, n. 51; tav. 17.13*).

Afferenti al gruppo:
Cerveteri, Banditaccia t. Mengarelli XI, (C.B.XI/1): Leach 1987, p. 83, n. 217 (olla 5).
Vulci, t. 22, (Vu.22/): Hall Dohan 1942, p. 89, n. 7, tav. XLVII.7.

Le olle del gruppo Bc sono diffuse nel corso dell'orientalizzante recente, sia nella versione biansata (tipo Bc 1), rappresentata da due esemplari tarquiniesi e da uno veiente dalla t. 24 di Macchia della Comunità, databile agli inizi del VI sec. a.C., che in quella priva di anse e di dimensioni ridotte (tipo Bc 2), forse da ritenersi lievemente più antica, malgrado sia disponibile il solo esemplare dalla t. 47 di Macchia della Comunità (ultimo quarto VII sec. a.C.). A sostegno di tale scansione cronologica concorre l'analisi dell'evidenza laziale: questa vanta una corposa presenza di olle Bc 1 in contesti databili quasi omogeneamente al momento avanzato dell'orientalizzante recente[165], mentre il tipo Bc 2, avvicinabile

[165] *Satricum, Northwest necropolis*: Ginge 1996, p. 34, T14.1, p. 35, fig. 9 (primo quarto VI sec. a.C.); *Fidenae*, sporadico: *Roma* 1976, cat. 47, p. 150, n. 3, tav. XXII.E.3; Roma, pozzo I della Velia: *Roma* 1990, p. 106, n. 4.7.6, con bibl. prec. Attestazioni inoltre in Campania, da Suessula: Borriello 1991, p. 22, n. 1, tav. 16.1, che sottolinea il valore documentario del tipo ai fini della ricostruzione dei contatti con la produzione etrusca e laziale.

ad una serie locale con gola maggiormente sviluppata attestata nelle deposizioni XXI e XXIII di Riserva del Truglio ancora risalenti all'orientalizzante medio[166], si diffonde nel recente in forme più canoniche nella vicina Sabina[167].

Gruppo Bd: labbro ampio molto svasato; corpo globulare/ovoide biansato/privo di anse. Decorazione articolata con teoria di pesci/aironi. *(tav. 18)*

- Distribuzione:

Veio, Vaccareccia sporadico, (V.V/6): Papi 1988, p. 118, n. 4. *(tav. 18.2)*
Veio, Casalaccio t. II, (V.C.II/1): Vighi 1935, p. 46, n. 11, tav. 2/I. *(tav. 18.3)*
San Giuliano, Chiusa della Cima t. a fossa, (Gi.T/1): Leach 1987, p. 83, n. 234 (olla 5).
Provenienza sconosciuta, (PS/70): Martelli 2001, p. 9, n. 8, p. 11, figg. 27-28; Martelli 1987a, p. 17, nota 16 con bibl. prec.; Martelli 1987b, p. 5, figg. 24-25. *(tav. 18.1)*
Provenienza sconosciuta (Cerveteri?), (PS/71): Mayence, Verhoogen 1949, p. 3, tav. 2.22.

Unica:
Veio, Casale del Fosso t. 853, (V.CF.853/1): Buranelli *et al.* 1997, pp. 78-79, fig. 39.
Cerveteri, Banditaccia t. 2006, (C.B.2006/3): Rizzo 1989a, pp. 13-20, figg. 1-12. *(tav. 17.10)*

Il gruppo è costituito da esemplari, che, al posto della consueta decorazione a fasce, recano sulla spalla figurazioni animali su registri sovrapposti. Due olle di origine veiente (V.V./6 e V.C.II/1) coniugano la forma dell'olla ovoide, in questo caso con corpo piuttosto espanso, alla diffusa decorazione con teoria di aironi: malgrado il campione sia limitato a due sole unità, la provenienza di una di esse dalla t. II di Casalaccio permette di collocare la datazione almeno nell'orientalizzante medio. Alla stessa tradizione appartiene l'olla PS/71, con inconsueto profilo piriforme su alto piede, attribuibile a fabbrica ceretana (Bottega dei Pesci di Stoccolma), per la fortuna che nel centro, ed in particolare nell'*atelier*, incontra il motivo della teoria di pesci presente. Accanto a questi esemplari spicca la presenza nel gruppo di un pezzo di eccezione, quale l'olla PS/70 riconosciuta da M. Martelli opera autografa del Pittore delle Gru[168]. Infine, si segnala l'esemplare da San Giuliano (Gi.T/1), in cui la decorazione a registri sovrapposti testimonia il persistere della lezione geometrica. Tale tradizione è alla base di una formulazione d'eccezione quale l'olla ceretana C.B.2006/3, di cui l'editrice del contesto, M.A. Rizzo, ha dettagliatamente evidenziato la forte impronta esercitata dalla ceramica tardo-geometrica euboica e pitecusana[169].

---

166 Gierow 1964, p. 187, n.7, fig. 108.7 (t. XXI); Idem, p. 191, n.7, fig. 112.7 (t XXIII).
167 Santoro 1983, p. 25, fig. 4.31a, tav. IVc, tipo 31 a (Colle del Forno, tt. IV, VIII).
168 Da ultima Martelli 2001, p. 9, n. 8, con bibl. prec.
169 Rizzo 1989a, pp. 18-20.

Gruppo C

Ad eccezione di un nucleo di olle nettamente caratterizzato, diffuso a Vulci e nel suo agro, il resto delle attestazioni proviene da Veio, con qualche rara eccezione ceretana. Tale distribuzione mostra la preferenza accordata all'olla a colletto dal centro tiberino. La forma risulta realizzata anche in impasto e bucchero[170].

Gruppo Ca: labbro a colletto; corpo ovoide arrotondato/ovoide. Decorazione di tipo metopale.

Tipo Ca 1: labbro a colletto sviluppato; corpo ovoide tendente al globulare biansato/privo di anse; piede a tromba. Decorazione metopale limitata alla spalla/disposta su più registri sovrapposti. *(tav. 18)*

Varietà a: forma biansata (h 13,2-15,1 cm).

- Distribuzione:

Poggio Buco, Podere Insuglietti, t. II, (PB.II/1): Bartoloni 1972, p. 30, n. 1, p. 31, fig. 10, tav. XIa. *(tav. 18.4)*

Poggio Buco, (PB.a/12): Mangani, Paoletti 1986, p. 26, n. 2, tav. 23.2.

Variante:

Pitigliano, (Pi.a/1): Mangani, Paoletti 1986, p. 25, n. 1, fig. 17, tav. 23.1; Celuzza 2000, p. 85, n. 5.2, tav. IV. *(tav. 18.5)*

Varietà b: privo di anse.

- Distribuzione:

Poggio Buco, (PB.a/13): Mangani, Paoletti 1986, p. 27, n. 3, tav. 24.3. *(tav. 18.6)*

Il gruppo vulcente è costituito da olle con corpo più o meno globulare su basso piede a tromba, con decorazione tipica della *Metopengattung*. La cronologia, almeno della varietà a, è circoscritta al primo quarto del VII sec. a.C., grazie alle attestazioni presenti nelle tt. di Poggio Buco A e II. La varietà b è rappresentata dall'olletta priva di anse di dimensioni contenute, proveniente da Poggio Buco (PB.a/13).

La forma della varietà a è prossima, fatta eccezione per l'assenza del basso piede a tromba, a quella dell'olla-cinerario dal *tophet* di S. Antioco di stile euboico TG, con uccelli affrontati in pannello, riconosciuta da D. Ridgway come esemplare di fabbrica pitecusana della fine dell'VIII sec. a.C.[171]. P. Tronchetti nello studio del cinerario sardo, sottolineando l'ascendenza esclusivamente italica della forma stamnoide, ne ha ravvisato i modelli nelle olle di seconda metà VII sec. a.C e nel più antico esemplare dalla necropoli dell'Osteria (Vu.O.t/2), tralasciando, quindi, le olle in questione di tipo Ca1 che appaiono, al contrario,

---

[170] Martelli 1987a, p. 255.

[171] Coldstream 1968a, pp. 388, 429; Ridgway 1976, p. 213; Tronchetti 1979, pp. 201-205, tavv. LXVII-LXVIII; da ultimo Rendeli 2005, pp. 88-89, con ulteriore bibl.

molto vicine per la presenza del medesimo genere di labbro a colletto. Recentemente M. Rendeli, richiamando come termine di raffronto l'olla sulcitana, ha posto l'accento sul carattere euboico, o meglio euboico-coloniale, della nota olla del tumulo ceretano della Sperenza (C.B.1/2, tipo Ce 3), riconoscendovi l'esito dell'approdo di una "*techne* pitecusana" in Etruria[172].

TIPO Ca 2: labbro a colletto molto basso; corpo tendente al globulare; fondo piano profilato (h 12,8-15,5 cm). *(tav. 18)*

• Distribuzione:

Veio, Vaccareccia, (V.V/7): PAPI 1988, p. 98, n. 4.
Veio, Vaccareccia, (V.V/8): PAPI 1988, p. 118, n. 5. *(tav. 18.7)*
Veio, Vaccareccia, (V.V/9): PAPI 1988, p. 98, n. 5.

Il labbro bassissimo rende il tipo molto vicino agli esemplari del Gruppo D; caratteristica è la decorazione della spalla con gruppi di tratti che richiama lo schema metopale, non a caso adottato nelle olle veienti Dc 1. Tale coincidenza decorativa e la provenienza dal centro degli esemplari che compongono il tipo confermano il carattere veiente di questa officina, la cui cronologia è collocabile nel corso del secondo quarto del VII sec. a.C., in base ad un puntuale confronto per la serie con un esemplare nel corredo della t. D della necropoli presso la Sacra Via a Roma[173].

GRUPPO Cc: labbro a colletto; corpo ovoide. Decorazione esclusivamente lineare.

TIPO Cc 1: (h 19,5-21,2 cm). *(tav. 18)*

• Distribuzione:

Veio, Picazzano t. XVI, (V.P.XVI/2): PALM 1952, p. 56, n. 17, tav. III.17; FELLETTI MAJ, 1953, p. 9, n. 2, tav. 9.2, con bibl. prec.
Veio, Casalaccio t. IV, (V.C.IV/2): VIGHI 1935, p. 52, n. 16, tav. 1/I.
Cerveteri, Banditaccia t. 75, (C.B.75/10): RICCI 1955, c. 491, n. 31, fig. 115.7. *(tav. 18.8)*

Il tipo è rappresentato da due olle veienti provenienti da contesti dell'orientalizzante recente (tt. IV di Casalaccio e XVI di Picazzano) e da una presente nella t. 75 della Banditaccia di scarso sussidio ai fini della datazione del tipo, data la presenza nella camera di molteplici deposizioni con corredi non sempre chiaramente distinguibili.

A queste si avvicina, inoltre, un'olla dalla t. V di Casalaccio (V.C.V/3), che per l'anomala disposizione delle anse nel punto di massima espansione richiama formulazioni più antiche e articolate (tipi Ce 1 e 2), senza tuttavia condividerne la cronologia.

---

172 Cfr. nota prec.

173 GJERSTAD 1956, p. 120, n. 4, fig. 116.4.

Afferente al gruppo Cc:

Veio, Casalaccio t. V ,(V.C.V/3): Vighi 1935, pp. 53, 55, n. 24, fig. 5. *(tav. 18.9)*

Oltre all'esemplare veiente sono probabilmente riconducibili al gruppo:

Cerveteri, Banditaccia t. 75, (C.B.75/12): Ricci 1955, c. 491, n. 33.
Cerveteri, Banditaccia t. 75, (C.B.75/13): Ricci 1955, c. 493, n. 73.
Cerveteri, Banditaccia t. 75, (C.B.75/14): Ricci 1955, c. 493, n. 78.
Cerveteri, Banditaccia t. 75, (C.B.75/15): Ricci 1955, c. 493, n. 79.

Gruppo Cd: labbro a colletto; corpo ovoide biansato. Decorazione: fregio di aironi in pannello/continuo sulla spalla.

Tipo Cd 1

Varietà a: labbro a colletto basso; pannello tra le anse con aironi (h 17,2-20 cm). *(tav. 18)*

- Distribuzione:

Veio, Macchia della Comunità t. IV, (V.MC.IV/1): Adriani 1930, p. 51, n. 6, tav. I.f.
Veio, (V.a/2): *Amsterdam* 1989, p. 213, n. 71 con bibl. prec. *(tav. 18.10)*

Varietà b: labbro a colletto sviluppato; teoria di aironi sulla spalla tra le anse (h 19,4-maggiore di 20,6 cm).

- Distribuzione:

Veio, Macchia della Comunità t. 44, (V.MC.44/7): inedito, (*app. 1, n. 52; tav. 18.11*).
Veio, Macchia della Comunità t. 49, (V.MC.49/1): inedito, (*app. 1, n. 53*).

Variante:

Provenienza sconosciuta, (PS/73): Giglioli, Bianco 1965, p. 4, n. 11, tav. 3.11. *(tav. 18.12)*

Compone la varietà a un'olla veiente dalla t. IV di Macchia della Comunità (V.MC.IV/1) decorata da un pannello centrale delimitato da gruppi di tremoli e campito da due aironi retrospicienti. Il corredo di provenienza suggerisce per l'olla una datazione nell'orientalizzante antico, probabilmente nel corso del primo quarto del VII sec. a.C. Alla stessa bottega, se non alla medesima mano, è da attribuirsi l'olla V.a/2, molto probabilmente proveniente dallo stesso sito. La forma, associata ad una decorazione puramente geometrica con fila di triangoli contrapposti nel pannello, è attestato contemporaneamente nella vicina Narce[174].

La varietà b comprende olle con un labbro maggiormente sviluppato e corpo meno espanso, caratterizzate dalla presenza, al posto del pannello, della comune teoria di aironi. Condiviso dalla precedente varietà è il carattere veiente della serie, mentre nettamente diversificata è la cronologia, riferibile, in base ai contesti disponibili, ad un momento iniziale dell'orientalizzante recente

Gruppo Ce: labbro a colletto; corpo ovoide biansato. Decorazione articolata disposta su registri sovrapposti.

---

[174] Hall Dohan 1942, p. 36, n. 4, tav. XVIII. 4 (t. 19M).

Tipo Ce 1: anse impostate nel punto di massima espansione. Motivi decorativi di tipo esclusivamente geometrico (h 44,4-45,5 cm). *(tav. 19)*

• Distribuzione:

Veio, Monte Michele t. B, (V.MM.B/2): Cristofani 1969, p. 22, n. 15, p. 23, fig. 4, tav. VI.1. *(tav. 19.1)*

Veio, Monte Michele t. B, (V.MM.B/3): Cristofani 1969, p. 22, n. 16, p. 23, fig. 4, tav. VI.2.

Tipo Ce 2: eventuale presenza di un listello plastico alla base del collo; anse impostate nel punto di massima espansione, sovente dotate di apofisi laterali. Decorazione su registri sovrapposti con inserzione di figure di aironi e cavalli.

Varietà a: listello assente; aironi limitati ad un solo registro decorativo (h 21,2-24,2 cm).

• Distribuzione:

Veio, Vaccareccia t. XI, (V.V.XI/3): Palm 1952, p. 67, n. 6, tav. XXI.6; Felletti Maj 1953, p. 9, n. 1, tav. 9.1 con bibl. prec. *(tav. 19.2)*

Veio, Riserva del Bagno t. II, (V.R.II/2)(?): inedito, (*app. 1, n. 54*).

Veio, Riserva del Bagno t. III, (V.R.III/1) (?): inedito, (*app. 1, n. 55*).

Veio, Riserva del Bagno t. delle Anatre (IV), (V.R.IV/2 bis)(?): Rizzo 1989c, p. 106, n. 7, fig. 48.

Varietà b: listello plastico; presenza di almeno un registro decorativo con aironi, di norma associato ad un altro con teoria di quadrupedi (h 31 cm).

• Distribuzione:

Veio, Riserva del Bagno t. II, (V.R.II/3)(?): inedito, (*app. 1, n. 56*).

Veio, Riserva del Bagno t. IV (delle Anatre), (V.R.IV/1): De Agostino 1963, p. 220; De Agostino 1964; Rizzo 1989c, p. 106, n. 6, p. 105, fig. 46; Medoro 2003, p. 77, n. 91, tav. XI.c. *(tav. 19.3)*

Veio, Riserva del Bagno t. IV (delle Anatre), (V.R.IV/2): De Agostino 1963, p. 220, tav. LXXXVII; Canciani 1974, comm. a tav. 25,7; Martelli 1987a, p. 17 ss; Rizzo 1989c, p. 105, n. 5, p. 106; Medoro 2003, p. 76, n. 90, tav. LXXXVII.3.

Avvicinabili alla varietà esemplari caratterizzati da decorazione esuberante:

Provenienza sconosciuta (mercato antiquario), (PS/74): *Munzen und Medaillen, A-G., Italische Keramik*, Basel 1984, n. 11. *(tav. 19.4)*

Provenienza sconosciuta (mercato antiquario), (PS/75): *Sotheby's, Antiquities and Islamic Art,* June 13, 2002, New York, p. 139, n. 238. *(tav. 19.6)*

Provenienza sconosciuta, (PS/153): Szilàgyi 2006, in part. pp. 29-31, figg. 1-4; Szilàgyi 2007, pp. 16-17, tav. 2. *(tav. 19.5)*

Di esclusiva provenienza veiente e narcense è il gruppo delle olle con deco-

[175] Il listello è funzionale alla stabilità del coperchio di cui dovevano solitamente essere dotate queste olle; il tipo ricorre inoltre con redazioni in impasto rosso sia inornato, nel caso dell'ex. della t.VI di Vaccareccia (Palm 1952, tav. XV.1, p. 63, n. 1), che con decorazione dipinta in bianco presente nel corredo della t. VIII dello stesso sepolcreto (Palm 1952, tav. XVIII.1, p. 64, n. 1; Micozzi 1994, pp. 153 e 229); inoltre Micozzi 1994, p. 46, con elenco delle attestazioni.

razione complessa su più registri, caratterizzati da un punto di vista morfologico dalla presenza di un listello rilevato alla base del labbro[175] e dall'imposta delle anse sul diametro di massima espansione. All'interno di tale nucleo è distinguibile un tipo con decorazione esclusivamente geometrica (tipo Ce 1), rappresentata da una coppia di vasi proveniente dalla tomba B di Monte Michele (V.MM.B/2-3), databile al primo quarto del VII sec. a.C.

Il tipo Ce 2 è, invece, decorato con raffigurazioni animalistiche: si distingue una varietà a, rappresentata da un'esemplare della t. XI di Vaccareccia (V.V.XI/3) e da alcuni provenienti dalla necropoli di Riserva del Bagno (V.R.II/2; V.R.III/1; V.R.IV/2bis, ed una varietà b, con decorazione maggiormente articolata.

Il tipo Ce 2, per l'omogeneità tecnica e formale, coincide con una produzione di marca veiente riferibile all'attività di una singola bottega, se non di un'unica personalità individuata da F. Canciani, il Pittore di Narce, i cui prodotti appaiono diffusi anche in ambito falisco[176].

L'attività dell'*atelier* non sembra limitarsi alla realizzazione di olle, ma include anche piatti, oinochoai, pissidi e anfore biconicheggianti. Le attestazioni falische sono costituite da un olla con teoria di quadrupedi proveniente dalla t. 2.LX di Pizzo Piede[177], da una coppia con teoria di aironi e quadrupedi dalla t. 73.LII di Monte Cerreto[178], e, inoltre, da un servizio di vasi deposto nel corredo della t. Dohan 1, composto da una pisside tripodata, un'oinochoe, un'anfora biconicheggiante e due piatti[179]. Dalla lista risulta assente un' anfora biconicheggiante deposta nella t. 22.LVIII di Pizzo Piede[180], che trova riscontri formali puntuali in quella conservata a Philadephia e reca sul corpo un fregio con quadrupedi gradienti dalla caratteristica conformazione della testa a cuore e dal corpo con masse nettamene scandite, distintivo della produzione veiente. Recentemente M. Micozzi ha suggerito l'attribuzione allo stesso *atelier* di un coperchio dalla tomba V di Riserva del Bagno, che presenta lo stesso tipo di palmetta di ascendenza protoattica che ricorre nell'anfora narcense[181].

Le olle afferenti al tipo Ce 2b sono rappresentate dagli esemplari V.R.IV/1-2 della tomba delle Anatre (675 a.C.) ed da un frammento con quadrupede dalla t. II della medesima necropoli (V.R.II/3). Alla varietà sono avvicinabili due olle provenienti dal mercato antiquario (PS/74-75)[182], una delle quali di nuova attri-

---

[176] CANCIANI 1974, commento a tav. 25.7; MARTELLI 1987a, p. 19, nota 25; MICOZZI 1994, p. 45, nota 121, p. 46, nota 128.

[177] *Narce* 1894, c. 477, n. 17, fig. 136.

[178] *Narce* 1894, c. 513, nn. 51-52.

[179] HALL DOHAN 1942, pp. 54-55, nn. 3-7, tavv. XXIX, XXX.4-5, XXXI.6-7; MICOZZI 1994, p. 165; recentemente riediti da J. Turfa, senza indicazione dell'atelier: anfora definita «red on white» (TURFA 2005, p. 91, n. 16), pisside (EADEM, p. 163, n. 142), piatto «*red on white*» (EADEM, p. 183, n. 179), e oinochoe (EADEM, p. 184, n. 180).

[180] *Narce* 1894, c. 502, nn. 25-26, fig. 103.

[181] MICOZZI 1994, p. 165.

[182] L'ex. PS/74 era stato già segnalato da M. Martelli come opera del Pittore in esame (MARTELLI 1987a, p. 19, nota 25).

buzione (PS/75), identiche per forma e assimilabili per decorazione, articolata su due registri con fila di quadrupedi pascenti e aironi, e l'esemplare PS/153 recentemente edito da J. G. Szilàgyi, in cui compare eccezionalmente una figura di leone ruggente minacciante il vicino cervide. La cronologia dei contesti inquadra l'opera della bottega nel corso del primo quarto del VII sec. a.C. All'elenco delle attribuzioni è da aggiungere, oltre alla ricordata olla PS/75, anche un'anfora di tipo Bb dalla t. 1090 di Casale del Fosso (V.CF.1090/1) per la caratteristica resa stilistica di quadrupedi che ne decorano la spalla, vera e propria marca di riconoscimento dell'artigiano[183].

TIPO Ce 3: anse impostate al di sopra della spalla. Decorazione rappresentata da un pannello sulla spalla con volatili affrontati.

- Distribuzione:

Cerveteri, Banditaccia, tumulo della Speranza, t. 1 (prima dep.), (C.B.1/2): RIZZO 1989a, pp. 30-33, figg.58-60; RIZZO 1990, p. 55, n.3, p. 56, fig. 56. *(tav. 19.7)*

Veio, Grotta Gramiccia t. 2, (V.GG.2/3): BOITANI *et al.* cds.

Ascrivibili al gruppo Ce:

Veio, Monte Michele t. F, (V.MM.F/1): CRISTOFANI 1969, p. 44, n. 8, p. 43, fig. 20, tav. XXII.1.

Cerveteri, Laghetto II t. a camera 185 (camera centrale), (C.L.185/2): CAVAGNARO VANONI 1966, p. 179, n. 2. *(tav. 19.8)*

Cerveteri, Laghetto II t. a camera 185 (camera centrale), (C.L.185/3): CAVAGNARO VANONI 1966, p. 179, n. 4. *(tav. 19.9)*

Un documento d'eccezione è costituito da un'olla restituita dalla deposizione più antica del Tumulo della Speranza di Cerveteri (C.B.1/1). La forma espansa richiama il nucleo delle olle vulcenti: tale somiglianza sembra spiegabile, più che da una vicinanza culturale, dall'adesione più serrata agli stessi prototipi greci, da ravvisarsi, secondo M.A. Rizzo, nella serie delle pissidi globulari di varia produzione. La vicinanza ai modelli del tardo-geometrico euboico e anche corinzio è rivelata sia dalla sintassi decorativa, con metopa ad uccelli affrontati, che dai motivi riempitivi; ultimamente per l'olla in questione è stata proposta un rapporto di derivazione dall'esperienza pitecusana[184]. L'olla V.GG.2/3, attribuita al Pittore di Narce, pur convidendo con l'esemplare precedente la tettonica generale, se ne discosta, sul piano morfologico, per lo scarso sviluppo del labbro, che le apparenta, invece, ad alcune olle veienti dell'orientalizzante medio (exx. V.V./7-9, tipo Ca 2 e V.MM.5/13, gruppo D), e, su quello decorativo, con la presenza di molteplici registri campiti da pannelli con aironi gradienti e losanghe reticolate, cari alla produzione del ceramografo. Genericamente ascrivibile al gruppo Ce, ma non puntualmente tipologizzabile,

---

[183] Per una scansione più puntuale si rinvia al cap. V.1, pp. 237-239; SZILÀGYI 2006, pp. 44-45, n. 1, fig. 8.

[184] RIZZO 1989a, pp. 30-33; cfr. commento del tipo Ca 1, pp. 103-104.

risulta un nucleo di olle di prevalente provenienza ceretana.

Si segnala la presenza di una coppia di olle con coperchio dalla t. 185 del Laghetto, sicuramente attribuibili alla stessa officina, recanti una teoria di animali sulla spalla. Mentre l'esemplare C.L.185/3 mostra il consueto motivo dei pesci, il vaso gemello reca una teoria di animali comprendenti cervi e leoni con richiami più diretti al filone che fa capo alla grande ceramografia orientalizzante, in particolare all'opera del Pittore delle Gru e della sua cerchia[185]; tuttavia, l'esecuzione rapida e le proporzioni spesso disarmoniche dei quadrupedi escludono l'attribuzione alla sua mano, e ne suggeriscono piuttosto l'inserimento in una più vasta temperie artistica, informata dalla tradizione ellenica, soprattutto insulare[186].

Esemplari afferenti al gruppo C:

Cerveteri, Banditaccia t. Mengarelli VIII, (C.B.VIII/2): LEACH 1987, p. 83, n. 215 (olla 3).

Provenienza sconosciuta (provincia di Roma), (PS/72): LUSING SCHEURLEER 1927, p. 3, n. 1, tav. 1.

Provenienza sconosciuta (mercato antiquario), (PS/76): *Christie's, Antiquities*, December 15, 1993, London, p. 51, n. 102; esibiti in H. M. Young Memorial Museum, San Francisco, 1987-1991.

GRUPPO D

Il gruppo accoglie una vasta serie di olle, solitamente definite stamnoidi, con orlo piano ingrossato e labbro indistinto rientrante, costantemente dotate di due anse a bastoncello, sostituite da prese forate negli esemplari miniaturistici; la forma è comune al vicino repertorio laziale[187].

GRUPPO Db: orlo piano ingrossato; labbro indistinto rientrante; corpo globulare biansato. Decorazione costituita da raggi sulla spalla, speso inquadrati in pannello, e sul ventre.

TIPO Db 1: (h 13-21,8 cm). *(tav. 20)*

- Distribuzione:

Vulci, (Vu.a/8): MANGANI, PAOLETTI 1986, p. 27, n. 2, tav. 24.2.

Poggio Buco, Podere Sadun, (PB.t/2): DE PUMA 1986, p. 55, n. 2, tav. 17.a-b. *(tav. 20.1)*

Poggio Buco, (PB.a/14): MANGANI, PAOLETTI 1986, p. 27, n. 1, tav. 24.1.

Variante:

Poggio Buco, Podere Sadun t. D, (PB.D/3): MATTEUCIG 1951, p. 33, n. 16, tav. X.1. *(tav. 20.2)*

---

[185] Rispetto a quest'ultima si pensi alla teoria di felini sulla vasca del piatto PS/141 (piatto Bb *unicum*).

[186] Per un'analisi delle ascendenze, soprattutto stilistiche, si rinvia al capitolo dedicato alla decorazione figurata, (cap. III.2.5-6, pp. 201-203).

[187] Olle dei gruppi Dc e Dd risultano attestate nel vicino Lazio a partire dal secondo quarto del VII sec. a.c. (*Formazione* 1980, tipo 21 b, p. 131, tav. 27).

Il nucleo è rappresentato da quattro ollette, tre delle quali da Poggio Buco e una da Vulci, con decorazione costituita da due file di raggi pendenti ed eretti in corrispondenza rispettivamente della spalla e del fondo. Mentre la forma risulta ampiamente attestata nei distretti ceretano e veiente, appare del tutto inconsueta, al posto delle fasce, la presenza di raggi e la loro organizzazione sintattica, che trova riscontro su oinochoai e anfore piuttosto che su ollette. Tali considerazioni, combinate con la provenienza unitaria dal comparto vulcente, in cui sembrano assenti ollette stamnoidi a labbro rientrante con sintassi canonica, suggeriscono la presenza di un'officina che rielabora modelli "meridionali" in chiave locale, fondendo esperienze decorative appartenenti a repertori vascolari diversi, con l'eventuale aggiunta di motivi consolidati nel patrimonio vulcente, quale la fila di tratti contrapposti presente su due degli esemplari di Poggio Buco (PB.t/2 e PB.a/14), comuni a oinochoai e olle di fabbrica locale.

La cronologia del tipo è fissata dalla t. D di Poggio Buco, databile nel secondo quarto del VII sec. a.C., probabilmente negli anni a ridosso della metà del secolo.

Gruppo Dc: orlo piano ingrossato; labbro indistinto rientrante; corpo globulare/ovoide biansato. Decorazione di tipo lineare.

All'interno di questo raggruppamento confluiscono numerosi esemplari con semplice decorazione a fasce, ad eccezione di due nuclei caratterizzati da una decorazione accessoria differenziata sulla spalla (tipi Dc 1 e Dc 4a) .

Tipo Dc 1: corpo globulare/ovoide. Sulla spalla gruppi di *chevrons*. *(tav. 20)*

Varietà a: corpo globulare (h 10,5 cm).
- Distribuzione:

Pantano di Grano, t. 2, (PG.2/1): De Santis 1997, p. 133, n. 12, p. 132, fig. 22.12, con bibl. prec. *(tav. 20.3)*

Varietà b: corpo ovoide (h 10-15,4 cm).
- Distribuzione:

Veio, Macchia della Comunità t. 44, (V.MC.44/8): inedito, (*app. 1, n. 57; tav. 20.4*).
Veio, (V.a/10): Delpino 1985, p. 207, n. 114, tav.XVIII.114.
Pantano di Grano, t. 1, (PG.1/1): De Santis 1997, p. 124, n. 25, p. 125, fig. 15.25, con bibl. prec.
Pantano di Grano, t. 2, (PG.2/2): De Santis 1997, p. 133, n. 11, p. 132, fig. 22.11, con bibl. prec.

Variante:
Pantano di Grano, t. 1, (PG.1/2): De Santis 1997, p. 124, n. 26, p. 125, fig. 15.26, con bibl. prec. *(tav. 20.5)*

Sei ollette, provenienti da Veio e dal suo territorio, recano sulla spalla una decorazione a gruppi di *chevrons* affiancati o delimitati da metope, che, espressione di un gusto locale, trova riscontro, come accennato, nelle olle Ba 3b, anch'esse veienti. Sembra quindi ipotizzabile l'esistenza di una bottega locale attiva, come suggeriscono le cronologie dei contesti di rinvenimento, tra il secondo quarto del VII sec. a.C. e l'inizio dell'orientalizzante recente. Non è da escludersi che alla medesima officina sia da attribuirsi, in un momento lievemente successivo, la realizzazione delle olle di tipo Ba 3b. L'uso di questo partito decorativo è attestato, seppure episodicamente, anche nel Lazio a Riserva del Truglio, dove compare su un'olletta che, a causa della frammentarietà del labbro, può essere solo ipoteticamente avvicinata al tipo in esame[188].

TIPO Dc 2: corpo globulare/ovoide. Fascia ondulata tra le anse.
Varietà a: corpo globulare ; dimensioni modeste (h 6-12,2 cm) *(tav. 20)*

- Distribuzione:

Veio, Monte Michele t. C, (V.MM.C/3): CRISTOFANI 1969, p. 28, n. 11, p. 26, fig. 7, tav. XI.1.
Veio, Macchia della Comunità t. 56, (V.MC.56/1): inedito, (*app. 1, n. 58*).
Veio, Pozzuolo t. 8, (V.Pz.8/1): inedito, (*app. 1, n. 59*).
Cerveteri, Laghetto I t. a camera 165, (C.L.165/1): CAVAGNARO VANONI 1966, p. 118, n. 5, tav. 44.
Cerveteri, Monte Abatone t. 89 (seconda deposizione), (C.MA.89/7): A. PUGNETTI, in *Milano* 1986a, p. 58, n. 38, p. 60, fig. 38.
Tarquinia, (T.a/154): TANCI, TORTOIOLI 2002, p. 146, n. 245.
Tarquinia, (T.a/155): TANCI, TORTOIOLI 2002, p. 146, n. 246.
Tarquinia, (T.a/156): CANCIANI 1974, p. 39, n. 6, tav. 30.6. *(tav. 20.6)*
Tarquinia, (T.a/157): CANCIANI 1974, p. 39, n. 9, tav. 30.9.
Provenienza sconosciuta, (PS/77): GIGLIOLI, BIANCO 1965, p. 3, n. 45, tav. 3.5.

Varietà b: corpo ovoide con pareti lievemente rastremate; dimensioni modeste (h 8,2-12,8 cm).

- Distribuzione:

Veio, Vaccareccia, (V.V/10): PAPI 1988, p. 117, n. 3.
Veio, Macchia della Comunità t. VII, (V.MC.VII/5): ADRIANI 1930, p. 54, n. 8.
Veio, Macchia della Comunità t. 12, (V.MC.12/2): inedito, (*app. 1, n. 60*).
Veio, Macchia della Comunità t. 15, (V.MC.15/1): inedito, (*app. 1, n. 61*).
Veio, Macchia della Comunità t. 42, (V.MC.42/1): inedito, (*app. 1, n. 62; tav. 20.7*).
Veio, Macchia della Comunità t. 67, (V.MC.67/1): inedito, (*app. 1, n. 63*).
Cerveteri, Sorbo, tomba Giulimondi (spazio tra le banchine), (C.S.G/5): CASCIANELLI 2003, p. 96, n. 62, con bibl. prec.
Tarquinia, (T.a/158): CANCIANI 1974, p. 39, n. 4, tav. 30.4.
Tarquinia, (T.a/159): CANCIANI 1974, p. 39, n. 5, tav. 30.5.
Tarquinia, (T.a/160): CANCIANI 1974, p. 39, n. 7, tav. 30.7.
Tarquinia, (T.a/161): CANCIANI 1974, p. 39, n. 8, tav. 30.8.
Provenienza sconosciuta, (PS/78): GIGLIOLI, BIANCO 1965, p. 3, n. 6, tav. 3.6.
Provenienza sconosciuta, (PS/79): GIGLIOLI, BIANCO 1965, p. 4, n. 8, tav. 3.8.
Varianti:
Cerveteri, Banditaccia t. 75, (C.B.75/11): RICCI 1955, c. 491, n. 25, fig. 115.3.

---

188 GIEROW 1964, p. 221, n. 17, fig. 129.17.

Cerveteri, Laghetto I t. 64, (C.L.64/3): CAVAGNARO VANONI 1966,p. 89, n. 11; STUART LEACH 1987, p. 112, n. 29; ALBERICI VARINI 1999, p. 62, n. 48, fig. 64, tav. XLVI-XLVII. *(tav. 20.8)*

Varietà c: corpo ovoide con pareti arrotondate; dimensioni medie (h 11,5-18,2 cm).
- Distribuzione:

Veio, Macchia della Comunità t. 15, (V.MC.15/2): inedito, (*app. 1, n. 64*).
Veio, Casalaccio t. VI, (V.C.VI/2): VIGHI 1935, pp. 56, 57, n. 14, fig. 6.
Veio, Pozzuolo t. 9, (V.Pz.9/1): inedito, (*app. 1, n. 65*).
Cerveteri, Laghetto I t. a camera 143, (C.L.143/2): CAVAGNARO VANONI 1966, p. 110, n. 3, tav. 28.
Cerveteri, Laghetto II, t. a fossa 339, (C.L.339/1): CAVAGNARO VANONI 1966, p. 219, n. 1; L. CAVAGNARO VANONI in *Milano* 1980, p. 150, n. 4.
Cerveteri, Laghetto II t. a camera 339, (C.L.339c/1): CAVAGNARO VANONI 1966, p. 219, n. 1, tav. 49.
Cerveteri, Monte Abatone t. 89 (seconda dep.), (C.MA.89/8): A. PUGNETTI, in *Milano* 1986a, p. 58, n. 36, fig. 36. *(tav. 20.9)*
Cerveteri, Monte Abatone t. 297, (C.MA.297/3): LEACH 1987, p. 86, n. 227, fig. 59 (olla 1c).
Tarquinia, (T.a/162): CANCIANI 1974, p. 38, n. 3, tav. 30.3.
Orbetello, S. Donato t. II, (O.SD.II/1): MICHELUCCI 1991, p. 23, n 1, fig. 5.9, tav. X.c.

Varietà d: corpo ovoide con pareti arrotondate; dimensioni medie (h 12-20,1 cm); decorazione solitamente composta da una doppia fascia ondulata sulla spalla.
- Distribuzione:

Veio, Vaccareccia, (V.V./11): PAPI 1988, p. 99, n. 6.
Veio, Macchia della Comunità t. 13, (V.MC.13/4): inedito, (*app. 1, n. 66*).
Veio, Casalaccio t. III, (V.C.III/5): VIGHI 1935, p. 49, n. 25, tav. 3/I.
Veio, Casalaccio t. IV, (V.C.IV/3): VIGHI 1935, p. 52, n. 15, tav. 1/I. *(tav. 20.10)*
Veio, Pozzuolo t. 1, (V.Pz.1/3): inedito, (*app. 1, n. 67*).

Varietà e: corpo ovoide; grandi dimensioni (h 33,5 cm).
- Distribuzione:

Veio, Macchia della Comunità t. 35, (V.MC.35/2): inedito, (*app. 1, n. 68*).
Veio, Macchia della Comunità t. 35, (V.MC.35/3): inedito, (*app. 1, n. 69; tav. 20.11*).

Probabilmente afferenti a tipo 2:
Veio, Pozzuolo t. 1, (V.Pz.1/5): inedito, (*app. 1, n. 70*).
Veio, Pozzuolo t. 4, (V.Pz.4/2): inedito, (*app. 1, n. 71*).
Veio, Pozzuolo t. 7, (V.Pz.7/3): inedito, (*app. 1, n. 72*).
Cerveteri, Banditaccia t. a fossa 71, (C.B.71/1): RICCI 1955, c. 482, n. 1.
Cerveteri, Banditaccia t. a fossa 71, (C.B.71/2): RICCI 1955, c. 482, n. 7.

Il novero delle ollette con fascia ondulata sulla spalla appare estremamente numeroso: la decorazione ricorrente impone una scansione interna, che, basata unicamente sul profilo del corpo e le dimensioni, si articola in tre varietà (a: corpo globulare; b: corpo ovoide rastremato; c: corpo ovoide). A questa distinzione non sembra corrispondere una differenziazione geografica né tantomeno cronologica pienamente apprezzabile. I dati a disposizione mostrano come le tre varietà coesistano nei centri di Veio, Cerveteri e Tarquinia durante l'orientalizzante recente, mentre nella fase precedente sembrano attestate esclusivamente le varietà a, nella t. 56 di Macchia della Comunità a Veio (V.MC.56/1), e soprattutto c, in un gruppo più cospicuo di deposizioni ceretane[189].

Le varietà fin qui esaminate appaiono tra le serie italo-geometriche maggiormente diffuse nelle aree limitrofe all'Etruria meridionale. I numerosi esemplari laziali, probabilmente riconducibili per consistenza numerica a produzioni locali, coprono lo stesso *excursus* cronologico indicato, comparendo già nella fase media dell'orientalizzante[190]; allo stato attuale delle conoscenze, sembra, invece, delinearsi un lieve ritardo nelle evidenze sabine, in cui ollette del genere sono presenti limitatamente all'orientalizzante recente[191]. Esemplari omologhi sono presenti inoltre in Campania, costituendo assieme alle olle Bc 1 uno degli indicatori del flusso che, tramite l'area laziale, metteva in contatto la regione con il comparto etrusco-meridionale[192].

Diverso si profila il panorama offerto dalle varietà d ed e, di esclusiva origine veiente, che comprendono esemplari di modulo maggiore con decorazione lievemente più articolata, costituita da file di esse correnti o da doppie fasce ondulate incrociantesi. Esse risultano, dunque, esito di una produzione locale, databile tra il 675 e il 630 a.C. circa.

TIPO Dc 3: corpo ovoide; dimensioni medie (h 12,5-15 cm). Spalla decorata da tratti verticali. *(tav. 21)*

---

[189] Laghetto 143, Monte Abatone 297 e Monte Abatone 89, quest'ultima con deposizioni multiple risulta inutilizzabile ai fini dell'inquadramento cronologico.

[190] *Formazione* 1980, tipo 21 b, p. 131, tav. 27. Più nello specifico si fornisce, contestualmente ad ogni varietà, una lista dei confronti più calzanti:

tipo Dc 2a: Tivoli, t. XXXVII C, dell' orientalizzante medio avanzato (*Roma* 1976, cat. 75, p. 211, n. 6, tav. XLI.6); Osteria dell'Osa, t. 56, di fase IVB (BIETTI SESTIERI, DE SANTIS 1992, p. 858, n. 3, fig. 3c.88.3, tipo 93 b); Marino, Prato della Corte, sporadico (GIEROW 1964, p. 257, n. 17, fig. 151.17);

tipo Dc 2b: nell'orientalizzante medio attestazioni a Riserva del Truglio, tt. XXI (GIEROW 1964, p. 187, n. 5, p. 186, fig. 108.5) e XX (IDEM, p. 189, n. 2, fig. 110.2); nella fase successiva, nella stessa necropoli dalla t. VIII (IDEM, p. 160, n. 3, p. 161, fig. 93.3) ed inoltre numerosi exx. morfologicamente simili a Osteria dell'Osa, nelle tt. 66 (BIETTI SESTIERI, DE SANTIS 1992, p. 862, n. 6, fig. 3c.97.6), 76 (EAEDEM, p. 860, n. 6, fig. 3c.94.6), 343 (EAEDEM, p. 842, n. 1, fig. 3c.51.1) e 473 (p. 864, n. 1, fig. 3c.96.1); infine sporadico da Grottaferrata (GIEROW 1964, p. 105, n.5, fig. 54.5);

tipo Dc 2c: Anzio (*Roma* 1976, cat. 105, p. 320, n. 9, tav. LXXXIII.A.9).

[191] Colle del Forno (tt. VI, VII, XVI, XXIII): SANTORO 1983, p. 25, n. 31, fig. 4. 31b, tipo 31 b.

[192] Suessula (coll. Spinelli): BORRIELLO 1991, p. 22, n. 2, tav. 16.2.

- Distribuzione:

Cerveteri, Monte Abatone t. 45 (camera lat. sin. prima dep.), (C.MA.45/1): B. Bosio, in *Milano* 1986a, p. 32, n. 36, p. 33, fig. 36.
Cerveteri, Monte Abatone t. 77, (C.MA.77/1): B. Bosio, in *Milano* 1986a, p. 43, n. 9, fig. 9. *(tav. 21.1)*
Cerveteri, Monte Abatone t. 77, (C.MA.77/2): B. Bosio, in *Milano* 1986a, p. 43, n. 10, p. 44, fig. 10.

Variante:

Cerveteri, Monte Abatone t. 79 (prima dep.), (C.MA.79/4): B. Bosio, in *Milano* 1986a, p. 46, n. 18, p. 47, fig. 18. *(tav. 21.2)*

Il tipo riunisce poche olle di esclusiva provenienza ceretana, tutte omogeneamente databili all'orientalizzante recente.

Tipo Dc 4: corpo ovoide, dimensioni medio-grandi. Spalla decorata da motivi a clessidra alternati a tremoli/fascia ondulata e fila di punti. *(tav. 21)*

Varietà a: sulla spalla motivi a clessidra e tremoli (h 20,4-22 cm).

- Distribuzione:

Cerveteri, Monte Abatone t. 89 (seconda dep.), (C.MA.89/9): A. Pugnetti, in *Milano* 1986a, fig. 40, p. 60, n. 40, p. 58
Cerveteri, Monte Abatone t. 89 (seconda dep.), (C.MA.89/10): A. Pugnetti, in *Milano* 1986a, p. 58, n. 42, p. 60, fig. 42. *(tav. 21.3)*

Varianti:

Veio, Macchia della Comunità t. 14, (V.MC.14/2): inedito, (*app. 1, n. 73*).
Veio, Pozzuolo t. 1, (V.Pz.1/4): inedito, (*app. 1, n. 74*).
Monte S. Michele t., (SM.t/1): Carbonara *et al.* 1996, p. 127, n. 20, p. 128, figg. 250-250a. *(tav. 21.4)*

Varietà b: sulla spalla fasce e file di punti (h 20,5-21,3 cm).

- Distribuzione:

Cerveteri, Banditaccia t. Mengarelli XI, (C.B.XI/2)(?): Leach 1987, p. 82, n. 216 (olla 1c).
Cerveteri, Monte Abatone t. 89 (seconda dep.), (C.MA.89/11): A. Pugnetti, in *Milano* 1986a, p. 58, n. 44, p. 61, fig. 44.
Cerveteri, Monte Abatone t. 89 (seconda dep.), (C.MA.89/12): A. Pugnetti, in *Milano* 1986a, p. 60, n. 46, p. 61, fig. 46.
Cerveteri, Monte Abatone t. 89 (seconda dep.), (C.MA.89/13): A. Pugnetti, in *Milano* 1986a, p. 60, n. 48, p. 61, fig. 48.
Cerveteri, Monte Abatone t. 90 (seconda dep.), (C.MA.90/10): A. Pugnetti, in *Milano* 1986a, p. 74, n. 60, p. 73, fig. 60. *(tav. 21.5)*
Provenienza sconosciuta, (PS/80): Giglioli, Bianco 1965, p. 4, n. 7, tav. 3.7.

La varietà a, simile per sintassi decorativa con scansione pseudometopale sulla spalla al tipo Dc 1, presenta modulo maggiore (h compresa tra i 20 e i 22 cm). Le olle afferenti al nucleo provengono da un unico contesto, rappresentato dalla t. 89 di Monte Abatone che ne pone la datazione nel corso dell'orientalizzante recente; sono, inoltre, presenti alcuni esemplari veienti identificati come varianti (V.MC.14/2; V.Pz.1/4; SM.t./1).

La varietà b associa alla consueta fascia ondulata una fila di punti, ampiamente documentata nella produzione di piatti a decorazione lineare, mentre più insolita risulta la collocazione delle anse in posizione ribassata. Va rilevata la provenienza di tre dei sei esemplari considerati da un'unica deposizione (t. 89 di Monte Abatone, seconda dep.), in cui ricorre l'associazione con olle di tipo Dc 4a. Di origine ceretana risulta una coppia di olle dalla t. 90 di Monte Abatone, il cui corredo si colloca nel corso dell'orientalizzante recente.

Ascrivibili al gruppo Dc:
Veio, Macchia della Comunità t. 33, (V.MC.33/5): inedito, (*app. 1, n. 75*).
Cerveteri, Banditaccia t. 404 a camera, (C.B.404/1): RICCI 1955, c. 919, n. 15.
Cerveteri, Laghetto I t. 64, (C.L.64/4): CAVAGNARO VANONI 1966, n. 10, p. 89; STUART LEACH 1987, n. 33, p. 112; ALBERICI VARINI 1999, n. 63, p. 49, tav. XLVII, fig. 65.

GRUPPO Dd: corpo globulare/ovoide biansato. Sulla spalla teoria di aironi/pesci.

TIPO Dd 1: corpo globulare/ovoide. Sulla spalla teoria di aironi. . *(tav. 21)*

Varietà a: corpo globulare (h 15,3-23 cm)
- Distribuzione:

Veio, Macchia della Comunità t. 64, (V.MC.64/4): inedito, (*app. 1, n. 76).*
Veio, (V.a/9): DELPINO 1985, p. 207, n. 113, tav. XVIII.113.
Cerveteri, Laghetto I t. a camera 63, (C.L.63/3): CAVAGNARO VANONI 1966, p. 88, n. 1, tav. 3.
Provenienza sconosciuta, (PS/81): LEACH 1987, p. 91, n. 244, fig. 57. *(tav. 21.6)*
Provenienza sconosciuta, (coll. Haàn), (PS/82): SZILÀGYI 1981, p. 46, n. 1, tav. 13.1-3.
Provenienza sconosciuta, (PS/165): SZILÀGYI 2007, p. 19, tav. 4.1-3.
Varianti:
Pantano di Grano, t. 3, (PG.3/1): DE SANTIS 1997, p. 138, n. 13, p. 137, fig. 27.13, con bibl. prec. *(tav. 21.7)*
Cerveteri, Monte Abatone t. 384, (C.MA.384/1): esposto nel Museo Archeologico di Cerveteri.

Varietà b: corpo ovoide con pareti leggermente rastremate (h 15-19 cm).
- Distribuzione:

Veio, Casalaccio t. III, (V.C.III/6): VIGHI 1935, p. 49, n. 26, tav. 3/I. *(tav. 21.8)*
Veio, Pozzuolo t. 10, (V.Pz.10/3): inedito, (*app. 1, n. 77*).
Monte S. Michele tomba, (SM.t/10): CARBONARA *et al.* 1994, p. 128, n. 21, figg. 251-251a.
Cerveteri, Laghetto I, t. a camera 71, (C.L.71/2): CAVAGNARO VANONI 1966, p. 96, tav. 10, n. 2.
Variante:
Provenienza sconosciuta (PS/166): *Jerusalem* 1991, p. 211, n. 277.

Varietà c: corpo ovoide con pareti arrotondate (h 19,4-26).

• Distribuzione:

Veio, Macchia della Comunità t. 62, (V.MC.62/1): inedito, (*app. 1, n. 78*).
Veio, Macchia della Comunità t. 62, (V.MC.62/2): inedito, (*app. 1, n. 79*).
Veio, Macchia della Comunità t. 64, (V.MC.64/5): inedito, (*app. 1, n. 80*).
Veio, Macchia della Comunità t. 64, (V.MC.64/6): inedito, (*app. 1, n. 81*).
Veio, Macchia della Comunità t. 62, (V.MC.65/1): inedito, (*app. 1, n. 82*).
Pantano di Grano, t. 1, (PG.1/3): DE SANTIS 1997, pp. 124-125, n. 24, fig. 15, con bibl. prec.
Passo della Sibilla, t. A, (Si.A/4): RADDATZ 1983, p. 210, n. 7, fig. 2.3, tav. 29.2.
Cerveteri, (coll. Campana), (C.a/13): POTTIER 1897, p. 38, tav. 31. *(tav. 21.9)*
Provenienza sconosciuta (mercato antiquario, coll. Elie Borowski), (PS/83): *Christie's, Antiquities*, June, 12, 2000, New York, p. 129, n. 135.

Variante:

Veio, (V.a/3): *Amsterdam* 1989, p. 213, n. 75. *(tav. 21.10)*

Varietà d: corpo ovoide (h 13,5-15,2 cm). Sul ventre raggi.

• Distribuzione:

Cerveteri, Laghetto I t. a camera 163, (C.L.163/2): CAVAGNARO VANONI 1966, p. 118, n. 2, tav. 42. *(tav. 21.11)*
Cerveteri, Laghetto I t. a camera 163, (C.L.163/3): CAVAGNARO VANONI, p. 118, n. 3.
Cerveteri, Monte Abatone, t. 410, (C.MA.410/1): LEACH 1987, p. 86, n. 228 (olla 1a).

Di incerta attribuzione tra le varietà c e d:

Veio, Riserva del Bagno t. III, (V.R.III/2): inedito.

Probabilmente ascrivibili al tipo 1:

Veio, Pozzuolo t. 4, (V.Pz.4/3): inedito, (*app. 1, n. 83*).
Cerveteri, Banditaccia t. 176, (C.B.176/2): RICCI 1955, c. 643, nn. 8-9.
Cerveteri, Banditaccia t. Mengarelli XVIII, (C.B.XVIII/4): LEACH 1987, p. 83, n. 218 (olla 1a).
Cerveteri, Laghetto I t. a camera 67, (C.L.67/2): CAVAGNARO VANONI 1966 p. 93, n. 5.
Cerveteri, Laghetto I t. a camera 75, (C.L. 75/32): CAVAGNARO VANONI 1966, p. 99, n. 2.
Cerveteri, Laghetto I t. a camera 142, (C.L.142/1): CAVAGNARO VANONI 1966, p. 109, n. 6; C. DUCA in BAGNASCO GIANNI 2002, p. 63, n. 14.
Cerveteri, Laghetto I t. a camera 142, (C.L.142/2): CAVAGNARO VANONI 1966, p. 109, n. 7; C. DUCA in BAGNASCO GIANNI 2002, p. 62, n. 13.
Cerveteri, Laghetto t. 461, (C.L.461/1): LEACH 1987, p. 82, n. 213 (olla 1a).
Cerveteri, Laghetto t. 461, (C.L.461/2): LEACH 1987, p. 82, n. 214 (olla 1a).
Cerveteri, Laghetto I t. a camera 145, (C.L.145/1): CAVAGNARO VANONI 1966, p. 112, n. 12.

La stessa articolazione proposta per le olle di tipo Dc 2, appare valida anche per quelle con decorazione ad aironi sulla spalla (a: globulari; b: ovoidi rastremate; c: ovoidi); va tuttavia osservato che la varietà c sembra presentare un modulo maggiore, paragonabile alle olle di tipo Dc 2d, mentre la varietà d, rappresentata da una coppia di vasi dalla t. 163 del Laghetto (C.L.163/2-3) e da un esemplare dalla t. 410 di Monte Abatone (C.MA.410/1), è individuata dalla presenza alla base di raggi al posto delle consuete fasce. Al contrario del tipo Dc 2, alla differenziazione in varietà sembra corrispondere una distinzione non geografica, data l'esclusiva provenienza veiente e ceretana degli esemplari, ma cronologica. Per le varietà a e c, la datazione oscilla tra l'orientalizzante medio, fase cui risalgono episodiche attestazioni laziali[193], e il recente. La varietà b sembra concentrarsi nel corso dell'orientalizzante medio, forse con inizio nel primo quarto del secolo, se si accetta tale datazione per la t. 16 di S. Martino a Capena, che ha restituito un esemplare d'importazione confrontabile[194]. Tratti peculiari distinguono l'olla PS/166, identificata come variante della varietà b: l'uso del pannello delimitato da tremoli richiama, infatti, le olle veienti di tipo Cd 1a, mentre l'airone con occhio a risparmio attorniato da riempitivi a graticcio evoca alcune delle opere del Pittore di Narce, alle quali rinvia inoltre la conformazione con apici laterali delle anse. Ciò considerato, appare plausibile l'attribuzione del pezzo ad *atelier* veiente.

TIPO Dd 2: corpo ovoide (h 14,8-19,3 cm). Sulla spalla teoria di pesci. *(tav. 21)*

- Distribuzione:

Cerveteri, Banditaccia t. Mengarelli XVIII, (C.B.XVIII/5): LEACH 1987, p. 83, n. 219 (olla 1d).
Cerveteri, Banditaccia t. Mengarelli XX, (C.B.XX/3): LEACH 1987, p. 83, n. 220 (olla 1d).
Cerveteri, Laghetto t. 65, (C.L.65/3): CAVAGNARO VANONI 1966, n. 3, p. 91; A. TARELLA, in *Milano* 1980, p. 259, n. 19; MARTELLI 1987, p. 256, n. 28.4; LEACH 1987, p. 112, n. 26, fig. 60; ALBERICI VARINI 1999, p. 65, n. 19, tav. LXIV, fig. 93. *(tav. 21.12)*
Cerveteri, Laghetto I t. a camera 155, (C.L.155/1): CAVAGNARO VANONI 1966, p. 115, n. 1, tav. 34; MARTELLI 1987a, p. 17, nota 13, n. 11.
Cerveteri, Via Manganello 18, (C.Mn. 18/4): MARTELLI 1987a, p. 17, nota 13, n. 13.
Provenienza sconosciuta, (PS/151): MARTELLI 1987a, p. 17, nota 13, n. 12.
Provenienza sconosciuta, (PS/152): MARTELLI 1987a, p. 17, nota 13, n. 14.

Simili al tipo Dd 1b per forma, le olle Dd 2 si distinguono per il fregio con pesci tra le anse; la serie è riconducibile alla ceretana Bottega dei Pesci di Stoccolma, la cui attività, concordemente alla cronologia dei contesti di provenienza, è da collocarsi nel momento iniziale dell'orientalizzante medio[195].

Esemplari unici caratterizzati dalla decorazione inusuale
con fregi di cavalli: Vulci (scavi Bendinelli), (Vu.a/9): LA ROCCA 1978, p. 496;
con serpente sinuoso: Veio, Monte Michele t. 5 (incinerazione maschile nella cella destra), (V.MM.5/13): BOITANI 1982, p. 100, tav. XXXII.2; BOITANI 1985, p. 540, tav. XCIV.c; BOITANI 2001b, p. 114, n. I.G.8.1 *(tav. 21.13);*

---

[193] Riserva del Truglio, t. XIX: GIEROW 1964, p. 180, n. 5. p. 181, fig. 105.5.

[194] MURA SOMMELLA 2004-2005, p. 268, p. 269, fig. 54, l'olla è decorata da aironi retrospicienti con occhio risparmiato.

[195] Cfr. cap. V.2, pp. 249-250.

o ancora con figure di volatili di ascendenza geometrica in pannello: Provenienza sconosciuta (mercato antiquario) (PS/84): *Kunst der Antike*, Galerie G. Puhze, 1987, n. 186.

Lo stato di conservazione frammentario non consente di puntualizzare il tipo di queste olle, genericamente identificabili come stamnoidi (gruppo D):

Veio, Pozzuolo t. 2, (V.Pz.2/4): inedito, (*app. 1, n. 84*).

Cerveteri, Laghetto I t. a camera 142, (C.L.142/3): CAVAGNARO VANONI 1966, p. 109; C. DUCA, in BAGNASCO GIANNI 2002, p. 63, n. 15.

Cerveteri, Laghetto I t. a camera 142, (C.L.142/3): CAVAGNARO VANONI 1966, p. 109; C. DUCA, in BAGNASCO GIANNI 2002, p. 63, n. 16.

II.2.11 *Attingitoi* (*tav. 22*)

In base all'analisi morfologica, sembra possibile distinguere due raggruppamenti macroscopici, che rispondono ad una rigida demarcazione geografica e ad una più elastica ripartizione cronologica.

		Famiglie morfologiche	
		A: corpo ovoide espanso e breve labbro a colletto	B: corpo ovoide e alto collo
Famiglie decorative	a: dec. di tipo metopale	gruppo Aa: tipi 1-3	
	b: dec. lineare		gruppo Bb: tipo 1

GRUPPO Aa: breve labbro a colletto; corpo ovoide espanso con pareti arrotondate/rastremate. Decorazione di tipo metopale con losanghe reticolate posta sulla spalla.

TIPO Aa 1: corpo ovoide con pareti arrotondate/rastremate. Metope campite da losanghe reticolate.

Varietà a: pareti arrotondate (h 9,2-12,2 cm). (*tav. 22*)

- Distribuzione:

Tarquinia, Monterozzi tumulo Zanobi (t. Romanelli LXXXIII), (T.M.83/3): PALMIERI 2005, p. 12, nota 28, p. 13, fig. 6.c, con rif.

Tarquinia, Monterozzi tumulo Zanobi (t. Romanelli LXXXIII), (T.M.83/4): PALMIERI 2005, p. 12, nota 28, p. 13, fig. 6.c, con bibl.

Tarquinia, (T.a/163): CANCIANI 1974, p. 51, n. 1, tav. 38.1.

Tarquinia, (T.a/164): CANCIANI 1974, p. 52, n. 3, tav. 38.3 con bibl.

Tarquinia, (T.a/165): CANCIANI 1974, p. 52, n. 5, tav. 38.5. (*tav. 22.1*)

Tuscania, Pian di Mola t. 3 del 20/2/1973, (Tu.PM.3/2): RUGGIERI, MORETTI SGUBINI 1986, p. 238, nota 11, tav. XCVII.1.

Poggio Buco, (PB.a/15): MANGANI, PAOLETTI 1986, p. 38, n. 5, tav. 32.5.

Varietà b: pareti rastremate (h 11-11,8 cm).

- Distribuzione:

Tarquinia, (T.a/166): CANCIANI 1974, p. 51, n. 10, tav. 37.10. (*tav. 22.2*)

Tarquinia, (T.a/167): Canciani 1974, p. 51, n. 2, tav. 38.2 con bibl.
Tarquinia, (T.a/168): Canciani 1974, p. 52, n. 4, tav. 38.4.
Tuscania, Pian di Mola t. della c.d. Raccolta Comunale, (Tu.PM.R/1): Ruggieri, Moretti Sgubini 1986, p. 238, nota 11, tav. XCVII.2.
Castro, t. a cassa (scavi 1958), (Ca.t/2): Colonna 1977b, p. 199, tav. XLI.b.

Tipo Aa 2: corpo ovoide con pareti arrotondate/rastremate. Metope campite da zigzag/chevrons. (*tav. 22*)

Varietà a: pareti arrotondate (h 11,2-11,7 cm).
• Distribuzione:
Tarquinia, (T.a/169): Canciani 1974, p. 51, n. 5, tav. 37.5.
Tarquinia, (T.a/170): Canciani 1974, p. 51, n. 7, tav. 37.7 con bibl.
Tarquinia, (T.a/171): Canciani 1974, p. 51, n. 8, tav. 37.8 con bibl. (*tav. 22.3*)
Vulci, (Vu.a/10): Mangani, Paoletti 1986, p. 38, n. 4, tav. 32.4.
Provenienza sconosciuta (Proceno, coll. Cecchini), (PS/94): Michetti 2003, pp. 155, 177, fig. 5.

Varietà b: pareti rastremate (h 9,2-11,8 cm).
• Distribuzione:
Tarquinia, (T.a/172): Canciani 1974,p. 51, n. 6, tav. 37.6 con bibl. (*tav. 22.4*)
Tarquinia, (T.a/173): Canciani 1974, p. 51, n. 9, tav. 37.9.
Tarquinia, (T.a/174): Simon 1982, p. 157, n. 91, fig. 91.
Vulci, Cavalupo t. dell'1/10/1955, (Vu.C.1955/3): Moretti Sgubini 1986, p. 77, tav. XL.1.
Poggio Buco, (PB.a/16): Mangani, Paoletti 1986, p. 38, n.6, tav. 32.6.
Poggio Buco, (PB.a/17): Pellegrini 1989, p. 71, n. 233, tav. XLVII.
Territorio di Vulci, (Vu t/5): Chelini 2004, p. 51, n. 20, tav. IV.20.
Territorio di Vulci, (Vu t/6): Chelini 2004, p. 51, n. 21, tav. IV.21.
Territorio di Vulci, (Vu t/7): Chelini 2004, p. 51, n. 22, tav. IV.22.
Varianti:
Vulci, Cavalupo t. dell'1/10/1955, (Vu.C.1955/4): Moretti Sgubini 1986, p. 77, tav. XL.1. (*tav. 22.5*)
Provenienza sconosciuta, (PS/93): A. Romualdi, in *Piombino* 1989, p. 72, n. 78.

Gli attingitoi appartenenti al primo gruppo[196], morfologicamente caratterizzati da un breve labbro a colletto e da corpo globulare o ovoide, sono decorati in stile *Metopengattung*: coerentemente alla diffusione di questa "classe" appaiono attestati nei territori di Vulci e Tarquinia. Sebbene gli studi assegnino tale produzione alla prima metà del VII secolo a.C., è necessario segnalare che i pochi corredi disponibili sembrano, in tutti i casi noti, collocabili in un momento centrale dell'orientalizzante antico, tra la fine dell'VIII e gli inizi del VII sec. a.C.

Ai primi decenni del VII sec. a.C. è ascrivibile il corredo del tumulo Zanobi di Tarquinia che ha restituito una coppia di attingitoi Aa 1a. Un esemplare

[196] Tutti gli exx. del gruppo conservati nel Museo di Tarquinia appartengono a un nucleo omogeneo facente capo all' ex. RC 8777 (T.a/169), definito da F. Canciani.

di tipo Aa 1a (Tu.PM.3/2) proviene dalla t. 3 del 20/2/1973 di Pian di Mola a Tuscania, il cui corredo è databile attorno al 700 a. C.[197]; analoga cronologia caratterizza un'altra deposizione della medesima necropoli in cui era presente un attingitoio di tipo Aa 1b (Tu.PM.R/1), mentre alla fine dell'VIII sec. a.C. appare invece riconducibile l'esemplare di tipo Aa 2b (Vu.C.1955/3) e la sua variante (Vu.C.1955/4), associati nella t. dell'1/10/1955 della necropoli vulcente di Cavalupo[198].

TIPO Aa 3: corpo ovoide con labbro indistinto. Decorazione metopale o continua (h 9-15 cm). (*tav. 22*)

- Distribuzione:

Tarquinia, (T.a/175): JACOPI 1955, tav. 2.4.
Tarquinia, (T.a/176): JACOPI 1955, tav. 2.7. (*tav. 22.6*)

Esiguamente rappresentato, il tipo, di esclusiva distribuzione tarquiniese, è ispirato nella forma agli attingitoi in impasto in voga già nella fase finale dell'età del Ferro e in uso ancora nell'orientalizzante antico, fase quest'ultima cui sono riferibili gli esemplari in esame.

GRUPPO Bb: alto collo cilindrico con labbro indistinto; corpo ovoide con spalla arrotondata/distinta o con carena. Decorazione di tipo lineare.

TIPO Bb 1 (*tav. 22*)

Varetà a: spalla arrotondata/distinta (h 9,5-15,2 cm).

- Distribuzione:

Veio, Vaccareccia t. X, (V.V.X/2): PALM 1952, p. 66, n. 21, tav. XXI.21.
Cerveteri, Banditaccia t. 75, (C.B.75/16): RICCI 1955, c. 493, n. 63, fig. 115.1.
Cerveteri, Banditaccia t. 75, (C.B.75/17): RICCI 1955, c. 493, n. 64.
Cerveteri, Banditaccia t. Mengarelli XVIII, (C.B.XVIII/6): LEACH 1987, p. 59, n. 137.
Cerveteri, Laghetto t. 65, (C.L.65/4): CAVAGNARO VANONI 1966, p. 91, n. 4, tav. 6; L. MALNATI, in *Milano* 1980, n. 13, p. 258; LEACH 1987, p. 112, n. 26, fig. 60; LEACH 1987, p. 105, n. 2, fig. 8; ALBERICI VARINI 1999, n. 20, p. 66, tav. LXV, fig. 94.
Cerveteri, Laghetto I t. a camera 138, (C.L.138/2): CAVAGNARO VANONI 1966, p.107, n. 2, tav. 23.
Cerveteri, Laghetto I t. a camera 143, (C.L.143/3): CAVAGNARO VANONI 1966, p. 110, n. 4, tav. 28.
Cerveteri, Laghetto II t. a camera 245, (C.L.245/3): CAVAGNARO VANONI 1966, p. 201, n. 4, tav. 25; C. MARINA, in BAGNASCO GIANNI 2002, p. 165, n. 21.
Cerveteri, Laghetto II t. a camera 245, (C.L.245/4): CAVAGNARO VANONI 1966, p. 201, n. 5; C. MARINA, in BAGNASCO GIANNI 2002, p. 166, n. 22.
Cerveteri, Monte Abatone t. a camera 352, (C.MA.352/3): L. MALNATI, in *Milano* 1980, p. 227, n. 86.

---

[197] RUGGIERI, MORETTI SGUBINI 1986, nota 11, p. 238.
[198] MORETTI SGUBINI 1986, p. 77.

Cerveteri, Monte Abatone t. 410, (C.MA.410/2): LEACH 1987, p. 60, n. 139, fig. 39.
Tarquinia, (T.a/177): CANCIANI 1974, p. 52, n. 7, tav. 38.7. (*tav. 22.7*)
Variante:
Cerveteri, Laghetto I t. 64, (C.L.64/5): CAVAGNARO VANONI 1966, p. 89, n. 13; LEACH 1987, p. 105, n. 1; ALBERICI VARINI 1999, p. 49, n. 64, fig. 66, tav. XLVIII. (*tav. 22.8*)

Varietà b: corpo carenato (h 11,8 cm).
• Distribuzione:
Veio, Macchia della Comunità t. 62, (V.MC.62/3): inedito, (*app. 1, n. 85*).
Volusia, t. 5 (Vo.5/1): CARBONARA *et al.* 1996, p. 76, n. 5, p. 77, figg. 140-140a. (*tav. 22.9*)
Variante:
Tarquinia, (T.a/178): CANCIANI 1974, p. 52, n. 6, tav. 38.6. (*tav. 22.10*)

Ascrivibili genericamente al Gruppo B:
Vulci, t. 22, (Vu.22/3): HALL DOHAN 1942, p. 89, n. 12, tav. XLVII.12.
Cerveteri, Banditaccia t. a fossa 71, (C.B.71/3) (Bb): RICCI 1955, c. 482.

Il gruppo Bb raccoglie vasi provenienti per lo più da Veio e Cerveteri e qualche attestazione da Tarquinia; la documentazione è riconducibile ad un unico tipo (tipo Bb 1), noto inoltre con numerose attestazioni in impasto e bucchero[199].

La varietà a, caratterizzata da corpo slanciato con spalla arrotondata o leggermente carenata, è rappresentato da attingitoi provenienti dai tre centri citati, con particolare concentrazione delle presenze a Cerveteri. Ad eccezione dell'esemplare tarquiniese adespota (T.a/177), gli altri appartengono a contesti che si scaglionano nel corso di gran parte dell'orientalizzante: alla fase antica sono riferibili i corredi delle tt. X di Vaccareccia, 245 del Laghetto II, 138 del Laghetto I e probabilmente, come proposto recentemente da C. Alberici, anche quello della deposizione della t. 65 del Laghetto, tradizionalmente datato alla prima metà del VII in base alla presenza, riconosciuta da M. Martelli, di vasi della Bottega dei Pesci di Stoccolma, cui forse è attribuibile anche l'attingitoio in esame; nel secondo quarto del VII sec. a.C. un'attestazione è fornita dal corredo 143 del Laghetto I. La varietà sembra, infine, persistere fino alla seconda metà del VII sec. a.C., fase cui risale l'esemplare della t. 352 di Monte Abatone. A fabbrica etrusco-meridionale, più probabilmente ceretano-veiente, è assegnabile l'attingitoio deposto nella tomba dei Vasi fittili di Populonia, che accoglieva un nucleo cospicuo di ceramiche depurate con decorazione subgeometrica per lo più databili nella seconda metà del secolo, probabilmente giunte nel centro minerario attraverso un canale unitario[200].

La varietà b, di forma più compressa e carenata, sembra invece inquadrabile nel corso dell'orientalizzante recente, plausibilmente verso la fine del VII sec.

---

199 RASMUSSEN 1979, tipo1 a, pp. 89-90, tav. 22.

200 MARTELLI 1981, p. 404, tav. LXXXVIII.8, con bibl. prec. ed elenco degli altri vasi in depurata in part. p. 402, nota 7.e, g, p. 404, note 11-13.

a.C., come dimostrano i corredi della t. 5 di Volusia nel territorio veiente, della t. 62 di Macchia della Comunità e della t. 64 della necropoli del Laghetto a Cerveteri. Nessun dato cronologico è invece disponibile per la variante 1, attestata nella raccolta comunale tarquiniese e genericamente assegnata da F. Canciani al VII sec. a.C. Il tipo è noto anche nell'agro capenate[201] e nel Lazio[202], dove alcuni esemplari, in particolar modo assimilabili alla varietà b, sono attestati in contesti ancora dell'orientalizzante medio, quali le tt. XXIII di Riserva del Truglio[203] e 70 di Acqua Acetosa Laurentina[204].

II.2.12 *Tazze* (*tav. 22*)

		Famiglie morfologiche
		A: vasca troncoconica biansata
Famiglie decorative	a: dec. di tipo metopale	tipi Aa 1-2
	b: dec. lineare	gruppo Ab

Gruppo Aa: breve labbro svasato; vasca troncoconica con spalla arrotondata/carena; anse a bastoncello semplici/pizzicate. Sulla spalla decorazione a schema metopale o a pannello.

L'articolazione in tipi del gruppo delle tazze, omogeneo sul piano decorativo con ricorrente schema metopale sulla spalla, è stato affidata alla morfologia della vasca.

Tipo Aa 1: vasca troncoconica carenata; anse semplici (h 5,6-6,5 cm). Decorazione bicroma.

- Distribuzione:

Tarquinia, (T.a/179): Ricci Portoghesi 1968, p. 309, n. 1, tavv. 71 a, 71 d; Canciani 1974, p. 39, n. 1, tav. 31.1.

Tarquinia, (T.a/180): Ricci Portoghesi 1968, p. 309, n. 3, tav. 71 c; Canciani 1974, p. 40, n. 2, tav. 31.2. (*tav. 22.11*)

Tarquinia, (T.a/181): Toti 1967, p. 72, n. 3; Ricci Portoghesi 1968, p. 309, n. 2, tav. 71 b; Canciani 1974, p. 40, n. 3, tav. 31.3.

Tarquinia, (T.a/182): Canciani 1974, p. 40, n. 4, tav. 31.4; Ricci Portoghesi 1968, p. 309, n. 4, tav. 71 d.

Variante:

Tarquinia, (T.a/183): Ricci Portoghesi 1968, p. 313, n. 1, tav. 72.e; Tanci, Tortoioli 2002, p. 110, n. 189, fig. 110. (*tav. 22.12*)

---

[201] Le Saliere, t. 42.C: Stefani 1958, c. 58, fig. 16.

[202] *Formazione* 1980, tipo 23, p. 131, tav. 28; anche in impasto: *ibidem*, tipo 15, p. 130, tav 27.

[203] Gierow 1964, p. 192, n. 8, fig. 112.8.

[204] Bedini 1992, p. 90, n. 93.

Il tipo Aa 1 è rappresentato da cinque esemplari conservati nella Raccolta Comunale tarquiniese, la cui decorazione, sebbene canonicamente organizzata in metope con *chevrons*, appare peculiare da un punto di vista tecnico per la resa in bicromia. Tale tecnica è comune ad un nutrito gruppo di vasi morfologicamente eterogeneo, già oggetto di un ormai tradizionale studio da parte di L. Ricci Portoghesi, che ne individuò l'origine e il modello ispiratore nella produzione cipriota[205]. Coerentemente alle altre attestazione di questa "sotto classe", il tipo Aa 1, di produzione tarquiniese come suggerito da F. Canciani, appare assegnabile agli anni attorno al 700 a.C. (nucleo Canciani RC 5493; cap. V.3, *tab. 2*).

TIPO Aa 2: vasca troncoconica lievemente arrotondata bassa/profonda/ molto profonda; anse pizzicate. (*tav. 22*)

Varietà a: vasca bassa (h 6,4 ca cm).

- Distribuzione:

Vulci, Cavalupo t. dell'1/10/1955, (Vu.C.1955/5): MORETTI SGUBINI 1986, p. 77, tav. XL.1.
Vulci, Cavalupo t. dell'1/10/1955, (Vu.C.1955/6): MORETTI SGUBINI 1986, p. 77, tav. XL.1.
Monte Aùto, t. a cassone (1956), (M.1956/1): FALCONI AMORELLI 1971, p. 211, n.7, tav. XLVIII; BARTOLONI 1984, p. 108, nota 35, tav. II, con esatta composizione e schedatura del corredo. (*tav. 22.13*)
Territorio di Vulci, (Vu t/8): CHELINI 2004, p. 55, n. 30, tav. V.30.

Varietà b: vasca profonda (h 7,3 ca cm).

- Distribuzione:

Territorio di Vulci, (Vu t/9): CELUZZA 2000, p. 85, n. 5.5, tav. IV; MANGANI, PAOLETTI 1986, p. 29, n. 4, tav. 25.4. (*tav. 22.14*)
Sovana, (S/1): MANGANI, PAOLETTI 1986, p. 31, nn. 1, 5, tav. 28.1,5.
Provenienza sconosciuta (mercato antiquario), (PS/95): *Christie's, Antiquities,* December 12, 2002, London, p. 48, n. 76.

Varietà c: vasca molto profonda (h 7,2-8 cm).

- Distribuzione:

Tarquinia, (T.a/184): CANCIANI 1974, p. 40, n. 5, tav. 31.5; CANCIANI 1987, p. 249, n. 16 con bibl. (*tav. 22.15*)
Poggio Buco, Podere Sadun t. I, (PB.I/1): BARTOLONI 1972, p. 16, n. 3, p. 17, fig. 2, tav. VI b.
Poggio Buco, (PB.a/19): MANGANI, PAOLETTI 1986, p. 31, n. 2, tav. 28.2.

Il secondo tipo individuato, che accoglie le tazze comunemente definite ad anse pizzicate[206], presenta un'articolazione in tre varietà distinte in base

---

[205] RICCI PORTOGHESI 1968.

[206] Queste tazze sommavano probabilmente alla funzione potoria quella di recipiente per alimenti (CONTI 2009, p. 128).

alla profondità della vasca; la distribuzione interessa Tarquinia e il territorio vulcente, comparto nel quale appare notevolmente diffuso anche nella versione acroma; in quest'ultima variante compare sia in alcuni corredi volterrani (tt. 1 e 25 della Guerruccia) dell'orientalizzante medio[207] che in un più nutrito numero di contesti chiusini della prima metà del VII sec. a.C., ricondotti plausibilmente a botteghe operanti *in loco*[208]. Il tipo Aa 2a, con vasca poco profonda, è costituito da tre esemplari provenienti da Vulci e dal suo territorio: una coppia nel corredo della t. dell'1/10/1955 e un esemplare dalla t. a cassone di Monte Aùto, databile al passaggio tra la fine dell'VIII e gli inizi del VII sec. a.C.

Sebbene i dati disponibili sui contesti di appartenenza appaiano largamente lacunosi, è forse ipotizzabile che la varietà b con vasca profonda, dopo un'iniziale sovrapposizione con la varietà precedente, rimanga in uso certamente ancora nel primo quarto del VII sec. a.C., come dimostra la sua presenza nella t. I di Poggio Buco, e forse fino alla metà del secolo.

Alle attestazioni vulcenti si accosta un esemplare conservato nella Raccolta comunale tarquiniese e forse proveniente da questo centro (T.a/184).

Gruppo Ab: breve labbro svasato; vasca troncoconica con spalla arrotondata; anse a bastoncello. Sulla spalla decorazione di tipo continuo. (*tav. 22*)

- Distribuzione:

Cerveteri, Banditaccia t. Mengarelli XX, (C.B.XX/4): Leach 1987, p. 52, n. 109 (bowl 3).

Cerveteri, Laghetto t. 65, (C.L.65/5): Cavagnaro Vanoni 1966, p. 92, n. 5, tav. 6; A. Tarella, in *Milano* 1980, n. 18, p. 259, fig. 18; Alberici Varini 1999, n. 15, p. 61, tav. LXI, fig. 89. (*tav. 22.17*)

Tarquinia, Monterozzi t. del Guerriero, (T.M.G/4): Hencken 1968, p. 219, fig. 194.a, con bibl.; *Berlin* 1988, p. 70, n. A 4.67. (*tav. 22.16*)

Non tipologizzabile:

Poggio Buco, (PB.a/18): Celuzza 2000, p. 85, n. 5.4.

A questo gruppo va ricondotta, per la tettonica generale, una tazza presente nella tomba tarquiniese del Guerriero, particolare sia per la conformazione delle anse che per la sintassi decorativa, con motivo continuo a linea spezzata sulla vasca. Una simile tettonica si riscontra inoltre in una tazza da Sovana datata alla fine VIII-prima metà del VII sec. a.C. e, infine, in due esemplari da Cerveteri (C.B.XX/4 e C.L.65/5), con ogni probabilità da ricondursi a fabbrica locale. La tazza del Laghetto condivide, infatti, la medesima decorazione con un piattello di forma esclusivamente ceretana (C.L.65/7), associato nello stesso corredo datato al primo quarto del VII sec. a.C.

Una forma simile, sebbene differenziata per la presenza di piede sviluppato e decorazione complessa è rappresentata dalla tazza da Pescia Romana,

---

[207] A. Nascimbene, in *Volterra* 2007, pp. 64, 76-77, n. 4.

[208] Minetti 2004, pp. 365, 438-439, in part. p. 365, nota 76 con rif.

associata al noto cratere[209].

La morfologia della tazza non appare inoltre estranea né al repertorio metallico, come dimostra l'esemplare d'argento dalla tomba Regolini Galassi[210], né alla precedente tradizione d'impasto, come attestano alcuni esemplari su alto piede dalle necropoli veienti ancora databili nel corso della fase finale dell'età del ferro[211] e redazioni *white on red* diffuse in area capenate[212].

II.2.13 *Coppe* (*tavv. 23-25*)

	Famiglie morfologiche					
	A: vasca emisferica con labbro indistinto	B: vasca a calotta con labbro a tesa, fondo distinto/ piede	C: vasca a calotta con labbro a tesa, su alto piede, dim. h 6,3-10 cm	D vasca a calotta con labbro a tesa, su alto piede, dim. h 16,5-27,7 cm	E: vasca a calotta su alto piede, quadriansate/ tripodi	F: vasca carenata su alto piede
Famiglie decorative — a: dec. lineare, con pesci o aironi	gruppo Aa: tipi 1-2	gruppo Ba: tipi 1-4	gruppo Ca: tipi 1	gruppo Da: tipi 1-2	gruppo Ea: tipi 1-2	gruppo F
b: dec. di tipo metopale			gruppo Cb: tipo 1	gruppo Db: tipo 1		

Gruppo Aa: labbro indistinto; vasca a calotta emisferica con fondo arrotondato/piano. Decorazione di tipo lineare.

Tipo Aa 1: vasca emisferica con fondo arrotondato. Decorazione costituita esclusivamente da fasce/fasce associate a un registro decorato/registri sovrapposti. (*tav. 23*)

Varietà a: decorazione a fasce (diam 10,8-14 cm). (*tav. 23*)

- Distribuzione:

Tarquinia, Monterozzi t. del Guerriero, (T.M.G/5): Hencken 1968, pp. 212, 214, fig. 190.c, con bibl.; *Berlin* 1988, p. 69, n. A 4.62.

Tarquinia, Monterozzi t. del Guerriero, (T.M.G/6): Hencken 1968, pp. 214-215, fig. 191.c, con bibl.; *Berlin* 1988, p. 70, n. A 4.65.

Tarquinia, Monterozzi t. del Guerriero, (T.M.G/7): Hencken 1968, pp. 214-215, fig. 191.d, con bibl.; *Berlin* 1988, p. 70, n. A 4.66. (*tav. 23.1*)

Tarquinia, Monterozzi t. del Guerriero, (T.M.G/8): Hencken 1968, pp. 214-215, fig. 191.b, con bibl.

Varietà b: decorazione con registro associato a fasce (diam 12 cm).

- Distribuzione:

Veio, Casale del Fosso t. 1001, (V.CF.1001/1): Buranelli *et al.* 1997, pp. 76, 79, fig. 38.

Tarquinia, (T.a/185): Canciani 1974, p. 53, n. 10, tav. 38.10. (*tav. 23.2*)

---

[209] Mangani, Paoletti 1986, p. 30, tav. 27 con bibl.

[210] Cristofani 1983, n. 46, p. 456

[211] Palm 1952, p. 68, n. 11, tav. 22 (Vaccareccia, t. XIII di fase IIB).

[212] Le Saliere, t. 71 A: Stefani 1958, c. 78, figg. 6.5, 22.

Varietà c: decorazione distribuita su più registri sovrapposti (diam 10,5 cm).
- Distribuzione:

Tarquinia, Gallinaro t. 9, (T.G.9/1): Hencken 1968, pp. 350-351, fig. 349.m, con bibl.
Tarquinia, Arcatelle t. a fossa, (T.Ar.12/1): Ricci Portoghesi 1968, p. 315; Hencken 1968, p. 353, fig. 351g-h; Pohl 1972, p. 106; Canciani 1974, p. 52, nn. 8-9, tav. 38.8-9, con ulteriore bibl. (*tav. 23.3*)

Variante:

Tarquinia, Monterozzi t. del Guerriero, (T.M.G/9): Hencken 1968, pp. 214-215, fig. 191.a, con bibl.; *Berlin* 1988, p. 70, n. A 4.64. (*tav. 23.4*)

Il tipo Aa1 accoglie coppe a vasca emisferica e labbro indistinto. Questa forma, di origine orientale, è presente in Etruria con originali in metallo o vetro sin dall'VIII sec. a.C; dalla seconda metà del secolo sono attestate serie fittili in impasto, liscio o decorato a lamelle metalliche, particolarmente presenti nell'entroterra vulcente, o in impasto rosso con o senza decorazione dipinta, in quest'ultimo caso con maggior diffusione nel tarquiniese[213]. Nell'orientalizzante antico compaiono anche redazioni in figulina dipinta, la cui diffusione, parallelamente a quanto rilevato per le produzioni *white on red*, sembra limitata quasi esclusivamente al comprensorio tarquiniese.

Le tre varietà individuate non sembrano corrispondere ad una differenziazione cronologica, i cui limiti superiori sono rappresentati dalla datazione della t. del Guerriero, che ha restituito gli unici cinque esemplari afferenti alla varietà a, e da quella della t. 1001 di Casale del Fosso, unico contesto non tarquiniese, e gli inferiori dalla cronologia della fossa 9 di Poggio Gallinaro. Si segnala infine la presenza di un esemplare, compreso nella varietà c, con decorazione bicroma (T.Ar.12/1).

Tipo Aa 2: vasca a calotta emisferica profonda/bassa; fondo piano. (*tav. 23*)

Varietà a: vasca profonda (diam 11,6-12,5 cm).
- Distribuzione:

Vulci, Polledrara t. del Guerriero, (Vu.P.G/2): Moretti Sgubini 2003, p. 16, note 38-39; Moretti Sgubini 2004, p. 155, n. II.e.3. (*tav. 23.5*)
Vulci, Polledrara t. del Guerriero, (Vu.P.G/3):Moretti Sgubini 2003, p. 16, nota 40; Moretti Sgubini 2004, p. 155, n. II.e.4.
Vulci, Poggio Maremma t. del 6/9/1966, (Vu.PM.1966/3): Moretti Sgubini 2001, p. 192, n. III.B.8.

Variante:

Tarquinia, (T.a/186): Canciani 1974, p. 53, n. 11, tav. 38.11.

Varietà b: vasca bassa (diam 12,3-16,8 cm).
- Distribuzione:

Tarquinia, (T.a/187): Canciani 1974, p. 53, n. 12, tav. 38.12.

---

213 Rathje 1997, pp. 203-205.

Poggio Buco, Podere Insuglietti t. E, (PB.E/2): MATTEUCIG 1951, p. 36, n. 29, tav. XIII.4. (*tav. 23.7*)

Ad altro ambito territoriale rinvia il tipo Aa 2, attestato esclusivamente nel vulcente. La varietà a comprende due coppe provenienti da due tombe eminenti vulcenti dell'ultimo quarto dell'VIII. La sua forma, sebbene ricordi per la profondità della vasca arrotondata il tipo Aa 1, mostra altresì elementi in comune, quale la presenza di un piccolo labbro e di un fondo distinto, con produzioni successive: si tratta nello specifico delle coppe-cratere attestate nella stessa area, ma caratterizzate dall'alto piede a tromba; appare, invece, fuorviante la generica somiglianza con le coppe a labbro piano diffuse nella produzione meridionale più tarda (gruppo Ba).

La varietà b, rappresentata da due soli esemplari da Poggio Buco e da Tarquinia, si ispira probabilmente nella forma alle scodelle di impasto.

GRUPPO Ba: Breve labbro a tesa orizzontale; vasca a calotta variamente conformata; fondo profilato/piede a disco. Decorazione di tipo lineare.

I primi tre tipi (Ba 1, Ba 2, Ba 3) accolgo un'ingente serie di coppette, articolate in varietà distinte in base alla morfologia della vasca, ampiamente attestate a *Caere*, Veio e Tarquinia nel corso di tutta l'età orientalizzante.

TIPO Ba 1: vasca a calotta emisferica profonda/schiacciata. (*tav. 23*)

Varietà a: vasca profonda (diam 13-23 cm)

- Distribuzione:

Veio, tumulo di Vaccareccia, camera dromos A, (V.V.t/6): STEFANI 1935, p. 351, n. 24, p. 349, fig. 20.a.
Veio, Vaccareccia, (V.V/12): PAPI 1988, p. 100, n. 8.
Veio, Macchia della Comunità t. 64, (V.MC.64/7): inedito, (*app. 1, n. 86*).
Veio, Macchia della Comunità t. 71, (V.MC.71/2): inedito, (*app. 1, n. 87*).
Veio, Casalaccio t. V, (V.C.V/4): VIGHI 1935, pp. 53-54, n. 21, fig. 5.
Veio, Pozzuolo t. 2, (V.Pz.2/7): inedito, (*app. 1, n. 88*).
Veio, Pozzuolo t. 8, (V.Pz.8/2): inedito, (*app. 1, n. 89*).
Cerveteri, Banditaccia, t. Mengarelli XI, (C.B.XI/3): LEACH 1987, p. 51, n. 107
Cerveteri, Banditaccia, t. Mengarelli XI, (C.B.XI/4): LEACH 1987, p. 51, n. 107 (bowl 4).
Tarquinia, (T.a/190): CANCIANI 1974, p. 53, n. 6, tav. 39.6.
Tarquinia, (T.a/191): CANCIANI 1974, p. 54, nn. 8, 13, tav. 39.8,13.
Tarquinia, (T.a/192): CANCIANI 1974, p. 55, n. 2, tav. 40.2.
Tarquinia, (T.a/193): CANCIANI 1974, p. 55, n. 3, tav. 40.3. (*tav. 23.8*)
Tarquinia, (T.a/194): CANCIANI 1974, p. 55, nn. 4-5, tav. 40.4-5.
Tarquinia, (T.a/195): CANCIANI 1974, p. 55, n. 6, tav. 40.6.
Poggio Buco, Podere Sadun t. G, (PB.G/1): MATTEUCIG 1951, p. 46, n. 17, tav. XVIII.2.
Poggio Buco, Podere Sadun t. G, (PB.G/2): MATTEUCIG 1951, p. 46, n. 14, tav. XVIII.1.

Varietà b: vasca bassa (diam 12,5-15 cm).
• Distribuzione:
Veio, Picazzano, t. XX, (V.P.XX/3): Palm 1952, p. 59, n. 27, tav. VIII.27.
Veio, Vaccareccia t. VIII, (V.V.VIII/1): Palm 1952, p. 59, n. 27, tav. VIII.27.
Veio, Macchia della Comunità t. 31, (V.MC.31/3): inedito, (*app. 1, n. 90*).
Veio, Casalaccio t. IX, (V.C.IX/1): Vighi 1935, p. 61, n. 8, tav. 2.III.
Veio, Pozzuolo t. 3, (V.Pz.3/2): inedito, (*app. 1, n. 91*).
Pantano di Grano, t. 1, (PG.1/4): De Santis 1997, p. 124, n. 28, p. 125, fig. 15.28, con bibl. prec.
Tarquinia, (T.a/196): Canciani 1974, p. 53, n. 4, p. 39.4.
Tarquinia, (T.a/197): Canciani 1974, p. 53, n. 5, tav. 39.5.
Tarquinia, (T.a/198): Canciani 1974, p. 54, n. 7, tav. 39.7.
Tarquinia, (T.a/199): Canciani 1974, p. 54, n. 9, tav. 39.9.
Tarquinia, (T.a/200): Canciani 1974, p. 54, n. 10, tav. 39.10.
Tarquinia, (T.a/201): Canciani 1974, p. 54, n. 11, tav. 39.11.
Tarquinia, (T.a/202): Canciani 1974, p. 54, n. 12, tav. 39.12. (*tav. 23.9*)
Tarquinia, (T.a/203): Canciani 1974, p. 54, nn. 14, 19, tav. 39.14,19.
Tarquinia, (T.a/204): Canciani 1974, p. 54, n. 15, tav. 39.15.

Il tipo si articola in varietà che solo in alcuni casi sembrano individuare delle scansioni cronologiche.

La varietà a appare al momento limitata a contesti dell'orientalizzante recente[214], mentre nel Lazio il tipo è testimoniato già nella fase media[215], con antecedenti nell'VIII secolo rappresentati da una variante tipicamente locale con fondo convesso[216].

Le coppe di tipo Ba 1b si scaglionano nel corso di tutto il secolo, a partire dalla coppa presente nella t. VIII di Vaccareccia, ancora del primo quarto del VII sec. a.C., fino alla fine dello stesso. La varietà b è fra le più comuni nel Lazio[217], nella Sabina[218] ed inoltre in Campania, dove le produzioni locali mostrano alcuni caratteri autonomi ravvisabili nella maggiore inclinazione

---

214 Cfr. ex. dalla t. 3 dei Piani del Pavone (Rizzo 1996, p. 483, tav. II.10).

215 All'orientalizzante medio si datano le tt. XCV dell'Esquilino, del secondo quarto del VII sec. a.C. (Gjerstad 1956, p. 251, n. 7, fig. 223.7= *Roma* 1976, cat. 42, tav. XX.B.6), e XXXIII de La Rustica (*Roma* 1976, cat. 49, p.162, n. 2, tav. XXVII.21); si ricordano, inoltre, alcune attestazioni ormai di fase IV B da Roma, pozzo I della Velia (*Roma* 1990, p. 106, n. 4.7.7, con bibl. prec.), Osteria Dell'Osa, t. 294 (Bietti Sestieri, De Santis 1992, p. 841, n. 2, fig. 3c. 47.2, tipo 103 c varI) e *Fidenae*, sporadico (Roma 1976, cat. 47, p. 150, n. 4, tav. XXIII.E.4).

216 *Formazione* 1980, tipo 26 a, p. 131, tav. 28.

217 Si segnalano gli exx. da Roma, Sacra Via t. G (Gjerstad 1956, p. 121, nn. 6-7, fig. 120.6-7), databile nel terzo quarto del VII sec. a.C., dall' Esquilino tt. XCV (Idem, p. 251, n. 6, fig. 223.6), CV (Idem, p. 254, n. 3, fig. 225.3) entrambe del secondo quarto del VII sec. a.C.; da Riserva del Truglio, t. XXIII (Gierow 1964, p. 192, n. 9, fig. 112.9); da Castel Gandolfo, Vigna Cittadini (Idem, p. 309, n. 3, fig. 187.3); da Grottaferrata, Prato del Fico (Guidi 1980, p. 18, n. 3, fig. 2.6); da Osteria Dell'Osa, t. 224 (Bietti Sestieri, De Santis 1992, p. 857, n. 6, fig. 3c.83.6 tipo 103 d).

218 Colle del Forno, tt. VI e VIII (Santoro 1983, tipo 1, p. 15, fig. 1.1).

del labbro e nella decorazione a tratti radiali estesa anche alla superficie esterna[219].

TIPO Ba 2: vasca a calotta profilata, con pareti appena concave/rettilinee. (*tav. 23*)

Varietà a: pareti lievemente concave (diam 12,8-16,8 cm).

- Distribuzione:

Veio, Macchia della Comunità t. 13, (V.MC.13/5): inedito, (*app. 1, n. 92*).
Veio, Macchia della Comunità t. 33, (V.MC.33/6): inedito, (*app. 1, n. 93; tav. 23.10*).
Veio, Macchia della Comunità t. 44, (V.MC.44/9): inedito, (*app. 1, n. 94*).
Veio, Macchia della Comunità t. 62, (V.MC.62/4): inedito, (*app. 1, n. 95*).
Veio, Macchia della Comunità t. 67, (V.MC.67/2): inedito, (*app. 1, n. 96*).
Veio, Casalaccio t. I, (V.C.I/1): VIGHI 1935, p. 43, n. 5, tav. 1.I.
Tarquinia, Macchia della Turchina t. 65,6, (T.MT.65,6/1): BRUNI 1986, p. 229, n. 665, fig. 227.
Tarquinia, (T.a/205): CANCIANI 1974, p. 54, n. 17, tav. 39.17.
Tarquinia, (T.a/206): CANCIANI 1974, p. 55, n. 20, tav. 39.20.
Tarquinia, (T.a/207): CANCIANI 1974, p. 55, n. 1, tav. 40.1.

Varietà b: pareti rettilinee (diam 11,2-16 cm).

- Distribuzione:

Veio, Picazzano t. XX, (V.P.XX/4): PALM 1952, p. 59, n. 26, tav. VIII.26. (*tav. 23.11*)
Veio, Casalaccio t. VIII, (V.C.VIII/1): VIGHI 1935, p. 60, n. 12, tav. 3/II.
Veio, Pozzuolo t. 8, (V.Pz.8/3): inedito, (*app. 1, n. 97*).
Veio, Pozzuolo t. 8, (V.Pz.8/4): inedito, (*app. 1, n. 98*).
Volusia, t. 5, (Vo.5/2): CARBONARA *et al.* 1994, p. 76, n. 7, p. 77, figg. 142-142a.
Tarquinia, (T.a/208): TANCI, TORTOIOLI 2002, p. 159, n. 284.
Tarquinia, (T.a/209): CANCIANI 1974, p. 55, n. 21, tav. 39.21.

Un discorso analogo a quello formulato per il tipo precedente è applicabile anche al tipo Ba 2a, che vanta il più antico contesto di rinvenimento costituito dalla tomba 65.6 di Macchia della Turchina e attestazioni che proseguono fino all'orientalizzante recente, con una lunga durata che sembra accompagnare anche le versioni laziali e falisco-capenati[220].

---

[219] *Calatia*, necropoli nord-orientale t. 284 della metà del VII sec. a.C. (LAFORGIA 2003, p. 158, nn. 98, 101, figg. 135-136); S. Valentino Torio, t. 1357 (DE SPAGNOLIS 2001, p. 129, n. 32, fig. 84).

[220] Sacra Via, t. I (GJERSTAD 1956, p. 133, n. 8, fig.126.8) del 675-650 a.C.; per l'orientalizzante medio si ricordano gli exx. da La Rustica, t. XXXIII (*Roma* 1976, cat. 49, pp.161-162, nn. 18-20, tav. XXVII.18-20) e da Osteria dell'Osa, tt. 495 (BIETTI SESTIERI, DE SANTIS 1992, p. 854, n. 1, fig. 3c.77.1, tipo 103 d) e 64 (EAEDEM, p. 855, n. 1, fig. 3c.78.1; tipo 103 d); nella necropoli il tipo è attestato anche nella fase successiva t. 224 (EAEDEM, p. 857, n. 9, fig. 3c.84.9, tipo 103 d).

Inoltre tre coppe confrontabili da Capena, San Martino t. LXI (PARIBENI 1906, c. 338, n. 2, fig. 42).

La varietà b è al momento attestata invece solo a partire dall'orientalizzante medio (exx. V.P.XX/4; V.C.III/1), riferimento cronologico da assumere con cautela data la scarsità degli esemplari noti, ammontanti a sette; bisogna, tuttavia, rilevare che la quota cronologica più alta, proposta per questa varietà, trova conforto nell'addensarsi degli omologhi esemplari laziali e falisci soprattutto in contesti dell'orientalizzante medio[221], se non precedenti[222].

Di incerta collocazione nei tipi 1 e 2:
Tarquinia, Macchia della Turchina t. 65,1, (T.MT.65,1/4): Bruni 1986, p. 226, n. 644.

Tipo Ba 3: vasca con spalla pronunciata/carena. (*tav. 23*)

Varietà a: vasca con spalla pronunciata (diam 12,4-17 cm).
• Distribuzione:
Veio, Macchia della Comunità t. 20, (V.MC.20/1): inedito, (*app. 1, n. 99*).
Veio, Macchia della Comunità t. 49, (V.MC.49/2): inedito, (*app. 1, n. 100*).
Veio, Macchia della Comunità t. 71, (V.MC.71/3): inedito, (*app. 1, n. 101*).
Veio, Casalaccio t. III, (V.C.III/7): Vighi 1935, p. 49, n. 23, tav. 3/I.
Veio, Casalaccio t. III, (V.C.III/8): Vighi 1935, p. 49, n. 24, tav. 3/I.
Veio, Riserva del Bagno t. V (prima dep.), (V.R.V/2): Buranelli 1982, p. 95, n. 4, p. 93, fig. 2.4.
Monte S. Michele, t., (SM.t/2): Carbonara *et al.* 1996, p. 129, n. 22, figg. 252, 253-253a.
Monte S. Michele, t., (SM.t/3): Carbonara *et al.* 1996, p. 130, n. 23, figg. 254, 255-255a. (*tav. 23.12*)
Monte S. Michele, t., (SM.t/4): Carbonara *et al.* 1996, p. 130, n. 24, figg. 256-256a.
Monte S. Michele, t., (SM.t/5): Carbonara *et al.* 1996, p. 131, n. 25, figg. 257, 258-258a.
Monte S. Michele, t., (SM.t/6): Carbonara *et al.* 1996, p. 131, n. 26, p. 132, figg. 259-259a.
Cerveteri, Laghetto I t. a camera 165, (C.L.165/2): Cavagnaro Vanoni 1966, p. 118, n. 6, tav. 44.
Cerveteri, Laghetto t. 274, (C.L.274/3): Cavagnaro Vanoni 1966, p. 210, n. 4, tav. 35.4; Zampieri 1991, p. 131, n. 61.
Cerveteri, Monte Abatone t. 410, (C.MA.410/3): Leach 1987, p. 52, n. 110, fig. 3 (bowl 1).
Tarquinia, (T.a/210): Canciani 1974, p. 54, n. 16, tav. 19.16.
Tarquinia, (T.a/211): Canciani 1974, p. 55, n. 18, tav. 39.18.

Varietà b: vasca con spalla pronunciata decorata da fila di esse correnti (diam 21 cm).
• Distribuzione:
Veio, tumulo di Vaccareccia vano I, (V.V.t/1): Stefani 1935, p. 343, n. 3, p. 339, fig. 12.c. (*tav. 23.13*)
Veio, tumulo di Vaccareccia vano II, (V.V.t/4): Stefani 1935, p. 339, n. 34, fig. 12.a.

---

[221] Riserva del Truglio, t. XXIII (Gierow 1964, p. 192, n. 10, fig. 112.10); Decima, t. 4 (Cataldi 75, p. 337, n. 10, figg. 128.10-129).

[222] Exx. con labbro meno sviluppato da Narce, tt. 4F (Hall Dohan 1942, p. 25, n. 13, tav. XII.13) e 27M (Hall Dohan 1942, p. 28, n. 19, tav. XIV.19).

Varietà c: vasca carenata (diam 14,5-16,5 cm).
- Distribuzione:

Veio, Casale del Fosso t. 856, (V.CF.856/1): Buranelli *et al.* 1997, pp. 78-79, fig. 40. (*tav. 23.14*)
Veio, Vaccareccia, (V.V/13): Papi 1988, p. 100, n. 9.
Veio, Macchia della Comunità t. IV, (V.MC.IV/2): Adriani 1930, p. 51, n. 8, tav. I.i.
Passo della Sibilla t. A, (Si.A/5): Raddatz 1983, p. 210, n. 2, fig. 2.2.
Castro, tomba a cassa (scavi 1958), (Ca.t/3): Colonna 1977b, p. 199, tav. XLI.a.
Provenienza sconosciuta, (PS/96): Giglioli, Bianco 1965, p. 3, n. 2, tav. 3.2-3.

Forse ascrivibile al tipo 3:
Veio, Vaccareccia, (V.V/15): Papi 1988, p. 101, n. 10.

Un maggiore rigore cronologico sembra determinare la diffusione del tipo Ba 3: la varietà a, malgrado qualche attardamento nell'orientalizzante recente (V.MC.49/2; V.MC.71/3), è attestata soprattutto nella prima metà del VII sec. a.C.[223]. In questo stesso periodo, o addirittura nel corso del primo quarto del secolo[224], si collocano omogeneamente le coppe della varietà c.

La varietà b è rappresentata da due coppe con decorazione anomala, comprendente, oltre alle fasce consuete, una fila di esse agganciate sulla spalla, proveniente dal tumulo di Vaccareccia (vano I e I) e databili, quindi, all'orientalizzante recente.

Tutti i tipi individuati, alla luce dei dati esposti, sembrano dunque essere prodotti da varie officine dislocate nei centri di Veio, Tarquinia e Cerveteri.

Tipo Ba 4: vasca più o meno profonda con spalla pronunciata decorata da bugne prominenti. (*tav. 23*)

Varietà a: decorazione lineare, con metope o semplici fasce sulla vasca (diam 15-16,5).
- Distribuzione:

8 exx. da Cerveteri, Banditaccia, tumulo della Speranza, t. 1 (prima dep.), (C.B.1/3): Rizzo 1989a, p. 33, fig. 61; Rizzo 1990, p. 57, nn. 5-17, fig. 58. (*tav. 23.15*)
Cerveteri, Banditaccia t. 2006, (C.B.2006/4): Rizzo 1989a, p. 21, fig. 23.
Provenienza sconosciuta, (coll. Gardner Wilkinson, da Veio??), (PS/97): Gaunt 2005, p. 53, n. 13, tav. 50.13-14, con bibl. prec.

Varietà b: sulla vasca teorie di pesci (diam 14-16 cm).
- Distribuzione:

6 exx. da Cerveteri, Banditaccia t. 26, (C.B.26/2-4, 7): A. Tarella, in *Milano* 1980, p. 249, nn. 10-13; Martelli 1987a, p. 21, nota 13; Sartori 1997, p. 91; Sartori 2002, p. 31,

[223] In area laziale è attestata in contesti dell'orientalizzante medio a Roma nella t. K del Foro (Gjerstad 1956, p. 135, n. 4, fig. 132.4) del 675-650 a.C., e nella t. XVIII di Riserva del Truglio (Gjerstad 1964, p. 178, n. 3, fig. 103.3).

[224] Al venticinquennio successivo si riferisce, infatti, un unico ex. dalla t. A di Passo della Sibilla (Si.A/5), che potrebbe forse ritenersi leggermente più antico rispetto al resto del corredo.

nn. 10-13, tavv. XIX-XX, figg. 39-41; (C.B.26/5-6): SARTORI 2002, p. 32, nn. 14-15, tav. XX, figg. 43-44. (*tav. 23.16*)

Varietà c; sulla vasca cuspidi campite linearmente (13,5-17 cm).

• Distribuzione:

Cerveteri, Banditaccia t. Mengarelli XVIII, (C.B.XVIII/7): LEACH 1987, p. 52, n. 108, (bowl 2).

Cerveteri, Tumulo della Nave, (C.B.N/1): M.A. RIZZO in *Firenze* 1985, p. 92, n. 5, fig. 3.12. 5.

Cerveteri, Laghetto I t. a camera 163, (C.L.163/4): CAVAGNARO VANONI 1966, p. 118, n. 4, tav. 42; LEACH 1987, p. 49, n. 99 (bowl 2).

Cerveteri, Laghetto I t. a camera 163, (C.L.163/5): CAVAGNARO VANONI 1966, p. 118, n. 5; LEACH 1987, p. 49, n. 99.

Cerveteri, Laghetto t. 417, (C.L.417/2): LEACH 1987, p. 49, n. 100, (bowl 2).

Cerveteri, Laghetto t. 417, (C.L.417/3): LEACH 1987, p. 50, n. 101, (bowl 2).

Cerveteri, Laghetto t. 417, (C.L.417/4): LEACH 1987, p. 51, n. 102, (bowl 2).

Cerveteri (coll. Campana), (C.a/14): POTTIER 1897, p. 38, tav. 32.

Provenienza sconosciuta, (PS/98): MARTELLI 1987a, p. 257, n. 29 con bibl.; HAFNER 1951, p. 22, tav. 52.2-3. (*tav. 23.17*)

Provenienza sconosciuta, (PS/99): SZILÀGYI 1981, p. 48, n. 2, tav. 13.2-5; REUSSER 1988, p. 24, n. E.24.

Provenienza sconosciuta, (PS/100): *Kunst der Antike*, Galerie G. Puhze, 1979, n. 35.

Ascrivibile al tipo 4:

Cerveteri, Banditaccia t. a camera 303, (C.B.303/1): RICCI 1955, c. 784, n. 12.

Cerveteri è stata riconosciuta sede della produzione di un genere particolare di coppe con bugne cuspidate, qui identificato nel tipo 4, documentato in corredi ceretani della prima metà del VII sec. a.C. La presenza di bugne sporgenti, distintiva della produzione, ricorre in ambito veiente nel momento conclusivo dell'età del Ferro su esemplari ad alto piede, come quello presente nella necropoli veiente dei Quattro Fontanili della fine del terzo quarto dell'VIII sec. a.C., ritenuto tuttavia privo di un rapporto di derivazione con le successive realizzazioni ceretane[225], o come una singolare coppa con decorazione tardo-geometrica dall'area della Vaccareccia[226].

Il tipo è articolabile in tre varietà. Le varietà a, rappresentata da tre soli esemplari, è probabilmente da porsi all'inizio della serie, per la forma ancora schiacciata e la decorazione semplificata con fasce e motivi geometrici poco articolati. La presenza di una coppa del genere nella t. 2006 (C.B.2006/4) suggerisce una datazione ancora nell'ambito dell'orientalizzante antico[227].

Alla prima metà del VII sec. a.C. è assegnabile la varietà c, cui afferiscono la maggior parte degli esemplari esaminati. Nel secondo quarto del VII

---

225 BOITANI 2001a, I.G.6.14, p. 110 con bibl.

226 PAPI 1988, p. 96, n. 1.

227 Per l'altro ex. PS/97, appartenente alla collezione Wilkinson presso l'Harrow School, è indicata una provenienza da Veio.

sec. a.C. è invece collocabile la varietà b, costituita da un lotto unitario di sei elementi provenienti dalla t. Banditaccia 26, riferibili per l'omogeneità e per le circostanze del ritrovamento ad una sola officina (Bottega dei Pesci di Stoccolma); tali coppe sono morfologicamente identiche a quelle di varietà b, distinguendosi solo per l'inserzione della teoria di pesci sulla vasca.

Genericamente afferenti al gruppo:
Volusia, t. 10, (Vo.10/4): Carbonara *et al.* 1996, p. 11, n. 30, figg. 209.
Cerveteri, Bufolareccia t. a camera 182, (C.Bu.182/5): Cavagnaro Vanoni 1966, p. 35, n. 9.

Gruppo Ca: breve labbro a tesa orizzontale; vasca variamente conformata; alto piede a tromba; dimensioni modeste (h 6,3-10 cm). Decorazione lineare[228].

Tipo Ca 1. (*tav. 24*)

Varietà a: vasca emisferica (diam 9,7-14 cm).
• Distribuzione:
Veio, Monte Michele t. B, (V.MM.B/4): Cristofani 1969, p. 22, n. 17, p. 24, fig. 5, tav. V.5.
Veio, Vaccareccia t. XI, (V.V.XI/4): Palm 1952, p. 66, n. 3, tav. XXI.3; Felletti Maj 1953, p. 10, n. 6, tav. 10.6, con bibl. prec. (*tav. 24.1*)
Cerveteri, Banditaccia tumulo XXIV sull'Altipiano, (C.B.XXIV/1): Rizzo 1989a, p. 29, fig. 48.
Cerveteri, Banditaccia t. Mengarelli XX, (C.B.XX/5): Leach 1987, p. 54, n. 118, fig. 36.
Cerveteri, tumulo della Nave, (C.B.N/2) (?): M.A. Rizzo, in *Firenze* 1985, p. 93, n. 6.
Cerveteri, Monte Abatone t. 4, (C.MA.4/5): Rizzo 2007, p. 31, n. 30.

Varietà b: vasca a calotta (diam 10 cm ca).
• Distribuzione:
Monte Aùto, t. a cassone (1956), (M.1956/2): Falconi Amorelli 1971, p. 210, n. 5, tav. XLVIII; La Rocca 1978, p. 490, fig. 16; Bartoloni 1984, p. 108, nota 35, tav. II, con esatta composizione e nn. d'inv. del corredo.
Poggio Buco, t. VI, (PB.VI/4): Bartoloni 1972, p. 66, n. 5, p. 67, fig. 30, tav. XXXIV a-b. (*tav. 24.2*)

Varietà c: vasca a calotta lievemente profilata (diam 13 cm).
• Distribuzione:
Vulci, t. 22, (Vu.22/4): Hall Dohan 1942, p. 89, n. 10, tav XLVII.10.
Poggio Buco, (PB.a/20): Mangani, Paoletti 1986, p. 30, nn. 5-6, tav. 26.5-6. (*tav. 24.3*)
Poggio Buco, (PB.a/21): Mangani, Paoletti 1986, p. 29, n. 4, tav. 26.4.
Poggio Buco, (PB.a/22): Pellegrini 1989, p. 72, n. 230, tav. XLVI.

---

[228] Per una disamina dell'origine e destinazione degli esemplari afferenti al gruppo si rimanda alla trattazione del gruppo successivo.

Varietà d: vasca carenata (diam 11,5-12 cm).
• Distribuzione:
Poggio Buco, (PB.a/23): MANGANI, PAOLETTI 1986, p. 30, n. 7, tav. 26.7 (*tav. 24.4*)
Poggio Buco, (PB.a/24): PELLEGRINI 1989, p. 72, n. 231, tav. XLVII.
Territorio di Vulci, (Vu t/10): CHELINI 2004, p. 59, n. 44, tav. VIII.44.

Varietà e: vasca troncoconica (diam 10,7-12 cm).
• Distribuzione:
Poggio Buco, t. B, (PB.B/1): MATTEUCIG 1951, p. 28, n. 45, tav. V.12. (*tav. 24.5*)
Poggio Buco, t. 4, (PB.4/1): PELLEGRINI 1989, p. 72, n. 232, tav. XLVII.
Provenienza sconosciuta (coll. Orsini), (PS/102): MANGANI 1994, p. 116, n. 5, fig. 2.1.

Il tipo Ca 1a, ampiamente documentato anche da redazioni in impasto, appare attestato da esemplari veienti, databili nel primo quarto del VII sec. a.C., e ceretani, pressappoco coevi.

Esclusivamente nell'agro vulcente sono documentate le altre varietà, inquadrabili solo ipoteticamente, data la quasi totale assenza delle associazioni originarie, nel corso della prima metà del VII sec. a.C. La fortuna della forma nel comprensorio vulcente si manifesta nelle numerose variazioni che interessano la conformazione della vasca, da forme arrotondate (b e c) fino a quelle carenate e poco profonde (d e e), assimilabili a piccoli piattelli su piede. Data l'omogenea distribuzione delle attestazioni, è molto plausibile che anche l'esemplare adespota PS/102 sia da ricondursi a officina vulcente. Fra le produzioni locali di ambito coloniale compaiono alcuni esemplari assimilabili in particolar modo alle varietà più articolate d[229] e c[230]. La diversa morfologia del piede con attacco stretto propria della varietà a, che corrisponde ad una distinta localizzazione nel comparto veiente, ricorre significativamente con lo stesso esito anche nelle formulazioni di modulo maggiore (tipo Da 1).

GRUPPO Cb: breve labbro a tesa orizzontale; vasca a calotta; alto piede a tromba; dimensioni modeste (h 7,7-9,7 cm). Decorazione metopale.

TIPO Cb 1(*tav. 24*)

Varietà a: vasca a calotta profilata (diam 10,5-11,5 cm).
• Distribuzione:
Poggio Buco, (PB.a/25): MANGANI, PAOLETTI 1986, p. 29, nn. 2-3, tav. 26.2-3.
Poggio Buco, (PB.a/26): PELLEGRINI 1989, p. 71, n. 229, tav. XLVI. (*tav. 24.6*)

---

[229] Pitecusa, t. 271 databile nel PCM (*Pithekoussai* I, p. 166, n. 4, tav. 41.4).

[230] Exx. interamente verniciati da Pitecusa, t. 137 databile nel PCM (*Pithekoussai* I, p. 166, nn. 4-9, tav. CXX.8-9) e da Capua, t. 514 (JOHANNOWSKY 1983, p. 158, nn. 23-24, ta. XLIX.22, 26).

Varietà b: vasca carenata.

- Distribuzione:

Provenienza sconosciuta, (PS/103): METZGER *et al.* 1979, p. 42, n. 7, tav. 31.7. (*tav. 24.7*)

Forse afferente al tipo:
Provenienza sconosciuta, (PS/101): ALBIZZATI 1924-1929, p. 10, n. 40.

Accanto alla versione con decorazione continua compaiono pochi esemplari con metope sulla vasca, omogeneamente riferibili all'agro vulcente (tipo Cb 1 a-b)

GRUPPO Da: breve labbro a tesa orizzontale; vasca a calotta; alto piede a tromba/piede ad anello; dimensioni maggiori (h 16,5-27,7 cm). Decorazione di tipo lineare, con teoria di aironi/pesci sulla vasca.

La coppa su piede compare già nel corso della seconda metà dell' VIII sec. a.C., come creazione autonoma che non mostra precedenti diretti né nella produzione villanoviana né tantomeno nella ceramica greca. La fisionomia generale trova, tuttavia, riscontro nei crateri medio-geometrici di ascendenza attica, provvisti però di anse a staffa e labbro a colletto e generalmente di maggiori dimensioni[231].

L'originaria funzione di cratere permane nelle grandi coppe etrusche (gruppo D), mentre le realizzazioni morfologicamente e decorativamente identiche di dimensioni ridotte hanno piuttosto destinazione potoria (Gruppo C).

Rispetto al quantitativo totale di grandi coppe-cratere, un nucleo più ridotto presenta una decorazione a carattere continuo non inquadrata metopalmente.

TIPO Da 1: vasca decorata da fila di aironi/pesci/motivi serpeggianti su alto piede a tromba. (*tav. 24*)

Varietà a: aironi (diam 23-27,5 cm, ad eccezione dell'esemplare PS 107 con diam di 16 cm).

- Distribuzione:

Cerveteri, Banditaccia, t. della Capanna (camera principale), (C.B.11/2): RICCI 1955, c. 352, n. 23, fig. 77.9.
Cerveteri, Banditaccia, t. della Capanna (loculo destro), (C.B.11/7): RICCI 1955, c. 357, n. 18, fig. 77.5.
Cerveteri, Banditaccia, t. della Capanna (loculo destro), (C.B.11/8): RICCI 1955, c. 357, n. 21.
Cerveteri, Banditaccia, t. della Capanna (loculo destro), (C.B.11/9): RICCI 1955, 357, n. 21a, c.

[231] MICOZZI 1994, p. 64.

Cerveteri, Banditaccia t. 2006, (C.B.2006/5): RIZZO 1989a, p. 21, fig. 21.
Cerveteri, Laghetto I t. a camera 67, (C.L.67/3) ?: CAVAGNARO VANONI 1966, p. 93, n. 4.
Cerveteri, Laghetto t. 274, (C.L.274/4): CAVAGNARO VANONI 1966, p. 210, n. 3; ZAMPIERI 1991, p. 128, n. 58.
Cerveteri, Bufolareccia, t. a camera 81 (C.Bu.81/1): CAVAGNARO VANONI 1966, p. 18, n. 12, tav. 8.
Cerveteri, Bufolareccia, t. 86 (camera lat. sinistra), (C.Bu.86/6): RASMUSSEN 1979, p. 16, n. 6.29, fig. 296; LEACH 1987, p. 56, n. 125; cit. da MARTELLI 1987a, p. 21, nota 7; COEN 1991, p. 28, n. 71, tav. XXc.
Cerveteri, via Manganello 1, (C.Mn.1/1): LEACH 1987, p. 57, n. 126 (krater 1).
Cerveteri (coll. Campana), (C.a/15): POTTIER 1897, p. 38, tav. 32.
Provenienza sconosciuta, (PS/105): ALBIZZATI 1924-1929, p. 10, n. 38, tav. 2.
Provenienza sconosciuta, (PS/106): LEACH 1987, p. 58, n. 133, fig. 37 (krater 1). (*tav. 24.8*)
Provenienza sconosciuta, (PS/107): BULANDA, BULAS 1936, p. 63, n. 2, tav. 2.2-107.

Varianti:

Cerveteri, Bufolareccia t. a camera 94, (C.Bu.94/3): CAVAGNARO VANONI 1966, p. 22, n. 2, tav. 14. (*tav. 24.9*)
Provenienza sconosciuta (mercato antiquario), (PS/108): *Kunst der Antike*, Hamburg, 2000, n. 46. (*tav. 24.10*)
Provenienza sconosciuta, (PS/170): A. SEGBERS, in *Bonn* 2008, pp. 132-133, n. 179.

Varietà b: pesci (diam 24 cm).

- Distribuzione:

Cerveteri, Laghetto t. 64, (C.L.64/7): CAVAGNARO VANONI 1966, p. 89, n. 12; LEACH 1987, p. 104, n. 3; ALBERICI VARINI 1999, (*tav. 24.11*)
Provenienza sconosciuta, (PS/109): DE PUMA 2000, p. 4, tav. 467.3, con bibl.

Varietà c: motivi serpeggianti.

- Distribuzione:

Trevignano, t. dei Flabelli, (Tr.t/5): CARUSO 2005, p. 305, tav. II a. (*tav. 24.12*)
Cerveteri, Laghetto I t. a camera 143, (C.L.143/4): CAVAGNARO VANONI 1966, p. 110, n. 4, tav. 28.
Cerveteri, Monte Abatone t. 90, (C.MA.90/15): A. PUGNETTI, in *Milano* 1986a, p. 73, n. 62, fig. 62.

Probabilmente avvicinabili al tipo 1:

Cerveteri, Banditaccia t. 36, (C.B.36/1): SARTORI 2002, p. 64, n. 54, tav. XLIX, fig. 103.
Cerveteri, Banditaccia t. 36, (C.B.36/2): SARTORI 2002, p. 64, n. 55, tav. XLIX, fig. 104.
Cerveteri, Banditaccia t. 75, (C.B.75/18): RICCI 1955, c. 489, n. 3.
Cerveteri, Banditaccia t. 75, (C.B.75/19): RICCI 1955, c. 489, n. 12.

Ascrivibili al gruppo:

Cerveteri, Banditaccia t. 79, (C.B.79/3): RICCI 1955, c. 501, n. 6.
Cerveteri, Banditaccia t. 81, (C.B.81/1): RICCI 1955, c. 505, n. 5.
Cerveteri, Banditaccia t. 86, (C.B.86/1): RICCI 1955, c. 517, n. 5.
Cerveteri, Banditaccia t. 181, (C.B.181/3): RICCI 1955, c. 649, n. 8.
Cerveteri, Banditaccia t. 404 a camera (camera destra), (C.B.404/4): RICCI 1955, c. 920, n. 1.

Cerveteri, Banditaccia tumulo XXIV sull'Altipiano, (C.B.XXIV/2): RIZZO 1989a, pp. 24-28, figg. 43-46. (*tav. 24.13*)
Cerveteri, Bufolareccia t. a camera 182, (C.Bu.182/6): CAVAGNARO VANONI 1966, p. 35, n. 8.
Cerveteri, Sorbo t. Regolini-Galassi, (C.S.R/2): PARETI 1947, p. 346, n. 388, tav. XLIX con bibl.
Tarquinia, Monterozzi, (T.M/1): CANCIANI 1974, p. 37, n. 3, tav. 29.3. (*tav. 24.15*)
Vulci, Cavalupo t. dell'1/10/1955, (Vu.C.1955/7): MORETTI SGUBINI 1986, p. 77, tav. XL.1. (*tav. 24.14*)
Provenienza sconosciuta (coll. Poggiali), (PS/104): CHERICI 1988, p. 81, n. 82, tav. XLIX.a-b. (*tav. 24.16*)

A manifattura ceretana è riconducibile la creazione di grandi coppe con decorazione animalistica, con i consueti aironi o i meno diffusi pesci, o lineare. Le coppe, morfologicamente omogenee, sono state suddivise in quattro varietà sulla base della diversa composizione decorativa della vasca: aironi associati a fasce (varietà a), accompagnati da raggi o inseriti in metope (varianti), teoria di pesci (varietà b) e motivi serpeggianti (varietà c). Se nessun dubbio sussiste, data l'esclusiva pertinenza a Cerveteri dei contesti noti, circa il carattere locale della produzione, più difficile risulta circoscriverne la cronologia. La varietà a, la più consistente numericamente con un totale di quattordi esemplari[232], è presente sia in contesti degli inizi del VII sec. a.C. (t. della Capanna e deposizione più antica della t. 274 del Laghetto) che dell'orientalizzante recente, quale la t. Bufolareccia 86. Diversamente per la b, rappresentata da due sole coppe, l'unico dato di rinvenimento a disposizione concerne la t. 64 del Laghetto, databile tra il 630 e il 600 a.C., nella cui più recente edizione l'autore suggerisce di ravvisare nel frammento un oggetto più antico. Nella varietà c ricade l'unico esemplare di provenienza non ceretana, ovvero la coppa dalla t. dei Flabelli di Trevignano, già ricondotto ad officine ceriti[233]. Questa e l'altra dalla t. del Laghetto indicano per il nucleo in esame una datazione nell'ambito dell'orientalizzante medio[234].

TIPO Da 2: vasca decorata da aironi o motivi serpeggianti su piede ad anello (diam 20,5-22,5 cm)

- Distribuzione:

Veio, Macchia della Comunità t. 64, (V.MC.64/8): inedito, (*app. 1, n. 102*).

Morfologicamente affine al precedente, il tipo Da 2, rappresentato al momento da un solo esemplare, si contraddistingue per il basso piede ad anello. La distribuzione geografica interessa Veio e la cronologia va limitata all'orienta-

[232] Sono incluse anche tre coppe ascrivibili alla varietà sulla base della sola descrizione (C.B.11/8-9; C.L.67/3).
[233] CARUSO 2005, p. 303.
[234] Si segnala la presenza di una coppa con semplice decorazione a fasce dalla t. 4F di Narce (HALL DOHAN 1942, p. 25, n. 11, tav. XII.11).

lizzante recente, trovando un parallelo con le attestazioni note in impasto rosso dall'area laziale. Il tipo è noto anche nel vicino distretto falisco-capenate con esemplari più antichi[235].

Non perfettamente inquadrabile, per via della decorazione a tratti estesa anche al piede, risulta la coppa dalla necropoli di Cavalupo databile alla fine dell'VIII sec. a.C. (Vu.C.1955/7).

Gruppo Db: breve labbro a tesa orizzontale; vasca a calotta; alto piede a tromba; dimensioni maggiori (h 18,5-21,5 cm). Vasca decorata da metope variamente campite.

Tipo Db 1 (*tav. 25*)

Varietà a: metope decorate da zigzag (diam 18,5-21 cm).

- Distribuzione:

Tarquinia, (T.a/212): Jacopi 1955, tav. 2.1

Tuscania, Pian di Mola t. della c.d. Raccolta Comunale, (Tu.PM.R/2): Ruggieri, Moretti Sgubini 1986, p. 238, nota 11, tav. XCVII.3.

Monte Aùto, (M/1): Celuzza 2000, p. 68, n. 3.13, p. 69, tav. 4; Mangani, Paoletti 1986, p. 29, n. 5, tav. 25.5.

Poggio Buco, (PB.a/27): Pellegrini 1989, p. 71, n. 228, tav. XLVI. (*tav. 25.1*)

Provenienza sconosciuta (coll. Cecchini, Proceno), (PS/110): Michetti 2003, pp. 155, 177, fig 5.

Provenienza sconosciuta, (PS/111): *Munzen und Medaillen*, A.G., Antike Vasen, Basel 1977, n. 1.

Varietà b: metope decorate da doppia fila di zigzag (diam 18-21,7 cm).

- Distribuzione:

Tarquinia, (T.a/213): Canciani 1974, p. 38, n. 4, tav. 29.4. (*tav. 25.2*)

Tarquinia, (T.a/214): Canciani 1974, p. 38, n. 5, tav. 29.5.

Vulci: probabilmente da Ponte della Badia (scavi 1919), (Vu.a/11): Falconi Amorelli 1983, p. 124, n. 121. p. 125, fig. 54.

Vulci, (Vu/12): Paolucci 1991, p. 28, n. 59, tav. VI.

Poggio Buco, Podere Sadun t. A, (PB.A/1): Matteucig 1951, p. 20, n. 7, tav. II.3.

Poggio Buco, Podere Sadun t. D, (PB.D/4): Matteucig 1951, p. 33, n. 17, tav. X.2.

Poggio Buco, Podere Sadun t. I, (PB.I/2): Bartoloni 1972, p. 16, n. 1, p. 17, fig. 2, tav. V a.

Poggio Buco, t. VI, (PB.VI/5): Bartoloni 1972, p. 66, n. 4, p. 67, fig. 30, tav. XXXIII. c.

Poggio Buco, (PB.a/29): Pellegrini 1989, n. 224, p. 71, tav. XLV.

Poggio Buco, (PB.a/30): Pellegrini 1989, p. 71, n. 225, tav. XLV.

Poggio Buco, (PB.a/31): Pellegrini 1989, p. 71, n. 226, tav. XLVI.

---

[235] Ad esempio la coppa, tuttavia più antica, dalla t. 16 di Capena San Martino anch'essa con aironi, ma retrospicienti (Mura Sommella 2004-2005, p. 268, p. 269, fig. 53), inoltre ex. dalla t. 2 del Quinto Sepolcreto di Pizzo Piede a Narce (Baglione, De Lucia Brolli 1998, fig. 13). Il tipo Da 2 trova anologie con alcuni exx. laziali con piede maggiormente sviluppato, (*Formazione* 1980, p. 179, n. 4, tav. 37.4, tipo 4, periodo IVB).

Poggio Buco, (PB.a/32): MANGANI, PAOLETTI 1986, p. 28, n. 4, tav. 24.4
Poggio Buco, (PB.a/33): MANGANI, PAOLETTI 1986, p. 28, n. 5, tav. 24.5.
Castro, t. a cassa (scavi 1958), (Ca.t/4): COLONNA 1977b, p. 199, tav. XLI.d.
Provenienza sconosciuta, (PS/112): ALBIZZATI 1924-1929, p. 10, n. 39, tav. 3.
Provenienza sconosciuta (coll. Orsini), (PS/113): MANGANI 1994, p. 113, n. 4, fig. 1.3.
Provenienza sconosciuta, (PS/114): *Sotheby's, Antiquities and Islamic Art*, June 4, 1998, New York, n. 330.
Provenienza sconosciuta, (PS/115): *Munzen und Medaillen*, A.G., *Italische keramik*, Basel 1984, n. 7.
Provenienza sconosciuta (collezione Massenzi), (PS/145): TURCHETTI 2002, p. 32, n. 2.

Variante:

Vulci, Mandrione di Cavalupo, (Vu.C/1): CECCANTI, COCCHI 1980, p. 24, n. 1, p. 25, fig. 2.2. (*tav. 25.3*)

Varietà c: metope decorate da *chevrons* (diam 17-25,3 cm).

- Distribuzione:

Vulci: probabilmente da Ponte della Badia (scavi 1919), (Vu.a/13): FALCONI AMORELLI 1983, p. 124, n. 120. pp. 123-125, figg. 52-53. (*tav. 25.4*)
Poggio Buco, (PB.a/28): MANGANI, PAOLETTI 1986, p. 29; n. 1, tav. 26.1.
Poggio Buco, (PB.a/34): PELLEGRINI 1989, p. 71, n. 227, tav. XLVI.
Poggio Buco, (PB.a/35): MANGANI, PAOLETTI 1986, p. 29, n. 2, tav. 25.2.
Poggio Buco, (PB.a/36): MANGANI, PAOLETTI 1986, n. 4, p. 229, n. 4, tav. 25; CELUZZA 2000, n. 5.3, p. 85, tav. IV
Poggio Buco, (PB.a/37): BARTOLONI 1972, gruppo B, p. 164, n. 5, p. 169, fig. 83, tav. CXI a.
Poggio Buco, (PB.a/38): MANGANI, PAOLETTI 1986, p. 28, n. 1, 3, fig. 21, tav. 25.1,3; CELUZZA 2000, p. 77, n. 4.15, p. 81, tav. 8.
Territorio di Vulci, (Vu t/12): CHELINI 2004, p. 58, n. 41, tav. VIII.41.
Territorio di Vulci, (Vu t/13): CHELINI 2004, p. 58, n. 42, tav. VIII.42.
Provenienza sconosciuta (coll. Orsini), (PS/116): MANGANI 1994, p. 113, n. 3, fig. 1.4.

Varietà d: metope decorate da losanghe reticolate (diam 18,5-21 cm).

- Distribuzione:

Vulci, Ponte della Badia, t. XXXIX, (Vu.Pa.39/1): GSELL 1891, p. 94, n. 10, tav. I. 5.
Poggio Buco, t. B, (PB.B/2): MATTEUCIG 1951, p. 28, n. 44, tav. V.11. (*tav. 25.5*)
Poggio Buco, Podere Sadun t. C, (PB.C/1): MATTEUCIG 1951, p. 31, n. 21, tav. VIII.3.
Poggio Buco, t. 12, (PB.12/1): BOEHLAU 1900, p. 180, n. 31, fig. 21.3.
Poggio Buco, t. 19, (PB.19/1): PELLEGRINI 1989, n. 223, p. 70, tav. XLV.
Poggio Buco, t. 26, (PB.26/1): PELLEGRINI 1989, n. 222, p. 70, tav. XLV.

Varianti:

Vulci: probabilmente da Ponte della Badia (scavi 1919), (Vu.a/14): FALCONI AMORELLI 1983, p. 124, n. 119. p. 123, fig. 52. (*tav. 25.6*)
Provenienza sconosciuta (coll. Orsini), (PS/117): MANGANI 1994, p. 112, n. 2, fig. 1.2. (*tav. 25.7*)

Ascrivibili al gruppo:

Territorio di Vulci, (Vu.t/11): CHELINI 2004, p. 58, n. 43, tav. VIII.43.

Il tipo è costituito da numerosi esemplari morfologicamente affini differenziati esclusivamente dal tipo di decorazione metopale, che ne individua le varietà[236]. La provenienza, quando nota, è riferibile in maggior parte a Vulci e al suo agro, ad eccezione di un esemplare da Tuscania e di due conservati nella Raccolta Comunale tarquiniese, già riconosciuti da F. Canciani come importazioni. I contesti disponibili testimoniano la coincidenza cronologica tra le singole varietà, la cui produzione è da riferirsi probabilmente a più officine dislocate a Vulci e/o nel suo territorio nella prima metà, forse primo quarto, del VII sec. a.C. Lo stesso modello è alla base di una produzione falisca d'impronta locale, che unisce all'uso della decorazione metopale, di non stretta osservanza "vulcente"[237], e all'adozione di motivi propri del distretto ceretano, come la fila di punti, la presenza di caratteri morfologici della medesima estrazione, quale ad esempio l'attacco stretto del piede[238].

Gruppo Ea: convergono nel gruppo coppe di forma desueta, caratterizzate da decorazione lineare, comprendenti da un lato esemplari quadriansati su alto piede con labbro a colletto (tipo 1) e dall'altro coppe a tripodi calotta poco profonda (tipo 2).

Tipo 1: (diam 10,5-17,5 cm). (*tav. 25*)

• Distribuzione:

Cerveteri, Banditaccia tumulo XXIV sull'Altipiano, (C.B.XXIV/3): Rizzo 1989a, pp. 28-29, fig. 47.

Cerveteri, Laghetto I t. a camera 66, (C.L.66/3): Cavagnaro Vanoni 1966, p. 92, n. 3; Alberici 1997, p. 19, n. 8, fig. 9, tav. X.

Cerveteri, Laghetto I t. a camera 150, (C.L.150/1): Cavagnaro Vanoni 1966, p. 113, n. 1, tav. 32.

Cerveteri, Laghetto II t. a camera 245 (camera centrale), (C.L.245/5): Cavagnaro Vanoni 1966, p. 201, n. 6, tav. 42. (*tav. 25.8*)

Cerveteri, Bufolareccia t. a camera 182, (C.Bu.182/7): Cavagnaro Vanoni 1966, p. 35, n. 6, tav. 33.

Cerveteri, Sorbo t. 3332, (C.S.3332/1): Pohl 1972, p. 276, n. 2, fig. 271.2, con bibl.

Avvicinabile al tipo:

Provenienza sconosciuta, (PS/118): *Kunst der Antike*, Galerie G. Puhze, 1979, n. 38.

Al tipo Ea 1 fa capo un nucleo di coppe omogeneo, sia per la distribuzione, esclusivamente ceretana, che per la datazione, limitata al primo quarto del VII

---

[236] I quattro tipi di metopa corrispondono agli altrettanti individuati da Å. Åkerström come caratteristici fra i motivi della *Metopengattung* (Åkerström 1943, p. 92, fig. 37).

[237] Ne è un esempio la coppa dalla t. 27M di Narce (Hall Dohan 1942, p. 28, n. 18, tav. XIV.16), in cui gli *chevrons* che campiscono le metope sono disposte su un'unica fila al posto del doppio allineamento solitamente adottato nel vulcente.

[238] Cfr. ex. dalla t. XV di Narce (Davison 1972, p. 77, n. 4, tav. XXIII.b); si veda inoltre il commento al tipo Da 1, p. 137.

sec. a.C. Le associazioni di corredo permettono di individuare gli estremi della serie nella coppa del tumulo XXIV dell'Altipiano (C.B.XXIV/3), ancora della fine dell'VIII sec. a.C., e in quella deposta nella camera centrale della t. 245 del Laghetto (C.L.245/5), inquadrabile negli anni di passaggio con la fase media dell'orientalizzante. Sebbene nessun dubbio sussista circa il carattere ceretano della produzione, va segnalata la presenza in ambito centro-italico di varianti tetra e pluriansate realizzate in impasto bruno e rosso[239].

TIPO 2: (diam 13-15,5 cm). (*tav. 25*)

- Distribuzione:

Veio, Grotta Gramiccia t. dei Leoni Ruggenti, (V.GG.1/1-2): BOITANI 2010, p. 35, fig. 20.
Tarquinia, Gallinaro t. 8, (T.G.8/8): HENCKEN 1968, pp. 345, 348, fig. 346.e, con bibl.; L. DONATI, in *Portoferraio* 1985, p. 75, n. 254.
Tarquinia, Gallinaro t. 8, (T.G.8/9): HENCKEN 1968, pp. 345, 348, fig. 346.g, con bibl.; L. DONATI, in *Portoferraio* 1985, p. 75, n. 253. (*tav. 25.9*)
Tarquinia, Gallinaro t. 8, (T.G.8/10): HENCKEN 1968, pp. 345,348, fig. 346.i, con bibl.; L. DONATI, in *Portoferraio* 1985, p. 75, n. 255.
Provenienza sconosciuta, (PS/119): GIGLIOLI, BIANCO 1965, p. 3, n. 1, tav. 3.1.

Ancor più ridotta è la documentazione del tipo Ea 2, costituito da cinque esemplari, presenti in due soli contesti e plausibilmente riconducibili ad altrettante manifatture attive nei centri di provenienza, Tarquinia e Veio, nel corso del primo quarto del VII sec. a.C.. Seppure non perfettamente confrontabili, forme tripodi compaiono nel mondo greco-coloniale nel tardo-geometrico, come mostrano i rinvenimenti pitecusani[240], o nelle locali serie d'impasto[241]; in particolare, per gli esemplari veienti la conformazione del piede trova riscontri puntuali nelle pissidi realizzate dal Pittore di Narce e somiglianze meno stringenti in alcuni piatti in impasto rosso diffusi in area falisco-capenate e ceretana[242].

GRUPPO Fa: nucleo isolato di calici con vasca carenata e alto e sottile piede a tromba.

- Distribuzione:

Veio, Monte Michele t. 5 (camera, inc. maschile), (V.MM.5/6): BOITANI 1985, p. 546, tav. C.g.
Veio, Monte Michele t. 5 (camera inum. femminile), (V.MM.5/10): BOITANI 1982, p. 102, tav. XXXVI.4; BOITANI 1985, p. 544; BOITANI 2001, p. 117, n. I.G.8.24.
Veio, Monte Michele t. 5 (camera inum. femminile), (V.MM.5/11): BOITANI 1982, p. 102, tav. XXXVI.4; BOITANI 1985, p. 544.

---

239 C. MARINA, in BAGNASCO GIANNI 2002, p. 155, con bibl.

240 *Pithekoussai* I, tav. 161.4, p. 542, n. 4 di fabbrica incerta (t. 546, datata TG II); *Pithekoussai* I, p. 712, n. 2, tav. 250.2 (sporadico).

241 MICOZZI 1994, pp. 61-62, con bibl.

242 BOITANI 2010, p. 35 (ex. dalla t. dei Leoni Ruggenti a Veio), con rif. bibl; si veda inoltre cap. II.2.17, p. 182.

Veio, Monte Michele t. 5 (camera inum. femminile), (V.MM.5/12): Boitani 1982, p. 102, tav. XXXVI.4; Boitani 1985, p. 544.

I calici provenienti dalla t. 5 di Monte Michele rappresentano una fedele e insolita imitazione della più comune forma d'impasto; un confronto isolato è costituito da un esemplare, di autenticità non accertabile, appartenente ad una collezione privata svizzera, che è decorato da una fila di volatili ad ala distinta, ben diversi dalle canoniche raffigurazioni di aironi sinuosi comunemente diffuse[243].

II.2.14 *Skyphoi* (*tavv. 26-28*)

		Famiglie morfologiche	
		A: vasca tronconica bassa	B: vasca ovoide profonda
Famiglie decorative	a: dec. di tipo metopale sulla spalla	gruppo Aa: tipi 1-2	gruppo Ba: tipi 1-3
	b: dec. continua sula spalla	gruppo Ab: tipo 1	gruppo Bb: tipi 1-2
	c dec. con fascia risparmiata sulla spalla		gruppo Bc: tipi 1-2

Gruppo Aa: alto labbro a colletto; bassa vasca troncoconica con spalla arrotondata; fondo indistinto/a disco. Decorazione metopale/con pannello.

Il gruppo appare ispirato alla classe delle coppe euboico-cicladiche: skyphoi a *chevrons* d'importazione, che si sovrappongono ai precedenti modelli a semicerchi pendenti, per lo più di produzione euboico-cicladica e in misura minore attica e corinzia, sono attestati sin dal secondo quarto inoltrato dell'VIII sec. nell'Etruria meridionale, a Veio e Tarquinia, nei centri del Lazio e in quelli della Campania, presto seguiti da imitazioni locali. Nel corso del VII sec. a.C. cessa la produzione di tali skyphoi, sostituita da altre forme. Diverso appare il panorama per l'agro vulcente che, a fronte dell'assenza o della scarsa documentazioni relativa a skyphoi d'importazione o di imitazione nell'VIII sec. a.C.[244], vanta nella prima metà del secolo successivo un'ingente serie di coppe che conservano nella tettonica generale e nel partito decorativo l'eredità euboica. Tali skyphoi, realizzati anche in impasto, si distinguono per la forma tesa e ampia, per il ricorrere di fasce sulla vasca e per l'uso aggiuntivo di metope multiple sulla spalla. Al pari della *Metopengattung*, il fenomeno trova giustificazione nell'attardamento dei canoni euboici, altrove sostituiti da influssi corinzi, forse motivato in parte dalla presenza di ceramografi immigrati sullo scorcio dell'VIII sec a.C.

[243] *Solothurn* 1967, p. 68, n. 183, tav. 27.183.

[244] Per un quadro di sintesi della questione con rel. bibl. cfr. cap. V.1, p. 236, nota 2; sull'evidenza vulcente, in part. Bruni 1991, pp. 295-296, con bibl.

TIPO Aa 1: vasca profonda/bassa; fondo indistinto; decorazione a pannello/coppia di metope. (*tav. 26*)

Varietà a: vasca profonda; decorazione a pannello (h 6,7-8 cm).

• Distribuzione:

Vulci, probabilmente da Ponte della Badia (scavi 1919), (Vu.a/15): FALCONI AMORELLI 1983, p. 128, n. 127, p. 127, fig. 54.
Poggio Buco, (PB.a/40): MANGANI, PAOLETTI 1986, p. 32, n. 2, fig. 26, tav. 29.2.
Poggio Buco, (PB.a/41): PELLEGRINI 1989, p. 73, n. 234, tav. XLVII. (*tav. 26.1*)

Varianti:

Territorio di Vulci, (Vu t/14): CHELINI 2004, p. 53, n. 25, tav. IV.25.
Provenienza sconosciuta, (PS/121): A. ROMUALDI, in *Piombino* 1989, p. 70, n. 76. (*tav. 26.2*)

Varietà b: vasca bassa; decorazione a pannello (h 5-8,5 cm).

• Distribuzione:

Vulci, probabilmente da Ponte della Badia (scavi 1919), (Vu.a/16): FALCONI AMORELLI 1983, p. 128, n. 126, pp. 125-127, figg. 53-64.
Poggio Buco, (PB.a/42): MANGANI, PAOLETTI 1986, p. 33, n. 3, tav. 29.3.
Poggio Buco, (PB.a/43): PELLEGRINI 1989, p. 73, n. 235, tav. XLVII. (*tav. 26.3*)
Poggio Buco, (PB.a/44): PELLEGRINI 1989, p. 73, n. 238, tav. XLVIII.

Variante:

Tarquinia, (T.a/215): CANCIANI 1974, p. 41, n. 11, tav. 31.11. (*tav. 26.4*)

Varietà c: vasca profonda; decorazione metopale (h 5,6-8,4 cm).

• Distribuzione:

Vulci, t.42F, (Vu.42/1): HALL DOHAN 1942, p. 94, n. 22, tav. XLIX.22; da ultimo TURFA 2005, p. 103, n. 33.
Vulci, probabilmente da Ponte della Badia (scavi 1919), (Vu.a/17): FALCONI AMORELLI 1983, p. 126, n. 124, pp. 125-127, figg. 53-54.
Poggio Buco, Podere Insuglietti t. II, (PB.II/2): BARTOLONI 1972, p. 30, n. 2, p. 31, fig. 10, tav. XI a. (*tav. 26.5*)
Poggio Buco, Podere Sadun t. III, (PB.III/1): BARTOLONI 1972, p. 37, n. 1 ,p. 38, fig. 13, tav. XV a.
Poggio Buco, t. VI, (PB.VI/6): BARTOLONI 1972, p. 68, n. 8, p. 67, fig. 30, Tav. XXV a.
Poggio Buco, t. 17, (PB.17/2): PELLEGRINI 1989, p. 73, n. 237, tav. XLVIII.
Poggio Buco, t. 18, (PB.18/1): PELLEGRINI 1989, p. 74, n. 245 , tav. L.
Poggio Buco, t. 24, (PB.24/1): PELLEGRINI 1989, p. 74, n. 241, tav. XLIX.
Poggio Buco, (PB.a/45): MANGANI, PAOLETTI 1986 p. 34, n. 6, tav. 29.6.
Poggio Buco, (PB.a/46): PELLEGRINI 1989, p. 73, n. 236, tav. XLVIII.
Poggio Buco, (PB.a/47): PELLEGRINI 1989, p. 74, n. 240 , tav. XLIX.
Territorio di Vulci, (Vu t/15): CHELINI 2004, p. 53, n. 26, tav. V.26.
Territorio di Vulci, (Vu t/16): CHELINI 2004, p. 53, n. 27, tav. V.27.
Territorio di Vulci, (Vu t/17): CHELINI 2004, p. 53, n. 28, tav. V.28.

Variante:

Poggio Buco, t. VI, (PB.VI/7): BARTOLONI 1972, p. 68, n. 9, p. 67, fig. 30, tav. XXXV b. (*tav. 26.6*)

Varietà d: vasca bassa; decorazione metopale (h 6-9 cm).
• Distribuzione:
Tuscania, Pian di Mola t. della c.d. raccolta Comunale, (Tu.PM.R/3): RUGGIERI, MORETTI SGUBINI 1986, p. 238, nota 11, tav. XCVII.2.
Vulci, t. 22, (Vu.22/5): HALL DOHAN 1942, p. 89, n. 8, tav. XLVII.8.
Vulci, probabilmente da Ponte della Badia (scavi 1919), (Vu.a/18): FALCONI AMORELLI 1983, p. 126, n. 125, p. 127, fig. 54.
Monte Auto, (M/2): MANGANI, PAOLETTI 1986, p. 35, n. 3, tav. 30.3; CELUZZA 2000, p. 86, n. 5.7, tav. V.
Poggio Buco, Podere Sadun t. D, (PB.D/5): MATTEUCIG 1951, p. 34, n. 19, tav. X.6.
Poggio Buco, t. VI, (PB.VI/8): BARTOLONI 1972, p. 68, n. 10, p. 67, fig. 30, tav. XXXV. d.
Poggio Buco, t. 12, (PB.12/2): BOEHLAU 1900, p. 181, n. 33, fig. 21.5.
Poggio Buco, t. 24, (PB.24/2): PELLEGRINI 1989, p. 74, n. 242, tav. XLIX. (*tav. 26.7*)
Poggio Buco, t. 24, (PB.24/3): PELLEGRINI 1989, p. 74, n. 243 , tav. XLIX.
Poggio Buco, (PB.a/48): MANGANI, PAOLETTI 1986, p. 34, n. 7, tav. 29.7.
Poggio Buco, (PB.a/49): MANGANI, PAOLETTI 1986, p. 34, n. 1, tav. 30.1.
Poggio Buco, (PB.a/50): MANGANI, PAOLETTI 1986, p. 34, n. 5, tav. 29.5.

Riferibili al tipo 1:
exx. sporadici da Vulci, Osteria (28-7-1962), (Vu.O.a/1): *MAV II*, p. 34, nn. 714-716.

TIPO Aa 2: vasca profonda/bassa; piede a disco; decorazione metopale. (*tav. 26*)

Varietà a: vasca profonda (h 7,3-8,7 cm).
• Distribuzione:
Poggio Buco, (PB.a/51): MANGANI, PAOLETTI 1986, p. 34, n. 2, tav. 30.2. (*tav. 26.8*)
Poggio Buco, (PB.a/52): PELLEGRINI 1989, p. 73, n. 239, tav. XLVIII.
Poggio Buco, (PB.a/53): PELLEGRINI 1989, p. 74, n. 244, tav. L.

Vasca b: vasca bassa (h 7-7,4 cm).
• Distribuzione:
Poggio Buco, (PB.a/54): MANGANI, PAOLETTI 1986, p. 34, n. 8, tav. 29.8.
Poggio Buco, (PB.a/55): MANGANI, PAOLETTI 1986, p. 35, n. 4, fig. 29, tav. 30.4. (*tav. 26.9*)

Le coppe di tipo Aa 1 e Aa 2 , tranne rare eccezioni, provengono da Vulci e dal suo territorio[245]. La perdita di gran parte delle associazioni di corredo relative non permette di individuare una eventuale sequenza cronologica tra le singole varietà individuate, anche se appare plausibile la loro coesistenza durante la prima metà del VII sec. a.C. Analogamente a quanto rilevato da B. D'Agostino per gli esemplari di produzione locale della valle del Sarno[246] ,

---

[245] Il tipo 1c trova riscontri in una coppia di exx. dalla t. 27M di Narce (HALL DOHAN 1942, p. 28, nn. 17-18, tav.XIV.17-18)
[246] D'AGOSTINO 1979, pp. 59-60.

le coppe di tipo Aa 1 si allontanano sensibilmente dai prototipi greci del MG II per alcuni tratti caratteristici, come ad esempio l'uso di decorare l'interno con fasce, al posto della campitura omogenea della vasca con unica linea risparmiata sull'orlo. Un altro elemento distintivo, che accomuna serie etrusche e campane, è rappresentato dall'adozione di *chevrons* liberi, rari in Grecia e piuttosto frequenti in Occidente, nonché dalla decorazione delle anse a tratti verticali, derivata dalla ceramica corinzia TG I ed in particolare dalle coppe *Aetos* 666[247].

Genericamente appartenenti al gruppo Aa:
Vulci, Mandrione di Cavalupo t. A, (Vu.C.A/2): FALCONI AMORELLI 1969, p. 184, n. 11, tav. XXXVIa.
Sovana, (S/2): MANGANI, PAOLETTI 1986, p. 33, n. 4, tav. 29.4.

GRUPPO Ab: alto labbro a colletto; bassa vasca troncoconica con spalla arrotondata; fondo indistinto. Decorazione di tipo continuo: sulla spalla gruppi di tratti verticali.

TIPO Ab 1: (h 6,5-7 cm) (*tav. 26*)
• Distribuzione:
Poggio Buco, Podere Sadun t. I, (PB.I/3): BARTOLONI 1972, p. 16, n. 2, p. 17, fig. 2, tav. VI a. (*tav. 26.10*)
Poggio Buco, Podere Sadun t. V, (PB.V/1): BARTOLONI 1972, p. 58, n. 1, p. 59, fig. 26, tav. XXVII.a.

Il tipo è rappresentato da due esemplari, entrambi proveniente da Poggio Buco: sebbene accomunati agli skyphoi precedenti per forma, essi recano una decorazione anomala a gruppi di tratti che trova corrispondenza in una coppa tarquiniese (T.a/232, gruppo Bb). La datazione dei contesti di appartenenza colloca il tipo nella prima metà del VII sec. a.C.

GRUPPO Ba: breve labbro a colletto, vasca ovoide profonda; piede a disco/ad anello. Decorazione a pannello o di tipo metopale.

TIPO Ba 1: vasca profonda arrotondata. Fra le anse pannello con tremoli verticali/meandro. (*tav. 26*)

Varietà a: nel pannello tremoli (h 7,5-9 cm).
• Distribuzione:
Tarquinia, (T.a/216): TANCI, TORTOIOLI 2002, p. 96, n. 159.
Tarquinia, (T.a/217): CANCIANI 1974 , p. 41, n. 12, tav. 31.12; TANCI, TORTOIOLI 2002, p. 96, fig. 94, n. 158.

---

[247] D'AGOSTINO 1979, p. 60, nota 5, con diffusione e relativa bibl.

Poggio Buco, Podere Sadun t. C, (PB.C/2): MATTEUCIG 1951, p. 31, n. 22, tav. VIII.11. (*tav. 26.11*)
Poggio Buco, Podere Sadun t. C, (PB.C/3): MATTEUCIG 1951, p. 31, n. 24, tav. VIII.13.
Poggio Buco, (PB.a/56): PELLEGRINI 1989, p. 75, n. 246 , tav. L.
Poggio Buco, (PB.a/57): PELLEGRINI 1989, p. 75, n. 247 , tav. L.
Poggio Buco, (PB.a/58): MANGANI, PAOLETTI 1986, p. 36, n. 2, fig. 32, tav. 31.2
Territorio di Vulci (Vu t/18): CHELINI 2004, p. 54, n. 29, tav. V.29.
Variante:
Poggio Buco, Podere Sadun t. C, (PB.C/4): MATTEUCIG 1951, p. 31, n. 23, tav. VIII.12. (*tav. 26.12*)

Varietà b: nel pannello meandri a scaletta (h 9-15 cm).
- Distribuzione:

Tarquinia, Gallinaro t. 8, (T.G.8/7): HENCKEN 1968, pp. 345-346, fig. 345.g, con bibl.; L. DONATI, in *Portoferraio* 1985, p. 75, n. 250.
Tarquinia, (T.a/218): CANCIANI 1974,
Poggio Buco, Podere Sadun t. G, (PB.G/3): MATTEUCIG 1951, p. 46, n. 15, tav. XIX.1. (*tav. 26.13*)
Poggio Buco, Podere Sadun t. G, (PB.G/4): MATTEUCIG 1951, p. 46, n. 16, tav. XIX.2.
Variante:
Poggio Buco, Podere Sadun t. D, (PB.D/6): MATTEUCIG 1951, p. 33, n. 18, tav. X.5. (*tav. 26.14*)

Questi skyphoi, ispirati nella forma alle coppe protocorinzie[248], si articolano in due sottotipi individuati sulla base dei moduli decorativi. La varietà a, caratterizzata da una decorazione a *chevrons* entro pannello, ricorrente anche in alcuni esemplari pitecusani[249] e campani[250], è rappresentata da sette esemplari provenienti da Poggio Buco e dall'agro vulcente e da una coppia conservata nella Raccolta Tarquiniese (T.a/216-217). Il n. T.a/217 è avvicinabile, per la tettonica articolata e per la decorazione, agli esemplari dal vulcente, rendendo problematica l'eventuale attribuzione ad un'officina tarquiniese. La cronologia della varietà a, ancorata alla sua presenza nella tomba C di Poggio Buco, è collocabile almeno nel secondo quarto del VII sec. a.C.

La varietà b, sebbene identica per forma, si distingue per la decorazione a meandro tratteggiato, adottata anche su esemplari morfologicamente simili diffusi a Pitecusa[251] e generalmente in Campania. Come per la precedente, anche per la varietà b risulta difficoltoso discriminare tra l'esistenza di un unico o più centri produttivi e la loro eventuale localizzazione. Dei quattro skyphoi considerati,

---

[248] La vasca bassa e arrotondata ricorre in un ex. di fabbrica corinzia da *Aetos* (BENTON 1953, p. 278, n. 663a, fig. 8).

[249] Simile partito decorativo nella coppa di produzione locale dalla t. 525 del TG II (*Pithekoussai* I, p. 523, n. 1, tav. 157.1).

[250] Ex. di produzione locale da Suessula (coll. Spinelli), con due zigzag orizzontali nel pannello, confrontabile per forma: BORRIELLO 1991, p. 18, n. 4, tav. 12.4.

[251] *Pithekoussai*, I, sporadico S 4, tav. 245.3.

due provengono infatti da un'unica tomba di Poggio Buco (PB.G/3-4) e gli altri da Tarquinia (T.G.8/7; T.a/218): sebbene la forma sia identica a quella adottata nella varietà a, numericamente più rappresentata nell'agro vulcente, il motivo del meandro rimanda ad un nucleo di kotylai di produzione tarquiniese, già identificato da F. Canciani, alla cui officina S. Bruni ha recentemente attribuito uno skyphos dalla t. 9 di Poggio Gallinaro. Bisogna tuttavia rilevare che il motivo dei nastri verticali tratteggiati non compare nelle kotylai menzionate, ma in un altro gruppo con uccello, in passato ritenuto tarquiniese ma le cui attestazioni si concentrano nel territorio di Vulci (kotyle tipo Aa 2).

Per quanto concerne la cronologia della varietà sono disponibili soltanto la menzionata t. G di Poggio Buco e il corredo di Poggio Gallinaro 9, databili nel primo quarto del VII. sec. a C.

Una variante al tipo è rappresentata da un'esemplare proveniente dalla t. D di Poggio Buco (P.B.D/6), che costituisce una replica piuttosto fedeli di modelli propri della ceramica greca insulare[252].

Tipo Ba 2: vasca molto profonda. Pannello campito da tremoli continui/articolati in gruppi (h 10,5-12,9 cm). (*tav. 27*)

- Distribuzione:

Vulci, Osteria, t. 1/1990, camera centrale (A), (Vu.O.1/1): Moretti Sgubini 2003, p. 27, nota 138. (*tav. 27.1*)

Vulci, Osteria, t. 1/1990, camera centrale (A), (Vu.O.1/2): Moretti Sgubini 2003, p. 27, nota 138.

Monte Aùto, (M/3): Mangani, Paoletti 1986, p. 35, n. 1, fig. 31, tav. 31.1; Celuzza 2000, p. 67, n. 3.12, p. 69, tav. 4.

Poggio Buco, Podere Insuglietti t. F, (PB.F/2): Matteucig 1951, p. 40, n. 23, tav. XVI.4.

Orbetello, S. Donato t. II, (O.SD.II/2): Michelucci 1991, p. 23, n. 4, fig. 7.1, tav. X.c.

Provenienza sconosciuta (coll. Cecchini, Proceno), (PS/122): Michetti 2003, pp. 155, 177, fig 5.

Affine per partito decorativo al tipo 1a è il tipo Ba 2, costituito da sei esemplari provenienti rispettivamente dalla t. 1/1990 della necropoli dell'Osteria, da Monte Aùto, dalla t. F di Poggio Buco e da Orbetello, cui si somma uno adespota conservato nella collezione Cecchini di Proceno. La distribuzione omogenea a Vulci e nel suo territorio colloca nel centro l'officina, attiva, in

[252] Si ricordano due frammenti da Egina di fabbrica cicladica (Kraiker 1951, p. 33, nn. 97-98, tav. 7.97-98), uno skyphos puntualmente confrontabile da Samos databile tra il 730 e il 670 a.C. (*Samos* V, p. 104, n. 226, tav. 40, Fundgruppe XVI). Il modello è recepito in ambito coloniale come testimonia tra le altre la documentazione di Timpone della Motta (Van Der Wielen-Van Ommeren, De Lachenal 2008, pp. 102-103, fig. 50 a-b) e dell'area campana, dove una versione modificata del tipo, con forma più bassa e con decorazione disposta su un'unica fila e priva di quadro metopale, è segnalata nella t. 111 della Valle del Sarno da B. D'Agostino, che menziona inoltre l'esistenza a *Calatia* di inedite coppe più canoniche con vasca profonda (D'Agostino 1979, p. 62, n. 4, fig. 35.5)

base alla cronologia dei contesti, negli anni attorno alla metà del VII secolo a.C.

TIPO Ba 3: vasca profonda con pareti arrotondate/profilo teso. Fra le anse pannello con sigma/metope campite da sigma; sulla vasca fasce e metà inferiore dipinta/interamente verniciata. (*tav. 27*)

Varietà a: vasca con pareti arrotondate. Decorazione: sulla spalla pannello campito da sigma, sulla vasca fasce, metà/terzo inferiore dipinto (h 5,5.12,7 cm).

- Distribuzione:

Cerveteri, Monte Abatone t. 83, (C.MA.83/2): B. BOSIO, in *Milano* 1986a, p. 53, n. 9, fig. 9.
Cerveteri, Bufolareccia t. a camera 81, (C.Bu.81/2): CAVAGNARO VANONI 1966, p. 17, n. 3, tav. 8.
Tarquinia, Monterozzi t. 6337, (T.M.6337/2): CATALDI 2001 , p. 96, n. 15, p. 99, fig. 119.
Tarquinia, (T.a/219): CANCIANI 1974, p. 44, n. 4, tav. 33.4. (*tav. 27.2*)

Varietà b: vasca con pareti tese. Decorazione: sulla spalla pannello campito da sigma; vasca dipinta (h 6-11 cm).

- Distribuzione:

Tarquinia, (T.a/220): TANCI, TORTOIOLI 2002, p. 106, n. 181, fig. 106.
Tarquinia, (T.a/221): CANCIANI 1974, p. 43, n. 1, fig. 5, tav. 33.1. (*tav. 27.3*)
Tarquinia, (T.a/222): CANCIANI 1974, p. 43, n. 3, tav. 33.3.
Avvicinabile alla varietà:
Provenienza sconosciuta (coll. Poggiali), PS/123): CHERICI 1988, p. 85, n. 84, tav. L.a.

Di incerta collocazione tra le varietà a e b:
Tarquinia, Monterozzi t. XXXIII (scavi Cultrera), (T.M.33/3): CULTRERA 1930, p. 148, E.

Varietà c: vasca con pareti tese. Decorazione: sulla spalla coppia di metope campite da sigma, vasca dipinta (h 10,6-13 cm).

- Distribuzione:

Tarquinia, Monterozzi t. X Cultrera, (T.M.10/1)(?): CULTRERA 1930, p. 128, n. 3.
Tarquinia, Macchia della Turchina t. 65,1, (T.MT.65,1/5): BRUNI 1986, p. 225, n. 641, fig. 216.
Tarquinia, (T.a/223): CANCIANI 1974, p. 43, n. 2, tav. 33.2. (*tav. 27.4*)
Tarquinia, (T.a/224): CANCIANI 1974, p. 44, n. 5, tav. 33.5.
Variante:
Veio (Isola Farnese), (V.a/15): A. SEGBERS, in *Bonn* 2008, pp. 133-134, n. 183.

Varietà d: vasca con pareti tese. Decorazione: sulla spalla pannello campito da sigma, sulla vasca raggi (h 13,4 cm).

- Distribuzione:

Cerveteri, Laghetto I t. a camera 67, (C.L.67/4) ?: CAVAGNARO VANONI 1966, p. 93, n. 1.
Cerveteri, Laghetto I t. a camera 67, (C.L.67/5) ?: CAVAGNARO VANONI 1966, p. 93, n. 2.

Tarquinia, Tumulo di Poggio Gallinaro, (T.G.t/8): Petrizzi 1986, p. 211, n. 575, fig. 176. (*tav. 27.5*)

Il tipo Ba 3 accoglie esemplari ispirati alle coppe PCA a sigma[253] che, apparse agli inizi del VII sec. a.C., rimangono in uso per tutto il corso del secolo, con piccole modifiche nella morfologia, tendente verso forme meno profonde[254], e ancor minori variazioni nella decorazione; quest'ultima associa al pannello con sigma sulla spalla una catena di raggi, o una verniciatura omogenea sulla vasca. Fra i primi esemplari sono annoverati i due skyphoi dalle tombe 64 e 83 del *Phaleron* databili attorno al 700 a.C, mentre le attestazioni più tarde sono circoscritte all'Italia (Gela, Narce, Mozia, Poggio Buco). Le importazioni sono presto affiancate da floride serie locali d'imitazione, la cui diffusione nell'area medio-tirrenica interessa oltre ai centri etrusco-meridionale, anche la Campania[255] e il vicino Lazio[256].

Gli esemplari sono stati distinti in tre varietà sulla base della forma (a e b) e del partito decorativo. Tutti gli skyphoi noti al momento provengono quasi esclusivamente da Tarquinia e, in minore proporzione, da Cerveteri; i pochi corredi di provenienza disponibili oscillano cronologicamente tra la fine dell'VIII - inizi del VII sec. a.C. (varietà a) e gli anni attorno al 675 a.C. (varietà c). Per la datazione della varietà b un sussidio può ricavarsi dal pun-

[253] A titolo d'es. si ricordano solo alcuni tra i numerosi exx. puntualmente confrontabili, per la varietà a: skyphos MPC dalla t. 530 di Pitecusa (*Pithekoussai* I, p. 529, n. 2, tav. 139.2), skyphos d'imitazione PCA dalla t. 328 (*ibidem*, p. 385, n. 2, tav. 124.2) in particolar modo avvicinabile a T.M.6337/2; per la varietà b: coppe PCA da Corinto (*Corinth* VII:1, p. 46, n. 157, tav. 22), da Pitecusa tt. 323 e 472 (*Pithekoussai* I, p. 376, n. 3, tav. 120.3; *ibidem*, p. 475, n. 3, tav. 140.3). Per una diffusione nelle aree grecizzate del sud Italia, dove appaiono redazioni locali sin dall'ultimo quarto dell'VIII sec. a.C.: D'Agostino 1968. p. 97, nota 1.

[254] *Megara Hyblaea* II, p. 36; nello specifico per il tipo Ba 3 il modello è forse rintracciabile negli exx. di forma più profonda (*ibidem*, tipo III, p. 37, tavv. 18.2, 19.1)

[255] A Pontecagnano lo skyphos a sigma non compare prima del secondo quarto del VII sec. a.C.; il tipo grande (11b) della tipologia locale è assimilabile ai nostri Ba 3a-b: è stata rilevata, inoltre, un'evoluzione da exx. più antichi con vasca profonda a profilo teso e labbro piccolo, prossimi alla nostra varietà b, verso exx. con vasca arcuata, bocca larga e labbro meno sviluppato, che trovano un riscontro nella coppa C.Bu.81/2 afferente alla varietà a (D'Agostino 1968, p. 97, n. 11b, fig. 14.11b, con distribuzione nella necropoli). Quest'ultima varietà trova confronti in un ex. da Suessula conservato nella coll. Spinelli (Borriello 1991, p. 12, tav. 7.5, fine VIII sec. a.C.); più tarde, della prima metà del VII sec. a.C., risultano le attestazione con doppio pannello, qui raccolte nella varietà c, restituite dal centro (Eadem, p. 18, n. 5, tav. 12.5)

[256] *Formazione* 1980, tipo 25, p. 131, tav. 28. Confronti per il tipo Ba 3a da Decima, t. 4 (Cataldi 1975, p. 336, n. 9, figg. 128.9 -129, secondo quarto del VII sec. a.C.), dalla stessa necropoli, t. 7, ex. con decorazione evanida assimilabile morfologicamente alle varietà b-c (Cataldi 1975, p. 326, n. 9, figg. 111-112.9, primo trentennio del VII sec. a.C.). Il tipo Ba 3c trova riscontri in un ex. dalla t. III di Riserva del Truglio (Gierow 1964, p. 152, n. 9, p. 151, fig. 88.9) ed è avvicinabile morfologicamente ad uno, probabilmente d'importazione, restituito dalle stratigrafie della capanna VI di *Satricum* (*Roma* 1976, cat. 107, p. 327, n. 1, primo quarto del VII sec. a.C.).

tuale confronto con uno skyphos d'importazione presente nelle t. 2879 di Tarquinia[257], e con un altro protocorinzio dalla t. 12 di Poggio Buco[258], che conferma la cronologia della varietà alla prima metà del VII sec. a.C., più probabilmente al primo quarto. Episodicamente il tipo è esportato anche nel distretto etrusco-settentrionale, come testimonia un esemplare da Populonia, avvicinabile alla varietà b[259]. È infine presente un nucleo di pochi skyphoi (Ba 3d), in cui la vasca è interessata da una corona di raggi: l'unico elemento cronologico è fornito dalla presenza della varietà nella t. 8 di Poggio Gallinaro, del primo quarto del VII sec. a.C.[260].

La decorazione dell'esemplare T.a/225 rappresenta un elemento di anomalia rispetto alle serie esaminate, non consentendo una specifica collocazione tipologica al di là dell'inserimento nel gruppo Ba; va segnalata, tuttavia, la puntuale corrispondenza con una coppa pitecusana[261] e la più generica somiglianza con un esemplare dalla t. 282 della Valle del Sarno[262].

Genericamente riferibile al gruppo Ba:
Cerveteri, tumulo di Montetosto (cam. dx. III), (C.tM): Rizzo 1989b, p. 160, tav. V c.
Tarquinia, (T.a/225): Canciani 1974, p. 42, fig. 3, n. 8, tav. 32.8. (*tav. 27.6*)

Gruppo Bb: breve labbro a colletto; vasca ovoide profonda; piede a disco/ad anello. Decorazione di tipo continuo.

Tipo Bb 1: vasca profonda ovoide con pareti arrotondate/molto arrotondate. Decorazione: sul labbro e sulla spalla linee, vasca interamente verniciata. (*tav. 27*)

Varietà a: vasca con pareti molto arrotondate; piccole dimensioni (h 5,6-6 cm).
- Distribuzione:

Veio, Vaccareccia t. VIII, (V.V.VIII/2): Palm 1952, p. 64, n. 11, tav. XVIII.11.
Tarquinia, (T.a/226): Cataldi 1986, p. 234, n 683, p. 233, fig. 238. (*tav. 27.1*)

Varietà b: vasca con pareti arrotondate; dimensioni maggiori (h 9-11,4 cm).
- Distribuzione:

Tarquinia, (T.a/227): Canciani 1974, p. 42, n. 5, tav. 32.5.

---

[257] Cataldi 1986, p. 220, n. 615, fig. 205.

[258] Boehlau 1900, p. 181, n. 32, fig. 21.9, cit. in Martelli 1989, p. 801, n. XXXII.

[259] Martelli 1981, p. 404, tav. LXXXVIII.4.

[260] Alla varietà sono pertinenti, solo in via ipotetica, anche una coppia di exx. dalla t. 67 del Laghetto, una struttura a camera forse databile nell'orientalizzante recente. L'assenza di immagini e l'impossibilità di una ricognizione autoptica non permettono di verificarne l'inquadramento tipologico, né tantomeno consentono di rilevare elementi peculiari che potrebbero giustificare lo iato cronologico con l'attestazione tarquiniese.

[261] *Pithekoussai* I, sporadico, p. 703 , n. 4/5, tav. 245.5.

[262] D'Agostino 1979,p. 64, n. 6, fig. 36.4.

Tarquinia, (T.a/228): Canciani 1974, p. 42, n. 6, tav. 32.6. (*tav. 27.2*)
Tarquinia, (T.a/229): Canciani 1974, p. 42, n. 4, tav. 32.4 con bibl.
Tarquinia, (T.a/230): Canciani 1974, p. 42, fig. 2, n. 3, tav. 32.3.
Provenienza sconosciuta, (PS/124): *Kunst der Antike,* Hamburg, 2000, n. 44.

Il tipo Bb 1 è rappresentato da sette coppe, suddivise in due varietà in base alle dimensioni e al profilo della vasca, che ripetono fedelmente le coppe tipo *Thapsos* senza pannello, ampiamente imitate nelle zone di contatto con il mondo greco, prime fra tutte la Sicilia[263] e la Campania[264]. La provenienza di tutti gli esemplari da Tarquinia, ad esclusione di uno già ritenuto allogeno dalla t. VIII di Vaccareccia a Veio, pone in questo centro, come già individuato da F. Canciani e S. Bruni, la produzione delle coppe esaminate. Ad eccezione della deposizione veiente databile nel primo quarto del VII sec. a.C., non sono disponibili i contesti di riferimento, utili a puntualizzare la cronologia del tipo.

Tipo Bb 2: labbro a colletto leggermente svasato; vasca di media profondità. Decorazione: sul labbro linee; sulla spalla fila di esse correnti; sulla vasca linee, metà inferiore dipinta (h 6,2-10,4 cm). (*tav. 27*)

- Distribuzione:

Tarquinia, Monterozzi t XXXVIII (scavi Cultrera), (T.M.38/4) ?: Cultrera 1930, p. 153, n. 6.
Tarquinia, Monterozzi t XXXVIII (scavi Cultrera), (T.M.38/5) ?: Cultrera 1930, p. 153, n. 7.
Tarquinia, tumulo di Poggio Gallinaro, (T.G.t/9): Petrizzi 1986, p. 211, n. 574, fig. 175. (*tav. 27.9*)
Tarquinia, (T.a/231): Tanci, Tortoioli 2002, p. 104, n. 175.

Varianti:

Cerveteri, Laghetto t. 65, (C.L.65/5): Cavagnaro Vanoni 1966, n. 6 p. 92, tav. 6; L. Malnati, in *Milano* 1980, n. 14, p. 259, fig. 14; Alberici Varini 1999, n. 16, p. 62, tav. LXII, fig. 90. (*tav. 27.10*)

---

[263] Pelagatti 1981, pp. 164-172, ove, oltre alla diffusione delle attestazioni, compare un'attenta riflessione sulla funzione quale strumento di razionamento alimentare affidata alla coppe nella fase coloniale ed indicata da una costante scansione in classi dimensionali dei recipienti, riscontrabile, almeno parzialmente, anche nelle serie etrusche.

[264] Imitazioni locali delle coppe PCA sono presenti a Pitecusa; in particolare, la coppa dalla t. 168 (*Pithekoussai* I, p. 219, n. 8, tav. 71.8) è avvicinabile alla varietà a, mentre quella deposta nella t. 243 della stessa necropoli (*ibidem*, p. 298, n. 3, tav. 95.3) è piuttosto assimilabile alla varietà b. Per la varietà a, nell'entroterra si ricordano, senza pretesa di esaustività, gli exx. da Pontecagnano, in particolar modo le coppe deposte nelle tt. V (563) e XVI (604) (D'Agostino 1968, p. 96, tipo 10 a di piccole dimensioni); i quattro skyphoi da Suessula (Borriello 1991, pp. 11-12, tav. 7.2-4, 6); la coppa d'importazione da *Calatia*, necropoli sud-occidentale t. 194 (Laforgia 2003, p. 152, n. 48, figg. 123, 126). Per la varietà b i confronti più stringenti sono rappresentati dalle coppe da Pontecagnano (D'Agostino 1968, p. 96, fig. 13, tipo 10 b, in part. la varietà con orlo differenziato e pareti tese), da Suessula (Borriello 1991, p. 12, tav. 7.1) e dall'ex. d'importazione da *Calatia*, necropoli sud-occidentale t. 190 (Laforgia 2003, p. 145, n. 3, fig. 118).

Tarquinia, Monterozzi t. XXV (scavi Cultrera), (T.M.25/7): CULTRERA 1930, p. 136, figg. 20-23; HENCKEN 1968, p. 394, p. 385, fig. 383.a, RASMUSSEN 1979, p. 19, n. 22, tav. 45.302. (*tav. 27.11*)

Caratterizzate da una fila di esse correnti sulla spalla, le coppe di tipo Ba 2 ammontano a pochi esemplari di datazione eterogenea, compresa tra il primo quarto del VII sec. a.C. e la metà dello stesso. Anche per le due varianti individuate si coglie la stessa oscillazione cronologica tra primo e secondo venticinquennio del secolo.

Riferibili al gruppo Bb:
Tarquinia, (T.a/232): CANCIANI 1974, p. 44, n. 6, tav. 33.6. (*tav. 27.12*)
Tarquinia, (T.a/233): CANCIANI 1974, p. 42, n. 9, tav. 32.9. (*tav. 27.13*)
Tuscania, Ara del Tufo t. 2, (Tu.AT.2/1): esposta nel Museo Archeologico di Tuscania.

Non puntualmente inseribili nella tipologia, per la decorazione inconsueta, risultano le due coppe della raccolta comunale tarquiniese (T.a/232-233); similmente agli esemplari precedentemente analizzati, si identificano come derivazioni da modelli protocorinzi: in particolare, l'esemplare T.a/233 richiama alcuni skyphoi PCM[265].

GRUPPO Bc: vasca ovoide variamente conformata; piede ad anello. Decorazione: interamente dipinto ad eccezione di una fascia risparmiata/con decorazione accessoria sulla spalla; eventuale presenza di raggi sulla vasca.

TIPO Bc 1 (*tav. 28*)

Varietà a: vasca ovoide profonda. Fascia risparmiata sulla spalla decorata da linea ondulata/gruppi di tratti; vasca dipinta/decorata da fasce (h 7,2-12 cm).
• Distribuzione:
Veio, Vaccareccia, (V.V./16): PAPI 1988, p. 121, n. 15.
Veio, Vaccareccia, (V.V./17): PAPI 1988, p. 120, n. 14.
Veio, Macchia della Comunità t. VII, (V.MC.VII/6): ADRIANI 1930, p. 54, n. 7.
Veio, Macchia della Comunità t. 14, (V.MC.14/3): inedito, (*app. 1, n. 103*).
Veio, Macchia della Comunità t. 64, (V.MC.64/9): inedito, (*app. 1, n. 104*).
Cerveteri, Monte Abatone t. a camera 352, (C.MA.352/4): L. MALNATI, in *Milano* 1980, p. 227, n. 85
Cerveteri, Monte Abatone t. a camera 352, (C.MA.352/5): L. MALNATI, in *Milano* 1980, p. 227, n. 83.
Cerveteri, Monte Abatone t. a camera 352, (C.MA.352/6)?: L. MALNATI, in *Milano* 1980, p. 227, n. 84
Tarquinia, (T.a/240): CANCIANI 1974, p. 45, n. 7, tav. 33.7.

---

[265] Cfr. lo skyphos d'importazione della t. 530 di Pitecusa (*Pithekoussai* I, p. 529, n. 2, tav. 159.2).

Tarquinia, (T.a/241): CANCIANI 1974, p. 45, n. 9, tav. 33.9. (*tav. 28.1*)
Vulci, t. 22, (Vu.22/6): HALL DOHAN 1942, p. 89, n. 9, tav. XLVII.9.
Variante:
Poggio Buco, Podere Insuglietti t. E, (PB.E/3): MATTEUCIG 1951, p. 38, n. 51, tav. XIII.16. (*tav. 28.3*)
Provenienza sconosciuta, (PS/125): BLOMBERG *et al.* 1983, p. 81, n. 5, p. 83, fig. 52, tav. 37.4. (*tav. 28.2*).
Avvicinabile alla varietà:
Tuscania, Ara del Tufo t. 2, (Tu.AT.2/2): esposto nel Museo Archeologico di Tuscania.

Varietà b: vasca ovoide profonda con pareti arrotondate; largo piede. Decorazione: interamente verniciato, ad eccezione di una fascia risparmiata sulla spalla (h 6,6-10,2 cm).

- Distribuzione:

Veio, Macchia della Comunità t. 34, (V.MC.34/5): inedito, (*app. 1, n. 105; tav. 28.5*).
Veio, Macchia della Comunità t. 39, (V.MC.39/3): inedito, (*app. 1, n. 106*).
Veio, Macchia della Comunità t. 67, (V.MC.67/3): inedito, (*app. 1, n. 107*).
Veio, Pozzuolo t. 2, (V.Pz.2/8): inedito, (*app. 1, n. 108*).
Veio, Pozzuolo t. 6, (V.Pz.6/2): inedito, (*app. 1, n. 109*).
Veio, Pozzuolo t. 8, (V.Pz.8/5): inedito, (*app. 1, n. 110*).
Veio, Pozzuolo t. 8, (V.Pz.8/6): inedito, (*app. 1, n. 111*).
Tarquinia, Monterozzi t. XXV (scavi Cultrera), (T.M.25/8): CULTRERA 1930, p. 140, n. 13, fig. 22.
Tarquinia, Monterozzi t. XXV (scavi Cultrera), (T.M.25/9): CULTRERA 1930, p. 140, n. 14, fig. 22.
Tarquinia, Monterozzi t. XXV (scavi Cultrera), (T.M.25/10): CULTRERA 1930, p. 140, n. 15, fig. 22.
Tarquinia, Monterozzi t. XXV (scavi Cultrera), (T.M.25/11): CULTRERA 1930, p. 136, figg. 20-23; HENCKEN 1968, p. 394, p. 385, fig. 383.f.
Tarquinia, (T.a/242): CANCIANI 1974, p. 45, n. 10, tav. 33.10.

Varietà c: vasca ovoide profonda con pareti rastremate/leggermente arrotondate; piccolo piede. Decorazione: interamente verniciato, ad eccezione di una fascia risparmiata sulla spalla (h 6-7,5 cm).

- Distribuzione:

Veio, Casalaccio t. V, (V.C.V/5): VIGHI 1935, pp. 53-54, n. 20, fig. 5.
Tarquinia, Monterozzi t. LIX (scavi Cultrera), (T.M.49/2): CULTRERA 1930, p. 177, n. 2, fig. 57.
Tarquinia, (T.a/243): CANCIANI 1974, p. 45, n. 8, tav. 33.8.
Poggio Buco, Podere Insuglietti t. F, (PB.F/1): MATTEUCIG 1951, p. 40, n. 24, tav. XVI.5. (*tav. 28.6*)
Poggio Buco, (PB.a/59): BARTOLONI 1972, gruppo B, p. 164, n. 6, p. 169, fig. 83, tav. CXIII a.

Varietà d: vasca ovoide bassa con pareti rastremate. Decorazione: interamente verniciato, ad eccezione di una fascia risparmiata sulla spalla (h 4,5-7,5 cm).

- Distribuzione:

Volusia, (Vo.4/3): CARBONARA *et al.* 1996, p. 69, n. 56, figg. 127-127a.

Volusia, (Vo.5/3): CARBONARA *et al.* 1996, p. 77, n. 6, figg. 141-141a.
Cerveteri, Monte Abatone t. 89, (C.MA.89/20): A. PUGNETTI, in *Milano* 1986a, p. 60, n. 49, p. 61, fig. 49. (*tav. 28.7*)
Cerveteri, Monte Abatone t. 89, (C.MA.89/21): A. PUGNETTI, in *Milano* 1986a, p. 60, n. 50, p. 61, fig. 50.
Cerveteri, Bufolareccia t. 86 (camera lat. sin.), (C.Bu.86/7): RASMUSSEN 1979, p. 16, n. 6.28; COEN 1991, p. 28, n. 70, tav. XXb.

Variante:
Cerveteri Laghetto I t. 64, (C.L.64/6): CAVAGNARO VANONI 1966, n. 7, p. 89; ALBERICI VARINI 1999, n. 65, p. 50, tav. XLVIII, fig. 67. (*tav. 28.8*)

Varietà e: vasca ovoide profonda con pareti rastremate. Decorazione: labbro dipinto; sulla vasca fascia/fasce, presso il fondo raggi (h 8 cm ca).

- Distribuzione:

Veio, Macchia della Comunità t. 12, (V.MC.12/3): inedito, (*app. 1, n. 112*).
Poggio Buco, Podere Sadun t. VII, (PB.VII/2): BARTOLONI 1972 p. 83, n. 31, p. 85, fig. 38, tav. XLVc. (*tav. 28.4*)

Genericamente riferibili al tipo 1:
Cerveteri, Bufolareccia, t. a camera 60 (prima dep.), (C.Bu.60/1): CAVAGNARO VANONI 1966, p. 15, n. 4; M. CAZZOLA, in BAGNASCO GIANNI 2002, p. 356, n. 12.
Cerveteri, Bufolareccia, t. a camera 60 (prima dep.), (C.Bu.60/2): CAVAGNARO VANONI 1966, p. 15, n. 4; M. CAZZOLA, in BAGNASCO GIANNI 2002, p. 356, n. 13.
Cerveteri, Laghetto I t. a camera 139, (C.L.139/1) (varietà b-d): CAVAGNARO VANONI 1966, p. 107, n. 2.
Tarquinia, (T.a/234): TANCI, TORTOIOLI 2002, p. 102, n. 169.
Tarquinia, (T.a/235): TANCI, TORTOIOLI 2002, p. 102, n. 170.
Tarquinia, (T.a/236): TANCI, TORTOIOLI 2002, p. 102, n. 171.
Tarquinia, (T.a/237): TANCI, TORTOIOLI 2002, p. 103, n. 172.
Tarquinia, (T.a/238): TANCI, TORTOIOLI 2002, p. 103, n. 173.
Tarquinia, (T.a/239): TANCI, TORTOIOLI 2002, p. 103, n. 174.

Limitatamente ai centri in analisi, esiste un'ingente documentazione di skyphoi a fascia risparmiata, ritenuti come l'evoluzione finale delle coppe di tipo *Thapsos* senza pannello[266]. Le varietà b, c, d, individuate in base alla forma della vasca e del labbro, presentano decorazione canonica e sono attestate inoltre nella produzione del corinzio antico[267]. Le attestazioni si concentrano a Veio, Tarquinia e Cerveteri, a queste sono da aggiungersi due esemplari da Poggio Buco e uno da Vulci. La cronologia dei contesti suggerisce la pressoché contemporanea diffusione tra le varietà, il cui inizio è da collocarsi con certezza, nel caso delle varietà b e d, nel corso dell'orientalizzante medio avanzato, per perdurare fino alla fine del VII sec. a.C.

---

[266] *Corinth* VII:1, p. 72; D'AGOSTINO 1968, p. 97.
[267] Cfr. exx per la varietà b: *Pithekoussai* I, p. 251, n. 2, tav. 87.2 (t. 193); per la varietà d: *Corinth* VII:1, p. 67, n. 278, tav. 36; *Pithekoussai* I, p. 337, n. 2, tav. 109.2 (t. 279).

Per la presenza di decorazione inserita nella fascia a risparmio, si distaccano dalla sintassi decorativa dominante la varietà a, attestata da esemplari della Raccolta Comunale tarquiniese e da quelli deposti in corredi dell'orientalizzante recente di Cerveteri e Veio, e la varietà e con fascia ondulata alla base, documentata da un esemplare dalla t. 12 di Macchia della Comunità a Veio e da uno dalla t. VII di Poggio Buco. In particolar modo, al nucleo afferente alla varietà a con decorazione costituita da gruppi distanziati di tratti verticali è assimilabile una coppia di esemplari da Populonia[268], per i quali, data la vasta distribuzione degli omologhi meridionali, non è possibile puntualizzare l'originario luogo di produzione, al di là di una generica attribuzione ad *ateliers* etrusco-meridionali. La distribuzione omogenea delle presenza, eccettuato un picco a Veio probabilmente imputabile alla maggiore consistenza del campione analizzato, fa supporre l'esistenza di officine locali operanti nelle stessa Veio, a Cerveteri e a Tarquinia. In quest'ultimo centro già F. Canciani aveva individuato una bottega responsabile della produzione di skyphoi a fascia risparmiata, al cui nucleo aveva inoltre aggregato anche un esemplare, qui afferente al gruppo Bb (T.a/233). In genere, gli skyphoi a fascia risparmiata rientrano tra le produzioni più correnti, ampiamente diffuse in tutto il comparto medio tirrenico, in Campania[269], nel Lazio e nell'agro falisco; in Etruria il tipo è inoltre presente con esemplari in bucchero che ne condividono la cronologia[270].

---

[268] Dalla t. dei Vasi Fittili nella necropoli di Poggio delle Granate e da una t. a camera del sepolcreto di Poggio della Porcareccia (Martelli 1981, p. 404, tav. LXXXVIII.5-6, in part. p. 404, nota 11, con bibl. prec.); in particolare l'ex. di Poggio delle Granate rappresenta un *trait d'union* con le serie etrusco-corinzie, per l'impiego di fasce purpuree sovradipinte.

[269] Per comodità di esposizione si riportano i confronti, contestualmente ad ogni varietà. Bc 1a: coppa da Decima, t. 108 in particolar modo vicina a T.a/240 (Cordano 1975, p. 395, n. 1, figg. 36.1-37), ed ex. dalla t. 68 bis, ancora della metà del VII sec. a.C, prossimo a V.MC. VII/6 (Bartoloni 1975, p. 350, n. 4, figg. 141 bis.4, 145.4). Per le varianti con raggi alla base si segnalano alcuni exx. campani dalla t. 304 di *Calatia*, necropoli nord-orientale (Laforgia 2003, p. 165, n. 153, figg. 145-146) e dalla t. 1357 del sepolcreto di San Valentino Torio (De Spagnolis 2001, p.129, n. 31, fig. 83). Bc 1b: exx. da Roma, Sacra Via t. I (Gjerstad 1956, p. 133, n. 10, fig. 127. 10), e da Osteria Dell'Osa, t. 520 (Bietti Sestieri, De Santis 1992, p. 841, n. 9, fig. 3c.49.9, tipo 102 d), entrambe databili nel secondo quarto del VII sec. a.C. Bc 1c: skyphoi da Roma Sacra via t. K (Gjerstad 1956, p. 135, n. 5, fig. 132.5) e da Osteria Dell'Osa, tt. 343 (Bietti Sestieri, De Santis 1992, p. 843, n. 4, fig. 3c.52.4, tipo 102 d varI) e 115 (Eaedem, p. 843, n. 7, fig. 3c.55.7). Bc 1d: coppe da Roma, Sacra Via t. I (Gjerstad 1956, p. 133, n. 9, fig. 127.9) e la già citata t. K (Idem, p. 137, n. 6, fig. 132.6), da *Fidenae,* sporadico (*Roma* 1976, cat. 47, p. 149, n. 1, tav. XXIII.E.1), e da Osteria Dell'Osa, t. 562 (Bietti Sestieri, De Santis 1992, p. 840, n. 5, fig. 3c.46.5, tipo 102 d var II). Bc 1e: Osteria Dell'Osa, t. 115 (Bietti Sestieri, De Santis 1992, p. 843, n. 6, fig. 3c.55.6); Narce, t. 64B (Hall Dohan 1942, p. 75, n. 30, tav. XXXIX.30). Per la Campania, si ricordano alcune attestazioni da Capua: coppa sporadica (Mingazzini 1969, p. 5, n. 6, tav. 2.6) ed ex. nella t. 548 (Johannowsky 1983, p. 173, nn. 9-10, tav. LIII.2-4).

[270] Rasmussen 1979, tipo 1c, p. 118, tav. 37.

TIPO Bc 2: spalla arrotondata compressa; vasca molto bassa (kylix) (h 3,5-5 cm). (*tav. 28*)

- Distribuzione:

Veio, Picazzano t. XVI, (V.P.XVI/3): PALM 1952, p. 58, n. 13, tav. III.13; FELETTI MAJ 1953, p. 10, n. 7, tav. 10.7, con bibl. prec.
Veio, Pozzuolo t. 7, (V.Pz.7/4): inedito, (*app. 1, n. 113*).
Cerveteri, Monte Abatone t. 77, (C.MA.77/3): B. BOSIO, in *Milano* 1986a, p. 44, n. 18, fig. 18. (*tav. 28.9*)
Poggio Buco, Podere Sadun t. C, (PB.C/5): MATTEUCIG 1951, p. 31, n. 25, tav. VIII.14.

La forma estremamente bassa con spalla compressa rende il tipo pienamente assimilabile alla kylix, molto probabilmente derivata da modelli PCM[271]; a differenza del tipo precedente, la sua diffusione sembra interessare la fase media dell'orientalizzante.

Bc *unica*:
Tarquinia, (T.a/244): CANCIANI 1974, p. 41, n. 1, tav. 32.1. (*tav. 28.10*)
Tarquinia, (T.a/245): CANCIANI 1974, p. 41, n. 2, tav. 32.2. (*tav. 28.11*)

La coppia di esemplari tarquiniesi dal profilo indistinto (T.a/244-245), con forti interferenze con quella della kotyle, non è al momento puntualmente tipologizzabile; per l'esemplare T.a/244 si possono, tuttavia, richiamare confronti con una coppa deposta nella t. VB di Narce, ascrivibile all'orientalizzante antico[272].

Esemplari non tipologizzabili:
Veio, Vaccareccia, (V.V./18): PAPI 1988, p. 120, n. 13.
Veio, Riserva del Bagno t. II, (V.R.II/4): inedito, (*app. 1, n. 114*).
Cerveteri, Banditaccia t. 403 a camera, (C.B.403/1): RICCI 1955, c. 917, n. 4.
Cerveteri, Laghetto I t. a camera 139, (C.L.139/2): CAVAGNARO VANONI 1966, p. 107, n. 1; MODENESE 1997, tav. I; MARTELLI 2001, pp.11,18, nota 41.
Cerveteri, Laghetto I t. a camera 142, (C.L.142/5): CAVAGNARO VANONI 1966, p. 109; C. DUCA, in BAGNASCO GIANNI 2002, p. 62, n. 12.
Cerveteri, Bufolareccia t. a camera 94, (C.Bu.94/4): CAVAGNARO VANONI 1966, p. 22, n. 1.
Cerveteri, tumulo di Montetosto (cam. dx., III), (C.tM): RIZZO 1989b, p. 160, tav. Vc.
Vulci, Mandrione di Cavalupo, t. B, (Vu.C.B/2): FALCONI AMORELLI 1969, p. 197, n. 17, tav. XXXVII b; FALCONI AMORELLI 1977, p. 75, tav. XXVIII.e.
Provenienza sconosciuta, (PS/126): ALBIZZATI 1924-1929, p. 11, n. 44, con bibl.

---

[271] Exx. PCM dalla t. 470 di Pitecusa (*Pithekoussai* I, p. 472, n. 2, tav.139.2) e da Corinto (*Corinth* VII: 1, p. 39, n. 121, tav. 17), quest'ultimo molto vicino a V.P.XVI/3; più recente risulta lo skyphos del tardo protocorinzio da Francavilla Marittima (F. VAN DER WIELEN, "scheda 30", in VAN DER WIELEN-VAN OMMEREN, DE LACHENAL 2006, p. 252, n. 30, fig. 13.29).

[272] DAVISON 1972, p. 43, n. 18, tav. VI.e.

II.2.15 *Kotylai* (*tavv.* 29-30)

		Famiglie morfologiche		
		A: larga vasca ovoide	B: profonda vasca ovoide	C: profonda vasca ovoide rastremata
Famiglie decorative	a: dec. di tipo metopale, vasca dipinta	gruppo Aa: tipi 1-3		
	b: dec. di tipo continuo/ a pannello, vasca dipinta	gruppo Ab	gruppo Bb: tipi 1-4	gruppo Cb
	c dec. di tipo continuo/ a pannello, sulla vasca raggi		gruppo Bc	gruppo Cc: tipi 1-2

Assente nel repertorio morfologico villanoviano, la kotyle è recepita precocemente in Etruria dal mondo greco già nel corso del terzo quarto dell'VIII sec. a.C., tramite l'importazione, seguita a breve dall'imitazione, di modelli tardo-geometrici[273]. Con l'età orientalizzante si verifica un sensibile incremento numerico delle attestazioni, ora esclusivamente imitanti modelli protocorinzi[274]: a differenza di altre forme di ascendenza ellenica, nel caso delle kotylai il processo di appropriazione presenta scarsi spunti di originalità, testimoniati solo dall'utilizzo di motivi decorativi anomali laddove è consuetudine la pedissequa ripetizione morfologica e decorativa dei prototipi corinzi. La forma è inoltre accolta sin dagli inizi del VII sec. a.C. nella produzione d'impasto e successivamente nelle serie in bucchero, inizialmente con forme più ovoidi e arrotondate, assimilabili alle kotylai del Gruppo B[275], e poi con fogge più slanciate, vicine ai modelli TPC adottati nel Gruppo C[276].

Gruppo Aa: vasca ovoide piuttosto larga; fondo indistinto/profilato. Decorazione di tipo metopale tra le anse; sulla vasca fasce e metà inferiore dipinta/interamente verniciata; tratti sulle anse.

---

[273] Per la diffusione delle kotylai TG in Etruria: Dehl 1984, con necessarie integrazioni in Martelli 1989, p. 797, n. I (ex. dalla t. 841 di Casale del Fosso a Veio). Un esempio di precoce assimilazione della forma è costituito dagli exx. deposti nella t. del Guerriero di Tarquinia (*Berlin* 1988, p. 69, n. A.4.61, con bibl.) e nella t. del Guerriero della Polledrara a Vulci (Moretti Sgubini 2004, p. 154, n. II.e.2).

[274] Per lo sviluppo della kotyle in Grecia, si veda *Agora* VIII, p. 50 e Brokaw 1964, in part. p. 51 in cui si traccia l'evoluzione morfologica della coppa: alle prime attestazioni di *broad kotyle* comparse prima del 725 a.C., come mostra l'associazione ad aryballoi globulari nelle stratigrafie di Itaca, segue l'apparizione della *tall kotyle* attorno 725 a.C., orizzonte cui si datano i due più antichi exx. noti, rispettivamente deposti nelle tt. 233 di Pitecusa e 103 bis di Fondo Artiaco a Cuma (Gabrici 1913a, c. 274, fig. 58); si accentua poi la tendenza già percepibile alla fine del secolo, verso forme più profonde e rastremate, come quelle presenti nelle tt. 11 e 27 del *Phaleron* (Young 1942, p. 29, fig. 6; p. 31, fig. 13) rinvenute insieme ad aryballoi ovoidi.

[275] Rasmussen 1979, tipo b, pp. 93-94, tav. 25.

[276] Rasmussen 1979, tipo c, p. 93, tav. 25.

Questo primo raggruppamento accoglie al suo interno un nutrito gruppo di kotylai di prevalente provenienza tarquiniese e vulcente. Al gruppo bisogna accostare, per dovere di esaustività, un nucleo di cinque kotylai a meandro spezzato attribuito da S. Bruni ad un'officina locale, responsabile inoltre della realizzazione di uno skyphos di tipo *Thapsos* non canonico deposto nella t. 8 di Poggio Gallinaro, databile nel primo quarto del VII sec. a.C.[277].

Tipo Aa 1: metope campite da uccelli resi a silhouette, vasca dipinta (h 5,7-7,6 cm). (*tav. 29*)

- Distribuzione:

Tarquinia, (T.a/246): Ricci Portoghesi 1968, p. 317; Canciani 1974 p. 46, n. 5, tav. 34.5.

Tarquinia, (T.a/247): Ricci Portoghesi 1968, p. 317; Canciani 1974, p. 46, n. 6, tav. 34.6. (*tav. 29.1*)

Variante:

Tarquinia, (T.a/248): Canciani 1974, p. 46, n. 7, tav. 34.7. (*tav. 29.2*)

Il tipo appare costituito da due esemplari della Raccolta comunale tarquiniese, a cui si accostano due esemplari da Tarquinia e una kotyle da Capena, già riconosciuta da F. Canciani come importazione[278]; ugualmente tarquiniese risulta la variante caratterizzata dall'assenza di figure di volatili[279]. F. Canciani, sottolineando l'omogenea provenienza dei vasi nonché l'uniformità di decorazione e argilla, aveva già individuato l'esistenza di un'unica officina responsabile della produzione. L'ipotesi è stata ripresa e ampliata da Stefano Bruni che ha messo in relazione all'attività dell'atelier due kotylai (T.M.83/5, T.a/252), qui identificate come tipo Aa 3, e i due attingitoi T.a/175-176 (tipo Aa 3). Morfologicamente il modello è costituito dalle kotylai PCA[280].

Tipo Aa 2: metope decorate da uccelli con corpo campito linearmente/a silhouette affrontati/in posizione paratattica ai lati di elementi a nastro tratteggiato; sulla vasca linee; metà inferiore dipinta (h 7-9 cm).

- Distribuzione:

Tarquinia, (T.a/249): Canciani 1974,p. 49, n. 2, tav. 36.2.

Tarquinia, (T.a/250): Canciani 1974, p. 48; n. 1, fig. 9, tav. 36.1. (*tav. 29.3*)

Tarquinia, (T.a/251): Jacopi 1955, tav. 2.6

---

[277] Quattro di queste sono conservate nella Raccolta Comunale tarquiniese (Canciani 1974, pp. 45-46, nn. 1-4, tav. 34.1-4), mentre il quinto ex. proviene da Barbarano (Caruso 1986, p. 133, tav. LIX.4). Bruni 1994, pp. 306-307, nota 90.

[278] Tanci, Tortoioli 2002, p. 114 con bibl.

[279] Gli uccelli campiti in nero sono rari in ambiente euboico: si segnalano alcuni esempi da Eretria (Andriomenou 1975, tav. 57.a; Andriomenou 1981a, p. 87, tav. 17.22-23) ed inoltre frammenti dal sito de La Castellina (Toti 1967, pp. 71, 85, fig. 7.3).

[280] La forma è genericamente assimilabile alle kotylai a vasca profonda ma piuttosto larga PCA, di cui un esempio con decorazione costituita da serpente da *Aetos*: Benton 1953, p. 282, n. 685, fig. 10; per tratti verticali sulle anse: Idem tav 42, 666-669.

Tuscania, Pian di Mola t. della c.d. Raccolta Comunale, (Tu.PM.R/4): RUGGIERI, MORETTI SGUBINI 1986, p. 238, nota 11, tav. XCVII.3.
Tuscania, Pian di Mola t. 3 del 20/2/1973, (Tu.PM.3/3): RUGGIERI, MORETTI SGUBINI 1986, p. 238, nota 11, tav. XCVII.1.
Poggio Buco, (PB.a/60): MANGANI, PAOLETTI 1986, p. 37, n.5, tav. 31.5.
Poggio Buco, (PB.a/61): MANGANI, PAOLETTI 1986, p. 37, n.6, tav. 31.6.
Poggio Buco, (PB.a/62): MANGANI, PAOLETTI 1986 , p. 36, n. 1, fig. 33, tav. 31.1.
Poggio Buco, (PB.a/63): MANGANI, PAOLETTI 1986, p. 37, n. 4, fig. 34, tav. 31.4.
Poggio Buco, (PB.a/64): BARTOLONI 1972, gruppo E, p. 200, n. 1, p. 201, fig. 100, tav. CXXXVIII.a.
Territorio di Vulci, (Vu t/19): CHELINI 2004, p. 57, n. 38, tav. VII.38.
Territorio di Vulci, (Vu t/20): CHELINI 2004, p. 57, n. 39, tav. VII.39.
Provenienza sconosciuta, (Collezione Orsini), (PS/127): MANGANI 1994, p. 116, n. 7, fig. 2.3.
Provenienza sconosciuta, (PS/128): *Art of Ancient World*, X, New York-London, 2000, n. 157; *Art of Ancient World*, XII, New York. London, 2002, n. 83.

Sempre a Tarquinia è stata attribuita da F. Canciani la produzione di un nutrito nucleo di kotylai costituenti il tipo Aa 2; tuttavia, è possibile avanzare una più aggiornata lettura, fondata sulla distribuzione della documentazione, ora sensibilmente accresciuta rispetto al quadro noto allo studioso. Delle quattordici kotylai note dalla bibliografia, solo due risultano di probabile provenienza tarquiniese, mentre ben cinque sono attestate a Poggio Buco; tra queste ultime, le quattro conservate nel museo di Grosseto appaiono riconducibili ad una stessa bottega, in base all'analisi autoptica delle argille e della tecnica. Un'origine dall'agro vulcente è inoltre altamente plausibile per la coppia conservata all'Antiquarium di Orbetello (Vu t/19-20). Al *dossier* appartengono, poi, due esemplari provenienti da due tombe tuscaniesi databili intorno al 700 a.C. (Tu.PM.R/4; Tu.PM.3/3). Alla luce dei dati, sembra quindi possibile ipotizzare l'esistenza di almeno un *atelier* operante nel vulcente[281], da cui sono usciti gli esemplari di Poggio Buco, se non quelli di Tuscania, centro caratterizzato nell'orientalizzante antico da una forte impronta vulcente. All'elenco delle attestazioni sono inoltre da aggiungere una coppa dal mercato antiquario e due kotylai inedite di provenienza sconosciuta conservate a Bonn, nell'Akademisches Kunstmuseum (inv. 486) e ad Amburgo nel *Museum fur Kunst und Gewerbe*[282]. Gli unici dati cronologici disponibili sono quelli offerti dai contesti tuscaniesi, che orientano per una collocazione della serie verso la fine dell'VIII sec. a.C, con possibile perdurare anche nel corso del primo quarto

---

281 Un'origine vulcente, o per lo meno una dipendenza dalla produzione vulcente, già proposta da S. Bruni che ne ha circoscritto l'ambito al Pittore Argivo (BRUNI 1994, p.307, nota 90), è stata ribadita in occasione della recente edizione della Raccolta comunali, portando a supporto le affinità del tipo di uccello con il noto Cratere di Pescia Romana (TANCI, TORTOIOLI 2002, p. 121)

282 MANGANI, PAOLETTI 1986, pp. 36-37.

del secolo successivo. La decorazione ha precedenti nelle kotylai emisferiche con uccelli in quadri metopali di ascendenza attica[283] probabilmente riadattatati tramite versioni locali, al cui riguardo sono state segnalate le due kotylai a vasca poco profonda nell'Antiquarium di Orbetello provenienti dall'agro cosano (Vu t/19-20)[284]. Più in generale, il modulo degli uccelli affrontati è diffuso nella ceramica euboico-cicladica tardo-geometrica[285] e ancor più vasta fortuna incontra la decorazione delle anse con gruppi di tratti[286]; la forma, invece, è di derivazione PCA. In Etruria l'uccello con coda ricurva in basso di tradizione euboica compare, inoltre, associato alla medesima fascia a tratteggio, su un'olletta inedita del Museo di Chiusi inv. 712 (di probabile origine visentina)[287].

TIPO Aa 3: metope scandite da tremoli verticali e campite da motivi a farfalla (h 5,7-7,8 cm).

- Distribuzione:

Tarquinia, Monterozzi t. XLIII (scavi Cultrera), (T.M.43/2): CULTRERA 1930. p. 156, n. 1, fig. 36.

Tarquinia, Monterozzi tumulo Zanobi (t. Romanelli LXXXIII), (T.M.83/5): CANCIANI 1974, p. 46, n. 8, tav. 34.8, con bibl. prec.; da ultimo PALMIERI 2005, p. 12, nota 34, fig. 6.b. (*tav. 29.4*)

Tarquinia, (T.a/252): CANCIANI 1974, p. 46, n. 9, tav. 34.9, con bibl. prec.

Riferibile al gruppo Aa:

Barbarano Romano, Caiolo, Tumulo I t. B (camera), (BA.I/3): CARUSO 1986, p. 133, tav. LIX.4; CARUSO 2000, p. 249, tav. II.d.

GRUPPO Ab: vasca ovoide piuttosto larga; fondo indistinto/profilato. Decorazione di tipo continuo. (*tav. 29*)

- Distribuzione:

Veio, Vaccareccia, t. X, (V.V.X/3): PALM 1952, p. 66, n. 20, tav. XXI.20; FELLETTI MAJ 1953, p. 10, n. 5, tav. 10.5, con bibl. prec. (*tav. 29.5*)

---

283 NEEFT 1975, p. 108, fig. 111.4a.

284 MANGANI, PAOLETTI 1986, p. 36; accenno in CRISTOFANI 1977, p. 246.

285 Uccelli a tratteggio affrontati in metope compaiono in ambito cicladico su skyphoi (*Delos* XV, p. 63, 69, tav XXX. 69 e n. 72, p. 62, tav. XXXI.72) kantharoi (*Delos* XV, p. 65, nn. 84 e 87,tav. XXXII.84, 87) ed, inoltre, su un cospicuo gruppo di vasi euboici inserito da J. N. Coldstream nella corrente atticizzante, tra i quali una brocca da Ischia con uccello molto simile in metopa (COLDSTREAM 1968a, tav 41.d), una brocca da Eretria (IDEM, tav. 41.c), un'anfora euboica da Atene, con due volatili affrontati in metopa (IDEM, tav. 41.e, p. 192-193) e uno skyphos con due uccelli ai lati di una metopa con quadrifoglio (IDEM, tav. 40.a). Generosa risulta la documentazione da Eretria (a titolo d'es.: ANDRIOMENOU 1981a, tavv. 23.76, 33.267-275). Si ricorda, inoltre, un airone con corpo a tratteggio e occhio risparmiato inquadrato metopalmente tra due gruppi di tratti verticali su un frammento di kotyle da *Aetos* (BENTON 1953, n. 688, p. 283, fig. 10). Per il motivo in Etruria: COLONNA 1980, tavv. II-IV.

286 Tratti sulle anse, di lontana ascendenza attica, appaiono propri delle kotylai *Aetos* 666, e rimangono in uso a Corinto fino all'inizio del PCM (NEEFT 1975).

287 MANGANI, PAOLETTI 1986, p. 36, comm. a tav. 31.3.

La kotyle della t. X di Vaccareccia (Ab), sebbene priva di decorazione metopale sostituita da una serie continua di tratti convergenti, è assimilabile agli esemplari tarquiniesi per la forma, con vasca ampia e fondo indistinto, e per la presenza di tratti sulle anse. Una probabile origine da questo centro non risulterebbe tuttavia un fenomeno isolato, data la presenza nella t. VIII della stessa necropoli di Vaccareccia di uno skyphos riconosciuto come produzione tarquiniese da F. Canciani (V.V.VIII/2, tipo Bb 1).

Gruppo Bb: vasca ovoide profonda; piede ad anello/a disco (*tall kotyle*). Decorazione di tipo continuo/a pannello; sulla vasca linee e porzione inferiore dipinta.

Malgrado i limiti imposti dalla rappresentatività degli esemplari considerati, l'articolazione in tipi proposta sembra riflettere una coerente distribuzione geografica, confermando l'ipotesi di un'apertura dei singoli centri etrusco-meridionali a specifici tipi di importazione, presto seguiti da imitazioni locali, avanzata da M. Martelli[288] e poi ribadita da S. Bruni[289].

Tipo Bb 1: vasca ovoide piuttosto larga. Decorazione: sotto l'orlo fila di esse correnti (h 5,5 cm). (*tav. 29*)

- Distribuzione:

Veio, Casalaccio, t. III, (V.C.III/9): Vighi 1935, p. 49, n. 28, tav. 3/I. (*tav. 29.6*)
Cerveteri, Banditaccia t. dell'Affienatora, (C.B.A/2): Martelli 1987a, p. 6, fig. 33.

Senza puntuali corrispondenti decorativi nella produzione protocorinzia[290] è la kotyle con motivo di esse coricate fra le anse di tipo Bb 1, rappresentata da un esemplare dalla t. III della necropoli veiente di Casalaccio, databile attorno al 675 a.C., e da uno dalla tombe dell'Affienatora, contenente inoltre un'anfora attribuita da M. Martelli al Pittore delle Gru (C.B.A/1, vicino al tipo Ab 3) ascritta al primo quarto del VII sec. a.C. Il motivo, poco rappresentato in relazione a questa forma, appare invece ampiamente diffuso su anfore, olle e oinochoai.

Tipo Bb 2: vasca ovoide profonda. Decorazione: fra le anse pannello campito da motivo a losanghe puntinate (h 8-8,8 cm).

- Distribuzione:

Veio, Monte Michele, (V.MM/4): Cristofani 1969, p. 50, n. 7, p. 51, fig. 25, tav. XXV.5; C.G. Cianferoni, in *Atene* 2003, p. 351, n. 466. (*tav. 29.7*)
Veio, Macchia della Comunità t. IV, (V.MC.IV/3): Adriani 1930, p. 51, n. 7, tav. I.h.

---

[288] Martelli 1989, p. 797.

[289] Bruni 1994, p. 301.

[290] Il motivo delle esse coricate, ma con accentuata sinuosità, compare, in associazione ad una decorazione esuberante della vasca con raggi alla base, su una kotyle protoattica di imitazione corinzia, databile attorno alla metà del VII sec. a.C., dall'*Agora* di Atene (Young 1939, p. 149, C 31, fig. 104.C 31).

Cerveteri, Laghetto I t. a camera 163, (C.L.163/7)?: CAVAGNARO VANONI 1966, p. 118, n. 7.

Le kotylai PCA con losanga puntinata nel pannello centrale sono note da scarse attestazioni che, distribuite tra il Lazio, Cerveteri e Veio, si concentrano in quest'ultimo centro[291]. Alla luce dei dati noti, Veio sembra inoltre l'unico sito ad aver restituito delle imitazioni, con ogni probabilità locali, qui individuate nel tipo Bb 2. Delle due kotylai considerate solo quella proveniente dalla t. IV di Macchia della Comunità presenta delle associazioni di corredo, che la collocano nel primo quarto del VII sec. a.C.

TIPO Bb 3: vasca ovoide poco profonda/profonda. Decorazione: tra le anse pannello campito con fila di sigma. (*tav. 29*)

Varietà a: vasca poco profonda (h 9,2-11 cm).

- Distribuzione:

Tarquinia, Monterozzi t. 6337, (T.M.6337/3): CATALDI 2001 , p. 96, n. 17, p. 99, fig. 119.
Tarquinia, Monterozzi t. 6337, (T.M.6337/5): CATALDI 2001, p. 96, n. 22, p. 99 , fig. 119.
Tarquinia, Monterozzi t. 6337, (T.M.6337/4): CATALDI 2001, p. 96, p. 99, fig. 119.
Tarquinia, (T.a/253): CANCIANI 1974, p. 47, n. 1, tav. 35.1; F. COLIVICCHI, in *Venezia* 2000, p. 600, n. 185.2. (*tav. 29.8*)
Tarquinia, (T.a/254): CANCIANI 1974, p. 48, n. 3, tav. 35.3.
Tarquinia, (T.a/255): CANCIANI 1974, p. 48, n. 5, tav. 35.5.
Tarquinia, (T.a/256): CANCIANI 1974,p. 48, fig. 8, n. 6, tav. 35.6.

Varietà b: vasca profonda (h 8-12,5 cm).

- Distribuzione:

Tarquinia, (T.a/257): CANCIANI 1974, p. 47, n. 2, tav. 35.2.
Tarquinia, (T.a/258): CANCIANI 1974, p. 48, n. 4, tav. 35.4.
Tarquinia, (T.a/259): CANCIANI 1974,p. 48, n. 7, tav. 35.7. (*tav. 29.9*)

Varianti:

Provenienza sconosciuta, (PS/129): LO PORTO 1969, p. 3, n. 4, tav. 1.4. (*tav. 29.10*)
Provenienza sconosciuta, (PS/130): DE PUMA 2000, p. 1, tav. 464.1-4. (*tav. 29.11*)

Probabilmente riferibile al tipo:

Cerveteri, Banditaccia t. a fossa 69, (C.B.69/1): RICCI 1955, c. 481, n. 1.

Più consistente appare il nucleo di kotylai con pannello con sigma (Bb 3), ispirate a modelli del PCA[292]: i tredici esemplari sono suddivisi in due varietà e

---

[291] Il tipo è ora attestato anche a Tarquinia, nel corredo della t. 1 di Poggio Cretoncini (CATALDI 2000, p. 78, n. 17, fig. 17).

[292] La kotyle con pannello a sigma, decorazione che compare già nell'ex. più antico di *tall kotyle* (Pitecusa, t. 233), è fra le più diffuse nella prima metà del VII sec. a.C. sia in Grecia, che nelle colonie (BROKAW 1964, p. 52, nota 52); a titolo di es. si ricordano gli exx. *Perachora* II, p. 69, nn. 556-557, tav. 27. 556-557; JOHANSEN 1923, tav. 9.2; BENTON 1953, p. 283, n. 677, tav. 42; ROBERTSON 1948, p. 12, n. 26, tav. 2.26; *Megara Hyblaea* II, tav. 20.6; *Kerameikos* V:1, tav. 132 (t. 98).

una variante; la distribuzione si addensa a Tarquinia. Solo per quattro kotylai si conosce il contesto di ritrovamento, ovvero la t. 6337, databile tra la fine dell'VIII e gli inizi del VII sec. a.C. La forma piuttosto larga della kotyle, più accentuata nella varietà a, trova confronto in un esemplare protocorinzio con decorazione assimilabile dal santuario di *Perachora*[293].

TIPO Bb 4: vasca ovoide profonda. Decorazione: tra le anse pannello decorato da fila di triangoli eretti reticolati (h 7-9 cm). (*tav. 29*)

- Distribuzione:

Veio, (UT 27), (V.27/2): NERI 2008, pp. 88, 108, fig. 2. (*tav. 29.12*)

Poggio Buco, (PB.a/65): BARTOLONI 1972, gruppo E, p. 200, n. 21, p. 201, fig. 100, tav. CXXXVIII b.

L'imitazione piuttosto fedele di moduli PCA è, inoltre, offerta dal più esiguo tipo Bb 4[294], al momento composto da due soli esemplari provenenti da Veio e Poggio Buco. Alcune divergenze decorative, come il diverso trattamento delle anse rispettivamente decorate da una fascia longitudinale e da tratti trasversali, non consentono di identificare con certezza, al di là della derivazione da modelli comuni, l'appartenenza alla medesima bottega. Il motivo caratterizzante con fila di triangoli reticolati fra le anse, associato però a diversi partiti decorativi della vasca, è presente anche nell'agro falisco su una kotyle *red on white* dalla t. 21 di Montarano N.N.E[295].

Ascrivibili al gruppo:

Veio, Grotta Gramiccia t. dei Leoni Ruggenti, (V.GG.1/3): BOITANI cds.

Veio, Casale del Fosso t. 1001, (V.CF. 1001/2): BURANELLI *et al.* 1997, pp. 76, 79, fig. 38. (*tav. 30.1*)

Veio, Vaccareccia, (V.V/19): PAPI 1988, p. 99, n. 7. (*tav. 30.4*)

Veio, Riserva del Bagno t. IV (delle Anatre), (V.R.IV/3): DE AGOSTINO 1964; RIZZO 1989c, p. 105, n. 3, fig. 44b; MEDORO 2003, p. 75, n. 88. (*tav. 30.2*)

Veio, (UT 37), (V.37/1): inedito, (*app. 1, n. 115; tav. 30.3*).

Veio, adespota (sequestro Isola Farnese), (V.a/6): COLONNA 1981, p. 258; MARTELLI 1989, p. 797, n. IV, tav. I.

Cerveteri, Banditaccia t. 176, (C.B.176/1): RICCI 1955, c. 643, n. 10.

Cerveteri, Laghetto I t. a camera 163, (C.L.163/6): CAVAGNARO VANONI 1966, p. 118, n. 6, tav. 42. (*tav. 30.5*).

Il nucleo, formato da alcuni esemplari veienti (C.F.1001/2, V.R.IV/3; V.37/19) con vasca larga e pannello, sembra ascrivibile senza dubbio a modelli

---

[293] *Perachora* II, n. 374, tav. 19.374.

[294] *Corinth* VII:1, p. 40, n. 124, tav. 17, anch'essa caratterizzata dallo stile corsivo e poco curato; un altro ex. PCA originale, ma con diabolo inserito ai lati del pannello dalla t. 152 di Pitecusa (*Pithekoussai* I, p. 189, n. 6, tav. 59.6).

[295] COZZA, PASQUI 1981, p. 56, n. 9 bis.

protocorinzi piuttosto antichi, come sembra del resto confermare la cronologia dei contesti di provenienza riferibile all'orientalizzante antico[296]. Fra questi l'esemplare di Casale del Fosso si diversifica leggermente per la rastrematura della parte inferiore, che evoca la tendenza al forte restringimento della vasca delineatosi in ambiente greco con la comparsa delle *pointed kotylai*, databili agli inizi del VII sec. a.C.[297] e ampiamente importate in Etruria a fianco delle normali *tall kotylai*, come testimoniato dalla loro associazione nel corredo del tumulo della Nave[298]. L'ex. V.GG.1/3, esempio di produzione locale di alta qualità, risulta al momento privo di confronti puntuali per l'eccezionale decorazione che associa alla fila di *soldiers birds* un serpente sinuoso dal corpo puntinato[299]. Il serpente di estrazione protocorinzia ricorre anche nella kotyle V.a/6[300] affiancato dalla generosa presenza di riempitivi a tridente, che sembrano richiamare da vicino l'opera del Pittore di Narce[301], cui questo esemplare potrebbe forse attribuirsi. Più slanciata e profonda è la vasca di due coppe rispettivamente provenienti dalla t. 163 del Laghetto e dalla Vaccareccia, probabilmente non molto distanti cronologicamente dal gruppo precedente.

Gruppo Bc: vasca ovoide profonda; piede ad anello/a disco (*tall kotyle*). Decorazione di tipo continuo/a pannello; sulla vasca linee/fascia, presso il fondo raggi. (*tav. 30*)

- Distribuzione:

Tarquinia, (T.a/260): Canciani 1974, p. 48, n. 8, tav. 35.8. (*tav. 30.6*)

Unicum:

Tarquinia, t. di Bocchoris, (T.B/2): Canciani 1974, p. 46, fig. 7, nn. 10-11, tav. 34.10-11 con bibl.; Canciani 1987, p. 252, n. 22, con aggiornamenti bibliografici; Hoffmann 2004, p. 95, n. I/52.a. (*tav. 30.7*)

---

[296] La stessa cronologia è condivisa da un ex. falisco assimilabile per forma e decorazione a pannello, in questo caso campito da zigzag multiplo orizzontale, proveniente dalla t. 3 del Quinto sepolcreto di Pizzo Piede (Baglione, De Lucia Brolli 1998, p. 148, fig. 12).

[297] Sulla datazione della *pointed kotyle*: Brokaw 1964, p. 52 a favore, assieme a S. Benton (Benton 1953, p. 281), di una cronologia alta della forma di contro a quella bassa, da porsi almeno nel secondo quarto del VII sec. a.C., precedentemente avanzata da R. S. Young (Young 1942, p. 38). Lo studioso, nella successiva edizione dei materiali dell'*Agora*, ha assunto come elemento di recenziorità la forma alta slanciata per una kotyle con sigma e raggi, datandola attorno alla metà del VII sec. a.C. (Young 1939, p. 144, n. C 12, fig. 102.C 12), ritenuta al contrario dalla Brokaw pertinente piuttosto al tipo della *pointed kotyle* diffusa agli inizi del secolo (Brokaw 1964, p. 52, nota 13).

[298] Brokaw 1964, p. 52, fig. 24.

[299] Boitani 2010, pp. 35, 47, fig. 19, con rif.

[300] Inizialmente ritenuto un'importazione PCM (Colonna 1981, p. 258), l'ex. è stato riconosciuto come frutto di manifattura locale da M. Martelli (Martelli 1989, p. 797, n. IV, tav. I).

[301] In part. l'olla PS/74 e il piatto V.GG.2/5.

Un inquadramento tipologico non sembra al momento possibile, data la scarsità numerica degli esemplari, per il gruppo Bc, che, pur condividendo con il raggruppamento precedente la forma della vasca profonda con pareti arrotondate, mostra invece una differente decorazione con cuspidi alla base[302]. Nel nucleo afferisce la celebre coppa dalla t. di Bocchoris, per la quale si rinvia all'attenta analisi condotta da F. Canciani[303], e il n. T.a/260, anch'esso di provenienza tarquiniese e probabile rielaborazione delle kotylai con pannello a sigma, in cui, risultando assente la delimitazione laterale, la campitura si estende fino alle anse decorate con tratti obliqui, quest'ultimi ampiamente diffusi su varie forme vascolari di produzione vulcente e tarquiniese; sebbene isolata nel repertorio tipologico locale, la kotyle trova confronto con produzioni attiche d'ispirazione protocorinzia[304].

Gruppo Cb: vasca ovoide profonda fortemente rastremata presso il fondo. Decorazione: sotto l'orlo pannello/decorazione di tipo continuo; sulla vasca line e porzione inferiore dipinta. (*tav. 30*)

A differenza degli esemplari precedenti imitanti le *tall kotylai* proprie del PCA e del PCM, quelli afferenti al gruppo C mostrano nella morfologia aspetti, quali la tendenza alla rastrematura della vasca e alla maggiore apertura della stessa, che le assimilano piuttosto alle *wide kotylai* diffuse in Grecia a partire dal terzo quarto del VII sec. a.C.[305]. La forma di queste kotylai è, dunque, ispirata a modelli TPC-transizionali[306].

- Distribuzione:

Veio, Macchia della Comunità t. 33, (V.MC.33/7): inedito, (*app. 1, n. 116; tav. 30.8*).
Pantano di Grano, t. 1 (riempimento), (PG.1/6): De Santis 1997, p. 124, n. 27, p. 125, fig. 15.26, con bibl. prec. (*tav. 30.9*)

Le due kotylai, pur condividendo la forma con gli esemplari del guppo Cc, sono caratterizzate dalla vasca dipinta (gruppo Cb). Di particolare interesse

---

302 Negli exx. greci la raggiera di cuspidi alla base compare alla fine dell'VIII sec. a.C., senza che questo comporti la scomparsa delle kotylai con vasca dipinta o decorata a bande; i tre tipi tendono a scomparire solo verso la metà del VII sec. a.C., quando diviene predominante l'uso di figure di grandi dimensioni già introdotte con lo stile a figure nere (Brokaw 1964, p. 52, nota 52).

303 Canciani 1974, p. 46, nn. 10-11, fig. 7, tav. 34; Canciani 1987, n. 22, p. 252 con bibl.

304 Young 1939, p. 148, C 24, fig. 103.C 24: pur dotata di pannello, condivide con l'ex. tarquiniese forma e sintassi decorativa.

305 Brokaw 1964, p. 54 con diffusione e bibl., in part. la studiosa segnala un precedente nell'ex. deposto nella t. 8/VIII del Ceramico, ancora databile nel secondo quarto del VII sec. a.C.

306 Cfr. kotyle da Francavilla Marittima, avvicinabile all'ex. PG/1 (F. Van Der Wielen, "scheda 1", in Van Der Wielen-Van Ommeren, De Lachenal 2006, pp. 223-224, n. 1, fig. 12.2).

risulta quella proveniente dalla t. 33 di Macchia della Comunità (V.MC.33/7), databile tra il 630 e il 610 a.C., per la decorazione tra le anse a fasce oblique tratteggiate, diffusa solitamente su altre forme vascolari, quali le situle con ansa a ponte.

Guppo Cc: vasca ovoide profonda stretta/larga, rastremata presso il fondo. Decorazione: sotto l'orlo pannello/decorazione di tipo continuo, sulla vasca linee/fascia e raggi presso il fondo.

Tipo Cc 1: vasca profonda. Decorazione: sotto l'orlo fascia ondulata; a metà della vasca gruppo di linee (h 8,5-10,8 cm). (*tav. 30*)

- Distribuzione:

Veio, Macchia della Comunità t. 42, (V.MC.42/2): inedito, (*app. 1, n. 117; tav. 30.10*).
Veio, Macchia della Comunità t. 49, (V.MC.49/3): inedito, (*app. 1, n. 118*).
Veio, Macchia della Comunità t. 67, (V.MC.67/4): inedito, (*app. 1, n. 119*).
Veio, Pozzuolo t. 7, (V.Pz.7/5) (?): inedito, (*app. 1, n. 120*).
Veio, (V.a/4): *Amsterdam* 1989, p. 213, n. 68.
Territorio di Vulci, (Vu.t/21): Chelini 2004, p. 578 n. 40, tav. VIII.40.

Tipo Cc 2: vasca larga e aperta. Decorazione: sotto l'orlo pannello variamente campito/fascia ondulata; a metà della vasca fascia. (*tav. 30*)

Varietà a: pannello con sigma (h 9,8-10,5 cm).

- Distribuzione:

Tarquinia, (T.a/261): Canciani 1974, p. 29, n. 4, tav. 36.4.
Tarquinia, (T.a/262): Canciani 1974, p. 49, n. 3, tav. 36.3 con bibl. (*tav. 30.11*)

Varietà b: pannello/decorazione aperta comprendente sigma, motivi a farfalle e ad uncino (h 9-9,7 cm).

- Distribuzione:

Veio, Macchia della Comunità t. 44, (V.MC.44/10): inedito, (*app. 1, n. 121; tav. 30.12*).
Veio, Macchia della Comunità t. 44, (V.MC.44/11): inedito, (*app. 1, n. 122*).
Volusia, t. 4 (dromos), (Vo.4/5): Carbonara *et al.* 1996, p. 69, n. 55, figg. 126-126a.
Tuscania, Ara del Tufo t. 27, (Tu.AT.27/1): esposta nel Museo Archeologico di Tuscania.
Variante: Veio, Macchia della Comunità t. 62, (V.MC.62/5): inedito, (*app. 1, n. 123*).

Varietà c: fascia odulata (h 7,9-8,7 cm).

- Distribuzione:

Veio, Pozzuolo t. 1, (V.Pz.1/6): inedito, (*app. 1, n. 124*).
Volusia t. 10, (Vo.10/3): Carbonara *et al.* 1996, p. 110, n. 29, figg. 209-209a. (*tav. 30.13*).

Nelle kotylai del gruppo Cc, morfologicamente ispirate a modelli TPC-Transizionali, piuttosto costanti appaiono i moduli decorativi, che prevedono in associazione ai raggi una fascia dipinta e decorazione tra le anse a pannello

(CC 2b), diffusa nei modelli transizionali[307] ma già attestata precedentemente[308], o a fascia ondulata (Cc 2c)[309]; un caso a parte è costituito da una coppia di kotylai conservate a Tarquinia (tipo Cc 2a), per le quali sono già stati sottolineati i rapporti con le produzioni attiche[310]. In sostituzione della fascia, compare nel tipo CC 1 un gruppo di linee, nei due casi noti associato alla fascia ondulata (tipo Cc 1)[311].

Tutti gli esemplari analizzati, ad eccezione del tipo Cc 2a, provengono da Veio o dal suo agro; non sembra sussistere uno scarto cronologico tra le suddivisioni tipologiche individuate, tutte inquadrabili nell'ultimo trentennio del VII sec. a.C., con l'unica eccezione della kotyle di tipo Cc 1 proveniente dalla t. 67 di Macchia della Comunità, assegnabile forse ancora all'orientalizzante medio: tali considerazioni inducono a ritenere queste kotylai come frutto di una produzione veiente. A questa fabbrica è forse possibile attribuire, in via del tutto ipotetica, l'esemplare allogeno deposto nella tomba populoniese dei Vasi Fittili[312].

Esemplari non tipologizzabili:
Veio, Pozzuolo t. 2, (V.Pz.2/9): inedito, (*app. 1, n. 125*).
Veio, Casalaccio t. II, (V.C.II/2): Vighi 1935, p. 46, n. 10.
Veio, Casalaccio t. V, (V.C.V/6): Vighi 1935, p. 54, n. 18.
Cerveteri, Banditaccia Tumulo I t. 2 (loculo destro), (C.B.2/4): Ricci 1955, c.226, n. 50.
Cerveteri, Laghetto I, t. a camera 66, (C.L.66/5): Cavagnaro Vanoni 1966, p. 92, n. 5; Alberici 1997, p. 20, n. 10, fig. 11, tav. XIII.
Tarquinia, Monterozzi t. XXXVIII (scavi Cultrera), (T.M.38/6): Cultrera 1930, p. 153, n. 4.
Tarquinia, Monterozzi t. XXXVIII (scavi Cultrera), (T.M.38/7): Cultrera 1930, p. 153, n. 5.

---

[307] *Perachora* II, p. 248, n. 2423, tav. 19.2423, in particolar modo avvicinabile all'ex. proveniente della t. 4 di Volusia (Vo.4/5); inoltre ex. di produzione locale da Capua, t. 540 (Johannowsky 1983, p. 173, n. 12, tav. LIV.9). Per la variante V.MC.62/5 un riscontro puntuale è costituito dalla coppia di kotylai deposte nella t. II di *Satricum* (*Roma* 1976, cat. 111, p. 338, n. 5, tav. XCI.B.5), datata ancora nel terzo quarto del VII sec. a.C.

[308] Dall'*Agora* di Atene ex. datato nella prima metà del VII sec. a.C. e ritenuto dall'editore una formulazione intermedia tra la "*banded*" kotyle MPC e quella transizionale con fascia e raggi (*Agora* VIII, p. 50, n. 164, tav. 9.164); si veda, inoltre, il tipo Bc 4b.

[309] La fascia ondulata tra le anse, comune ai tipi Cc 1 e 2c, compare in un ex. con vasca dipinta di produzione attica imitante tipi transizionali, databile poco dopo la metà del VII sec. a.C. (Young 1939, p. 150, C 33, fig. 105).

[310] S. Bruni ha supposto una dipendenza da modelli attici e l'attribuzione alla stessa bottega dell'oinochoe RC 3982. Le kotylai sono puntualmente confrontabili con un ex. PC dalla t. 32 del *Phaleron* difficilmente databile molto prima la metà del VII sec. a.C. (Young 1942, p. 39, n. 32.2, fig. 21); la sintassi decorativa è poi avvicinabile ad una kotyle di produzione attica corintizzante dall'*Agora* di Atene databile nella prima metà del VII, con vasca però più slanciata che la rende morfologicamente assimilabile al tipo Cc 1 (*Agora* VIII, p. 50, n. 164, tav. 9.164).

[311] Assimilabile ad un ex. corinzio transizionale (*Perachora* II, p. 248, n. 2425, tav. 19.2425).

[312] Martelli 1981, p. 404, tav. LXXXVIII.7, in part. p. 404, nota 13, con bibl. prec.

II.2.16 *Piatti* (*tavv. 31-33*)

		Famiglie morfologiche		
		A: vasca a calotta profonda	B vasca troncoconica di grandi dim. (diam. 24-33,5 cm)	C: vasca troncoconica/ carenata di piccole dim. (diam. 15,3-22 cm)
Famiglie decorative	a: dec. di tipo lineare	gruppo Aa: tipi 1-2	gruppo Ba: tipo 1	gruppo Ca: tipi 1-2
	b: dec. con aironi, pesci, altri animali		gruppo Bb: tipo1	
	c dec. articolata, con motivi geometrici	gruppo Ac	gruppo Bc: tipi 1-3	

Gruppo A

Il gruppo A riunisce piatti con vasca profonda: tale caratteristica, evidente nel tipo Aa 1, risulta meno accentuata nel tipo Aa 2, la cui morfologia si avvicina maggiormente agli esemplari del raggruppamento successivo (B). La decorazione dominante è di stampo lineare.

Gruppo Aa: labbro a tesa orizzontale; vasca molto profonda a calotta. Decorazione: labbro variamente decorato, sulla vasca fasce.

Tipo Aa 1: vasca profonda a calotta; alto piede ad anello. Sul labbro motivo a zigzag nastriforme alternato a triangoli pieni (diam 17-20,8 cm). (*tav. 31*)

- Distribuzione:

Poggio Buco, Podere Insuglietti t. E, (PB.E/4): Matteucig 1951, p. 36, n. 28, tav. XIII.2.
Poggio Buco, (PB.a/66): Mangani, Paoletti 1986, p. 39, n. 1, tav. 34.1.
Poggio Buco, (PB.a/67): Mangani, Paoletti 1986, p. 39, fig. 36, nn. 3, 5, tav. 33.3, 5. (*tav. 31.1*)
Pitigliano, (Pi/2): Mangani, Paoletti 1986, p. 39, n. 2, tav. 34.2.
Territorio di Vulci, (Vu t/22): Chelini 2004, p. 59, n. 45, tav. VIII.45.
Territorio di Vulci, (Vu t/23): Chelini 2004, p. 60, n. 46, tav. VIII.46.

Il tipo è rappresentato da sei esemplari provenienti da Poggio Buco, Pitigliano e generalmente dall'agro vulcente. L'unico contesto noto di provenienza è costituito dalla tomba a camera E di Poggio Buco, databile nel corso dell'orientalizzante recente. La forma, profonda e arrotondata, è nota in redazioni d'impasto rosso di area laziale[313].

Tipo Aa 2: vasca a calotta; fondo appena profilato. Sul labbro gruppi di tratti radiali (diam 19-25,2 cm). (*tav. 31*)

- Distribuzione:

Monte Aùto, (M/4): Celuzza 2000, p. 67, n. 3.10, p. 69, tav. 4. (*tav. 31.2*)
Poggio Buco, Podere Insuglietti t. E, (PB.E/5): Matteucig 1951, p. 36, n. 30, p. 37, figg. 16 a-b, tav. XIII.3.

[313] Exx. dalla necropoli dell'Esquilino, deposti nelle tt. dell'orientalizzante recente LXXXI. B (Gjerstad 1956, p. 225, nn. 1-2, fig. 201.1-2) e LXXIX (Idem, p. 248, n. 2, fig. 221.2).

Varianti:
Vulci, (Vu.a/19): Mangani, Paoletti 1986, p. 39, nn. 3-4, fig. 37, tav. 34.3-4. (*tav. 31.3*)
Poggio Buco, (PB.a/68): Mangani, Paoletti 1986, p. 38, nn. 2, 4, tav. 33.2,4.

Come nel caso precedente, la localizzazione del tipo è limitata a Vulci e al suo agro. Ai fini della cronologia, è disponibile un solo contesto, la già ricordata t. E di Poggio Buco, in cui ricorre inoltre un piatto Aa1 confermando la sostanziale contemporaneità delle due serie.

Gruppo B

Il gruppo B è costituito da un'ampia e numerosa serie di attestazioni, che varia da piatti con decorazione lineare semplice (tipo Ba 1, Ba 2) o maggiormente articolata (tipi Bc 1, Bc 2), a quelli con schema metopale (tipo Bd 1), fino ad esemplari con decorazione animalistica appartenenti alla ben nota categoria dei piatti ad aironi (Bb 1). La forma è quella del piatto *spanti*, largamente adottata nell'impasto rosso. L'origine è da rintracciarsi nella produzione in *red slip* propria del mondo orientale: la trasmissione della forma del piatto nel repertorio greco ha luogo nel corso del primo quarto del IX sec. a.C. ad opera di mercanti euboici operanti nel settore levantino, che avviano presto una produzione d'imitazione rielaborata sul gusto ellenico destinata all'esportazione; nel corso dell'VIII sec. a.C., mentre la fortuna del piatto decade nei principali centri euboici, un nuovo impulso si coglie in Occidente[314]. In particolare la forma adottata in Occidente trova corrispondenza nelle produzioni di Tiro e Akhiz della prima metà dell'VIII sec. a.C. Un'ulteriore conferma della derivazione orientale del tipo è costituita dalla sovrapposizione tra le aree di diffusione della presenza fenicia e della forma *spanti*, in ambito medio-tirrenico e a Pitecusa[315]. In quest'ultimo sito, a differenza dell'Etruria, alla presenza di piatti in *red slip* fenicia si contrappone una limitata produzione d'imitazione presto sostituita, già a partire dall'ultimo quarto dell'VIII sec. a.C.[316], da rielaborazioni in ceramica depurata decorata con schemi di gusto greco, desunti dal patrimonio euboico, come nel caso delle serie con uccelli ad ala piegata, o d'ascendenza PCA, in quello con motivi di pesci e serpente. Questi ultimi elementi sono alla base di una supposta mediazione pitecusana per l'introduzione del noto piatto ad aironi in ambito etrusco-meridionale[317]. In questo comparto i piatti, che compaiono nel corso dell'orientalizzante antico, assumono probabilmente in taluni casi anche una funzione rituale, come attesterebbe l'eventuale presenza di ombelicatura centrale[318].

---

[314] Coldstream 1998, pp. 304-305, seguito da Canciani 2005.

[315] Bagnasco Gianni 1994, pp. 15-17.

[316] L'assenza di piatti nel corso della prima generazione dell'insediamento è forse giustificata dall'uso di contenitori in materiale non ceramico (Coldstream 1998, pp. 305-306).

[317] Buchner 1981, pp. 268-270.

[318] Bagnasco Gianni 1994, p. 21.

Gruppo Ba: labbro a tesa orizzontale; vasca bassa troncoconica. Decorazione di tipo esclusivamente lineare.

Tipo Ba 1: decorazione: sul labbro linee/gruppi di tratti radiali; sulla vasca fasce. (*tav. 31*)

Varietà a: sul labbro fasce/linea a zigzag (diam 22-23,2 cm).
• Distribuzione:
Tarquinia, (T.a/263): Canciani 1974, p. 56, nn. 1,4, tav. 41.1,3. (*tav. 31.4*)
Tarquinia, (T.a/264): Canciani 1974, p. 56, nn. 2,4, tav. 41.2,4.

Varietà b: sul labbro gruppi di tratti radiali (diam 20-24 cm).
• Distribuzione:
Cerveteri, Banditaccia t. 78, (C.B.78/2) (?): Rizzo 1989a, p. 24, fig. 36, p. 26 .
Cerveteri, Bufolareccia, t. a camera 182, (C.B.182/2): Cavagnaro Vanoni 1966, p. 35, n. 13.
Vulci, Osteria t. E/1990, (Vu.O.E/1): Moretti Sgubini 2003, p. 25, nota 118, fig. 24 c.
Vulci, Osteria t. E/1990, (Vu.O.E/2): Moretti Sgubini 2003, p. 25, nota 118, fig. 24 c.
Poggio Buco, (PB.a/70): Pellegrini 1989,p. 76, n. 251, tav. LI.
Poggio Buco, (PB.a/71): Pellegrini 1989, p. 76, n. 252, tav. LI.
Poggio Buco, (PB.a/72): Pellegrini 1989, p. 76, n. 253, tav. LII.
Poggio Buco, (PB.a/73): Pellegrini 1989, p. 76, n. 254, tav. LII.
Poggio Buco, (PB.a/74): Pellegrini 1989, p. 76, n. 255, tav. LII. (*tav. 31.5*)
Poggio Buco, (PB.a/75): Pellegrini 1989, p. 76, n. 256, tav. LII.
Varianti:
Vulci, t. 22, (Vu.22/7: Hall Dohan 1942, p. 89, n. 14, tav. XLVII.14. (*tav. 31.6*)

Ascrivibili al gruppo Ba:
Poggio Buco, (PB.a/69): Pellegrini 1989, p. 76, n. 250 , tav. LI. (*tav. 31.7*)
Provenienza sconosciuta, (PS/131): A. Romualdi, in *Piombino* 1989, p. 70, n. 75.

Il tipo è presente con due varietà: la varietà a, con fascia a zigzag sul labbro, è rappresentata da due soli esemplari tarquiniesi, per i quali in assenza dei contesti di provenienza è stata proposta da F. Canciani una datazione compresa tra la fine dell'VIII e la prima metà del VII sec. a. C., e la varietà b, con gruppi di tratti radiali sul labbro. Quest'ultimo sottotipo è avvicinabile per il partito decorativo ai piatti Aa 2, con i quali condivide inoltre l'area di diffusione a Vulci e a Poggio Buco. Nel primo centro i piatti Ba 1b sono attestati in contesti dell'orientalizzante antico, nello specifico la t. E dell'Osteria, che ne ha restituito una coppia, e la t. 22 di Philadephia con un piatto identificato come variante.

Gruppo Bb: labbro a tesa orizzontale; vasca bassa troncoconica. Decorazione: teorie di aironi/pesci; all'interno fasce.

Tipo Bb 1 (*tavv. 31-32*)

Varietà a: teoria di aironi (diam 24,5-33,2 cm con punto di addensamento tra i 28 e i 31 cm).

- Distribuzione:

Veio, Monte Michele t. B, (V.MM.B/6): Cristofani 1969, p. 48, n. 12, tav. XXIV.1, d'incerta attribuzione al contesto.
Veio, Monte Michele t. B, (V.MM.B/7): Cristofani 1969, p. 48, n. 13, tav. XXIV.1, d'incerta attribuzione al contesto.
Veio, Vaccareccia, (V.V/20): Papi 1988, p. 101, n. 12.
Veio, Macchia della Comunità t. 26, (V.MC.26/1): inedito, (*app. 1, n. 126*).
Veio, Macchia della Comunità t. 33, (V.MC.33/8): inedito, (*app. 1, n. 127; tavv. 31.8*).
Veio, Macchia della Comunità t. 34, (V.MC.34/6): inedito, (*app. 1, n. 128*).
Veio, Macchia della Comunità t. 35, (V.MC.35/4): inedito, (*app. 1, n. 129*).
Veio, Macchia della Comunità t. 64, (V.MC.64/10): inedito, (*app. 1, n. 129bis*).
Veio, Pozzuolo t. 2, (V.Pz.2/10): inedito, (*app. 1, n. 130*).
Veio, Pozzuolo t. 4, (V.Pz.4/6): inedito, (*app. 1, n. 131*).
Veio, Pozzuolo t. 10, (V.Pz.10/4): inedito, (*app. 1, n. 132*).
Veio, Riserva del Bagno t. V (prima deposizione), (V.R.V/3): Buranelli 1982, p. 94, n. 2, p. 93, fig. 2.2.
Pantano di Grano, t. 1, (PG.1/5): De Santis 1997, p. 124, n. 29, p. 125, fig. 15.29, con bibl. prec.
Pantano di Grano, t. 2, (PG.2/3): De Santis 1997, p. 133, n. 13, p. 132, fig. 22.13, con bibl. prec.
Passo della Sibilla, t. A, (Si.A/6): Raddatz 1983, p. 210, n. 9, fig. 4.1, tav. 27.4.
Volusia, t. 4 (area davanti alla tomba), (Vo.4/8): Carbonara *et al.* 1994, p. 72, n. 62, figg. 133-133a.
Trevignano, t. dei Flabelli, (Tr.t/6): Caruso 2005, p. 305, tav. I a.
Cerveteri, Banditaccia t. dell'Affienatora, (C.B.A/3): Martelli 1987a, p. 6, fig. 30.
Cerveteri, Banditaccia t. dell'Affienatora, (C.B.A/4): Martelli 1987a, p. 6, fig. 31.
Cerveteri, Banditaccia t. dell'Affienatora, (C.B.A/5): Martelli 1987a, p. 6, fig. 32.
Cerveteri, Banditaccia Tumulo I t. 2 (camera), (C.B.2/2): Ricci 1955, c.220, n. 20, fig. 11.2.
Cerveteri, Banditaccia t. della Capanna (loculo destro), (C.B.11/13): Ricci 1955, c. 350, n. 3, fig. 77.3.
Cerveteri, Banditaccia t. della Capanna (loculo destro), (C.B.11/14): Ricci 1955, c. 350, n. 4, fig. 77.3.
Cerveteri, Banditaccia t. 78, (C.B.78/4): Rizzo 1989a, p. 24, fig. 37, p. 26.
Cerveteri, Banditaccia t. 2006, (C.B.2006/6): Rizzo 1989a, p. 21, fig. 22.
Cerveteri, Banditaccia tumulo III (prima dep.), (C.B.III/6): Cristofani, Rizzo 1987, p. 157, tav. XXV.4; Leach 1987, p. 28, n. 24 (plate 1b).
Cerveteri, Banditaccia t. Mengarelli IX, (C.B.IX/3): Leach 1987, p. 29, n. 29, figg. 16-17 (plate 1a).
Cerveteri, Banditaccia t. Mengarelli XI, (C.B.XI/5): Leach 1987, p. 29, n. 30 (plate 1c.iv).
Cerveteri, Laghetto t. 64, (C.L.64/8): Cavagnaro Vanoni 1966, p. 89, n. 15; Leach 1987, p. 97, n. 52, fig. 24; Alberici Varini 1999, p. 44, n. 54, tav. XLII, fig. 56.
Cerveteri, Laghetto t. 65, (C.L.65/6): Cavagnaro Vanoni 1966, p. 92, n. 7; A. Tarella, in *Milano* 1980, p. 259, n. 19; Martelli 1987a, p. 256, n. 28. 3; Alberici Varini 1999, p. 59, n. 13, tav. LIX, fig. 87; da ultimo Steingräber 2006, p. 37. (*tav. 31.9*)
Cerveteri, Laghetto I t. a camera 73, (C.L.73/2): Cavagnaro Vanoni 1966, p. 97, n. 2.

Cerveteri, Laghetto t. 608, (C.L.608/1): esposto nel Museo Archeologico Nazionalele di Cerveteri

Cerveteri, Monte Abatone t. 76, (C.MA.76/3): B. Bosio, in *Milano* 1986a, p. 41, fig. 54, p. 39, n. 54.

Cerveteri, Monte Abatone t. 76, (C.MA.76/4): B. Bosio, in *Milano* 1986a, p. 41, fig. 55, p. 39, n. 55.

Cerveteri, Monte Abatone t. 77, (C.MA.77/6): B. Bosio, in *Milano* 1986a, p. 43, n. 11, p. 44, fig. 11.

Cerveteri, Monte Abatone t. 77, (C.MA.77/7): B. Bosio, in *Milano* 1986a, p. 44, n. 12, fig. 12.

Cerveteri, Monte Abatone t. 77, (C.MA.77/8): B. Bosio, in *Milano* 1986a,p. 44, n. 13, fig. 13.

Cerveteri, Monte Abatone t. 77, (C.MA.77/9): B. Bosio, in *Milano* 1986a, p. 44, n. 14, fig. 14.

Cerveteri, Monte Abatone t. 83, (C.MA.83/3): B. Bosio, in *Milano* 1986a, p. 53 n. 8, p. 52 fig. 8.

Cerveteri, Monte Abatone t. 89, (C.MA.89/22): A. Pugnetti, in *Milano* 1986a, p. 62, n. 56, fig. 56.

Cerveteri, Monte Abatone t. 90, (C.MA.90/17): A. Pugnetti, in *Milano* 1986a, p. 75, n. 64, p. 74, fig. 64.

Cerveteri, Monte Abatone t. 90, (C.MA.90/18): A. Pugnetti, in *Milano* 1986a, p. 75, n. 65, p. 74, fig. 65.

Cerveteri, Monte Abatone t. 90, (C.MA.90/19): A. Pugnetti, in *Milano* 1986a, p. 75, n. 66, , fig. 66.

Cerveteri, Monte Abatone t. 90, (C.MA.90/20): A. Pugnetti, in *Milano* 1986a, p. 75, n. 67, fig. 67.

Cerveteri, Monte Abatone t. 90, (C.MA.90/21): A. Pugnetti, in *Milano* 1986a, p. 75, n. 68, fig. 68.

Cerveteri, Monte Abatone t. 90, (C.MA.90/25): A. Pugnetti, in *Milano* 1986a, p. 76, n. 72, fig. 72.

Cerveteri, Monte Abatone t. 297, (C.MA.297/4): Leach 1987, p. 32, n. 39, fig. 27 (plate 1c.iv).

Cerveteri, Monte Abatone t. a camera 352, (C.MA.352/7): A. Tarella, in *Milano* 1980, p. 228, n. 93

Cerveteri, Monte Abatone t. a camera 352, (C.MA.352/8): A. Tarella, in *Milano* 1980, p. 228, n. 94.

Cerveteri, Monte Abatone t. 410, (C.MA.410/4): Leach 1987, p. 33, n. 43 (plate 1b).

Cerveteri, Sorbo t. Giulimondi (banchina sinistra), (C.S.G/2): Cascianelli 2003, p. 42, n. 6, con bibl. prec.

Cerveteri, Sorbo t. Giulimondi (banchina sinistra), (C.S.G/3): Cascianelli 2003, p. 43, n. 7, con bibl. prec.

Cerveteri, Sorbo t. Giulimondi (spazio tra le banchine), (C.S.G/7): Cascianelli 2003, p. 99, n. 63, con bibl. prec.

Cerveteri, Sorbo t. Giulimondi (spazio tra le banchine), (C.S.G/8): Cascianelli 2003, p. 99, n. 64, con bibl. prec.

Cerveteri, Sorbo t. Giulimondi (spazio tra le banchine), (C.S.G/9): Cascianelli 2003, p. 102, n. 65, con bibl. prec.

Cerveteri, Sorbo t. 20, (C.S.20/1): Pohl 1972, p. 264, n. 1, p. 265, fig. 267.1.

Cerveteri, Sorbo t. 20, (C.S.21/1): Pohl 1972, p. 270, n. 1, p. 271, fig. 269.1, con bibl.

Cerveteri, via Manganello 18, (C.Mn.18/1): Leach 1987, p. 36, n. 53, fig. 1 (plate 1b).

Casaletti di Ceri, t. I, (Ce.I/1): LEACH 1987, p. 37, n. 56 (plate 1b).
Casaletti di Ceri, t. II, (Ce.II/3): COLONNA 1968, p. 268.
Casaletti di Ceri, t. II, (Ce.II/4): COLONNA 1968, p. 268.
Casaletti di Ceri, t. II, (Ce.II/5): COLONNA 1968, p. 268.
Cerveteri, (C.a/16): *Amsterdam* 1989, p. 213, n. 71.
San Giovenale, Grotta Tufarina t. 1, (SG/1): BERGGREN, BERGGREN 1972, p. 102, n. 75, tav. XLIX.79.
Blera, Pian del Vescovo t. 3, (Bl.V.3/1) (?): LEACH 1987, p. 22, n. 3, (plate 1c.ii); GARGANA 1932, p. 490.i.
Provenienza sconosciuta, (PS/133): DE PUMA 2000, p. 2, tav. 465.1-2, con bibl. prec.
Provenienza sconosciuta, (PS/134): DE PUMA 2000, p. 3, tav. 465.3-4, con bibl. prec.
Provenienza sconosciuta, (PS/135): BLOMBERG *et al.* 1983, p. 4, nn. 7-8, p. 83, fig. 52, tav. 37.7-8; RYSTEDT 1976, pp. 50-54.
Provenienza sconosciuta, (PS/136): RÜKERT 1996, p. 44, tav. 22.1-2.
Provenienza sconosciuta, (PS/137): *Sotheby's, Antiquities and Islamic Art*, June, 1999, New York, p. 139, n. 245.
Provenienza sconosciuta, (PS/167): *Jerusalem* 1991, p. 211, n. 277.

Varianti:

Veio, Grotta Gramiccia t. 2, (V.GG.2/4): BOITANI *et al.* cds.
Veio, Grotta Gramiccia t. 2, (V.GG.2/5): BOITANI *et al.* cds.

Probabilmente afferenti alla varietà:

Cerveteri, Banditaccia, Tumulo I t. 2 (loculo destro), (C.B.2/5-8): RICCI 1955, cc. 226-228, nn. 38-41 (4 exx.).
Cerveteri, Banditaccia t. della Capanna (loculo destro), (C.B.11/11-12): RICCI 1955, cc. 350, 355, nn. 2, 5.
Cerveteri, Banditaccia, t. a fossa 71, (C.B.71/4-5): RICCI 1955, cc. 482, 484, nn. 2, 18 (2 exx.).
Cerveteri, Banditaccia t. 75, (C.B.75/24-26): RICCI 1955, cc. 490, 492, nn. 19, 22, 47, 54 (frammenti pertinenti ad un numero imprecisabile di exx.).
Cerveteri, Banditaccia t. 79, (C.B.79/4): RICCI 1955, c. 503, nn. 14-18; 45-50 (11 exx.).
Cerveteri, Banditaccia t. 81, (C.B.84/1): RICCI 1955, c. 505, n. 6.
Cerveteri, Banditaccia t. 81, (C.B.81/2): RICCI 1955, c. 509, n. 3.
Cerveteri, Banditaccia t. 85, (C.B.85/2): RICCI 1955, c. 510, nn. 3, 17.
Cerveteri, Banditaccia t. 86, (C.B.86/2): RICCI 1955, c. 517, n. 4.
Frammenti pertinenti ad un numero imprecisabile di exx. da Cerveteri, Banditaccia t. 94, (C.B.94/1): RICCI 1955, c. 516, n. 1; Cerveteri, Banditaccia t. 134 (camera laterale), (C.B.134/1): RICCI 1955, c. 576, n. 1; Cerveteri, Banditaccia t. 176, (C.B.176/3): RICCI 1955, c. 643, n. 7; Cerveteri, Banditaccia t. 176, (C.B.176/3): RICCI 1955, c. 643, n. 7; Cerveteri, Banditaccia t. 181, (C.B. 181/4): RICCI 1955, c. 649, n. 6; Cerveteri, Banditaccia t. a camera 404, (C.B.404/2): RICCI 1955, c. 920, n. 17.
Cerveteri, Banditaccia t. a camera 304, (C.B.304/2): RICCI 1955, c. 790, n. 23.
Cerveteri, Banditaccia t. a camera 403, (C.B.403/2): RICCI 1955, c. 917, n. 4.
Cerveteri, Banditaccia t. a camera 404, (C.B.404/5-6): RICCI 1955, c. 920, nn. 2, 5.
Cerveteri, Banditaccia tumulo III (prima dep.), (C.B.III/7): CRISTOFANI, RIZZO 1987, p. 157.
Cerveteri, Banditaccia tumulo III (prima dep.), (C.B.III/8): CRISTOFANI, RIZZO 1987, p. 157; LEACH 1987, p. 28, n. 27 (plate 1b), erroneamente attribuito alla seconda dep.
Cerveteri, Banditaccia tumulo III, (C.B.III/9): LEACH 1987, p. 29, n. 28 (plate 1c.iv), attribuito alla seconda dep.

Cerveteri, Laghetto t. a camera 139, (C.L.139/3): CAVAGNARO VANONI 1966, p.107, n. 3.
Cerveteri, Laghetto t. a camera 150, (C.L.150/2): CAVAGNARO VANONI 1966, p. 113, n. 2.
Cerveteri, Laghetto t. 417, (C.L.417/5): LEACH 1987, p. 27, n. 19 (plate 1b).
Cerveteri, Laghetto t. 461, (C.L.461/3): LEACH 1987, p. 27, n. 20 (plate 1b).
Cerveteri, Laghetto t. 461, (C.L.461/4): LEACH 1987, p. 27, n. 21 (plate 1b).
Cerveteri, Monte Abatone t. 77, (C.MA.77/4): B. BOSIO, in *Milano* 1986a, p. 44, n. 15.
Cerveteri, Monte Abatone t. 77, (C.MA.77/5): B. BOSIO, in *Milano* 1986a, p. 44, n. 16.
Frammenti pertinenti ad un numero imprecisabile di exx. da Cerveteri, Monte Abatone t. 76, (C.MA.76/5): B. BOSIO, in *Milano* 1986a, p. 41, n. 56; Cerveteri, Monte Abatone t. 77, (C.MA.77/10): B. BOSIO, in *Milano* 1986a, p. 44, n. 17.
Cerveteri, Bufolareccia, t. a camera 60 (prima dep.), (C.Bu.60/3): CAVAGNARO VANONI 1966, p. 15, n. 11; M. CAZZOLA, in BAGNASCO GIANNI 2002, p. 355, n. 10.
Cerveteri, Bufolareccia, t. a camera 60 (prima dep.), (C.Bu.60/4): CAVAGNARO VANONI 1966, p. 15, n. 11; M. CAZZOLA, in BAGNASCO GIANNI 2002, p. 356, n. 11.
Frammenti pertinenti a 3/4 exx. da Cerveteri, Bufolareccia t. a camera 182, (C.Bu.182/11): CAVAGNARO VANONI 1966, p. 35, n. 14.
Casaletti di Ceri, t. II, (Ce.II/2): COLONNA 1968, p. 268.

Varietà b: teoria di aironi associata a registro con gruppi di *chevrons*, impiegati, inoltre, come riempitivo fra i volatili (diam 27-32,3 cm).

- Distribuzione:

Cerveteri, Banditaccia, tumulo della Speranza t. 1 (prima dep.), (C.B.1/4): RIZZO 1989a, p. 33, fig. 62; RIZZO 1990, p. 57, nn. 18-34.
Cerveteri, Monte Abatone t. 4 (camera centrale), (C.MA.4/3): LEACH 1987, p. 31, n. 37 (plate 1c.ii); RIZZO 2007, p. 31, n. 29..
Cerveteri, Monte Abatone t. 90, (C.MA.90/22): A. PUGNETTI, in *Milano* 1986a, p. 75, n. 69, fig. 69.
Cerveteri, Monte Abatone t. 90, (C.MA.90/23): A. PUGNETTI, in *Milano* 1986a, p. 76, n. 70, p. 75, fig. 70.
Cerveteri, Monte Abatone t. 90, (C.MA.90/24): A. PUGNETTI, in *Milano* 1986a, p. 76, n. 71, fig. 71.
Cerveteri, t. (C.tC/1): CHRISTIANSEN 1984, pp. 19-20, fig. 20.
Cerveteri, t. (C.tC/2): CHRISTIANSEN 1984, pp. 19-20, fig. 20.
Cerveteri, Banditaccia t. a camera 308, (C.B.308/2): RICCI 1955, c. 798, n. 14.
Cerveteri, Via Manganello t. 18, (C.Mn.18/3): LEACH 1987, p. 36, n. 55 , fig. 25, (plate 1c.ii).
Cerveteri, (C.a/17): *Antiken - Kabinett*, Frankfurt, 1998, n. 20. (*tav. 32.1*)
Provenienza sconosciuta, (PS/154): CHRISTIANSEN 1973, pp. 51, 52, nota 44, fig. 10.
Provenienza sconosciuta, (PS/155): CHRISTIANSEN 1973, pp. 51, 52, nota 44, fig. 10.

Varietà c: teoria di aironi associata a due file di punti (diam 28,9-31,4 cm).

- Distribuzione:

Cerveteri, Laghetto II t. a camera 226, (C.L.226/1): CAVAGNARO VANONI 1966, p. 195, n. 12; LEACH 1987, p. 26, n. 18.
Cerveteri, Monte Abatone t. 304, (C.MA.304/1): RASMUSSEN 1979, p. 17, n. 22, fig. 299; LEACH 1987, p. 32, n. 40 (plate 1c.i).
Provenienza sconosciuta, (PS/132): LEACH 1987, p. 46, n. 90, fig. 23 (plate 1c.i).

Provenienza sconosciuta, (PS/138): *Christie's, Antiquities*, June, 12, 2000 , New York, p. 129, n. 134. (*tav. 32.2*)

Varietà d: teoria di pesci (diam 28,8-30,4 cm).

- Distribuzione:

Cerveteri, Banditaccia tumulo III (prima dep.), (C.B.III/10): CRISTOFANI, RIZZO 1987, p. 157, tav. XXV.4; LEACH 1987, p. 28, nn. 24, 26, 27? (plate 1b); MARTELLI 1987a, p. 17, nota 13, n. 19.

Cerveteri, Banditaccia tumulo III (prima dep.), (C.B.III/11): LEACH 1987, p. 28, n. 26 (plate 1b).

Provenienza sconosciuta (Cerveteri?), (PS/139): RÜKERT 1996, p. 44, tav. 22.3-4. (*tav. 32.3*)

Il tipo Bb 1 accoglie un'ingente quantità di esemplari diffusi a Veio e Cerveteri. L'inizio della produzione risale alla fine dell'VIII-inizi del VII sec. a.C., come dimostrano i più antichi contesti ceretani (t. della Capanna, t. 83 di Monte Abatone), per proseguire pressoché inalterata fino all'orientalizzante recente. Generalmente la decorazione comprende, accanto alle consuete fasce e linee orizzontali, la sola teoria di aironi gradienti (Bb 1a); più raramente compaiono motivi accessori, come *chevrons* in registro o inseriti fra le figure di volatili (Bb 1b), file di punti (Bb 1c) o, infine, pesci che sostituiscono nel fregio i volatili (Bb 1d).

La produzione della varietà a è da attribuirsi a diverse officine locali operanti a Veio e *Caere*, diversificate sul piano decorativo per la diversa composizione delle teorie animalistiche: mentre a Veio la fila di aironi è limitata rigorosamente a quattro volatili, a *Caere* dopo un'iniziale alternanza, dovuta probabilmente al carattere ancora sperimentale della produzione, il numero si fissa a cinque[319]. Malgrado la compartecipazione di Veio nella realizzazione del tipo, al momento tuttavia attestata con certezza solo a partire dagli anni finali dell'orientalizzante antico, il vero centro propulsivo nella creazione e nella realizzazione delle serie è senza dubbio Cerveteri. Testimoniano tale ruolo non solo la precocità e la copiosità delle attestazioni, ma anche l'alta incidenza in ambiente ceretano delle "variazioni sul tema", rappresentate dalle varietà b, c, d.

Le varianti del tipo Bb 1a coincidono con la peculiare produzione del Pittore di Narce, al momento documentata, oltre che dagli esemplari veienti V.GG.2/4-5, da una coppia facente parte di un servizio deposto nella t. 1 di Narce[320], inquadrabile tra 690 e 670 a.C.; tali varianti si distinguono inoltre per la decorazione plastica a solcature concentriche apposta sul piano di posa.

Il piatto ad aironi è diffuso anche al di fuori del distretto ceretano-veiente: numerosi esemplari hanno restituito le necropoli falische[321], mentre ritrova-

[319] DE SANTIS 1997, p. 113.

[320] Cfr. cap. V.1, pp. 237-239.

[321] Senza pretesa di esaustività, per Narce si ricordano gli exx. dalla t. 7 (LVIII) di Contrada Morgi (*Narce* 1894, c. 25); la coppia dalla t. 6 (LXVII) del sepolcreto a sud di Contrada Morgi (*ibidem*, c. 527, nn. 32-33, fig. 141), i tre dalla t. 8 (LXI) della stessa necropoli (*ibidem*, c. 530, nn. 45-46).

menti episodici in Sicilia (Eloro, Gela) testimoniano l'ampiezza del raggio commerciale ceretano[322].

Riguardo alla distribuzione cronologica delle varietà b, c, d la scarsità numerica del campione non consente di andare oltre la semplice proposta, suscettibile di cambiamenti con l'acquisizione di nuovo materiale. Per la varietà b gli unici due contesti pienamente attendibili sono rappresentati dalla deposizione della camera centrale della t. 4 di Monte Abatone (660-650 a.C.) e dal tumulo della Speranza (690-650 a.C.), che suggeriscono un arco cronologico grosso modo coincidente con il secondo quarto del VII sec. a.C., non contraddetto dal resto delle testimonianze provenienti da tombe con deposizioni molteplici, quali la t. 18 di via del Manganello e la 90 di Monte Abatone, alla cui prima deposizione sarebbero dunque attribuibili i piatti in esame, o dal complesso conservato a Copenaghen. La stessa datazione, ma resa ancor più precaria dall'esistenza di un unico contesto di riferimento (t. III Mengarelli) è proponibile per la varietà con pesci (Bb 1d); più recente, invece, appare la varietà c, la cui diffusione sembra limitata alla seconda metà, se non all'ultimo trentennio del VII sec. a.C.

Unica:

Cerveteri, Via Manganello t. 18, (C.Mn.18/2): LEACH 1987, p. 36, n. 54, fig. 24 (plate 1c.ii). (*tav. 32.4*)

Provenienza sconosciuta, (PS/140): DE PUMA 2000, p. 4, tavv. 466.2, 467.2, con bibl. (*tav. 32.5*)

Provenienza sconosciuta, (PS/141): DE PUMA 2000, p. 3, tavv. 466.1, 467.1, con bibl.; MARTELLI 2001, p. 12, fig. 37. (*tav. 32.6*)

Accanto a queste serie piuttosto standardizzate, compaiono alcuni esemplari eccezionali dal punto di vista decorativo. Primo fra tutti il noto piatto dalla t. 65 di Acqua Acetosa Laurentina con scena di naufragio, già da tempo ricondotto a fabbrica ceretana. Sull'esegesi della scena si è recentemente soffermato L. Cerchiai, che, riprendendo il filone interpretativo tracciato da M. Martelli, ne ha evidenziato le implicazioni iconologiche[323]. Il *dossier* laziale comprende inoltre un piatto dalla necropoli esquilina a Roma, con teoria di pesci dal corpo puntinato[324]. Si segnala poi la coppia di piatti del *Paul Getty Museum*, recentemente attribuita da M. Martelli alla Bottega del Pittore delle Gru, e non all'artista stesso come supposto dal loro editore[325].

---

[322] CRISTOFANI 1983, p. 29; LEACH 1987.

[323] CERCHIAI 2002, con riferimenti e bibl. prec., contro la lettura come scena di pesca avanzata da Lubatchansky, si allinea a M. Martelli che vi ravvisa la narrazione di un naufragio (MARTELLI 1988, p. 290, nota 12, con rif.); si veda inoltre il cap. III.2.7, p. 204.

[324] Esquilino, t. L, GJERSTAD 1956, p. 248, n. 2, fig. 220.2; GJERSTAD 1966, p. 162, fig. 65.2.

[325] MARTELLI 2001, p. 15.

Gruppo Bc: labbro a tesa orizzontale; vasca bassa troncoconica. Decorazione di tipo geometrico maggiormente articolata.

Tipo Bc 1: Decorazione: labbro esternamente variamente decorato; sulla vasca corona di raggi; sul piano di posa ornati geometrici. (*tav. 32*)

Varietà a: grandi dimensioni (diam 33, 5 cm).
- Distribuzione:

Tarquinia, (T.a/265): Jacopi 1955, tav. 2.2. (*tav. 32.7*)
Tarquinia, (T.a/266): Tanci, Tortoioli 2002, p. 162, n. 290, fig. 155, tav. XI.c-d.

Varietà b. dimensioni modeste (diam 17-25 cm).
- Distribuzione:

Poggio Buco, (PB.a/76): Bartoloni 1972, gruppo A, p. 158, n. 7, p. 157, fig. 77, tav. CIII a-b.
Poggio Buco, (PB.a/77): Bartoloni 1972, gruppo A, p. 158, n. 8 , p. 157, fig. 77, tav. CIII c-d. (*tav. 32.8*)
Poggio Buco, (PB.a/78): Pellegrini 1989, p. 76, n. 249 , tav. LI.
Poggio Buco, (PB.a/79): Pellegrini 1989, p. 76, n. 257, tav. LII.

Il tipo si articola in due varietà: la prima (a) è costituita da due soli esemplari tarquiniesi e la seconda (b) è rappresentata da quattro provenienti esclusivamente da Poggio Buco. La marcata omogeneità dei pezzi, e la loro diffusione circoscritta, rendono estremamente probabile l'attribuzione ad un'unica bottega operante nel centro vulcente. In assenza delle associazioni originarie, più difficile risulta circoscriverne la cronologia: nel lavoro di E. Pellegrini gli esemplari riconducibili al tipo sono infatti collocati nel secondo quarto del VII sec. a.C., mentre nell'edizione delle necropoli di Poggio Buco di G. Bartoloni, i piatti, tutti sporadici, sono datati nella prima metà del VII sec. a.C. Una cronologia nell'ambito del secondo quarto del VII sec. a.C., nonché forse un rapporto di derivazione con modelli esterni, sembra suggerito da alcuni esemplari di produzione pitecusana puntualmente confrontabili, rinvenuti in tombe del MPC[326].

Tipo Bc 2: Decorazione: labbro esternamente dipinto; sulla vasca corona di raggi reticolati alternati a gruppi di tremoli (diam 18,5 ca). (*tav. 32*)
- Distribuzione:

Monte S. Michele t., (SM.t/7): Carbonara *et al.* 1996, p. 132, n. 27, figg. 260-262, 262a. (*tav. 32.9*)

---

[326] *Pithekoussai* I, p. 315, n. 5, tav. 99. 5 (t. 258): l'ex. costituisce un confronto puntuale in particolar modo per i piatti con tesa maggiormente distinta; *Pithekoussai* I, p. 168, nn. 26-28, tav. 50. 26 (t. 137): tre piatti assimilabili per motivi e sintassi decorativi alla varietà in esame, mentre la forma leggermente carenata della vasca li avvicina piuttosto al piatto T. a/269, variante de tipo Bc 3. Exx. affini da Capua, con raggi sulla vasca leggermente più profonda, nelle tt. 514 (Johannowsky 1983, p. 157, nn. 12-13, tav. XLIII.6, 9) e 500 (Idem, p. 166, n. 25, tav. LIII.38).

Monte S. Michele t., (SM.t/8): CARBONARA *et al.* 1996, p. 133, n. 28, figg. 263-264.
Probabilmente ascrivibili al tipo:
Veio, Pozzuolo t. 8, (Pz.8/7): inedito, (*app. 1, n. 133*).
Veio, Pozzuolo t. 8, (Pz.8/8): inedito, (*app. 1, n. 134*).
Veio, Pozzuolo t. 8, (Pz.8/9): inedito, (*app. 1, n. 135*).

Il tipo, pur presentando una decorazione geometrica con corona di raggi che richiama gli esemplari sopradescritti, è morfologicamente più vicino al canonico piatto *spanti*. La provenienza da un unico contesto, la tomba di Monte S. Michele nell'agro veiente, dei due soli esemplari noti potrebbe indicare nella coppia l'esito di una produzione locale, riecheggiante delle influenze vulcenti, forse pervenute per via tiberina e realizzata dalle medesime botteghe veienti da cui uscivano i più diffusi piatti ad aironi La circolazione del modello in area tiberina è documentata dal rinvenimento di esemplari puntualmente confrontabili nell'agro falisco-capenate[327] e a Ficana[328].

TIPO Bc 3: sulla vasca losanghe reticolate in fila o inquadrate metopalmente (diam 21-24,7 cm).
- Distribuzione:

Tarquinia, Monterozzi t. del Guerriero, (T.M.G/10): HENCKEN 1968, pp. 213, 217, fig. 193.a, con bibl.; *Berlin* 1988, p. 71, n. A 4.69.
Tarquinia, Monterozzi t. del Guerriero, (T.M.G/11): HENCKEN 1968, pp. 213, 217, fig. 193.b, con bibl.; *Berlin* 1988, p. 71, n. A 4.70.
Tarquinia, (T.a/267): CANCIANI 1974, p. 57, nn. 1-2, 4, tav. 42.1-2,4.
Tarquinia, (T.a/268): CANCIANI 1974, p. 57, fig. 12, nn. 3, 5, tav. 42.3,5; CANCIANI 2005, pp. 210-211, fig. 4. (*tav. 32.10*)

Bc *unicum*:
Tarquinia, (T.a/269): CANCIANI 1974, p. 56, fig. 11, nn. 5-7, tav. 41.5-7; CANCIANI 2005, pp. 210-211, figg. 1-3. (*tav. 32.11*)

Il tipo accoglie esemplari esclusivamente tarquiniesi, unici tra i piatti ad essere riconducibili alla *Metopengattung*. Il prototipo della serie è rappresentato da una coppia di esemplari deposti nella t. del Guerriero: su uno di questi le losanghe si dispongono in fila continua invece che nel consueto schema metopale. La produzione del tipo è da attribuirsi ad un'officina tarquiniese attiva verso la fine dell'VIII sec. a.C.

Solo fra i piatti di grandi dimensioni con vasca marcatamente carenata, tanto da costituire una variante, l'esemplare T.a/269 trova un riscontro pun-

---

[327] T. 8 (LXI) del sepolcreto a Sud di Contrada Morgi (*Narce* 1894, c. 530, n. 45, fig. 145) su cui MARTELLI 1984, p. 10, fig. 26, nota 57, che lo attribuisce a fabbrica ceretana; inoltre tre exx. *white on red* dalla t. CXVII di Monte Cornazzano a Capena (MICOZZI 1994, nn. Ca 11-13, p. 293, tav. LXXXIV.a)

[328] *Roma* 1980, p. 83, n. 30.b, tav. XVII.30 a (pozzo di scarico I); sulle dinamiche di diffusione cfr. cap. V.1, pp. 240-241.

tuale per forma e sintassi decorativa[329] in un piatto pitecusano ascritto al TG II[330], che ne colloca la datazione nel corso della prima metà del VII sec. a.C., analogamente a quanto già avanzato da F. Canciani.

Genericamente appartenenti al gruppo B:

Veio, Monte Michele t. 5 (inc.e maschile nella cella destra), (V.MM.5/14): BOITANI 1985, p. 541; BOITANI 2001, p. 114, n. I.G.8.4.

Veio, Monte Michele t. 5 (inc. maschile nella cella destra), (V.MM.5/15): BOITANI 1985, p. 541, tav. XCIV.e.

Veio, Vaccareccia (V.V/21): PAPI 1988, p. 101, n. 11.

Veio, Pozzuolo t. 2, (V.Pz.2/11): inedito, (*app. 1, n. 136*).

Veio, Pozzuolo t. 3, (V.Pz.3/3): inedito, (*app. 1, n. 137*).

Veio, Pozzuolo t. 3, (V.Pz.3/3): inedito, (*app. 1, n. 138*).

Veio, Pozzuolo t. 4, (V.Pz.4/4): inedito, (*app. 1, n. 139*).

Veio, Pozzuolo t. 4, (V.Pz.4/5): inedito, (*app. 1, n. 140*).

Cerveteri, Banditaccia t. della Capanna (seconda camera), (C.B.11/16): RICCI 1955, c.355, n. 37.

Cerveteri, Laghetto t. 64, (CL.64/9): CAVAGNARO VANONI 1966, p. 89, n. 16; ALBERICI VARINI 1999, p. 45, n. 55, tav. XLII, fig. 57.

Cerveteri, Laghetto t. 64, (CL.64/10): CAVAGNARO VANONI 1966, p. 89, n. 17; ALBERICI VARINI 1999, p. 45, n. 56, tav. XLIII, fig. 58.

Cerveteri, Laghetto t. 64, (CL.64/11): CAVAGNARO VANONI 1966, p. 89, n. 18; ALBERICI VARINI 1999, p. 45, n. 57, tav. XLIII, fig. 59.

GRUPPO Ca: breve labbro a tesa orizzontale, vasca variamente articolata, dimensioni modeste (diam 15,3-22 cm). Decorazione di tipo lineare.

TIPO Ca 1: vasca troncoconica (diam 15,3-21 cm). (*tav. 33*)

- Distribuzione:

Cerveteri, Banditaccia t. 75, (C.B.75/20): RICCI 1955, c. 494, n. 86-87, fig. 115.6.

Cerveteri, Banditaccia t. 75, (C.B.75/27): RICCI 1955, c. 494, 84; fig. 115.8. (*tav. 33.1*)

Cerveteri, Monte Abatone t. 89, (C.MA.89/23): A. PUGNETTI in *Milano* 1986a, p. 61, n. 55, p. 62, fig. 55.

Cerveteri, Monte Abatone t. 90, (C.MA.90/16): A. PUGNETTI in *Milano* 1986a, p. 75, n. 63, p. 74, fig. 63.

Cerveteri, Bufolareccia t. a camera 182, (C.Bu.182/10): CAVAGNARO VANONI 1966, p. 35, n. 9, tav. 33.

Cerveteri, Sorbo t. Giulimondi (spazio tra le banchine), (C.S.G/6): CASCIANELLI 2003, p. 104, n. 66, con bibl. prec.

Cerveteri, (C.a/18): *Antiken - Kabinett*, Frankfurt, 1998, n. 19.

---

[329] Nella decorazione l'unico elemento di divergenza è rappresentato dai singoli elementi che, pur assimilabili, non sono puntualmente sovrapponibili, dalla tesa al fondo si dispongono, rispettivamente nel piatto pitecusano e in quello tarquiniese: serpente/fila di esse, meandro a L/meandro a scaletta, fila esse e linee/fascia, motivo a ruota/triangoli radiali.

[330] *Pithekoussai* I, p. 186, n. 2, tav. 56.2 (t. 151); sul rapporto inoltre con la produzione pitecusana di piatti: CANCIANI 2005.

TIPO Ca 2: vasca con carena appena accennata/pronunciata. (*tav. 33*)
Varietà a: vasca piuttosto profonda con carena poco marcata. Decorazione a fasce, linee e gruppi di chevrons (diam 17-22 cm).

• Distribuzione:

Cerveteri, Banditaccia t. Mengarelli XI, (C.B.XI/6): LEACH 1987, p. 30, n. 31, fig. 31 (plate 2b).
Cerveteri, Banditaccia t. Mengarelli XX, (C.B.XX/6): LEACH 1987, p. 30, n. 33, (plate 2b).
Cerveteri, Sorbo t. Giulimondi (banchina sinistra), (C.S.G/4): CASCIANELLI 2003, p. 46, n. 8, con bibl. prec. (*tav. 33.2*)
Cerveteri, Sorbo t. Giulimondi (spazio tra le banchine), (C.S.G/10): CASCIANELLI 2003, p. 104, n. 67, con bibl. prec.
Cerveteri, Sorbo t. Giulimondi (spazio tra le banchine), (C.S.G/11): CASCIANELLI 2003, p. 104, n. 68, con bibl. prec.

Varietà b: vasca bassa con carena prominente. Decorazione con linee e file di punti (diam 21-22 cm).

• Distribuzione:

Cerveteri, Banditaccia t. Mengarelli XVIII, (C.B.XVIII/8): LEACH 1987, p. 30, n. 32, (plate 2a).
Cerveteri, Laghetto t. 64, (C.L.64/12): CAVAGNARO VANONI 1966, n. 19, p. 89; LEACH 1987, p. 100, n. 92; ALBERICI VARINI 1999, n. 58, p. 45, tav. XLIV, fig. 60.
Cerveteri, Laghetto t. 64, (C.L.64/13): ALBERICI VARINI 1999, n. 59, p. 46, tav. XLIV, fig. 61.
Cerveteri, Laghetto I t. a camera 71, (C.L.71/3): CAVAGNARO VANONI 1966 p. 96, n. 3, tav. 10.
Cerveteri, Laghetto I t. a camera 75, (C.L.75/4): CAVAGNARO VANONI 1966, p. 99, n. 4.
Cerveteri, Laghetto I t. a camera 155, (C.L.155/2): CAVAGNARO VANONI 1966, p. 115, n. 2, tav. 34.
Cerveteri, Laghetto II t. a camera 185 (camera centrale), (C.L.185/4): CAVAGNARO VANONI 1966, p. 179, n. 11; LEACH 1987, p. 26, n. 17, fig. 30 (plate 2a). (*tav. 33.3*)
Cerveteri, Laghetto t. 461, (C.L.461/5): LEACH 1987, p. 27, n. 22, (plate 2a).
Cerveteri, Laghetto t. 461, (C.L.461/6): LEACH 1987, p. 28, n. 23, (plate 2a).
Cerveteri, Monte Abatone t. 410, (C.MA.410/5): LEACH 1987, p. 33, n. 44, fig. 2 (plate 2a).
Cerveteri, Monte Abatone t. 410, (C.MA.410/6): LEACH 1987, p. 34, n. 45 (plate 2a).
Cerveteri, Bufolareccia t. a camera 60 (prima dep.), (C.Bu.60/5): CAVAGNARO VANONI 1966, p. 15, n. 12; M. CAZZOLA, in BAGNASCO GIANNI 2002, p. 355, n. 9.
Cerveteri, Bufolareccia t. a camera 62, (C.Bu.62/2): CAVAGNARO VANONI 1966, p. 17, n. 2, tav. 7.

Variante:

Cerveteri, Laghetto t. 65, (C.L.65/7): CAVAGNARO VANONI 1966, n. 8, p. 92; A. TARELLA, in *Milano* 1980, n. 20, p. 259; ALBERICI VARINI 1999, p. 60, n. 14, tav. LX, fig. 88. (*tav. 33.4*)

Probabilmente riferibile al tipo 2:

Cerveteri, Banditaccia t. 78, (C.B.78/3): RIZZO 1989a, p. 24.

Genericamente ascivibili al gruppo:

Cerveteri, Banditaccia t. della Capanna (camera principale), (C.B.11/3): RICCI 1955, c.350, n. 6.

Cerveteri, Banditaccia, t. della Capanna (loculo destro), (C.B.11/10): RICCI 1955, c. 358, n. 51.

Cerveteri, Banditaccia t. 75, (C.B.75/21): RICCI 1955, c. 494, n. 85.

Cerveteri, Banditaccia t. 75, (C.B.75/22): RICCI 1955, c. 490, n. 22.

Cerveteri, Banditaccia t. 75, (C.B.75/28): RICCI 1955, c. 492, n. 57 (frammenti pertinenti ad un numero imprecisato di exx.)

Cerveteri, Banditaccia, t. 86, (C.B.86/3): RICCI 1955, c. 517, n. 2.

Cerveteri, Banditaccia, t. 86, (C.B.86/4): RICCI 1955, c. 517, n. 2.

Cerveteri, Laghetto I t. a camera 67, (C.L.67/5): CAVAGNARO VANONI 1966 p. 93, n. 6.

Cerveteri, Bufolareccia t. a camera 182, (C.Bu.182/9): CAVAGNARO VANONI 1966, p. 35, n. 12.

Cerveteri, Sorbo t. Regolini Galassi, (C.S.R/1): ALBIZZATI 1924-1929, n. 52, p. 12.

Cerveteri, Sorbo t. Giulimondi (banchina sinistra), (C.S.G/1): CASCIANELLI 2003, pp. 46-47, nn. 9-14, con bibl. prec.

Il gruppo Ca comprende esemplari di dimensioni modeste[331], caratterizzati da una decorazione quasi esclusivamente lineare, che prevede eventualmente inserimento di semplici file di punti o gruppi di *chevrons* accanto alle fasce. La vasca mostra un profilo articolato, talvolta con carena a metà dell'altezza. La provenienza esclusiva da Cerveteri degli esemplari individua nel centro le officine responsabili della produzione. Come per i piatti ad aironi, la distribuzione cronologica sembra interessare tutto il VII sec. a.C; forme simili risultano attestate a Narce[332] ed in Campania[333].

Esemplari non tipologizzabili, perché frammentari o descritti solo genericamente:

Cerveteri, Banditaccia t. della Capanna (loculo destro), (C.B.11/15): RICCI 1955, c. 350, n. 2.

Numerosi frammenti riferibili ad un numero imprecisato di exx. da Cerveteri, Banditaccia t. 75, (C.B.75/23): RICCI 1955, c. 494, n. 88- 97;

Cerveteri, Laghetto II t. a fossa 339, (C.L.339/2): L. CAVAGNARO VANONI, in *Milano* 1980, p. 150.

Cerveteri, Bufolareccia t. 86 (cam. centrale), (C.Bu.86/8-9): RASMUSSEN 1979, p. 22, n. 10; COEN 1991, p. 19, n. 34, tav. IX a. (piatti ansati)

Cerveteri, Bufolareccia t. a camera 94, (C.Bu.94/5): CAVAGNARO VANONI 1966, p. 23.

Cerveteri, Sorbo t. Regolini-Galassi, (C.S.R/3): PARETI 1947, p. 346, n. 387, tav. XLIX, con bibl.

Cerveteri, Sorbo t. Regolini-Galassi, (C.S.R/4): PARETI 1947, p. 346, n. 389, tav. XLIX, con bibl.

---

[331] Il diametro dell'orlo non supera i 22 cm.

[332] Ex. *white on red* dalla t. X.16 dei Tufi vicino a quello della t. 65 del Laghetto (Ca 2b variante): BAGLIONE, DE LUCIA BROLLI 1990, p. 93, fig. 14. 1, con richiami nella fase Veio II C.

[333] Suessula (coll Spinelli): BORRIELLO 1991, p. 32, n. 2, tav. 30.

Unicum:
Vulci, t. 42F, (Vu.42/2): HALL DOHAN 1942, p. 94, n. 21, tav. XLIX.21.

II.2.17 *Pissidi (tav. 33)*

L'estrema rarità della forma, finora attestata da tre soli esemplari, non ne permette un puntuale inquadramento tipologico.

• Distribuzione:

Veio, Riserva del Bagno t. I, (V.R.I/1): inedito, (*app. 1, n. 141*).
Veio, Riserva del Bagno t. IV (delle Anatre), (V.R.IV/4): DE AGOSTINO 1964; RIZZO 1989c, p. 105, n. 4, fig. 44a; MEDORO 2003, p. 76, n. 89. *(tav. 33.6)*
Cerveteri, Banditaccia Tumulo I t. 2 (camera), (C.B.2/3): RICCI 1955, c.224, n. 23, fig. 11.5. *(tav. 33.5)*

La forma, direttamente mediata dalle pissidi PCA e PCM, è scarsamente rappresentata fra le produzioni locali. Al momento sono noti cinque esemplari databili a cavallo tra la fase antica e media dell'orientalizzante, provenienti da Cerveteri (t. 2 del Tumulo I) e da Veio, (t. delle Anatre e t. I di Riserva del Bagno). Al *dossier* si aggiunga una pisside dalla tomba 1 di Narce[334], che denuncia il carattere indigeno della produzione nella presenza di tre piedini plastici di sostegno alla vasca, puntualmente confrontabili con quelli che supportano i piattini deposti nella tomba dei Leoni Ruggenti (V.GG.1/1-2, tipo Ea 2): l'esistenza di peducci non è peraltro verificabile per l'esemplare frammentario veiente (V.R.IV/4). Sembra, tuttavia, plausibile ricondurre anche quest'ultimo all'attività dello stesso *atelier,* quello del Pittore di Narce, cui è attribuito il nucleo di vasellame dipinto proveniente dal contesto falisco, fra cui la citata pisside, e le olle dalla t. delle Anatre (tipo Ce 2b).

II.2.18 *Bacino*

Forma rappresentata unicamente dall'ex. PS/142 (MARTELLI 1987b, p. 5, fig. 23; MARTELLI 2001, p. 9, n. 9, p. 11, fig. 29).

II.2.19 *Coperchi*

Vasca troncoconica; presa a pomello. Decorazione lineare.

• Distribuzione:

Veio, Monte Michele t. B, (V.MM.B./5): CRISTOFANI 1969, p. 22, n. 20, p. 24, fig. 5, tav. VII.3.
Veio, Macchia della Comunità t. 47, (V.MC.47/2): inedito, (*app. 1, n. 142*).
Veio, Macchia della Comunità t. 67, (V.MC.67/5): inedito, (*app. 1, n. 143*).
Veio, Casalaccio t. III, (V.C.III/10): VIGHI 1935, p. 49, n. 27, tav. 3/I.
Cerveteri, Banditaccia t. 75, (C.B.75/29): RICCI 1955, c. 491, n. 26, fig. 115.3.
Cerveteri, Monte Abatone t. 89 (seconda dep.), (C.MA.89/14): A. PUGNETTI, in *Milano* 1986a, p. 58, n. 37, p. 60, fig. 37.
Cerveteri, Monte Abatone t. 89 (seconda dep.), (C.MA.89/15): A. PUGNETTI, in *Milano*

[334] HALL DOHAN 1942, p. 55, n. 4, tav. XXX.4.

1986a, p. 58, n. 39, p. 60, fig. 39.
Cerveteri, Monte Abatone t. 89 (seconda dep.), (C.MA.89/16): A. PUGNETTI, in *Milano* 1986a, p. 58, n. 41, p. 60, fig. 41.
Cerveteri, Monte Abatone t. 89 (seconda dep.), (C.MA.89/17): A. PUGNETTI, in *Milano* 1986a, p. 58, n. 43, p. 60, fig. 43.
Cerveteri, Monte Abatone t. 89 (seconda dep.), (C.MA.89/18): A. PUGNETTI, in *Milano* 1986a, p. 60, n. 45, p. 61, fig. 45.
Cerveteri, Monte Abatone t. 89 (seconda dep.), (C.MA.89/19): A. PUGNETTI, in *Milano* 1986a, p. 60, n. 47, p. 61, fig. 47.
Cerveteri, Monte Abatone t. a camera 352, (C.MA.352/9): L. MALNATI, in *Milano* 1980, p. 227, n. 90.
Tarquinia, (T.a/270): CANCIANI 1974, p. 55, nn. 7-8, tav. 40.7-8.
Tarquinia, (T.a/271): CANCIANI 1974, p. 55, nn. 9, 12, tav. 40.9,12.
Tarquinia, (T.a/272): CANCIANI 1974, p. 55, nn. 10, 13, tav. 40.10,13.
Tarquinia, (T.a/273): CANCIANI 1974, p. 56, nn. 11, 14, tav. 40.11,14.
Tarquinia, (T.M.G/12): HENCKEN 1968, fig. 190d, *Berlin* 1988, p. 70, n. A 4.63, con ulteriore bibl.
Vulci, Osteria-Poggio Mengarelli, t. (Vu.O.t/3): CANCIANI 1974-1975, p. 80, figg. 1, 5.
Monte Aùto t. a cassone (1956), (M.1956/4): FALCONI AMORELLI 1971, p. 210, n. 6, tav. XLVIII; LA ROCCA 1978, p. 490, fig. 16; BARTOLONI 1984, p. 108, nota 35, tav. II, con esatta composizione e nn. d'inv. del corredo.
Poggio Buco, t. 4, (PB.4/2): PELLEGRINI 1989, p. 75, n. 248 , tav. LI.
Territorio di Vulci, (Vu t/24): CHELINI 2004, p. 60, n. 47, tav. IX.47.
Territorio di Vulci, (Vu t/25): CHELINI 2004, p. 60, n. 48, tav. IX.48.

Differiscono per la decorazione articolata con fregi figurati o floreali:
Veio, Riserva del Bagno t. V (prima dep.), (V.R.V/4): BURANELLI 1982, p. 95, n. 3, p. 93, fig. 2.3.
Cerveteri, Laghetto II t. a camera 185 (camera centrale), (C.L.185/5): CAVAGNARO VANONI 1966, p. 179, n. 3.
Cerveteri, Laghetto II t. a camera 185 (camera centrale), (C.L.185/6): CAVAGNARO VANONI 1966, p. 179, n. 5, tav. 2; MARTELLI 1987a, p. 17, nota 13, n. 20.

III. I motivi decorativi

III. 1 Motivi non figurati

Ancora nell'orientalizzante antico la produzione etrusca mostra forti legami con la fase precedente, attraverso la persistenza di motivi decorativi propri della tradizione tardo-geometrica greca[1], primo fra tutti il meandro variamente articolato e campito. Sul collo delle anfore Vu/22 e PS/57 compare la versione reticolata a sviluppo continuo che, apparsa in Attica all'inizio dell'epoca geometrica[2], risulta un elemento comune a molteplici serie greche[3], nelle quali rimane in uso nella formulazione priva di campitura anche nel periodo orientalizzante[4]. Leggermente seriore nella produzione greca è il tipo del meandro a L, inizialmente accolto a Corinto nel MG I e di qui trasmesso in Attica poco dopo[5]; esso figura fra gli elementi più diffusi nelle ceramiche tardo-geometriche elleniche[6], non ultima la classe *Thapsos*[7]. Il motivo appare nelle serie etrusche sul piatto T.a/269 e sugli skyphoi di tipo Ba 1b nella versione campita linearmente; il meandro a scaletta tratteggiato è, invece, fra i motivi decorativi diffusi nel TG beotico[8].

Presente nel TG attico ed euboico[9] e nella ceramica protocorinzia[10] è la scacchiera, poco rappresentata nelle serie in esame, in relazione unicamente ad esemplari dell'orientalizzante antico, quali le oinochoai di tipo Bb (Vu. PM.1966/1 e PS/16) e l'anfora PS/58[11]. Estremamente diffuso nelle serie di

[1] In generale, per un repertorio dei motivi decorativi adottati nella ceramica greca geometrica, con distribuzione non commentata: Kunisch 1994.

[2] Coldstream 1968a, p. 12.

[3] Coldstream 1968a, tav. 2.c-h (*Attic EG II*); tav. 3.a, d, j-n (*Attic MG I*); tav. 4.a-b, d-e, tav. 5.f-g (*Attic MG II*); tav. 6; tav. 7.d-e; tav. 8.b, g; tav. 9.f-l (*Attic L G I*); tav. 12.a, d, e; tav. 13.a, tav. 14.a,c; tav. 15.n (*Attic LG II*); tav. 16.d (*Corinthian EG*); tav. 17.f (*Corinthian MG*); tav. 20.a (*Corinthian LG*); tav. 23.b (*Argive EG*); tav. 24.a, tav. 25.b (*Argive MG*); tav. 26; tav. 27.a, c-e (*Argive LG I*); tav. 34.e, j-k, m (*Cycladic MG*); tav. 37.d (*Cycladic LG parian*); tav. 39.j (*Cycladic LG melan*); tav. 40.d-e (*Cycladic LG e Subgeometric theran*), tav. 43.c-d (*Beotian MG*); tav. 44.h (*Beotian LG*); tav. 53.a (*Cretan MG*); tav. 54 (*Cretan LG*); tav. 60.e (*East greek MG*), tav. 62.g, h (*East greek LG rodian*).

[4] *Kerameikos* VI: 2, p. 104, fig. 1 (740-690 a.C).

[5] Coldstream 1968a, p. 94.

[6] Coldstream 1968a, tav. 17.e (*Corinthian MG*); tav. 25.a (*Argive MG II*); tav. 27. b (*Argive LG I*); tav. 28.a-b; tav. 31.d-e (*Argive LG II*); tav. 33.f (*Thessalian geometric*); tav. 38.a, d, e (*Cycladic LG parian*); tav. 39.e (*Cycladic LG melian*); tav. 52.n (*Cretan EG*); tav. 63.(*East greek LG*).

[7] Coldstream 1968a, pp. 102-104.

[8] Coldstream 1968a, tav. 45.c.

[9] Cfr. rispettivamente Andriomenou 1975, tav. 64; per la diffusione del motivo si veda inoltre Rizzo 1989a, pp. 27-28, note 57-59.

[10] Borriello 1991, p. 10, comm. tav. 4.1-2.

[11] Il motivo della scacchiera in posizione analoga ricorre sulla spalla di un'oinochoe da Suessula della collezione Spinelli, leggermente più antica (Borriello 1991, p. 10, n. 1, tav. 4.1-2).

prevalente provenienza vulcente e tarquiniese, è il motivo del nastro tratteggiato a zigzag[12], applicato da solo o combinato con triangoli, che si contrappongono nei vuoti, sul labbro dei piatti e, meno usualmente, sul collo di oinochoai e anfore; in quest'ultimo può trovarsi anche scomposto nei singoli elementi triangolari sovrapposti.

Passando ai motivi lineari, poco frequente nelle serie etrusche risulta la linea spezzata ad andamento rettangolare, attestata già nella ceramica TG attica, argiva, cicladica e greco-orientale[13] e poi accolta anche nella produzione protoattica[14]. Al contrario, il motivo dei tratti alterni verticali contrapposti incontra grande fortuna nella *Metopengattung*, solitamente applicato sul corpo di olle e soprattutto di oinochoai. Il motivo, i cui antecedenti si colgono nella ceramica greco-orientale del geometrico iniziale, conosce grande diffusione nelle produzioni attiche, argive e beotiche a partire dal MG[15]; nel TG risulta inoltre attestato a Pitecusa[16], mentre nel periodo orientalizzante è presente nelle serie attiche[17] e in quelle greco-insulari[18].

Dato il carattere elementare dell'ornato, non è possibile precisare puntuali ascendenze per la semplice linea ad andamento triangolare, ampiamente utilizzata nella decorazione di una nutrita varietà di forme: anfore ed oinochoai, ove ricorre solitamente sul collo, situle, dove risulta estesa a decorare anche il corpo, o, ancora, fra le forme aperte quali coppe, tazze ed inoltre piatti, in corrispondenza della superficie superiore del labbro; un discorso analogo è applicabile alle canoniche file di punti, tipiche delle serie ceretane, che compaiono in Grecia già nel MG I attico[19].

Numerosi risultano gli elementi decorativi che sfruttano il motivo base della linea ondulata. Nella sua formulazione elementare, la semplice fascia sinuosa orizzontale appare ampiamente diffusa nelle ceramiche italo-geometriche, così come nelle serie geometriche greche; il motivo, di derivazione euboica[20], compare in associazione ad una coppia di linee frequentemente nel repertorio corinzio tardo-geometrico e in quello PCA[21]. Limitatamente ad un gruppo di oinochoai (tipo Aa 6) e a qualche esemplare d'anfora di prevalente fabbrica vulcente (gruppo Ba), la fascia ondulata verticale è moltiplicata e disposta all'interno di

---

[12] Lo stesso motivo compare sulla spalla di un aryballos di produzione locale dalla t. 168 di Pitecusa datata al TG II (*Pithekoussai* I, p. 222, n. 20, tav. 74.20).

[13] Kunisch 1994, p. 46, 19g, con distribuzione e bibl.

[14] *Kerameikos* VI:2, p. 104, fig. 1 (740-690 a.C.).

[15] Kunisch 1994, p. 49, n. 20h, con diffusione e relativa bibl.

[16] Sul collo di un'oinochoe locale dalla t. 495 (*Pithekoussai* I, p. 496, n. 1, tav. 146.1) e inoltre sul corpo di una lekythos dalla t. 652 (*ibidem*, p. 631, n. 2, tav. 182.2).

[17] *Kerameikos* VI:2, p. 104, fig. 1 (740-690 a.C.).

[18] Su anfore di fabbrica insulare (Knauss 1997, fig. 23.k, p. 80), in part. si ricorda un ex. da *Thera,* datato 710-690 a.C. (Eadem, A 18, p. 180, tav. 7.b).

[19] Coldstream 1968a, p. 19.

[20] Canciani 1974-1975, p. 82.

[21] Canciani 1974, p. 25, comm. a tav. 18.2, con diffusione e relativa bibl.

un registro, secondo uno schema comune anche ad alcune serie beotiche, costituite per lo più da anfore[22], per le quali sono stati più volte sottolineati i legami con le produzioni euboico-cicladiche in cui il motivo è tra i più diffusi[23].

L'introduzione nel repertorio decorativo medio-tirrenico della catena di esse coricate è, invece, probabilmente attribuibile alla mediazione corinzia, ambito dove incontra grande fortuna a partire dal PCA[24], sebbene si conoscano formulazioni simili anche nelle serie tardogeometriche euboico-cicladiche[25] e più tardi nella produzione protoattica[26]: non sembra dunque un caso che in Etruria, escludendo le forme di ascendenza indigena, il motivo sia più frequentemente attestato su tipi vascolari direttamente desunti dal repertorio corinzio, quali oinochoai, kotylai e skyphoi.

Più desueto, limitato al momento ad un coppia di oinochoai afferenti al tipo Bb 5a , è l'impiego del semplice motivo a esse, riscontrabile invece su esemplari pitecusani d'ispirazione PCA[27] e nella ceramica protoattica[28]. In quest'ultima compare, inoltre, in funzione di riempitivo e quindi con sviluppo minore, il motivo elaborato a partire da quello a esse, ma ormai assimilabile ad una treccia multipla[29], attestato in un solo caso sull'oinochoe T.a/234, di tipo Db 2a.

Cospicua è la serie di motivi decorativi ad andamento angolare, impiegati in funzione di riempitivo o, più frequentemente, disposti variamente a campire interi registri: numerosi richiami alle produzioni pitecusane TG II sono riscontrabili nell'ornato a linee oblique intersecate da tratti[30], ricorrente sporadicamente su situle e kotylai (V.MC.33/7, gruppo Cb) di esclusiva produzione veiente o, ancora, in quello ad andamento obliquo a tratti angolari continui[31], attestati su

---

22 Per le anfore beotiche, con decorazione a fasce ondulate verticali sul collo e sul piede: Rückert 1976, p. 56, fig. 23.a, con distribuzione; inoltre, sulla localizzazione della fabbrica beotica e sulle sue connessioni con la *koinè* euboico-cicladica: Coldstream 1983a, p. 21; Coldstream 1968a, p. 209.

23 Canciani 1974, p. 20, comm. a tav. 14.6-7; Canciani 1974-1975, p. 83, nota 19; Mangani, Paoletti 1986, p. 24, comm. a tav. 22.3.

24 Coldstream 1968a, p. 106, tav. 21.k; Christiansen 1984, p. 13.

25 In riferimento alla ceramica cicladica, in cui il motivo è accolto alla fine del periodo geometrico (Coldstream 1968a, p. 175), si ricordano a titolo di esempio gli exx.: *Delos* XV, tavv. XVI.12; XX-XXIII; per l'ambito euboico: Coldstream 1968a, tav. 41.f.

26 *Kerameikos* VI:2, p. 115, fig. 5.

27 Lekythos dalla t. 354 (*Pithekoussai* I, p. 400, n. 6, tav. 129.6).

28 *Kerameikos* VI:2, p. 115, fig. 5 (740-690).

29 Anfora di Nessos: Morris 1984, p. 124, n. 1, tav. 15 (ca 650 a.C.) .

30 Attestato su oinochoai locali presenti nelle tt. 152, in questo caso ricorrente anche su un ex. d'importazione PCA, 354e 474 (*Pithekoussai* I, p. 188, nn. 1-2, tav. 58.1-2; *ibidem*, p. 399, n. 1, tav. 129.1; p. 476, n. 1, tav. 137.1), e inserito in quadro metopale su un piatto dalla t. 151 (*ibidem*, p. 186, n. 3, tav. 57.3).

31 Su oinochoai locali deposte nelle tt. 150 e 438 (*Pithekoussai* I, p. 185, n. 1, tav. 60.1; *ibidem*, p. 451, n. 1, tav 135.1).

olle, o interrotti, con confronti in contesti del protocorinzio medio[32]. La spina di pesce verticale, solitamente inserita nella decorazione dei pannelli di kotylai e anfore, risulta comunemente diffusa nella ceramica euboica tardogeometrica[33], sebbene non manchino attestazioni successive in ambito attico dove ricorre sovente con funzione di riempitivo[34].

Fra i motivi più frequenti predominano senza dubbio le file di triangoli: eretti, in questo caso solitamente posti a decorare la parte inferiore del corpo del vaso, capovolti, di norma apposti sul collo o sulla spalla, o spesso associati gli uni agli altri, secondo un gusto tipicamente locale che non trova riscontro nella tradizione ellenica[35]. Alla varietà di sintassi corrisponde una simile esuberanza nella resa del motivo, che compare nelle varianti piena, di probabile ascendenza protocorinzia, contornata, a profilo multiplo o, ancora, campita linearmente, reticolata e puntinata; tale molteplicità rende non sempre agevole il compito di definire puntuali ascendenze e connessioni con il repertorio greco, mentre ben documentate risultano le affinità con la coeva ceramica d'impasto incisa. È tuttavia possibile avanzare qualche osservazione: se ad ambiente protocorinzio rinviano i tipi interamente dipinti e quelli contornati[36], questi ultimi ricorrenti su un omogeneo gruppo di oinochoai tarquiniesi di diretta ispirazione protocorinzia (tipi Cb 2b,d), è ipotizzabile un'ascendenza euboica-cicladica per gli esemplari campiti linearmente[37], che nella varietà con linea di contorno distinta compaiono a partire dal geometrico medio nelle serie attiche e greco-orientali per rimanere in uso nel periodo successivo[38], e quelli ad angoli iscritti[39]. I triangoli reticolati, adottati nel repertorio greco attico e corinzio già nel protogeometrico, sono diffusi nel tardo geometrico euboico-cicladico[40] ed

[32] Oinochoe locale dalla t. 197 di Pitecusa (*Pithekoussai* I, p. 256, n. 1, tav. 88.1).

[33] Si segnalano, a titolo d'esempio, una coppia di crateri TG da Xeropolis: *Lefkandi* I, tavv. 54.259, 55.273; uno miniaturistico dallo stesso sito (deposito A): *ibidem*, p. 60, n. 30, tav. 61.30. Il motivo ricorre anche sulla spalla di un aryballos d'importazione euboica dalla t. 523 di Pitecusa (*Pithekoussai* I, p. 522, n. 2, tav. 156.2) e inoltre su un ex. d'imitazione della t. 557 (*ibidem*, p. 554, n. 4, tav. 165.4).

[34] Impiegato su un'anfora del Pittore di Polifemo e su una coppia di crateri del Pittore della Scacchiera (Morris 1984, tavv. 1, 19-20).

[35] Micozzi 1994, p. 118, con bibl. alla nota 298.

[36] A titolo d'esempio: oinochoe d'imitazione PCM da Pitecusa (*Pithekoussai* I, S 3, p. 701, n. 1, tav. 242.1).

[37] Mangani, Paoletti 1986, comm. a tav. 27.1-4, con rif.; Micozzi 1994, p. 117, nota 286, per la diffusione del motivo sulla ceramica d'impasto incisa. Il tipo ricorre inoltre a Pitecusa sulla spalla di un aryballos locale dalla t. 649 (*Pithekoussai* I, p. 626, n. 2, tav. 181.2) e sul piede di un cratere anch'esso prodotto *in loco* (*ibidem*, S 1, p. 698, n. 7, tavv. 236-237).

[38] Kunisch 1994, p. 123, n. 48 a, con diffusione e bibl.

[39] Christiansen 1984, p. 15, nota 34, con bibl.; dall'originario motivo di marca euboica si sarebbero sviluppati i triangoli pieni contornati, diffusi nella produzione protocorinzia antica e media e poi ripresi nelle serie etrusche subgeometriche, ma anche nella produzione in bucchero, dove vengono utilizzati come raggi alla base delle oinochoai.

[40] Christiansen 1984, p. 11; esempi su oinochoe TG da Lefkandi (*Lefkandi* I, p. 60, n. 35, tavv. 39.35, 61.35).

inoltre nella produzione protocorinzia[41]; in particolar modo in quest'ambito va forse ricercato il modello per la decorazione, inserita in pannello, tipica delle kotylai del tipo Bb 4 con puntuali confronti con realizzazioni PCA[42].

L'uso di triangoli puntinati, eretti o capovolti, è meno diffuso: al momento è limitato alla decorazione di un ristretto gruppo di anfore ceretane di tipo Ab 2. Il motivo, comune anche alle serie *white on red*[43], incontra maggior fortuna nel coevo vasellame d'impasto decorato ad incisione[44]; anche nel mondo greco il partito non ricorre frequentemente, se si eccettuano alcune attestazioni protoattiche che prevedono l'utilizzo di singoli elementi al posto delle catene[45].

La sintassi decorativa solitamente articolata su registri sovrapposti, come evidente nelle oinochoai tarquiniesi di tipo Bb 5-6, prevede inoltre la combinazione della canonica catena di triangoli con elementi simili e contrapposti che si inseriscono negli spazi vuoti, secondo uno schema che, documentato nella ceramica euboica tardo-geometrica[46], trova rispondenze anche nella produzione PCA[47]. Altri sono i modelli all'origine della disposizione su doppia fila di triangoli contrapposti, alternatamente eretti e capovolti, che nelle serie etrusche è per lo più limitata alla decorazione del collo di un omogeneo gruppo di anfore (tipo Ab 3), sporadicamente applicata sul collo di un askos, (V.a/1 bis) significativamente connesso alla serie indicata, e ricorrente sul corpo di un piccolo gruppo di oinochoai tarquiniesi (tipo Cb 4c). I confronti esistenti rinviano all'ambiente greco-insulare e, in particolar modo, ad alcune produzioni di anfore, in cui il motivo dei triangoli, meno sviluppato rispetto agli esempi etruschi, decora il collo[48] solitamente in associazione ad altri motivi, come cerchietti[49], tratti verticali inquadrati in registro[50] e ulteriori triangoli pieni[51]. Similmente agli esemplari tirrenici[52], il motivo può essere delimitato in alto e basso da gruppi di linee e fasce orizzontali; solo sporadicamente esso

---

[41] Il motivo, inserito in pannello, è indicato tra i prediletti della produzione iniziale protocorinzia (JOHANSEN 1923, pp. 46-47, fig. 14)

[42] Ne è un esempio la kotyle d'importazione dalla t. 152 di Pitecusa, che reca inoltre il tipico elemento a diabolo pieno ai lati del pannello (*Pithekoussai* I, p. 189, n. 6, tav. 59-6).

[43] MICOZZI 1994, p. 119.

[44] MICOZZI 1994, p. 119, nota 300, con distribuzione e bibl.

[45] *Kerameikos* VI:2, p. 110, fig. 3 (740-690 a.C); il motivo ricorre inoltre in alcuni vasi del Pittore della brocca degli Arieti (MORRIS 1984, p. 123, n. 4, tav.10; p. 122, n. 2, tav. 12 a dx).

[46] CANCIANI 1974-1975, p. 81.

[47] Si segnalano, a titolo d'esempio, alcuni materiali pitecusani fra cui un'aryballos d'importazione dalla t. 149 (*Pithekoussai* I, p. 184, n. 2, tav. 55.2) e una lekythos d'imitazione PCA dalla t. 145 (*ibidem*, p. 177, n. 3, tav. 53.3).

[48] KNAUSS 1997, fig. 23.o, p. 80.

[49] CANCIANI 1974-1975, p. 82.

[50] Su un'anfora da *Thera* datata al 710-690 a.C (KNAUSS 1997, A 14, p. 179, tav. 6.c-d).

[51] Su un'anfora da *Thera* datata al 690-670 a.C (KNAUSS 1997, A 33, p. 183, tav. 13.q-b).

[52] Un'anfora da *Thera*, databile tra il 680 e il 660 a.C., presenta sull'altro lato del collo una sola fascia ondulata (KNAUSS 1997, A 36, p. 183, tav. 14.c).

compare in relazione ad altre zone del vaso, quali la spalla[53] o il piede[54]. Una rielaborazione del semplice elemento a triangolo è costituita dalle formulazioni con terminazione ad uncino, che compaiono ripetute su alcuni esemplari tarquiniesi, in particolar modo la kotyle (T.B./2) e le oinochoai (TM.6337/1, tipo Bb 4a; T.B/1, tipo Bb6) più o meno direttamente riconducibili all'officina di Bocchoris; ricorrono anche usati singolarmente come riempitivo in anfore e in un orizzonte più tardo sull'askos ad anello T.a/2, mentre, inseriti tra due elementi triangolari, rappresentano la tipica decorazione del collo delle anfore veienti con pesci (Ab 6b). In Grecia il motivo, variamente combinato, è introdotto nel PCA[55] e diviene presto estremamente comune, non solo nella ceramica corinzia e cumana[56], attraverso cui il partito è introdotto in Etruria come mostra la precocità delle attestazioni tarquiniesi, ma anche nel repertorio protoattico[57].

Un ruolo di rilievo nelle produzioni di tradizione geometrica, non solo in quelle circoscrivibili alla *Metopengattung*, ha l'organizzazione sintattica in schema metopale o a pannello, direttamente mediata dal mondo greco. L'uso del pannello multiplo[58], e quindi la sintassi che ne deriva, incontra notevole fortuna nel geometrico recente greco-insulare[59] e non solo, rappresentando uno dei tratti essenziali della *koinè* che investe tale comparto e la Grecia continentale, da un lato, e l'Occidente, dall'altro[60]. I motivi più comuni adottati per campire i pannelli, come sigma, *chevrons* e losanghe, appaiono già a partire dal MG I e quasi contemporaneamente vengono accolti nella ceramica corinzia, fino ad esserne considerati tra gli elementi caratterizzanti[61].

Fra gli ornati più diffusi nella produzione subgeometrica, soprattutto nelle serie più antiche e nella *Metopengattung*, è senza dubbio la losanga reticolata, allineata in fila[62] o più comunemente inserita in metopa. In quest'ultimo caso, malgrado l'ampia diffusione del motivo, la sintassi denuncia una diretta ascendenza da modelli cuboici, derivazione questa sottolineata dal ricorrere in entrambe le produzioni, greca e medio-tirrenica, della frequente associazione con la fascia ondulata[63]. Probabilmente rielaborazione del motivo descritto è da considerarsi il quadrato reticolato, ottenuto mediante una semplice rotazione della figura. Esso, tuttavia, accanto alla consueta posizione in metopa, comune

---

53 Knauss 1997, fig. 24.r, p. 81; anfora da *Thera* A 39, p. 184, tav. 15.d, datata al 675-650 a.C.

54 Ex. tardo-geometrico da Samos (*Samos* V, p. 99, n, 135, tav. 24)

55 Coldstream 1968a, p. 106, tav. 21.k

56 Canciani 1974, comm. a tav. 17.2, con riferimenti a exx. corinzi e cumani.

57 *Kerameikos* VI:2, p. 136, fig. 18 (740-690 a.C.); Morris 1984, tavv. 3.6-7 e 10.12.

58 In generale: Mangani, Paoletti 1986, p. 25, comm. a tav. 23.17; Boardman 1960.

59 *Lefkandi* I, p. 62.

60 Coldstream 1968a, p. 370 ss.

61 Coldstream 1968a, pp. 19, 96.

62 Secondo un schema già noto nel PCA (Christiansen 1984, p. 13; Coldstream 1968a, p. 106, tav. 21.g).

63 Sulla derivazione euboica: Canciani 1974, p. 25, tav. 18.2; Canciani 1974-1975, p. 83, nota 18, con diffusione e relativa bibl.; Bartoloni 1984, p. 106.

a olle ed oinochoai, è impiegato preferenzialmente con funzione di riempitivo sul corpo delle anfore[64]: in questa posizione, il motivo è da ritenersi esito di uno sviluppo locale, trovando poche attestazioni in ambito greco[65].

Estremamente comuni sono le metope con *chevrons*, questi ultimi, limitatamente all'agro vulcente, disposti su due file sovrapposte[66], e quelle con zigzag orizzontale su una o più file[67]; meno diffusa risulta la campitura a croce di S. Andrea, presente sulla spalla di rari esemplari di anforette (T.a/146, tipo Bb 1) e di oinochoai dal distretto tarquiniese (T.a/11, tipo Aa 1a). Sebbene attestato anche in ambito euboico su esemplari tardogeometrici[68], il motivo sembra incontrare maggior fortuna nelle serie insulari di età tardo-geometrica e orientalizzante[69]; nel momento conclusivo di quest'ultima fase, esso compare inoltre sul collo di oinochoai di fabbrica locale da alcune tombe pitecusane[70]. Sempre ad ambito greco-insulare rinvia il motivo della metopa campita da tratti curvilinei intersecati, presente sullo skyphos proveniente da Poggio Buco (PB.D/6, tipo Ba 1b variante), che rivela significative analogie non solo decorative ma anche formali con esemplari da Samo[71].

Il motivo a diabolo compare nel MG I attico inserito in registro tra gruppi di tratti verticali, preannunciando il diffuso schema metopale[72], e nel tardo geometrico risulta comune ad alcune produzioni greche[73]; probabilmente attraverso la mediazione cumana-protocorinzia, esso entra a far parte del repertorio decorativo etrusco[74], nel quale l'applicazione, analogamente a quanto avviene in ambi-

---

[64] Il motivo è largamente utilizzato dalla Bottega del Pittore delle Gru (exx. V.GG/1-2, PS/45-46): si veda MARTELLI 1984, p. 8.

[65] Documentato almeno a partire dal TG argivo in Grecia (MICOZZI 1994, p. 120, nota 311, con rif. bibliografici), ricorre inoltre sulla spalla di un aryballos globulare PCA dalla t. 209* di Pitecusa (*Pithekoussai* I, p. 270, n. 3, tav. 91.3).

[66] BARTOLONI 1984, p. 107.

[67] Sulla distribuzione delle metope con zigzag orizzontali in Grecia, (Corinto, Itaca e nella Grecia orientale) si veda: MANGANI, PAOLETTI 1986, p. 25, comm. a tav. 23.17 con opportuni rif.

[68] Si ricordano, ad esempio, da *Xeropolis* due frammenti di crateri tardo-geometrici (*Lefkandi* I, p. 68, tav. 54.248-249) e un kalathos proveniente dal deposito A di *Lefkandi* (*ibidem*, p. 59, n. 27, tav. 38.27).

[69] Sul carattere tipicamente insulare del partito decorativo, in genere: COLDSTREAM 1968a, p. 293. Il motivo ricorre a Samo sul labbro di un piatto TG (*Samos* V, p. 101, n. 177, tav. 33), sulla spalla di uno skyphos (COLDSTREAM 1968a, tav. 64.a) ed inoltre è presente sulla spalla di un'anfora da *Thera*, dalla t. 50 di Mesovauno databile tra il 690 e il 670 a. C. (KNAUSS 1997, p. 183, A 35, tav. 14 a-b).

[70] Exx. dalle tt. 133, 189 e 193, datate alla fase corinzia (*Pithekoussai I*, p. 162, n. 1, tav. 47.1; *ibidem*, p. 241, n. 1, tav. 81.1; *ibidem*, p. 251, n. 1 tav. 87.1).

[71] Si segnala uno skyphos da Samo, puntualmente confrontabile ad eccezione che per il minor sviluppo della vasca, databile tra il 730 e il 670 a. C. (*Samos* V, p. 104, n. 226, tav. 40, Fundgruppe XVI, datato 730-670 a.C.; COLDSTREAM 1968a, tav. 64.c).

[72] COLDSTREAM 1968a, p. 18, tav. 3.a, d.

[73] MICOZZI 1994, p. 117, nota 289, con bibl.

[74] MICOZZI 1994, p. 118, nota 290, con bibl.

to ellenico, non è limitata ai quadri metopali ma interessa anche la delimitazione dei pannelli o la decorazione a schema aperto.

Il contatto con le produzioni protocorinzie ha determinato, inoltre, l'acquisizione del noto motivo a reticolo solitamente con punti negli interstizi, ritenuto, sebbene non unanimemente, tipico del PCA[75]. Nella ceramica italogeometrica questo è variamente presente sul collo di anfore ed oinochoai, sul corpo di olle e nel pannello decorativo delle kotylai direttamente imitanti i prototipi greci (tipo Bb 2). La varietà priva di punti, testimoniata solo in relazione al collo di anfore ed oinochoai, è probabilmente da ritenersi una rielaborazione del motivo precedente: le attestazioni note nella ceramica grecoorientale, non sembrano comportare necessariamente un rapporto di derivazione diretta, quanto piuttosto l'esito di percorsi paralleli[76].

Passando ai motivi usati con semplice carattere riempitivo, comuni alla coeva produzione *white on red*[77], la varietà decorativa decresce: piuttosto ricorrente è la stella ad asterisco, che nella versione di modulo maggiore decora sovente il piano di posa di piatti e coppe. Apparsa nel MG I in Grecia, risulta largamente diffusa sia nelle serie della madrepatria che in quelle coloniali fino al VII sec. a.C., quando si registra un decremento nella sua fortuna[78]. Nelle opere del Pittore di Narce compare la croce di S. Andrea contornata, particolarmente diffusa nelle officine corinzie, argive e cicladiche[79]; di diversa ascendenza risulta, invece, la figura del rombo campito a scacchiera, adottato dal ceramografo come elemento separatore nel fregio: introdotto nel tardo geometrico in Attica, e da qui trasmesso alle produzioni euboiche, beotiche, cicladiche e corinzie, rimane in uso ancora nelle prime serie protoattiche per scomparire verso la metà del VII sec. a.C.[80]. Caro alla produzione del Pittore è, inoltre, l'uso in funzione di riempitivo del raro motivo del tridente, attestato nell'olla PS/74, nel piatto V.GG.2/4 e nella kotyle V.a/5.

---

[75] Coldstream 1968a, p. 106 ne data l'apparizione al PCA; di diverso avviso E. La Rocca, che ne ravvisa le prime manifestazioni nel geometrico recente insulare (La Rocca 1978, p. 475, nota 63). Antecedenti, anche per la formulazione priva di punti, sono pure presenti nella produzione euboica geometrica (Christiansen 1984, p. 14, nota 24, con diffusione e bibl.).

[76] Coldstream 1971, p. 5; Canciani 1974, p. 17, comm. a tav. 11.1-4; a titolo d'esempio: *Samos* V, tav. 87.489, 491.

[77] Per la loro diffusione: Micozzi 1994, pp. 122-123.

[78] Sulla diffusione e l'origine del motivo: Martelli 1984, p. 5-6, in part. alle note 20-21 (con diffusione in Grecia) e alle note 23-24 (con distribuzione delle attestazioni, seppure più sporadiche, nel VII sec. a.C.).

[79] Szilàgyi 2006, p. 34; Knauss 1997, p. 96, fig. 29.a; Coldstream 1968a, p. 395, "*St. Andrew's cross outlined*": tutti gli exx. citati presentano tratti angolati e non ricurvi.

[80] Szilàgyi 2006, p. 34, note 1-2, con riferimenti, tra cui: Coldstream 1968a, p. 396 "*Lozenge star*", in part. tav. 12.a, c (*Attic* LG II); Knauss 1998, pp. 92-93, "*Rautenstern*", con ulteriore bibl.; per l'ambiente euboico-cicladico si vedano inoltre Strøm 1962, pp. 232, tav. Ia.9 e Boardman 1952, p. 27, C4, fig. 17, tavv. 4 e 6.

Meno frequentemente compaiono la rosetta puntinata e quella con cerchio a notazioni interne ed esterne a punti. La prima è attestata in relazione alle oinochoai e compare inoltre sugli askoi a botticella[81]; il motivo, che incontra grande successo nella ceramica PCM e poi transizionale[82], senza contare la fortuna riscossa in Etruria nelle serie etrusco-corinzie, vanta i primi esempi nella produzione tardo-geometrica cicladica[83], da cui è probabilmente trasmessa in ambito tirrenico, almeno in relazione alle serie ancora tipicamente geometriche, come nel caso degli askoi. La seconda, che appare nella decorazione di anfore e oinochoai, risulta raramente attestata nel tardo-geometrico attico[84], beotico[85] ed euboico, per conoscere grande diffusione in periodo orientalizzante inizialmente nella ceramica protoattica[86] e poi ancor più consistentemente in quella greco-orientale[87] e cicladica[88].

Accanto a tali stilizzazione di motivi floreali, sono attestate vere e proprie rappresentazioni di elementi vegetali, costantemente inserite in fregi figurativi complessi dove rivestono un ruolo centrale nella rappresentazione. Le raffigurazioni di palme, presenti nell'opera del pittore tarquiniese che da esse prende il nome, derivano probabilmente dall'iconografia dell'albero sacro orientale e mostrano, nel campo della ceramografia, le analogie più stringenti con alcuni motivi fitomorfi propri della ceramica greco orientale di Cos e Rodi[89]. Più variegato appare il repertorio vegetale adottato dai pittori che si dedicano alla decorazione di grandi anfore. Fra questi il Pittore delle Gru mostra di prediligere essenzialmente due modelli di albero: uno con fusto più o meno imponente e rami frondosi, trasmesso anche alla sua bottega (es. V.GG.2/1), l'altro più aereo, in cui predominano i tratti curvilinei e che si ritrova sia in posizione orizzontale, assimilato quindi ad un ramo, che eretto come albero vero e proprio. Il primo tipo, in particolar modo nella formulazione con tronco massiccio, trova lontane ascendenze nell'albero al fianco del quale si protendono due cervidi, sul collo di un'hydria attribuita al Pittore di Cesnola[90]. Ad un orizzonte più recente rinviano invece i confronti per il secondo tipo: nello specifico, l'esemplare a fusto eretto

---

[81] A titolo di esempio si ricorda l'ex. dalla t. IV di Macchia della Comunità a Veio (ADRIANI 1930, p. 50, n. 1, fig. 2).

[82] CHRISTIANSEN 1984, p. 11

[83] COLDSTREAM 1968a, p. 175.

[84] ROMBOS 1988, p. 427 , n. 129, tav. 20a.

[85] COLDSTREAM 1977, p. 202, fig. 65.f.

[86] *Kerameikos* VI:2, p. 357, fig. 35 (Stilgruppe 1) (690-600); MORRIS 1984, tavv. 20, 26 (cratere del Pittore della Scacchiera).

[87] A titolo di esempio si ricorda: *Samos* V, p. 125, tav. 112.576-578, tav. 116.537, 592, 593 (Mileto), tav. 119.598-599 (Rodi) (exx. di inizi VI sec. a.C.).

[88] *Delos* XLI, p. 60, fig. XIX.24-27, con distribuzione.

[89] In generale sul motivo della palma: CANCIANI 1974, p. 17, comm a tav. 11.3 con rif. bibliografici; sulla ceramica greco-orientale: *Samos* V, tav. 89.499-500; BARNETT 1957, tav. 21, S 6.

[90] COLDSTREAM 1971, p. 8, n. 4, tav. I.c.

trova puntuali corrispondenza nella ceramica protoargiva[91], mentre quello ad andamento orizzontale è invece diffuso come riempitivo nella ceramica protoattica[92], sebbene compaia già nella TG II, talvolta in associazione all'iconografia del centauro in veste di arma brandita[93]. Sempre ad ambiente attico rinvia, inoltre, la rappresentazione di una foglia, probabilmente di palma, che compare sull'anfora C.B.A/1, sempre del Pittore delle Gru, con funzione di elemento separatore tra le due facce del vaso[94]. Probabilmente esito di una stilizzazione accentuata del motivo della palmetta/bocciolo è da considerarsi l'elemento fitomorfo che ricorre alla base del fregio principale apposto sul corpo di una coppia di anfore dal tumulo del Colonnello (C.B.I/1-2), recentemente attribuite da M. Martelli alla cerchia del Pittore dell'Eptacordo: non sembra dunque un caso che le somiglianze maggiori siano istituibili con la produzione protoattica[95] e cicladica[96], le cui sollecitazione hanno fortemente irradiato l'opera del ceramografo.

III. 2 Motivi figurati

III.2.1 *Serpente*

Nel mondo greco il motivo decorativo del serpente è estremamente diffuso nella produzione protocorinzia antica[97], sebbene la sua prima apparizione avvenga nel TG I attico[98]. In quest'ultimo ambiente riveste un significato cultuale, connesso alla morte, come attesta la frequente presenza di serpenti plastici, diffusi anche nella vicina produzione beotica[99], applicati su vasi funerari[100].

In Etruria, la sua raffigurazione ricorre dipinta prevalentemente sul corpo delle oinochoai di derivazione protocorinzia (tipo Cb 6), eccezionalmente su quello dell'olla V.MM.5/13 e tra le anse delle kotylai veienti V.GG.1/3 e V.a/6. Ancor più rari sono i serpenti plastici, noti al momento con due soli esempi,

---

91 Courbin 1966, p. 188, C. 480, tav. 8.

92 *Kerameikos* VI:2, p. 118, fig. 7 (740-690 a.C.).

93 Rombos 1988, pp. 232-238.

94 *Kerameikos* VI:2, p. 122, fig. 10 (740-690 a.C.), in questo caso i tratti più curvilinei ne palesano più nettamente l'assimilazione ad una palmetta.

95 L'elemento è simile ad un motivo in voga nel Protoattico antico (*Kerameikos* VI:2, fig. 17, p. 135), anche nella varietà in posizione pendente e con globetto vuoto, (*Kerameikos* VI:2, fig. 16. p. 134); esso mostra inoltre analogie con un tipo di palmetta presente, nella fase successiva, sul collo di un'anfora del Pittore della Brocca degli Arieti (Morris 1984, p. 123, tav. 12).

96 Presente come riempitivo o motivo isolato in numerose varianti nella ceramica insulare orientalizzante: *Delos* XLI, fig. XVII.12-19 (in particolare assimilabile al n. 18a), con distribuzione e bibl.

97 Coldstream 1968a, p. 106.

98 Coldstream 1968a, p. 36.

99 Serpenti plastici con testa indistinta sono presenti sulle anse di oinochoai tardogeometriche (Rückert 1976, Oi 7, Oi 8, Oi 9, oi 11, Oi 12, Oi 13, Oi 15, pp. 17-18 e 75-78, tavv. 2-4) e su kantharoi (Idem, ka 3-4, pp. 35-36, 103, tav. 26).

100 Young 1939, p. 217.

quello disposto in posizione "canonica" sulla spalla dell'oinochoe C.a/ 1 e l'altro applicato sull'ansa dell'askos V.a/1 bis secondo l'uso greco, cui è da aggiungersi l'askos da Acqua Acetosa Laurentina[101]; rari risultano i riscontri nella coeva produzione d'impasto[102].

III.2.2 *Pesci*

I pesci costituiscono un elemento frequente nella ceramica greca, in particolar modo nelle produzioni protocorinzia e coloniale[103]. Nella classe in esame il motivo è largamente attestato su oinochoai, anfore, olle, coppe e piatti, riconducibili esclusivamente a *ateliers* operanti a Tarquinia e Cerveteri. La varietà più diffusa è quella del pesce con corpo reso a *silhouette* e linea longitudinale risparmiata, con pinne multiple e pronunciate, nelle serie attribuite al Pittore dei Pesci di Civitavecchia e alla Bottega dei Pesci di Stoccolma. Più rare risultano le figure a contorno con notazioni interne: sono esuberanti, nel caso del Pittore delle Gru che arricchisce i suoi pesci di campitura interna a punti, a tratti o di figurine lanceolate; risultano, invece, più composte e omogenee, nelle opere del Pittore delle Palme, i cui pesci dal muso allungato sono caratterizzati dalla calligrafica resa delle squame[104]. Un documento significativo per l'iconografia del motivo è rappresentato dal celebre cratere con scena di naufragio da Pitecusa[105], che offre un vero e proprio campionario ornamentale, in cui trovano analogie, seppur non stringenti, la resa a puntinatura delle branchie e la sagoma della coda di alcuni pesci del Pittore delle Gru o ancora, per la fisionomia della pinna caudale, la figura dell'anfora C.a/6.

III.2.3 *Aironi*

La figura dell'airone, o più appropriatamente quella dell'uccello acquatico, è accolta sin dalle prime fasi della produzione vascolare dipinta etrusca. Queste precoci manifestazioni mostrano evidenti legami con l'iconografia dell'uccello propria del TG euboico[106], nota in Etruria sin dalle prime fasi del contatto greco grazie alle importazioni di coppe geometriche con metopa a uccello rinvenute a

---

[101] Cfr. cap. II.2.4, p. 35, note 43-44.

[102] Ringrazio il dott. Orlando Cerasuolo per avermi reso partecipe dei dati da lui raccolti in occasione della suo dottorato di ricerca "Cerveteri. Le tombe dell'Orientalizzante antico e medio" (Università degli Studi di Roma "La Sapienza"), circa la presenza di decorazioni a serpente plastico sugli impasti dell'area medio-tirrenica, dalla zona laziale fino all'Etruria interna.

[103] Canciani 1974, pp. 19-20, comm. a tav.11.1, con diffusione e rel. bibl. per le fabbriche corinzie e coloniali, da integrarsi con *Pithekoussai* I, p. 408, nn. 6-7, tav 131.6-7 (aryballoi PCA dalla t. 359).

[104] Canciani 1974, pp. 19-20, ricorda inoltre un pesce su un cratere beotico con notazione interna delle squame (Åkerström 1943, p. 65, fig. 27 = Rückert 1976, Kr 20, tav. 20.5).

[105] *Pithekoussai* I, S 1, p. 695, tav. 231, con bibl. prec.

[106] In generale sull'iconografia e il significato dell'uccello acquatico nel mondo greco, con particolare riguardo alla ceramografia: Benson 1970, pp. 26-31 e 60-76.

Veio, Tarquinia e Narce[107]. La matrice euboica si coglie inoltre nella campitura del corpo del volatile a tratteggio, presente sull'oinochoe T.a/8 (gruppo Aa) e nelle kotylai di tipo Aa 2, cui si alternano però anche figure rese a *silhouette*[108], comuni inoltre alle kotylai di tipo Aa 1 e all'attingitoio T.a/176, di tipo Aa 3.

La fortuna del motivo sembra trovare giustificazione nella consolidata confidenza con le rappresentazioni ornitomorfe di ascendenza hallstattiana, maturata già in età villanoviana[109]: l'innesto del filone ellenico giunge quindi a rivitalizzare una tradizione preesistente e profondamente radicata, plausibilmente anche in virtù della forte carica simbolica affidata all'uccello trasmigratore.

Con gli inizi del VII sec. a.C., l'avvio della produzione "ad aironi" di marca ceretana e veiente segna la definitiva maturazione del processo di rielaborazione e determina l'affermarsi di un'iconografia, ovvero quella del volatile dal corpo sinuoso e molto allungato, e più generalmente di un modello, quale la teoria unidirezionale di uccelli, che perdurano senza significative modificazione per tutto il corso del secolo e che trovano ampio campo d'applicazione non solo nelle serie in depurata, ma anche in quelle *white on red,* nelle lastre architettoniche, nei buccheri e negli impasti incisi[110]. A riguardo, un documento eccezionale è rappresentato dall'olla ceretana della t. 2006 della Banditaccia (C.B.2006/3, gruppo B), che rappresenta l'anello di congiunzione tra produzione locale e tradizione euboico-coloniale, riecheggiata fedelmente dalla teoria di aironi con corpo a *silhouette* e ala spezzata resa a tratteggio, disposta sul ventre del vaso[111]. La provenienza dell'olla conferma il ruolo determinante di Cerveteri nella recezione e nella rielaborazione del motivo in chiave locale: dal centro provengono, infatti, i primi esempi di aironi di tipo "canonico", fra cui si ricordano le attestazioni sui piatti provenienti dalla tomba della Capanna (C.B.11/11-14). La teoria di aironi è inoltre diffusa sulle spalle di anfore e oinochoai, su olle e, ovviamente come accennato, sulla nota classe dei piatti. Nel corso del primo quarto del VII sec. a.C. è presente anche a Veio una produzione di stampo locale: le più antiche attestazioni sono rappresentate da olle (tipo Cd 1a: V.MC.IV/1; V.a/2; tipo Ce 2a: V.V.XI/3; e probabilmente olle di tipo Ce 2b: PS/74-75), mentre la serie dei piatti, caratterizzati nel sito dalla presenza costante di quattro volatili contro i cinque o più degli esemplari

---

[107] WIKANDER 1988, p. 82, nota 41 con diffusione e bibl.; per la presenza nella ceramica etrusco-geometrica di Vulci e Bisenzio: CANCIANI 1987, pp. 243-249, nn. 4, 5, 7.2, 9, 11, 13-14).

[108] L'uccello reso a *silhouette*, poco frequente nel mondo euboico, è invece ricorrente nella produzione protocorinzia e protoattica (MICOZZI 1994, p. 73, nota 28, con rif.).

[109] MARTELLI 1987a, p. 17.

[110] Per la diffusione del motivo nelle terrecotte architettoniche: WIKANDER 1981; nella ceramica *white on red:* MICOZZI 1994, pp. 72-78; negli impasti e nei buccheri: MARTELLI 1987a, p. 17, nota 12; WIKANDER 1988, p. 83, nota 52, con particolare riguardo alla anforette a spirali.

[111] MARTELLI 1987a, p. 256; WIKANDER 1988, p. 82, nota 43, con bibl.; più di recente RIZZO 1989a, p. 19, nota 20, con puntuale *dossier* delle attestazioni di ambito coloniale e metropolitano.

ceretani, è attestata con sicurezza solo a partire dal secondo quarto del VII sec. a.C.[112].

Per quanto concerne l'iconografia e la resa del volatile non sono rilevabili differenze o evoluzioni: predominano le figure allungate, con corpo più o meno affusolato; indifferentemente ricorre l'uso di rendere l'occhio a risparmio o tralasciarne la notazione; le zampe sono ottenute solitamente con tratti essenziali, ad eccezione di alcuni esempi ceretani in cui gli artigli sono valorizzati da ampie linee fortemente ricurve (anfora tipo Ab 1a: C.B.79/1; olla tipo Dd 1c: C.a/13; piatto tipo Bb 1c: PS/138). Su un piatto proveniente dalla t. IX della Banditaccia a Cerveteri (C.B.IX/3) risulta eccezionalmente raffigurato un volatile con ala allungata, con una resa che trova confronto con gli aironi presenti su un'oinochoe tarquiniese (T.Ar.t/1). In ambiente tarquiniese risulta del resto piuttosto frequente, rispetto al limitato numero di attestazioni, la notazione dell'ala: doppia e tratteggiata, di chiara ispirazione euboica[113], nell'oinochoe T.t/2, compatta e ricurva nell'esemplare T.a/123. Sull'origine di tale iconografia, diffusa marginalmente anche in area falisca[114], sono stati chiamati in causa, oltre ai già ricordati rinvenimenti euboici, senza dubbio alla base dell'unica formulazione veiente nota (olla PS/153), anche sollecitazioni attiche e insulari di derivazione orientale[115]. A Cerveteri la figura del volatile con ali spiegate, dopo le manifestazioni episodiche citate, sembra affermarsi nella versione a doppia ala solo nella produzione *white on red* dei decenni finali del VII sec. a.C., probabilmente sotto la spinta di uno dei ceramografi attivi all'interno della Bottega Calabresi[116]. Rare sono le figure retrospicienti, allo stato attuale delle conoscenze concentrate in massima parte a Veio[117] e significativamente diffuse anche nel vicino agro falisco-capenate[118]; tale

[112] Risulta problematica la collocazione cronologica al primo quarto del VII sec. a.C. per la coppia di piatti dalla t. B di Monte Michele (V.MM.B/6-7), di cui resta incerta la pertinenza al corredo; la documentazione per l'orientalizzante antico è circoscritto dunque ad un unico piatto da Casale del Fosso (BURANELLI *et al.* 1997, p. 82); nel secondo quarto del secolo il tipo è attestato a Veio: (VR.V./3 e exx. nella t. 5 di Monte Michele) e nell'agro (Si.A/6; PG.1/5; PG.2/3).

[113] Cfr. ANDRIOMENOU 1977, p. 158, fig. 7; ANDRIOMENOU 1981b, pp. 194, 196, figg. 20, 21 a, 22-23.

[114] Olla da Narce conservata a Copenaghen e holmos nel Museo di Mainz (MICOZZI 1994, p. 75, nota 37, con bibl.).

[115] MICOZZI 1994, p. 75; exx. attici TG in SIEDENTOPF 1982, pp. 15-17, tavv. 4.2-1, 5.1-2 con rif. e bibl.

[116] MICOZZI 1994, p. 75.

[117] Ricorrono sull'askos V.a/1bis, su olle di tipo Cd 1A, con volatili in pannello (V.MC.IV/1; V.a/2), e di tipo Dd 1 (V.MC.64/1; PG.3/1), tra i piatti Bb 1, sull'ex MC.64/10 e su di uno conservato nella collezione del principe Livio Odescalchi ed esposto al Museo di Cerveteri, che per la presenza di quattro volatili può ritenersi veiente. Per Cerveteri è disponibile, al momento, una sola attestazione su di una coppa di tipo Da 1a (C.Mn.1/1).

[118] A Narce piatti con aironi retrospicienti sono documentati nelle tt. 8.LXI di Contrada Morgi (*Narce* 1894, c. 530, nn. 45-46, fig. 141) e 35.LI di Monte Cerreto (*ibidem*, c. 509, n. 36); a Capena il motivo compare su una coppa e un'olla stamnoide del corredo della t. 16 di S. Martino, per le quali non è da escludersi il carattere allogeno (MURA SOMMELLA 2004-2005, pp. 268-269, figg. 52-53, con bibl. prec.).

schema è noto, inoltre, nella versione incisa su buccheri e impasti provenienti dalle stesse aree e dal Lazio[119]. In ambito veiente sembrano possedere tratti autonomi i volatili adottati dal Pittore di Narce e dai suoi collaboratori: i corpi sono massicci, spesso desinenti con zampe corte e tozze; sovente le teste presentano l'occhio reso a risparmo e terminano con un becco costretto verso il basso dalla presenza dell'airone che precede nella fila.

La sintassi decorativa prevede l'uso pressoché costante della teoria unidirezionale destrorsa[120]; limitatamente a un gruppo di olle veienti, gli aironi sono inseriti in un pannello delimitato lateralmente da gruppi di tremoli o tratti verticali (V.MC.IV/1; V.a/2; V.a/3), mentre nella parallela produzione *white on red* sembra prediletto l'uso di metope multiple campite da singoli volatili[121].

Piuttosto raro appare l'uso del fregio capovolto[122], sulle cui possibili valenze simboliche ha richiamato l'attenzione F. Roncalli. Quest'ultimo, sottolineando il ribaltamento, che caratterizza non le sole figure di volatili ma l'intero registro decorativo, ed evidenziandone la sua frequente disposizione in opposizione al fregio figurativo principale, posto nella metà superiore del corpo oltre una zona di fasce e linee con funzione separatoria, ha intravisto nella raffigurazione dei volatili così organizzata l'allusione ad una collocazione "altra", allusione al mondo del al di là posto nell'immaginario antico agli antipodi della sfera vivente.

La presenza dell'airone trova ragione nella sua duplice natura di uccello migratore, in grado di trasvolare l'Oceano e di farvi ritorno, e di animale acquatico, che, mediante la capacità di immersione, transita e, conseguentemente, mette in contatto la sfera terrena, aerea e acquatica[123]; l'attinenza funeraria è stata del resto più volte evocata in riferimento al fregio pittorico che decora la tomba delle Anatre e a quello della tomba dei Leoni Ruggenti di recente scoperta[124].

---

[119] Per la diffusione delle attestazioni con relativa bibl.: WIKANDER 1988, p. 84, nota 54, da integrare con MICOZZI 1994, p. 77, nota 51; inoltre, per i buccheri graffiti: BONAMICI 1974, p. 17, n. 5 e pp. 93-94, tav. II.b.

[120] Eccezionalmente la fila procede verso sinistra sull'olla C.L.163/2 e sull'oinochoe SG.1/1.

[121] MICOZZI 1994, p. 76 con diffusione, concentrata nell'agro falisco e veiente: coppia di piatti rispettivamente dalla t. IX di Vaccareccia e dalla t. dei Flabelli e inoltre alcuni frammenti di bacino da Acquarossa.

[122] Tale sintassi ricorre sulla già più volte segnalata olla B.2006/1, ma anche sull'olla veiente dalla t. delle Anatre V.R.IV/1. Nelle serie *white on red* è attestato sporadicamente: si ricordano un'anfora dalla t. 17 della Banditaccia e un'olla dal mercato antiquario (MICOZZI 1994, p. 76, p. 259, n. 97, tav. XXXII.c-d; p. 269, n. 160, tav. L.a).

[123] F. Roncalli ha affrontato il tema nel corso di una delle conferenze del ciclo "Vista su Veio", ospitata nel Museo dell'Agro Veientano di Formello nell'inverno del 2006.

[124] RIZZO 1989c, con analisi delle relazioni con la coeva ceramografia; sulla tomba da ultimo STEINGRÄBER 2006, p. 36; sulla t. dei Leoni Ruggenti: BOITANI 2010, in part. pp. 28-33.

Se la figura dell'airone mostra caratteri di originalità rispetto alla tradizione greca, le rappresentazioni di gru che popolano le opere dell'omonimo Pittore si caratterizzano per la fedele osservanza dei modelli ellenici[125].

III.2.4 *Cavallo*

La rappresentazione del cavallo appare nella ceramica attica agli inizi della fase geometrica[126], mentre più tarda risulta l'introduzione dello schema con equini gradienti in teoria, presto adottato dalle produzioni regionali d'influenza attica[127] e perdurante in età orientalizzante nella ceramografia cicladica e continentale[128].

In Etruria, tralasciando le manifestazioni di stampo ancora pienamente geometrico solo tangenzialmente toccate dalla presente ricerca, agli inizi del VII sec. a.C. in ambito ceretano persistono ancora intense sollecitazioni euboiche, più probabilmente d'estrazione coloniale, che si manifestano nelle raffigurazioni del *despotes hippon* presenti sulla ricordata olla B.2006/1, che ne ha restituito la rappresentazione più antica, e su di un'anfora di provenienza sconosciuta, ricondotta da M. Martelli allo stesso ambiente (PS/58)[129]. I cavalli sono caratterizzate da corpi snelli, da lunghe zampe con zoccoli prominenti e dalla resa della criniera a brevi tratti, elementi che trovano confronti più puntuali in ambiente pitecusano. La stessa matrice è alla base delle figure degli equini pascenti[130] presenti sulla nota olla Bendinelli e di quelli raffigurati sulla coppia di oinochoai (T.a/58, PS/17) attribuite al Pittore dei Cavalli Allungati o alla sua cerchia, ritenuti prodotti da un'officina avviata da un artigiano immigrato e presto adattatasi al gusto e alla committenza locali[131].

Ad ambiente attico e cicladico rinvia invece l'iconografia del cavallo con caratteristica criniera ricadente[132], che si afferma nelle opere del Pittore delle Gru e della sua bottega e in quelle del Pittore dell'Eptacordo[133]. Il primo,

[125] Cfr. figura sulla spalla di un aryballos PCA (Cook 1992, p. 47, tav. 9A).

[126] Coldstream 1968a, p. 13.

[127] Micozzi 1994, p. 79, con rif.; in generale sull'iconografia del cavallo nel geometrico greco: Benson 1970.

[128] Micozzi 1994, p. 79, nota 58.

[129] Sui modelli euboici e coloniali: Rizzo 1989a, p. 17, nota 16, con numerosi rif.; per l'iconografia e la diffusione del *despotes hippon*: Eadem, p. 13, nota 11.

[130] L'iconografia del cavallo al pascolo si afferma inizialmente in ambiente euboico-cicladico in età tardo-geometrica, per essere presto accolto dalle altre fabbriche regionali (Coldstream 1968a, p. 88).

[131] Canciani 1987, p. 254; nello specifico sulle connessioni euboico-coloniali dei cavalli: Coldstream 1977, p. 227, fig. 74.f; Coldstream 1981, p. 243, fig. 1.a.

[132] Per la criniera ricadente, adottata anche nella raffigurazione del leoni: Martelli 1984, p. 8, note 58-61, con riferimenti a exx. protoattici (coperchio del pittore di Analatos) e cicladici (oinochoe paria da Egina); repertorio delle raffigurazioni del cavallo nelle anfore cicladiche: Knauss 1997, p. 108, fig. 33.

[133] Martelli 1984; Martelli 1986; Martelli 1987a, p. 258, n. 33 .

almeno nelle sue creazioni più antiche (C.B.11/1, C.A.A/1), predilige figure corpose caratterizzate dall'esuberante campitura delle parti anatomiche a puntini e reticolo; diversa appare la resa angolosa del cavallo, eseguito a *silhouette* con solo muso e criniera risparmiati, presente nelle anfore PS/45, V.GG.2/1 e nel ricordato nucleo narcense proveniente dalla t. 8.LXI del sepolcreto a Sud di Contrada Morgi, a ragione ritenute opere non autografe. Nelle raffigurazioni del Pittore dell'Eptacordo si coglie invece maggiore equilibrio e omogeneità stilistica: i cavalli, dalla figura snella, mostrano costantemente una bipartizione del corpo fra treno anteriore, reso a *silohuette,* e posteriore, con caratteristiche marezzature; in corrispondenza del quarto posteriore compare saltuariamente, come nell'esemplare C.B.I/1, un motivo a doppia spirale, che, attestato anche nelle serie *white on red*[134], vanta un'ascendenza cicladica[135].

Piuttosto rara è la rappresentazione del cavallo alato, che compare nell'anfora C.B.I/2 attribuita alla cerchia del Pittore dell'Eptacordo, sulla lekythos PS/162 e sull'anfora V.GG.2/2, ricondotte entrambe alla Bottega del Pittore delle Gru. La variante alata attestata in ambito greco[136] è probabilmente introdotta in Etruria, mediata dal bestiario orientale, e si diffonde oltre che nella produzione in figulina[137], anche in quelle in impasto dipinto, per incontrare grande fortuna negli impasti incisi ed excisi di area falisco-capenate[138].

Uniforme appare la rappresentazione di cavalli gradienti e pascenti presente su un nucleo omogeneo di vasi di esclusiva provenienza veiente e narcense, attribuiti al Pittore di Narce e alla sua bottega[139]. La figure, realizzate esclusivamente a *silhouette*, sono caratterizzate da masse scandite e sinuose; solo la testa, dal caratteristico aspetto a goccia, è resa in *outline*, sovente con una doppia linea ricurva per la definizione della mascella; solitamente non compare nessuna notazione della criniera. Come dimostra l'omogenea appartenenza al medesimo *atelier*, questi cavalli sono il frutto di una rielaborazione in chiave strettamente locale, a partire dalla figura di quadrupede – capriolo – presente sui prodotti più antichi del ceramografo, dalla quale, in assenza di criniera, si distinguono solo per la lunga coda; secondo J. G. Szilàgyi il prototipo della figura con muso triangolare è rintracciabile nei quadrupedi, nello specifico cavalli, dispiegati sulla spalla di un'aryballos dalla t. 622 di Pitecusa, variamente identificato come importazione euboica o prodotto d'imitazione

---

[134] Micozzi 1994, p. 81.

[135] Il motivo ricorre nella stessa posizione, sul quarto posteriore del cavallo, sulla nota brocca da Egina (Martelli 1984, p. 8; figg. 28-29).

[136] Micozzi 1994, p. 80, nota 70, con rif.

[137] Si segnalano alcune anfore da Narce: Contrada Morgi, t. 8. LXI (da ultima Martelli 2001, p. 15, figg. 41-42 con bibl. prec).

[138] Micozzi 1994, pp. 81-82, con bibl; sulle serie decorate ad incavo: Biella 2007, pp. 141-142.

[139] Olla di tipo Ce 2b (V.R.IV/1), olle di tipo Ce 2 (PS/74-75), anfora di tipo C (V.CF.1090/1) e piatti di tipo Bb 1a varianti, cui sono da aggregarsi alcun exx. da Narce trattati nel capitolo dedicato alla discussione sulla tipologia (vedi cap. II.3).

locale[140]. In particolare la corposità delle forme sembra rinviare a esemplari attici tardo-geometrici[141].

III.2.5 *Leone*

Il leone, di origine orientale, fa la sua comparsa in età tardo-geometrica in Attica, quale elemento decorativo inizialmente delle lamine auree[142] e poco dopo della ceramica: in queste prime rappresentazioni è spesso raffigurato nella versione antropofaga[143].

I felini protagonisti delle scene di caccia presenti nelle opere del Pittore di Narce[144], cui sono assimilabili come indicato da F. Boitani i leoni ruggenti eponimi della tomba recentemente scoperta a Veio[145], rivelano nel corpo, a forma di otto da cui dipartono zampe filiformi desinenti in lunghi artigli, nella grande testa con fauci spalancate irte di denti aguzzi da cui fuoriesce la lingua, nelle orecchie aguzze e nella coda sinuosa con estremità spiraliforme, la derivazione da modelli tardo-geometrici attici, trasmessi in Beozia e infine approdati a Pitecusa. In particolare, appaiono stringenti i confronti con alcune figure dipinte dall'attico Pittore dei Leoni[146], con quelle presenti su anfore di fabbrica beotica[147] e soprattutto con il felino sulla spalla di un'anfora dalla tomba a *enchytrismos* 1000 di S. Montanoa Pitecusa, databile attorno al 700 a.C.[148].

Diversa è l'iconografia del leone adottata dal Pittore dell'Eptacordo. I felini che compaiono nelle sue opere (PS/53-54; C.MA.297/2), con funzione accessoria rispetto al fregio narrativo sul collo, sono caratterizzati da un corpo snel-

---

140 Szilàgyi 2006, pp. 40, 46, nota 2, con rif.

141 Coldstream 1968a, tavv. 11.e (olpe LGII con cerbiatto), 14.e (anfora LG II con cavallo). Nella ceramica tardo-geometrica attica sono diffuse, inoltre, teorie di cervidi pascenti: le affinità più evidenti si riscontrano con le figure disposte sulla spalla di un'anfora oggi al British Museum (Schweitzer 1971, p. 49, tav. 45) e con un capriolo dalle piccole orecchie e corna sottili su un kantharos attico in collezione privata (*Solothurn* 1967, p. 22, n. 68, tav. 6.68), che, benchè d'aspetto filiforme, ricorda nel profilo gonfio dei quarti posteriori le raffigurazioni del Pittore di Narce. Una teoria di cerbiatti a riposo compare su un'olla della t. 23M di Narce (Hall Dohan 1942, p. 42, n. 3, tav. XXI).

142 Coldstream 1994, p. 92; D'Agostino 1999, p. 26.

143 Young 1939, p. 216.

144 L'iconografia del leone che caccia il cervo, metafora di morte, incontra grande fortuna in Attica nella transizione tra geometrico e protoattico (D'Agostino 1999, in part. pp. 31-32, con rif.).

145 Boitani 2010, pp. 31-33.

146 Szilàgyi 2006, p. 35 con richiami al Pittore dei Leoni (Boardman 1998, fig. 75, kotyle ad Atene) e in generale all'iconografia attica del felino (Rombos 1988, p. 185 ss.; inoltre Coldstream 1994, p. 92, fig. 3).

147 Rückert 1976, p. 82, BA 8, tav. 8, dall'Attica, (Atene, Museo Nazionale); Eadem, p. 38, BA 9, tav. 9.1, da Tebe, (Bonn, Akdemisches Kunstmuseum); Eadem, p. 88, BA 35, tav. 13.1, da Tebe, (Parigi, Louvre).

148 Da ultimo Coldstream 2000, p. 94, fig. 6, con bibl.; inoltre D'Agostino 1999, in part. pp. 31-32, sull'iconografia.

lo e schematico, campito da punti e con gli arti interamente dipinti; il muso, con le fauci spalancate, è ridotto alle linee essenziali, mentre il rendimento della criniera, quando presente, è affidato a piccoli tratti ricurvi dall'aspetto di squame. Come più volte evidenziato da M. Martelli, la fisionomia del corpo, cui non sono estranee le esperienza attiche e beotiche maturate in età tardo-geometrica, e la contrapposizione tra parti a *silhouette* e zone campite denunciano palesemente la dipendenza da modelli propri del protoattico antico e medio e delle fabbriche insulari attive nella prima età orientalizzante[149]. Anche la presenza di una linea divisoria verticale presso il torace, comune anche al cavallo sull'anfora C.B.11/1, trova puntuale confronto su analoghe rappresentazioni poste su anfore cicladiche[150], mentre per il muso sono stati evidenziati richiami ai protoattici Pittori della Mesogeia e della Scacchiera[151]. Nelle anfore C.B.I/1-2, attribuite alla cerchia del Pittore dell'Eptacordo, i leoni possiedono una criniera assimilabile a quella degli esemplari precedenti, tuttavia la fisionomia generale appare più corporea e meno astratta e il dorso si arricchisce della notazione del pelame ricadente. Gli stessi caratteri denotano il felino dell'anfora C.B.A/1 del Pittore delle Gru, sebbene il muso abbia proporzioni maggiori con parti anatomiche scandite e la possente criniera sia resa con tratti ondulati; quest'ultima richiama da vicino il rendimento delle criniere dei cavalli, per cui sono già stati sottolineati gli antecedenti insulari, all'origine inoltre della totale campitura a punti delle figure. Simili risultano i felini gradienti posti a decorare la vasca del piatto PS/141, inizialmente attribuito allo stesso artigiano e di recente ricondotto, più convincentemente, da M. Martelli al suo *atelier*. In particolare, si segnala a riguardo un leone presente sulla spalla di un cratere beotico, d'influenza insulare, che ne costituisce un puntuale confronto[152]; più rozze e correnti sono le raffigurazioni di leoni che si alternano a cervi sulla spalla dell'olla ceretana C.L.185/2[153].

III.2.6 *Cervo*

La raffigurazione del cervo ricorre sulle anfore del Pittore delle Gru (V.CF.868/1 e PS/42), sulle quali è rappresentato trafitto da frecce sul dorso[154]. Il tema della caccia al cervo si inserisce in una tradizione consolidata, con an-

---

[149] Martelli 1984, pp. 7-8, con ampia bibl.

[150] *Delos* XV, gruppo Ad; la studiosa ha inoltre sottolineato come le rappresentazioni di questo gruppo, unitamente a quelle del *Linear Insular Group*, del gruppo B e alle protomi del gruppo D, ricorrano frequentemente all'uso di campitura a punti per i corpi (Martelli 1984, p. 7, con rel. bibl.).

[151] Martelli 1984, p. 8, note 48-49, con rif.

[152] Rückert 1976, kr. 14, tav. 19.3.

[153] Martelli 1988, p. 286.

[154] A queste testimonianze si deve aggiungere la raffigurazione, di diversa esecuzione, che compare su alcuni frammenti combacianti pertinenti ad un'anfora dalla t. degli Animali Dipinti di Cerveteri (Martelli 1988, p. 290, fig. 14).

tecedenti già in età villanoviana[155], che in età orientalizzante viene rivitalizzata dall'afflusso di importazioni orientali[156]. Nella realizzazione dei corpi e nella resa a risparmio della testa con occhio sottolineato da tratti ricurvi, l'esecuzione delle figure denuncia l'appartenenza alla stessa mano; l'unico elemento di differenza tra i due esemplari è offerto dalla decorazione del corpo: nell'anfora PS/42, eccezionalmente ottenuto a *silhouette* e, nell'altra (V.CF.868/1), più comunemente campito da punti. Confronti sono istituibili con le figure pascenti graffite su di un'oinoche in bucchero dalla t. 2 del tumulo I della Banditaccia, non casualmente appartenente alla più antica produzione ceretana[157]. La tecnica a campitura di punti è inoltre adottata per i cervi dell'olla C.L.185/2, in cui gli elementi stilistici, già evidenziati per le altre raffigurazioni animali trattate, dichiarano l'influenza dei modelli cicladici e protoattici[158].

Per l'assenza di corna e la coda breve, i cervidi che compaiono nelle opere del Pittore di Narce sono plausibilmente identificabili con caprioli con ascendenze in ambito attico[159].

III. 2.7 *Altri animali*

Il repertorio dei motivi animali si esaurisce con occorenze rare o isolate, di grifo, ariete e lepre, questi ultimi due con attestazioni singole.

Alla raffigurazione canonica del grifo, con corpo leonino alato e testa di rapace, aderisce l'esemplare che compare sull'anfora V.GG.3/1 di tipo Ab 3b del Pittore delle Gru. Questa recente acquisizione conforta l'identificazione, da tempo avanzata, del mostro gradiente sull'anfora del Pittore V.CF.868/1 con un grifo di tipo anomalo, data l'assenza di ali, passato successivamente anche alle serie in ceramica policroma e bucchero. La libertà dell'iconografia è del resto testimoniata dai quadrupedi con becco adunco adottati dalla tarquiniese Bottega di Bocchoris, probabilmente esito della commistione tra i modelli orientali del grifo canonico e del leone-grifo[160], con confronti in ambiente insulare[161]. Certamente, dunque, l'origine ultima della raffigurazione è da ricercarsi nel bestiario orientale, introdotto in Etruria anche grazie all'afflusso di beni santuari levantini[162].

---

[155] Da ultimo Canciani 1987, p. 246, con elenco delle attestazioni di età villanoviana e bibl., fra cui Camporeale 1984, pp. 21-25.

[156] R. Dik richiama, per la figura del cervo dell'anfora V.CF.868/1, modelli siro-fenici in cui la raffigurazione dell'animale in movimento è sovente inserita in una scena venatoria (Dik 1980, p. 20).

[157] Bonamici 1974, p. 15, n. 1, tav. I.a-b, in part. pp. 87-90, con rif. circa una derivazione del motivo e dell'iconografia del cervo pascente da ambito orientale.

[158] Martelli 1984, p. 7.

[159] Vd. pp. 200-201.

[160] Canciani 1987, p. 252.

[161] *Delos* XV, p. 45, n. 1, tav. XX, gruppo Ad.

[162] Dik 1980, p. 20, note 48-49, con bibl.

La lepre, spesso inseguita da cani, compare nella ceramica tardo-geometrica attica e in quella protocorinzia antica[163]. La testa risparmiata e il corpo a *silhouette* richiamano da vicino gli esemplari in corsa estremamente diffusi nella ceramografia greco-insulare[164]. Nel piatto di Acqua Acetosa Laurentina l'animale appare quasi isolato all'interno del più ampio fregio narrativo: sul suo significato si è soffermato L. Cerchiai che ne ha proposto una lettura fondata sulla scomposizione in due sequenze distinte e speculari (scena di naufragio e di caccia), funzionali all'assimilazione simbolica dei rispettivi protagonisti, uomo e lepre, nella comune sorte di vittime[165].

Infine, è il caso di soffermarsi sulla figura di ariete presente sul corpo dell'anfora PS/46, attribuita alla Bottega del Pittore delle Gru: la riconoscibilità dell'animale appare affidata alle lunghe corna ricurve, mentre la fisionomia del muso pronunciato lo apparenta piuttosto alle figure di cinghiale. Si tratta plausibilmente di una rielaborazione in chiave locale, in cui le ascendenze dei modelli greci, anche in questo caso protoattici e insulari, sopravvivono nella resa del mantello a linee ricurve ravvicinate[166].

III.2.8 *Scene narrative*

Purtroppo rare, le rappresentazioni di scene complesse con protagonista la figura umana sono estremamente significative ai fini della ricostruzione dell'immaginario e del patrimonio narrativo orientalizzante. Due elementi, ovvero ridotta entità delle attestazioni e limitata conoscenza del sistema di storie e miti etruschi, per noi quasi interamente mediato attraverso il repertorio greco, penalizzano la lettura e la comprensione delle testimonianze, evidenziandone al contempo l'alto valore documentario. Tale stato di cose ha determinato nella storia degli studi l'alternanza tra interpretazioni di tipo più "essenziale", che vedono nelle raffigurazioni semplici scene di genere, ed altre tese all'identificazione degli echi delle saghe mitiche di stampo ellenico, nell'orientalizzante penetrano in Etruria. La complessità della questione, inconciliabile con il taglio della presente ricerca, ha imposto di accennare solo brevemente alle possibili letture e implicazioni iconografiche delle raffigurazioni più impegnative, rinviando di volta in volta alla bibliografia relativa.

In ambiente ceretano, tra le prime raffigurazioni della figura umana compare il guerriero con elmo dall'alto cimiero, armato di lancia e spada, raffigurato sul corpo dell'askos C.B.78/1 (tipo 2) forse nel corso di una caccia,

---

[163] Young 1939, pp. 216-217.

[164] Il motivo è abbastanza frequente nella ceramica "melia", a titolo d'es. si ricordano alcuni piatti da *Thasos*: Salviat 1983a, p. 187, fig. 2; Salviat 1983b, pp. 213-214, figg. 23-24.

[165] Cerchiai 2002.

[166] Si ricordano ad es. un ex. sulla spalla di un'anfora alto-orientalizzante da *Thera* (Knauss 1997, A33, p. 183, tav. 13.b) e le celebri figure realizzate dal Pittore della Brocca degli Arieti sul vaso eponimo (Morris 1984, fig. 10, con bibl. prec.).

come sembrerebbe indicare l'adiacente rappresentazione di una rete/cesto e di volatili[167].

Un ruolo di primo piano è senza dubbio rivestito dalla personalità del Pittore dell'Eptacordo, che nel biconico di Monte Abatone (CC.MA.297/2, anfora gruppo Cb) pone nella sequenza principale un colloquio tra un personaggio maschile e uno femminile colto nell'atto di toccare il mento al compagno. Contro l'interpretazione come semplice scena d'incontro avanzata da G. Camporeale e R. Dik, M. Martelli, muovendo dall'identificazione dell'uomo con un guerriero, giustificata dalle presenza delle cnemidi, e da quella del gesto della donna quale atto di supplica, ha riconosciuto l'episodio omerico del colloquio di Menelao con Elena o, più genericamente, la rappresentazione di donne troiane che invocano pietà preso i combattenti greci, come suggerito dalla medesima iconografia ripetuta più volte su anfora da Mykonos[168]. Nell'anfora PS/53, dello stesso ceramografo, fra le numerose possibilità schiuse dalla generica rappresentazione di guerriero in procinto di salire sul carro, la studiosa ha indicato come più plausibile l'identificazione con l'episodio della saga tebana che ha per protagonista l'eroe Anfiarao. Probabilmente una connotazione cultuale o ludico-simposiale attiene alla concitata danza acrobatica di armati, accompagnata da un suonatore di eptacordo plausibilmente impegnato nel canto, che si spiega sul ventre dell'anfora PS/54[169]. Tornando alla sfera dell'*epos*, compare sull'anfora C.a/12, attribuita al Pittore di Amsterdam, la più antica attestazione del mito di Medea in Etruria, rappresentata nell'atto di affrontare il drago della Colchide[170]. La precocità nella recezione della figura della maga è stata peraltro confermata dal rinvenimento della nota olpe in bucchero nella tomba ceretana di S. Paolo[171], che ha così rinvigorito la lettura in chiave mitica della rappresentazione, contro il carattere esclusivamente decorativo e accessorio attribuitole da R. Dik[172].

Conclude la rassegna la nota oinochoe PS/17 del Pittore dei Cavalli Allungati, attentamente analizzata da J.N. Coldstream[173], che ha proposto l'interpretazione della scena narrativa posta sul collo come rappresentazione del *géranos*, la danza cui prendono parte Teseo, Arianna e i giovani ateniesi liberati e al cui nome alluderebbero le vicine raffigurazioni di gru; F. Canciani, tuttavia, pur ribadendo il carattere mitologico della sequenza, imposto dalla specificità degli attributi dei personaggi che ne escludono la valenza generica,

---

167 Rizzo 1989a, p. 24.

168 Martelli 1984, pp. 9-11 con relativi rif.; aggiornamento delle proposte ermeneutiche riportato in Martelli 2001, p. 2, nota 2.

169 Martelli 1988, pp. 293-294, con analisi approfondita e dettagliata; Martelli 2001, p. 2, note 3-4, con rassegna delle precedenti letture e bibl.

170 Martelli 1984, p. 12.

171 Martelli 2001, p. 7.

172 Dik 1981a, pp. 62-63.

173 Coldstream 1968b.

ha evidenziato alcune incongruenze che rendono per lo meno problematica l'ipotesi dello studioso inglese[174].

[174] CANCIANI 1987, pp. 253-254, n. 25, con bibl. prec.

IV. Cronologia dei contesti

Premessa

Contestualmente ai grandi centri di pertinenza, è analizzata la cronologia dei complessi, che, avendo restituito ceramica italo-geometrica, risultano fondamentali per l'inquadramento della classe. Nello specifico, si è ritenuto opportuno dedicare uno studio più dettagliato, oltre che ai corredi inediti, ai contesti pubblicati, privi di approfondimenti cronologici o necessitanti, in seguito all'evolversi degli studi, di aggiornamento. Per i complessi meglio noti, sovente oggetto di numerosi interventi o pubblicazioni esaustive, è invece parso più agevole limitare la trattazione rinviando alle relative edizioni.

Il periodo orientalizzante, che vede un radicale ed esteso mutamento della società medio-tirrenica e delle sue manifestazioni[1], è ancorato ad una cronologia assoluta e ad una scansione interna salde e largamente condivise, a differenza di quanto accade per la prima e seconda età del Ferro, oggetto di un vivace dibattito alimentato dalla discrepanza tra le datazioni C14, calibrate con la dendrocronologia, e quelle tradizionali, fondate sui parallelismi da tempo istituiti, grazie alla presenza di classi significative di materiali, tra sequenze locali e contesti, in particolar modo orientali, agganciati ad eventi storici puntualmente datati[2]. L'orientalizzante, il cui inizio è collocato tra il 730 e il 720 a.C.[3], si esaurisce agli inizi del VI sec. a.C., articolandosi in tre fasi, che sono scandite sul piano materiale dall'avvicendarsi di diverse produzioni ceramiche: l'inizio della fase media coincide, così, con la comparsa dei primi buccheri attorno al 670 a.c C., mentre quella recente è segnata dalla diffusione delle serie etrusco-corinzie dal 630 a.C. e, più generalmente, dall'affacciarsi di nuove sollecitazioni greco-orientali che affiancano e, poi, sostituiscono le influenze corinzie dominanti nelle precedenti fasi[4].

---

[1] Sul periodo orientalizzante, con particolare riferimento alla cultura artistica: Colonna 2000b, Martelli 2008. Nello specifico, sulla fase demaratea: Torelli, Menichetti 1997, con rif.

[2] Posizioni e sequenze locali a confronto in Bartoloni, Delpino 2005; in part. un quadro di sintesi della questione in Bartoloni, Delpino 2005a, ove si evidenzia la difficoltà di conciliare la cronologia della ceramica greca, caposaldo per la datazione della colonizzazione in Occidente e conseguentemente per quella dei complessi indigeni, con quella derivante dalla revisione operata sui contesti transalpini.

[3] Babbi, Piergrossi 2005, pp. 307-308, con rif. Un'isolata proposta di rialzamento dell'inizio del periodo orientalizzante al 740 a.C. è stata avanzata da M. Bettelli, sulla base dell'eccessiva distanza cronologica che separerebbe alcuni ricchi contesti medio-tirrenici, tra i quali la tomba Bernardini di Palestrina e alcuni materiali metallici orientali ivi contenuti, confrontabili con oggetti restituiti dal noto tumulo di Gordion la cui cronologia verrebbe rialzata dalla nuova data dendrocalibrata al 757 a.C. (Bettelli 1997, pp. 197-198.)

[4] Colonna 1994, pp. 568-569.

IV. 1. Veio

Già nel 1965, in occasione dell'edizione dei primi risultati delle campagne di scavo nella necropoli di Quattro Fontanili, J. Close Brooks[5] aveva incluso nella tabella di seriazione cronologica elaborata per il sepolcreto i corredi databili nella locale fase III della Vaccareccia e di Picazzano[6]. Quattro anni più tardi M. Cristofani, nello studio dedicato alle tombe di Monte Michele conservate nel Museo Archeologico di Firenze, riprendeva il discorso articolando in modo più serrato la precedente sequenza, grazie all'inserimento di nuovi contesti[7] e ad un'analisi più dettagliata delle fasi media e recente dell'orientalizzante, solo tangenzialmente toccata, la prima, o tralasciata, la seconda, dal lavoro di J. Close Brooks, incentrato sui momenti più antichi[8]. A parte qualche limitata puntualizzazione, la seriazione tracciata dallo studioso rimane tutt'oggi valida e costituisce una solida impalcatura cronologica funzionale all'inquadramento di quei contesti veienti, inediti o solo parzialmente noti in letteratura, trattati in questa sede. Un lotto piuttosto cospicuo di sepolture con corredi comprensivi di ceramica italo-geometrica proviene dalla necropoli di Macchia della Comunità, indagata nei primi decenni dello scorso secolo nel settore sud-occidentale delle pendici del pianoro di Veio, e dal sepolcreto di Pozzuolo situato a nord-ovest della città[9].

La definizione cronologica risulta, inoltre, facilitata dalla conoscenza più approfondita dell'orientalizzante veiente acquisita negli ultimi due decenni, grazie all'edizione di alcuni corredi delle necropoli di Riserva del Bagno[10], Monte Michele[11], Passo della Sibilla[12], Casale del Fosso[13], del nucleo di grotta

---

[5] Close Brooks 1965; aggiornamenti e revisioni della sequenza del sepolcreto in Toms 1986 e Guidi 1993.

[6] Palm 1952.

[7] Si tratta dei corredi delle necropoli di Casalaccio (Vighi 1935), dei tumuli di Vaccareccia (Stefani 1935), Monte Oliviero (Stefani 1928) e della "tomba" Campana (Cristofani, Zevi 1965; Delpino 1985, pp. 135-143).

[8] Cristofani 1969, pp. 67-70.

[9] Lo studio dei corredi di Macchia della Comunità, editi in minima parte (Adriani 1930), è stato ripartito in tre tesi di laurea affidate dalla prof.ssa G. Bartoloni a G. Galante, T. Magliaro e a chi scrive. Solo le tt. 33, 34, 35, 39, 42, 47, 49, 57, oggetto del mio lavoro, verranno più approfonditamente analizzate in questa sede; per le restanti sepolture sono riportati i dati generosamente messi a disposizione dagli studiosi ricordati. Analogamente, la conoscenza del sepolcreto di Pozzuolo dipende dalla liberalità di M.H. Marchetti, che ne ha curato lo studio in occasione della sua tesi di Specializzazione presso l'Università di Roma. I dati relativi al piccolo nucleo funerario di Riserva del Bagno sono tratti dalla tesi di laurea di I. Massimo, discussa presso la stessa Università nell'A.A. 1973/1974 (Massimo 1973). In generale sulla topografia dei sepolcreti, ancora valida resta l'ampia ricostruzione di J.B. Ward Perkins (Ward Perkins 1961)

[10] Sulla t. V: Buranelli 1982; sulla t. delle Anatre: da ultima Medoro 2003, con bibl. prec., tra la quale il fondamentale contributo di M. A. Rizzo (Rizzo 1989c).

[11] T. 5: Boitani 1982; Boitani 1985, recentemente; Boitani 2001b; Boitani 2003.

[12] Raddatz 1985.

[13] Buranelli *et al.* 1997; Drago 2005.

Gramiccia gravitante attorno alla t. dei Leoni Ruggenti[14] e dei piccoli sepolcreti dell'agro, come Pantano di Grano[15] e Volusia[16].

Ad un momento iniziale dell'orientalizzante antico, 720-700 a.C. circa, sono ascrivibili le tombe di Casale del Fosso 821, 856, che ha restituito una coppa tipo Ba 3c, 881, 1001, nel cui corredo si trovavano associate una coppa tipo Aa 1b e una kotyle tipo Bb; di poco successive risultano, invece, le prime tombe a camera come le tt. Casale del Fosso 1089 e 109, quest'ultima caratterizzata dalla presenza di una pisside e di una kotyle di probabile importazione associate ad un'anfora tipologicamente unica (V.CF.1090/1)[17], e la t. dei Leoni Ruggenti, che tra le ceramiche dipinte ha restituito una coppia di piattini tripodi (V.GG.1/1-2) e una kotyle con serpente (V.GG.1/3), oltre ad un olla *red on white* della produzione iniziale del Pittore di Narce[18]. Nel primo quarto del VII secolo a.C. si datano le sepolture Vaccareccia VIII, X, XI[19], la t. B di Monte Michele, in cui erano deposte una coppia di olle tipo Ce 1, una coppa tipo Ca 1a e, probabilmente, alcuni piatti ad aironi la cui pertinenza non risulta comunque verificabile; coeva è la deposizione della tomba a fossa con loculo sepolcrale IV del sepolcreto di Macchia della Comunità, che ha restituito un'olla tipo Cd 1a, una kotyle tipo Bb 2 e una coppa tipo Ba 3c.

Con l'orientalizzante medio si arricchisce e si amplia topograficamente il *dossier* delle sepolture comprendenti ceramica a italo-geometrica. Tra il 680 e il 660 a.C. si colloca la t. a camera 2 del sepolcreto di Grotta Gramiccia, adiacente alla più celebre t. dei leoni Ruggenti, nel cui corredo compaiono opere del Pittore di Narce (olla di tipo Ce 3 e piatti Bb 1a varianti) e della Bottega del Pittore delle Gru (anfore di tipo Ab 3b, V.GG.2/1-2); attorno al 660 a.C. si data la vicina t. 3, anch'essa una camera preceduta da lungo *dromos*, che ha restituito l'anfora autografa del Pittore, V.GG.3/1 (tipo Ab 3b). Nel secondo quarto del VII sec. a.C. la figulina dipinta risulta attestata nella necropoli di Casalaccio con l'olla e la kotyle deposte nella tomba a camera II, a Riserva del Bagno con il gruppo di ceramiche comprendente olle di tipo Ce e la kotyle Bb della celebre t. delle Anatre, ancora

---

[14] Scoperta nel giugno 2006, la t. dei Leoni Ruggenti (V.GG.1), una camera funeraria preceduta da lungo dromos con banchine cultuali, viene a costituire un cardine per la conoscenza dell'orientalizzante antico a Veio e per la pittura funeraria, di cui costituisce la più antica testimonianza. I primi risultati sono stati presentati da F. Boitani in occasione di un incontro di studi tenutosi a Viterbo nel marzo 2007 (Boitani 2010) La prosecuzione delle indagine ha portato in luce altre tre tombe a camera, (tt. V.GG.2-3), di poco successive (Boitani *et al. cds.*).

[15] De Santis 1997.

[16] Carbonara *et al.* 1996.

[17] Buranelli 1981; Buranelli *et al.* 1997.

[18] Boitani 2010, pp. 34-36, con composizione e datazione del corredo.

[19] In riferimento alla ceramica in esame, si elencano brevemente i rinvenimenti relativi alle tt. di Vaccareccia citate: dalla t. VIII provengono una coppa tipo Ba 1b e uno skyphos tipo Bb 1a, quest'ultimo di probabile produzione tarquiniese; dalla t. IX una coppia di oinochoai di tipo Aa 7 e Cb 5b; dalla t. X un'oinochoe tipo Ab variante, un attingitoio tipo Bb 1a e una kotyle tipo Ab 1.

databile al momento di passaggio con la fase precedente, e con i fittili pertinenti alla prima deposizione della t. V, comprendenti piatti ad aironi, una coppa tipo Ba 3b e l'oinochoe tipo Cb 5b. Quest'ultimo tipo, in associazione a coppe a fasce (tipi Ba 1b e Ba 2b) e all'anfora tipo Bc 2b, ricorre nella prima deposizione della t. XX, che nel terzo quarto del VII a.C. assieme alla t. XVIII, costituisce il più antico nucleo funerario della necropoli di Picazzano. La moltiplicazione degli esemplari riferibili a ciascuna forma denota le deposizioni principesche della t. 5 di Monte Michele[20]. Per il periodo in esame modesta è la documentazione fornita da Macchia della Comunità, con un unico esemplare di coppa tipo Ba 3a dalla t. 20, mentre ingente è quella offerta dai sepolcreti del territorio. A Passo della Sibilla, il corredo A, compromesso nella sua composizione originaria, accoglieva accanto alle diffusissime coppe a fasce (tipo Ba 3c), ai piatti ad aironi tipo Bb 1a, all'oinochoe tipo Cb 5a e all'olla tipo Dd 1c, una coppia di anfore di tipo Ab 5a e 5b, quest'ultimo attestato anche nella vicina t. B. Similmente, le tre tombe a camera indagate a Pantano del Grano hanno restituito abbondante ceramica italo-geometrica, riconducibile a tipi e forme ampiamente attestate, quali olle stamnoidi, piatti ad aironi e coppe con decorazione a fasce[21].

Alla prima metà del secolo, più probabilmente al primo quarto, sono databili due nuclei di materiale, verosimilmente riconducibili a due distinte sepolture sconvolte, rinvenuti nel corso di una ricerca di superficie condotta in località Campetti[22]. Le due concentrazioni, UT 27 e UT 37, comprendevano rispettivamente oltre alla fiasca V.27/1 e alla kotyle V.27/2 tipo (Bb 4) un'anforetta a spirali, un calice d'impasto bruno del tipo *tafna* e un'olletta con relativo coperchio in impasto grossolano[23], la prima, una kotyle a pannello del gruppo Bb, alcuni frammenti pertinenti ad una forma chiusa (probabilmente un'olla) in depurata con decorazione dipinta geometrica, un'anforetta a spirali e tracce di un probabile bacile in lamina di bronzo, la seconda. Allo stesso arco cronologico è assegnabile un altro "contesto" fortemente mutilo noto solo sulla base di una foto polaroid, pervenuta fortuitamente dal mercato antiquario librario, raffigurante l'anfora V.a/1 e l'askos V.a/1 bis. La pertinenza ad un complesso funerario è palesata dal genere e dall'integrità dei materiali, mentre una didascalia manoscritta con dicitura "Veio", apposta sul retro della riproduzione, potrebbe indicarne la provenienza. L'origine veiente è accertata per il frammento di an-

---

[20] Nel complesso sono attestate numerose anfore, almeno una delle quali di tipo Ab 5a, calici, piatti nonché l'oinochoe tipo Cb 4a e l'olla tipo Dd 4; la cronologia delle deposizioni, pressoché coeve, è ancorata alla presenza di importazioni nella camera destra, quali un aryballos PCM ovoide databile attorno al 670 a.C.

[21] Nella t. 1 erano presenti tre olle (tipi Dc 1b, 1b variante, Dd 1c), la coppa Ba 1b, il piatto Bb ed inoltre una kotyle Cb 1; più modesto il quadro fornito dalle altre due sepolture, con una coppia di olle (Dc 1a-b) e un piatto ad aironi (piatto Bb 1a) dalla 2 e una sola olla (Dd 1a variante) dalla 3.

[22] Cfr. relazione agli Atti di Archivio della Soprintendenza per i Beni Archeologici dell'Etruria Meridionale in data 11/11/2003; Neri 2008, pp. 87-89.

[23] Neri 2008, pp. 88-90.

fora V.a/6, attribuita alla Bottega del Pittore delle Gru, e per la kotyle V.a/5, entrambi recuperati nel corso di sequestri operati nell'area. Nell'agro, difficile risulta la puntualizzazione cronologica del corredo, pervenuto parzialmente da Monte S. Michele e riconducibile alla prima metà del VII sec. a.C.: nel nucleo si segnalano, accanto a tipi molto comuni nel periodo come le cinque coppe a fasce (tipo Ba 3a) o la coppia di olle stamnoidi (tipi Dc 4a variante e Dd 1b), una coppia di piatti con rara decorazione di ascendenza geometrica (tipo Bc 2).

Nel corso del terzo quarto del VII sec. a.C. testimonianze provengono dalla t. C di Monte Michele, dalle deposizioni I e II di Casalaccio[24] e dalle tt. 13, 34 e 56 di Macchia della Comunità. Due coppie di anfore (tipo Ab 5c) e di oinochoai (tipo Cb 4e) sono associate a un piatto ad aironi e uno skyphos (tipo Bc 1b) nel corredo della tomba a camera con accesso a caditoia 34, privo sia di vasi di bucchero, fenomeno peraltro diffuso nelle deposizioni veienti[25], che di ceramica etrusco-corinzia; i vasi in impasto rosso e bruno presenti rinviano a fogge ampiamente attestate soprattutto in contesti di seconda metà VII sec a.C.[26].

La t. 56, a fossa con loculo sepolcrale, probabilmente già violata in antico, risulta pertinente ad una deposizione maschile, come sembra indicare la presenza di una punta di lancia in ferro deposta accanto al corpo; il corredo vascolare era composto dall'olletta miniaturistica di tipo Dc 2a e da tre calici in impasto avvicinabili ai calici in bucchero di tipo Rasmussen 2 d, attestati a partire dalla fine del terzo quarto del VII sec. a.C. fino alla metà del successivo[27].

Genericamente inquadrabili nel corso della fase media dell'orientalizzante risultano le deposizioni Macchia della Comunità 26[28] e 67[29] e Pozzuolo 10[30].

---

[24] La t. I, del tipo a fossa con loculo sepolcrale, ha restituito un solo ex. di ceramica depurata dipinta rappresentato da una coppa tipo Ba 2a; più corposo è il gruppo proveniente dalla camera III, costituito da una coppia di coppe a fasce (tipo Ba 3a), una kotyle tipo Bb 1, due olle stamnoidi (tipi Dc 2d e Dd 1b) e un nucleo di aryballoi a fasce.

[25] De Santis 1997, p. 114.

[26] Si ricorda la presenza di tre anforette a spirali riferibili ai tipi Colonna B/Beijer IIB e Colonna C/Beijer IIC, di un'oinochoe di tipo fenicio-cipriota con confronti a Veio in contesti ancora di fase III B (Casalaccio, t. III: Vighi 1935, p. 47, n. 9, tav. I.3; Riserva del Bagno, t. V: Buranelli 1982, p. 97, fig. 2; Pantano di Grano, t. 2: De Santis 1997, p. 133, fig. 21.4), di calici emisferici e carenati e di una kotyle; l'impasto rosso è rappresentato da un'olla globulare e da una completa di coperchio con decorazione sovradipinta, quest'ultima avvicinabile ad un ex. dalla t. 98 di Monte Soriano a Narce, datata attorno alla metà del VII sec. a.C. (Micozzi 1994, p. 283, n. 20, tav. LXVII.a); completava il corredo un bacile bronzeo.

[27] Rasmussen 1979, tav. 28, pp. 98-99.

[28] La cronologia è da ritenersi puramente indicativa a causa della ridotta quantità del materiale, rappresentato da un piatto ad aironi e da un bracciale di verga bronzea non puntualmente databile; non risulta d'aiuto neanche il tipo di struttura, con deposizione infantile in piccolo sarcofago di tufo, riconducibile a un genere ben attestato nei sepolcreti veienti ma solitamente privo di corredo di accompagno che ne possa circoscrivere l'uso .

[29] La classe in esame è rappresentata da due coppe (tipo Ba 1), una kotyle (tipo Cc 1), un'olla (tipo Dc 2b) e, infine, da uno skyphos (tipo Bc 1b).

[30] Tra le ceramiche, spesso frammentarie, sono riconoscibili la comune olla stamnoide (tipo Dd 1b), il piatto ad aironi e un vasetto situliforme (tipo 2a).

Con l'orientalizzante recente cresce ulteriormente il numero delle sepolture oggetto d'esame. Accanto alle necropoli già attive nella fase precedente, anticipate da Monte Aguzzo[31], si diffondono le tombe entro grande tumulo, alle quali pertengono i corredi dei vani I e II della Vaccareccia, inquadrabili in un momento iniziale della fase (630-620 a.C)[32], e quelli leggermente più tardi di Monte Oliviero, forse databili verso la fine del secolo, che hanno restituito diversi esemplari di anfore con decorazione subgeometrica (anfore tipo Ab 6b) tipiche della produzione locale, ricorrenti inoltre nella t. D di Monte Michele. Appartengono a questa fase le tt. Casale del Fosso 863 (seconda deposizione), Picazzano XIII e XVI[33] (610-590 a.C), le camere IV-VI e la fossa VIII del sepolcreto di Casalaccio, quest'ultime accomunate dalla presenza di olle, oinochoai con decorazione esclusivamente lineare e coppe a fasce con vasca a calotta[34]. Attorno al 630 a.C. è databile la tomba Monte Michele D, mentre più tarde sono le sepolture E e F (610-590 a.C), pressoché coeve al corredo, o meglio al gruppo di ceramiche, attribuito alla tomba Campana[35].

Nell'agro si segnalano le tombe a camera 1, 2, 4, 5 e 10 dal sepolcreto di Volusia. A fronte di pochi frammenti rinvenuti nei primi due complessi, più abbondanti risultano le ceramiche recuperate nei restanti, solitamente ascrivibili a tipi largamente diffusi, con la significativa eccezione dell'olla di tipo Ba 3 dalla t. 4, probabilmente da riferirsi a produzione locale. Ingente è la documentazione proveniente dalle tombe della necropoli di Pozzuolo (tt. 6, 7, 8 e 9), omogeneamente databili agli anni finali del VII sec. a.C., e soprattutto di Macchia della Comunità (tt. VII, 12, 14, 15, 24, 31, 33, 35, 42, 44, 47, 49, 62, 64, 67, 71). Tra le sepolture di Macchia della Comunità, si segnala la t. 44, a camera con caditoia di accesso, per l'articolato corredo vascolare, in cui compaiono una coppia di kotylai tipo Cc 2b, una di olle (tipi Cd 1b e Dc 1b), una coppa tipo Ba 2a, un vasetto situliforme tipo 2b e numerosi aryballoi a fasce e che la presenza di ceramica etrusco-corinzia, rappresentata da olpai a squame[36] e kylikes con cani

---

[31] Da ultima sul contesto, che ha restituito l'anfora V.MA.t/1 di tipo Ab 6b: Michetti 2009, con bibl. prec.

[32] Da ultima: De Santis 2003, p. 86.

[33] Dalla t. XIII di Picazzano proviene un'oinochoe di tipo Ab, mentre dalla XVI un'olla tipo Cc 1 e uno skyphos tipo Bc 2.

[34] Oinochoai di tipo Cb 4e sono attestate, in associazione a olle Cc nelle tt. IV, che conteneva inoltre un'olla Dc 2d, e V; quest'ultimo contesto ha inoltre restituito un'anfora (tipo Bc 2b), uno skyphos a fascia risparmiata (tipo Bc 1c), una kotyle e, infine, una coppa a fasce (tipo Ba 1a), la cui varietà a risulta presente nella t. VIII. La classe è documentata nella sepoltura VI da una sola olla stamnoide (tipo Dc 2c).

[35] La documentazione disponibile è limitata a due anfore di tipo Ab 6b e Ab 6a variante, rispettivamente provenienti dai corredi della t. F e del sepolcro Campana.

[36] Le olpai a squame si collocano tra le prime produzioni delle officine etrusco-corinzie, in questo caso probabilmente operanti a Veio nel corso dell'ultimo trentennio del secolo (Cristofani, Zevi 1965, pp. 31-32).

correnti[37], colloca in un momento iniziale della fase. Lo stesso *excursus* cronologico, indicato dalla presenza di olpai a squame etrusco-corinzie, è coperto dalle sepolture 33, 35, 42[38], anch'esse a camera con unica deposizione, in cui accanto alle comuni produzioni in impasto bruno e rosso compaiono una coppa tipo Ba 2a, una kotyle tipo Cb, un'oinochoe tipo Cb 4c variante, un'olla tipo Dc, un piatto tipo Bb 1a e un vasetto situliforme tipo 2b, nel caso della t. 33, una coppia di olle tipo Dc 2e in associazione a un piatto tipo Bb 1a e ad un aryballos tipo 2b, in quello della t. 35, e infine, una kotyle tipo Cc 1 e un'olla tipo Dc 2b, in quello della 42. Le tt. 47 e 49 sono invece del tipo a fossa con accesso a caditoia, maggiormente diffuso nelle precedenti fasi del sepolcreto; solo per la t. 47 il tipo architettonico sembra giustificato dalla povertà della deposizione con ristretto corredo vascolare, in cui accanto all'olletta di tipo Bc 2 con relativo coperchio compare un calice d'impasto, un kantharos Rasmussen 3e e un attingitoio di bucchero Rasmussen 1b, che ne restringono la datazione all'ultimo quarto del VII sec. a.C. Più articolato risulta il corredo della t. 49, che vanta accanto al vasellame italo-geometrico (coppa tipo Ba 3a, olla tipo Cd 1b e kotyle tipo Cc 1), un'oinochoe e una kylix con cani correnti etrusco-corinzie[39], oltre che le consuete produzioni in impasto bruno e rosso.

Solo per un piccolo nucleo di sepolture dai suddetti sepolcreti gli elementi presenti non appaiono sufficienti per circoscriverne la datazione, genericamente inquadrabile nella seconda metà del VII sec. a.C. (Pozzuolo, tt. 1, 3, 4, e 2[40]; Macchia della Comunità tt. 21 e 39). Il fenomeno è particolarmente evidente per la camera 39, destinata ad ospitare un'unica deposizione, il cui corredo accoglie tipi d'impasto comuni a tutta la fase orientalizzante e un'anforetta a spirali in bucchero Colonna tipo C, che, sebbene compaia in concomitanza delle prime realizzazioni in bucchero, sembra diffusa nella necropoli in esame nell'arco dell'ultimo quarto del VII sec. a. C. La ceramica italo-geometrica è rappresentata da una coppia di oinochoai tipo Cb 4d e uno skyphos tipo Bc 1b.

IV. 2. Cerveteri

All'orientalizzante antico è riconducibile un nucleo cospicuo di deposizioni ceretane. Ancora riferibile all'ultimo quarto dell'VIII sec. a.C. è la tomba a fossa

---

37 La coppia di exx. è ascrivibile al Gruppo del Furetto, connesso da V. Bellelli alle prime botteghe di *running dogs*, attive entro la fine del secolo plausibilmente a Cerveteri, come dimostrerebbe il concentrarsi delle attribuzioni nell'agro ceretano-veiente (Bellelli 1997, pp. 31-32).

38 Tutte e tre le deposizioni sembrano riferibili a donne, come dimostra la presenza di rocchetti e fuseruola rispettivamente nelle sepolture 33 e 42, e come suggerirebbe il numero di ornamenti personali e di aryballoi nella 35.

39 Cfr. nota 37.

40 Come le altre tombe esclusivamente a camera della necropoli, la sepoltura ha accolto più deposizioni, la più antica delle quali risale agli anni attorno al 675 a.C.

319 del Laghetto II, che ha restituito un'oinochoe vicina al tipo Aa 3a; negli anni di passaggio con il secolo successivo sono databili le tt. Banditaccia 79 e Monte Abatone 83[41], i cui corredi contenevano rispettivamente almeno un'anfora Ab 1b, coppe e piatti ad aironi, il primo, e un'anfora tipo Bb, uno skyphos tipo Ba 3a e un piatto tipo Bb 1a, il secondo. Di poco successiva (fine VIII se. a.C.), risulta la tomba a fossa 3332 del Sorbo, con coppa quadriansata (tipo Ea 1), che costituisce assieme ad un'anforetta a spirali di tipo A[42] il corredo vascolare; più abbondanti sono gli oggetti personali, rappresentati da due fibule composite con staffa simmetrica leggermente allungata[43] e da sei fibule a navicella[44].

È con il primo quarto del VII sec. a.C. che cresce l'entità numerica dei corredi: appartengono a questo momento le deposizioni della t. della Capanna[45], della t. I del tumulo del Colonnello, contenente una coppia di anfore (C.B.I/1-2, tipo Ab 3a) afferenti alla cerchia del Pittore dell'Eptacordo e un esemplare attribuito al Pittore delle Gru (C.B.I/3, tipo Ab 3c), nonché la prima deposizione del tumulo della Speranza[46] e il tumulo III bis a nord di *Marce Ursus*, che ha restituito un'anfora del Pittore di Pesci di Civitavecchia (C.B.IIIbis/1)[47].

La t. 2006 della Banditaccia accoglieva un gruppo significativo di ceramiche di tradizione geometrica, comprendente un'olla del gruppo B, una coppia di anfore di tipo Ab 1b, una coppa emisferica (tipo Da 1a) una con bugne (tipo Ba 4a) nonché numerosi piatti ad aironi, che, coerentemente al corredo, contenente frammenti di una kotyle PCM, e al tipo tombale adottato, A1 Prayon[48], ne puntualizza la cronologia all'orizzonte indicato[49]. Lo stesso tipo di struttura caratterizza, inoltre, la t. 78 della Banditaccia, nel cui corredo, inquadrabile nel

---

41 Contribuisce a precisare la datazione della tomba, del tipo a fossa, la presenza nel corredo di una coppa di tipo *Thapsos* d'importazione (B. Bosio, in *Milano* 1986a, p. 119).

42 Pohl 1972, p. 277, n. 1, fig. 271.

43 Pohl 1972, p. 277, nn. 7,11, fig. 271.

44 Pohl 1972, p. 277, nn. 4-6, nn. 8-10, fig. 271; le due fibule a navicella con arco decorato con solcature trovano riscontri con exx. dalla t. 8 di Poggio Gallinaro (Hencken 1968, p. 350, fig. 348 in alto), mentre gli exx. con arco liscio sono confrontabili con quelli presenti nella vicina fossa 9 (Hencken 1968, p. 352, fig. 350.a-c).

45 Per una disamina della cronologia dei materiali deposti: Micozzi 1994, p. 132, in part. nota 4, con menzione e bibl. dei materiali d'importazione, quali l'anfora da trasporto di produzione euboica dalla camera destra del corridoio e i frammenti di kotylai PCA. La ceramica italo-geometrica è rappresentata da un'anfora del Pittore delle Gru (tipo vicino a Ab 1b), da almeno quattro coppe tipo Da 1a, da vari exx. di piatti ad aironi (tipo Bb 1), da almeno due piatti tipo Ba 2 e infine da un'oinochoe.

46 Tipo e quantità dei materiali di corredo sono giustificati dalla presenza di deposizioni molteplici che si scaglionano per più di cinquanta anni, dal 690 al 630 a.C.; alle deposizioni più antiche sono riferibili le coppe di tipo Ba 4a, i piatti ad aironi, l'anfora di tipo Ab 1b, nonché l'olla a colletto tipo Ce 3 (Rizzo 1989c, pp. 33-34).

47 Martelli 1987b, p. 2.

48 Prayon 1975. Sulla diffusione a Cerveteri del tipo architettonico ad ambiente semicostruito a pianta ellittica con sezione ad ogiva: Rizzo 1989a, p. 12, nota 7.

49 Rizzo 1989a, pp. 20-23.

primo quarto del VII sec. a.C., si segnala la presenza di una kotyle PCM, di pochi esemplari d'impasto, di un piatto carenato (C.B.78/3, tipo Ca 2), di due piatti ad aironi (C.B.78/2, tipo Ba 1b; C.B.78/4, tipo Bb 1a) e, infine, di un raro askos ad anello verticale in depurata dipinta (C.B.78/1, tipo 2)[50]. La t. 2 del tumulo 1 della Banditaccia rappresenta un complesso fondamentale per la documentazione delle serie più antiche. Il sepolcro, del tipo a camera semipogea con due nicchie laterali, presentava fra i materiali di corredo alcune importazioni, fra cui kotylai protocorinzie e aryballoi rodio-cretesi, che permettono di precisarne la datazione nell'ambito del primo quarto del VII sec. a.C.[51]. Allo stesso venticinquennio è da riferirsi la t. 25 della medesima necropoli, che ha restituito quattro anfore (C.B.25/2-5, tipi Ab 1b e ab 2), di cui due attribuite al Pittore dei Pesci di Civitavecchia, e un vasetto situliforme (C.B.25/1, tipo 1a)[52], la t. dell'Affienatora, con un'anfora del Pittore delle Gru (C.B.A/1)[53], la t. 65 del Laghetto[54], con ampia gamma di ceramica italo-geometrica tra cui l'olla (C.L.65/3, tipo Dd 2) attribuita da M. Martelli alla Bottega dei Pesci di Stoccolma, e la t. 182 della necropoli della Bufolareccia[55]. Le associazioni di corredo, privo peraltro di buccheri, indicano anche per la t. 76 di Monte Abatone una cronologia compresa tra la fine dell'VIII e il primo quarto del VII sec. a.C.; tale datazione appare confortata sia dal tipo architettonico monocamerale, che dalla presenza nel vasellame d'impasto di un'anforetta a spirali riconducibile alle serie più antiche (tipo A)[56].

Proporrei di attribuire al momento avanzato dell'orientalizzante antico anche un limitato gruppo di sepolture del Laghetto I, accomunate dall'assenza di vasi in bucchero: si tratta delle tt. 138, 150, 154 e 155 e della prima deposizione della tomba 163.

---

[50] Rizzo 1989a, pp. 23-24.

[51] Dik 1981b, p. 70; Rizzo 1990, p. 12. Inoltre, Martelli 1989, p. 797, n. XI, che relega fra le produzioni locali la pisside identificata da R. Dik come importazione, ricomponendo in generale il quadro dei materiali protocorinzi pertinenti al contesto.

[52] Tomba di tipo Prayon B1; nel corredo erano presenti, oltre a materiali d'impasto e oggetti metallici di ornamento personale, due pezzi d'importazione: una coppa avvicinabile al tipo *Thapsos* e una kotyle PCA (da ultimo Sartori 2002, pp. 11-24, note 2-4, con elenco sistematico della bibl. prec.).

[53] La cronologia del complesso, puntualmente analizzato da M. Martelli, è fissata dall'assenza di vasellame in bucchero e dalla presenza di una coppia di kotylai PCA, affiancate da una precoce imitazione locale, quale la kotyle di tipo Bb attribuita dall'autrice alla stessa bottega dell'anfora; la ceramica in esame è inoltre rappresentata da piatti di tipo Bb (Martelli 1987b, pp. 6-7).

[54] Tipo Prayon A1; oltre al corposo nucleo di ceramica dipinta, il corredo comprendeva vasi in impasto bruno e rosso di forme ampiamente attestate in ambito ceretano. Per la bibl. del contesto si rimanda alla sua pubblicazione integrale, con rif. alle precedenti edizioni parziali, in Alberici Varini 1999, pp. 54-66.

[55] Martelli 1987a, p. 17, con elenco delle attribuzioni a p. 21, nota 13. Risultavano, inoltre, presenti una coppia di oinochoai tipo Cb 5a, un'attingitoio tipo Bb 1a, uno skyphos tipo Bb 2, una tazza tipo Ab, una coppa tipo Ba 3a variante e, infine, un piatto tipo Bb 1a; per la t. 182 della Bufolareccia: Cavagnaro Vanoni 1966, p. 35.

[56] B. Bosio, in *Milano* 1986a, p. 118 con rif.

La t. 138 presenta l'associazione di calice carenato con quello a vasca emisferica, frequente nei corredi tarquiniesi e ceretani della prima metà del secolo[57]; un kantharos d'impasto con vasca baccellata conferma l'inquadramento nel corso del primo quarto[58]. A questo nucleo andrebbe aggregato l'attingitoio tipo Bb 1b. Infine, la deposizione di un aryballos etrusco-corinzio testimonia un secondo utilizzo nel corso dell'orientalizzante recente, fase cui potrebbe riferirsi un foculo d'impasto, forma particolarmente diffusa nel pieno e avanzato VII secolo, sebbene non manchino attestazioni precedenti[59].

Anche la t. 150 offre un corredo vascolare limitato in cui, oltre al canonico calice carenato a vasca profonda, è attestata l'associazione tra olla a collo stretto[60] e oinochoe[61] entrambe d'impasto rosso[62], che ricorre anche nella t. 143 del Laghetto I, databile nel corso del secondo quarto del VII sec. a.C. Una cronologia più alta per la deposizione in esame appare però suggerita dalla kotyle d'impasto con decorazione incisa, che per la forma poco profonda della vasca richiama modelli tardo-geometrici; completa il corredo la ceramica subgeometrica, rappresentata da una coppa quadriansata tipo Ea 1 e da un piatto ad aironi.

L'olla a collo stretto compare anche nel corredo della tomba 155, che annovera inoltre una scodella carenata, un kyathos con vasca baccellata[63], entrambi attestati in contesti del primo quarto del VII sec. a.C. e un'anforetta a spirali di tipo A, anch'essa d'impasto; il foculo presente sembra riconducibile alle prime attestazioni della forma, fiorente nel periodo successivo[64].

Allo stesso orizzonte è attribuibile la deposizione più antica della t. 163, cui è probabilmente riferibile il nucleo di materiali in impasto, rappresentati

---

[57] B. Bosio, in *Milano* 1986a, p. 118, e inoltre p. 91 con diffusione nell'agro veiente e falisco-capenate; nello specifico per il calice emisferico con piede fenestrato, si ricorda l'ex. dalla t. Monte Abatone 76 (*ibidem*, p. 36, n. 32).

[58] Cfr. exx. da Cerveteri, t. della Capanna (loculo laterale sinistro): Ricci 1955, c. 358, n. 33, fig. 77.20; Vulci, Mandrione di Cavalupo, t. C (B): Falconi Amorelli 1969, pp. 203-204, n. 3, fig. 8.4.

[59] B. Bosio, in *Milano* 1986a, p. 93, fra le attestazioni più antiche quelle provenienti dalla t. della Capanna e dalla t. 15 di Decima (Zevi 1975, p. 274, n. 31, fig. 42.31).

[60] La forma è attestata nel corso del VII sec. a.C.; in part. sono confrontabili gli exx. dalla t. Monte Abatone 89 (A. Pugnetti, in Milano 1986a, p. 56, n. 17) e dalla t. 6134 di Monterozzi a Tarquinia, il cui corredo è datato, in base alla presenza di una kotyle con *soldier-birds* d'importazione, tra il 730 e il 700 a.C. (*Milano* 1986b, p. 218, n. 602, fig. 195).

[61] Una coppia di exx. nella deposizione più antica di Monte Abatone 89: A. Pugnetti, in *Milano* 1986a, p. 54, nn. 10-11; Eadem, p. 93, nota 90, con diffusione e bibl. Il nome etrusco del vaso, *qutum*, è restituito da un gruppo di testimonianze epigrafiche dell'agro ceretano-falisco, datate nel corso dell'orientalizzante medio (Colonna 1973-1974, pp. 140-142).

[62] La stessa associazione ricorre, inoltre, nella t. Laghetto I 143, il cui corredo è da collocarsi nel corso del secondo quarto del VII sec. a.C., e nella ricordata t. Monte Abatone 89, sebbene non sia certa la pertinenza alla medesima deposizione degli exx.

[63] Vd. nota 58.

[64] Vd. nota 59.

da un'attingitoio ovoide[65], uno carenato e da un kyathos con ansa bifora, oltre che il servizio di vasi italo-geometrici; ad una deposizione più tarda, databile nell'orientalizzante recente, sono invece da attribuirsi i buccheri e una coppetta etrusco-corinzia. Pressappoco coeve, secondo S.S. Leach, risulterebbero le tt. Mengarelli IX e Laghetto 471[66].

Tra la fine dell'VIII e gli inizi del secondo quarto del VII sec. a.C., si colloca il nucleo di sepolture della necropoli della Banditaccia costituito dalle tt. 176, 181 e 75[67], che adottano il tipo architettonico della tomba semicostruita (Prayon A1), spesso entro tumulo. La t. 75 ospitava al suo interno almeno due deposizioni, con un *excursus* cronologico esteso fino agli inizi dell'orientalizzante recente[68], che impedisce, quindi, una puntuale attribuzione delle serie italo-geometriche di lunga durata.

Agli anni intono al 675 a.C. si datano le tt. 63 e 245 del Laghetto e la t. 2 di Casaletti di Ceri. Quest'ultima registra, accanto a un cospicuo gruppo di vasi d'impasto, i più antichi esemplari di bucchero al momento noti, in associazione con materiali d'importazione del PCM iniziale e di fabbrica cumana e con un aryballos rodio, mentre la serie italo-geometrica è rappresentata da un'anfora (Ce.II/1, tipo Ab 3c) e da piatti con decorazione ad aironi[69]. Anfore di tipo Ab 3b, di cui almeno l'ex. C.L.245/1 attribuito al Pittore delle Gru, in associazione a una coppa quadriansata e ad attingitoi provengono dal corredo, molto probabilmente mutilo, della t. 245, comprendente inoltre una kotyle protocorinzia con sigma[70]. Il sospetto di un parziale decurtamento del corredo originario grava inoltre sulla t. Laghetto 63, la cui datazione in questo orizzonte, suggerita dalla presenza di una coppia di anfore in *white on red* e del nucleo di ceramiche depurate, non sembra contraddetta dal resto del vasellame in impasto appartenente per lo più a tipi di lunga durata[71].

Alla fine del primo quarto del VII sec. a.C., risale l'impianto della tomba a corridoio entro tumulo (tipo Prayon A2) di Monte dell'Oro, indagata a nord di Cerveteri nei primi anni Ottanta; il ricco complesso, compromesso

---

65 Un confronto puntuale è rappresentato dall'ex. della t. Monte Abatone 76 (B. Bosio, in *Milano* 1986a, p. 38, n. 26); il tipo appare generalmente attestato a Cerveteri in contesti di prima metà VII sec. a.C. (*Eadem*, p. 90, nota 55, con diffusione e bibl.).

66 Leach 1987, pp. 138-139.

67 Rizzo 1989a, p. 12, nota 7, con composizione dei corredi; nel gruppo rientrano inoltre le già ricordate tt. 66 e 79.

68 Micozzi 1994, p. 141, per la datazione e l'analisi dei corredi.

69 La pubblicazione del contesto nel 1968 si deve a G. Colonna (Colonna 1968); per una bibl. esauriente del complesso e delle problematiche connesse ai singoli elementi, si rinvia a Micozzi 1994, pp. 134-135.

70 Cavagnaro Vanoni 1966, pp. 201-202, tavv. 24-25. Tali elementi sono stati assunti da R. Dik come fondamento per una datazione del contesto negli anni precedenti il 675 a.C (Dik 1980, p. 23, in part. nota 75).

71 Micozzi 1994, p. 136; Christiansen 1984, p. 15.

dalle violazioni subite, ha restituito, accanto ad un cospicuo nucleo di materiali riferibili a deposizioni più recenti avvenute nella fase finale dell'orientalizzante, l'oinochoe C.MdO.t/1, ricondotta al primo utilizzo del sepolcro e attribuita dalla sua editrice alla stessa bottega dell'ex. PS/27 della collezione Castellani[72].

Genericamente inquadrabile nel corso della prima metà del VII sec. a.C. è la prima deposizione della t. Laghetto 145, cui è riferibile la totalità dei vasi in esame, associati a due aryballoi d'importazione, l'uno di transizione all'ovoide con decorazione subgeometrica, l'altro di produzione cumana con decorazione di pesci; alcune ceramiche greco-orientali ed un cratere laconico testimoniano, invece, un riutilizzo avvenuto circa un secolo più tardi[73]. Allo stesso orizzonte cronologico è assegnabile la t. Laghetto 274[74], sebbene nulla nella composizione del corredo[75], prime fra tutte le ceramiche italo-geometriche (oinochoe tipo Aa 8a variante, vasetto situliforme tipo 1a variante, coppe tipi Da 1a e Ba 3a), impedisca l'attribuzione al primo quarto del VII sec. a.C. della deposizione più antica, cui sarebbe da ricondursi la totalità di materiali, ad eccezione di un attingitoio di bucchero di tipo Rasmussen 1b. Quest'ultimo è riferibile ad un'ultima deposizione avvenuta nell'orientalizzante recente, testimoniata inoltre dalla creazione di una seconda banchina funebre[76]. Stesso orizzonte, forse leggermente seriore, è indicato dai materiali della tomba di via del Manganello 18, che comprendono una coppa greco-orientale ad uccelli databile tra il 675 e il 640 a.C, un aryballos rodio-cretese ed, inoltre, l'olla della Bottega dei Pesci di Stoccolma (C.Mn.18/4, tipo Dd 2)[77]. La presenza di un prodotto di quest'ultima officina (C.L.185/3, 6), unitamente a quella di un'olla gemella con decorazioni animalistiche (C.L.185/2,4), suggeriscono una datazione analoga anche per la t. 185 del Laghetto.

Pochi risultano gli elementi utili ad una datazione puntuale della t. 154, se si eccettua ovviamente la presenza dell'anfora italo-geometrica di tipo Ab 3b: fra gli impasti, rappresentati da pochi esemplari, compaiono soprattutto tipi di lunga durata, quali l'olla ovoide costolata a copertura nera (tipo Ricci 16)[78] e il piatto carenato d'impasto rosso[79], diffusi durante tutto l'arco del VII sec.

[72] Sul contesto: RIZZO 2006, in part. pp. 372-373, 378.

[73] MICOZZI 1994, p. 137, con bibl. prec.

[74] Si tratta di una tomba a camera semicostruita (ZAMPIERI 1991, pp. 125-134).

[75] Questo comprendeva tre calici e due anforette a spirali di tipo Colonna B/Beijer Ic d'impasto bruno, una coppia di olle d'impasto rosso con collo troncoconico, due fuseruole, nonché il vasellame in ceramica depurata e bucchero descritto nel testo.

[76] Un lato della camera risultava infatti tagliato per permettere la realizzazione di una banchina, composta in parte da blocchi di tufo riportati (ZAMPIERI 1991, p. 133, con bibl. prec.).

[77] Sul complesso, pressoché inedito: MICOZZI 1994, p. 142.

[78] ALBERICI VARINI 1990, p. 30, n. 28; tuttavia, è stata rilevata una maggiore concentrazione delle presenze in contesti dell'orientalizzante recente (A. PUGNETTI, in *Milano* 1986a, p. 93, con diffusione).

a.C.; completa il corredo un'anforetta a spirali d'impasto, non riprodotta, e infine un calice d'impasto rosso a profilo teso, attestato a partire dal secondo quarto del VII sec. a.C. Secondo quanto esposto sembra dunque plausibile datare la deposizione attorno al 675 a.C.

Testimonianze di ceramica italo-geometrica riferibili alla fase iniziale dell'orientalizzante medio, secondo quarto del VII sec. a.C., sono attestate nelle tt. Banditaccia 26, Monte Abatone 90 (prima deposizione), nelle tt. 20 e 21 del Sorbo, nella deposizione più antica del tumulo Mengarelli III[80] e nella t. 297 di Monte Abatone, contenente il celebre biconico del Pittore dell'Eptacordo. La t. 26 della Banditaccia ospitava due deposizioni, alla prima delle quali sono da riferirsi le ceramiche dipinte presenti, un'olla e un'oinochoe d'impasto, e due esemplari d'importazione, quali una kotyle e uno skyphos protocorinzi. L'associazione dei materiali trova un parallelo nella più antica sepoltura del tumulo della Speranza e nel tumulo della Nave, elemento quest'ultimo che corrobora una cronologia nel secondo quarto del VII sec. a.C.[81]. Lo stesso *excursus* cronologico sembra coperto dalle deposizioni che si susseguono nella t. Monte Abatone 90: la cronologia della sepoltura più antica è fissata da una coppa ad uccelli d'importazione, cui risulterebbero associate le anfore di tipo Ab 4, mentre il limite inferiore di uso della camera è indicato dalle ceramiche etrusco-corinzie, da associarsi al nucleo delle ceramiche subgeometriche[82]. Diverso il caso delle tt. Sorbo 20 e 21, a fossa ad unica deposizione, riferibili rispettivamente ad un uomo e una donna, con corredi vascolari comprendenti ceramiche d'impasto, fra cui anforette a spirali di tipo B e kotylai con denti di lupo puntinati, e di argilla figulina rappresentata esclusivamente da piatti ad aironi, databili nella prima metà del secolo, plausibilmente nel secondo quarto dello stesso[83]. Allo stesso venticinquennio sono probabilmente da riferirsi anche le tt. del 71 e 143 del Laghetto. Quest'ultimo contesto, già segnalato per l'associazione presente tra olla a collo stretto e oinochoe d'impasto rosso[84], presenta inoltre un'anforetta a spirali d'impasto di tipo Colonna B/Beijer Id e un kyathos carenato con decorazione incisa, che contribuiscono a circoscriverne la datazione alla fase indicata; la presenza di un'olpe a squame etrusco-corinzia testimonia, invece, l'esistenza di una seconda deposizione nell'orientalizzante recente, cui potrebbero aggregarsi plausibilmente l'olla di tipo Dc 2c e l'anfora di tipo Bc. Più difficoltoso risulta

---

79 *Milano* 1986a, p. 92 con bibl.

80 Cristofani, Rizzo 1987, pp. 157-158: la totalità degli exx. italogeometrici, fra cui due pezzi della Bottega dei Pesci di Stoccolma, sono riferibili al corredo più antico; la struttura ha poi accolto un'altra deposizione nel terzo quarto del VII sec. a.C.

81 Da ultimo Sartori 2002, con bibl. prec.; in part. p. 92 per l'analisi delle associazioni di corredo e delle deposizioni, la seconda delle quali è da porsi agli inizi del VI sec. a.C.

82 A. Pugnetti, in *Milano* 1986a, p. 120.

83 Pohl 1972, pp. 264-275; B. Bosio, in *Milano* 1986a, p. 119.

84 Vd. note 60-62.

l'inquadramento cronologico della t. 71, il cui corredo ceramico, composto prevalentemente da tipi di lunga durata quali l'attingitoio d'impasto carenato, la coppa emisferica profonda con breve labbro d'impasto rosso, risulta databile in modo puramente indicativo alla prima metà del VII sec. a.C., in base all'assenza di buccheri e alla presenza dell'oinochoe d'impasto rosso, attestata frequentemente in contesti di questo periodo.

Ancora al secondo quarto del VII sec. a.C. è riconducibile il nucleo di materiale, appartenente al più vasto gruppo conservato nella *Ny Carlsberg Glyptotek* e plausibilmente proveniente da un unico complesso tombale ceretano. Vi compare una coppia di piatti di tipo Bb 1 (C.tC/1-2); la presenza di una coppia di anfore *white on red* di cronologia più bassa rende estremamente probabile la pertinenza dei materiali ad una tomba a camera con almeno due deposizioni[85].

Nel corso della prima metà del VII sec. a.C. si colloca la deposizione più antica della tomba a camera 89 di Monte Abatone, cui è da ricondursi un aryballos ovoide protocorinzio, che ne fissa la cronologia, e presumibilmente la totalità delle ceramiche italo-geometriche presenti; l'utilizzo della struttura si protrae fino al terzo quarto-fine del VII sec. a.C., come sembra suggerire sia l'altro pezzo d'importazione rinvenuto, una kylix protocorinzia, che il cospicuo nucleo di buccheri e vasellame etrusco-corinzio[86].

Attorno alla metà del VII sec. a.C. sono databili i corredi delle tt. 4 di Monte Abatone, 142 della necropoli del Laghetto[87] e, solo indicativamente, 608[88]. Alla deposizioni più antica ospitata nella camera principale della t. Monte Abatone 4, ascrivibile agli anni attorno al 660 a. C., è pertinente l'anfora di tipo Ab 3a, mentre leggermente successive, intorno agli anni 650-640 a.C., risultano le sepolture delle due piccole camere laterali. Il complesso, per la presenza di vasellame, anfore da trasporto e rari oggetti metallici d'importazione affiancati da produzioni locali di elevato livello tecnico, rappresenta uno dei contesti chiave per la conoscenza dell'orientalizzante medio ceretano[89].

---

[85] Christiansen 1984, in part. pp. 19-21, fig. 20; inoltre Micozzi 1994, p. 259, nn.98-99.

[86] A. Pugnetti, in *Milano* 1986a, p. 119 con rif.

[87] Da ultimo: Micozzi 1994, pp. 139-140 con bibl. prec.

[88] La cronologia del complesso, pressoché inedito, riposa su una disamina preliminare avanzata da V. Bellelli, ancorata alla presenza di un raro alabastron in impasto con decorazione incisa (Bellelli 2007, pp. 296-297, figg. 19-21).

[89] Nella camera centrale si segnala tra gli altri la presenza di aryballoi ovoidi protocorinzi e di una testa equina bronzea di produzione vicino-orientale; la camera laterale sinistra, destinata ad una deposizione femminile, ha restituito tre anfore da trasporto greche di varia provenienza, un aryballos PCM, due coppe rodie, un'oinochoe di supposta fabbrica coloniale, nonché pendenti e amuleti egizi, mentre le produzioni locali sono rappresentate da un aryballos irsuto in pasta vitrea e buccheri sottili; si ricorda, poi, la celebre kotyle del Pittore di Bellerofonte di Egina nella camera destra (Rizzo 1990, pp. 49-54; Rizzo 2007); per l'anfora italo-geometrica inoltre: Dik 1981a, p. 51, n. 14.

Di poco successiva è la prima deposizione della t. Bufolareccia 60; nel terzo quarto del secolo si colloca, invece,la prima deposizione di Monte Abatone 79, cui sono da riferirsi l'olla tipo Dc 3 variante, l'oinochoe tipo Cb, le anfore tipo Bc 1 e un ristretto nucleo di buccheri[90].

Lo sconvolgimento del corredo operato dall'azione di clandestini nella t. 403 della Banditaccia, tanto da provocare lo spostamento di parte degli oggetti nella/dalla vicina t. 404, limita la possibilità di stabilirne una cronologia attendibile; M. Micozzi ha, tuttavia, rilevato la presenza di associazioni ricorrenti soprattutto nella fase media dell'orientalizzante, sebbene non sia da escludersi una lieve anteriorità nell'impianto[91]. S.S. Leach ha attribuito al medesimo arco cronologico, comprendente secondo e terzo quarto del VII sec. a.C., le tt. Mengarelli XX e XVII, quest'ultima con durata limitata al secondo venticinquennio, Laghetto 417, 461, Monte Abatone 304 e 410 e, nell'agro, il tumulo Chiusa della Cima a San Giuliano[92]. Si avverte, tuttavia, una tendenza ribassista nel lavoro della studiosa, che rende per lo meno problematica l'accettazione acritica delle sue cronologie[93]. Almeno nel caso della t. 410, esposta nel Museo di Cerveteri, sembra possibile rialzare la datazione del corredo ad un momento finale dell'orientalizzante antico o gli anni iniziali della fase successiva: in tal senso orienterebbero l'assenza di buccheri e soprattutto la presenza di uno skyphos a sigma protocorinzio e non osterebbero né gli impasti, rappresentati da un calice *tafna*, un'oinochoe di tipo fenicio-cipriota e un'olpetta con stampigli a esse, né le serie italo-geometriche presenti.

Genericamente ascrivibili alla seconda metà del VII sec. a.C. risultano le tt. Monte Abatone 426[94] e 352[95].

Per la conoscenza della produzione nel corso dell'orientalizzante medio un contesto cardine è rappresentato dalla t. Giulimondi, recentemente oggetto di una esaustiva pubblicazione[96], che ha restituito un nucleo significativo delle ceramiche maggiormente diffuse nel corso della fase, quali olle a fasce, piatti tipo Ca e ad aironi (tipo Bb 1a). Probabilmente a queste stesse forme sono riconducibili i pochi frammenti di ceramica italo-geometrica presenti nelle coeve deposizioni principesche della t. Regolini-Galassi[97].

Ancora nell'ambito del terzo quarto del VII sec. a.C. si colloca l'impianto della t. Laghetto 64 e conseguentemente la deposizione più antica ivi rinvenu-

---

[90] B. Bosio, in *Milano* 1986a, p. 118.

[91] Micozzi 1994, pp. 138-139.

[92] Leach 1987, pp. 148-149.

[93] Non avendo analizzato personalmente i corredi ricordati, non mi è possibile suggerire ipotesi di datazione alternative.

[94] Coen 1991, pp. 42-59.

[95] AA. VV., in *Milano* 1980, pp. 218-231.

[96] Cascianelli 2003, in part. pp. 137-144, per una disamina generale della cronologia e della composizione dei corredi.

[97] Sulla datazione e l'articolazione interna degli elementi di corredo: M. Cristofani, in Cristofani Martelli 1983, pp. 261-262; Micozzi 1994, p. 143; Colonna, Di Paolo 1998.

ta; alla fine del VII sec. a.C. la struttura, a camera unica con coppia di letti[98], accoglie una seconda deposizione di probabile pertinenza femminile, cui è da riferirsi il gruppo di ceramiche italo-geometriche ad eccezione delle coppa con pesci, che per tipologia e decorazione è assimilabile alle formulazioni più antiche[99]. A questo gruppo sono da aggregarsi le tt. Laghetto 73[100] e Bufolareccia 62[101], entrambe caratterizzate dal ricorrere di ceramica etrusco-corinzia e buccheri, associati a ceramiche d'impasto attribuibili a tipi di lunga durata.

Attorno al 630 a.C. è da datarsi la deposizione della camera orientale della t. di Denti di Lupo, cui appartengono i pochi resti di ceramica italo-geometrica restituiti dal complesso[102]. Pressoché coeve (640-630 a.C.) risultano le deposizione accolte nella t. 86 della Bufolareccia di tipo Prayon B2, cui sono riferibili un cospicuo nucleo di ceramiche dipinte; ai fini della cronologia, particolarmente significativa è la presenza di un'olpe transizionale del Pittore del Vaticano 73 e la scarsa frequenza di ceramica etrusco-corinzia, ricorrente al contrario in complessi degli ultimi decenni del VII sec. a.C.[103].

Consistente appare il nucleo dei contesti attribuiti all'orientalizzante recente, rappresentato dalle tt. Banditaccia 36, Laghetto I 64, Laghetto I 75, Laghetto II 339, Monte Abatone 45, Monte Abatone 77 e dalle deposizioni più recenti di Monte Abatone 89 e 90. Numerosa risulta la ceramica italo-geometrica proveniente dalla t. Monte Abatone 77, del tipo a camera unica, i cui limiti cronologici sono suggeriti dalla presenza nel corredo di una coppa ionica A1, di un'oinochoe Rasmussen 2a e di un aryballos etrusco-corinzio[104], mentre estremamente ridotta risulta quella pertinente alla t. Monte Abatone 45, essendo anche in questo caso limitata ad una sola olla di tipo Dc 3, deposta nella camera laterale sinistra assieme ad una coppa ionica A 1, che ne fissa la cronologia agli inizi della fase[105].

Negli anni finali del VII sec. a.C. si datano, inoltre, la deposizione più recente di Monte Abatone 123, cui sono pertinenti le anfore d'imitazione chiota[106], le tt. 384 e 65 Laghetto[107] e, nell'agro, le deposizioni più antiche, cui sono

---

98 Tipo Prayon B2, diffuso soprattutto nella seconda metà del VII sec. a.C.

99 Da ultima sul complesso: ALBERICI VARINI 1999, pp. 15-53 e 69-70, con bibl. prec.

100 CAVAGNARO VANONI 1966, p. 17; la ceramica etrusco-corinzia è rappresentata da un aryballos globulare con decorazione lineare e da una pisside; sono inoltre presenti numerosi buccheri, fra cui calici di tipo Rasmussen 3a; completano il quadro un'olla d'impasto rosso e tre ollette cilindro-ovoidi in impasto grezzo.

101 CAVAGNARO VANONI 1966, p. 97; nel corredo sono attestati un alabastron etrusco-corinzio decorato a fasce e linguette e due calici di bucchero; fra gli impasti si segnala un'oinochoe di tipo fenicio-cipriota, un'olletta carenata, un'anforetta a spirali di tipo Colonna C/ Beijer IIC, un calice carenato e, infine, un'olla in impasto rosso.

102 NASO 1991, in part. p. 80.

103 COEN 1991, p. 30.

104 B. BOSIO, in *Milano* 1986a, p. 118.

105 B. BOSIO, in *Milano* 1986a, p. 118.

106 COEN 1991, p. 41.

107 BATINO 1998, pp. 8-9.

riconducibili gli esemplari italo-geometrici analizzati, di Grotta Tufarina 1, La Staffa 1 e Castellina Camerata 1 a San Giovenale[108].

Le difficoltà imposte dalla necessità di una ricognizione integrale dei materiali, in presenza di descrizioni sommarie spesso non accompagnate da riproduzioni grafiche, hanno determinato un ruolo marginale nell'analisi cronologica per alcuni complessi funerari, emersi negli scavi Mengarelli nell'area del vecchio recinto della Banditaccia[109] e nelle indagini Lerici nel sepolcreto del Laghetto[110]. Nell'elaborazione della sequenza crono-tipologica delle serie, tale lacuna risulta fortunatamente compensata in parte dalla scarsa incidenza di molti di questi contesti, sia da un punto di vista quantitativo, per il numero ridotto di esemplari contenuti, che diagnostico, per la presenza frequente di tipi di lunga durata, quali piatti ad aironi e a decorazione lineare.

IV. 3. Tarquinia

Al cospicuo *dossier* delle ceramiche confluite nella Raccolta Comunale del Museo di Tarquina, decurtate delle originarie associazioni, si contrappone un numero più ristretto di testimonianze, per le quali sono noti i contesti funerari di pertinenza, editi nella maggior parte dei casi in trattazione attente al dato cronologico, a queste ultime si rinvia nelle pagine seguenti per una accurata e puntuale disamina.

Alcuni contesti tarquiniesi svolgono un ruolo fondamentale nella comprensione delle fasi più antiche della produzione orientalizzante, sia essa mutuata da modelli euboici, parallelamente a quanto avviene a Vulci, che ispirata alle creazioni protocorinzie. Per quanto concerne il primo polo, il complesso più importante è senza dubbio costituito dalla tomba del Guerriero, il cui corredo, ancora profondamente echeggiante la tradizione villanoviana, ha restituito, per quanto concerne le serie in depurata, tra le più antiche manifestazioni attribuibili alla *Metopengattung*, vasellame direttamente ispirato alla tradizione greca, come la brocca a bocca tonda o la kotyle di tipo tardo-geometrico o i piatti con apicature laterali, ma anche precoci elaborazioni locali, come le coppe emisferiche, mutuate dalle coppe principesche orientali e decorate da semplici ornati a fasce o dalle stesse file di volatili ricorrenti sulla kotyle associata[111]. La datazione del corredo, su cui gravano tuttora dubbi circa l'originaria composizione, è variamente collocata dagli studiosi nel corso dell'ultimo

---

[108] Leach 1987, pp. 139-140; per la t. Grotta Tufarina 1, si veda anche Micozzi 1994, p. 152, con analisi e descrizione del corredo.

[109] Tt. 69, 71, 81, 84, 85, 86, 94, 103, 134, 176, 181, 227, 308 (Ricci 1955, cc. 481-800).

[110] Tt. 67, 226, 360 (Ricci 1955, cc. 478-479, 698, 848-849).

[111] Hencken 1968, pp. 212-219; *Berlin* 1988, pp. 68-70; Hoffmann 2004, p. 92; Martelli 2008, p. 122-123, in part. nota 13, con richiami alle ascendenze cicladiche della forma del piatto. Cfr. inoltre, cap. II.2.15, p. 157, nota 273.

quarto dell'VIII sec. a.C.[112]; per il legame ancora avvertibile con la fase precedente, appare più indicata una cronologia al primo orientalizzante[113].

Tarquinia ha inoltre restituito l'attestazione più antica al momento nota di coppa di tipo Ba 2a, ampiamente diffusa nel corso del VII sec. a.C., rappresentata da un esemplare proveniente dal corredo della tomba a cassone 65.6 di Macchia della Turchina, databile, in base ai kantharoi in impasto e ai pochi bronzi presenti, un bacile ad orlo perlinato e una fibula a sanuisuga, tra il 710 e il 700 a.C.[114].

Un esempio della precocità mostrata dal centro nella recezione e nell'imitazione di moduli protocorinzi è offerto da due complessi databili negli anni di passaggio tra VIII e VII sec. a.C. La tomba a fossa Monterozzi 6337, pertinente alla deposizione di due giovinetti, è assegnabile ai primi anni del VII sec. a.C., sulla base delle serie in impasto rosso e bruno, presenti con olle su alto piede, anforette a spirali, oinochoai a corpo compresso e kantharoi con vasca baccellata, e di un bacile bronzeo ad orlo perlinato; tale cronologia è puntualmente confermata dalla presenza di un servizio in ceramica depurata comprendente due coppie di skyphoi tipo Ba 3a e kotylai tipo Bb 3a, diretta imitazione di modelli PCA, e un'eccezionale oinochoe tipo Bb 4a, che mostra analogie stilistiche stringenti con l'esemplare della tomba di Bocchoris[115]. Quest'ultima rappresenta, come è noto, uno dei complessi chiave per la scansione e la definizione cronologica della fase antica dell'orientalizzante, grazie alla presenza nel corredo del celebre vaso in *faïence* con cartiglio del Faraone Bocchoris (720-715 a.C.)[116]; tra i materiali spiccano, inoltre, alcuni vasi nettamente caratterizzati da un punto di vista decorativo e usciti dalla medesima bottega imbevuta di tradizione ellenica, cumana e protocorinzia, che dalla tomba stessa deriva il suo nome e la cui attività è collocabile, contestualmente alla datazione del complesso funerario, attorno al 690 a.C. Un'oinochoe tipo Bb 7 variante attribuibile allo stesso *atelier* proviene, inoltre, dal corredo della t. 66 degli scavi Romanelli ai Monterozzi, la cui attendibilità sembra tuttavia messa in dubbio da alcuni residui problematici[117].

---

[112] CANCIANI 1974, p. 25, tav. 18. 2 con disamina della cronologia del contesto corredata di puntuale bibl. Per una storia esaustiva del rinvenimento e delle vicende subite dal corredo: STRØM 1971, pp. 141-142 e di recente JURGEIT 1999.

[113] Da ultima MARTELLI 2008, p. 122.

[114] BRUNI 1986, pp. 228-230.

[115] CATALDI 2001, pp. 95-96.

[116] CANCIANI 1974, p. 20-21, comm. a tav. 17. 2, con bibl. sulla tomba, comprensiva delle diverse proposte di datazione, tra le quali quella al primo quarto del VII sec. a.C in STRØM 1971, pp. 149-150 risulta ormai accolta; *Firenze* 1985, pp. 93-95.

[117] Nel corredo, oltre all'oinochoe in questione, si trovano infatti elementi marcatamente villanoviani, quali il biconico d'impasto decorato con relativa copertura fittile a elmo crestato e la tazza ad ansa bifora, la cui presenza è stata di volta in volta giustificata come espressione di una volontaria arcaicità o come risultato di una contaminazione di diversi contesti. Sulla questione da ultimo CANCIANI 1987, p. 251-252, con bibl. prec.

All'incirca coeve risultano alcune sepolture in fossa e a camera della necropoli di Monterozzi, inquadrabili agli anni di passaggio tra i due secoli. Dalla tomba "*fossa with a bronze bowl and geometric vases*"[118] provengono una coppia di oinochoai tipi Aa 8 e Bb 3b e un'olla su alto piede gruppo Ba con decorazione metopale, databili attorno al 700 a.C., orizzonte questo confermato dal resto del corredo composto da un bacile ad orlo perlinato, un'olla d'impasto e un kantharos avvicinabile ad un'esemplare dalla ricordata t. del Guerriero[119].

La fossa XVI degli scavi Cultrera ha restituito l'oinochoe di tipo Aa 2 e l'anforetta di tipo Aa 1a[120], oltre a due olle strigilate su alto piede, quattro kantharoi d'impasto a vasca lenticolare, elementi questi che ne limitano la datazione al primo quarto del VII sec. a.C.[121]. Coeva è la deposizione femminile della fossa 8 di Poggio Gallinaro, che si distingue per la concentrazione di ceramiche d'importazione[122], che aiutano a circoscriverne la cronologia ai decenni iniziali del VII sec. a.C., e di vasellame in argilla figulina di produzione locale, presente con una vasta gamma morfologica. Non mancano ovviamente le serie in impasto di pressoché esclusiva realizzazione tarquiniese, fra cui si ricordano le olle su alto piede, l'oinochoe con corpo compresso, il kantharos e l'attingitoio. Alla varietà e consistenza del corredo vascolare fa da contrappunto quella del materiale metallico, sia esso di accompagno, come il bacile ad orlo perlinato, che di stretta pertinenza personale, come le fibule a losanga, quella ad arco conformato o, ancora, il raffinato servizio da toilette, alludente a un ideale di vita aristocratico[123]. Allo stesso momento sono ascrivibili la vicina fossa 9 di Poggio Gallinaro[124] e la t. 2879 dei Monterozzi[125].

Accanto al perdurare delle sepolture in fossa e cassone, compaiono in questo orizzonte le prime tombe a camera: fra queste si segnalano, per la presenza di ceramica italo-geometrica, la tomba a "*camera with a ribbed*", in cui ricorre come di consuetudine l'oinochoe di tipo Bb 3b, associata a due coppie di olle costolate su alto piede, kantharoi d'impasto e, inoltre, un'oinochoe d'impasto a corpo compresso costolata con decorazioni plastiche[126], e il tumulo

---

[118] HENCKEN 1968, pp. 357-359, con bibl. prec.

[119] HENCKEN 1968, fig. 188.e.

[120] Si ha inoltre notizia della presenza nel corredo di alcuni frammenti probabilmente riferibili ad una coppa emisferica con decorazione a fasce (HENCKEN 1968, p. 384).

[121] HENCKEN 1968 pp. 383-384, con bibl. prec., fra cui CULTRERA 1930, p. 131; da ultimo PALMIERI 2005, p. 5, nota 14.

[122] Si tratta di un aryballos di tipo rodio cretese e di una *black kotyle* protocorinzia.

[123] Da ultimo sul contesto: L. DONATI, in *Portoferraio* 1985, pp. 74-81 con bibl. prec. e puntuale inquadramento dei materiali.

[124] HENCKEN 1968, pp. 350-351.

[125] Si tratta di una tomba a fossa con deposizione femminile, il cui corredo sebbene non abbia restituito ceramica italo-geometrica comprendeva uno skyphos protocorinzio molto probabilmente d'importazione, con iscrizione graffita, che si segnala per la particolare antichità. Sul complesso: CATALDI 1986, pp. 219-221; sulla coppa iscritta: COLONNA 1970, p. 663.

[126] HENCKEN 1968, pp. 363-364 con bibl. prec.

Zanobi (tomba LXXXIII Romanelli). Il tipo architettonico della camera, in quest'ultimo caso completato dal tumulo esterno, sembra adottato in relazioni a deposizioni di rango, come riflesso dai corredi associati: ne è un esempio il materiale rinvenuto nel tumulo Zanobi, comprensivo di una coppia di biconici di lamina bronzea e del servizio di ceramica di tradizione geometrica, in cui compaiono le anforette e gli attingitoi tipo Aa 1a e la kotyle tipo Aa 3 di produzione locale[127].

Attorno al 675 a. C. si datano l'oinochoe tipo Cb 3a, lo skyphos tipo Ba 3c e la coppa tipo Ba 1a, restituite dalla tomba a cassone 65.1 di Macchia della Turchina. Il corredo, la cui cronologia è ancorata alla presenza di un aryballos d'ispirazione PCM e di una brocca d'importazione greco-orientale, appare mutilo in seguito ad una violazione antica, tuttavia, alcuni elementi superstiti, quali i frammenti riferibili ad un carro e le ceramiche allogene, testimoniano una deposizione di rango elevato[128].

Ai fini di una puntuale datazione di alcuni tipi di oinochoai di produzione tarquiniese è fondamentale l'associazione dei materiali fornita dalla t. a camera 113 degli scavi Marchese[129]. La tomba ospitava almeno due deposizioni, i cui corredi privi di buccheri risultavano deposti sul fondo nel corridoio, sulla banchina sinistra scavata nel tufo e al di sotto della banchina destra, all'interno di tre vani scanditi da lastre di tufo. Il materiale recuperato comprende, tra le ceramiche depurate, le oinochoai con raggi contornati di tipo Cb 2d (T.M.m/3-5), oinochoai tipi Cb 1 e Db 1 attribuite al Pittore delle Palme (T.M.m/1-2, T.M.m/6), uno skyphos con linee sul labbro e sulla spalla e cuspidi dal fondo, un "*bombylios*" e un balsamario a lekythos panciuta. La presenza di quest'ultimo elemento[130], in combinazione con l'associazione dell'oinochoe del Pittore della Palme e di un anforetta ad anse annodate, ha indotto F. Canciani a proporre una cronologia alta per il contesto in esame e, quindi, per l'attività della bottega, da collocarsi certamente nell'arco della prima metà del VII sec. a.C. e probabilmente ancora nel primo quarto[131]. Di diverso avviso sono S. Tanci e C. Tortoioli, che nella recente edizione della collezione tarquiniese hanno limitato l'opera del Pittore delle Palme, e conseguentemente la datazione delle oinochoai di tipo Cb 2d ad essa associate, al secondo quarto del VII sec. a.C.[132].

Solo genericamente databile nella prima metà VII sec. a.C. è la tomba a camera XXXII indagata da G. Cultrera nella necropoli di Monterozzi. Pochi sono gli elementi utili per la datazione del contesto, il cui corredo già fortemen-

---

127 Palmieri 2005, con bibl. prec.

128 Bruni 1986, pp. 224-228.

129 Marchese 1944-1945, pp. 14-20; Hencken 1968, pp. 394-397.

130 Forse identificabile con una lekythos tipo Gabrici (Canciani 1974, p. 10, con rif. a Gabrici 1913a, tav. 41.5)

131 Canciani 1987, p. 252, n. 23.

132 Tanci, Tortoioli 2002, p. 191.

te compromesso dalla manomissione della camera, la cui volta era chiusa da un lastrone a rilievo, è solo parzialmente reperibile: alla prima metà del VII sec. a.C. rimandano l'anforetta d'impasto di tipo Beijer Ib e l'oinochoe tipo Bb 5b, mentre l'attingitoio in depurata sembra scendere alla fine del VII sec. a.C.[133].

All'orientalizzante medio risale l'impianto del tumulo di Poggio Gallinaro, che ha ospitato almeno due deposizioni. La più antica è databile al secondo quarto del VII sec. a.C., in base alla morfologia di un consistente gruppo di buccheri a superficie nero-marrone di produzione locale imitante le realizzazioni in bucchero tipiche della fase media dell'orientalizzante, spesso ispirate a modelli PCM. A questo nucleo di materiali sono da affiancarsi, oltre alle figurine di piangenti in bucchero, i plettri avorio, i modellini di bucchero di bipenni, i resti di un carro e tre delle oinochoai di tipo Cb 3c. Le restanti due oinochoai, pertinenti ai tipi Cb 3b e c, sarebbero invece da attribuirsi, sulla base di analogie con gli esemplari della tomba XXV di Monterozzi – ritenuta da M. Cristofani coeva alla camera degli Alari – alla seconda deposizione, la cui cronologia nell'ultimo quarto del secolo è ribadita da alcuni frammenti di calici in bucchero[134]. Tuttavia, dal momento che le oinochoai sono forse riconducibili all'opera di una stessa bottega in base all'uniformità decorativa e tecnica, sembra plausibile ipotizzare la pertinenza degli esemplari di varietà b e c citati non alle ultime deposizioni ma a quelle iniziali, sia nel caso del tumulo di Poggio Gallinaro, che in quello della t. XXV di Monterozzi, con una durata del tipo limitata al secondo quarto del VII sec. a.C.

La t. XXV, a camera[135], conteneva un consistente corredo vascolare comprendente cinque olpai etrusco-corinzie, un nutrito gruppo di buccheri, due olle d'impasto e numerosa ceramica italo-geometrica[136]. Gran parte dei materiali è omogeneamente inquadrabile nell'orientalizzante recente; probabilmente fanno eccezione solo alcuni vasi in ceramica depurata: l'oinochoe tipo Cb 1 con ansa a tortiglione, reticolo sul collo, pesci sulla spalla e motivo a treccia sul ventre e una delle oinochoai tipo Cb 3b (T.M.25/5) con linea ondulata sul collo, raggi e registri con *chevrons* verticali sulla spalla e fasce sul ventre, che mostra forti analogie con il tipo Cb 2a. La presenza di elementi più antichi potrebbe dare consistenza a un rialzamento delle altre tre oinochoai presenti, l'oinochoe T.M.25/6 (tipo Cb 3b) con triangoli contrapposti sulla spalla e fasce sul ventre e sul collo, l'oinochoe T.M.25/4 (tipo Cb 3b) con esse sul collo raggi sulla spalla e ventre dipinto e l'oinochoe T.M.25/3 (tipo Cb 3d) con esse sul collo e sulla spalla. Quest'ultimo tipo in associazione con lo skyphos dall'analoga decorazione (tipo Bb 2 variante), ricorre infatti anche

---

[133] BRUNI 1986,p. 275, con bibl. prec.

[134] PETRIZZI 1986, p. 209.

[135] HENCKEN 1968, pp. 385, 394, fig. 383.e; CULTRERA 1930, p. 136, figg. 20-23.

[136] Tre skyphoi di tipo Bc 1b, uno con fasce, cuspidi e fila di esse sulla spalla di tipo Bb 2 variante, due kylikes a fascia risparmiata, un aryballos ovoide a fasce di tipo 2c, cinque oinochoai, afferenti ai tipi Cb 3b, d e Cb 1.

nel corredo del tumulo di Poggio Gallinaro. Alla luce di quanto esposto, sembrerebbe dunque più prudente non considerare dirimente tale complesso per la datazione delle oinochoai di tipo Cb 3.

In un momento avanzato dell'orientalizzante medio, nel terzo quarto del VII sec. a.C., si pone la realizzazione della tomba a camera Cultrera LXII[137], che ha restituito oltre a sei oinochoai (T.M.62/1, tipo Cb 2d var.) e uno skyphos a fascia risparmiata italo-geometrici, vari frammenti di bucchero e un gruppo di ceramiche etrusco-corinzie, fra cui un'olpe, una coppetta e piatti, riferibili ad una seconda deposizione avvenuta nell'orientalizzante recente. Anomalo risulta il caso della tomba a fossa LIX Cultrera[138], con gruppi di materiali cronologicamente incoerenti: è presente un nucleo di bronzi villanoviani, due olpai etrusco-corinzie, un'oinochoe con decorazione geometrica. Sebbene G. Cultrera escluda la possibilità di un accorpamento dei materiali al momento dello scavo, il complesso si rivela inutile ai fini della datazione della classe in esame.

IV.3.1 Tuscania

La documentazione disponibile per Tuscania appare al momento limitata a un numero esiguo di complessi, che rivelano accanto alla naturale componente tarquiniese una forte impronta vulcente[139]. Nella necropoli di Pian di Mola testimonianze di ceramica italo-geometrica, ancora riferibili all'orientalizzante antico, agli anni attorno al 700 a.C., provengono dalla t. 3 e dalla t. della cd. Raccolta Comunale. La cronologia dei corredi è indicata principalmente dalle serie in depurata e corroborata dalla composizione del vasellame d'impasto, comprendente, nel caso della t. 3, olle su alto piede, oinochoai a becco, piatti, scodelle e un'anforetta a spirali di tipo A[140]. Alla fase successiva sono ascrivibili i pochi lacerti del corredo di una tomba camera con fenditura superiore indagata nel 1969 nello stesso sepolcreto: allo stato attuale delle conoscenze, le serie in depurata presenti (askos di tipo 1, oinochoe assimilabile al tipo Aa 6b e un'oinochoe di fabbrica tarquiniese di tipo Db 1) ne circoscrivono la datazione al secondo quarto del VII sec. a.C.[141].

Pressappoco coeva risulta la tomba a camera con fenditura superiore iscritta in tumulo, scavata nel 1989 nella necropoli delle Scalette. Malgrado il contesto sia stato oggetto di depredazione, piuttosto varia appare la gamma dei materiali recuperati, senza dubbio riferibili alla deposizione di un personaggio di rango. Accanto alle ceramiche di stampo geometrico, rappresentate da un'oinochoe di tipo Aa 8 e da un askos di tipo 1, sono attestati vasellame in

---

[137] Cultrera 1930, p. 182, B 4; Canciani 1974, p. 20, n. 2.

[138] Cultrera 1930, p. 175; Hencken 1968, pp. 384-386, fig. 374.

[139] Moretti Sgubini 2000, p. 182, nota 64.

[140] Ruggieri, Moretti Sgubini 1986, p. 238, nota 10.

[141] Sulla cronologia del corredo, di cui i tre vasi ricordati sono esposti nel Museo Archeologico di Tuscania: Moretti Sgubini 2000, p. 184, nota 9.

bucchero, ascrivibile al momento iniziale della produzione, e un'ampia serie di impasti, che documentano vivaci rapporti con l'area etrusco-meridionale, laziale e falisco-capenate; ai fini della determinazione cronologica, particolarmente significativa risulta la presenza di ceramiche d'importazione, costituite da un'oinochoe con serpente MPC di fabbrica cumana e da un aryballos anch'esso MPC databile tra il 670 e il 660 a.C.[142].

Completano il *dossier* due contesti dalla necropoli dell'Ara del Tufo. La t. 2, anch'essa appartenente al tipo di camera con fenditura superiore, ha restituito i resti di deposizioni molteplici scaglionate tra l'orientalizzante medio e gli inizi del VI sec. a.C.: la perdita delle associazioni originarie non consente l'attribuzione certa della coppia di skyphoi, avvicinati al gruppo Bb e al tipo Bc 1a, da riferirsi solo ipoteticamente alle deposizioni iniziali. Al contrario, la kotyle di tipo Cc 2b della t. 27, una camera a fenditura superiore del medesimo sepolcreto il cui impianto risale al secondo quarto del VII sec. a.C., è assegnabile alla fase finale di utilizzo del sepolcro, avvenuto in un momento iniziale dell'orientalizzante recente.

IV. 4. Vulci e territorio

I complessi con ceramica italo-geometrica riferibili a Vulci e ai centri del suo territorio appartengono quasi totalmente alla fase antica e media iniziale dell'orientalizzante. Il dato trova giustificazione nella preferenza pressoché esclusiva accordata alla sottoclasse della *Metopengattung*, la cui produzione si esaurisce poco prima della metà del secolo, lasciando un vuoto che, in minima parte temperato da pochi tipi di estrazione meridionale, è colmato solo con l'orientalizzante recente dal dilagare delle produzioni vulcenti di ceramica etrusco-corinzia.

Agli anni finali dell'VIII sec. a.C. sono riferibili alcuni complessi che si distinguono per ricchezza e prestigio dei corredi. La t. del Guerriero della Polledrara, del tipo a fossa, è pertinente ad un personaggio emergente, connotato come guerriero da una ricca panoplia di bronzo, le cui ceneri furono deposte in un biconico in lamina bronzea; sono stati inoltre rinvenuti anche alcuni elementi riferibili alla bardatura del cavallo. Il rango del personaggio è inoltre sottolineato dalla deposizione di un servizio da banchetto, comprendente bacili, spiedi e una grattugia bronzei, nonché dalla ricchezza che caratterizza l'ampia gamma degli ornamenti personali e del corredo vascolare. La serie degli impasti si presenta corposa e variegata, mentre più ridotto quantitativamente risulta il gruppo delle ceramiche depurate, altamente significative però sia sul piano cronologico sia su quello culturale, per la testimonianza offerta della crescente ellenizzazione: oltre a una coppa a fasce Aa 2a, antenata della

---

[142] Moretti Sgubini 2000.

vasta produzione di VII sec. a.C., e di un'altra frammentaria, è presente una kotyle imitante le realizzazioni tardo-geometriche greche e un'anfora da tavola con segno graffito. Tali elementi collocano la deposizione ancora nell'ultimo trentennio dell'VIII sec. a.C.

Sempre agli anni finali dell'VIII sec.a.C., è riferibile la tomba a fossa del 15/4/1965 dell'Osteria-Poggio Mengarelli, con corredo comprendente olle a rete, sei scodelle, tre tazze frammentarie di cui una a vasca baccellata, due coppe ad anse pizzicate acrome e un holmos dipinto[143]. Pressoché coeva è la deposizione femminile della t. 6/9/1966 di Poggio Maremma, databile nell'ultimo quarto dell'VIII sec. a.C. Anche in questo caso, numerosi appaiono gli indizi dei contatti intrattenuti e delle influenze, in primo luogo greche, recepite dalla comunità vulcente sullo scorcio del secolo. Nel corredo, parzialmente disperso, era presente un'anfora da trasporto fenicia e pregevole vasellame geometrico di destinazione conviviale, fra cui un cratere avvicinabile alla Bottega dei Primi Crateri, un'askos configurato, un'olla a collo stretto di tipo Ac 1, un'oinochoe di tipo Bb, un piatto, due coppe Aa 2a, elementi di un'anfora con decorazione plastica e frammenti riferibili ad altri contenitori non ricostruibili. Tale ricchezza trova riscontro sia nelle serie d'impasto che negli oggetti metallici di ornamento personale[144].

L'anfora con oinochoai applicate, associata ad un cratere, all'olla a collo stretto e ad uno skyphos a *chevrons* ricorre nel corredo della tomba C di Mandrione di Cavalupo, anch'esso pertinente ad un personaggio di spicco, che annovera diversi elementi di tradizione villanoviana, quali la scodella monoansata, le fibule a sanguisuga con staffa appena allungata e due fibule a losanga con staffa lunga[145].

Sebbene più ridotto quantitativamente e fortemente decurtato delle sue componenti, risulta altamente significativo il corredo della tomba di Poggio Mengarelli-Osteria[146]. Gli unici elementi superstiti, esclusivamente in ceramica italo-geometrica, ammontano ad un biconico, un'olla tipo Ba 1c e un'oinochoe tipo Aa 6b, probabilmente riferibili ad una stessa bottega (Bottega del Biconico di Vulci)[147]. Particolare interesse suscitano gli ultimi due vasi, databili ancora nel corso dell'ultimo quarto dell'VIII se. a.C., che rappresentano

---

[143] Per la t. del Guerriero di Polledrara: Moretti Sgubini 2003, pp. 14-23; Moretti Sgubini 2004. Per la t. del 15/4/1965 dell'Osteria: Moretti Sgubini 1986, p. 76.

[144] Moretti Sgubini 2001, pp. 200-206.

[145] Da ultimo Canciani 1987, pp. 243-244 con bibl. prec.; in part. si ricorda la pertinenza dell'anfora in questione alla t. C, e non B, come erroneamente indicato nella prima edizione del contesto da cui lo scambio di denominazione delle tombe è ppassato in letteratura fino all'interveto chiarificatore di M. A. Rizzo (Rizzo 1985, pp. 519-520).

[146] Canciani 1987, pp. 244-245, nn. 7.1-3, con bibl. prec.

[147] F. Canciani ipotizza che il biconico, fedelmente ricalcante il repertorio decorativo greco, sia da attribuirsi alla mano di un maestro immigrato, mentre gli altri due vasi, con decorazione più corrente, siano stati affidati a collaboratori secondari (Canciani 1987, p. 245). Sulla localizzazione della bottega a Vulci: Isler 1983, p. 22, con elenco delle attribuzioni.

i prototipi della corrente della *Metopengattung* in voga nella prima metà del secolo successivo.

Alla fine dell'VIII-inzi VII sec. a.C. sono riferibili la t. dell'1/10/1955 di Cavalupo[148], una sepoltura a fossa il cui corredo comprende un nucleo consistente di vasi di tradizione geometrica oltre a un gruppo di vasi frammentari in impasto[149], e la fossa a doppio loculo E/1990 dell'Osteria. Nel corredo di quest'ultima, sebbene manomesso, si sono preservate alcune ceramiche italo-geometriche e parte del vasellame d'impasto, fra cui olle a rete e una grande tazza a vasca baccellata con decorazione a lamelle metalliche; scarsi appaiono gli oggetti metallici, limitati a un coltello in ferro e a frammenti di un probabile sostegno a telaio. La tipologia tombale e gli elementi di corredo superstiti stabiliscono la cronologia del contesto tra la fine dell'VIII e gli inizi del VII sec. a.C.[150]. Allo stesso orizzonte è riconducibile la tomba a cassone rinvenuta a Monte Aùto[151], la cui esatta composizione del corredo è stata restituita da M. A. Rizzo[152] e G. Bartoloni, che , sulla base del vasellame in depurata, ne hanno fissato la datazione tra la fine dell'VIII e i primi decenni del VII sec. a.C.[153]; pressappoco coeve risultano le tt. 22 e 42F conservate a Philadelphia[154].

L'elaborazione di una tabella d'associazione per i materiali degli scavi Gsell[155], da parte di E. Mangani, ha consentito l'individuazione di una puntuale sequenza cronologica delle sepolture: in particolare, fra queste si segnalano le due fosse ad inumazione LVI e XIII, databili entro il primo quarto del VII sec. a.C.[156], da cui provengono rispettivamente l'oinochoe avvicinabile al tipo Cb 3c e la coppa su alto piede tipo Db 1; la ceramica italo-geometrica risulta inoltre attestata anche nelle tombe a camera 13, con un'oinochoe di tipo Aa 6c, e LXXII[157].

Per l'orientalizzante medio, è disponibile un unico complesso rappresentato dalla t. 1/1990 dell'Osteria. Nella tomba a tre camere precedute da *dromos*

---

[148] Moretti Sgubini 1986, pp. 76-77.

[149] In impasto tre tazze, una tazza baccellata, un coperchio e vari frammenti riferibili ad un numero non precisabile di tazze su piede.

[150] Moretti Sgubini 2003, pp. 25-26.

[151] Falconi Amorelli 1971, pp. 193-194.

[152] Rizzo 1985, p. 520, nota 9, con elenco del corredo.

[153] Bartoloni 1984, p. 108, nota 35, tav. II.

[154] Hall Dohan 1942, pp. 88-89, tav. XLVIII; Eadem, p. 94, tav. XLIX.

[155] Gsell 1891.

[156] Mangani 1995, pp. 411-413.

[157] Nel presente contributo è incluso solo il limitato nucleo di ceramiche *Metopengattung* provenienti dgli scavi Gsell, per il quale era disponibile una sufficiente documentazione grafica; risulta doveroso dare conto almeno della diffusione complessiva della classe, accuratamente ricostruita nella segnalata revisione condotta da E. Mangani (Mangani 1995, p. 413): biconici (tt. LXXV e XXXVII), holmos (t. XX), oinochoai (tt. LVI =Vu.PA.56/1 e LXXXVIII), olletta (t. LXXV), kotyle (t. XX), coppia di skyphoi (t. XLII, che ha restituito inoltre un calice su alto piede), kylikes (tt. XXXVIII, LVI e LXXI) e piatto (t. LVII).

(tipo Prayon B), rinvenuta violata, è stato possibile recuperare solo parte dei corredi della cella centrale. I materiali documentano un utilizzo almeno a partire dal terzo quarto del VII sec. a.C.[158], momento cui sarebbero da riferirsi i due skyphoi di tipo Ba 2. L'uso della tomba appare proseguire fino all'orientalizzante recente, come testimoniano un'olpe etrusco-corinzia a squame e alcuni dei buccheri recuperati, mentre il rinvenimento di sette fuseruole attesta l'esistenza di almeno una deposizione femminile, cui l'editrice del contesto connette inoltre i ricchi oggetti di ornamento rinvenuti[159].

IV.4.1 *Poggio Buco*

Contribuisce alla conoscenza del panorama vulcente la documentazione proveniente da uno dei suoi centri satelliti, Poggio Buco, le cui necropoli indagate a più riprese sin dagli inizi del secolo scorso sono state oggetto di numerose monografie e approfondimenti[160]. Come osservato per Vulci, anche in questo caso il *dossier* delle attestazioni si concentra nel corso della prima metà del VII sec. a.C.

Negli anni di passaggio tra la fine dell'VIII e gli inizi del VII sec. a.C., le produzioni in ceramica di tradizione geometrica sono rappresentate da pochi elementi provenienti da alcuni contesti, purtroppo estremamente compromessi: si tratta delle tt. 7 a fossa, e 17 a fossa con loculo dello scavo Vaselli, che hanno restituito rispettivamente un'oinochoe tipo Aa 1c e un'oinochoe tipo Aa 4a associata a uno skyphos tipo Aa 1c. Per il primo quarto del VII sec. a.C., la documentazione si arricchisce di alcuni complessi integri: oltre all'olla tipo Ba 1b presente nella t. 8, sono attestate ceramiche di tradizione geometrica nelle tombe a fossa semplice I[161] e A[162]. Entrambi i contesti hanno restituito una coppa tipo Db 1b, associata nel caso della t. I ad uno skyphos Ab 1 ed una tazza tipo Aa 2c. Poco più tardi, attorno al 675 a.C., si inquadra il corredo della t. a fossa semplice II, in cui compaiono l'olla tipo Ca 1a e lo skyphos tipo Aa 1c.

Alla fase iniziale dell'orientalizzante medio sono ascrivibili le tt. B, III, IV, V[163] e la t. 12 conservata a Berlino, del tipo a fossa con loculo, che ha restituito uno skyphos a sigma protocorinzio[164]. Lo stesso *excursus* cronologico può essere assegnato alla t. C, per le analogie con alcuni dei corredi segnalati: ne

---

[158] L'aggancio cronologico è fornito dalla presenza di un aryballos PC dell'*Archegesion Type*, datato 650-635 a.C.

[159] MORETTI SGUBINI 2003, pp. 26-28, con bibl.

[160] Tra i lavori fondamentali: BOEHLAU 1900; MATTEUCIG 1951; BARTOLONI 1972; PELLEGRINI 1989.

[161] BARTOLONI 1972, pp. 16-29.

[162] MATTEUCIG 1951, pp. 19-22.

[163] Per la t. V è plausibile una datazione verso la metà del VII sec. a.C., avanzata dalla sua editrice per la presenza di un kyathos miniaturistico di bucchero ad ansa crestata (BARTOLONI 1972, p. 65).

[164] BOEHLAU 1900, fig. 21.9, p. 181, n. 32.

è un esempio l'associazione tra la tazza e l'olla quadrilobata, puntualmente confrontabile con quella presente nella t. IV[165], mentre la tazza trova riscontro nell'esemplare deposto nella t. II[166]; un'ulteriore conferma proviene dalla presenza del piattello su alto piede ricorrente nella t. B[167]. La t. D appartiene al tipo a fossa con due loculi (Mancinelli tipo IV), diffuso verso la metà del VII sec. a.C.[168]. Il corredo, costituito prevalentemente da materiale d'impasto è databile, come già suggerito da F. Canciani e in seguito accolto da G. Bartoloni, nel corso del secondo quarto del VII se. a.C. Tale cronologia è in primo luogo ancorata alla presenza dell'oinochoe di tipo Aa 6b[169] e trova riscontro nella presenza, tra i materiali di accompagno, di forme e tipi ampiamente attestati in contesti limitrofi della prima metà del VII sec. a.C[170]; analoghe considerazioni sostengono il rialzamento della cronologia della t. VI al secondo quarto del VII sec. a.C.

Nell'orientalizzante recente sono attestati tipi riconducibili prevalentemente a produzioni correnti ampiamente diffuse nell'Etruria meridionale. Rientrano in queste categorie gli skyphoi a fascia risparmiata con vasca decorata (tipo Bc 1e) della t. VII, in uso dall'ultimo quarto del VII alla prima metà del

---

[165] Per la tazza: BARTOLONI 1972, p. 48, n. 11, fig. 19.11; per l'olla: BARTOLONI 1972, p. 48, n. 4, fig. 19.4; ulteriori confronti con due exx. sporadici (BARTOLONI 1972, gruppo D, p. 198, n. 10, fig. 99.10; PELLEGRINI 1989, tav. n. 48). Sulla diffusione delle olle quadrilobate, ricondotte a officine operanti nella valle del Fiora nel corso del secondo quarto del VII sec. a.C.: CAMPOREALE 1977, p. 223, nota 43.

[166] BARTOLONI 1972, p. 32, nn. 8-9, fig. 31.8-9.

[167] MATTEUCIG 1951, cui si aggiunga un ex. sporadico dallo stesso centro (BARTOLONI 1972, sporadici, p. 162, n. 24, fig. 80.24).

[168] PELLEGRINI, RAFANELLI 2005, p. 32.

[169] L'oinochoe, trovando confronti stringenti con un ex. da un contesto tombale di Sovana associato a materiali di fine VII sec. a.C., veniva dunque a costituire il caposaldo per l'inquadramento delle tt. D e VI almeno nel terzo quarto del VII sec. a.C.; l'esistenza di più deposizioni nel complesso di Sovana, la più antica delle quali non necessariamente attribuibile all'orientalizzante recente, ha permesso di restituire l'opportuna profondità cronologica al tipo (CANCIANI 1974, p. 25, tav. 18.2). Il rialzamento ha trovato concorde anche G. Bartoloni, che alla luce di tali considerazioni, ha inoltre ipotizzato un possibile restringimento dell'excursus cronologico del gruppo di tt. I-II-II-IV-V-VI al primo quarto del VII sec. a. C. (BARTOLONI 1984, p. 107, nota 25). A favore di una datazione nel corso del secondo quarto del VII sec. a.C. della t. VI: CAMPOREALE 1977, p. 223.

[170] Si segnalano a titolo di es. due scodelle, assimilabili a quelle deposte nelle tt. III e IV di Poggio Buco (BARTOLONI 1972, p. 42, n. 17, fig. 15.17; p. 50, n. 12, fig. 20.12), e la coppa carenata, che, inseribile tra i calici su alto piede della tipologia elaborata da E. Pellegrini attestati nel corso della prima metà del VII sec. a.C., trova un confronto puntuale in un ex. della t. III (BARTOLONI 1972, p. 42, n. 19, fig. 15.19). Lo stesso orizzonte è condiviso e dall'olletta a collo distinto (PELLEGRINI 1989, p. 36, n. 67, tav. XV.67; Poggio Buco, t. VI: BARTOLONI 1972, p. 80, n. 18, fig. 32.18.) e dal kantharos, con confronti nella t. C di Mandrione di Cavalupo e nella t. 51 di Vulci (DOHAN 1942, p. 82, tav. XLIV), nonché nel nucleo B di materiali sporadici da Poggio Buco (BARTOLONI 1972, p.190, nn. 106-107, fig. 94, tav. CXXXI.b-c).

VI sec. a.C.[171], quelli con vasca dipinta (tipo Bc 1c) della t. F e le coppe a fasce (tipo Ba 1a) presenti nella t. a camera G[172]. Più difficoltoso risulta l'inquadramento del gruppo delle ceramiche italo-geometriche della t. a camera E, tradizionalmente datata nell'orientalizzante recente[173]. Tuttavia, l'affinità con tipi diffusi nell'orientalizzante antico-medio, il tipo architettonico stesso proprio delle camere più antiche (Mancinelli tipo I) e la presenza fra gli impasti di forme in uso anche nella fase precedente[174] potrebbero suggerire di antedatare l'impianto della tomba all'orientalizzante medio avanzato.

---

[171] Bartoloni 1972, pp. 75-107.

[172] Matteucig 1951, pp. 45-53.

[173] Matteucig 1951, pp. 34-38.

[174] Fra questi si ricordano le olle costolate (Matteucig 1951, p. 35, nn. 2-3, tav. XI. 1-2) che ricorrono anche nella t. D, la kotyle in impasto (Matteucig 1951, p. 37, n. 38, tav. XII.13), riconducibili a tipi in voga nella prima metà del VII sec. a.C. (Pellegrini 1989, p. 41, n. 5, tav. XX.95).

V. Produzioni e officine

Al fine di tracciare i confini e i caratteri della produzione, o meglio delle produzioni, etrusco-meridionali si è adottato come strumento principale la tipologia elaborata, considerata sotto l'aspetto della distribuzione cronologica e topografica dei singoli tipi, o delle varietà, e delle più vaste famiglie.

Tale scelta è stata motivata da tre fattori: in primo luogo, la possibilità data dal tipo quale elemento di gestione di un'ingente mole di materiale, in secondo, la difficoltà, e il consistente margine di approssimazione da essa derivante, data dall'aggregare ad uno stesso polo produttivo vasi eterogenei, di fronte alla quasi totale assenza di elementi specifici decorativi o morfologici riscontrabile nelle produzioni più correnti caratterizzate da ornati semplificati e scarsa varietà formale, e, infine, la constatazione di un legame ricorrente, anche se non onnipresente, tra determinati tipi e alcuni centri in un arco di tempo limitato. Esulano dal quadro quei tipi che si distinguono sia per la lunga durata, intesa come periodo superiore al venticinquennio[1], che per la presenza in tutti i siti; tali fattori, sovente sovrapposti gli uni agli altri, non sembrano testimoniare l'esistenza di una produzione centralizzata con ampia e capillare distribuzione, quanto piuttosto l'esistenza di un gusto diffuso alimentato da botteghe locali e, sul piano più strettamente produttivo, la tendenza verso una crescente e progressiva standardizzazione delle officine stesse, che giunge a piena maturazione nel momento finale dell'orientalizzante. È, infine, necessario accennare ad un ultimo aspetto, che, già sottolineato dagli studi precedenti, concerne la netta dicotomia esistente tra il distretto ceretano-veiente e quello vulcente-tarquiniese, con Tarquinia in funzione di cerniera tra le due sfere di produzione; il fenomeno, evidente in particolar modo a Vulci e nel suo territorio attraverso l'alta incidenza di tipi specifici, scarsamente condivisi dagli altri centri, verrà analizzato in modo più approfondito in sede di sintesi conclusiva.

V. 1. Veio

La collocazione di Veio in prossimità della bassa valle del Tevere ne ha favorito la precoce ricezione di ceramiche greche, presto seguita da imitazioni

[1] La definizione di lunga durata ad un arco superiore ai venticinque anni è stata fissata tenendo conto del margine di oscillazione nella datazione di alcuni contesti, per i quali gli elementi disponibili non consentono una puntualizzazione cronologica inferiore a tale termine.

locali, già nei primi decenni dell'VIII sec. a.C. (fase II A)[2]. In sintonia con quanto avviene a Cerveteri e Tarquinia, con l'inizio dell'orientalizzante antico si registra un sostanziale mutamento nei modelli, ora connessi alla sfera corinzia: il fenomeno si riflette nella presenza di ceramiche protocorinzie, per lo più kotylai, restituite dalle tombe alto-orientalizzanti della necropoli di Casale del Fosso. La produzione locale sembra dunque adeguarsi ai nuovi canoni, sia attraverso l'imitazione abbastanza fedele delle nuove forme che tramite le rielaborazioni di gusto più propriamente indigeno. Alla prima categoria sembra ascrivibile la realizzazione di kotylai a losanga puntinata ispirate a modelli PCA (tipo Bb 2), da collocarsi nel corso del primo quarto del VII sec. a. C., e di un gruppo di oinochoai, ascritte al tipo Aa 7 della tipologia proposta. Quest'ultime presentano nella forma con profilo scarsamente distinto legami con la produzione delle oinochoai di tipo fenicio-cipriota, largamente attestata con redazioni d'impasto nei corredi veienti orientalizzanti, e mostrano nella decorazione, che predilige l'inserimento del motivo a losanga puntinata, evidenti legami con la tradizione PCA. I contesti di rinvenimento, rappresentati dalle tt. XI e IX di Vaccareccia, collocano l'attività di questa bottega nel corso del primo quarto del VII sec. a.C. Al medesimo *atelier* è forse riconducibile, inoltre, un'oinochoe di tipo Cb 5b, associata al tipo precedente nella t. IX, che si pone all'inizio di una serie con corpo articolato (tipo Cb 5b) diffusa nel secondo quarto del VII sec. a.C. e che, malgrado l'uso di raggi alla base e di aironi, si ricollega per la sintassi decorativa al tipo Aa 7. L'oinochoe di tipo Cb 5b, attestata anche Cerveteri, denuncia il legame profondo che unisce i due centri etrusco-meridionali e che si manifesta innanzitutto nella comune diffusione della classe ad aironi. Quest'ultima, di origine ceretana, è tuttavia accolta quasi simultaneamente a Veio, che sin dai primordi della produzione, per quanto consentito dal suo carattere seriale e ripetitivo, si mostra capace di rielaborazione autonoma, come testimonia l'analisi dei piatti. Da un punto di vista cronologico, infatti, la documentazione veiente è più tarda: malgrado qualche episodica attestazioni nel primo quarto del VII sc. a.C., solo nel venticinquennio successivo esse divengono quantitativamente apprezzabili. Sul piano decorativo va notata sia l'adozione rigorosa di quattro volatili, contro i cinque o più dei piatti ceretani, che la coerente applicazione di tale modulo

---

[2] Recentemente: Bartoloni 2003, pp. 195-199, 209-210; Boitani 2005 con sintesi delle conoscenze: al frammento sporadico dai Quattro Fontanili di skyphos a semicerchi pendenti (tipo Kearsley 6), farebbero seguito le coppe più evolute di tipo 5 attestate nei corredi della necropoli; la più antica testimonianza puntualmente databile è però rappresentata dallo skyphos MG II a *chevrons* di produzione corinzia della t. 779 di Grotta Gramiccia (780-770 a.C.). Questo genere di coppe, poi largamente diffuse nella fase IIB, e gli skyphoi a uccelli costituiscono i modelli per le precoci repliche indigene; la cronologia complessiva e la provenienza composita, non esclusivamente euboica come verificato dalle analisi spettrografiche degli esemplari (Ridgway *et al.* 1985), trovano buoni parallelismi nella documentazione campana (Bailo Modesti 1998; D'Agostino 2005); sull'evidenza laziale: Brandt *et al.* 1997.

sin dalle fasi più antiche, a riprova del ruolo di recettore attivo svolto dalle officine veienti. Un altro significativo elemento di originalità è rappresentato dall'alta incidenza della figura dell'airone retrospiciente, non limitata esclusivamente ai piatti e raramente attestata in ambito ceretano, che offre invece un *trait d'union* con le vicine serie falisco-capenati. La comparsa del motivo nell'orientalizzante antico è testimoniata dall'olla V.MC.IV/1 e dalla sua gemella V.a/2, entrambe senza dubbio riconducibili all'attività di un *atelier* locale.

Il Pittore di Narce

Il panorama veiente di età alto orientalizzante non offre quella pluralità di personalità che costellano la grande ceramografia ceretana coeva[3]. L'unica figura nettamente distinguibile, attiva nei decenni finali dell'orientalizzante antico, è rappresentata dal Pittore di Narce, la cui identificazione si deve a F. Canciani[4]. Lo studioso aveva proposto di ricondurre al ceramografo le olle provenienti dalla tomba delle Anatre e un vero e proprio servizio comprensivo di anfora biconicheggiante, piatti, oinochoe e pisside dalla tomba 1 di Narce[5]. L'elenco delle attribuzioni si è poi successivamente arricchito grazie ai contributi di M. Martelli[6] e M. Micozzi[7] che hanno rispettivamente ricondotto al maestro l'olla da Vaccareccia XI (V.V.XI/3), una coppia dalla t. Monte Cerreto 73.LII[8] di Narce e un'esemplare dal mercato antiquario (PS/74), la prima, un'olla da Pizzo Piede 2.LX[9] a Narce e il coperchio della t. V di Riserva del Bagno, la seconda. Il recentissimo contributo di J. G. Szilàgyi[10] concorre ad arricchire il quadro delle testimonianze, tramite il riconoscimento come opera autografa dell'olla PS/153 conservata a Budapest, fondamentale ai fini della ricomposizione della personalità del ceramografo, per la presenza di una decorazione particolarmente articolata, che rompe, attraverso l'inserimento dell'eccezionale figura del leone ruggente, la monotona sequenza di aironi e quadrupedi. Proporrei di ricondurre all'*atelier* anche un frammento con quadrupede riferibile ad un'olla di varietà Ce 2b proveniente dalla t. II di Riserva del Bagno, una pisside dalla t. I della stessa necropoli, che mostra stringenti analogie, nella forma, con il vaso di Narce 1, e per il tipo di palmetta, con l'anfora e il coperchio appartenenti allo stesso servizio e con il coperchio deposto nella tomba delle Anatre, già segnalato da M. Micozzi. Sono inoltre

---

[3] Per una discussione più ampia e approfondita delle probabili relazioni tra artigiani ceretani e veienti, con particolare riferimento al Pittore delle Gru si veda il cap. V.2, pp. 244-247.

[4] Canciani 1974, comm. a tav. 25.7.

[5] Hall Dohan 1942, nn. 3-7, pp. 54-55, tavv. XXIX, III.4-5, XXXI.6-7;

[6] Martelli 1987a, p. 19, nota 25.

[7] Micozzi 1994, p. 165.

[8] *Narce* 1894, c. 513, nn. 51-52.

[9] *Narce* 1894, c. 477, n. 17; cc. 281-282, fig. 136.

[10] Szilàgyi 2006, pp. 44-46, con elenco delle attribuzioni.

prodotti dalla bottega l'anfora biconica V.CF.1090/1 dalla t. 1090 di Casale del Fosso, un'anfora deposta nella t. di Pizzo Piede 2.LVIII[11] e, infine, un'olla recentemente apparsa sul mercato antiquario (PS/75)[12]. In base alle considerazione precedentemente esposte[13], sembra possibile aggregare all'opera del Pittore, ed in particolar modo al nucleo della sua produzione più corsiva, anche l'oinochoe V.P.XX/1 di tipo Cb 5b e quella narcense associata all'olla autografa nella t. 2.XL di Pizzo Piede[14]. Forse alla cerchia del Pittore di Narce, la cui mano è sicuramente riconoscibile negli esemplari di maggior impegno figurativo nella resa dei quadrupedi, nella silhouette massiccia dei volatili e nel ricorrere di singolari elementi accessori come il motivo a reticolo inquadrato in schema metopale, possono inoltre attribuirsi le olle di tipo Ce 1 con decorazione semplificata[15]. A questo nucleo potrebbe afferire una rara olla *red on white*, significativamente proveniente dal corredo della tomba Casale del Fosso 1090[16], in cui risultava non casualmente associata alla ricordata anfora V.CF.1090/1.

Per quanto concerne la cronologia relativa delle opere, estremamente convincente risulta la sequenza recentemente proposta da J. G. Szilàgyi, che ascrive all'inizio dell'attività del Pittore, collocabile tra il 700 e il 690 a.C., le olle PS/75 e PS/145, cui sono aggregabili le due olle *red on white* provenienti dalla tomba veiente dei Leoni Ruggenti e dalla t. 821 di Casale del Fosso per coincidenza di forma e decorazione, quest'ultima arricchita dalla presenza di un cavaliere quale protagonista della scena venatoria[17]; di poco posteriore è l'olla PS/74, che segna il passaggio con la fase successiva, inquadrabile tra il 690 e 670 a.C., cui sarebbe riconducibile il nucleo principale della produzione costituito dalle olle V.GG.2/3 e V.MM.B/2-3, V.V.XI/3, VCF.1090/1, dall'oinochoe V.P.XX/1, dai piatti V.GG.2/4-5, dalla kotyle V.a/6 e dalla totalità delle attestazioni falische. Le olle della t. delle Anatre (V.R.IV/1-2), per alcuni tratti nella resa dei quadrupedi con zampe filiformi e muso segnalato da doppia linea di contorno e per l'introduzione della figura dell'airone con testa cuoriforme, sono da considerarsi un esito tardo dell'attività del Pittore, se non il prodotto dell'officina da lui avviata.

Nell'ambito del nucleo centrale, ritengo sia possibile avanzare qualche precisazione basata innanzitutto su alcuni tratti comuni nell'esecuzione del ricorrente fregio ad aironi: alla stessa mano sembrano attribuibili i volatili presenti sulle olle PS/74 e V.V.XI/3, mentre un altro polo è costituito dalle olle

---

[11] *Narce* 1894, c. 502, nn. 25-26, fig. 103.

[12] Queste ultime tre attribuzioni sono avvalorate dal contributo di J. G. Szilàgyi, apparso in coincidenza con lo stadio conclusivo della presente ricerca (cfr. nota 10).

[13] Cfr. cap. II.2.6, pp. 67-68.

[14] *Narce* 1894, c. 477, n. 14, c. 284, fig. 138.

[15] Per una bibliografia completa si rinvia al commento dei tipi Ce 1-2 (cap. II.2.10, pp. 106-108).

[16] Buranelli *et al.* 1997, pp. 79, 82, fig. 45.

[17] Boitani 2010, pp. 32-33, 45, figg. 12-13.

narcensi da Monte Cerreto e Pizzo Piede e forse dall'oinochoe V.P.XX/1[18]. Estremamente significativa si rivela, inoltre, l'adozione della palmetta di tipo attico, che, se da un lato ribadisce la pertinenza all'opera del Pittore della pisside deposta nella t. 1 di Narce, esclusa da J. Szilàgyi, dall'altro costituisce un valido *trait d'union* con il coperchio dalla t. V di Riserva del Bagno (V.R.V/3) e con la pisside dalla t. I del medesimo sepolcreto, coincidente inoltre per forma e sintassi decorativa. Va inoltre valorizzato il carattere bilingue del ceramografo, che affianca alla produzione in argilla figulina quella in impasto *red on white*, come nel caso delle olle dalle tt. 821 e 1090 di Casale del Fosso e di quella dei Leoni Ruggenti. Quest'ultimo contesto richiama all'attenzione la questione dei rapporti tra pittura parietale e ceramografia: come già accennato da F. Boitani[19], ritengo plausibile l'ipotesi di un'attribuzione al Pittore, e/o alla sua cerchia, del fregio di felini ruggenti e anatre che si dispiega sulle pareti della camera. Orientano in questa direzione, in primo luogo, la coincidenza di modelli alla base delle raffigurazioni di leoni, gli unici per inciso pervenutici in un orizzonte così antico da Veio, e, in secondo, la significativa associazione tra prodotti del ceramografo, o forse della sua bottega come nel caso dalla tomba delle Anatre, e testimonianze di pittura parietale figurata.

Grazie alle nuove acquisizioni presentate da J. G. Szilàgyi e da F. Boitani, si delineano con maggiore accuratezza le ascendenze che sottendono alla formazione e all'opera del ceramografo veiente. Le figure del leone, del cacciatore e di alcuni volatili, nonché alcuni motivi accessori, quali il rombo a scacchiera, dichiarano palesemente la derivazione da modelli greci tardo-geometrici, innanzitutto attici e beotici[20]; un ruolo decisivo nella trasmissione di tali elementi è stato probabilmente esercitato da Pitecusa, come testimonia l'anfora dalla t. 1000 di S. Montano con leone ruggente assimilabile agli esemplari veienti. A questo comparto sembra inoltre rinviare la presenza di una kotyle di probabile fabbrica locale ma riecheggiante modelli coloniali, rinvenuta in associazione all'olla del Pittore nella tomba dei Leoni Ruggenti[21]. L'inserimento in età alto-orientalizzante di Veio nel flusso di merci e uomini che legano la Grecia, il Golfo di Napoli e l'Etruria meridionale, se da un lato ristabilisce quella continuità di contatti doviziosamente testimoniati per l'età del Ferro, dall'altra, spezzando l'isolamento cui la città sembrava relegata, la pone alla stregua degli altri centri, come Cerveteri e Tarquinia.

Nel corso del primo quarto del VII sec. a.C. si affacciano alcune produzioni destinate a lunga durata e ampia diffusione: si tratta di coppe a fasce con

---

[18] Cfr. nota 13.

[19] BOITANI 2010, p. 36, con riferimento alle distinte posizioni circa l'identificazione degli autori delle megalografie in epoca alto-orientalizzante.

[20] Per un'analisi puntuale si rinvia al cap. III.2.5, p. 201; sull'influsso, esercitato dalla ceramicografia protoattica in Occidente attraverso l'arrivo di merci e artigiani: GIULIANO 2005.

[21] BOITANI 2010, p. 35, fig. 19.

vasca a calotta e carenata (tipi Ba 1-3) e delle meno comuni coppette su piede (gruppo Cb); una di quest'ultime (V.V.XI/1) è attestata nel corredo della t. XI di Vaccareccia, che ha inoltre restituito il più antico esemplare veiente di un tipo di oinochoe, con decorazione a raggi (tipo Cb 4) che incontrerà grande fortuna soprattutto nel corso della seconda metà del secolo.

Con la fase iniziale dell'orientalizzante medio cresce l'entità della documentazione: la consistenza numerica delle presenze presuppone l'esistenza di molteplici officine locali responsabili della produzione di vasi largamente diffusi in tutto il comparto etrusco-meridionale e laziale, quali le olle stamnoidi (tipi Dc 2 a-c) e i piatti ad aironi (tipo Bb 1a). Fra le olle stamnoidi è isolabile un nucleo di sicura fattura locale (tipo Dc 1a-b), riferibile ad una bottega, attiva nel secondo quarto del VII sec. a.C., che predilige l'inserimento di motivi metopali con *chevrons* sulla spalla del vaso.

Prende avvio in questo momento, con un sensibile ritardo rispetto alla vicina Cerveteri, la produzione di anfore documentate per il secondo quarto del VII sec. a.C. dagli esemplari della t. 5 di Monte Michele e delle tt. A e B di Passo della Sibilla. I vasi, afferenti al tipo Ab 5a-b, mostrano alcune analogie con le realizzazioni ceretane dell'orientalizzante medio, ravvisabili nel collo basso e largo decorato da file contrapposti di triangoli; presto questi caratteri scompaiono e la tettonica generale dell'anfora mostra un'evoluzione in chiave del tutto locale, che preclude alle realizzazioni morfologicamente omogenee e nettamente caratterizzata proprie dell'orientalizzante recente (tipo Ab 6). Già nei pochi esemplari riconducibili alla varietà c del tipo Ab 5, databili nel corso del terzo quarto del VII sec. a.C., si registra un sensibile aumento nelle proporzioni del collo e del piede che crescono fino ad assumere un profilo troncoconico. Gli ornati si mantengono poco articolati e prevedono fasce e raggi organizzati secondo una sintassi ampiamente diffusa sul corpo delle coeve oinochoai, forse almeno in parte prodotte dalle stesse officine. Le linee finora tracciate divengono pienamente evidenti nel corso dei decenni finali del secolo, quando si afferma una forma quadriansata di anfora attestata sia con decorazione di tipo lineare (tipo Ab 6a), che richiama gli esemplari precedenti, sia con sintassi decorativa più complessa, che prevede la presenza sul collo di figure di pesci alternati a motivi a gancio (tipo Ab 6b). In quest'ultimo caso, certa risulta l'ingerenza delle medesime botteghe nell'ambito di produzioni morfologicamente differenziate, come suggerisce l'estensione della stessa sintassi decorativa ad un'oinochoe dalla necropoli di Pozzuolo (V.Pz.7/1)[22].

Nella prima metà del VII sec. a.C. è collocabile l'attività di una bottega responsabile della produzione di piatti di tipo *spanti* con decorazione costituita da triangoli reticolati disposi a raggiera sulla base; gli esemplari di probabile fabbrica veiente rinvenuti in un contesto tombale sconvolto dell'agro,

---

[22] Cfr. inoltre cap. V.2, pp. 245-246, sulle possibili connessioni con la Bottega del Pittore delle Gru.

in località Monte S. Michele, mostrano stringenti analogie con quattro piatti da Ficana (pozzo I)[23], con due esemplari *white on red* dalla tomba capenate CXVII di Monte Cornazzano[24] e, infine, con uno proveniente dalla tomba 8. LXI del sepolcreto a sud di contrada Morgi a Narce, attribuito però da M. Martelli ad *atelier* ceretano[25]. Pur non comportando necessariamente un'origine veiente per tutti gli esemplari, la diffusione del tipo sembra tuttavia confermare la vivacità dei traffici e la capacità di trasmissione di modelli favorita dalla direttrice formate dall'asse tiberino e dai suoi affluenti. Lo stesso sistema fluviale sembra inoltre aver favorito non solo l'irradiazione ma anche la nascita, ad esempio, delle ricordate olle con decorazione metopale (tipo Dc 1), che richiamano da vicino, per la scelta dell'ornato e della sintassi, esemplari più direttamente legati alla sfera d'influenza della *Metopengattung*.

Nella fase matura dell'orientalizzante medio, a partire dalla metà del secolo, si avverte un cambiamento nella manifattura veiente: con l'eccezione di pochi tipi frutto di elaborazioni locali, come le anfore Ab 6 già segnalate, il resto della produzione si omologa a modelli di vasta diffusione, come avviene del resto anche per Cerveteri. Il fenomeno è particolarmente evidente nel largo consenso accordato alle oinochoai con decorazione a raggi (tipi Cb 4d-e), che hanno un precedente isolato nell'esemplare già ricordato da Vaccareccia, e nella comparsa dei noti skyphoi a fascia risparmiata (tipo Bc 1). Tra le olle stamnoidi a decorazione lineare si distingue un gruppo limitato di esemplari (tipo Dc 2d-e), caratterizzato dall'adozione di un modulo maggiore e dall'inserimento di motivi a esse coricati e doppie fasce ondulate, che per l'omogeneità dei rinvenimenti può connettersi ad una bottega locale attiva negli anni a cavallo tra orientalizzante medio e recente.

Il perdurare dei tipi apparsi attorno alla metà del secolo, quali skyphoi a fascia risparmiata e oinochoai con raggi, e quelli diffusi in tutto il periodo, come le coppe a fasce, rivela la sostanziale continuità che salda le esperienze dell'orientalizzante recente al momento evoluto della precedente fase. Sebbene la produzione si assesti su livelli di standardizzazione più accentuati, non mancano significative novità di marca prettamente locale. Cresce la varietà tipologica delle olle, che vedono affiancarsi, accanto alle consuete stamnoidi, olle con labbro a colletto care alla tradizione veiente; queste ultime, attestate nella necropoli di Macchia della Comunità da esemplari con teoria di aironi sulla spalla, si riagganciano ad alcune formulazioni di forma più slanciata con uccelli retrospicienti dell'orientalizzante antico (tipo Cd 1). Il riaffiorare di modelli ormai datati è inoltre testimoniato dall'opera di una bottega responsabile della produzione di almeno due olle provenienti rispettivamente da Macchia della Comunità (V.MC.71/1) e dalla t. di 4 di Volusia (Vo.4/2): l'*atelier*

---

[23] *Roma* 1980, tav. XVII, p. 83, n. 30.b-e; sul pozzo di scarico: RATHJE 1983.

[24] MICOZZI 1994, tipo A2, tav. LXXXIV.a, nn. 11-13, p. 293.

[25] MARTELLI 1984, fig. 26, p. 10, nota 57, p. 8.

adotta l'olla con orlo svasato (tipo Ba 3), che incontra in questo momento una fortuna rilevante come testimoniato dalla diffusione dei tipi Bc 1 e 2, applicandovi una decorazione di tipo metopale riecheggiante la decorazione delle olle di tipo Dc 1 dell'orientalizzante medio.

Con l'orientalizzante recente si consolida a Veio una produzione locale di situle con anse a ponte nettamente riconoscibili per la tettonica slanciata (tipo 2); la forma è ispirata alle precedenti serie ceretane, come dimostrerebbe l'affinità con una situla ceretana dell'orientalizzante medio identificata come variante del tipo 2a (C.Bu.86/1). Già per le fasi precedentemente trattate è stata ipotizzata una produzione locale di kotylai per lo più ispirate a modelli del PCA e PCM, nell'ultimo trentennio del VII sec. a.C. la crescita numerica di attestazioni della forma sembra confermare il dato. Gli esemplari, afferenti ai tipi Cb e Cc 1-2, mostrano ora un'univoca ispirazione a modelli TPC-transizionali e un'esclusiva provenienza da Veio e dai siti dell'agro, che ne rafforza l'attribuzione ad uno o più *ateliers* attivi nel centro.

Concludendo, la produzione veiente sembra porsi in singolare equilibrio tra sollecitazioni ceretane, che si manifestano nella precoce adozione della classe ad aironi o nella ricezione, spesso differita, di alcune forme quali l'anfora o la situla, e caratteri spiccatamente locali, tra i quali non stentano ad emergere gli indizi di un legame profondo con il distretto falisco-capenate e di un contatto più blando con il vulcente, attuatosi forse per via interna.

V. 2. Cerveteri

La produzione ceretana è nettamente delineata sin dai suoi inizi: già a partire dalla fine dell'VIII sec. a.C. compaiono forme e schemi decorativi compiuti che rimangono in voga, nelle loro linee essenziali, per tutto il corso del periodo orientalizzante. Il fenomeno trova ragione in un panorama di consolidata confidenza con le esperienze greche: un recente contributo di M. A. Rizzo[26] ha, infatti, posto in evidenza come, al pari degli altri centri etrusco-meridionali, anche Cerveteri sia coinvolta nella circolazione di ceramiche greche e di tipo greco già a partire dal secondo quarto dell'VIII sec. a.C.; fenomeno questo che raggiunge forse la dimensione di diretto contatto commerciale con il mondo euboico e levantino nei decenni finali del secolo[27]. Agli anni di passaggio tra VIII e VII sec. a.C. si datano due documenti estremamente significativi, che testimoniano il profondo legame esistente tra la produzione ceretana e quella coloniale, più propriamente pitecusana; il riferimento è ovviamente alla coppia di olle provenienti dal tumulo della Speranza e dalla t. 2006 della Banditaccia, rese note

---

[26] Rizzo 2005, in part. p. 333.

[27] Attestazioni di ceramiche greche e di imitazione sono state restituite dalle necropoli di Cava della Pozzolana, del Sorbo e del Laghetto, nonché dai settori dell'abitato indagati a Vigna Parrocchiale e in località S. Antonio (Rizzo 2005, p. 333, note 2, 3 e 5, con esaustiva bibl.).

da M. A. Rizzo, che ne ha attentamente individuato componenti stilistiche e ascendenze morfologiche[28].

Nell'orientalizzante antico, e nei primi decenni della fase successiva, a Cerveteri è riconoscibile l'attività di alcuni ceramografi di rilievo, la cui identificazione si deve principalmente al lavoro di M. Martelli; questi artigiani immettono elementi di tradizione spiccatamente ellenica nel patrimonio figurativo locale, dedicandosi prevalentemente nella produzione in figulina alla realizzazione di grandi anfore. Malgrado tale documentazione sia quasi esclusivamente circoscritta a questa forma, non significa necessariamente che essa fosse l'unica ad essere realizzata: il fenomeno potrebbe infatti derivare sia dal limitarsi della nostra capacità di riconoscimento a quelle manifestazioni figurative più impegnative, dotate quindi di maggiori elementi specifici, legate ai grandi vasi quali le anfore, sia alla prassi di affidare la decorazione di vasi di minor impegno decorativo o proporzioni più modeste a figure secondarie operanti nell'*atelier*. Del resto è ormai acquisita la consapevolezza che le stesse botteghe e i medesimi ceramografi fossero dediti a produzioni diversificate in depurata e impasto dipinto.

Nel primo quarto del VII sec. a.C. opera a Cerveteri il Pittore dei Pesci di Civitavecchia, riconosciuto da Marina Martelli[29]. La sua produzione appare piuttosto omogenea sul piano morfologico e decorativo, accogliendo esclusivamente anfore di tipo Ab 1 e inserendosi a pieno titolo nel solco della tradizione geometrica, profondamente impregnata di sollecitazione protocorinzie e cumane.

Le cinque anfore appartenenti al tipo Ab 2 sono riconducibili ad una medesima bottega, i cui tratti distintivi sono rappresentati dalla sovrapposizione dei registri decorativi, in cui predominano le teorie di triangoli eretti puntinati, e dall'inserzione dei motivi a gruppi di tratti, associati o meno alla catena di esse coricate. A questo nucleo va inoltre aggregata l'anfora deposta nella t. 2 di Casaletti di Ceri (Ce.II/1), morfologicamente afferente al tipo Ab 3c. È plausibile immaginare una vicinanza tra quest'ultimo nucleo di vasi e l'opera del Pittore dei Pesci di Civitavecchia, sulla base di elementi decorativi e considerazioni esterne agli oggetti stessi: alla prima categoria appartiene l'uso ricorrente di file di punti, esse coricate e del motivo a reticolo esteso sul collo, generalmente riprodotti in modo più corsivo e rapido nelle anfore di tipo Ab 2, alla seconda la compresenza nel corredo della t. 25 della Banditaccia del servizio formato da due coppie di anfore, rispettivamente riferite al pittore dei Pesci di Civitavecchia e al nucleo in questione[30].

---

[28] Rizzo 1989a, pp. 12-19, 29-33.

[29] Martelli 1987b, p. 2.

[30] Le due anfore di tipo Ab 1b differiscono unicamente per il carattere del fregio decorativo della spalla, costituito in una (C.B.25/2) – quella certamente attribuibile all'opera del Pittore dei Pesci di Civitavecchia – dai consueti pesci con riempitivi a *chevrons*, e nell'altra (C.B.25/3) – anch'essa riferibile alla stessa mano in base a strette affinità decorative formali – da una teoria di uccelli dal corpo puntinato. L'uso della campitura a punti per le figure di volatili ricorre nella coppia C.B.25/4-5 di tipo Ab 2 nelle catene di triangoli eretti.

Il Pittore delle Gru e la sua Bottega

Estremamente diverso è, invece, il quadro fornito da un'altra grande personalità attiva nel centro: il Pittore delle Gru[31] (*Tab. 1*). La sua opera, permeata dall'esperienza greca - in primo luogo di estrazione insulare - puntualmente evidenziata da M. Martelli[32], si caratterizza per la varietà decorativa che predilige manifestazioni "monumentali", con teorie e scene di lotta di animali spesso sconfinanti dalla spalla, lo spazio canonicamente destinato al fregio principale, fin sul collo. All'esuberanza decorativa corrisponde anche una gamma morfologica più ampia, che potrebbe trovare una rispondenza, seppure non sempre puntuale, a livello cronologico. Come accennato nel capitolo dedicato al commento tipologico, all'inizio della serie potrebbero collocarsi le anfore delle tombe della Capanna e dell'Affienatora, avvicinabili a esemplari di tipo Ab 3b, coeve ai pithoi *white on red* della collezione Castellani[33], mentre gli esiti finali sarebbero rappresentati dalle anfore di tipo Ab 3b e da qualche esemplare di varietà c (C.B.I/3, C.a/10-11), cui sarebbero da affiancare alcune opere adespote, quali l'olla PS/70 di tipo Bd e il bacino PS/142. È da rilevare inoltre la diffusione della produzione del Pittore delle Gru al di fuori di Cerveteri, in contesti veienti[34] e falisci, ritenuta da R. Dik come indizio di uno spostamento dell'attività dell'artigiano: ad una fase iniziale di ambiente ceretano sarebbe seguito, agli inizi dell'orientalizzante medio, un trasferimento a Veio, da dove, attraverso l'opera di allievi e discepoli, lo stile e i moduli propri del Pittore si sarebbero irradiati nel vicino agro falisco[35]. L'ipotesi è stata decisamente respinta da M. Martelli che ha più volte sottolineato il carattere ceretano dell'artista, relegando le anfore falische fra le produzioni non autografe afferenti alla sua bottega; tuttavia il recente incremento della documentazione veiente sembra consentire una più aggiornata lettura dei dati.

Alcuni elementi peculiari, non più isolati nella sola anfora di Casale del Fosso (V.CF. 868/1) ma condivisi dalle altre opere autografe di rinvenimento veiente (V.GG.3/1, V.a/1), fanno di queste testimonianze un nucleo compatto per caratteristiche morfologiche e cifre stilistiche, con notevoli tratti di autonomia rispetto alle serie autografe di origine ceretana, che, ad eccezione delle opere

---

[31] L'individuazione del pittore si deve a R. Dik (Dik 1980); fondamentali risultano i successivi studi di M. Martelli che hanno condotto sia ad un cospicuo incremento del *dossier* delle attribuzioni direttamente riferibili al ceramografo e al suo *atelier*, comprendente non solo anfore ma anche olle, bacini e vasellame *white on red*, sia ad una puntuale individuazione dei tratti stilistici e delle ascendenze che caratterizzano tale produzione (Martelli 1987b; Martelli 2001, pp. 7-16).

[32] Martelli 1987b, p. 6, contro l'inserimento del ceramografo nella corrente fenicizzante della produzione orientalizzante, inizialmente proposto da R. Dik (Dik 1980, pp. 15, 21). Per l'analisi dei singoli aspetti decorativi si rinvia al cap. III, in part. pp. 193-195, 199-204.

[33] Martelli 2001, p. 9, nn. 10-11, figg. 30-32, con bibl. prec.

[34] Anfore V.CF.868/1, V.GG.3/1 e, probabilmente, V.a/1.

[35] Dik 1980, in particolare pp. 24-25; di diverso avviso M. Martelli, a favore di una localizzazione esclusivamente ceretana dell'*atelier* (Martelli 1987b).

prime con scene complesse (C.B.11/1, C.B.A/1), limitano la decorazione a pesci e gru eponime (C.B.I/3, C.L.245/1, C.a/11). Tale gruppo "veiente" sembra, inoltre, offrire un punto di riferimento per parte della successiva produzione figurata della Bottega[36], rappresentata dagli esemplari di Veio (V.GG.2/1-2, V.a/6), da quelli di un'unica deposizione di Narce[37] e da molti tra gli adespoti (PS/45-46, PS/162), mentre il comune impiego della tecnica *white on red* e la costante adozione di una più corsiva e ripetitiva decorazione con pesci e volatili caratterizzano la coeva produzione dell'*atelier* a Cerveteri, esemplificata dall'anfora della t. 2 di Casaletti di Ceri[38], dai *pithoi* della Collezione Campana e da quello più insolito dalla tomba a cassone in località Marrucatello a Vulci[39]. Recuperando alcune delle considerazioni di R. Dik, forse all'epoca non sufficientemente documentate, sembra ora possibile postulare che, durante la fase matura della sua carriera, il Pittore delle Gru si sia spostato da Cerveteri a Veio per avviare una nuova attività, responsabile anche della produzione da Narce (e di qualche altro esemplare dal mercato antiquario), senza con questo voler passare in secondo ordine la continuità dell'*atelier* ceretano[40]. Circa i possibili motivi del trasferimento del maestro, è possibile avanzare solo ipotesi: negli stessi anni, al passaggio tra orientalizzante antico e medio, si andava esaurendo la produzione della bottega del Pittore di Narce, lasciando quindi una lacuna che facilmente poteva essere colmata dal Pittore delle Gru, latore, a differenza del primo, di un linguaggio figurativamente più aggiornato, ormai svincolato dai moduli tardo-geometrici e pienamente inserito nella temperie orientalizzante. Tali caratteri potevano ben rispondere alle esigenze dell'*élite* cittadina, cui erano plausibilmente destinate le opere autografe, e successivamente, forse, potevano soddisfare la domanda di ceti sociali meno esclusivi residenti a Veio o nei centri limitrofi, cui erano indirizzati le meno prestigiose serie di aiutanti ed epigoni.

Ad un esito tardo dell'officina, o probabilmente ad una bottega che ne raccoglie l'eredità, si possono forse attribuire gli esemplari di tipo Aa 6b di Monte Aguzzo (V.MO.t/1) e di Piani del Pavone[41]. Queste anfore continuano la tradizione delle anfore biansate con decorazione figurata, qui rappresentate da volatili contornati da boccioli cari al repertorio del Pittore delle Gru, ma rivelano al contempo un aggiornamento delle forme, ora più slanciate e

---

[36] Tra i tratti anticipati dalle anfore di provenienza veiente, si segnala la predilezione per figure di quadrupedi dalle proporzioni allungate, con arti molto sviluppati e l'uso estensivo della campitura lineare verticale.

[37] Si tratta di tre anfore e di un'oinochoe, cui erano affiancati due kotylai con pesci e uccelli, cinque piatti ad aironi ed uno a motivi geometrici dalla citata t. 8. LXI del Sepolcreto a S di Contrada Morgi (da ultima MARTELLI 2001, pp. 15-16, figg. 39-44).

[38] MARTELLI 2001, p. 11; MICOZZI 1994, p. 255, n. C78, tavv. XXVI-XXVIIa.

[39] Pithoi Campana: MARTELLI 2001, p. 11; MICOZZI 1994, p. 248, n. C28, tavv. XVIIa; pithos da Vulci: MARTELLI 2001, p.11; MICOZZI 1994, p. 247, n. C 26bis, tav. XVIa.

[40] BOITANI *et al.* cds.

[41] RIZZO 1996, p. 483, tav. III.13.

affusolate, e degli ornati accessori: è esemplificativo l'impiego di elementi a gancio alternati a triangoli pendenti, che, già apparso in forma embrionale nell'anfora dalla t. 8.LXI di Narce della Bottega del Pittore (n. inv. 5017), diviene distintivo della successive anfore veienti quadriansate con pesci, che costituiscono la forma più evoluta all'interno del tipo Ab 6b. Un *trait d'union* tra le due serie è rappresentato dall'esemplare conservato a *Bourges* (PS/52), che innesta sulla forma precedente la canonica raffigurazione di pesci sulla spalla. Concludendo, si delinea così lo sviluppo di un *atelier* che, dalle realizzazioni ancora vicine allo spirito del maestro, passa, nel corso del terzo quarto del VII sec. a.C., ad opere gradualmente più distanti (exx. da Monte Aguzzo e Nepi), per approdare, attraverso forme di transizione (ex. PS/52), ad una rinnovata, seppure più corsiva e pedissequa, produzione di anfore con pesci, agli inizi dell'orientalizzante recente.

Tab. 1. Produzione del Pittore delle Gru e della sua bottega.

	Cerveteri	*Provenienza sconosciuta*	*Veio*	*Narce*
Pittore delle Gru				
I per.	Anfora C.B.11/1 (vicino Ab 3a), Banditaccia t. Capanna, dec. complessa, (Martelli 2001, p. 9, n. 6, figg. 21-22), inizi VII sec. a.C.			
	Anfora C.B.A/1 (vicino Ab 3a), Banditaccia t. Affienatora, dec. complessa, (Martelli 2001, p. 9, n. 7, figg. 23-26), inizi VII			
	Pithos W/R, coll. Castellani, (Martelli 2001, p. 9, n. 10, figg. 30-31; Micozzi 1994, C 17), inizi VII sec. a.C.			
	Pithos W/R, coll Castellani, (Martelli 2001, p. 9, n. 11, fig. 32; Micozzi 1994, C 18), inizi VII sec. a.C.			
II per.	Anfora C.L.245/1 (Ab 3b), Laghetto t. 245, pesci, (Martelli 2001, p. 9, n. 3)			
	Anfora C.B.I/3 (Ab 3c), Banditaccia t. 1 del tum. Colonnello, gru, (Martelli 2001, p. 9, n. 2, fig. 20)	Anfora C.a/10 (Ab 3c), *Louvre* CA 2363, gru, (Martelli 2001, p. 9, n. 5)		
	Anfora C.a/11 (Ab 3c), Louvre D 57, pesci, (Martelli 2001, p. 9, n. 4)			
		Olla (gruppo Bd), PS/70 Kassel T 474, (Martelli 2001, p. 9, n. 8, figg. 27-28)		
		Bacino tripodato, mercato antiquario, (Martelli 2001, p. 9, n. 9, fig. 29)		
		Anfora PS/55 (Bb), Francoforte, gru, (Martelli 2001, p. 15, fig. 36)		

Pittore delle Gru	*Cerveteri*	*Provenienza sconosciuta*	*Veio*	*Narce*	
		Anfora PS/42 (Ab 3a), mercato antiquario, cervo e *trapeza*, (MARTELLI 2001, pp. 11-12, fig. 35)			
III per.			Anfora V.CF.868/1 (Ab 3b), Casale del Fosso t. 868, grifo (MARTELLI 2001, p. 7, n. 1, figg. 16-19)		
			Anfora V.GG.3/1 (Ab 3b), Grotta Gramiccia t. 3, grifo (BOITANI *et al.* cds)		
			AnforaV.a/1(Ab 3a), provenienza incerta, cavalli		
			Askos V.a/1 bis (1), provenienza incerta, aironi		
	7	*5*	*4*	*0*	*16*
Bottega del Pittore delle Gru	Anfora W/R, Casaletti di Ceri t. 2, pesci, (MARTELLI 2001, p. 11; MICOZZI 1994, C 78), primo quarto VII sec. a.C. ca.	Anfora PS/46 (Ab 3a), coll. svizzera, cavallo, (MARTELLI 2001, p. 15, fig. 38)	Anfora V.GG.2/1 (Ab 3a), Grotta Gramiccia t. 2 , cavallo, (BOITANI *et al.* cds)	Anfora (inv. 5017), Narce Sep. S Contrada Morgi t. LXI, cavallo, (MARTELLI 2001, pp. 15-16, figg. 39-40)	
	Pithos W/R, *Louvre* D 143, pesci-aironi, (MARTELLI 2001, p. 11; MICOZZI 1994, C 28)	Anfora PS/45 (Ab 3a), coll. ticinese, cinghiale, (MARTELLI 2001, p. 16, fig. 45)	Anfora V.GG.2/1 (Ab 3a), Grotta Gramiccia t. 2, cavallo alato, (BOITANI *et al.* cds)	Anfora (inv. 5018), *ibidem*, cavallo alato, (MARTELLI 2001, pp. 15-16, figg. 41-42)	
		Lekythos (PS/162), mercato antiquario, cavallo alato, (MARTELLI 2001, p. 16, fig. 46)	Fr. di anfora, V.a/6 (Ab 3), sequestro Veio, felino, (BOITANI *et al.* cds)	Anfora (inv. 5019), *ibidem*, leone, (MARTELLI 2001, pp. 15-16, figg. 43-44)	
	Pithos W/R, Vulci loc Marrucatello t. a cassone (MARTELLI 2001, p. 22; MICOZZI 1994, C 26bis) secondo quarto VII sec. a.C.	Olla W/R, (MARTELLI 2001, p. 11; MICOZZI 1994, C 160)		Oinochoe, *ibidem*, cavallo, (MARTELLI 2001, pp. 15-16)	
		Piatto PS/141 (Bb 1), coll. Fleishman, gru, (MARTELLI 2001, p. 15, fig. 37)		2 kotylai, *ibidem*, pesce, volatile (MARTELLI 2001, pp. 15-16)	
		Piatto PS/140 (Bb 1), coll. Fleishman, leoni, (DE PUMA 2000, p. 4, tavv. 466.2, 467.2)		5 piatti ad aironi, *ibidem*, (MARTELLI 2001, pp. 15-16)	
				Piatto, *ibidem*, dec. geometrica, (MARTELLI 2001, pp. 15-16)	
	3	*6*	*3*	*12 (6+6)*	*24*
Tot . exx	*10*	*11*	*7*	*12*	*40*

Le officine ceretane appaiono impegnate sin dall'orientalizzante antico nella produzione di vasi di minore impegno figurativo e formale, dando avvio sia a formulazioni di gusto tipicamente locale, che a tipi rispondenti ad una più vasta temperie, come dimostra la loro coeva attestazione in tutti i centri principali dell'Etruria meridionale.

La creatività delle botteghe cittadine si manifesta nella realizzazione di forme che, sebbene vantino episodici precedenti in età villanoviana, assumono una nuova incidenza quantitativa ed una più rigorosa e costante veste formale, che le rendono veri e propri fossili guida del periodo. Ne sono un esempio le coppe tetransate (tipo Ea 1), diffuse nella prima metà del VII sec. a.C., o le note coppe con bugne cuspidate (tipo Ba 4), le cui formulazioni iniziali sono forse da riconoscersi nel tipo Ba 4a caratterizzato dalla forma schiacciata e dall'inserzione di motivi geometrici nella decorazione; di poco successive potrebbero risultare le coppe Ba 4c: la loro vasca profonda e i motivi lineari presenti attestano una più spiccata standardizzazione e trovano corrispondenza nel gruppo di sei coppe (tipo Ba 4b) provenienti dalla t. 26 della Banditaccia, databile nel corso del secondo quarto del VII sec. a.C., riferibili ad un'unica officina (Bottega dei Pesci di Stoccolma)[42]. Compaiono i vasetti situliformi, che nella formulazione a profilo sinuoso (tipo 1) caratterizzano i corredi del primo quarto del VII sec. a.C., per essere poi sostituiti dalla varietà con spalla nettamente scandita (tipo 2). Contemporaneamente prende avvio la produzione di piattelli con decorazione lineare (Ca 1-2), attiva senza soluzione di continuità per tutto l'orientalizzante. La circolazione di questi vasi appare limitata, con rare eccezioni[43], all'agro ceretano. Diverso il caso dell'ingente produzione di piatti ad aironi, le cui attestazioni giungono fino alla Sicilia, senza necessariamente testimoniare un diretto contatto commerciale, quanto piuttosto con la loro natura di "merci di ritorno" la vivacità della frequentazione greca nel medio Tirreno[44]. Anche l'esemplare con cinque volatili della t. dei Flabelli di Trevignano (Tr.t/6), che mostra nella composizione del corredo un'eterogenea commistione di elementi di origine veiente e ceretana, sono attribuibili a fabbrica cerite. Come accennato, a Cerveteri è da riferirsi la creazione del tipo (tipo Bb 1), sulla base della precocità e poi del volume quantitativo delle attestazioni; un altro indizio non trascurabile è, inoltre, costituito dalla presenza limitata al centro di varianti sul tema del più canonico piatto ad aironi[45], che compaiono nel corso dell'orientalizzante medio in un clima ormai di consolidata confidenza con la serie: più nello specifico, per gli esemplari afferenti alla varietà b con *chevrons* inseriti nella decorazione è forse ipotizzabile la perti-

---

[42] Al medesimo *atelier* potrebbero forse essere ricondotti anche i piatti Bb 1d, le coppe Da 1b e l'anfora MA.83/ 1 (vedi oltre).

[43] Fra queste, la situla rinvenuta nella t. LXIII di Lavinio e quella della t. 152 di Decima, di più problematica definizione a causa del contrasto tra la forma evoluta del vaso e l'alta cronologia del contesto (si rinvia a quanto esposto nel commento al tipo, cap. II.2.9, pp. 94-96).

[44] MARTELLI 1987a, p. 255, n. 26 con rif., anche ad un'olla ad aironi impiegata come cinerario nella t. XXII (605) di Pontecagnano databile agli inizi del VII sec. a.C.

[45] Tipo Bb 1a, varietà b,c,d.

nenza ad un'unica officina, attiva all'incirca nel secondo quarto del VII sec. a.C.; certamente allo stesso nucleo produttivo appartengono gli esemplari di tipo Bb 1b C.Mn.18/3 e C.a/17 per lo schema decorativo del piano di posa e, soprattutto, per l'adozione dell'airone privo di collo e con occhio risparmiato, che ricorre significativamente anche nell'esemplare C.B.1/4. Pressappoco coevo è l'*atelier*, la Bottega dei Pesci di Stoccolma, responsabile dei piatti con pesci deposti nella t. III Mengarelli (C.B.III/10-11), cui senza incertezze è possibile ricondurre l'esemplare dal mercato antiquario PS/139, che mostra identica sintassi decorativa e adotta il pesce con elemento triangolare in prossimità del muso, tipico dei piatti ricordati (varietà d). Nella seconda metà del secolo, si diffonde invece il piatto che associa alla teoria di aironi le file di punti (varietà c), probabilmente in seguito ad una contaminazione con le serie di piattelli Ca. In questo caso non è possibile individuare un'unica officina, a causa dell'esiguità del campione e dei caratteri stilistici eterogenei dei volatili; vale la pena sottolineare, tuttavia, l'origine ceretana per il piatto dal mercato antiquario PS/139, suggerita, oltre che dall'appartenenza alla varietà c, dalla presenza di aironi con insoliti artigli allungati e ricurvi, che trovano riscontri sempre in ambito locale nella più antica anfora C.B.79/1. Allo stesso filone stilistico dei piatti appartiene un'ingente produzione di marca locale di grandi coppe (tipo Da 1), che trovano un parallelo morfologico con quelle *Metopengattung* in uso contemporaneamente nel vulcente. La maggior parte di esse presenta una teoria di aironi sotto il labbro: il tipo resta in uso per tutto il corso del VII sec. a.C. senza subire significativi cambiamenti, se non la comparsa di esemplari con decorazione esclusivamente geometrico-lineare nella seconda metà del secolo.

Pochi sono invece gli esemplari con pesci (tipo Da 1b), simmetricamente a quanto riscontrato per i piatti. La bassa incidenza della varietà, combinata con la resa dei pesci identica a quella dei piatti Bb 1d, potrebbe forse suggerire l'appartenenza anche per le coppe in esame alla Bottega dei Pesci di Stoccolma. È quindi il caso di soffermarsi sui caratteri e la cronologia di questa officina ceretana ricorrentemente menzionata, il cui riconoscimento si deve ancora una volta a M. Martelli. Pienamente inserito nella tradizione locale incentrata sull'utilizzo delle figure di volatili, pesci e di elementi di ascendenza protocorinzia, l'*atelier* è attivo negli anni a cavallo tra la fase antica e media dell'orientalizzante. Al *dossier* delle attribuzioni elaborato dalla studiosa, caratterizzato da un'ampia varietà morfologica in cui un ruolo rilevante è rivestito dalle forme locali, è possibile aggiungere qualche integrazione[46]: si tratta dei ricordati piatti C.B.III/11 e PS/139,

---

[46] Al Per la Bottega: Martelli 1987a, p. 17, in part. nota 13 per un elenco dettagliato dei pezzi ad essa riferibili, con bibl. Per comodità di esposizione si riporta qui di seguito la lista delle attribuzioni convertita con il sistema di nomenclatura qui adottato: anfore: PS/44 (= Martelli 1987a, n. 1); C.B.2/2 (= n. 2); C.MA.4/2 (= n. 3); C.MA.83/1 (= n. 4); PS/173 (= n. 5); oinochoai: C.B.2/9 (= n. 6); C.B.III/1 (= n. 7); C.a/2 (= n. 8); PS/174 (= n. 9); olle: C.L.65/3 (= n. 10); C.L.155/1 (= n. 11); C.Mn.18/4 (= n. 13); coppe: C.B.26/2-5 (= nn. 15-18); piatto C.B.III/10 (= n. 19); coperchio C.L.185/6 (= n. 20).

dell'olla C.B.185/3, associata al coperchio C.B.185/6 già ricondotto all'*officina*, e dell'olla PS/71 conservata a Bruxelles; inoltre, in seguito ad una nuova edizione della tomba 26 della Banditaccia[47], il numero delle coppe in questione risulta aumentato di due unità (C.B.26/2-7).

Accanto alle olle stamnoidi con pesci riferibili alla bottega (tipo Dd 2), compaiono quelle con raffigurazione di aironi sin dai primi decenni del VII sec. a. C, per perdurare fino alla fase recente dell'orientalizzante (tipo Dd 1).

Bisogna segnalare la presenza di un nucleo di oinochoai dalla t. 65 del Laghetto (tipo Cb 5a) attribuibile, se non alla Bottega dei Pesci di Stoccolma stessa, ad un'officina ad essa molto vicina, che nel primo quarto del VII sec. a.C. rielabora elementi protocorinzi con altri di estrazione locale, come testimonia la scelta dell'oinochoe con largo collo e la commistione tra il motivo PCA della losanga puntinata e la canonica teoria di aironi sul collo, elementi questi non a caso condivisi dall'altro esemplare afferente alla varietà (PS/174) già ricondotto al citato *atelier*. Allo stesso filone appartengono inoltre una serie di oinochoai diffuse nel corso del secondo quarto del VII sec. a.C. sia a Cerveteri e nel suo agro, che nella vicina Veio (tipo Cb 5b).

Accanto a queste testimonianze è attestata, come accennato, la presenza di tipi comuni ad altri centri. Significativamente sembrano convergere in questa categoria due diverse tradizioni: da una parte vasi di dirette imitazione greca, come gli skyphoi con decorazione a sigma (tipi Ba 3a, d) e le kotylai, quest'ultime rivisitate alla luce della tradizione indigena con l'inserimento del motivo ad esse coricate sulla vasca (tipo Bb 1), dall'altra forme di ascendenza locale, come coppe e attingitoi, associati rigorosamente ad una decorazione semplificata che prevede esclusivamente fasce.

Nell'orientalizzante medio, il quadro tracciato mostra alcuni cambiamenti, che, seppure non macroscopici, sembrano indicare un nuovo orientamento nel gusto e conseguentemente nella produzione e divengono chiaramente leggibili nei decenni conclusivi del VII sec. a.C. Ancora nel secondo quarto del VII sec. a.C. dominano forti elementi di continuità con la fase precedente, testimonati dai tipi già segnalati, che si pongono in diretta connessione con le formulazioni del primo quarto del VII sec. a.C.: un esempio è fornito dalle oinochoai tipo Cb 5b e c, che, malgrado mostrino una più serrata aderenza ai modelli PC, conservano la sintassi decorativa della precedente varietà Cb 5a. Inoltre, ancora negli anni iniziali della fase prosegue l'attività di alcune fra le principali officine avviate nell'orientalizzante antico, come il Pittore delle Gru e la Bottega dei Pesci di Stoccolma. Proprio in questo momento si verifica una cesura con l'introduzione della figura umana quale protagonista assoluta della grande ceramografia; tale innovazione è inscindibile dall'opera del ceretano Pittore dell'Eptacordo e, soprattutto, dalla predilezione accordata alle scene narrative di contenuto mitico. L'eredità greca, palese nella raffigurazione di episodi desunti dal ciclo

---

[47] SARTORI 2002.

troiano e probabilmente da quello tebano, si manifesta anche a livello stilistico e iconografico, aprendo il campo ad un'opera di pochi decenni successiva, quale il cratere firmato da Aristonothos. Quest'ultimo, un ceramografo immigrato di probabile formazione siceliota, non esita ad affiancare alla dimensione mitica, evocata dall'episodio dell'accecamento di Polifemo da parte di Ulisse e dei suoi compagni, quella realistica, richiamata dallo scontro tra nave etrusca e greca, nel segno di una comune contrapposizione tra Greci e non Greci[48].

Con il progredire dell'orientalizzante medio si assiste ad una rarefazione dei pittori e degli *ateliers* attivi nella realizzazione di anfore, che rivelano un sensibile appiattimento tipologico, essendo ora rappresentate da un unico tipo (Ab 4). Questo tipo di anfora è la forma esclusiva adottata dal Pittore di Amsterdam, che non esita a sua volta a far ricorso al repertorio mitologico greco, restituendo la più antica rappresentazione del mito di Medea (C.a/12).

Di pari passo cresce la produzione di genere più corrente, nella quale prevalgono, oltre ai tipi di lunga durata apparsi precedentemente, le olle stamnoidi con decorazione lineare comparse agli esordi del periodo. Fra queste è isolabile un limitato gruppo di esemplari (tipi Dc 3 e 4), che, singolari per l'allentarsi della decorazione esclusivamente lineare attraverso l'inserimento di motivi più complessi, sembrano connessi ad un'unica bottega attiva a Cerveteri nel momento finale dell'orientalizzante medio e nel corso della fase successiva. Attorno alla metà del secolo si affacciano forme e tipi nuovi, che, pur attribuibili a officine locali, non posseggono nessun elemento di peculiarità che le diversifichi dalle altre produzioni dei centri etrusco-meridionali: rientrano nella categoria gli skyphoi a fascia risparmiata (tipo Bc 1), gli aryballoi ovoidi a fasce (tipo 2), forse già presenti nel secondo quarto del VII sec. a.C., e, infine, le anfore dei tipi Bc 1 e Bc 2a, fra le prime di una serie ampiamente attestata nell'orientalizzante recente a Veio e nella stessa *Caere*.

La stessa tendenza prosegue nell'orientalizzante recente, quando sembra definitivamente esaurirsi la stagione creativa: malgrado appaiano nuovi tipi, questi non rappresentano più, tranne poche eccezioni già segnalate, l'esito di elaborazioni locali, ma si configurano piuttosto come l'espressione di una nuova temperie estetica e produttiva standardizzata e comune alla maggior parte dei centri in esame. Si generalizza l'adozione di oinochoai con decorazione a raggi (tipo Cb 4e-d), mentre prosegue l'uso delle olle stamnoidi con decorazione a fasce (tipi Dc 1-2) o ad aironi (tipo Dd 1), delle coppe su piede (tipo Da 1) e delle comunissime coppe a calotta (tipi Ba 1-2). Fra le anfore, accanto al dilagare del tipo Bc e di quelle ispirate ai modelli chioti[49], sopravvivono rari esemplari legati

---

[48] Per un'analisi dettagliata: Martelli 1987a, pp. 263-265, n. 40, con bibl., da integrarsi senza pretesa di esaustività con L. Minarini, in *Bologna* 2000, p. 230, n. 255.

[49] A titolo d'es. si ricordano gli exx. dalle tt. 86 della Bufolareccia (Coen 1991, p. 27, nn. 66-67, tav. XIX.a-b), 123 di Monte Abatone (Eadem, pp. 36-37, nn. 21-23, tav. XVII.b-c, XVIII.a), 75 della Banditaccia (Ricci 1955, c. 490, n. 15) e dei Denti di Lupo (Naso 1991, p. 53, n. 9, fig. 17.1).

alla tradizione precedente, come la coppia afferente al tipo Ab 7.

V. 3. Tarquinia

L'edizione nel *Corpus vasorum* delle raccolte tarquiniesi, comprendenti un numeroso lotto di ceramiche italo-geometriche, ha offerto un cospicuo banco di prova per gli studiosi del settore ed ha così favorito un'analisi capillare delle produzioni e delle officine locali attive nella prima metà del VII sec. a.C. Il primo e fondamentale inquadramento si deve al curatore dell'opera, F. Canciani[50], che per primo ha individuato e messo in relazione tra loro alcuni nuclei produttivi, spesso aggregati a ceramografi di spicco, che hanno a loro volta costituito l'intelaiatura fondamentale per i successivi contributi elaborati da S. Bruni[51], G. Bagnasco Gianni[52] ed, infine, da S. Tanci e C. Tortoioli in occasione della rinnovata pubblicazione della collezione per la serie *MMAT*[53]. Si è ritenuto dunque più agevole procedere ad una breve ricapitolazione del panorama produttivo tarquiniese, soffermandosi con maggiore accuratezza solo in presenza di elementi di discordanza o di nuovi dati rispetto alle conoscenze acquisite. Per facilitare il compito si propone una tabella riassuntiva rielaborata da quella proposta da G. Bagnasco Gianni[54], in cui sono esposti i nuclei produttivi isolati da F. Canciani completati dalle eventuali integrazioni e revisioni avanzate negli studi successivi e confrontati con la tipologia presentata (*Tabb. 2-3*).

Come già sottolineato, la produzione tarquiniese alto-orientalizzante si presenta sotto il segno della duplicità. Il primo aspetto da prendere in considerazione riguarda la diffusione a Tarquinia di ceramiche riferibili alla corrente *Metopengattung* o, più genericamente, connesse alle esperienze di ascendenza euboico-geometrica, fenomeno che avvicina il centro al panorama vulcente. Tale comunione emerge dalla distribuzione dei medesimi tipi in entrambi i siti, come accade per le oinochoai di tipo Aa 1a, c ed Aa 4a-b o per le più comuni anforette ad anse intrecciate (tipo Aa 1a) ed attingitoi (tipo Aa 1-2) con decorazione metopale, la cui entità numerica sembra escludere un'origine allogena. La presenza di botteghe locali è inoltre confermata dalla diffusione, limitata alla sola Tarquinia ed evidente soprattutto tra la fine dell'VIII e i primi decenni del VII sec. a.C., di tipi che, pur riecheggiando i modelli comuni, se ne distaccano parzialmente: esemplificativi a riguardo i piatti di tipo Bc 3, databili alla fine VIII-inizi VII sec. a.C., e alcune oinochoai afferenti ai tipi Aa 1b, Aa 3a-b, Aa 5a-b.

---

[50] Canciani 1974.

[51] Bruni 1994.

[52] Bagnasco Gianni 2002.

[53] Tanci, Tortoioli 2002.

[54] Bagnasco Gianni 2001, pp. 361-364, tabb. 10-12.

Solo raramente è possibile trascendere il singolo tipo fino ad individuare nuclei produttivi più ampi, come realizzato da F. Canciani per il gruppo aggregato all'oinochoe 1587 (T.M.16/1), che vede riunire nella loro totalità i tipi Aa 2, Aa 4b e qualche raro esemplare afferente a unità distinte; più comunemente le capacità di identificare le officine è limitata al riconoscimento di caratteristiche morfologiche e decorative coincidenti con il tipo stesso, come riscontrato nei casi delle oinochoai Aa 3a, ornate sulla spalla da cerchi concentrici ispirata al *Kreis-und Wallwrbadenn Stil*, o di quelle Aa 3b, con decorazione anomala costituita da triangoli affiancati da tratti diagonali, o, ancora, della coppia di esemplari afferenti al tipo Aa 1b. Un discorso a parte meritano le quattro oinochoai ripartite nelle varietà a e b del tipo Aa 5, accomunate non solo dalla forma e dalla decorazione, ma anche dall'adozione della tecnica bicroma, peculiare di una bottega attiva a Tarquinia attorno al 700 a. C., cui è inoltre possibile riferire anche alcune coppe (tipo Aa 1c: T.Ar.12/1; variante: T.M.G/9) e tazze (tipo Aa 1: T.a/179-182; variante: T.a/183) eseguite con la stessa tecnica.

Tutte le oinochoai finora descritte mostrano nella morfologia una più o meno spiccata aderenza al modello della brocca fenicio-cipriota; risulta diverso il quadro fornito dalle oinochoai di tipo Aa 8, coincidenti con il nucleo Canciani RC 6907, che mostrano una più serrata ispirazione a modelli greci. Parallelamente alle produzioni segnalate, che si pongono in diretta continuità con le esperienze tardo-geometriche della seconda metà dell'VIII sec. a.C., prende avvio e trova largo credito un filone direttamente ispirato alle creazioni protocorinzie, alimentato dal rapporto privilegiato con il mondo pitecusano e soprattutto cumano, come testimonia il nucleo afferente al gruppo Cuma-Tarquinia. In questo solco si inserisce la ricca e variegata produzione di oinochoai imitanti modelli del PCA e PCM, che vede sovente l'apparizione di ceramografi dalla personalità riconoscibile (gruppi B e C).

Negli anni iniziali del VII sec. a.C., si segnala la presenza di un maestro di probabile origine euboico-coloniale, cui non sono del resto estranee suggestioni protoattiche e protocorinzie, denominato Pittore dei Cavalli Allungati. Alla stessa mano sono state ricondotte l'oinochoe eponima conservata a Tarquinia (T.a/58) e la nota oinochoe del *British Museum* con scena di danza (PS/17), in cui J. N. Coldstream ha riconosciuto le figure di Teseo e Arianna[55]. Alla cerchia del ceramografo S. Bruni ha proposto, inoltre, di attribuire le onochoai qui aggregate nel tipo Bb 2[56]; probabilmente anche le oinochoai di tipo Bb 1, riferite invece da F. Canciani allo stesso nucleo dell'oinochoe Aa 3 (Rc 8480), mostrano connessioni con il gruppo afferente all'*atelier*.

L'altra grande personalità, in cui più evidente e manifesta si impone la tradizione protocorinzia di marca cumana, è quella connessa all'Officina di Bocchoris, cui sono riconducibili le oinochoai afferenti ai tipi Bb 7 e Bb 8 e che rivela

[55] Lettura comunque non priva di difficoltà, come messo in luce in Canciani 1987, p. 254.

[56] Bruni 1994, p. 300.

profonde affinità con il gruppo Cuma. Tali modelli sono ripresi inoltre nelle oinochoai di tipo Bb 3a, con particolare evidenza negli esemplari provenienti dal tumulo di Poggio Gallinaro (T.G.8/4-5). Quest'ultimo raggruppamento, assieme alle oinochoai Bb 5a-b e Bb 9a, è stato ricondotto da F. Canciani allo stesso polo produttivo. Tale nucleo mi sembra mostrare delle somiglianze con un altro gruppo isolato dallo studioso, in cui confluiscono i tipi 9b e 6 della presente tipologia; in particolar modo, è possibile ravvisare una scelta comune, oltre che nell'adozione ormai generalizzata in questo orizzonte dell'oinochoe ovoide con corpo arrotondato, nell'uso di determinati moduli decorativi, rappresentati, per le varietà a e b del tipo 9, dalla decorazione di tipo metopale o a pannello con l'inserimento di motivi a farfalla sul collo e la presenza di raggi alla base del ventre, e, per i tipi 5 e 6, dal ricorrere di registri sovrapposti, più o meno numerosi, con file di raggi. Per quanto concerne la cronologia delle officine, gli unici dati saldamente ancorati a contesti noti sono disponibili per l'esemplare T.B/1 di tipo Bb 6 (RC 1944), proveniente dalla stessa t. di Bocchoris, e per l'esemplare T.M.32/1 (1670) di tipo Bb 5b, deposto nella t. XXXIII di Monterozzi genericamente assegnata da S. Bruni alla prima metà del VII sec. a.C. Si segnala infine la coppia di oinochoai ricondotte alla medesima officina e afferenti al tipo Bb 4a, cui è da accostarsi un'esemplare di recente pubblicazione proveniente dalla t. 6337 dei Monterozzi, che convalida la datazione già suggerita dal F. Canciani attorno al 700 a.C. L'esemplare appare, inoltre, particolarmente significativo per la presenza all'interno del partito decorativo, fedelmente riproducente quello dei due pezzi della Raccolta Comunale, di motivi a gancio che richiamano da vicino elementi propri della nota kotyle attribuita alla Bottega di Bocchoris (T.B/2).

La stessa tradizione di estrazione cumana influenza radicalmente l'opera di un altro ceramografo, denominato convenzionalmente Pittore delle Palme, attivo nel corso della primo quarto del VII sec. a.C. La localizzazione tarquiniese dell'officina è suggerita dalla provenienza degli esemplari. Il ceramografo adotta un tipo di oinochoe (Cb 1) con corpo tendente al piriforme, che caratterizza inoltre alcune serie con omogeneo partito decorativo di stretta osservanza corinzia (Cb 2-3), e con diffusione limitata a Tarquinia, dove con ogni probabilità avevano sede le officine produttrici.

Ad un unico *atelier* sono stati attributi da F. Canciani le oinochoai afferenti ai tipi Cb 2a e b, assieme ad altre qui convogliate nel tipo Cb 3, di cui si parlerà a breve. Bisogna, tuttavia, sottolineare la vicinanza decorativa degli esemplari di tipo Cb 2b con un diverso nucleo isolato dal Canciani e coincidente con il tipo Cb 2d: entrambi condividono lo stesso schema decorativo con pannello sul collo, mentre divergono per la presenza di una verniciatura omogenea o di raggi contornati sul ventre, elementi quest'ultimi eponimi di una bottega individuata da S. Tanci e C. Tortoioli[57].

[57] Tanci, Tortoioli 2002, p. 191 (Bottega dei raggi contornati).

Un terzo *atelier* appare responsabile della realizzazione di oinochoai (tipo Cb 2c) simili per forma ma caratterizzate, parimente al tipo Cb 2a, dal ricorrere del motivo ad esse sul collo; S. Tanci e C. Tortoioli hanno ascritto queste realizzazioni, assieme ad alcuni pezzi afferenti ai tipi Cb 2a e Cb 3a, ad una bottega convenzionalmente definita "delle esse sul collo". Per quanto concerne la cronologia delle officine, contro una generica e prudente proposta di datazione da articolarsi alla prima metà del VII sec. a.C. avanzata da F. Canciani, le due studiose hanno ipotizzato una seriazione più serrata su base puramente stilistica, che pone nel primo quarto del VII sec. a.C la Bottega delle esse sul collo, seguita nel corso del venticinquennio successivo da quella dei raggi contornati. Sembra tuttavia possibile avanzare qualche osservazione fondata innanzitutto sui criteri di aggregazione del materiale: come già accennato, alla stessa Bottega delle esse sul collo sono ricondotte sia oinochoai estremamente omogenee (Cb 2 c) sia vasi che, sebbene accomunati dal ricorrere del motivo distintivo sul collo, sono privi dei peculiari gruppi di brevi *chevrons* sulla spalla (exx. afferenti ai tipi Cb 3b-c). Nelle stesse varietà tipologiche sono presenti, inoltre, alcuni esemplari tarquiniesi, non considerati dalle autrici, che sono eccezionalmente dotati delle originarie associazioni di corredo: nello specifico, si tratta di oinochoai di tipo Cb 3b e c dal tumulo di Poggio Gallinaro (T.G.t/2 e T.G.t/3, 5) e dalla t. XXV Cultrera (T.M.25/4-6), le cui deposizioni più antiche, senza addentrarsi nelle problematiche connesse alla ripartizione dei corredi già affrontate[58], non possono comunque datarsi prima del 675 a.C. Si può poi rilevare l'incongruenza nell'assumere fra gli elementi utili alla datazione la presenza di raggi alla base ritenuti elemento di recenziorità, mentre si riconducono al medesimo *atelier* esemplari con il ventre dipinto (Cb 3b). Alla luce di quanto esposto, sembra dunque consigliabile rinunciare a scansioni cronologiche così categoriche e sottolineare quegli elementi di affinità, quali l'inserimento di *chevrons* sulla spalla, che sembrano piuttosto connettere questo gruppo di oinochoai a quelle riferite all'altra Bottega dei raggi contornati. Il motivo delle esse ritorna in un cospicuo lotto di oinochoai di esclusiva provenienza tarquiniese, ascritto al tipo Cb 3 della presente tipologia, che l'alto numero di attestazioni rende probabilmente pertinente a più *atelier*s attivi nel corso della prima metà, o più probabilmente nel secondo quarto del VII sec. a.C. Nello stesso periodo si registra la realizzazione di oinochoai a corpo compresso (tipi Db 1-2).

Accanto alle oinochoai si sviluppa una fiorente produzione di vasi potori, di stretta ispirazione greca: è il caso degli skyphoi (tipi Ba 3a-c), derivati dalle coppe protocorinzie a sigma e diffusi nel corso della prima metà del VII sec. a.C., di quelli derivanti dalle coppe di tipo *Thapsos* (tipo Bb 1) o, ancora, delle kotylai. Fra quest'ultime, già F. Canciani aveva isolato un nucleo coincidente

---

[58] Cfr. cap. IV.3, pp. 227-228.

con il tipo Aa 1, ispirato a modelli PCA arricchiti di elementi di stampo euboico, riferibile ad un unico *atelier* operante agli inizi del VII sec. a.C., cui S. Bruni ha di recente ricondotto anche la produzione di alcune delle kotylai di tipo 3 (T.M.83/5, T.a/256), nonché di una coppia di attingitoi di tipo Aa 3 (T.a/174-175).

I modelli PCA informano inoltre la produzione di un gruppo di dodici kotylai con pannello a sigma, da collocarsi, in base alla datazione della t. 6337 che ne ha restituito tre esemplari (T.M.6337/3-5), nei decenni iniziali del VII sec. a.C.

Non mancano gli indizi di frequenti e profondi contatti con Veio e Cerveteri sin dall'orientalizzante antico, costituiti dalla produzione, anche a Tarquinia, di tipi ampiamente diffusi e privi di una specifica connotazione locale, come le coppe a fasce (Ba 1b, 2a-b, 3a), e dalla presenza di prodotti allogeni negli altri siti[59].

Il panorama si modifica sensibilmente nella fase centrale dell'orientalizzante medio, quando con l'inizio della seconda metà del VII sec. a.C. si assiste ad un evidente impoverimento tipologico. Si interrompe la variegata produzione di oinochoai che aveva caratterizzato il periodo precedente, sostituita ora da serie di tipo più corrente e standardizzato, che si omologano ai modelli in auge a Veio e Cerveteri: il tipo dominante è costituito dall'oinochoe con decorazione a raggi (tipi Cb 4d-e), già anticipata nel corso del secondo quarto del VII sec. a.C. dalle varietà Cb a-c. Si diffondono, inoltre, le comunissime olle stamnoidi con decorazione lineare (tipo Dc 2); anche la produzione di skyphoi lascia il campo alle semplici coppe a fascia risparmiata (Bc 1b-d). Qualche carattere di originalità permane in alcune produzioni limitate di kotylai ed oinochoai a corpo compresso. Fra le prime si ricorda la coppia afferente al tipo Cc 2a, per una delle quali (T.a/262) è stata proposta da S. Bruni una dipendenza dai modelli attici e l'attribuzione alla medesima bottega dell'oinochoe RC 3982[60], fra le seconde si segnala l'attività di una bottega locale responsabile della realizzazione di tre oinochoai con corpo tendente al globulare e decorazione semplificata (Db 3), riecheggianti i partiti delle coeve oinochoai ovoidi.

---

[59] Cfr. commento allo skyphos di tipo Bb 1 e alla kotyle Ab, capp. II.2.14-15, pp. 150-151, 160-161.

[60] Bruni 1994, p. 321.

Tab. 2 Nuclei produttivi

	Nucleo Canciani	*Esemplare*	*Tipo*	*Tanci, Tortoioli*[61]
OINOCHOAI	539	539 (T.a/13)	Aa 1a	
		RC 3481 (T.a/12)	Aa 1a	
		RC 2937 (T.a/36)	Aa 5a	
	1587 = Aa 2, Aa 4b, Aa 4a	RC 2712 (Ta/11)	Aa 1a	
		1587 (T.M.16/1)	Aa 2	
		RC 2918 (T.a/19)	Aa 2	
		RC 5674 (T.a/20)	Aa 2	
		RC 2959 (T.a/21)	Aa 2	
		RC 8482 (T.a/22)	Aa 2	
		RC 1877 (T.a/23)	Aa 2 variante	
		132954 (T.a/29)	Aa 4a	
		RC 7445 (T.a/33)	Aa 4b	
		RC 1933 (T.a/32)	Aa 4b	
	RC 8481= Aa 3a	RC 8481 (T.a/24)	Aa 3a	BFC
		3381 (T.a/25)	Aa 3a	
		RC 8480 (T.a/26)	Aa 3a	
	RC 7885= Aa 1b, Aa 4a	RC 7885 (T.a/15)	Aa 1b	
		RC 2212 (T.a/16	Aa 1b	
		RC 4803 (T.a/31)	Aa 4a	
	RC 6907 = Aa 8	RC 6907 (T.M.t/1)	Aa 8	
		RC 8601 (T.a/42)	Aa 8	
	536 = Ab 1	536 (T.a/44)	Ab 1	
		RC 2915 (T.a/45)	Ab 1	
	1596	1596 (T.a/35)	Aa 5a	
		RC 1749 (T.a/37)	Aa 5b	BB
		RC 6904 (T.a/9)	Aa	BB
	RC 2190 = Aa 3b	RC 2190 (T.a/27)	Aa 3b	BCF
		RC 8022 (T.a/18)	Aa 3b	
	RC 8636	RC 8480 (T.a/26)	Aa 3a	
		RC 8636 (T.a/49)	Bb 1	BCF
		RC 1878 (T.a/50)	Bb 1	BCF
	RC 7113 = Bb 5a-b, Bb 9a, Aa 2	541 (T.a/60)	Bb 3a	
		RC 8677 (T.a/61)	Bb 3b	
		RC 7113 (T.M.t/1)	Bb 3b	
		RC 2211 (T.a/66)	Bb 5a	
		RC 8479 (T.a/67)	Bb 5a	
		RC 2959 (T.a/21)	Aa 2	
		RC 9603 (T.a/68)	Bb 5b	
		RC 7208 (T.a/78)	Bb 9a	
		132953 (T.a/80)	Bb 9a	

In corsivo le integrazioni alle attribuzioni di F. Canciani

[61] Le botteghe sono indicate da sigle desunte dalle denominazioni attribuite dalle studiose: BB = Bottega della bicromia; BCF = Bottega della brocchetta cipro-fenicia; BPC = Bottega protocorinzia; BRC = Bottega dei raggi contornati; BSC = Bottega delle esse sul collo; DDD = Officina dei denti di lupo; OCS = Bottega delle oinochoai a corpo sferico; OOO = Officina delle oinochoai ovoidi; SO = Seconda Officina.

	Nucleo Canciani	*Esemplare*	*Tipo*	*Tanci, Tortoioli*
OINOCHOAI	RC 7865 = Bb 6, Bb 9b	RC 7865 (T.a/70)	Bb 6	OOO
		RC 1941 (T.B/1)	Bb 6	OOO
		RC 7935 (T.a/81)	Bb 9b	OOO
		RC 7934 (T.a/82)	Bb 9b	
	556 = Bb 4a, b	556 (T.a763)	Bb 4a	
		540 (T.a/62)	Bb 4a	
		RC 5547 (T.a/65)	Bb 4b	
	1854	RC 7438 (T.a/73)	Bb 7	
	Officina di Bocchoris	RC 7437 (T.a/76)	Bb 7	
		RC 2359 (T.a/71)	Bb 7	
		RC 7439 (T.a/74)	Bb 7	
		RC 7888 (T.a/75)	Bb 7	
		1854 (T.M.66/1)	Bb 7 variante	
		RC 8676 (T.a/72)	Bb 7	
		RC 2102 (T.a/77)	Bb 8	
		RC 1940 (T.B/2)	*kotyle*	
	RC 7440 = Bb 2a-b	RC 6869 (T.a/53)	Bb 2a	
	Pittore dei Cavalli Allungati	RC 7209 (T.a/54)	Bb 2a	
		RC 2383 (T.a/55)	Bb 2a variante	
		RC 7440 (T.a/57)	Bb 2b	
		RC 7441 (T.a/59)	Bb 2b	
		3587 (T.a/56)	Bb 2b	
		3586 (Bruni 1994, pp. 298-299).72730 (Dik 1981, tav. 23.1)		
	RC 969 = Cb1	RC 969 (T.a/86)	Cb 1	
	Pittore delle Palme	132949 (T.M.m/1)	Cb1	
		132950 (T.M.m/2)	Cb 1	
		RC 8553 (T.a/87)	Cb 1 variante	
		RC 7163 (T.a/124)	Cb 6	
	534= Cb 2a -b	RC 5327 (T.a/89)	Cb 2a	BSC
		1925 (T.a/88)	Cb 2a	
		132947 (T.a/90)	Cb 2a	
		RC 7867 (T.a/91)	Cb 2a	
		RC 7864 (T.a792)	Cb 2b	
		132946 (T.a/94)	Cb 2c	
		RC 7796 (T.a/99)	Cb 3a	
		RC 7838 (T.a/100)	Cb 3d	BSC
		538 (T.a/101)	Cb 3b	BSC
		RC 7933 (T.a/105)	Cb 3d	BSC
		RC 2945 (T.a/102)	Cb 3b	BSC
		RC 4052 (T.a/103)	Cb 3b	BSC
		RC 5496 (T.a/104)	Cb 3b	BSC
		RC 2222 (T.a/107)	Cb 3b variante 1	
		132948 (T.a/108)	Cb 3d	
		RC 1761 (T.a/110)	Cb 3c	BSC
		534 (T.a/109)	Cb 3c	BSC
		RC 7087 (T.a/118)	Cb 4c	DDD
	RC 1857 (T.a/119)	Cb 4d		
		RC 7887 (T.a/115)	Cb 4b	DDD
	RC 8267 (T.a/117)	Cb 4c	DDD	
	RC 2226= Cb 2c	RC 2226 (T.a/95)	Cb 2c	BSC
		RC 7768 (T.a/96)	Cb 2c	BSC
	RC 7436 = Cb 2d	RC 7436 (T.a/97)	Cb 2d	BRC
		RC 8266 (T.a/98)	Cb 2d	BRC
		132945 (T.M.m/3)	Cb 2d	
		132945 (T.M.m/3)	Cb 2d	
		132943 (T.M.m/5	Cb 2d	
		132944 (T.M.m/4	Cb 2d	

	Nucleo Canciani	*Esemplare*	*Tipo*	*Tanci, Tortoioli*
OINOCHOAI	RC 8755	RC 8755 (T.a/122)	Cb 4d	SO
		RC 1858 (T.a/114)	Cb 4a	SO
		RC 2091 (T.a/83)	Cb 4a variante	SO
	555 = Db 1-2-3	RC 8611 (T.a/131)	Db 1	
		132956 (T.M.m/6)	Db 1	
		RC 1927 (T.a/134)	Db 2a	
		555 (T.t/1)	Db 2b	
		RC 2377 (T.a/135)	Db 3	OCS
		RC 7795 (T.a/137)	Db 3	OCS
		RC 2174 (T.a/136)	Db 3	OCS
OLLE	RC 1160	RC 1160 (T.a/152)	Bc 1	
		RC 8765 (T.a/151)	Bc 1	
		RC 1184 (T.a/162)	Dc 2c	
		RC 4874 (T.a7158)	Dc 2b	
		RC 8791 (T.a/159)	Dc 2b	
		551 (T.a/156)	Dc 2a	
		RC 8521 (T.a/160)	Dc 2b	
		RC 2388 (T.a/161)	Dc 2b	
		RC 8612 (T.a/157)	Dc 2a	
	RC 8290	RC 8290 (T.a/149)	Ba 1b.	
ANFORETTE	RC 1920 = Aa 1a	RC 1920 (T.a/141)	Aa 1a	
		RC 2096 (T.M.83/1)	Aa 1a	
		RC 1321 (T.a/138)	Aa 1a	
		RC 2121 (T.a/139)	Aa 1a	
		RC 8693 (T.a/140)	Aa 1a	
	RC 2649 = Aa 1b, Bb 1	RC 8288 (T.a/143)	Aa 1b	
		RC 8289 (T.a/144)	Aa 1b	
		RC 3682 (T.a/145)	Aa 1b	
		RC 2649 (T.a/146)	Bb 1	
		RC 8484 (T.a/147)	Bb 1	
ATTINGITOI	RC 8777 = Aa 1-2	RC 7104 (T.a/166)	Aa 1b	
		RC 8777 (T.a/169)	Aa 2a	
		RC 3382 (T.a/172)	Aa 2b	
		RC 7114 (T.a/170)	Aa 2a	
		RC 2189 (T.a/171)	Aa 2a	
		RC 5512 (T.a/173)	Aa 2b	
		RC 2715 (T.a/163)	Aa 1a	
		RC 2216 (T.a/167)	Aa 1b	
		RC 7519 (T.a/164)	Aa 1a	
		RC 8483 (T.a/168)	Aa 1a	
		RC 7006 (T.a/165)	Aa 1a	
COPPE	3169	3169 (T.a/213)	Db 1b	
		3122 (T.a/214)	Db 1b	
		1515 (T.M/1)	Da	
	RC 1197 = Ba 1a, Ba 2a, Ba 3a	s.n. (T.a/210)	Ba 3a	
		s.n. (T.a/205)	Ba 2a	
		RC 1197 (T.a/211)	Ba 3a	
		RC 8028 (T.a/206)	Ba 2a	
		RC 7123 (T.a/209)	Ba 2b	
		s.n. (T.a/207)	Ba 2a	
		RC 7136 (T.a/192)	Ba 1a	
		RC 7830 (T.a/193)	Ba 1a	
		RC 7829 (T.a/194)	Ba 1a	
		RC 7828 (T.a/195)	Ba 1a	
	RC 7826 = Ba 1a-b	RC 7137 (T.a/200)	Ba 1b	
		s.n. (T.a/201)	Ba 1b	

	Nucleo Canciani	*Esemplare*	*Tipo*	*Tanci, Tortoioli*
COPPE	RC 7826 = Ba 1a-b	RC 7675 (T.a/202)	Ba 1b	
		RC 9182 (T.a/203)	Ba 1b	
		RC 8831 (T.a/204)	Ba 1b	
		RC 7307 (T.a/198)	Aa 3	
		RC 7827 (T.a/197)	Ba 1b	
		RC 7121 (T.a/190)	Ba 1a	
		1514 (T.a/198)	Ba 1b	
		RC 5743 (T.a/191)	Ba 1a	
		RC 7326 (T.a/199)	Ba 1b	
TAZZE	RC 5493 = Aa 1	RC 5493 (T.a/197)	Aa 1	
		RC 7151 (T.a/180)	Aa 1	
		RC 8557 (T.a/181)	Aa 1	
		RC 8875 (T.a/182)	Aa 1	
	RC 8777 = Aa 2c	RC 8777 (T.a/184)	Aa 2c	
SKYPHOI	RC 3890	RC 4804 (T.a/215)	Aa 1b variante	
		s.n. (T.a/217)	Ba 1a	
	RC 2214	RC 2214 (T.a/232)	Bb	
		RC 5708 (T.a/240)	Bc 1a	
	RC 8009	RC 8009 (T.a/233)	Bb	
		RC 7131 (T.a/242)	Bc 1b	BPC
		1047 (T.a/243)	Bc 1c	
		RC 7310 (T.a/241)	Bc 1a	
	559	559 (T.a/230)	Bb 1b	
		RC 8520 (T.a/229)	Bb 1b	BPC
		RC 7979 (T.a/219)	Bb 1b	BPC
		RC 8682 (T.a/228)	Bb 1b	BPC
		s.n. (tav. 32.7)		
		RC 8013 (T.a/25)	Ba	
		Bruni 1994, tav. III.3 (T.G.8/7)	Ba 1b	
		Cataldi 1986, p. 233, n. 683 (T.a/226)	Bb 1a	
		Bruni 1994, p. 308, nota 97. (9 frammenti)	Bb 1b	
KOTYLAI	RC 2663	RC 1921 (T.a/253)	Bb 3a	BPC
		RC 8486 (T.a/255)	Bb 3a	BPC
		RC 2663 (T.a/257)	Bb 3b	BPC
		RC 7978 (T.a/254)	Bb 3a	BPC
		RC 7977 (T.a/256)	Bb 3a	BPC
		RC 2714 (T.a/259)	Bb 3b	BPC
		RC 3509 (T.a/258)	Bb 3b	BPC
	RC 8487	RC 8487 (T.a/246)	Aa 1	
		8293 (T.a/247)	Aa 1	
		RC 8488 (T.a/248)	Aa 1 variante	
		RC 2095 (T.M.83/5)	Aa 3	
		RC 8684 (T.a/256)	Aa 3	
		1717	*Aa 3*	
		RC 3505 (T.a/176)	Attingitoio Aa 3	
		RC 7133 (T.a/175)	Attingitoio Aa 3	

Tab. 3 Integrazioni ai nuclei Canciani operate da S. Bruni.

	Nucleo Canciani	*Esemplare*	*Tipo*	Oservazioni
SKYPHOI	Nucleo 559	RC 2713 (T.a/219)	Ba 3a	
		RC 1047 (T.a/243)	Bc 1c	Riferito da Canciani al nucleo RC 8009
		BRUNI 1994, p. 310, nota 107.a (piccole dim.)	Ba 3	
		BRUNI 1994, p. 310, nota 107.b (piccole dim.) (PS/123)	vicino a Ba 3b	
		BRUNI 1994, p. 310, nota 107.a (grandi dim.)	Ba 3	
		BRUNI 1994, p. 310, nota 107.b (grandi dim.)	Ba 3	
		BRUNI 1994, p. 310, nota 107.c (grandi dim.)	Ba 3	
		BRUNI 1994, p. 310, nota 107.d (grandi dim.)	Ba 3	
		BRUNI 1994, p. 310, tav. V.8-IV.8	Ba 3	
		BRUNI 1994, p. 311, tav. VI.b	Ba 3c	

V. 4. Vulci e territorio

L'analisi della produzione vulcente del VII sec. a.C., o più appropriatamente della prima metà di questo, non può prescindere da una rassegna, seppure sintetica, delle esperienza elaborate nel centro sullo scorcio del secolo precedente. Questa necessità, generalmente avvertita, si impone in modo più deciso per Vulci, a causa del legame di diretta filiazione esistente fra la produzione di stampo geometrico più antica e quella orientalizzante, che ne rappresenta un'imitazione tardiva.

Seppure il primato cronologico nei rapporti con il mondo ellenico spetti ai centri posti più a meridione, come Veio e Roma nel Lazio, nel corso della seconda metà dell'VIII sec. a.C. Vulci emerge quale polo di un rapporto privilegiato con l'interlocutore greco, principalmente euboico: ne è testimonianza l'arrivo di artigiani che danno vita a botteghe locali direttamente ispirate ai modelli egei e volte principalmente alla realizzazioni di grandi crateri. In questo quadro si inserisce la presenza nel territorio di Vulci del celebre Cratere di Pescia Romana, ancora di incerta collocazione tra le importazioni o le produzioni locali fedelmente aderenti ai modelli ellenici, attribuito al Pittore di Cesnola già da J.N. Coldstream, o alla sua cerchia più intima[62].

H. P. Isler, in un ormai celebre articolo, ha efficacemente contribuito alla ricostruzione del panorama delle officine vulcenti, attraverso un attento lavo-

[62] CANCIANI 1987, p. 242, n. 3, con bibl. esaustiva.

ro di attribuzione e articolazione cronologica[63], ponendo all'inizio della serie la Bottega dei Primi Crateri[64], attiva a partire dal 730 a.C., in sostanziale contemporaneità con la Bottega del Biconico di Pescia Romana, più correttamente definita da F. Canciani del Biconico di Vulci[65]. Nel decennio successivo si colloca l'impianto della Bottega del Cratere Ticinese[66], la cui attività prosegue per oltre un ventennio giungendo alle soglie del VII sec. a.C., momento in cui sono da datarsi le due officine vulcenti più recenti, la Bottega del Gruppo dei Crateri Basilea/Toledo, ritenuta dallo studioso una continuazione dell'officina dei Primi Crateri, la cui opera sembrerebbe altrimenti esaurirsi attorno al 710 a.C., e quella del Pittore Argivo[67], databile nell'ultimo quarto dell'VIII sec. a.C. Quest'ultima personalità segna inoltre una cesura con l'esperienza precedente, testimoniata dall'immissione di elementi peloponnesiaci nella rigogliosa tradizione euboica[68].

Con gli inizi del VII sec. a.C. si esaurisce l'apporto greco diretto, probabilmente in seguito ad un diverso orientarsi delle genti elleniche nei distretti limitrofi, ponendo fine alla spinta creativa delle botteghe, tuttavia ancora percepibile nel ristretto gruppo di anfore Ba. La produzione riconosciuta e denominata da Å. Åkerström *Metopengattung*[69] ripiega dunque sulla ripetizione piuttosto uniforme di moduli di ascendenza euboico-geometrica ormai fortemente compenetrati con il patrimonio morfologico locale. Prima di passare ad una trattazione più analitica, occorre sottolineare l'accentuato carattere locale di queste realizzazioni, testimoniato sia dal'uso di una gamma tipologica piuttosto ristretta, che dalla distribuzione limitata al territorio vulcente, se si eccettuano le poche serie tarquiniesi già discusse. Per quanto attiene l'aspetto cronologico, vale la pena ribadire che, anche se l'alta incidenza di esemplari adespoti ha sovente impedito una puntuale datazione, è parso opportuno fare almeno un tentativo in questo senso, proponendo alcune limitazioni cronologiche a specifici tipi, verificabili solo attraverso nuove acquisizioni.

Limitatamente agli anni iniziali del secolo opera a Vulci una bottega responsabile della produzione di un gruppo di kotylai (Aa 2) con uccelli in schema metopale, attribuite negli studi precedenti quasi univocamente ad un'officina di Tarquinia. La distribuzione degli esemplari sembra però indicare la presenza di almeno un *atelier* nel vulcente: su quattordici kotylai note dalla

---

[63] Isler 1983.

[64] Integrazioni all'elenco di attribuzioni elaborato da H. P. Isler in Canciani 1987, p. 244, n. 5.

[65] Canciani 1987, p. 11, nota 12.

[66] Canciani 1987, p. 1, n. 14, contrario all'attribuzione all'officina del piccolo kernos adespota segnalato da H.P. Isler (Isler 1983, p. 25, n. 5, fig.12).

[67] Integrazioni con bibl. in Canciani 1987, p. 11, nota 17; all'officina sono stati inoltre recentemente ricondotti un'olla a collo stretto e un piatto dalla t. del 6/9/1966 di Poggio Maremma (Moretti Sgubini 2001, p. 191).

[68] Isler 1983, pp. 22-29, 37-43 con elenco delle attribuzioni e bibl. prec.

[69] Åkerström 1943.

bibliografia, solo due risultano di probabile provenienza tarquiniese, mentre ben sette sono attestate nel vulcente e a Poggio Buco e almeno le quattro di queste conservate nel Museo di Grosseto (PB.a/60-63), in base all'analisi autoptica delle argille e della tecnica, appaiono riconducibili ad una stessa bottega. Al *dossier* si aggiungono poi due esemplari provenienti da due tombe tuscaniesi databili intorno al 700 a.C. (Tu.PM.3/3; Tu.PM.R/4). Alla luce dei dati, sembra quindi condivisibile l'ipotesi dell'esistenza di almeno una bottega operante nel vulcente, da cui sono usciti gli esemplari di Poggio Buco, se non quelli di Tuscania. S. Bruni, sottolineando il carattere vulcente della produzione, ne ha suggerito la possibile connessione con la Bottega del Pittore Argivo, sulla base di affinità stilistiche nei volatili e in genere per la sintassi decorativa[70].

Nel primo quarto del VII sec. a.C. si concentra la maggiore varietà tipologica di oinochoai: accanto ai tipi con corpo globulare e decorazione metopale (tipo Aa 1a, c), noti anche nella vicina Tarquinia, prende avvio una fiorente produzione di oinochoai con corpo ovoide tendente al cilindrico (tipo Aa 6). Il prototipo della serie è rappresentato dall'esemplare di Poggio Mengarelli (Vu.O.t/1), ancora inquadrabile nel corso dell'ultimo quarto dell'VIII sec. a.C., che mostra un carattere sperimentale nella decorazione semplificata e nella forma ovoide; quest'ultime sono sostituite nelle varietà successive, diffuse nel corso della prima metà del secolo seguente, dal moltiplicarsi dei registri decorativi e da una forma con profilo sempre più scandito (tipi Aa 6b-c). Sempre lo stesso contesto ha restituito, inoltre, il più antico esemplare di un nutrito gruppo di olle stamnoidi (tipo Ba 1a-b), nettamente differenziate sul piano morfologico dalle coeve realizzazioni veienti e ceretane dallo sviluppo del labbro atto all'incasso del coperchio; anch'esse sono attestate nella prima metà del VII sec. a.C. o, come sembra più probabile, nel primo quarto dello stesso.

I medesimi moduli decorativi, comprendenti file di metope campite da losanga quadrettata o da *chevrons*, ricorrono nella coeva produzione di attingitoi (tipi Aa 1-2), anforette ad anse intrecciate (tipo Aa 1), grandi coppe su piede assimilabili a crateri (tipo Db 1) o esemplari di dimensioni minori (tipo Cb 1), con funzione di coppe potorie o piattelli, e, ancora, tazze ad anse pizzicate (tipo Aa 2), forse quest'ultime con diffusione limitata ai decenni iniziali del secolo. Piuttosto omogenea risulta anche l'ingente produzione di skyphoi che mostrano non solo nell'adesione alla *Metopengattung*, ma nella tettonica stessa con vasca bassa e labbro sviluppato, l'attardarsi dei modelli geometrici (tipo Aa 1 a-d). Questi si allentano solo in rari casi, come quello delle coppe Aa 2a, dove lo sviluppo della vasca e la presenza del piede rivelano affinità con gli skyphoi PC, o in quello del tipo Ab 1, in cui alla canonica decorazione metopale o a pannello si sostituisce un ornato continuo, con riscontri nella coeva produzione tarquiniese. La deroga al modello euboico-geometrico è più

---

[70] BRUNI 1994, p. 307, nota 90, con bibl.

evidente in un limitato gruppo di skyphoi ispirati ai modelli protocorinzi (tipi Ba 1 e Ba 2): questi esemplari rappresentano il frutto di una bottega operante in ambito locale probabilmente nel corso del secondo quarto del VII sec. a.C., con possibile slittamento nel venticinquennio successivo, che si ispira principalmente a modelli pitecusano-campani, sebbene non siano estranee anche sollecitazioni diverse, come attesta la coppa PB.D/6 imitante coppe da Samo. La matrice prevalentemente protocorinzia risulta un *unicum* nel panorama produttivo vulcente e testimonia la compartecipazione seppure marginale alla più diffusa temperie artigianale del periodo.

È attiva anche una produzione di piatti: molto difficile risulta circoscrivere la datazione per i tre tipi identificati come fabbrica locale (tipi Aa 1-2, Bc 1b), a causa della scarsezza numerica o dell'assenza degli originari contesti di rinvenimento. Il tipo Bc 1b, con decorazione nettamente caratterizzata da raggiera sulla vasca e catena di ovoli sul labbro, che ricorda per la sintassi gli esemplari di area veiente già ricordati (Bc 2), è probabilmente ascrivibile alla prima metà del secolo.

Con la metà del VII sec. a.C. cessano le serie *Metopengattung,* lasciando un vuoto nella produzioni in depurata che viene colmato solo con la fiorente stagione della ceramica etrusco-corinzia. Nel corso della seconda metà del VII sec. a.C. gli unici tipi attestati, limitatamente alla fase recente dell'orientalizzante, sono costituiti da semplici coppe a fasce riconducibili a modelli tarquiniesi (tipo Aa 2) o più generalmente meridionali (tipo Ba 1a), da identificarsi plausibilmente, in base al numero limitato degli esemplari, come importazioni. Certamente è invece da attribuirsi ad un'officina locale, attiva negli anni a ridosso della metà del secolo, la realizzazione di un tipo particolare di olla stamnoide (tipo Db 1) che ripete sia nella forma che nei motivi decorativi modelli meridionali, rielaborati, se non travisati, alla luce della tradizione locale: il dato è evidente nell'uso desueto del pannello e nell'adozione delle catene di raggi proprie delle oinochoai più che delle olle stesse.

All'orientalizzante recente sembrerebbero riconducibili i piatti con nastro tratteggiato sull'orlo (tipo Aa 1) e decorazione lineare (tipo Aa 2), senza dubbio attribuibili ad una bottega locale, in base alla marcata omogeneità morfologico-decorativa e alla provenienza circoscritta.

VI. Conclusioni

Prima di affrontare una lettura di sintesi, è necessario puntualizzare gli elementi scelti come base di analisi e i criteri adottati nell'estrapolazione di dati di ordine più generale dalla messe di testimonianze raccolte. È, inoltre, opportuno ribadire che il campione studiato, sebbene consistente[1], è tuttavia lontano dall'essere totalmente attendibile. Fattori molteplici concorrono ad influenzarne la piena rappresentatività: innanzitutto, l'ovvia constatazione della dispersione sul mercato clandestino di una porzione non quantificabile di materiale, in secondo luogo, la natura stessa della base documentaria per lo più rappresentata dal materiale edito[2], ed, infine, in diretta connessione con quest'ultimo punto, la possibilità di uno squilibrio della documentazione condizionato dalla maggiore accessibilità alla conoscenza di alcuni contesti, primi fra tutti i veienti, più che da fenomeni produttivi.

Gli aspetti valorizzati dall'analisi, di cui rappresentano al tempo stesso le unità fondamentali, sono principalmente tre:

Ripartizione tra officine afferenti ai singoli centri
Varietà formale e tipologica
Volume delle produzioni

Sulla base di quanto proposto nei capitoli precedenti, gli esemplari sono stati ripartiti tra le officine attive nei centri presi in considerazione, al fine di mettere in luce, attraverso la comparazione sincronica e diacronica delle evidenze, tendenze generali in seno alla produzione. In caso di attribuzione solo ipotizzabile si è ritenuto necessario discriminarne la presenza, solo quando questa determinasse un'alterazione apprezzabile dei valori generali[3]. Al fine di dare ragione, e ove possibile quantificare, la varietà formale e morfologica delle produzioni, sia in rapporto le une alle altre che colte nella loro evoluzione temporale, la base documentaria è stata analizzata attraverso lo schema tipologico elaborato[4]. Da quest'ultimo sono state estrapolate tre categorie, ovvero, procedendo dal particolare al generale, varietà, gruppi e forme. La scelta delle

---

[1] La base documentaria è costituita da 1575 esemplari.

[2] La mole delle testimonianze ha, inoltre, penalizzato la possibilità di verifiche con analisi autoptica per quei materiali la cui edizione non esaustiva, spesso priva di immagini, non forniva sufficienti elementi di inquadramento. Questa serie di testimonianze è stata comunque valutata in sede di elaborazione dei dati, andando a costituire categorie parallele a quelle considerate, per le quali attribuzioni e identificazioni sono da ritenersi puramente indicative.

[3] Cfr. nota precedente.

[4] I dati sono stati elaborati a partire da una tabella nella quale gli esemplari sono ripartiti in base a tipologia, cronologia e centri di produzioni (*Appendice 2*).

prime, a scapito dei tipi, è stata imposta dal maggiore radicamento nelle produzioni locali delle stesse e dalla datazione generalmente più circoscritta che le caratterizza[5]; i gruppi, rappresentando accorpamenti più generici, tuttavia fortemente condizionati nella forma e nello schema decorativo da caratteri ben riconoscibili, e associati in modo costante alle distinte aree produttive, sono apparsi significativi, per individuare e verificare l'esistenza di "filoni" o "correnti", che percorrono una produzione dal carattere tanto eterogeneo. È, inoltre, parso doveroso dare conto della distribuzione delle singole forme nelle cerchie locali, poichè anche a livello macroscopico sono evidenti clamorosi squilibri, ne è un esempio la totale assenza di anfore a Tarquinia; tali difformità forse determinate da pratiche differenziate, sono inoltre d'aiuto per puntualizzare il carattere locale delle produzioni (*figg. 1-2.a-b*). L'indagine funzionale trascende, al contrario, dai limiti della ricerca per l'ampiezza della base documentaria su cui si fonda, non circoscrivibile ad una sola classe. Le associazioni di materiale, per lo più d'ambito funerario, divengono infatti significative ai fini dello studio, solo se analizzate in tutte le loro componenti e senza che siano trascurati l'aspetto ideologico e rituale che ne condizionano la composizione; è necessaria, poi, l'integrazione con fonti di carattere diverso, epigrafiche e letterarie, nonché talvolta con le indicazioni fornite dalla comparazione antropologica.

Limitandosi al solo aspetto produttivo, le forme possono ritenersi indicative, almeno di un "gusto" locale, senza che la loro assenza/presenza in determinati centri testimoni necessariamente la presenza/assenza delle funzioni ad esse correlate, cui possono e anzi solitamente assolvono oggetti diversi.

Il repertorio morfologico in depurata appare, inoltre, ampiamente condiviso dalle coeve serie in impasto e bucchero. La creazione di un patrimonio comune si è verificata attraverso un articolato processo di appropriazione e trasmissione, che ha coinvolto le classi e che risulta intimamente legato ai fenomeni di rinnovamento morfologico, attuatisi soprattutto tra la fine dell'età del ferro e la prima età orientalizzante, sia grazie all'adozione di forme allogene, che grazie alla selezione operata nei confronti della precedente tradizione villanoviana[6].

Il passaggio disinvolto da una classe all'altra investe sia quelle forme derivate da modelli in impasto dell'età del ferro, quali anfore biconiche, olle a labbro svasato, attingitoi, anforette e calici, sia parte del repertorio di nuova immissione. Pressoché contemporanea si rivela la replica in figulina ed in impasto rosso e bruno di prodotti di origine levantina ceramici, come nel caso dei piatti, o di altra materia, come per le oinochoai di tipo fenicio-cipriota, le coppe emisferiche e le fiasche. Più composito risulta il quadro restituito dall'analisi del repertorio vascolare derivante dall'apporto greco, sia esso de-

---

[5] In questa sede le eventuali varianti sono state accorpate alle varietà di riferimento.

[6] Per i riferimenti specifici all'origine di forme e tipi e alle coeve attestazioni in altre classi si vedano i singoli commento nel cap. II.2.

sunto direttamente dall'esperienza ellenica tardo-geometrica e orientalizzante che mediato da una vivace tradizione locale. In quest'ambito si attua, infatti, un processo di selezione che consente il transito dalle originarie serie in ceramica depurata alle produzioni di impasto di un nucleo circoscritto di forme[7].

Restano invece saldamente ancorate ad un'esclusiva o comunque preferenziale produzione in ceramica dipinta[8] alcune serie numericamente poco rappresentate, come olle a collo stretto (Gruppo A), bottiglie e situle, ma anche forme di lunga e ampia diffusione, quali oinochoai ovoidi (Gruppi B e C), anfore (Gruppi B e A), olle stamnoidi ad orlo ingrossato (Gruppo D) e coppe (Gruppo B). Difficile appare rintracciare il criterio, o forse più appropriatamente i fattori, alla base di questa discriminazione. Per una serie limitata di testimonianze, come per le imitazioni tarquiniesi di prodotti protocorinzi-cumani, può apparire convincente l'ipotesi di una volontaria aderenza ai prototipi sostanziata da precise richieste di mercato. Sembra dunque opportuno ricercare le cause del fenomeno tra quei tratti comuni che legano le serie in esame. Un elemento significativo potrebbe rivelarsi il grande successo da esse incontrato: è ipotizzabile che il favore riscosso, testimoniato dall'alto numero di attestazioni, abbia forse determinato nel tempo il cristallizzarsi dell'associazione forma-decorazione-tecnica, impedendo così la migrazione verso altri comparti produttivi[9].

Infine, un ruolo fondamentale è stato rappresentato dalla quantificazione degli esemplari di volta in volta afferenti alle categorie produttive, cronologiche o formali assunte. In presenza di materiali provenienti da complessi funerari, per lo più integri, il conteggio degli esemplari è facilitato[10]. Più ardua, e conseguentemente meno attendibile, è risultata la quantificazione in relazione alle fasi cronologiche. Questa deve ritenersi di carattere indicativo per tre ordini di fattori: il primo è determinato dalla scelta di cesure arbitrarie che individuano cinque fasi della durata di venticinque anni; il secondo è connesso

---

[7] Si segnalano tra queste aryballoi, olle a colletto, skyphoi e kotylai.

[8] Con il termine si intende comprendere sia le serie in depurata che quelle in impasto dipinto (*white on red* e *red on white*) che, riferibili alle medesime botteghe e maestri, ne condividono allo stesso tempo il repertorio vascolare.

[9] La coesistenza di redazioni in depurata e in impasto di altre forme largamente diffuse, come coppe su piede e piatti, individua nella consistenza numerica degli esemplari una condizione necessaria ma non sufficiente per la maturazione di un legame vincolante tra forma e classe. Una tendenza all'irrigidimento è tuttavia percepibile anche in questi casi, come ben testimoniato dalla coagulazione del piatto ad aironi attorno a un tipo pressoché immune a evoluzione morfologica o decorativa nel corso dell'intera età orientalizzante, che mantiene la sua autonomia e specificità rispetto ai coevi omologhi di impasto.

[10] Non mancano tuttavia le notizie di frammenti riferibili a un numero difficilmente quantificabile di esemplari; a questo si aggiunge la difficoltà derivante dalla prassi in uso nelle vecchie indagini di non recuperare la totalità dei materiali: un esempio eclatante è rappresentato dagli scavi Mengarelli nella necropoli della Banditaccia, in occasione dei quali numerosi piatti ad aironi furono lasciati *in situ* (Ricci 1955).

all'adozione ai fini del calcolo delle varietà tipologiche, la cui estensione nel tempo stabilita dagli esemplari afferenti può non rispecchiare la loro effettiva distribuzione cronologica interna; il terzo infine, è determinato dalla necessità di includere nella quantificazione i tipi di lunga durata[11], tramite una ripartizione basata sulla media aritmetica, che, come nel caso precedente, può discostarsi dalla reale presenza nel corso delle fasi[12].

I risultati determinati dalla varia combinazione di queste categorie consentono di cogliere delle linee di tendenza più generali nel dispiegarsi delle produzioni e rendono possibile inoltre puntualizzarne le discriminanti e gli elementi di continuità, su cui si è più volte richiamata l'attenzione nel corso di questo contributo. Come ogni astrazione, la sola analisi "statistica" non può dare ragione dell'interezza del fenomeno né tanto meno coglierne le implicazioni più sottili; essa deve dunque essere mitigata di volta in volta dall'intervento di considerazioni particolari.

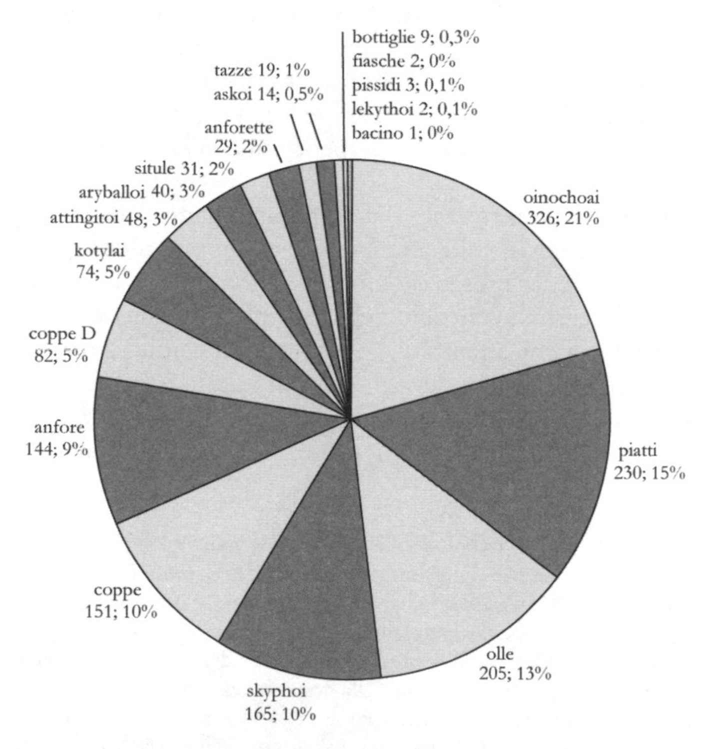

Fig. 1. Ripartizone delle forme (tot. 1575 exx.).

[11] Si intende con questo termine una durate superiore ai venticinque anni, (cfr. cap. V, p. 235, nota 1).

[12] La scelta è stata del resto imposta dall'impossibilità, spesso riscontrata, di circoscrivere la datazione dei singoli esemplari afferenti a tipi di lunga durata, oltre che nel caso ovvio di materiali adespoti, anche in quello di attestazioni in tombe a camera con deposizioni multiple.

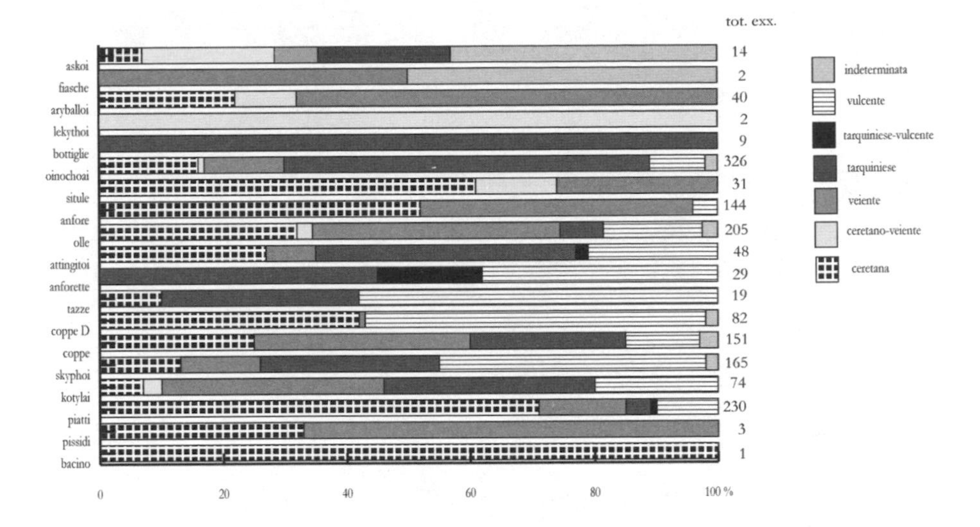

Fig. 2a. Incidenza delle forme nelle produzioni locali (tot. 1575 esemplari).

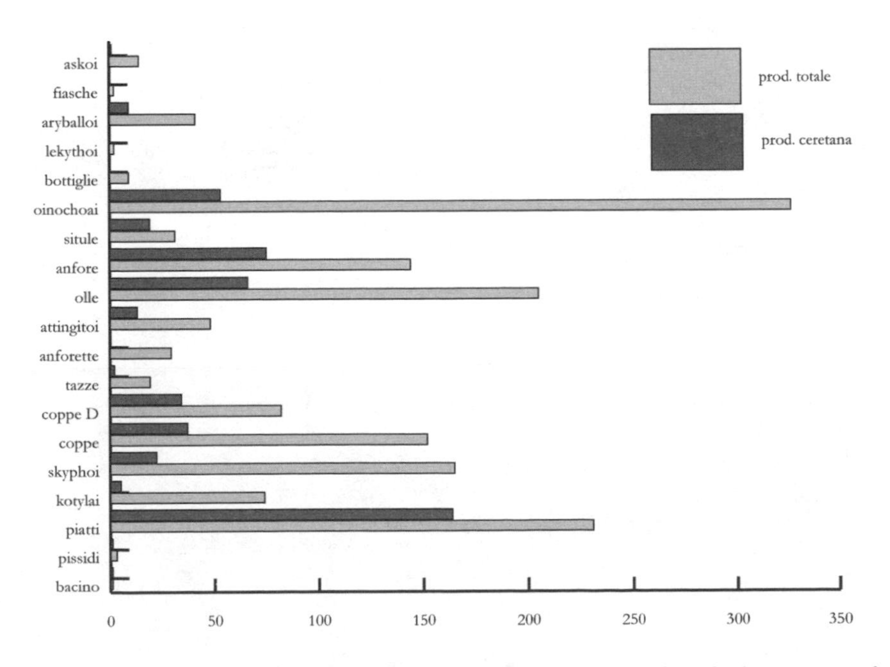

Fig. 2b/1. Distribuzione delle forme nella produzione ceretana sul totale di 1575 esemplari.

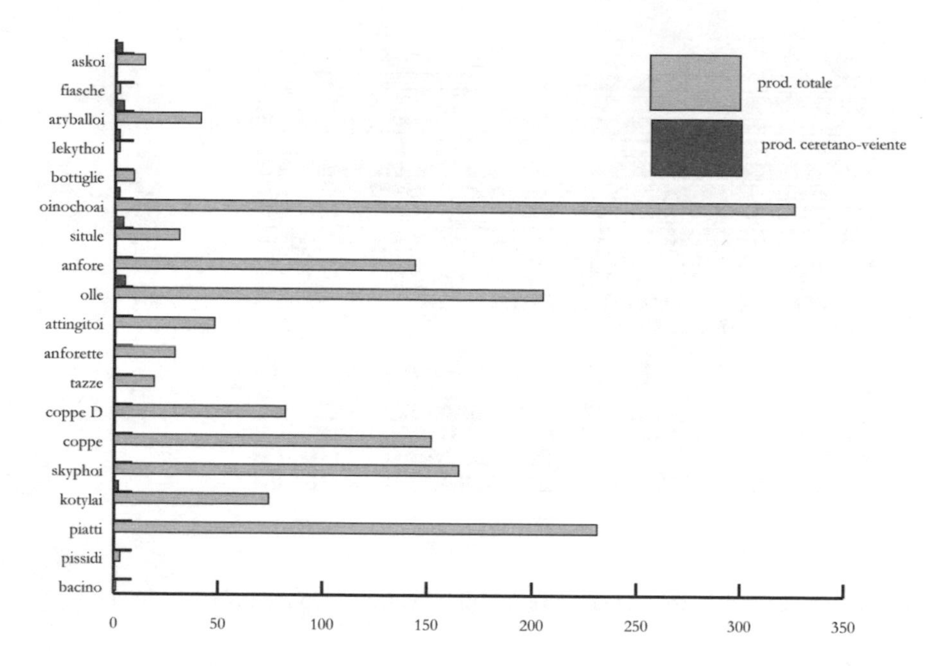

Fig. 2b/2. Distribuzione delle forme nelle produzioni ceretano-veiente sul totale di 1575 esemplari.

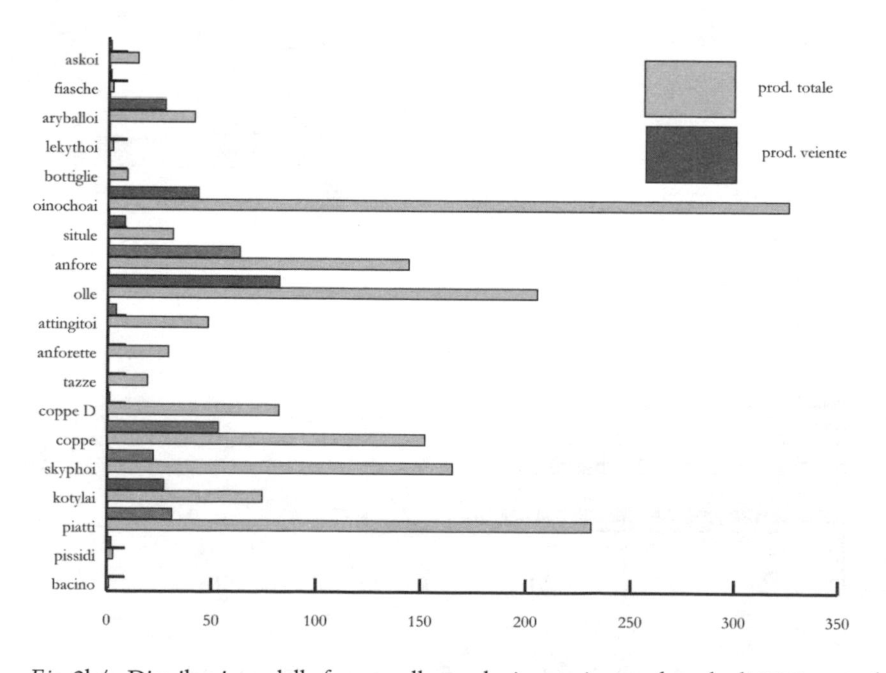

Fig. 2b/3. Distribuzione delle forme nella produzione veiente sul totale di 1575 esemplari.

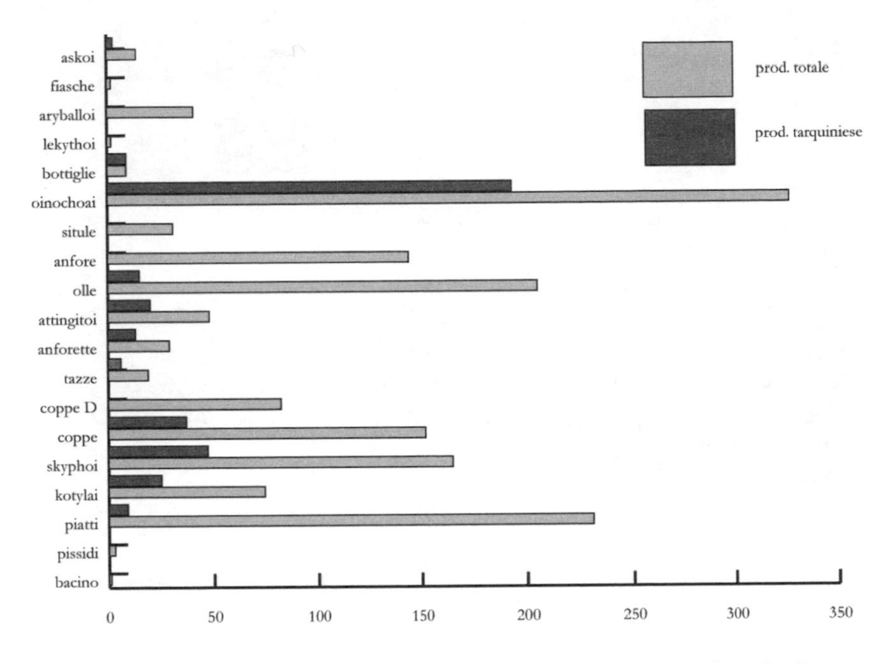

Fig. 2b/4. Distribuzione delle forme nella produzione tarquiniese sul totale di 1575 esemplari.

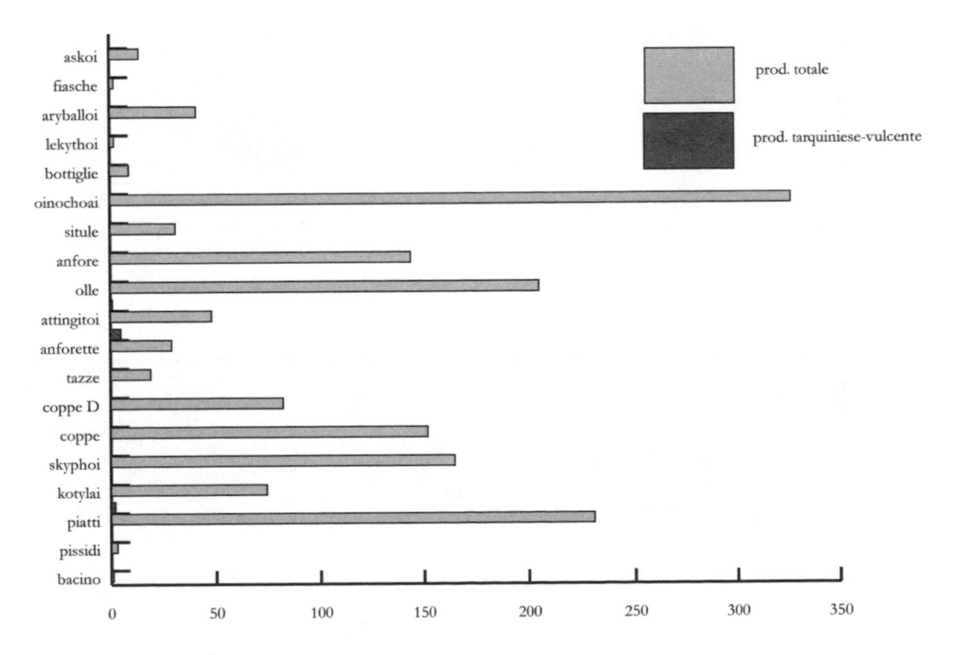

Fig. 2b/5. Distribuzione delle forme nelle produzioni tarquiniese-vulcente sul totale di 1575 esemplari.

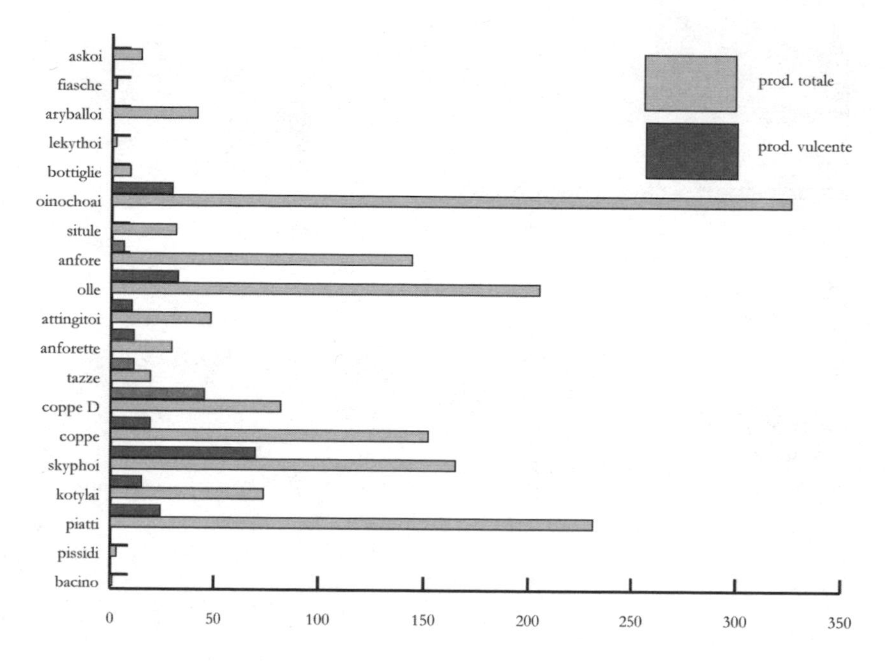

Fig. 2b/6. Distribuzione delle forme nella produzione vulcente sul totale di 1575 esemplari.

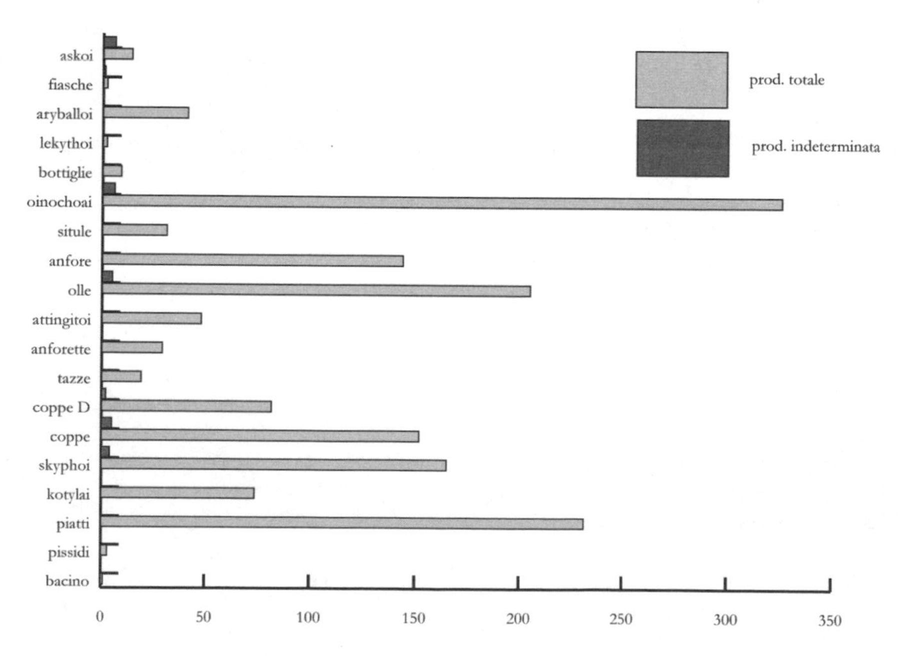

Fig. 2b/7. Distribuzione delle forme di produzione indeterminata sul totale di 1575 esemplari

VI. 1. Le correnti o gruppi

In queste pagine si è più volte sottolineato il carattere eterogeneo della vasta produzione orientalizzante in ceramica depurata dipinta; la coesistenza di gruppi o "correnti" diversificati, strettamente associati e correlati ad aree di produzione diverse, è del resto un dato saldamente acquisito nella letteratura scientifica relativa. Questa consapevolezza e la conseguente necessità di creare articolazioni flessibili per inquadrare la vasta serie di testimonianze sono riflesse nell'ordinamento tipologico proposto, che prevede macroripartizioni in gruppi formali e decorativi. Di volta in volta definita all'interno delle singole forme, la combinazione delle due categorie di gruppi evidenzia, inoltre, l'associazione preferenziale tra determinate varietà morfologiche e moduli decorativi[13]. Attraverso questo processo, i gruppi appaiono aggregabili in seno alle diverse tradizioni, che riflettono, accanto alla comune ispirazione di matrice greca più o meno marcatamente rielaborata in chiave locale, l'adozione di stili regionali ellenici.

La *Metopengattung*, ricorrendo alla definizione coniata da Å. Åkerström, identifica la produzione prettamente locale diffusa nel vulcente e nel tarquiniese nel corso della prima metà del VII sec. a.C., che ripete pedissequamente, in un attardamento anacronistico, i moduli decorativi propri della ceramica euboico-cicladica tardo-geometrica. Questi ultimi erano stati introdotti nel periodo precedente da artigiani di origine o formazione greca, che avevano dato avvio alla grande stagione creativa vulcente. Con la fine dell'VIII sec. a.C. l'esaurirsi dell'apporto esterno si manifesta in questa produzione di carattere scarsamente differenziato, i cui prototipi erano comparsi già nella fase iniziale dell'orientalizzante antico. La chiusura dell'area vulcente al dialogo con il mondo greco è riflessa sia dal carattere squisitamente locale della *Metopengattung*, ravvisabile nella circolazione circoscritta e nella scelta preferenziale del patrimonio morfologico autoctono[14], sia nella quasi completa refrattarietà dimostrata nei confronti delle sollecitazioni protocorinzie, che grazie all'avvenuta conquista dei mercati tirrenici permeano le serie coeve.

Al di fuori del vulcente, la lezione protocorinzia trova un più fertile bacino di ricezione. Essa si manifesta innanzitutto nell'adozione, da parte delle produzioni locali, di determinati tipi, significativamente connessi alle pratiche del banchetto: si tratta di oinochoai ovoidi e piriformi, kotylai e skyphoi. Una posizione particolare è rivestita da Tarquinia, dove la tradizione, fortemente influenzata dalla componente coloniale, segnatamente cumana, sembra essere

---

[13] In appendice tabella riassuntiva dei gruppi e delle relative aree di pertinenza (*Appendice 3*).

[13] Accanto ad oinochoai e skyphoi, predominano infatti le grandi coppe-cratere, le anforette ad anse intrecciate, gli attingitoi, le tazze e le olle a colletto, che, pur imparentate con le pissidi globulari TG, mostrano un forte radicamento nelle serie locali anche d'impasto e la canonizzazione di caratteri autonomi.

accolta senza filtri dando luogo a serie molto prossime agli originali[15]. Piuttosto significativo appare, inoltre, il fatto che, laddove non giunge il repertorio morfologico protocorinzio, la produzione locale si affidi ad altre "correnti": olle (tipo Ba 1), attingitoi (tipi Aa 1-3), anforette (tipo Aa 1) costituiscono una filiazione della *Metopengattung*, mentre per le coppe a fasce (tipi Ba 1-3) appaiono evidenti i legami con le serie ceretano-veienti, tanto più importanti con l'inoltrarsi dell'orientalizzante. Se fra le componenti allogene la protocorinzia è quella preponderante, non mancano tuttavia sollecitazioni diverse, come quelle euboiche, ravvisabili nell'opera del Pittore dei Cavalli Allungati, o euboico-pitecusane, evidenti nelle serie di piatti del Gruppo Bc.

Nel distretto meridionale la ricezione dei modelli protocorinzi, a differenza di quanto osservato per Tarquinia, avviene nel segno dell'ambivalenza. Per quanto concerne le forme di origine protocorinzia, l'imitazione fedele dei modelli investe soprattutto kotylai e skyphoi, secondo una tendenza comune anche alle altre aree toccate dal contatto greco. Nell'ambito delle stesse forme, e soprattutto nel caso delle oinochoai, alcuni tipi mostrano un margine di rielaborazione sconosciuto alle serie tarquiniesi, che si manifesta nell'inserimento di motivi desueti, nella combinazione "anomala" dei singoli elementi decorativi e, infine, nel proliferare di varianti morfologiche. Questo fenomeno si inserisce in una più vasta temperie produttiva, in cui gli elementi protocorinzi rappresentano solo una, sebbene importante, delle fonti di ispirazione che convergono nel patrimonio morfologico e decorativo radicato nella tradizione locale. Significativa a riguardo è l'opera di due ceramografi ceretani attivi nella prima metà del VII sec. a.C., quali il Pittore dei Pesci di Civitavecchia e la Bottega dei Pesci di Stoccolma, che profondono, di teorie di pesci di estrazione cumana-protocorinzia la loro produzione, limitata alle anfore quella del primo, più varia nella seconda officina.

Nel corso dell'orientalizzante fiorisce una grande – per incidenza quantitativa – produzione solitamente definita con il temine di subgeometrica. Da un punto di vista morfologico, il repertorio è piuttosto variegato e annovera tutte le principali forme in uso nel periodo: oinochoai, che allentano i canoni protocorinzi nell'allungamento delle forma e nella moltiplicazione dei raggi, anfore, vasetti situliformi, olle di vario tipo, attingitoi, coppe e piatti. Più limitato appare il repertorio decorativo, circoscritto in massima parte a fasce e semplici motivi lineari, file di punti e, ovviamente, ad aironi gradienti. Questi ultimi sono eponimi di una sorta di "sotto-classe", il cui inquadramento merita qualche osservazione. Innanzitutto è necessario precisare che non sussiste una totale sovrapposizione morfologica tra ceramica "subgeometrica" e ceramica decorata ad aironi: questa è infatti limitata essenzialmente a piatti, olle stam-

---

[15] Un'anomalia è costituita solo dalle kotylai: accanto alla maggioranza di coppe a sigma PCA e PCM, compare infatti un limitato nucleo di esemplari (tipi Aa 1 e Aa 3) che ripete piuttosto modelli di ascendenza euboico-cicladica, comuni alla produzione vulcente.

noidi, meno diffusamente ad olle con labbro svasato o a colletto, grandi coppe su piede e, meno copiosamente, ad oinochoai ed anfore, in questo caso solitamente in associazione ad altri motivi; le stesse forme compaiono del resto anche nelle versioni con decorazioni semplificate di tipo esclusivamente lineare. Questi fattori indirizzano dunque ad ipotizzare una sostanziale coincidenza nelle produzioni, probabilmente uscite dalle stesse botteghe. Nel caso in cui si potesse verificare la piena attendibilità del contesto, particolarmente significativo risulterebbe l'askos V.a/1 con teoria di aironi retrospicienti sul corpo che, in base a quanto osservato nella sua descrizione, potrebbe con buon margine di approssimazione attribuirsi alla medesima officina responsabile dell'anfora ad esso associata, quella del Pittore delle Gru, se non al ceramografo stesso. Tale considerazione potrebbe non solo corroborare quanto sostenuto, ma ribadire inoltre l'esigenza di un'ottica complessiva che consideri nella loro totalità, e soprattutto nelle loro interrelazioni, serie "correnti" e serie "elevate"[16]. La possibilità di scambi e punti di contatto tre le due sfere non priva del resto di spessore la stagione della grande ceramografia orientalizzante, che ha nella Cerveteri della prima metà del VII sec. a.C. il suo epicentro. Ancora una volta l'opera del ricordato Pittore delle Gru, del Pittore di Amsterdam e in misura più evidente del Pittore dell'Eptacordo rivelano la capacità di coniugare tradizione locale e sollecitazioni greche, sollecitazioni quanto mai composite comprendenti influenze insulari e attiche. Quest'ultime riecheggiano inoltre anche in alcuni dei vasi attribuiti ad un ceramografo veiente, il Pittore di Narce, che non esita ad adottare accanto alle teorie di quadrupedi, le più comuni file di aironi.

Dal momento che gruppi, o correnti, mostrano un forte radicamento territoriale, particolarmente indicativi si rivelano i casi di "sconfinamento". Tipi afferenti al filone geometrico risultano attestati, seppure in modo marginale, in tutti i centri in esame. Ad una quota cronologica alta, grosso modo coincidente con la prima fase dell'orientalizzante antico, il fenomeno trova ragione, come nel caso di oinochoai e coppe dei gruppi Aa, nel permanere dei modelli attivi nel corso dell'VIII sec. a.C. Il dialogo con il mondo greco procede nel segno della continuità, come dimostrano le testimonianze etrusco-geometriche da *Caere*, di particolare valore diagnostico per la ricostruzione dei rapporti tra Etruria e ambito coloniale, primo fra tutti pitecusano. Più insolite appaiono le rispondenze in presenza di uno iato cronologico: è il caso dei piatti di tipo Bc 2, forse pertinenti ad un'officina veiente attiva nella prima metà del VII sec. a.C, che mostrano forti analogie decorative con coevi esemplari tarquiniesi e vulcenti in un momento però in cui la lezione geometrica a Veio si è fortemente attenuata; più evidente è il caso delle olle Ba 3, anch'esse veienti, che nell'orientalizzante recente ripropongono uno schema pseudo-metopale in voga cinquant'anni prima.

---

[16] Martelli 1987b, p. 7; Bellelli 2007, p. 18.

Già si è accennato al carattere trasversale della diffusione in diverse aree delle imitazioni protocorinzie di vasi potori: la presenza di kotylai e skyphoi d'ispirazione protocorinzia coinvolge Cerveteri, Tarquinia e Veio e la loro evoluzione testimonia un costante aggiornamento dei modelli, da quelli PCA-PCM in uso nella prima metà del VII sec. a.C. a quelli TPC, che, apparsi poco dopo la metà del secolo, rimangono in voga fino alla fine dello stesso. Diversa è la situazione a Vulci, dove il fenomeno ha una rilevanza molto marginale: le uniche attestazioni sono costituite dagli skyphoi afferenti al tipo Ba 1, che, ispirati alle coppe a sigma, nel caso dei pochi contesti noti sembrano adottati tardivamente rispetto alle vicine attestazioni tarquiniesi[17], dagli skyphoi di tipo Ba 2 e da una kotyle sporadica di tipo Bb 4, che, presente inoltre a Veio, deriva da prototipi PCA; quantitativamente la presenza cresce solo nella seconda metà del VII sec. a.C., in coincidenza con l'esaurirsi della *Metopengattung*, quando ceramiche d'ispirazione protocorinzia sono rappresentate non solo dalle coppe ormai anacronisticamente ispirate ai precedenti modelli, ma anche da skyphoi con fascia risparmiata di stampo TPC.

Al di fuori del distretto ceretano-veiente, la diffusione delle produzioni con decorazione lineare, ad esclusione delle ceramiche ad aironi che a nord sembrano non oltrepassare i confini ceretani, coinvolge attivamente anche Tarquinia, dove, come accennato, queste serie integrano le lacune morfologiche delle produzioni di fedele imitazione protocorinzia, come nel caso di olle dei tipi Bc1 e Dc 2 e coppe dei tipi Ba 1-3, o si affiancano ai tipi in voga, come in quello delle oinochoai del gruppo Cb. Nella fase matura dell'orientalizzante medio, esse divengono quasi esclusive, dal momento che cessano le altre serie concorrenti. Anche in questo caso, Vulci conferma la sua estraneità alla temperie comune, essendo le uniche testimonianze poche e tardive: le diffusissime coppe a calotta (Gruppo Ba) compaiono solo in complessi dell'orientalizzante recente, mentre le altrettanto diffuse olle a fasce (Gruppo Dc) risultano del tutto assenti, sebbene sia riscontrabile una locale produzione d'imitazione che conserva in alcuni moduli decorativi elementi tipici della *Metopengattung* (tipo Db 1).

VI. 2. Produzioni locali e loro evoluzione

Per quanto dfficoltoso, il primo passo verso considerazioni di ordine generale è costituito da una stima quantitativa delle diverse produzioni locali. La base statistica è composta dai 1575 esemplari in esame: accanto a valori marginali

[17] Per la varietà a del tipo Ba 1 la datazione è suggerita da tre exx. (PB.C/2-4)deposti nella t. C di Poggio Buco; alla stessa officina vulcente sono forse riferibili anche due attestazioni adespote a Tarquinia (T.a/216-217). Lo scarto cronologico è evidente per la varietà b dello stesso tipo presente a Tarquinia in un complesso, quale la fossa 8 di Poggio Gallinaro, del primo quarto del VII sec. a.C. e attestata nel vulcente solo nel corso dell'orientalizzante recente; pressoché coevo è lo skyphos di tipo Ba 2, di produzione esclusivamente vulcente, anch'esso lontanamente derivato dalle più antiche coppe a sigma.

rappresentati dalle produzioni non specificabili e da quelle ceretano-veienti e tarquiniesi-vulcenti[18], le serie attribuibili ai singoli centri mostrano una ripartizione piuttosto omogenea che oscilla tra il 32% della produzione globale rappresentato dalle officine ceretane e il 17% da quelle vulcenti, con Tarquinia e Veio in posizione intermedia rispettivamente con il 24% e il 23% (*figg. 3-4*)[19].

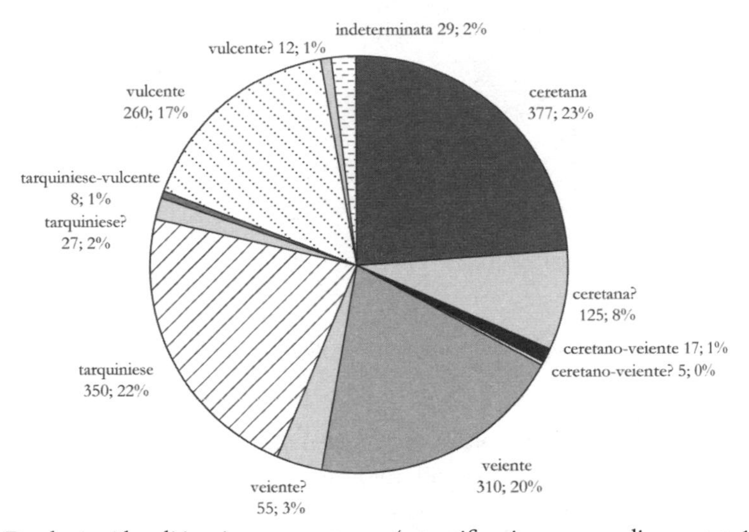

Fig. 3. Produzioni locali ipotizzate e accertate (quantificazione per n. di exx.: tot. 1575).

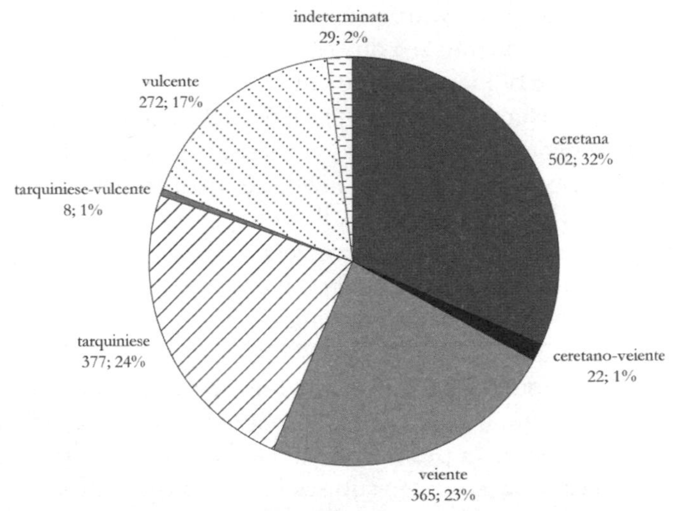

Fig. 4. Produzioni locali accorpate (quantificazione per n. di exx.: tot. 1575).

[18] Categorie comprese tra l'1% e il 2%.

[19] Tutti valori forniti sono comprensivi sia degli esemplari attribuibili con certezza che di quelli solo ipoteticamente riferibili agli stessi. (*fig.* 3). Dalla quantificazione iniziale del campione di 1575 exx. sono stati esclusi i coperchi (25 exx.), poichè forme non autonome.

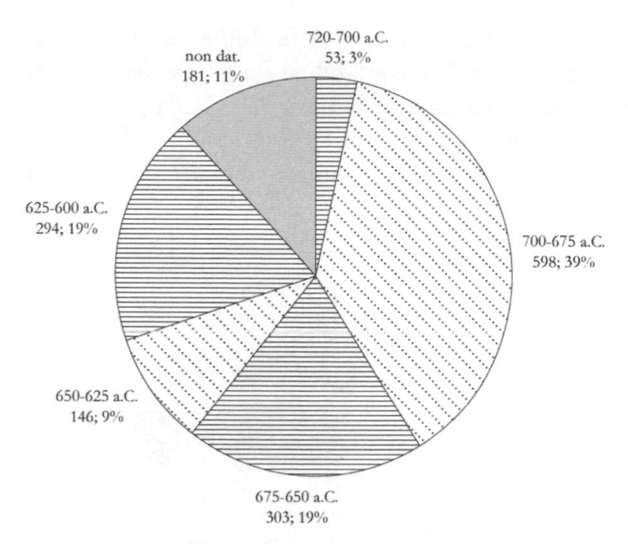

Fig. 5. Distribuzione diacronica del volume totale della produzione (quantificazione per n. di exx.: tot. 1575)

Questa supposta omogeneità si incrina e il dato assume conseguentemente un nuovo spessore, se il volume relativo delle produzioni è combinato al fattore diacronico (*figg. 5-6*).

Per quanto riguarda la fase dal 720 al 700 a.C., la produzione appare numericamente limitata[20]: la gravitazione principale è imperniata sull'asse tarquiniese-vulcente, dal momento che i due siti detengono quasi il totale delle attestazioni. Il quadro si modifica sensibilmente con gli inizi del secolo successivo: nel venticinquennio compreso tra il 700 e il 675 a.C. l'entità delle attestazione cresce in modo repentino, raggiungendo il picco, in seguito non eguagliato, di 598 unità; ad eccezione di Veio, la produzione è ripartita quasi omogeneamente tra gli altri centri con un massimo delle presenze a Tarquinia.

Nella fase successiva ad un calo complessivo delle attestazioni (303) fa riscontro una più equa ripartizione, malgrado una predominanza di Cerveteri e Vulci rispetto ai distretti veiente e tarquiniese.

Attorno alla metà del secolo si determina una netta cesura nell'articolazione interna del volume produttivo (tot. 146). I dati pongono chiaramente in evidenza una contrapposizione frontale maturata tra il comparto ceretano-veiente, che monopolizza la produzione in argilla depurata dipinta, e quello vulcente-tarquiniese. Quest'ultimo subisce un crollo vertiginoso delle attestazioni, rigogliose nella fase precedente, inaugurando una tendenza che rimarrà in vigore nel corso di tutta la seconda metà del secolo, malgrado un lieve incremento rilevabile nel momento conclusivo del periodo.

[20] Ai 53 esemplari analizzati in questa sede vanno sommate le attestazioni ancora intimamente legate alle botteghe di prevalente ascendenza euboica operanti a cavallo tra terzo e ultimo quarto dell'VIII sec. a.C. (cfr. cap. I, p. 18, note 37-40).

Riguardo all'ultimo quarto del VII sec. a.C. è inoltre da segnalare la brusca crescita del volume delle produzioni riferibile a Veio; il fenomeno è molto probabilmente imputabile, più che ad un effettivo incremento delle officine e/o delle loro realizzazioni, ad una conoscenza più capillare dei complessi dell'orientalizzante recente.

L'evidenza ceretana concorre assieme alle altre a confermare la crescita generale e diffusa, seppure non macroscopica, del volume produttivo nel corso della fase (tot. 294).

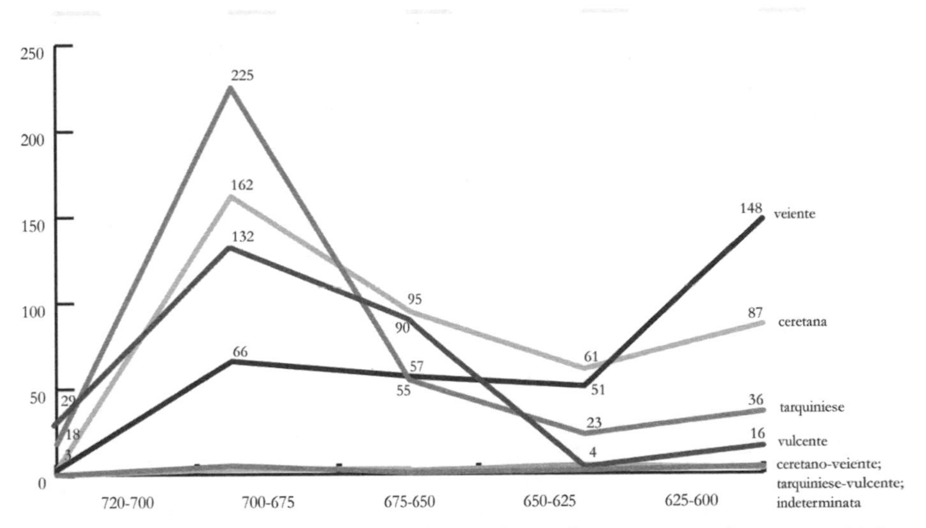

Fig. 6. Distribuzione diacronica delle produzioni (quantificazione per n. di exx.: tot. 1394)

Per circoscrivere le cause o, più realisticamente, per definire con maggiore puntualità il fenomeno delle oscillazioni riscontrate nel volume totale delle produzioni può rivelarsi d'aiuto l'integrazione dei dati con una più generale analisi diacronica, che coinvolga i caratteri interni alla produzione. Due appaiono le categorie maggiormente significative da sottoporre ad esame: la valutazione del margine di innovazione e di ricambio tipologico, che interessa le cerchie locali colte nel loro sviluppo diacronico, e la calibrazione dei caratteri specifici loro propri.

Per attendere al primo punto si è assunto come elemento diagnostico il calcolo, e quindi l'incidenza relativa, dei tipi, o meglio delle varietà, introdotte *ex novo* in ciascun sito nel corso di ogni fase.

All'interno di questa categoria sono state quindi individuate, e conseguentemente conteggiate, due componenti principali, rappresentate da tipi di fabbrica esclusivamente locale e quelli la cui diffusione e realizzazione è condivisa da botteghe afferenti a più di un sito. La quantificazione ha interessato sia il numero di tipi che il volume delle attestazioni ad essi riferibili, al fine di evidenziare eventuali fenomeni di standardizzazione *(tab. 1).*

Tab. 1. Distribuzione dei tipi locali e condivisi di nuova introduzione (quantificazione per n. di varietà: tot. 241).

	A: 720-700 a.C.	%	B: 700-675 a.C.	%	C: 675-650 a.C.	%	D: 650-625 a.C.	%	E: 625-600 a.C.	%	*tot. tipi per sito*	%
Veio			6	4%	6	27%	1	6%	18	51%	*31*	*13%*
Cerv.			26	17%	7	32%	2	13%	3	9%	*38*	*16%*
Tarq.	4	26%	51	23%			1	6%			*56*	*23%*
Vulci	6	40%	31	29%	2	9%			2	6%	*41*	*17%*
tot tipi loc.	*10*	*66%*	*114*	*74%*	*15*	*68%*	*4*	*25%*	*23*	*66%*	***166***	***69%***
C-V	1	7%	12	8%	3	14%	6	38%	7	20%	*29*	*125*
C-T			5	3%							*5*	*2%*
C-Vu			1	0.5%							*1*	*0.5%*
V-T	2	13%	6	4%	1	4.5%	2	13%			*11*	*5%*
V-Vu			1	0.5%			1	6%	1	2.5%	*3*	*1%*
T-Vu	1	7%	9	6%					1	2.5%	*11*	*5%*
C-V-T			3	2%	2	9%	1	6%	3	9%	*9*	*3%*
C-T-Vu	1	7%	2	1%							*3*	*1%*
C-V-Vu					1	4.5%					*1*	*0.5%*
V-T-Vu							1	6%			*1*	*0.5%*
C-V-T-Vu							1	6%			*1*	*0.5%*
tot. tipi cond.	*5*	*34%*	*39*	*25%*	*7*	*32%*	*12*	*75%*	*12*	*34%*	***75***	***31%***
TOT	**15**	**6%**	**153**	**63%**	**22**	**9%**	**16**	**7%**	**35**	**15%**	*241*	

Nel periodo compreso tra il 720 e il 700 a.C. le nuove varietà introdotte ammontano a 15; parallelamente a quanto sottolineato per il volume totale della produzione, anche in questo caso è l'asse tarquiniese-vulcente a detenere il primato rispettivamente con il 26% e il 40% del numero globale (*tab.1; fig. 7*).

Il quadro si modifica sensibilmente nella fase successiva, quando accanto a Vulci (29%) e Tarquinia (23%) emerge Cerveteri (17%). Il dato più rilevante è senza dubbio costituito dal generale rinnovamento tipologico che si realizza grazie all'immissione di ben 153 nuove varietà (*fig. 8*). Il fenomeno rimane senza seguito dal momento che nelle fasi successive l'incidenza dei nuovi tipi, assestatasi su valori di molto inferiori, resterà pressoché costante: 22 varietà nel 675-650 a.C., 16 nel 650-625 a.C. e, infine, 35 nel 625-600 a.C. Nel secondo quarto del VII sec. a.C., in anticipo rispetto a quanto indicato dai dati pertinenti il volume produttivo, Veio e Cerveteri si configurano come i due poli maggiormente innovativi, detenendo rispettivamente il 27% e il 32 %, per un totale, comprensivo delle attestazioni comune ai due centri, del 73% sul volume globale dei tipi di recente comparsa. La mancanza di aggiornamento formale, che caratterizza le produzioni di Vulci e Tarquinia, diviene ancor più evidente negli anni compresi tra il 650 e il 625 a.C., mentre di pari passo si conferma il primato "meridionale". All'interno di quest'ultimo comparto risultano però mutati gli equilibri, ora spostatisi sulle produzioni comuni ai due siti, che, ammontando al 38%, prevalgono su quelle marcatamente locali[21]; cresce inoltre l'incidenza di nuovi tipi condivisi da Veio e Tarquinia (13%).

Con l'orientalizzante recente si delineano due fenomeni: da un lato la crescita abnorme di Veio, come già accennato forse imputabile ad una disomogeneità nella base documentaria, dall'altra il peso sempre maggiore acquisito dai nuovi tipi condivisi da più siti. Quest'ultima categoria, sebbene per numero di varietà si mantenga costantemente inferiore rispetto ai tipi prettamente locali – ad eccezione dell'evidenza offerta dalla fase 650-625 a.C. forse legata alla limitatezza numerica delle attestazioni – almeno a partire dal 675 a.C. tende ad accrescersi determinando parallelamente l'accorciarsi dello scarto.

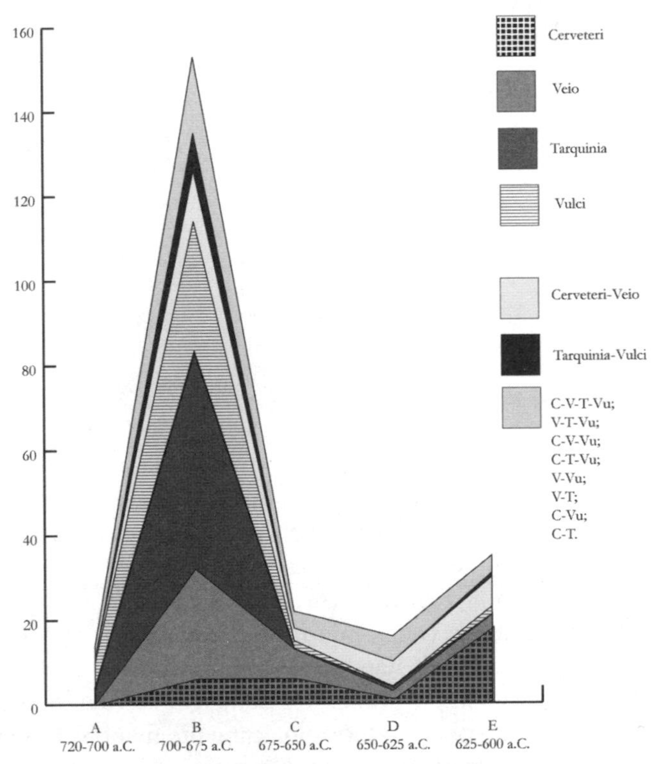

Fig. 7. Distribuzione dei tipi locali e condivisi di nuova introduzione (quantificazione per n. di varietà: tot. 241).

---

21 Veio 6%, Cerveteri 13%, Tarquinia 6%, mentre il resto delle produzioni condivise copre il 37% del totale; tuttavia, tali valori sono da ritenersi indicativi e non vincolanti, a causa dell'entità ridotta della base statistica costituita da sole 16 unità.

Tab. 2 Distribuzione diacronica dei tipi locali e condivisi e dei tipi di lunga e breve durata (quantificazione per n. di exx.: tot. 1382).

	Tipi Condivisi			*Tipi Locali*			
	breve durata	lunga durata	tot	breve durata	lunga durata	tot	TOT
A: 720-700 a.C.	19 100%	0	19	34 100%		34	53
B: 700-675 a.C.	126 61%	82 39%	208	252 66%	131 34%	383	591
C: 675-650 a.C.	7 7%	101 93%	108	60 84%	131 16%	191	299
D: 650-625 a.C.	10 8%	111 92%	121	5 21%	19 79%	24	145
E: 625-600 a.C.	81 43%	106 57%	187	88 82%	19 18%	107	294
TOT			643			739	1382

	Lunga durata			*Breve durata*			
	tipi condivisi	tipi locali	tot	tipi condivisi	tipi locali	tot	TOT
A: 720-700 a.C.	0	0	0	19 35%	34 65%	53	53
B: 700-675 a.C.	82 38%	131 62%	213	126 33%	252 67%	379	591
C: 675-650 a.C.	101 44%	131 56%	232	7 10%	60 90%	67	299
D: 650-625 a.C.	111 85%	19 15%	130	10 67%	5 33%	15	145
E: 625-600 a.C.	106 85%	19 15%	125	81 48%	88 52%	169	294
TOT			700			682	1382

Se il fenomeno è considerato sotto l'aspetto del volume delle produzione, ovvero della quantità di esemplari, esso assume una dimensione più cospicua *(tab. 2; fig. 9)*. Fino al 675 a.C. l'incidenza sul volume complessivo della produzione dei tipi condivisi[22] oscilla attorno al 35%, a partire da questo momento cresce passando all'83%, registrato tra il 650 a.C. e il 625 a.C., per assestarsi al 64% nell'orientalizzante recente. I dati comparati sembrano, dunque, indicare un progressivo processo di standardizzazione produttiva, che procede di pari passo al complessivo impoverimento tipologico, mettendo in evidenza il prevalere costante di tipi condivisi morfologicamente meno vari, ma capaci di conquistare una fascia sempre più ampia di mercato.

[22] La quantificazione del volume produttivo include in questo caso gli exx. afferenti a tipi di durata circoscritta e lunga, questi ultim ripartiti alle singole fasi con una media aritmetica.

Sopravvivono ovviamente tradizioni e gusto locali incarnati dai tipi specifici, che si caratterizzano innanzitutto per una maggiore varietà tipologica e che, da un punto di vista strettamente economico, appaiono relegati ad un ruolo sempre meno incisivo rispetto al volume totale della produzione. Infatti, è principalmente la categoria di produzioni maggiormente standardizzate che conquista i centri di Vulci e Tarquinia dopo la metà del VII sec. a.C., in coincidenza con la perdita di forza propulsiva che aveva precedentemente caratterizzato le manifatture cittadine[23]; solo nell'orientalizzante recente si affacciano pochi tipi innovativi, soprattutto nel distretto vulcente[24]. La fortuna incontrata dalle produzioni maggiormente standardizzate trova una conferma indiretta nell'alta incidenza che esse detengono nel sottoinsieme costituito dai tipi di lunga durata *(tab. 2; fig. 10)*[25]. Relativamente a quest'ultima categoria, è sufficiente considerare che, nel periodo compreso tra il 675 e il 600 a.C., essa interessa la maggioranza (43%-90%) dei tipi di nuova introduzione, dato tanto più significativo se comparato al parametro (36%) disponibile per il venticinquennio precedente (*tab. 2*).

Tali valori ovviamente si ribaltano, se l'osservazione si sposta nell'ambito delle serie con durata limitata, dove, malgrado una flessione progressiva, i tipi a diffusione locale detengono quasi costantemente la predominanza numerica su quelli condivisi *(tab. 2; fig. 11)*[26]; corollario diretto è la maggiore capacità diagnostica nella determinazione della cronologia detenuta dalle produzioni locali[27]. I dati rivelano, inoltre, come la capacità di invenzione dei modelli

---

[23] Nel secondo quarto del VII sec. a.C. i tipi condivisi dalla produzioni veienti, ceretane e tarquiniesi ammontano al 9% del numero globale delle varietà di nuova introduzione; nella fase successiva la diminuzione di questo valore al 6% è ampiamente compensata dall'incidenza delle produzioni comuni a Tarquinia e Veio, pari al 13%, e di quelle che coinvolgono tutti i centri in esame ammontanti al 6%. Nella fase compresa tra il 625 e il 600 a.C. Veio, Cerveteri e Tarquinia condividono il 9% dei tipi, mentre il 2,5% è comune alle produzioni vulcente-veienti e vulcente-tarquiniesi (*tab. 1*).

[24] Tra il 625 e il 600 a.C. circa il 6% dei tipi di nuova introduzione è rappresentato da creazioni vulcenti, che si riagganciano stilisticamente all'esperienza della fase antica e media del periodo.

[25] La proposizione dei tipi condivisi cresce costantemente passando dal 38% (700-675 a.C.), al 44% (675-650 a.C.), per assestarsi all'85% (650-625 a.C.).

[26] Per gli anni tra il 700 e il 675 a.C. essi rappresentano il 65% circa, tra il 675 e il 650 a.C giungono al 90%; segue una flessione tra il 650 e il 625 a.C (33%), mentre tra il 625 il 600 a.C l'incidenza si assesta sul 52%.

[27] In modo speculare il fenomeno traspare anche attraverso l'incidenza detenuta dalle serie a durata breve e prolungata nell'ambito delle categorie dei tipi locali e condivisi; nelle produzioni ad ampia diffusione predominano le serie a lunga durata, sempre più importanti con il progredire del periodo (700-675 a-C.: 39%; 675-650 a.C.: 93%; 650-625 a.C.: 92%; 625-600 a.C.: 57%), mentre in quelle circoscritte ai singoli centri risultano prevalenti i tipi di breve uso (700-675 a-C.: 66%; 675-650 a.C.: 84%; 650-625 a.C.: 21%; 625-600 a.C.: 82%).

investa in primo luogo le serie che si mostrano maggiormente ancorate alle realtà locale; in altri termini si nota come in seno alle singole officine o, più generalmente, alle cerchie artigianali cittadine si susseguano delle produzioni mirate, che, per la loro durata "generazionale", è ipotizzabile coincidano anche parzialmente con il naturale avvicendarsi della manodopera[28].

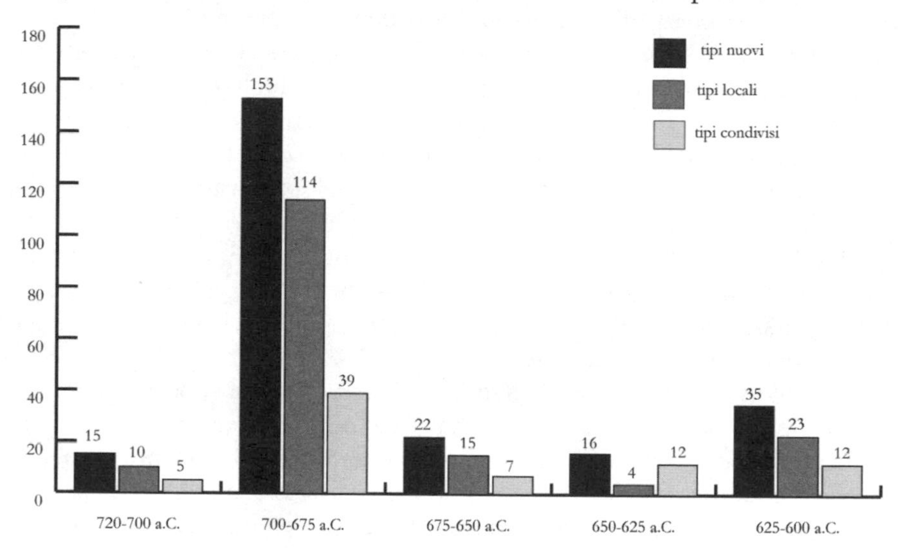

Fig. 8. Introduzione dei nuovi tipi (quantificazione per n. di tipi).

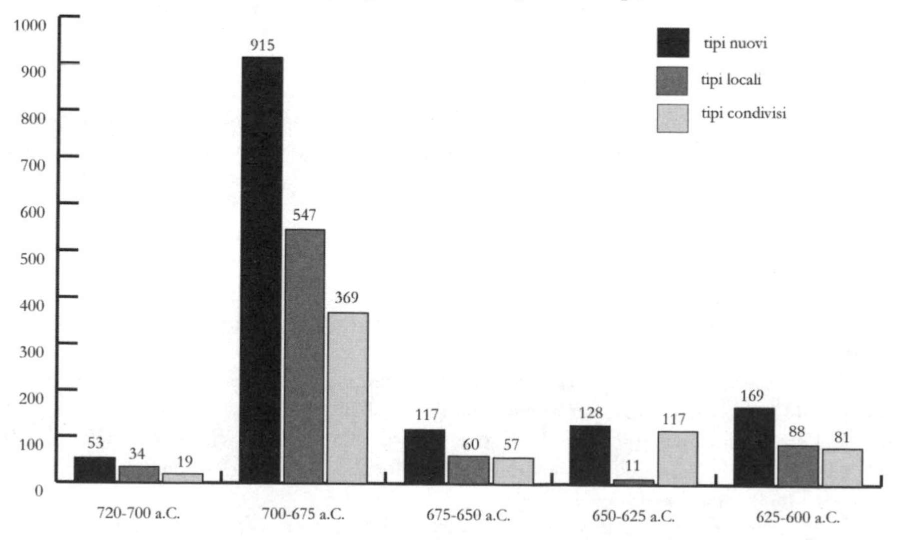

Fig. 9. Introduzione dei nuovi tipi (quantificazione per n. di exx.: tot. 1382).

[28] Il ricambio professionale, presupponendo infatti delle fasi di apprendistato e trasmissione del sapere e delle tradizioni della bottega, implica naturali sovrapposizioni nelle opere della maestranza.

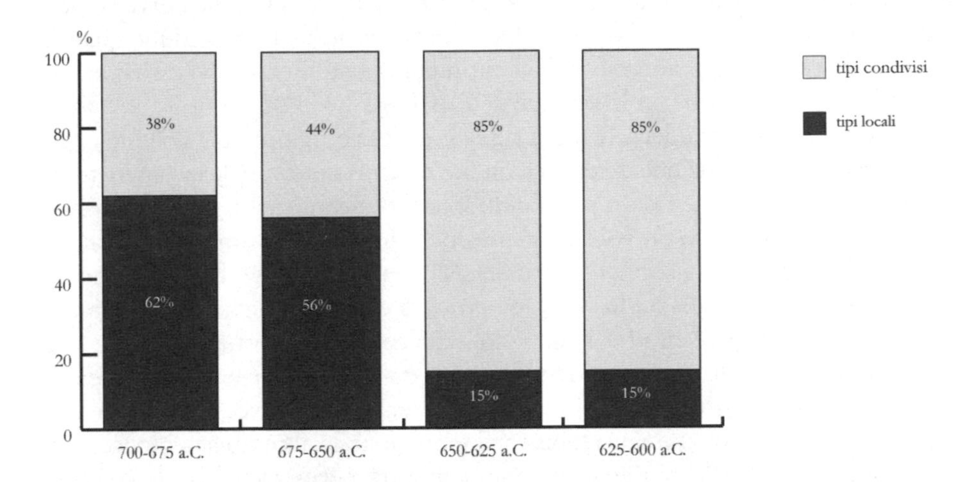

Fig. 10. Incidenza dei tipi condivisi e locali nelle produzioni di lunga durata (quantificazione per n. di exx.: tot. 700).

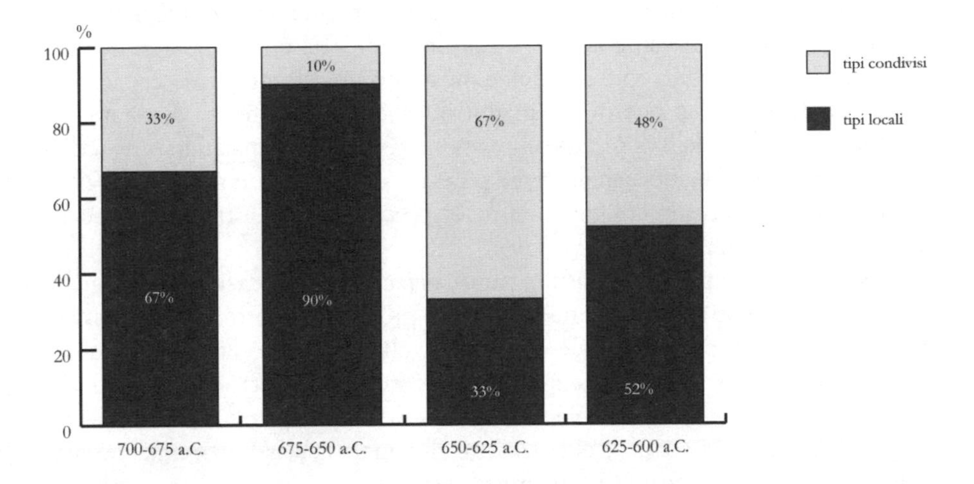

Fig. 11. Incidenza dei tipi locali e condivisi nelle produzioni di breve durata (quantificazione per n. di exx.: tot. 682).

La comparazione e l'integrazione dei diversi criteri adottati di selezione e elaborazione dei dati e, conseguentemente, delle distinte categorie di informazione da essi derivanti permettono di ricomporre con un maggior grado di approssimazione il quadro generale, con particolare attenzione agli aspetti concernenti i momenti iniziali e conclusivi dello sviluppo della classe.

Se si esamina il periodo compreso tra il 720 e il 675 a.C., si osserva come i tipi apparsi nella prima fase, riconducibili ancora ad una produzione quantitativamente limitata, non mostrino continuità nel momento successivo, esaurendosi grosso modo con lo scadere dell'VIII sec. a.C.[29].

Nel primo quarto del VII sec. a.C., la crescita vertiginosa del volume complessivo della produzione determina un incremento notevole della varietà tipologica. Sebbene i due fattori siano indubbiamente connessi, non è da sottovalutarsi il forte impatto provocato dal pressoché totale rinnovamento formale; la cesura così introdotta segna il discrimine fra una produzione di nicchia ancora intimamente legata alla tradizione geometrica di età villanoviana e una di grande diffusione portatrice di nuovi stili e sollecitazioni. È opportuno ribadire che l'esistenza di tale discontinuità è condizionata dalla scelta dei fattori considerati, concernenti innanzitutto l'ambito più strettamente produttivo; di conseguenza, se l'aumento del volume è un fenomeno inoppugnabile, il cambiamento formale rilevato ad un livello più generale non comporta necessariamente la completa rottura con i canoni precedenti: tipi e varietà possono infatti avvicendarsi senza tuttavia compromettere una comune adesione agli stessi modelli, come evidente nel caso della *Metopengattung* di marca vulcente-tarquiniese. In sintesi, nei primi anni del periodo orientalizzante all'interno di una forte continuità si affacciano nuove istanze, che giungono a piena maturazione in un momento centrale dell'orientalizzante antico, tra la fine dell'VIII e i primi anni del VII sec. a.C.: in questo orizzonte le officine mostrano una straordinaria capacità di ricezione degli stimoli esterni, innanzitutto veicolati dall'afflusso di ceramiche protocorinzie; i modelli di recente immissione vengono incanalati in serie fedelmente rispondenti agli originali, come palesato da gran parte delle produzioni tarquiniesi, o in altre in cui gioca un ruolo predominante la tradizione locale, come avviene in area ceretano-veiente.

Estremamente più arduo risulta puntualizzare le implicazioni ideologiche del fenomeno, che si inserisce nel quadro di più vasto respiro che interessa le trasformazioni di ordine sociale e culturale, che investono la società mediotirrenica di età alto orientalizzante[30]; certamente esso è inscindibile dall'accoglimento della pratica conviviale, che diviene una delle principali prerogative dello *status* delle aristocrazie ellenizzate e alla quale la classe in esame, in qualità di ceramica da mensa, è intimamente legata[31].

Il limite inferiore della produzione è invece caratterizzato da un maggior margine di gradualità. Sebbene alla fine del VII sec. a.C. si assista ad un cambiamento piuttosto evidente, testimoniato dal quasi totale abbandono dei tipi

---

[29] Il fenomeno è meno rigoroso nel vulcente, dove alcuni tipi caratteristici del momento iniziale dell'orientalizzante antico costituiscono i prototipi di serie ampiamente attestate nel corso delle fasi successive.

[30] Per un quadro di sintesi: Colonna 2000b.

[31] Sul banchetto e il consumo del vino, di recente: Delpino 2000; Bartoloni 2003, pp. 195-215.

in auge durante tutta l'età orientalizzante, i prodromi del fenomeno si avvertono già alla fine della fase media e con maggiore evidenza agli inizi della recente. Nell'ultimo quarto del VII sec. a.C., si registra un maggior grado di rinnovamento formale: le nuove varietà introdotte appaiono però strettamente connesse alle esperienze della seconda metà del secolo. Di pari passo cresce il volume e l'incidenza delle serie maggiormente standardizzate, che vedono, accanto all'adozione generalizzata di olle e coppe a fasce, oinochoai con raggi, piatti ad aironi, quest'ultimi circoscritti al distretto ceretano-veiente, la comparsa e la diffusone di skyphoi e kotylai ispirati a modelli TPC, che a partire dalla metà del secolo sostituiscono la più antica componente protocorinzia. L'esaurirsi della produzione italo-geometrica, alla fine del VII sec. a.C., è senza dubbio da mettersi in relazione con l'emergere di nuove classi, fra cui un ruolo determinante svolge la nascita e il prosperare della vasta produzione etrusco-corinzia. Quest'ultima, abbandonati gli elementi di tradizione greco-geometrica, che in un caratteristico attardamento erano perdurati per oltre un secolo, si pone in diretta continuità con la precedente tradizione attraverso la comune, seppure non esclusiva, ispirazione ai modelli corinzi, inizialmente TPC-Transizionali e poi propriamente corinzi, possibile anche grazie ad un "aggiornamento" favorito dalla crescita di importazione di vasellame verificatasi tra la metà del VII sec. a.C. e la metà del secolo successivo[32]. Il radicamento nelle esperienze elaborate dai singoli centri, comprendenti anche le serie in impasto e in bucchero con decorazione graffita[33], è mostrato nella fase iniziale etrusco-corinzia dalla diversificazione esistente tra le produzioni meridionali che, gravitanti su *Caere* e Veio, sono accomunate dalla preferenza accordata alla tecnica policroma, e quelle di Vulci, in cui prende avvio, invece, la tecnica a figure nere, secondo una dicotomia già evidenziata per la precedente produzione[34].

Il passaggio da una classe all'altra avviene in forma graduale, come testimonia la coesistenza delle diverse serie nei corredi databili tra il 630 e il 600 a.C. Tuttavia, una lettura del fenomeno come semplice "sostituzione" appare riduttiva e non tiene conto delle dinamiche interne alla produzione di ceramica italo-geometrica determinatisi già a partire dalla metà del VII secolo a. C. Dall'orientalizzante medio maturo si coglie, come più volte sottolineato, un crescente grado di standardizzazione tipologica e omologazione delle produzioni dei singoli centri, che, pur con le dovute eccezioni, sembra riflettere una posizione ambivalente della classe, in virtù della quale al largo consenso e al favore incontrato corrisponde un decremento del prestigio connesso al suo possesso. In quest'ottica ben si comprende la fortuna raccolta, come risposta alla richiesta di ceramiche fini, dalla nascente produzione etrusco-corinzia, innovativa da un punto di vista formale grazie all'adozione delle nuove tecniche e all'apertura a sollecitazioni differenti; di pari passo, la tendenza verso serie sempre più correnti e standar-

[32] Martelli 1987a, p. 23.

[33] Szilàgyi 1992, p. 62.

[34] Martelli 1987a, pp. 23-25.

dizzate, comune anche ad altre classi ceramiche, costituisce un substrato ideale nell'ambito della produzione in depurata per l'avvio della ceramica a bande. Quest'ultima segna un cambiamento con la tradizione precedente, ravvisabile nella preponderante ispirazione greco-orientale rivelata dall'analisi morfologica. Tale influsso, al quale non si dimostra del resto estranea la coeva produzione etrusco-corinzia[35], risulta in sostanziale accordo con la trasformazione avvenuta nei vettori e nei promotori dei contatti mediterranei, tra i quali già nell'ultimo quarto del VII sec. a.C. appare sempre più declinante la componente corinzia. Anche in questo caso, la cesura con il codice precedente appare temperata da alcuni elementi di continuità, seppure marginali, identificabili nella superficiale somiglianza data dalla decorazione lineare in toni dal rosso al nero, tipica della produzione più corrente orientalizzante, e nell'episodica accoglienza da parte di quest'ultima di sollecitazioni orientali[36].

All'interno del panorama tracciato rivestono una posizione particolare Tarquinia e ancor più Vulci. Nel primo centro la ceramica in analisi conserva il suo primato fra le produzioni locali di depurata fino alla fine del VII sec. a.C.; solo con gli inizi del VI sec. a.C., in significativa coincidenza cronologica con l'impianto del santuario di Gravisca, si registra infatti l'avvio tardivo di una locale produzione di ceramica etrusco-corinzia rappresentata dall'opera del Pittore Senza Graffito[37] e di ceramica a bande. Fondamentale appare il ruolo dell'emporio per l'arrivo di ceramica greco-orientale, ampiamente testimoniata nel santuario, cui si affianca, attraverso un processo di selezione dei modelli, una produzione locale, esclusiva nelle stratigrafie dell'abitato[38]. Meno incidente risulta invece la componente corinzia, che, ad un livello cronologico più alto inquadrabile nella seconda metà del VII sec. a.C., sembra non armonizzarsi compiutamente con le fonti letterarie, che proprio in quegl'anni collocano l'arrivo di Damarato e della sua cerchia a Tarquinia[39].

Più eclatante appare il caso di Vulci, in cui la precoce e quasi totale scomparsa della ceramica italo-geometrica alla metà del VII sec. a.C., esiguamente rappresentata nei decenni successivi, determina una lacuna coincidente pressappoco con il terzo quarto del secolo, colmata solo dall'avvio della ricchissima produzione locale etrusco-corinzia. L'assenza di ceramica depurata nei decenni in questione potrebbe forse trovare giustificazione in un duplice fattore: da un lato, l'esaurirsi dei moduli della tradizione geometrica locale incapace o impossibilitata ad aprirsi alle sollecitazioni protocorinzie, che alimentano le

---

[35] Colonna 1961, p. 17.

[36] Bagnasco Gianni 1999, in part. pp. 156-157.

[37] Colonna 1961, p. 83; Szilàgyi 1972, p. 46, 67; da ultimo Bruni 2009a, pp. 105-107.

[38] Bagnasco Gianni 1999, p. 157

[39] Sansica 1999, p. 196; Zevi 1969, p. 49, nota 21; più di recente Ridgway 1992, con ipotesi di contatti precedenti il trasferimento dell'aristocratico corinzio nel quadro di un consolidato sistema di rapporti commerciali.

serie degli alti centri, e dall'altro la parallela ascesa delle locali officine di bucchero, il cui successo può forse giustificarsi con l'apprezzamento accordato alla produzione di impasto e di ispirazione metallica.

VI. 3 Circolazione e diffusione della classe

Al di fuori del distretto etrusco-meridionale la circolazione della classe coinvolge in special modo le aree limitrofe meridionali, rappresentate dall'agro falisco-capenate e dal *Latium Vetus*.

Veio e Cerveteri si configurano come centri promotori della penetrazione: il fenomeno appare ovvio, se inserito in un più generale quadro di contatti, in cui emergono rapporti preferenziali fra le due sfere, vincolati alla presenza di agevoli vie di comunicazione, costituite dal sistema fluviale, e incentivati dall'interesse suscitato dalle zone meridionali di contatto greco.

L'altro dato da porre in evidenza è l'avvio precoce di produzioni locali, che trova ragione nella dimestichezza con le serie in depurata dipinta di tradizione geometrica maturata nella fase precedente, sia grazie all'arrivo di ceramiche allogene sia tramite la nascita di botteghe operanti *in loco*[40], come dimostrato nel caso di Roma[41].

Divergente è il quadro restituito dall'Etruria settentrionale. In questo comparto, con particolare attenzione alla fascia mineraria costiera, alle sporadiche ed episodiche importazioni meridionali non risponde l'avvio di una produzione locale.

La limitatezza numerica dei materiali, gravata dall'assenza di pubblicazioni esaustive per molti dei complessi funerari in questione, penalizza la possibilità di individuare con certezza l'eventuale esistenza di canali preferenziali di irradiamento della classe. È possibile avanzare solo qualche osservazione particolare: se nel corso della prima metà del VII sec. a.C. risulta attestata la presenza di importazioni vulcenti[42] e con ogni probabilità tarquiniesi[43], esse scompaiono o per lo meno non sono verificabili nel cinquantennio successivo. Esemplificativo

---

[40] Per l'agro falisco: Baglione, De Lucia Brolli 1997, pp. 162-163.

[41] Colonna 1977; La Rocca 1978; Colonna 1980; *Formazione* 1980, pp. 105, 107-108, 128; Colonna 1988, pp. 290-300, 306-307.

[42] Sicuramente a questo centro è riconducibile un'oinochoe fortemente frammentaria, attribuibile al tipo Aa 6b-c, rinvenuta nel corso delle recenti indagini condotte dall'Università di Roma (prof.ssa G. Bartoloni) nella necropoli populoniese di Poggio delle Granate, nella t. PPG 15 (Ten Kortenaar *et al.* 2006, p. 341); si ricorda inoltre il recente rinvenimento, nell'abitato orientalizzante di Poggio del Telegrafo, di un frammento di olla-cratere, forse di importazione, segnalatomi dalla prof.ssa G. Bartoloni, e di un fondo di brocchetta dal deposito rituale puntualmente databile nell'orientalizzante antico (Acconcia, Bartoloni 2007, pp. 22-23, fig. 8.8).

[43] L'appartenenza, tutt'altro che certa, a fabbriche tarquiniesi è ipotizzabile per l'oinochoe avvicinabile al tipo Aa 1c, deposta nella t. vetuloniese delle Tre Navicelle (O. Paoletti, in *Portoferraio* 1985, pp. 73-74, n. 216) e per uno skyphos a sigma (tipo Ba 3b) adespota da Populonia,

è il nucleo di ceramiche depurate restituito dalla tomba dei Vasi Fittili della necropoli populoniese delle Granate, in cui alla sicura paternità ceretano-veiente di un attingitoio decorato a fasce non è possibile associare un'altrettanto certa provenienza per lo skyphos con decorazione a tratti che, assieme al suo omologo restituito da un complesso della necropoli della Porcareccia, è riconducibile ad un tipo (Bc 1a) largamente diffuso nei siti etrusco-meridionali[44].

In linea più generale il repertorio ceramico, ancorato alla produzione in impasto poi affiancata da quella in bucchero, risulta refrattario all'impiego di ceramica depurata fino all'orientalizzante recente, quando il dilagare della produzione etrusco-corinzia conquista anche i mercati settentrionali[45]. Alla luce di queste considerazioni, il fenomeno non sembra imputabile all'assenza di contatto con le aree di produzione primaria, peraltro testimoniata dalla circolazione e diffusione di altre classi di materiale e, restando nel campo della produzione ceramica, dalla precoce recezione di tecnologie e modelli meridionali su cui si esemplificano rigogliose produzioni locali: basti pensare alle realizzazioni in bucchero, nelle quali, con spiccati caratteri di originalità, trovano largo spazio forme tipiche del repertorio locale[46], o in impasto rosso, per lo più limitato

entrambi appartenenti a tipi con attestazioni sia nel vulcente, per il primo, che nel ceretano, per il secondo. S. Bruni ha inoltre riconosciuto come tarquiniese un frammento di skyphos derivato dalle coppe tipo *Thapsos*, trovato negli scavi urbani di Pisa che, aggiungendosi alle testimonianze rinvenute da A. Maggiani a San Rocchino-Massarosa, comprendenti imitazioni di emispherical kotylai tardo-geometriche corinzie (Maggiani 1998, p. 57, nn. 1-4, fig. 5c, tav. V), e ai frammenti segnalati da G. De Marinis per Firenze (De Marinis 1996, p. 37; Bruni 1994, p. 294, nota 2), arricchisce il quadro delle testimonianze per la zona più settentrionale (Bruni 2004, pp. 233-234, fig. 1.3, con bibl.); si ricorda inoltre la presenza di ceramiche etrusco-geometrica nel sito di Casale alla foce del Cecina (Maggiani 2006, p. 436).

[44] Martelli 1981, pp. 402-404, con riferimenti bibliografici; si vedano inoltre i commenti ai tipi di appartenenza (cap. II.3).

[45] Sebbene mitigata, una tendenza simile sembra riscontrabile anche nelle aree interne: esemplificativo il caso di Chiusi dove la produzione di serie in depurata fino all'orientalizzante recente resta un fenomeno marginale (Minetti 2004, pp. 438-439). Nell'alta Val d'Elsa solo verso la fine del VII sec. a.C. compaiono nei corredi funerari rari esemplari subgeometrici, per lo più olle stamnoidi, che affiancano i più consistenti prodotti etrusco-corinzi (Cianferoni 2002, p. 100, nota 42.)

[46] Nel massetano la produzione locale di calici ed ollette in bucchero e in impasto buccheroide è stata ricondotta all'opera di un artigiano verosimilmente spostatosi da *Caere* in epoca tardo orientalizzante (Camporeale 1995); gli stessi modelli ceretani, molto plausibilmente veicolati da un artigiano meridionale, agiscono sul noto kyathos di Monteriggioni (Cristofani 1972), che lungi dal rappresentare un esperienza isolata si ricollega ad una nutrita serie di kyathoi attestati nei centri dell'Etruria settentrionale costiera (Roselle, Vetulonia, Populonia e Volterra), da ricondursi, secondo quanto recentemente avanzato da M. Bonamici, ad altrettante botteghe locali, avviate da immigrati etrusco-meridionali attorno alla metà del VII sec. a.C., come verificato nel caso di Volterra (Bonamici 2003b, pp. 199-201, con bibl. relativa ai centri citati). Sulla produzione settentrionale in bucchero e le sue relazioni con le officine e le maestranze ceretane, con particolare riguardo ai tipi di kyathoi ricordati: Sciacca 2003, pp. 93-118, in part. pp. 115-118; Cappuccini 2007, con bibl. Su alcune serie vetuloniesi con decorazione a stampigli: Gregori 1991. Per un quadro aggiornato sul bucchero populoniese: Acconcia *et al.* cds.

alle consuete olle globulari[47]. Ampliando il discorso ad un più vasto quadro di contatti, è necessario ricordare che anche il distretto settentrionale risulta coinvolto nella circolazione di ceramiche greche protocorinzie[48]; la loro presenza è stata attribuita ad un interpolazione etrusco-meridionale, che si inserisce in un più vasto quadro di gestione dei traffici nel medio e alto Tirreno in età orientalizzante. In particolare Cerveteri, rappresentando la porta al mare etrusco, deve aver rivestito un ruolo centrale nel controllo nei traffici dei naviganti provenienti da sud, in primo luogo greci, attratti dalle risorse minerarie toscane, attraverso accordi con i centri minerari[49]. Se la partecipazione ceretana nella gestione e nel controllo di questa rotta settentrionale appare fondamentale nella seconda metà del VII sec. a.C.[50], il momento precedente offre uno scenario più articolato che vede, l'attivazione della rotta di cabotaggio alto-tirrenica alla fine dell'VIII sec. a.C. forse ad opera della marineria greca, cui si somma precocemente l'elemento etrusco-meridionale, probabilmente d'estrazione vulcente[51].

Se confrontata con la situazione delle aree di irradiamento della classe in esame, *Latium Vetus* e agro falisco, l'assenza di un contatto continuo e radicato con il mondo greco appare come l'elemento discriminate: in altri termini è plausibile ipotizzare che ceramiche greche e di tipo greco, quali dovevano essere percepite le produzioni etrusco-meridionali, non abbiano mai perso la loro connotazione esotica, non riuscendo dunque, a conquistare uno spazio nella vasta produzione etrusco-settentrionale, incentrata sugli impasti e ancorata al patrimonio di VIII sec. a.C.. Tale ipotesi non preclude del resto il condizionamento esercitato dall'aspetto più propriamente tecnologico, connesso ad una possibile scarsa dimestichezza degli artigiani settentrionali con metodi e tecniche di lavorazione e di cottura delle argille depurate.

---

[47] ACCONCIA 2004, pp. 171-173, per il sito di Monteriggioni-Campassini (SI); da quest'ultimo insediamento provengono, inoltre, attestazioni di ceramiche *red on white* ricondotte all'influenza esercitata dal vicino centro di Volterra, dove è documentata una locale e precoce produzione della classe, che, per la raffinatezza tecnica, sembra imputabile più che all'imitazioni di vasellame importato al trasferimento di maestranze etrusco-meridionali (BONAMICI, PISTOLESI 2003, pp. 192-193).

[48] DEHL 1984, da integrare con MARTELLI 1989, pp. 801-803, nn. XXXIV-XL; per Populonia: MARTELLI 1981, pp. 402-404.

[49] CRISTOFANI 1983, pp. 243-244; BONAMICI 2000, p. 76; sul ruolo di Cerveteri: COLONNA 2000a, pp. 46-47.

[50] BONAMICI 2000, p. 79.

[51] MAGGIANI 2006, pp. 434-439.

Appendice 1
Elenco degli esemplari inediti*

Aryballoi

1. Veio, Macchia della Comunità t. 14, (V.MC.14/1). Tipo 1.
Museo di Villa Giulia, (depositi SBAEM). N. inv. 38034. Integro. H 11,9; diam. 4,4; diam. fondo 4. Argilla giallo-camoscio. GALANTE 2002.
2. Veio, Macchia della Comunità t. 33, (V.MC.33/1). Tipo 1. *(tav. 1.1)*
Museo di Villa Giulia, (depositi SBAEM). N. inv. 38192. Integro. H 14; diam. 4,5. Argilla giallo-rosato con ingubbiatura crema. NERI 2002.
3. Veio, Macchia della Comunità t. 44, (V.MC.44). Tipo 1.
Museo di Villa Giulia, (depositi SBAEM). N. inv. 38366. Integrato nel ventre. H 12,6; diam. 4,4. NERI 2002.
4. Veio, Pozzuolo t. 2, (V.Pz.2/1). Tipo 1.
Museo di Villa Giulia, (depositi SBAEM). N. 6. Integro. H 6,7; diam. 2,4. Argilla giallina. MARCHETTI 1999.
5. Veio, Pozzuolo t. 10, (V.Pz.10/1). Tipo 2a.
Museo di Villa Giulia, (depositi SBAEM). N. 5. Mancante dell'ansa e del collo. Diam. fondo 2,6. Argilla crema. MARCHETTI 1999.
6. Veio, Macchia della Comunità t. 31, (V.MC.31/1). Avvicinabile al tipo 2a.
Museo di Villa Giulia, (depositi SBAEM). N. inv. 38169. Ricomposto da frammenti. H 7,8; diam. 2,6; diam. fondo 1,3. Argilla rosata. GALANTE 2002.
7. Veio, Macchia della Comunità t. 35, (V.MC.35/1). Tipo 2b.
Museo di Villa Giulia, (depositi SBAEM). N. inv. 38246. Integro. H 7,5; diam. 3,2. Argilla rosata. GALANTE 2002.
8. Veio, Macchia della Comunità t. 44, (V.MC.44/1). Tipo 2b.
Museo di Villa Giulia, (depositi SBAEM). N. inv. 38373. Integro. H. 7,8; diam. 3,2. Argilla gialla. NERI 2002.
9. Veio, Macchia della Comunità t. 44, (V.MC.44/2). Tipo 2b. *(tav. 1.3)*
Museo di Villa Giulia, (depositi SBAEM). N. inv. 38374. Integro. H. 7,6; diam. 3,4. Argilla gialla. NERI 2002.
10. Veio, Macchia della Comunità t. 44, (V.MC.44/3). Tipo 2b.
Museo di Villa Giulia, (depositi SBAEM). N. inv. 38375. Integro. H. 6,2; diam. 3,8. Argilla gialla. NERI 2002.
11. Veio, Macchia della Comunità, t. 44, (V.MC.44/4). Tipo 2b variante. *(tav. 1.4)*
Museo di Villa Giulia, (depositi SBAEM). N. inv. 38376. Integro. H. 6,2; diam. 3. Argilla arancio chiaro. NERI 2002.
12. Veio, Macchia della Comunità t. 33, (V.MC.33/2). Tipo 2c.
Museo di Villa Giulia, (depositi SBAEM). N. inv. 38197. Integro. H 7,4; diam. 2,8. NERI 2002.
13. Veio, Macchia della Comunità t. 44, (V.MC.44/5). Tipo 2c. *(tav. 1.6)*
Museo di Villa Giulia, (depositi SBAEM). N. inv. 38372. Lacunoso: mancante di una piccola porzione del labbro. H. 8,2; diam. 2,4. Argilla camoscio chiaro. NERI 2002.

Askoi

14. Veio (provenienza incerta: didascalia apposta sul retro di una foto polaroid), (V.a/1 bis). Tipo 1. (*tavv. 2.1, 33.7)*

* Le misure sono espresse in cm.

Collocazione sconosciuta. Integro. Labbro svasato; bocca trilobata; collo cilindrico; corpo compresso; ansa a nastro a ponte. Decorazione plastica: serpente dalla testa triangolare applicato sull'ansa. Decorazione dipinta in bruno: sul collo doppia fila di triangoli alternatamente eretti e pendenti; sul corpo, al di sotto di tre linee, teoria di aironi retrospicienti.

Oinochoai

15. Veio, Macchia della Comunità t. 33, (V.MC.33/3). Tipo Cb 4c variante. *(tav. 8.12)*
Museo di Villa Giulia, (depositi SBAEM). N. inv. 38191. Integra. H. 22,3; diam. 8. Argilla giallo-rosato; ingubbiatura giallina. NERI 2002.
16. Veio, Macchia della Comunità t. 13, (V.MC.13/1). Tipo Cb 4d.
Museo di Villa Giulia, (depositi SBAEM). N. inv. 37998. Ricomposta da frammenti; lacune sulla spalla. H 26 diam. 8,8; diam. fondo 6,7. Argilla giallo-camoscio. GALANTE 2002.
17. Veio, Macchia della Comunità t. 13, (V.MC.13/2). Tipo Cb 4d.
Museo di Villa Giulia, (depositi SBAEM). N. inv. 37996. Ricomposta da frammenti; lacune sulla spalla. H 28,3 diam. 7,4; diam. fondo 6,9. Argilla giallo-camoscio. GALANTE 2002.
18. Veio, Macchia della Comunità t. 13, (V.MC.13/3). Tipo Cb 4d.
Museo di Villa Giulia, (depositi SBAEM). N. inv. 37997. Frammentaria: si conserva solo la parte superiore. H max. cons., 17; diam. 8,3. Argilla giallo-verdognolo. GALANTE 2002.
19. Veio, Macchia della Comunità t. 39, (V.MC.39/1). Tipo Cb 4d.
Museo di Villa Giulia, (depositi SBAEM). N. inv. 38290. Ricomposta da alcuni frammenti; spalla integrata. H 31; diam. 10,4. Argilla rosata con ingubbiatura crema. NERI 2002.
20. Veio, Macchia della Comunità t. 39, (V.MC.39/2). Tipo Cb 4d. *(tav. 9.1)*
Museo di Villa Giulia, (depositi SBAEM). N. inv. 38291. Integra. H 27,2; diam. 9.6. Argilla giallo-rosata. NERI 2002.
21. Veio, Macchia della Comunità t. 64, (V.MC.64/1). Tipo Cb 4d.
Museo di Villa Giulia, (depositi SBAEM). N. inv. 38562. Ricomposta da due frammenti. H 23,5; diam. 6,5; diam. fondo 5,8. Argilla giallo chiaro con ingubbiatura chiara. MAGLIARO 2008.
22. Veio, Pozzuolo t. 1, (V.Pz.1/1). Tipo Cb 4d.
Museo di Villa Giulia, (depositi SBAEM). N. 8. Ricomposta da frammenti; lacune sul labbro e sull'orlo. H 27,5; diam. max. 14,7. Argilla giallina. MARCHETTI 1999.
23. Veio, Pozzuolo t. 2, (V.Pz.2/2). Tipo Cb 4d variante.
Museo di Villa Giulia, (depositi SBAEM). N. 1. Ricomposta da frammenti; lacune sul labbro e sul corpo. H 21,9; diam. max. 17,4. Argilla giallina. MARCHETTI 1999.
24. Veio, Macchia della Comunità t. 34, (V.MC.34/1). Tipo Cb 4e.
Museo di Villa Giulia, (depositi SBAEM). N. inv. 38224. Integra. H 27,4; diam. 10. Argilla rosata. NERI 2002.
25. Veio, Macchia della Comunità t. 34, (V.MC.34/2). Tipo Cb 4e. *(tav. 9.3)*
Museo di Villa Giulia, (depositi SBAEM). N. inv. 38225. Integrata nel labbro e nell'attacco superiore dell'ansa. H 28; diam. 10. Argilla crema-rosata. NERI 2002.
26. Veio, Pozzuolo t. 3, (V.PZ.3/1). Tipo Cb 4.
Museo di Villa Giulia, (depositi SBAEM). N. 7. Frammentaria. Argilla giallina. MARCHETTI 1999.
27. Veio, Pozzuolo t. 7, (V.PZ.7/1). Tipo Cb 4.

Museo di Villa Giulia, (depositi SBAEM). N. 4. Ricomposta da frammenti, mancante di oltre metà del ventre. H 17,6; diam. collo 5. Argilla crema. MARCHETTI 1999.

28. Veio, Macchia della Comunità t. 12, (V.MC.12/1). Tipo Cc 1b.
Museo di Villa Giulia, (depositi SBAEM). N. inv. 37958. Lacunosa: mancante di parte della bocca e del collo. H max 18,2; diam. 7,5; diam. fondo 4,6. Argilla rosa. GALANTE 2002.
29. Veio, Macchia della Comunità t. 21, (V.MC.21/1).
Museo di Villa Giulia, (depositi SBAEM). N. inv. 38055. Frammenti pertinenti alla parte superiore. Argilla giallina. GALANTE 2002.
30. Veio, Pozzuolo t. 2, (V.Pz.2/3).
Museo di Villa Giulia, (depositi SBAEM). N. 8a. Frammento di ventre con piede ad anello. Argilla giallina. MARCHETTI 1999.

Anfore

31. Veio (provenienza incerta: didascalia apposta sul retro di una foto polaroid), (V.a/1). Tipo Ab 3a. *(tav. 33.7)*
Collocazione sconosciuta. Breve labbro a tesa orizzontale; ampio collo lievemente concavo; corpo ovoide con spalla e ventre arrotondati; piede a tromba; anse a doppio bastoncello verticali impostate sul terzo superiore del collo e sopra la spalla. Decorazione dipinta in rosso-bruno: sul collo doppia fila di triangoli pieni allungati alternatamente eretti e pendenti, in basso linee orizzontali; sulla metà superiore del corpo, fregio figurato del quale sono visibili un grande albero frondoso, la zampa posteriore e la coda campita a tratti obliqui di un probabile cavallo; al di sotto, tra due coppie di linee, catena di brevi cuspidi, e presso l'attacco del piede due fasce; sul piede due fasce; anse dipinte.
32. Veio, Pozzuolo t. 1, (V.Pz.1/2). Avvicinabile al tipo Ab 5a.
Museo di Villa Giulia, (depositi SBAEM). Ricomposta da frammenti. H 56; diam. 24. Argilla giallina. MARCHETTI 1999.
33. Veio, Riserva del Bagno t. II, (V.R.II/1). Avvicinabile al tipo Ab 5b.
Museo di Villa Giulia, (depositi SBAEM). Frammentaria: si conserva solo il collo con un'ansa. H 12,5. Argilla chiara. MASSIMO 1973.
34. Veio, Macchia della Comunità t. 34, (V.MC.34/3). Tipo Ab 5c.
Museo di Villa Giulia, (depositi SBAEM). N. inv. 38222. Ricomposta da due frammenti. H 49,1; diam. 17,4. Argilla rosata. NERI 2002.
35. Veio, Macchia della Comunità t. 34, (V.MC.34/4). Tipo Ab 5c.
Museo di Villa Giulia, (depositi SBAEM). 38223. Ricomponibile da frammenti. H 49; diam. 17,3. Argilla rosata. NERI 2002.
36. Veio, Pozzuolo t. 2, (V.Pz.2/5). Gruppo Ab.
Museo di Villa Giulia, (depositi SBAEM). N. 8c. Argilla giallina. Tre frammenti di piede a tromba, decorato da una fascia rossa dipinta. MARCHETTI 1999.
37. Veio, Pozzuolo t. 2, (V.Pz.2/6). Gruppo Ab.
Museo di Villa Giulia, (depositi SBAEM). N. 8d. Argilla giallina. Due frammenti di labbro a tesa, con attacco di ansa a doppio bastoncello, decorati da una fascia rossa dipinta; forse pertinenti all'ex. prec. MARCHETTI 1999.
38. Veio, Pozzuolo t. 4, (V.Pz. 4/1). Gruppo Ab.
Museo di Villa Giulia, (depositi SBAEM). N. 27d. In frammenti. Diam. 20. Argilla giallina. MARCHETTI 1999.
39. Veio, Pozzuolo t. 6, (V.Pz. 6/1). Gruppo Ab.
Museo di Villa Giulia, (depositi SBAEM). N. 22. Diam. fondo 16. Argilla giallina. Frammenti di piede a tromba dipinto di rosso, di anse a nastro verticali con costolatura

mediana e di spalla decorata da fasce dipinte in rosso. MARCHETTI 1999.

40. Veio, Macchia della Comunità t. 24, (V.MC.24/1). Tipo Bc 2a.
Museo di Villa Giulia, (depositi SBAEM). N. inv. 38073. Integra, ad eccezione di un'ansa mancante. H 30,8; diam. 14,5; diam. fondo 7,1. Argilla giallo camoscio. GALANTE 2002.
41. Veio, Macchia della Comunità t. 24, (V.MC.24/2). Tipo Bc 2a.
Museo di Villa Giulia, (depositi SBAEM). N. inv. 38072. Integra. H 35,4; diam. 13,2; diam. fondo 8,5. Argilla giallo camoscio. GALANTE 2002.
42. Veio, Macchia della Comunità t. 21, (V.MC.21/3). Gruppo Bc.
Museo di Villa Giulia, (depositi SBAEM). N inv. 38056. Frammenti pertinenti al settore superiore di un'anfora. Argilla giallo rosato. GALANTE 2002.

Situle

43. Veio, Macchia della Comunità t. 33, (V.MC.33/4). Tipo 2a. *(tav. 16.12)*
Museo di Villa Giulia, (depositi SBAEM). N. inv. 38193. Lacunosa: mancante della parte superiore e dell'ansa; ventre integrato. H 14,8. Argilla rosata. NERI 2002.
44. Veio, Macchia della Comunità t. 64, (V.MC.64/3). Tipo 2a.
Museo di Villa Giulia, (depositi SBAEM). N. inv. 38564. Ricomposta da frammenti; mancante dell'ansa. H 14,6; diam. 6; diam. fondo 4,6. Argilla rosa chiaro con ingubbiatura chiara. MAGLIARO 2008.
45. Veio, Pozzuolo t. 10, (V.Pz.10/2). Tipo 2a.
Museo di Villa Giulia, (depositi SBAEM). N. 4. Mancante dell'ansa. Diam. 4,6. Argilla giallo chiaro. MARCHETTI 1999.
46. Veio, Macchia della Comunità t. 31, (V.MC.31/2). Tipo 2b.
Museo di Villa Giulia, (depositi SBAEM). N. inv. 38164. Integro. H 21,4; diam. 6,4, diam. fondo 4. Argilla camoscio. GALANTE 2002.
47. Veio, Macchia della Comunità t. 44, (V.MC.44/6). Tipo 2b. *(tav. 16.13)*
Museo di Villa Giulia, (depositi SBAEM). N. inv. 38365. Integro. H 7,4; diam. 5,6. Argilla camoscio lucida. NERI 2002.
48. Veio, Macchia della Comunità t. 64, (V.MC.64/2). Tipo 2b.
Museo di Villa Giulia, (depositi SBAEM). N. inv. 38568. Ricomposta da frammenti; mancante dell'ansa. H 15,96; diam. 4,3; diam. fondo 3,4. Argilla rosa chiaro con ingubbiatura chiara. MAGLIARO 2008.

Olle

49. Veio, Macchia della Comunità t. 71, (V.MC.71/1). Tipo Ba 3.
Museo di Villa Giulia, (depositi SBAEM). N. inv. 38665. Integra, superficie abrasa. H. h 17,1; diam. 12,8; diam. fondo 7. Argilla giallina. MAGLIARO 2008.
50. Veio, Macchia della Comunità t. 24, (V.MC.24/3). Tipo Bc 1.
Museo di Villa Giulia, (depositi SBAEM). N. inv. 38091. Mancante di un'ansa. H 25,2; diam. 12,3; diam. fondo 7,9. Argilla rosa. GALANTE 2002.
51. Veio, Macchia della Comunità t. 47, (V.MC.47/1). Tipo Bc 2. *(tav. 17.13)*
Museo di Villa Giulia, (depositi SBAEM). N. inv. 38403. Integra. H 11,6; diam.. 9. Argilla crema. NERI 2002.
52. Veio, Macchia della Comunità t. 44, (V.MC.44/7). Tipo Cd 1b *(tav. 18.11).*
Museo di Villa Giulia, (depositi SBAEM). N. inv. 38359. Integra. H 19,4; diam. 9,2. Argilla camoscio lucida. NERI 2002.
53. Veio, Macchia della Comunità t. 49, (V.MC.49/1). Tipo Cd 1b.

Museo di Villa Giulia, (depositi SBAEM). N. inv. 38430. Mancante del fondo. H max. cons. 20,6; diam. 11. Argilla giallo-beige. NERI 2002.

54. Veio, Riserva del Bagno t. II, (V.R.II/2). Tipo Ce 2a.
Museo di Villa Giulia, (depositi SBAEM). MASSIMO 1973.
55. Veio, Riserva del Bagno t. III, (V.R.III/1). Tipo Ce 2a.
Museo di Villa Giulia, (depositi SBAEM). MASSIMO 1973.
56. Veio, Riserva del Bagno t. II, (V.R.II/3). Tipo Ce 2b.
Museo di Villa Giulia, (depositi SBAEM). MASSIMO 1973.
57. Veio, Macchia della Comunità t. 44, (V.MC.44/8). Tipo Dc 1b. *(tav. 20.4)*
Museo di Villa Giulia, (depositi SBAEM). N. inv. 38360. Integra. H 15,4; diam. 10,2. Argilla giallo camoscio lucida. NERI 2002.
58. Veio, Macchia della Comunità t. 56, (V.MC.56/1). Tipo Dc 2a.
Museo di Villa Giulia, (depositi SBAEM). N. inv. 38446. Ricostruita da frammenti; mancante di parte del labbro. H 6; diam. 5,2. Argilla giallo-rosata. NERI 2002.
59. Veio, Pozzuolo t. 8, (V.Pz.8/1). Tipo Dc 2a.
Museo di Villa Giulia, (depositi SBAEM). N. 6. Ricostruita da frammenti. H. 9,4; diam. 8. Argilla crema. MARCHETTI 1999.
60. Veio, Macchia della Comunità t. 12, (V.MC.12/2). Tipo Dc 2b.
Museo di Villa Giulia, (depositi SBAEM). N. inv. 37964. Integra. H 8,6; diam. 7,9; diam. fondo 4,8. Argilla giallo-crema. GALANTE 2002.
61. Veio, Macchia della Comunità t. 15, (V.MC.15/1). Tipo Dc 2b.
Museo di Villa Giulia, (depositi SBAEM). N. inv. 38040. Integra. H 11,4; diam. 9,3; diam. fondo 5,1. Argilla giallo-rosato con ingubbiatura chiara. GALANTE 2002.
62. Veio, Macchia della Comunità t. 42, (V.MC.42/1). Tipo Dc 2b. *(tav. 20.7)*
Museo di Villa Giulia, (depositi SBAEM). N. inv. 38330. Integrata nell'ansa. H 10,5; diam. 7,6. Argilla giallo-rosata. NERI 2002.
63. Veio, Macchia della Comunità t. 67, (V.MC.67/1). Tipo Dc 2b.
Museo di Villa Giulia, (depositi SBAEM). N. inv. 38633. Integra. H 10,6, diam. 8,1, diam. fondo 5,2. Argilla giallo-camoscio. MAGLIARO 2008.
64. Veio, Macchia della Comunità t. 15, (V.MC.15/2). Tipo Dc 2c.
Museo di Villa Giulia, (depositi SBAEM). N. inv. 38041. Ricomposta da frammenti. H 12,6; diam.. 8,3; diam. fondo 6. Argilla giallo-rosato con ingubbiatura chiara. GALANTE 2002.
65. Veio, Pozzuolo t. 9, (V.Pz.9/1). Tipo Dc 2c.
Museo di Villa Giulia, (depositi SBAEM). N. 18. Ricomposta da frammenti. H 17,2; diam. 11,1. Argilla crema. MARCHETTI 1999.
66. Veio, Macchia della Comunità t. 13, (V.MC.13/4). Tipo Dc 2d.
Museo di Villa Giulia, (depositi SBAEM). N. inv. 37995. Integra. H 20,1; diam. 11,4; diam. fondo 8,5. Argilla giallina. GALANTE 2002.
67. Veio, Pozzuolo t. 1, (V.Pz.1/3). Tipo Dc 2d.
Museo di Villa Giulia, (depositi SBAEM). N. 6a. Ricomposta da frammenti. H 19,6; diam. 11,6. Argilla giallina. MARCHETTI 1999.
68. Veio, Macchia della Comunità t. 35, (V.MC.35/2). Tipo Dc 2e.
Museo di Villa Giulia, (depositi SBAEM). N. inv. 38242. Ricomposta da frammenti, fondo integrato. H 33,4; diam. 13,4. Argilla giallo-rosata. NERI 2002.
69. Veio, Macchia della Comunità t. 35, (V.MC.35/3). Tipo Dc 2e. *(tav. 20.11)*
Museo di Villa Giulia, (depositi SBAEM). N. inv. 38243. Ricomposta da frammenti, fondo integrato. H 33,6; diam. 13,3. Argilla giallo-rosata. NERI 2002.
70. Veio, Pozzuolo t. 1, (V.Pz.1/5). Tipo Dc 2.
Museo di Villa Giulia, (depositi SBAEM). N. 6b. Frammenti. Diam. 9,8. Argilla giallina. MARCHETTI 1999.

71. Veio, Pozzuolo t. 4, (V.Pz.4/2). Tipo Dc 2.
Museo di Villa Giulia, (depositi SBAEM). N. 6. Frammenti. Diam. 10. Argilla giallina. Marchetti 1999.
72. Veio, Pozzuolo t. 7, (V.Pz.7/3). Tipo Dc 2.
Museo di Villa Giulia, (depositi SBAEM). N. 1. Frammenti. Diam. 10. Argilla crema. Marchetti 1999.
73. Veio, Macchia della Comunità t. 14, (V.MC.14/2). Tipo Dc 4a variante.
Museo di Villa Giulia, (depositi SBAEM). N. inv. 38035. Integra. H 18,3; diam. 11,1; diam. fondo 6. Argilla giallo-camoscio. Galante 2002.
74. Veio, Pozzuolo t. 1, (V.Pz.1/4). Tipo Dc 4a variante.
Museo di Villa Giulia, (depositi SBAEM). N. 5. Ricomposta da frammenti. H 27,8; diam. 12. Argilla giallina. Marchetti 1999.
75. Veio, Macchia della Comunità t. 33, (V.MC.33/5). Gruppo Dc.
Museo di Villa Giulia, (depositi SBAEM). N. inv. 38196. Integrata nel ventre. H 7,6; diam. 7. Argilla giallo-camoscio. Neri 2002.
76. Veio, Macchia della Comunità t. 64, (V.MC.64/4). Tipo Dd 1a.
Museo di Villa Giulia, (depositi SBAEM). N. inv. 38558. Ricomposta da frammenti. H 16,4; diam. 11,1; diam. fondo 8,4. Argilla giallo-crema. Magliaro 2008.
77. Veio, Pozzuolo t. 10, (V.Pz.10/3). Tipo Dd 1b.
Museo di Villa Giulia, (depositi SBAEM). N. 1. Ricomposta da frammenti. H 19; diam. 11,6. Argilla giallo-crema. Marchetti 1999.
78. Veio, Macchia della Comunità t. 62, (V.MC.62/1). Tipo Dd 1c.
Museo di Villa Giulia, (depositi SBAEM). N. inv. 38543. Ricomposta da frammenti. H 20, diam. 11,5; diam. fondo 7,3. Argilla giallo-crema. Magliaro 2008.
79. Veio, Macchia della Comunità t. 62, (V.MC.62/2). Tipo Dd 1c.
Museo di Villa Giulia, (depositi SBAEM). N. inv. 38511. Lacunosa, mancante di parte del labbro. H 21,6; diam. 10,3; diam. fondo 8,5. Argilla giallo verdognola. Magliaro 2008.
80. Veio, Macchia della Comunità t. 64, (V.MC.64/5). Tipo Dd 1c.
Museo di Villa Giulia, (depositi SBAEM). N. inv. 38555. Mancante di un'ansa. H 20; diam. 11,6; diam. fondo 7,2. Argilla giallo-crema. Magliaro 2008.
81. Veio, Macchia della Comunità t. 64, (V.MC.64/6). Tipo Dd 1c.
Museo di Villa Giulia, (depositi SBAEM). N. inv. 38556. Ricomposta da frammenti, integrazioni. H 19,4; diam. 11,6; diam. fondo 8,5. Argilla rosata con ingubbiatura chiara. Magliaro 2008.
82. Veio, Macchia della Comunità t. 62, (V.MC.65/1). Tipo Dd 1c.
Museo di Villa Giulia, (depositi SBAEM). N. inv. 38600. Ricomposta da due frammenti. H 24,3; diam. 13,5; diam. fondo 9,2. Argilla giallo-rosata. Magliaro 2008.
83. Veio, Pozzuolo t. 4, (V.Pz.4/3). Tipo Dd 1.
Museo di Villa Giulia, (depositi SBAEM). N. 27b. diam. 10,4. Argilla giallina. Frammento di corpo con orlo piano ingrossato. Marchetti 1999.
84. Veio, Pozzuolo t. 2, (V.Pz.2/4). Gruppo D.
Museo di Villa Giulia, (depositi SBAEM). N. 8e. In frammenti. Argilla giallina. Marchetti 1999.

Attingitoi

85. Veio, Macchia della Comunità t. 62, (V.MC.62/3). Tipo Bb 1b.
Museo di Villa Giulia, (depositi SBAEM). N. inv. 38514. Ricomposto da quattro frammenti. H 11,8; diam. 7,3; diam. fondo 4,4. Argilla crema. Magliaro 2008.

Coppe

86. Veio, Macchia della Comunità t. 64, (V.MC.64/7). Tipo Ba 1a.
Museo di Villa Giulia, (depositi SBAEM). N. inv. 38571. Ricomposta da frammenti, mancante del piede. Argilla giallina. MAGLIARO 2008.
87. Veio, Macchia della Comunità t. 71, (V.MC.71/2). Tipo Ba 1a.
Museo di Villa Giulia, (depositi SBAEM). N. inv. 38668. Integra. H 5,7; diam. 14,8; diam. fondo 4,8. Argilla giallina. MAGLIARO 2008.
88. Veio, Pozzuolo t. 2, (V.Pz.2/7). Tipo Ba 1a.
Museo di Villa Giulia, (depositi SBAEM). N. 19. Ricomposta da frammenti. H 1; Diam. 23,4. Argilla giallina. MARCHETTI 1999.
89. Veio, Pozzuolo t. 8, (V.Pz.8/2). Tipo Ba 1a.
Museo di Villa Giulia, (depositi SBAEM). N. 9. Ricomposta da frammenti; integrazioni. H 9,7; diam. 18. Argilla crema. MARCHETTI 1999.
90. Veio, Macchia della Comunità t. 31, (V.MC.31/3). Tipo Ba 1b.
Museo di Villa Giulia, (depositi SBAEM). N. inv. 38163. Integra. H 4,4; diam. 14; diam. fondo 3,8. Argilla giallo-rosata. GALANTE 2002.
91. Veio, Pozzuolo t. 3, (V.Pz.3/2). Tipo Ba 1b.
Museo di Villa Giulia, (depositi SBAEM). N 8. Ricomposta parzialmente da frammenti, lacune nella vasca. Diam. fondo 3,6. MARCHETTI 1999.
92. Veio, Macchia della Comunità t. 13, (V.MC.13/5). Tipo Ba 2a.
Museo di Villa Giulia, (depositi SBAEM). N. inv. 37999. Ricomposta da due frammenti. H 4,9; diam. 15; diam. fondo 4,1. Argilla giallina. GALANTE 2002.
93. Veio, Macchia della Comunità t. 33, (V.MC.33/6). Tipo Ba 2a. *(tav. 23.10)*
Museo di Villa Giulia, (depositi SBAEM). N. inv. 38195. Integra. H 5,5; diam. 16,8. Argilla giallo camoscio. NERI 2002.
94. Veio, Macchia della Comunità t. 44, (V.MC.44/9). Tipo Ba 2a.
Museo di Villa Giulia, (depositi SBAEM). N. inv. 38367. Lacunosa: mancante di parte del labbro. H 4,6; diam. 12,8. Argilla camoscio rosata. NERI 2002.
95. Veio, Macchia della Comunità t. 62, (V.MC.62/4). Tipo Ba 2a.
Museo di Villa Giulia, (depositi SBAEM). N. inv. 38516. Ricomposta da frammenti; vasca e piede integrati. H 5,6; diam. 14,5; diam. fondo 4,5. Argilla giallina. MAGLIARO 2008.
96. Veio, Macchia della Comunità t. 67, (V. MC.67/2). Tipo Ba 2a.
Museo di Villa Giulia, (depositi SBAEM). N. inv. 38631. Ricomposta da frammenti; vasca e piede integrati. H 5; diam. 14; diam. fondo 3,5. Argilla giallina. MAGLIARO 2008.
97. Veio, Pozzuolo t. 8, (V.Pz.8/3). Tipo Ba 2b.
Museo di Villa Giulia, (depositi SBAEM). N. 10. Ricomposta da frammenti; integrazioni. H 4,7; diam. 11,2. Argilla crema. MARCHETTI 1999.
98. Veio, Pozzuolo t. 8, (V.Pz.8/4). Tipo Ba 2b.
Museo di Villa Giulia, (depositi SBAEM). N. 11. Ricomposta da frammenti; integrazioni. H 6; diam. 11,4. Argilla crema. MARCHETTI 1999.
99. Veio, Macchia della Comunità t. 20, (V.MC.20/1). Tipo Ba 3a.
Museo di Villa Giulia, (depositi SBAEM). N. inv. 38053. Ricomposta da tre frammenti; mancante del fondo. H 5,1; diam. 14,5. Argilla giallina. GALANTE 2002.
100. Veio, Macchia della Comunità t. 49, (V.MC.49/2). Tipo Ba 3a.
Museo di Villa Giulia, (depositi SBAEM). N. inv. 38429. Lacunosa: mancante della parte inferiore della vasca e del fondo. H cons. 4,8; diam. 15,4. NERI 2002.
101. Veio, Macchia della Comunità t. 71, (V.MC.71/3). Tipo Ba 3a.
Museo di Villa Giulia, (depositi SBAEM). N. inv. 38669. Ricomposta da frammenti. H 5; diam. 13; diam. fondo 4,1. Argilla crema. MAGLIARO 2008.

102. Veio, Macchia della Comunità t. 64, (V.MC.64/8). Tipo Da 2.
Museo di Villa Giulia, (depositi SBAEM). N. inv. 38567. Ricomposta da frammenti; integrazioni nella vasca e nel piede. H 11,7; diam. 22,2; diam. fondo 8,9. Argilla giallina. MAGLIARO 2008.

Skyphoi

103. Veio, Macchia della Comunità t. 14, (V.MC.14/3). Tipo Bc 1a.
Museo di Villa Giulia, (depositi SBAEM). N. inv. 38033. Ricomposto da due frammenti. H 7,2; diam. 13,3; diam. fondo 5,2. Argilla giallina. GALANTE 2002.
104. Veio, Macchia della Comunità t. 64, (V.MC.64/9). Tipo Bc 1a.
Museo di Villa Giulia, (depositi SBAEM). N. inv. 38569. Ricomposto da due frammenti. H 7,7; diam. 13,4; diam. fondo 4,4. Argilla camoscio con ingubbiatura crema. MAGLIARO 2008.
105. Veio, Macchia della Comunità t. 34, (V.MC.34/5). Tipo Bc 1b. *(tav. 28.5)*
Museo di Villa Giulia, (depositi SBAEM). N. inv. 38226. Crinato. H 7,5; diam. 13,2. Argilla rosata. NERI 2002.
106. Veio, Macchia della Comunità t. 39, (V.MC.39/3). Tipo Bc 1b.
Museo di Villa Giulia, (depositi SBAEM). N. inv. 38292. Integro. H 7,4; diam. 12,2. Argila giallo-rosata. NERI 2002.
107. Veio, Macchia della Comunità t. 67, (V.MC.67/3). Tipo Bc 1b.
Museo di Villa Giulia, (depositi SBAEM). N. inv. 38630. Integro. H 8,7; diam. 14/14,8; diam. fondo 5,1. Argilla giallina. MAGLIARO 2008.
108. Veio, Pozzuolo t. 2, (V.Pz.2/8). Tipo Bc 1b.
Museo di Villa Giulia, (depositi SBAEM). N. 3. Ricomposto da frammenti; mancante della parte inferiore. Diam. orlo 14,8. Argilla giallina. MARCHETTI 1999.
109. Veio, Pozzuolo t. 6, (V.Pz.6/2). Tipo Bc 1b.
Museo di Villa Giulia, (depositi SBAEM). N. 1. Ricomposto da frammenti; mancante di metà della vasca. H 6,9; diam. 14,2. Argilla crema. MARCHETTI 1999.
110. Veio, Pozzuolo t. 8, (V.Pz.8/5). Tipo Bc 1b.
Museo di Villa Giulia, (depositi SBAEM). N. 1. Ricomposto da frammenti. H 9; diam. 13,8. Argilla crema. MARCHETTI 1999.
111. Veio, Pozzuolo t. 8, (V.Pz.8/6). Tipo Bc 1b.
Museo di Villa Giulia, (depositi SBAEM). N. 8. Ricomposto da frammenti. H 6,6; diam. 12,6. Argilla crema. MARCHETTI 1999.
112. Veio, Macchia della Comunità t. 12, (V.MC.12/3). Tipo Bc 1e.
Museo di Villa Giulia, (depositi SBAEM). N. inv. 37960. Ricomposto da frammenti; lacune sul labbro. H 8,2; diam. 13,3; diam. fondo 3,9. Argilla crema. GALANTE 2002.
113. Veio, Pozzuolo t. 7, (V.Pz.7/4). Tipo Bc 2.
Museo di Villa Giulia, (depositi SBAEM). N. 10. Ricomposto da frammenti. H 5,2; diam. 13,1. Argilla crema. MARCHETTI 1999.
114. Veio, Riserva del Bagno t. II, (V.R.II/4). Non inseribile in tipologia. MASSIMO 1973.

Kotylai

115. Veio, Campetti (UT 37), (V.37/1). Gruppo Bb.
Depositi SAEM. Ricomposta da frammenti; lacunosa, manca di un ampio settore della vasca. H 7,2; diam. 10. Argilla nocciola.
116. Veio, Macchia della Comunità t. 33, (V.MC.33/7). Gruppo Cb.
Museo di Villa Giulia, (depositi SBAEM). N. inv. 38190. Integra. H 10,6; diam. 11,2.

Argilla giallo-rosato. NERI 2002.

117. Veio, Macchia della Comunità t. 42, (V.MC.42/2). Tipo Cc 1. *(tav. 30.10)*
Museo di Villa Giulia, (depositi SBAEM). N. inv. 38331. Ricomposta da frammenti. H 10,8; diam. 10,2. Argilla rosata con ingubbiatura crema. NERI 2002.
118. Veio, Macchia della Comunità t. 49, (V.MC.49/3). Tipo Cc 1.
Museo di Villa Giulia, (depositi SBAEM). N. inv. 38425. Ricomposta da frammenti. H 9,8; diam. 9,4. Argilla crema. NERI 2002.
119. Veio, Macchia della Comunità t. 67, (V.MC.67/4). Tipo Cc 1.
Museo di Villa Giulia, (depositi SBAEM). N. inv. 38632. Integra. H 10,1; diam. 10,2; diam. fondo 4. Argilla giallo chiaro. MAGLIARO 2008.
120. Veio, Pozzuolo t. 7, (V.Pz.7/5). Tipo Cc 1.
Museo di Villa Giulia, (depositi SBAEM). N. 9. Frammentaria. diam. 9,4. Argilla crema. MARCHETTI 1999.
121. Veio, Macchia della Comunità t. 44, (V.MC.44/10). Tipo Cc 2b. *(tav. 30.12)*
Museo di Villa Giulia, (depositi SBAEM). N. inv. 38370. Integra. H 9; Diam. 9,8. Argilla camoscio rosata. NERI 2002.
122. Veio, Macchia della Comunità t. 44, (V.MC.44/11). Tipo Cc 2b.
Museo di Villa Giulia, (depositi SBAEM). N. inv. 38371. Integra. H 9; diam. 9,2. Argilla camoscio rosata. NERI 2002.
123. Veio, Macchia della Comunità t. 62, (V.MC.62/5). Tipo Cc 2b variante.
Museo di Villa Giulia, (depositi SBAEM). N. inv. 38544. Integra, ad eccezione di una piccola lacuna sul labbro. H 8; diam. 10,5; diam. fondo 4,9. Argilla crema. MAGLIARO 2008.
124. Veio, Pozzuolo t. 1, (V.Pz.1/6). Tipo Cc 2c.
Museo di Villa Giulia, (depositi SBAEM). N. 2. Integra. H 7,9 diam. 9,9. Argilla crema. MARCHETTI 1999.
125. Veio, Pozzuolo t. 2, (V.Pz.2/9).
Museo di Villa Giulia, (depositi SBAEM). N. 2. Diam. fondo 4,2. Argilla giallina. Frammento di piede ad anello con raggio dipinto in rosso bruno. MARCHETTI 1999.

Piatti

126. Veio, Macchia della Comunità t. 26, (V.MC.26/1). Tipo Bb 1a.
Museo di Villa Giulia, (depositi SBAEM). N. inv. 38115. Ricomposto da frammenti. H 3,8; diam. 29,2; diam. fondo 7,5. GALANTE 2002.
127. Veio, Macchia della Comunità t. 33, (V.MC.33/8). Tipo Bb 1a. *(tav. 31.8)*
Museo di Villa Giulia, (depositi SBAEM). N. inv. 38194. Integro. H 3,8; diam. 28,2. Argilla giallo-rosato. NERI 2002.
128. Veio, Macchia della Comunità t. 34, (V.MC.34/6). Tipo Bb 1a.
Museo di Villa Giulia, (depositi SBAEM). N. inv. 38227. Ricomposto da due frammenti. H 4,5; diam. 30, 6. Argilla rosata. NERI 2002.
129. Veio, Macchia della Comunità t. 35, (V.MC.35/4). Tipo Bb 1a.
Museo di Villa Giulia, (depositi SBAEM). N. inv. 38224. Ricomposto da frammenti; lacune nel fondo. H 3,9; diam. 28. Argilla giallo-rosata. NERI 2002.
129 bis. Veio, Macchia della Comunità t. 64, (V.MC.64/10). Tipo Bb 1a.
Museo di Villa Giulia, (depositi SBAEM). N. inv. 38566. Integro. H 3,7; diam. 29. Argilla giallo-rosata. MAGLIARO 2008.
130. Veio, Pozzuolo t. 2, (V.Pz.2/10). Tipo Bb 1a.
Museo di Villa Giulia, (depositi SBAEM). N. 4. Ricomposto parzialmente da frammenti. H 4,4; diam. 24. Argilla giallina. MARCHETTI 1999.

131. Veio, Pozzuolo t. 4, (V.Pz.4/6). Tipo Bb 1a.
Museo di Villa Giulia, (depositi SBAEM). N. 1. Lacunoso: mancante del fondo. Diam. 33,2. Argilla giallina. MARCHETTI 1999.
132. Veio, Pozzuolo t. 10, (V.Pz.10/4). Tipo Bb 1a.
Museo di Villa Giulia, (depositi SBAEM). N. 2. Ricomposto da frammenti. H 3,6, diam. 28,6. Argilla crema. MARCHETTI 1999.
133. Veio, Pozzuolo t. 8, (Pz.8/7). Tipo Bc 2.
Museo di Villa Giulia, (depositi SBAEM). N. 14. In frammenti. Diam. 21,5. Argilla crema. MARCHETTI 1999.
134. Veio, Pozzuolo t. 8, (Pz.8/8). Tipo Bc 2.
Museo di Villa Giulia, (depositi SBAEM). N. 13. Ricomposto da frammenti. H 3,5; diam. 19,6. Argilla crema. MARCHETTI 1999.
135. Veio, Pozzuolo t. 8, (Pz.8/9). Tipo Bc 2.
Museo di Villa Giulia, (depositi SBAEM). N. 12. Ricomposto da frammenti. H 4,7; diam. 18. Argilla crema. MARCHETTI 1999.
136. Veio, Pozzuolo t. 2, (V.Pz.2/11). Gruppo B.
Museo di Villa Giulia, (depositi SBAEM). N. 8d. In frammenti. Argilla giallina. MARCHETTI 1999.
137. Veio, Pozzuolo t. 3, (V.Pz.3/3). Gruppo B.
Museo di Villa Giulia, (depositi SBAEM). N. 5. Lacunoso: mancante di una porzione della vasca. H 2,9; diam. 28. Argilla giallina. MARCHETTI 1999.
138. Veio, Pozzuolo t. 3, (V.Pz.3/3). Gruppo B.
Museo di Villa Giulia, (depositi SBAEM). N. 6. In frammenti. Argilla giallina. MARCHETTI 1999.
139. Veio, Pozzuolo t. 4, (V.Pz.4/4). Gruppo B.
Museo di Villa Giulia, (depositi SBAEM). N. 10. In frammenti. diam. 26. Argilla giallina. MARCHETTI 1999.
140. Veio, Pozzuolo t. 4, (V.Pz.4/5). Gruppo B.
Museo di Villa Giulia, (depositi SBAEM). N. 27a. In frammenti. Argilla giallina. MARCHETTI 1999.

Pissidi

141. Veio, Riserva del Bagno t. I, (V.R.I/1).

Coperchi

142. Veio, Macchia della Comunità t. 47, (V.MC.47/2).
Museo di Villa Giulia, (depositi SBAEM). N. inv. 38404. Integro. H 3; diam. 10. Argilla crema-rosata. NERI 2002.
143. Veio, Macchia della Comunità t. 67, (V.MC.67/5).
Museo di Villa Giulia, (depositi SBAEM). N. inv. 38634. Integro. H 3,3; diam. 8,1. Argilla giallo-camoscio. MAGLIARO 2008.

Appendice 2
Ripartizione tipologica e produttiva

Legenda A: 720-700 a.C.; B: 700-675 a.C.; C: 675-650 a.C.; D: 650-625 a.C.; E: 625-600 a.C.; B2: 700-650 a.C.; B3: 700-625 a.C.; B4: 700-600 a.C.; C2: 675-625 a.C.; C3: 675-600 a.C; D2: 650-600 a.C.

Tipo	*Dat.*	*Officina*	*N. exx.*
anfora non tipologizzabile	B2'	veiente?	2
anfora A		ceretana	1
anfora Ab	C	veiente?	5
anfora Ab	E	veiente?	2
anfora Ab		veiente?	6
anfora Ab	B	ceretana?	3
anfora Ab 1a	B	ceretana	5
anfora Ab 1b	B	ceretana	8
anfora Ab 2	B	ceretana	7
anfora Ab 3a	B	ceretana	7
anfora Ab 3a	B	veiente	6
anfora Ab 3b	B	ceretana	8
anfora Ab 3b	B	veiente	2
anfora Ab 3c	B	ceretana	6
anfora Ab 4	C (metà)	ceretana	3
anfora Ab 5a	C	veiente	4
anfora Ab 5b	C	veiente	3
anfora Ab 5c	D	veiente	3
anfora Ab 6a	E	veiente	8
anfora Ab 6b	E	veiente	12
anfora Ab 7	E	ceretana	2
anfora Ba	A	vulcente	6
anfora Ba	B	ceretana	1
anfora Bb	B2	veiente	2
anfora Bb	B4	ceretana	6
anfora Bc	D2	ceretana	2
anfora Bc	D2	veiente	2
anfora Bc 1	D2	ceretana	2
anfora Bc 2a	D2	ceretana	2
anfora Bc 2a	D2	veiente	5
anfora Bc 2b	E	ceretana	2
anfora Bc 2b	E	veiente	1
anfora C	C	ceretana	3
anfora non tipologizzabile	B2	ceretana?	7
anforetta Aa 1a	B2	tarquiniese	8
anforetta Aa 1a	B2	tarquiniese-vulcente	5
anforetta Aa 1a	B2	vulcente	8
anforetta Aa 1b	B2	tarquiniese	3
anforetta Aa 1b	B2	vulcente?	3
anforetta Bb 1		tarquiniese	2
aryballoi non tip		ceretana-veiente	1
aryballos 1	E	veiente	5
aryballos 2a	D	ceretana	3
aryballos 2a	D	ceretana-veiente?	3
aryballos 2a	D	veiente	4
aryballos 2b	D2	ceretana	5
aryballos 2b	D2	veiente	8
aryballos 2c	D2	ceretana	1
aryballos 2c	D2	veiente	7
aryballos 3	E	veiente	2
aryballos *unicum*	E	veiente	1
askos 1	C	veiente	1
askos 1	C2	tarquiniese	3
askos 1		ceretana-veiente	2
askos 1		ceretana-veiente	1
askos 1		non specificabile	5
askos 2	B2	ceretana	1
askos 2		non specificabile	1
attingitoio A	B2	tarquiniese-vulcente	1
attingitoio Aa 1a	B	tarquiniese	5
attingitoio Aa 1a	B	tarquiniese?	2
attingitoio Aa 1b	B	tarquiniese	3
attingitoio Aa 1b	B	tarquiniese?	2
attingitoio Aa 2a	B	tarquiniese	3
attingitoio Aa 2a	B	vulcente	2
attingitoio Aa 2b	B	tarquiniese	3
attingitoio Aa 2b	B	vulcente	7
attingitoio Aa 3	B	tarquiniese	2
attingitoio B		ceretana	1
attingitoio B		vulcente	1
attingitoio Bb 1a	B2	ceretana	12
attingitoio Bb 1a	B2	veiente?	1
attingitoio Bb 1b	E	veiente	2
attingitoio Bb 1b	E	veiente?	1
bacino	B	ceretana	1
bottiglia	B	tarquiniese	8
bottiglia	B	tarquiniese?	1
coppa Aa 1a	A	tarquiniese	4
coppa Aa 1b	A	tarquiniese	1
coppa Aa 1b	A	veiente	1
coppa Aa 1c	A	tarquiniese	3
coppa Aa 2a	A	tarquiniese	1
coppa Aa 2a	A	vulcente	3
coppa Aa 2b	E	tarquiniese	1
coppa Aa 2b	E	vulcente	1
coppa Ba 1-3		ceretana?	1
coppa Ba 1-3		tarquiniese	1
coppa Ba 1-3		veiente?	1
coppa Ba 1a	E	ceretana	2
coppa Ba 1a	E	tarquiniese	6
coppa Ba 1a	E	tarquiniese?	2
coppa Ba 1a	E	veiente	7
coppa Ba 1b	B4	tarquiniese	9
coppa Ba 1b	B4	veiente	6
coppa Ba 2a	B4	tarquiniese	3
coppa Ba 2a	B4	veiente	6
coppa Ba 2b	B4	tarquiniese	1
coppa Ba 2b	B4	veiente	6
coppa Ba 3		veiente?	1
coppa Ba 3a	B4	ceretana	3

Tipo	*Dat.*	*Officina*	*N. exx.*
coppa Ba 3a	B4	tarquiniese	2
coppa Ba 3a	B4	veiente	11
coppa Ba 3b	E	veiente	2
coppa Ba 3c	B	veiente	4
coppa Ba 3c	B	non specificabile	2
coppa Ba 4	B	ceretana	1
coppa Ba 4a	B	ceretana	3
coppa Ba 4b	B	ceretana	6
coppa Ba 4c	B	ceretana	11
coppa Ca 1	B2	non specificabile	1
coppa Ca 1a	B	ceretana	4
coppa Ca 1a	B	veiente	2
coppa Ca 1b	B2	vulcente	2
coppa Ca 1c	B2	vulcente	4
coppa Ca 1d	B2	vulcente	3
coppa Ca 1e	B2	vulcente	3
coppa Cb 1a	B2	vulcente	2
coppa Cb 1b	B2	vulcente	1
coppa Da	B2	vulcente?	1
coppa Da		ceretana?	8
coppa Da		non specificabile	2
coppa Da 1		ceretana	4
coppa Da 1a	B4	ceretana	17
coppa Da 1b	B4	ceretana	2
coppa Da 1c	B4	ceretana	3
coppa Da 2	E	veiente	1
coppa Db	B2	vulcente	1
coppa Db 1a	B2	vulcente	6
coppa Db 1b	B2	vulcente	20
coppa Db 1c	B2	vulcente	9
coppa Db 1d	B2	vulcente	8
coppa Ea 1	B2	ceretana	6
coppa Ea 1 vicino a	B?	non specificabile	1
coppa Ea 2	B	non specificabile	1
coppa Ea 2	B	tarquiniese	3
coppa Ea 2	B	veiente	2
coppa F	C	veiente	4
fiasca	B	veiente	1
fiasca		non specificabile	1
kotyle Aa 1	B	tarquiniese	3
kotyle Aa 2	B	vulcente	14
kotyle Aa 3	B	tarquiniese	3
kotyle Ab 1	B	veiente?	1
kotyle Bb	B?	ceretana	2
kotyle Bb	B?	veiente	5
kotyle Bb 1	B	ceretana-veiente	2
kotyle Bb 2	B	ceretana?	1
kotyle Bb 2	B	veiente	2
kotyle Bb 3a	B	tarquiniese	7
kotyle Bb 3b	B	tarquiniese	3
kotyle Bb 3b	B	tarquiniese?	2
kotyle Bb 4	B	veiente	1
kotyle Bb 4	B	vulcente?	1
kotyle Bc	B	tarquiniese	2
kotyle Bc *unicum*	B	tarquiniese	1
kotyle Cb 1	E	veiente	2
kotyle Cc 1	E	veiente	6
kotyle Cc 2a	D	tarquiniese	2
kotyle Cc 2b	E	veiente	5
kotyle Cc 2c	E	veiente	2
kotyle non tipologizzabile		ceretana?	2
kotyle non tipologizzabile		veiente?	3
kotyle non tipologizzabile		tarquiniese	2
lekythos	B	ceretana-veiente	2
oinochoe A		ceretana	3
oinochoe A		tarquiniese?	1
oinochoe Aa	A	tarquiniese	3
oinochoe Aa	A	veiente	1
oinochoe Aa 1	A	tarquiniese	1
oinochoe Aa 1b	B2	ceretana	1
oinochoe Aa 1b	B2	tarquiniese	2
oinochoe Aa 1a	B2	tarquiniese	4
oinochoe Aa 1a	B2	vulcente	1
oinochoe Aa 1c	B	non specificabile	1
oinochoe Aa 1c	B	vulcente	2
oinochoe Aa 1c	B	tarquiniese	5
oinochoe Aa 2	B	ceretana?	1
oinochoe Aa 2	B	tarquiniese	7
oinochoe Aa 3a	A	ceretana?	1
oinochoe Aa 3a	A	tarquiniese	3
oinochoe Aa 3a	A	vulcente	1
oinochoe Aa 3b	B	tarquiniese	2
oinochoe Aa 4a	B	tarquiniese	4
oinochoe Aa 4a	B	vulcente	2
oinochoe Aa 4b	B	ceretana?	1
oinochoe Aa 4b	B	tarquiniese	3
oinochoe Aa 4b	B	vulcente	1
oinochoe Aa 5a	B	tarquiniese	2
oinochoe Aa 5b	B	tarquiniese	2
oinochoe Aa 6a	A	vulcente	5
oinochoe Aa 6b	B2	vulcente	3
oinochoe Aa 6c	B2	vulcente	10
oinochoe Aa 7	B	veiente	3
oinochoe Aa 8	B	ceretana-veiente?	1
oinochoe Aa 8	B	tarquiniese	5
oinochoe Ab 1	B2?	tarquiniese	2
oinochoe Ab 1	C	veiente	2
oinochoe Bb	A	vulcente	2
oinochoe Bb	B	tarquiniese	3
oinochoe Bb 1	B	tarquiniese	3
oinochoe Bb 2a	B	tarquiniese	3
oinochoe Bb 2b	B	tarquiniese	5
oinochoe Bb 3a	B	tarquiniese	4
oinochoe Bb 3b	B	tarquiniese	2
oinochoe Bb 4a	B	tarquiniese	3
oinochoe Bb 4b	B	tarquiniese	2
oinochoe Bb 5a	B	tarquiniese	5
oinochoe Bb 5a	B	tarquiniese?	1
oinochoe Bb 5b	B	tarquiniese	4
oinochoe Bb 6	B	tarquiniese	2
oinochoe Bb 7	B	tarquiniese	7
oinochoe Bb 8	B	tarquiniese	2
oinochoe Bb 9a	B	tarquiniese	3
oinochoe Bb 9b	B	tarquiniese	2
oinochoe Cb		ceretana	7
oinochoe Cb		ceretana?	2
oinochoe Cb		non specificabile	3

Tipo	*Dat.*	*Officina*	*N. exx.*
oinochoe Cb		tarquiniese?	6
oinochoe Cb		veiente?	1
oinochoe Cb 1	B	tarquiniese	8
oinochoe Cb 2a	B2	tarquiniese	4
oinochoe Cb 2b	B2	tarquiniese	2
oinochoe Cb 2b	B2	tarquiniese?	1
oinochoe Cb 2c	B2	tarquiniese	3
oinochoe Cb 2d	B2	tarquiniese	7
oinochoe Cb 3a	B2	tarquiniese	5
oinochoe Cb 3b	B2	tarquiniese	11
oinochoe Cb 3c	B2	tarquiniese	8
oinochoe Cb 3d	B2	tarquiniese	4
oinochoe Cb 3e	B2	tarquiniese	3
oinochoe Cb 3f	B2	ceretana?	2
oinochoe Cb 4		ceretana?	2
oinochoe Cb 4		veiente?	3
oinochoe Cb 4a	B2	tarquiniese	4
oinochoe Cb 4a	B2	veiente	2
oinochoe Cb 4b	B2	tarquiniese	2
oinochoe Cb 4c	D2	tarquiniese	2
oinochoe Cb 4c	D2	tarquiniese?	1
oinochoe Cb 4c	D2	veiente	1
oinochoe Cb 4d	D2	ceretana	2
oinochoe Cb 4d	D2	tarquiniese	6
oinochoe Cb 4d	D2	veiente	9
oinochoe Cb 4e	E	veiente	4
oinochoe Cb 4e	E	ceretana	1
oinochoe Cb 4e	E	ceretano-veiente	1
oinochoe Cb 5a	B	ceretana	3
oinochoe Cb 5b	B2	ceretana	1
oinochoe Cb 5b	B2	veiente	4
oinochoe Cb 5b vicino a	B2	tarquiniese	1
oinochoe Cb 5c	C	ceretana	4
oinochoe Cb 6	B2	tarquiniese	3
oinochoe Cb non tipologizzabile		ceretana???	11
oinochoe Cc 1a	E	veiente	2
oinochoe Cc 1b	E	ceretana	2
oinochoe Cc 1b	E	veiente	5
oinochoe Db		tarquiniese	1
oinochoe Db 1	B2	tarquiniese	4
oinochoe Db 2	B2	tarquiniese	1
oinochoe Db 2a	B2	tarquiniese	2
oinochoe Db 2b	B2	tarquiniese	1
oinochoe Db 3	D2	tarquiniese	5
oinochoe Db 4	E	veiente?	1
oinochoe Db 4	E	vulcente	2
oinochoe non tipologizzabile		ceretana?	9
oinochoe non tipologizzabile		non specificabile	2
oinochoe non tipologizzabile		tarquiniese?	1
oinochoe non tipologizzabile		veiente?	5
olla Ac 1	A	vulcente	7
olla B	A	ceretana	1
olla B	A	veiente	1
olla Ba	B	tarquiniese	3
olla Ba 1a	A	vulcente	4

Tipo	*Dat.*	*Officina*	*N. exx.*
olla Ba 1b	B	vulcente	5
olla Ba 1c	b	vulcente	1
olla Ba 2	B	vulcente	3
olla Ba 3	E	veiente	2
olla Ba *unicum*	B	vulcente	2
olla Bc	E	vulcente?	1
olla Bc	E	ceretana	1
olla Bc 1	E	ceretana	1
olla Bc 1	E	tarquiniese	3
olla Bc 1	E	veiente	1
olla Bc 2	E	veiente	1
olla Bd	C	veiente	2
olla Bd	B	ceretana	3
olla C		ceretana'?	1
olla C		non specificabile	1
olla C		veiente-falisca?	1
olla Ca 1a	B	vulcente	3
olla Ca 1b	B	vulcente	1
olla Ca 2		veiente	3
olla Cc	E	veiente	1
olla Cc		ceretana?	4
olla Cc 1	E	ceretana?	1
olla Cc 1	E	veiente	2
olla Cd 1a	B	veiente	2
olla Cd 1b	E	veiente	3
olla Ce	B	ceretana	2
olla Ce	E	veiente	1
olla Ce 1	B	veiente	2
olla Ce 2a	B	veiente	4
olla Ce 2b	B	veiente	6
olla Ce 3	A	ceretana	1
olla Ce 3	B	veiente	1
olla D		veiente	1
olla D		ceretana	2
olla Db 1	C	vulcente	4
olla Dc 1a	C	veiente	1
olla Dc 1b	C	veiente	5
olla Dc 2		ceretana?	2
olla Dc 2		veiente?	3
olla Dc 2a	C3	ceretana	2
olla Dc 2a	C3	non specificabile	1
olla Dc 2a	C3	tarquiniese	4
olla Dc 2a	C3	veiente	3
olla Dc 2b	E	ceretana	3
olla Dc 2b	E	non specificabile	2
olla Dc 2b	E	tarquiniese	4
olla Dc 2b	E	veiente	6
olla Dc 2c	C3	ceretana	5
olla Dc 2c	C3	tarquiniese	1
olla Dc 2c	C3	veiente	3
olla Dc 2c	C3	non specificabile	1
olla dc 2d	E	veiente	5
olla Dc 2e	E	veiente	2
olla Dc 3	E	ceretana	4
olla Dc 4a	E	veiente	3
olla Dc 4a	E	ceretana	2
olla Dc 4b	E	ceretana	5
olla Dc 4b	E	ceretana?	1
olla Dc?		ceretana?	2
olla Dc?		veiente?	1
olla Dd	A	vulcente	1

Tipo	*Dat.*	*Officina*	*N. exx.*
olla Dd	C	veiente	1
olla Dd 1		ceretana?	9
olla Dd 1		veiente?	1
olla Dd 1a	C3	ceretana	2
olla Dd 1a	C3	ceretana-veiente	3
olla Dd 1a	C3	veiente	3
olla Dd 1b	C2	ceretana	1
olla Dd 1b	C2	veiente	3
olla Dd 1b	C2	ceretana-veiente	1
olla Dd 1c	C3	ceretana	1
olla Dd 1c	C3	ceretana-veiente	1
olla Dd 1c	C3	veiente	8
olla Dd 1d	B2	ceretana	3
olla Dd 2	B2	ceretana	7
piatti B?		ceretana?	4
piatti B?		veiente?	8
piatto Aa 1	E	vulcente	6
piatto Aa 2	E	vulcente	4
piatto Ba		tarquiniese-vulcente	2
piatto Ba 1a	B2	tarquiniese	2
piatto Ba 1b	B2	ceretana	2
piatto Ba 1b	B2	vulcente	9
piatto Bb 1a	B4	ceretana	55
piatto Bb 1a	B4	ceretana?	36
piatto Bb 1a	B4	veiente	18
piatto Bb 1b	C	ceretana	12
piatto Bb 1c	D2	ceretana	4
piatto Bb 1d	C	ceretana	3
piatto Bb *unicum*	B2	ceretana	3
piatto Bc	A	tarquiniese	1
piatto Bc 1a	B2	tarquiniese	2
piatto Bc 1b	C	vulcente	4
piatto Bc 2	B2	veiente	2
piatto Bc 2	B2	veiente?	3
piatto Bc 3	B	tarquiniese	4
piatto Ca	B4	ceretana	12
piatto Ca 1	B4	ceretana	7
piatto Ca 2	B4	ceretana	14
piatto Ca 2a	B4	ceretana	5
piatto non tipologizzabile		ceretana	7
piatto unicum	B	vulcente	1
pisside	B2	ceretana?	1
pisside	B2	veiente?	2
situla 1a	B	ceretana	6
situla 1b	B2	ceretana	5
situla 2a	E	ceretana	2
situla 2a	E	ceretana-veiente	1
situla 2a	E	veiente	3
situla 2b	E	veiente	3
situla 2b	E	veiente?	2
situla non tipologizzabile		ceretana?	6
situla non tipologizzabile		ceretana-veiente?	2
situla *unicum*		ceretana-veiente	1
skyphos Aa	B2	vulcente	2
skyphos Aa 1a	B2	vulcente	5
skyphos Aa 1b	B2	vulcente	5
skyphos Aa 1c	B2	vulcente	15
skyphos Aa 1d	B2	vulcente	12
skyphos Aa 2a	B2	vulcente	3
skyphos Aa 2b	B2	vulcente	2
skyphos Ab 1	B2	vulcente	2
skyphos Ba		tarquiniese	1
skyphos Ba		ceretana	1
skyphos Ba 1a	B2	vulcente	9
skyphos Ba 1b	B2	tarquiniese	2
skyphos Ba 1b	B2	vulcente	3
skyphos Ba 2	C (metà)	vulcente	6
skyphos Ba 3a	B	ceretana?	2
skyphos Ba 3a	B	tarquiniese	2
skyphos Ba 3b	B	tarquiniese	4
skyphos Ba 3b	B	tarquiniese?	1
skyphos Ba 3c	B	tarquiniese	4
skyphos Ba 3c	B	veiente?	1
skyphos Ba 3d	B	ceretana?	2
skyphos Ba 3d	B	tarquiniese	1
skyphos Bb		tarquiniese	3
skyphos Bb 1a	B	tarquiniese	2
skyphos Bb 1b	B	tarquiniese	5
skyphos Bb 2	B2	ceretana	1
skyphos Bb 2	B2	tarquiniese	5
skyphos Bc 1	D2	ceretana?	3
skyphos Bc 1	D2	tarquiniese?	6
skyphos Bc 1a	D2	ceretana	3
skyphos Bc 1a	D2	non specificabile	2
skyphos Bc 1a	D2	tarquiniese	2
skyphos Bc 1a	D2	veiente	6
skyphos Bc 1a	D2	vulcente?	2
skyphos Bc 1b	D2	tarquiniese	5
skyphos Bc 1b	D2	veiente	7
skyphos Bc 1c	D2	tarquiniese	2
skyphos Bc 1c	D2	veiente	1
skyphos Bc 1c	D2	vulcente?	2
skyphos Bc 1d	D2	ceretana	4
skyphos Bc 1d	D2	veiente	2
skyphos Bc 1e	D2	veiente	1
skyphos Bc 1e	D2	vulcente?	1
skyphos Bc 2	C2	ceretana	1
skyphos Bc 2	C2	veiente	2
skyphos Bc 2	C2	vulcente?	1
skyphos Bc *unicum*		tarquiniese	2
skyphos non tipologizzabile		veiente	2
skyphos non tipologizzabile		ceretana	5
skyphos non tipologizzabile		non specificabile	2
tazza Aa 1	B	tarquiniese	5
tazza Aa 2a	B	vulcente	4
tazza Aa 2b	B	vulcente	3
tazza Aa 2c	B	vulcente	3
tazza Ab	A	tarquiniese	1
tazza Ab	B	ceretana	2
tazza non tipologizzabile	B	vulcente	1

Appendice 3
Tipi e cerchie produttive: quantificazione

Gruppi	*Produzioni*	*N. exx.*
	ceretana	
anfore Ab	veiente	101
	ceretana	2
anfore Ba	vulcente	5
	ceretana	
anfore Bb	veiente	8
	ceretana	
anfore Bc	veiente	16
anfora C	ceretana	3
	ceretana?	7
anfora non tip.		
anfora non tip.	veiente?	2
	tarquiniese	
anforetta Aa	vulcente	27
anforetta Bb	tarquiniese	2
	ceretana	
aryballoi	veiente	40
	ceretana	
	veiente	
askoi	tarquiniese	14
	tarquiniese	
attingitoio Aa-Ba	vulcente	31
	ceretana	
attingitoio Bb	veiente	17
bacino	ceretano	1
bottiglia	tarquiniese	9
	tarquiniese	
	vulcente	
coppa Aa	veiente	15
	ceretana	
	veiente	
coppa Ba	tarquiniese	97
coppa Ca 1a	ceretana	
coppa Ca 1a	veiente	7
coppa Ca 1b-e, Cb 1	vulcente	15

Gruppi	*Produzioni*	*N. exx.*
	ceretana	
coppa Da	veiente	36
coppa Da	vulcente	2
coppa Db	vulcente	44
coppa Ea 2	tarquiniese	3+1
coppa Ea 1	ceretana	6+1
coppa Ea 1	veiente	2
coppa F	veiente	4
fiasca	veiente	1+1
kotyle Aa	tarquiniese	
kotyle Aa	vulcente	20
kotyle Ab	veiente?	1
	ceretana	
	veiente	
	tarquiniese	
kotyle Bb	vulcente?	26
kotyle Bc	tarquiniese	3
kotyle Cb	veiente	2
	veiente	
kotyle Cc	tarquiniese	15
kotyle non tip		7
	veiente	1
lekythos	ceretana?	1
	ceretana	
	tarquiniese	
	vulcente	
oinochoe Aa	veiente	82
	veiente	
oinochoe Ab	tarquiniese	4
oinochoe Bb	tarquiniese	
oinochoe Bb	vulcente	53
	ceretana	
	veiente	
oinochoe Cb	tarquiniese	144
	ceretana	
oinochoe Cc	veiente	9
oinochoe Db	tarquiniese	14

Gruppi	*Produzioni*	*N. exx.*
oinochoe Db (4)	vulcente	2
oinochoe Db (4)	veiente	1
oinochoe non tip.		17
olla Ac	vulcente	7
	tarquiniese	
	vulcente	
olla Ba	veiente	20
	ceretana	
	veiente	
	tarquiniese	
olla Bc	vulcente?	8
	ceretana	
olla Bd	veiente	5
	ceretana	
olla B	veiente	2
	veiente	
olla Ca	vulcente	7
	ceretana	
olla Cc	veiente	8
olla Cd	veiente	5
	ceretana	
olla Ce	veiente	17
	ceretana	
olla C	veiente	3
olla Db	vulcente	4
	ceretana	
	veiente	
olla Dc	tarquiniese	71
	ceretana	
olla Dd	veiente	44
olla Dd	vulcente	1
	ceretana	
olla D	veiente	3

Gruppi	*Produzioni*	*N. exx.*
olla non tip		3
piatti Aa	vulcente	10
	tarquiniese	
	vulcente	
piatti Ba	ceretana	15
	ceretana	
piatti Bb	veiente	131
	tarquiniese	
	vulcente	
piatti Bc	veiente	16
	ceretana	
piatti B	veiente	12
piatto *unicum*	vulcente	1
piatti non tip.		7
piatti Ca	ceretana	38
	ceretana	
pisside	veiente	3
	ceretana	
situla	veiente	31
skyphos Aa-Ab	vulcente	46
	ceretana	
	tarquiniese	
skyphos Ba	vulcente	39
	tarquiniese	
skyphos Bb	ceretana	16
	ceretana	
	veiente	
	tarquiniese	
skyphos Bc	vulcente?	55
skyphos non tip.	ceretano-veiente	9
	tarquiniese	
tazza Aa	vulcente	16
	tarquiniese	
tazza Ab	ceretana	3

Appendice 4
Tabella di raccordo esemplari - tipi

Esemplare	*tipo*	*Luogo di conservazione*[1]	*N. inv.*	*p.*	*tav.*
Ba . I / 1	oinochoe Aa 4b	Barbarano Romano, Antiquarium		42	
Ba . I / 2	oinochoe	Barbarano Romano, Antiquarium		73	
Ba . I / 3	kotyle Aa	Barbarano Romano, Antiquarium		160	
Bl . V . 3 / 1	piatto Bb 1a?	depositi SBAEM		173	
C . a / 1	oinochoe Cb	Parigi, Museo del Louvre	D 58	69	10.11
C . a / 2	oinochoe Cb	Parigi, Museo del Louvre	D 76	69	10.2
C . a / 3	oinochoe Cb	Parigi, Museo del Louvre	D 75	69	10.4
C . a / 4	oinochoe Cb 3f	Parigi, Museo del Louvre	D 70	62	8.6
C . a / 5	anfora	Parigi, Museo del Louvre		87	
C . a / 6	anfora Ab	Parigi, Museo del Louvre	D 56	87	
C . a / 7	anfora Ab 1a	Parigi, Museo del Louvre	D 55	75	
C . a / 8	anfora Ab 1b	Parigi, Museo del Louvre	D 54	75	
C . a / 9	anfora Ab 3b	Amsterdam, Allard Pierson Museum		78	
C . a / 10	anfora Ab 3c	Parigi, Museo del Louvre	CA 2363	79	
C . a / 11	anfora Ab 3c	Parigi, Museo del Louvre	D 57	79	12.9
C . a / 12	anfora Ab 4	Amsterdam, Allard Pierson Museum	10.188	82	13.1
C . a / 13	olla Dd 1c	Parigi, Museo del Louvre	D 87	116	21.9
C . a / 14	coppa Ba 4c	Parigi, Museo del Louvre	D 98	132	
C . a / 15	coppa Da 1a	Parigi, Museo del Louvre	D 92	136	
C . a / 16	piatto Bb 1a	Amsterdam, Allard Pierson Museum	10.090	173	
C . a / 17	piatto Bb 1b	collezione privata		174	32.1
C . a / 18	piatto Ca 1	collezione privata		179	
C . a / 19	askos 1	Parigi, Museo del Louvre	D 114	33	
C . B . 1 / 1	anfora Ab 3a	Cerveteri, Museo Archeologico Nazionale	106403	78	
C . B . 1 / 2	olla Ce 3	Cerveteri, Museo Archeologico Nazionale	106404	108	19.7
C . B . 1 / 3	coppa Ba 4a	Cerveteri, Museo Archeologico Nazionale	106422-106433, 106440	131	23.15
C . B . 1 / 4	piatto Bb 1b	Cerveteri, Museo Archeologico Nazionale	106405-106421	174	
C . B . 2 / 1	oinochoe Cb	Roma, Museo di Villa Giulia	22227	69	
C . B . 2 / 2	anfora Ab 3b variante	Roma, Museo di Villa Giulia	22199	78	12.8
C . B . 2 / 2	piatto Bb 1a	Roma, Museo di Villa Giulia	22216	171	
C . B . 2 / 3	pisside	Roma, Museo di Villa Giulia	22257	182	33.5
C . B . 2 / 4	kotyle	Roma, Museo di Villa Giulia	s.n.	167	
C . B . 2 / 5	piatto Bb 1(a?)	Roma, Museo di Villa Giulia	22259	173	
C . B . 2 / 6	piatto Bb 1(a?)	Roma, Museo di Villa Giulia	22260	173	

[1] Sono indicati il luogo di conservazione e il n. d'inv. degli esemplari, rappresentati prevalentemente da materiale edito, solo se presenti nelle pubblicazioni di riferimento.

Esemplare					*tipo*	*Luogo di conservazione*	*N. inv.*	*p.*	*tav.*
C	. B	. 2	/	7	piatto Bb 1(a?)	Roma, Museo di Villa Giulia	22261	173	
C	. B	. 2	/	8	piatto Bb 1(a?)	Roma, Museo di Villa Giulia	22273	173	
C	. B	. 2	/	9	oinochoe Cb	Roma, Museo di Villa Giulia	22257	69	
C	. B	. 11	/	1	anfora Ab 3a vicina a	Roma, Museo di Villa Giulia	21237	78	12.5
C	. B	. 11	/	2	coppa Da 1a	Roma, Museo di Villa Giulia	21207	135	
C	. B	. 11	/	3	piatto Ca?	Roma, Museo di Villa Giulia	21194	181	
C	. B	. 11	/	4	oinochoe	Roma, Museo di Villa Giulia	21294	73	
C	. B	. 11	/	5	anfora?	Roma, Museo di Villa Giulia	21231	86	
C	. B	. 11	/	6	anfora	Roma, Museo di Villa Giulia	21249	86	
C	. B	. 11	/	7	coppa Da 1a	Roma, Museo di Villa Giulia	21243	135	
C	. B	. 11	/	8	coppa Da 1a?	Roma, Museo di Villa Giulia	21246	135	
C	. B	. 11	/	9	coppa Da 1a?	Roma, Museo di Villa Giulia	21247	135	
C	. B	. 11	/	10	piatto Ca	Roma, Museo di Villa Giulia	21276	181	
C	. B	. 11	/	11	piatto Bb 1(a?)	Roma, Museo di Villa Giulia	21193?	173	
C	. B	. 11	/	12	piatto Bb 1(a?)	Roma, Museo di Villa Giulia	21227	173	
C	. B	. 11	/	13	piatto Bb 1a	Roma, Museo di Villa Giulia	21191?	171	
C	. B	. 11	/	14	piatto Bb 1a	Roma, Museo di Villa Giulia	21192?	171	
C	. B	. 11	/	15	piatto	Roma, Museo di Villa Giulia	21190	181	
C	. B	. 11	/	16	piatto B	Roma, Museo di Villa Giulia	21222	179	
C	. B	. 25	/	1	situla 1a	Milano, Civiche Raccolte Archeologiche	A 0.9.15107	93	
C	. B	. 25	/	2	anfora Ab 1b	Milano, Civiche Raccolte Archeologiche	A 17713/A 0.9.29113	75	12.2
C	. B	. 25	/	3	anfora Ab 1b	Milano, Civiche Raccolte Archeologiche	A 0.9.30064	75	
C	. B	. 25	/	4	anfora Ab 2	Milano, Civiche Raccolte Archeologiche	A 0.9.30065	77	
C	. B	. 25	/	5	anfora Ab 2	Milano, Civiche Raccolte Archeologiche	A 0.9.30066	77	
C	. B	. 26	/	6	anfora Ab 3c variante	Milano, Civiche Raccolte Archeologiche	A 0.9.17799	79	12.10
C	. B	. 26	/	7	coppa Ba 4b	Milano, Civiche Raccolte Archeologiche	A 0.9.17788	132	23.16
C	. B	. 26	/	8	coppa Ba 4b	Milano, Civiche Raccolte Archeologiche	A 0.9.17787	132	
C	. B	. 26	/	9	coppa Ba 4b	Milano, Civiche Raccolte Archeologiche	A 0.9.17789 bis	132	
C	. B	. 26	/	10	coppa Ba 4b	Milano, Civiche Raccolte Archeologiche	A 0.9.17853	132	
C	. B	. 26	/	11	coppa Ba 4b	Milano, Civiche Raccolte Archeologiche	A 0.9.30069	132	
C	. B	. 26	/	12	coppa Ba 4b	Milano, Civiche Raccolte Archeologiche	A 0.9.17790	132	
C	. B	. 36	/	1	coppa Da 1	Milano, Civiche Raccolte Archeologiche	a. 0. 9. 29000	136	
C	. B	. 36	/	2	coppa Da 1	Milano, Civiche Raccolte Archeologiche	a. 0. 9. 15119	136	
C	. B	. 69	/	1	kotyle Bb 3?	Cerveteri, depositi SBAEM	46575	162	
C	. B	. 71	/	1	olla Dc 2?	Cerveteri, depositi SBAEM	46555	112	
C	. B	. 71	/	2	olla Dc 2?	Cerveteri, depositi SBAEM	46561	112	
C	. B	. 71	/	3	attingitoio Bb	Cerveteri, depositi SBAEM	46565	121	
C	. B	. 71	/	4	piatto Bb 1(a?)	Cerveteri, depositi SBAEM	46556	173	
C	. B	. 71	/	5	piatto Bb 1(a?)	Cerveteri, depositi SBAEM	46572	173	
C	. B	. 75	/	1	aryballos 2a	Cerveteri, depositi SBAEM	22443	25	
C	. B	. 75	/	2	oinochoe Cb?	Cerveteri, depositi SBAEM	22397	69	
C	. B	. 75	/	3	oinochoe Cb?	Cerveteri, depositi SBAEM	22403	69	
C	. B	. 75	/	4	oinochoe Cb?	Cerveteri, depositi SBAEM	22406	69	

Esemplare							*tipo*	*Luogo di conservazione*	*N. inv.*	*p.*	*tav.*
C	.	B	.	75	/	5	oinochoe Cb?	Cerveteri, depositi SBAEM	22408	69	
C	.	B	.	75	/	6	oinochoe Cb?	Cerveteri, depositi SBAEM	22412	69	
C	.	B	.	75	/	7	anfora Ab	Cerveteri, depositi SBAEM	22473	87	
C	.	B	.	75	/	10	olla Cc 1	Cerveteri, depositi SBAEM	22424	104	
C	.	B	.	75	/	11	olla Dc 2b variante	Cerveteri, depositi SBAEM	22420	111	
C	.	B	.	75	/	12	olla Cc?	Cerveteri, depositi SBAEM	22426	105	
C	.	B	.	75	/	13	olla Cc?	Cerveteri, depositi SBAEM	22463	105	
C	.	B	.	75	/	14	olla Cc?	Cerveteri, depositi SBAEM	22468	105	
C	.	B	.	75	/	15	olla Cc?	Cerveteri, depositi SBAEM	22469	105	
C	.	B	.	75	/	16	attingitoio Bb 1a	Cerveteri, depositi SBAEM	22453	120	
C	.	B	.	75	/	17	attingitoio Bb 1a?	Cerveteri, depositi SBAEM	22454	120	
C	.	B	.	75	/	18	coppa Da 1?	Cerveteri, depositi SBAEM	22398	136	
C	.	B	.	75	/	19	coppa Da 1?	Cerveteri, depositi SBAEM	22409	136	
C	.	B	.	75	/	20	piatto Ca 1	Cerveteri, depositi SBAEM	22476-22477	179	
C	.	B	.	75	/	21	piatto Ca	Cerveteri, depositi SBAEM	22475	181	
C	.	B	.	75	/	22	piatto Ca	Cerveteri, depositi SBAEM	224117	181	
C	.	B	.	75	/	23	piatto	Cerveteri, depositi SBAEM	22478-87	181	
C	.	B	.	75	/	24	piatto Bb 1(a?)	Cerveteri, depositi SBAEM	22414	173	
C	.	B	.	75	/	25	piatto Bb 1(a?)	Cerveteri, depositi SBAEM	22414 22444	173	
C	.	B	.	75	/	26	piatto Bb 1(a?)	Cerveteri, depositi SBAEM	22417; 22437	173	
C	.	B	.	75	/	27	piatto Ca 1	Cerveteri, depositi SBAEM	22474	179	33.1
C	.	B	.	75	/	28	piatto Ca	Cerveteri, depositi SBAEM	22447	181	
C	.	B	.	75	/	29	coperchio	Cerveteri, depositi SBAEM	22420	182	
C	.	B	.	78	/	1	askos 2	Roma, Museo di Villa Giulia	44839	35	2.6
C	.	B	.	78	/	2	piatto Ba 1b	Roma, Museo di Villa Giulia	44837A	170	
C	.	B	.	78	/	3	piatto Ca 2?	Roma, Museo di Villa Giulia	44837B	180	
C	.	B	.	78	/	4	piatto Bb 1a	Roma, Museo di Villa Giulia	44831	171	
C	.	B	.	79	/	1	anfora Ab 1b	Roma, Museo di Villa Giulia	22341	75	
C	.	B	.	79	/	2	anfora Ab 1b?	Roma, Museo di Villa Giulia	22340	75	
C	.	B	.	79	/	3	coppa Da	Roma, Museo di Villa Giulia	22344	136	
C	.	B	.	79	/	4	piatto Bb 1(a?)	Roma, Museo di Villa Giulia	22352-22356; 22363-22365; 22366-22368	173	
C	.	B	.	81	/	1	coppa Da	Cerveteri, depositi SBAEM	22381	136	
C	.	B	.	81	/	2	piatto Bb 1(a?)	Cerveteri, depositi SBAEM	22382	173	
C	.	B	.	84	/	1	piatto Bb 1(a?)	Cerveteri, depositi SBAEM	22391	173	
C	.	B	.	85	/	1	piatto Bb 1(a?)	Cerveteri, depositi SBAEM	46652	173	
C	.	B	.	85	/	2	piatto Bb 1(a?)	Cerveteri, depositi SBAEM	46655, 46668	173	
C	.	B	.	86	/	1	coppa Da	Cerveteri, depositi SBAEM	22294	136	
C	.	B	.	86	/	2	piatto Bb 1(a?)	Cerveteri, depositi SBAEM	22290	173	
C	.	B	.	86	/	3	piatto Ca	Cerveteri, depositi SBAEM	22289	181	
C	.	B	.	86	/	4	piatto Ca	Cerveteri, depositi SBAEM	22290	181	
C	.	B	.	94	/	1	piatto Bb 1(a?)	Cerveteri, depositi SBAEM	46541	173	

Esemplare	*tipo*	*Luogo di conservazione*	*N. inv.*	*p.*	*tav.*
C . B . 103 / 1	situla	Cerveteri, depositi SBAEM	s.n.	95	
C . B . 134 / 1	piatto Bb 1(a?)	Cerveteri, depositi SBAEM	46358	173	
C . B . 176 / 1	kotyle Bb	Cerveteri, depositi SBAEM	46934	163	
C . B . 176 / 2	olla Dd 1	Cerveteri, depositi SBAEM	46932	116	
C . B . 176 / 3	piatto Bb 1 (a?)	Cerveteri, depositi SBAEM	46931	173	
C . B . 181 / 1	anfora Ab	Cerveteri, depositi SBAEM	48886	87	
C . B . 181 / 2	situla	Cerveteri, depositi SBAEM	48878	95	
C . B . 181 / 3	coppa Da	Cerveteri, depositi SBAEM	48879	136	
C . B . 181 / 4	piatto Bb 1(a?)	Cerveteri, depositi SBAEM	48877	173	
C . B . 227 / 1	oinochoe Cb?	Cerveteri, depositi SBAEM	47063	69	
C . B . 303 / 1	coppa Ba 4	Cerveteri, depositi SBAEM	49608	132	
C . B . 304 / 2	piatto Bb 1(a?)	Cerveteri, depositi SBAEM	s.n.	173	
C . B . 308 / 1	situla	Cerveteri, depositi SBAEM	s.n-	95	
C . B . 308 / 2	piatto Bb 1(B?)	Cerveteri, depositi SBAEM	s.n.	174	
C . B . 403 / 1	skyphos	Cerveteri, depositi SBAEM	46088	156	
C . B . 403 / 2	piatto Bb 1(a?)	Cerveteri, depositi SBAEM	46086	173	
C . B . 403 / 3	oinochoe	Cerveteri, depositi SBAEM	46087-46040	73	
C . B . 404 / 1	olla Dc?	Cerveteri, depositi SBAEM	46039	115	
C . B . 404 / 2	piatto Bb 1(a?)	Cerveteri, depositi SBAEM	46041	173	
C . B . 404 / 3	oinochoe	Cerveteri, depositi SBAEM	46082	73	
C . B . 404 / 4	coppa Da	Cerveteri, depositi SBAEM	46047	136	
C . B . 404 / 5	piatto Bb 1(a?)	Cerveteri, depositi SBAEM	46048	173	
C . B . 404 / 6	piatto Bb 1(a?)	Cerveteri, depositi SBAEM	46059	173	
C . B . 2006 / 1	anfora Ab 1b	Cerveteri, Museo Archeologico Nazionale	108742	75	
C . B . 2006 / 2	anfora Ab 1b	Cerveteri, Museo Archeologico Nazionale	108740	75	
C . B . 2006 / 3	olla B	Cerveteri, Museo Archeologico Nazionale	108754	102	
C . B . 2006 / 4	coppa Ba 4a	Cerveteri, Museo Archeologico Nazionale	108749	131	
C . B . 2006 / 5	coppa Da 1a	Cerveteri, Museo Archeologico Nazionale	108739	136	
C . B . 2006 / 6	piatto Bb 1a	Cerveteri, Museo Archeologico Nazionale	109738	171	
C . B . I / 1	anfora Ab 3a	Roma, Museo di Villa Giulia	46678	78	
C . B . I / 2	anfora Ab 3a	Roma, Museo di Villa Giulia	46677	78	12.4
C . B . I / 3	anfora Ab 3c	Roma, Museo di Villa Giulia		79	
C . B . III / 1	oinochoe Cb 5c	Roma, Museo di Villa Giulia		67	
C . B . III / 3	anfora	Roma, Museo di Villa Giulia		87	
C . B . III / 4	anfora	Roma, Museo di Villa Giulia		87	
C . B . III / 5	anfora *unicum*	Roma, Museo di Villa Giulia		90	
C . B . III / 12	anfora	Roma, Museo di Villa Giulia		87	
C . B . III. / 6	piatto Bb 1a	Roma, Museo di Villa Giulia		171	
C . B . III. / 7	piatto Bb 1(a?)	Roma, Museo di Villa Giulia		173	
C . B . III. / 8	piatto Bb 1(a?)	Roma, Museo di Villa Giulia		173	
C . B . III. / 9	piatto Bb 1(a?)	Roma, Museo di Villa Giulia		173	
C . B . III. / 10	piatto Bb 1d	Roma, Museo di Villa Giulia		175	
C . B . III. / 11	piatto Bb 1d	Roma, Museo di Villa Giulia		175	
C . B . IIIbis / 1	anfora Ab 1a	Roma, Museo di Villa Giulia	107254	75	
C . B . VIII. / 1	oinochoe Cb 4	Roma, Museo di Villa Giulia		65	
C . B . VIII. / 2	olla C	Roma, Museo di Villa Giulia		109	

Esemplare					*tipo*	*Luogo di conservazione*	*N. inv.*	*p.*	*tav.*
C	. B	. IX	/	1	oinochoe A?	Roma, Museo di Villa Giulia		48	
C	. B	. IX	/	2	oinochoe Aa 2?	Roma, Museo di Villa Giulia		40	
C	. B	. IX	/	3	piatto Bb 1a	Roma, Museo di Villa Giulia		171	
C	. B	. XI	/	2	olla Dc 4b?	Roma, Museo di Villa Giulia		114	
C	. B	. XI	/	3	coppa Ba 1a	Roma, Museo di Villa Giulia		127	
C	. B	. XI	/	1	olla Bc	Roma, Museo di Villa Giulia		101	
C	. B	. XI	/	4	coppa Ba 1a	Roma, Museo di Villa Giulia		127	
C	. B	. XI	/	5	piatto Bb 1a	Roma, Museo di Villa Giulia		171	
C	. B	. XI	/	6	piatto Ca 2a	Roma, Museo di Villa Giulia		180	
C	. B	. XVII	/	1	oinochoe Cb	Roma, Museo di Villa Giulia		69	
C	. B	. XVIII	/	2	anfora Bb?	Roma, Museo di Villa Giulia		88	
C	. B	. XVIII	/	3	situla	Roma, Museo di Villa Giulia		95	
C	. B	. XVIII	/	4	olla Dd 1	Roma, Museo di Villa Giulia		116	
C	. B	. XVIII	/	5	olla Dd 2	Roma, Museo di Villa Giulia		117	
C	. B	. XVIII	/	6	attingitoio Bb 1a	Roma, Museo di Villa Giulia		120	
C	. B	. XVIII	/	7	coppa Ba 4c	Roma, Museo di Villa Giulia		132	
C	. B	. XVIII	/	8	piatto Ca 2b	Roma, Museo di Villa Giulia		180	
C	. B	. XX	/	1	oinochoe Cb 5c	Roma, Museo di Villa Giulia		67	
C	. B	. XX	/	2	anfora Ab 2	Roma, Museo di Villa Giulia		77	
C	. B	. XX	/	3	olla Dd 2	Roma, Museo di Villa Giulia		117	
C	. B	. XX	/	4	tazza Ab	Roma, Museo di Villa Giulia		124	
C	. B	. XX	/	5	coppa Ca 1a	Roma, Museo di Villa Giulia		133	
C	. B	. XX	/	6	piatto Ca 2a	Roma, Museo di Villa Giulia		180	
C	. B	. XXIV	/	1	coppa Ca 1a	Cerveteri, depositi SBAEM	106986	133	
C	. B	. XXIV	/	2	coppa Da	Cerveteri, depositi SBAEM	106996	137	24.23
C	. B	. XXIV	/	3	coppa Ea 1	Cerveteri, depositi SBAEM	106984	140	
C	. B	. A	/	1	anfora Ab 3a vicino a	Roma, Museo di Villa Giulia	105391	78	12.6
C	. B	. A	/	2	kotyle Bb 1	Roma, Museo di Villa Giulia	105400	161	
C	. B	. A	/	3	piatto Bb 1a	Roma, Museo di Villa Giulia	105392	171	
C	. B	. A	/	4	piatto Bb 1a	Roma, Museo di Villa Giulia	105393	171	
C	. B	. A	/	5	piatto Bb 1a	Roma, Museo di Villa Giulia	105394	171	
C	. B	. N	/	1	coppa Ba 4c	Roma, Museo di Villa Giulia	46179	132	
C	. B	. N	/	2	coppa Ca 1a?	Roma, Museo di Villa Giulia	46163	133	
C	. Bu	. 60	/	1	skyphos Bc 1	Milano, Civiche Raccolte Archeologiche	A.0.9.21661	154	
C	. Bu	. 60	/	2	skyphos Bc 1	Milano, Civiche Raccolte Archeologiche		154	
C	. Bu	. 60	/	3	piatto Bb 1(a?)	Milano, Civiche Raccolte Archeologiche	A.0.9.29008	174	
C	. Bu	. 60	/	4	piatto Bb 1(a?)	Milano, Civiche Raccolte Archeologiche	A.0.9.20009	174	
C	. Bu	. 60	/	5	piatto Ca 2b	Milano, Civiche Raccolte Archeologiche	A.0.9.17848	180	
C	. Bu	. 62	/	1	olla	Milano, Civiche Raccolte Archeologiche		180	
C	. Bu	. 62	/	2	piatto Ca 2b	Milano, Civiche Raccolte Archeologiche		136	
C	. Bu	. 81	/	1	coppa Da 1a			148	
C	. Bu	. 81	/	2	skyphos Ba 3a			181	
C	. Bu	. 86	/	1	situla 2a variante	Cerveteri, Museo Archeologico Nazionale	66827	94	
C	. Bu	. 86	/	2	anfora Bc 2a	Cerveteri, Museo Archeologico Nazionale	66824	89	
C	. Bu	. 86	/	3	anfora Bc 2a	Cerveteri, Museo Archeologico Nazionale	66825	89	

Esemplare	*tipo*	*Luogo di conservazione*	*N. inv.*	*p.*	*tav.*
C . Bu . 86 / 6	coppa Da 1a	Cerveteri, Museo Archeologico Nazionale	66826	136	
C . Bu . 86 / 7	skyphos Bc 1d	Cerveteri, Museo Archeologico Nazionale	66828	154	
C . Bu . 86 / 8	piatto	Cerveteri, Museo Archeologico Nazionale	66774	181	
C . Bu . 86 / 9	piatto	Cerveteri, Museo Archeologico Nazionale	66775	73	
C . Bu . 94 / 1	oinochoe	Milano, Civiche Raccolte Archeologiche		73	
C . Bu . 94 / 2	oinochoe	Milano, Civiche Raccolte Archeologiche		136	
C . Bu . 94 / 3	coppa Da 1a variante	Milano, Civiche Raccolte Archeologiche		156	24.9
C . Bu . 94 / 4	skyphos?	Milano, Civiche Raccolte Archeologiche		181	
C . Bu . 94 / 5	piatto	Milano, Civiche Raccolte Archeologiche		154	
C . Bu . 182 / 1	oinochoe Cb 4d	Milano, Civiche Raccolte Archeologiche		64	
C . Bu . 182 / 2	oinochoe	Milano, Civiche Raccolte Archeologiche		73	
C . Bu . 182 / 4	situla 1b	Milano, Civiche Raccolte Archeologiche		94	
C . Bu . 182 / 5	coppa Ba	Milano, Civiche Raccolte Archeologiche		133	
C . Bu . 182 / 6	coppa Da	Milano, Civiche Raccolte Archeologiche		137	
C . Bu . 182 / 7	coppa Ea 1	Milano, Civiche Raccolte Archeologiche		140	
C . Bu . 182 / 8	piatto Ba 1b?	Milano, Civiche Raccolte Archeologiche		170	
C . Bu . 182 / 9	piatto Ca?	Milano, Civiche Raccolte Archeologiche		181	
C . Bu . 182 / 10	piatto Ca 1	Milano, Civiche Raccolte Archeologiche		179	
C . Bu . 182 / 11	piatto Bb 1(a?)	Milano, Civiche Raccolte Archeologiche		174	
C . Bu . DL / 1	oinochoe Cb 4 d-e?		31	65	
C . L . 63 / 1	situla 1b	Milano, Civiche Raccolte Archeologiche		94	
C . L . 63 / 2	situla	Milano, Civiche Raccolte Archeologiche		95	
C . L . 63 / 3	olla Dd 1 a	Milano, Civiche Raccolte Archeologiche		115	
C . L . 64 / 1	anfora Ab 7	Milano, Civiche Raccolte Archeologiche	A 17837	86	13.9
C . L . 64 / 2	anfora Ab 7	Milano, Civiche Raccolte Archeologiche	A 15176	86	
C . L . 64 / 3	olla Dc 2b variante	Milano, Civiche Raccolte Archeologiche	A 0.9.15178	112	20.8
C . L . 64 / 4	olla Dc	Milano, Civiche Raccolte Archeologiche	A 0.9.15178	115	
C . L . 64 / 5	attingitoio Bb 1a variante	Milano, Civiche Raccolte Archeologiche	A 0.9.21668	121	22.8
C . L . 64 / 6	skyphos Bc 1d variante	Milano, Civiche Raccolte Archeologiche	A 0.9.21667	154	28.8
C . L . 64 / 7	coppa Da 1b	Milano, Civiche Raccolte Archeologiche	A 0.9. 17771	136	24.11
C . L . 64 / 8	piatto Bb 1a	Milano, Civiche Raccolte Archeologiche	A 0.9.17784	171	
C . L . 64 / 9	piatto B	Milano, Civiche Raccolte Archeologiche	A 0.9.17785	179	
C . L . 64 / 10	piatto B	Milano, Civiche Raccolte Archeologiche	A 0.9.17835	179	
C . L . 64 / 11	piatto B	Milano, Civiche Raccolte Archeologiche	A 0.9.17847	179	
C . L . 64 / 12	piatto Ca 2b	Milano, Civiche Raccolte Archeologiche	A 0.9.29098	180	
C . L . 64 / 13	piatto Ca 2b	Milano, Civiche Raccolte Archeologiche		180	
C . L . 65 / 1	oinochoe Cb 5a	Milano, Civiche Raccolte Archeologiche	A 17827	66	
C . L . 65 / 2	oinochoe Cb 5a	Milano, Civiche Raccolte Archeologiche	A 17830	66	9.6
C . L . 65 / 3	olla Dd 2	Milano, Civiche Raccolte Archeologiche	A 17828bis	117	21.12
C . L . 65 / 4	attingitoio Bb 1a	Milano, Civiche Raccolte Archeologiche	A 15207	120	
C . L . 65 / 5	skyphos Bb 2 variante	Milano, Civiche Raccolte Archeologiche	A 15208bis	151	27.10

Esemplare	*tipo*	*Luogo di conservazione*	*N. inv.*	*p.*	*tav.*
C . L . 65 / 5	tazza Ab	Milano, Civiche Raccolte Archeologiche	A 17850	124	22.17
C . L . 65 / 6	piatto Bb 1a	Milano, Civiche Raccolte Archeologiche	A 17829	171	31.9
C . L . 65 / 7	piatto Ca 2b variante	Milano, Civiche Raccolte Archeologiche	A 17842	180	33.4
C . L . 66 / 1	oinochoe	Milano, Civiche Raccolte Archeologiche		73	
C . L . 66 / 2	olla Bc 1 variante	Milano, Civiche Raccolte Archeologiche		101	17.12
C . L . 66 / 3	coppa Ea 1	Milano, Civiche Raccolte Archeologiche		140	
C . L . 66 / 5	kotyle	Milano, Civiche Raccolte Archeologiche		167	
C . L . 67 / 1	oinochoe	Milano, Civiche Raccolte Archeologiche		73	
C . L . 67 / 2	olla Dd 1?	Milano, Civiche Raccolte Archeologiche		116	
C . L . 67 / 3	coppa Da 1a?	Milano, Civiche Raccolte Archeologiche		136	
C . L . 67 / 4	skyphos Ba 3d?	Milano, Civiche Raccolte Archeologiche		148	
C . L . 67 / 5	skyphos Ba 3d?	Milano, Civiche Raccolte Archeologiche		148	
C . L . 67 / 6	piatto Ca?	Milano, Civiche Raccolte Archeologiche		181	
C . L . 71 / 1	oinochoe A	Milano, Civiche Raccolte Archeologiche		48	
C . L . 71 / 2	olla Dd 1b	Milano, Civiche Raccolte Archeologiche		115	
C . L . 71 / 3	piatto Ca 2b	Milano, Civiche Raccolte Archeologiche		180	
C . L . 73 / 1	situla 2a variante	Milano, Civiche Raccolte Archeologiche		94	
C . L . 73 / 2	piatto Bb(1a?)	Milano, Civiche Raccolte Archeologiche		171	
C . L . 75 / 1	oinochoe Cc 1b?	Milano, Civiche Raccolte Archeologiche		70	
C . L . 75 / 2	anfora Bb	Milano, Civiche Raccolte Archeologiche	A 17781	88	14.5
C . L . 75 / 3	olla Dd 1?	Milano, Civiche Raccolte Archeologiche		116	
C . L . 75 / 4	piatto Ca 2b	Milano, Civiche Raccolte Archeologiche		180	
C . L . 138 / 1	situla 1b variante	Milano, Civiche Raccolte Archeologiche		94	16.11
C . L . 138 / 2	attingitoio Bb 1a	Milano, Civiche Raccolte Archeologiche		120	
C . L . 139 / 1	skyphos Bc 1b-d	Milano, Civiche Raccolte Archeologiche		154	
C . L . 139 / 2	skyphos	Milano, Civiche Raccolte Archeologiche		156	
C . L . 139 / 3	piatto Bb 1(a?)	Milano, Civiche Raccolte Archeologiche		174	
C . L . 142 / 1	olla Dd 1	Milano, Civiche Raccolte Archeologiche	A.0.9.17803	116	
C . L . 142 / 2	olla Dd 1	Milano, Civiche Raccolte Archeologiche	A.0.9.7702	116	
C . L . 142 / 3	olla D	Milano, Civiche Raccolte Archeologiche	A.0.9.7701/a	118	
C . L . 142 / 4	olla D	Milano, Civiche Raccolte Archeologiche	A.0.9.7701/b	118	
C . L . 142 / 5	skyphos	Milano, Civiche Raccolte Archeologiche		156	
C . L . 143 / 1	anfora Bc	Milano, Civiche Raccolte Archeologiche		90	15.1
C . L . 143 / 2	olla Dc 2c	Milano, Civiche Raccolte Archeologiche		112	
C . L . 143 / 3	attingitoio Bb 1a	Milano, Civiche Raccolte Archeologiche		120	
C . L . 143 / 4	coppa Da 1c	Milano, Civiche Raccolte Archeologiche		136	
C . L . 145 / 1	olla Dd 1?	Milano, Civiche Raccolte Archeologiche		116	
C . L . 150 / 1	coppa Ea 1	Milano, Civiche Raccolte Archeologiche		140	
C . L . 150 / 2	piatto Bb 1 (a?)	Milano, Civiche Raccolte Archeologiche		174	
C . L . 154 / 1	anfora Ab 3b	Milano, Civiche Raccolte Archeologiche		78	
C . L . 154 / 2	situla	Milano, Civiche Raccolte Archeologiche		95	
C . L . 155 / 1	olla Dd 2	Milano, Civiche Raccolte Archeologiche		117	
C . L . 155 / 2	piatto Ca 2b	Milano, Civiche Raccolte Archeologiche		180	
C . L . 163 / 1	oinochoe Cb	Milano, Civiche Raccolte Archeologiche		69	
C . L . 163 / 2	olla Dd 1d	Milano, Civiche Raccolte Archeologiche		116	21.11

Esemplare	*tipo*	*Luogo di conservazione*	*N. inv.*	*p.*	*tav.*
C . L . 163 / 3	olla Dd 1d	Milano, Civiche Raccolte Archeologiche		116	
C . L . 163 / 4	coppa Ba 4c	Milano, Civiche Raccolte Archeologiche		132	
C . L . 163 / 5	coppa Ba 4c	Milano, Civiche Raccolte Archeologiche		132	
C . L . 163 / 6	kotyle Bb	Milano, Civiche Raccolte Archeologiche		163	30.5
C . L . 163 / 7	kotyle Bb 2?	Milano, Civiche Raccolte Archeologiche		162	
C . L . 165 / 1	olla Dc 2a	Milano, Civiche Raccolte Archeologiche		111	
C . L . 165 / 2	coppa Ba 3a	Milano, Civiche Raccolte Archeologiche		130	
C . L . 185 / 1	anfora	Milano, Civiche Raccolte Archeologiche		87	
C . L . 185 / 2	olla Ce	Milano, Civiche Raccolte Archeologiche		108	19.8
C . L . 185 / 3	olla Ce	Milano, Civiche Raccolte Archeologiche		108	19.9
C . L . 185 / 4	piatto Ca 2b	Milano, Civiche Raccolte Archeologiche		180	33.3
C . L . 185 / 5	coperchio	Milano, Civiche Raccolte Archeologiche		183	19.8
C . L . 185 / 6	coperchio	Milano, Civiche Raccolte Archeologiche		183	19.9
C . L . 226 / 1	piatto Bb 1c	Milano, Civiche Raccolte Archeologiche	A 17831	174	
C . L . 245 / 1	anfora Ab 3b	Milano, Civiche Raccolte Archeologiche	A.0.9.29211	78	
C . L . 245 / 2	anfora Ab 3b?	Milano, Civiche Raccolte Archeologiche	A.0.9.29212	78	
C . L . 245 / 3	attingitoio Bb 1a	Milano, Civiche Raccolte Archeologiche	A.0.9.29208	120	
C . L . 245 / 4	attingitoio Bb 1a?	Milano, Civiche Raccolte Archeologiche	A.0.9. 29209	120	
C . L . 245 / 5	coppa Ea 1	Milano, Civiche Raccolte Archeologiche		140	25.8
C . L . 274 / 1	oinochoe Aa 8 variante	Padova, Museo Civico	270	46	4.13
C . L . 274 / 2	situla 1a variante	Padova, Museo Civico	285	93	16.9
C . L . 274 / 3	coppa Ba 3a	Padova, Museo Civico	270	130	
C . L . 274 / 4	coppa Da 1a	Padova, Museo Civico	MC5	136	
C . L . 319 / 1	oinochoe Aa 3a vicino a	Milano, Civiche Raccolte Archeologiche	A 15462	41	3.9
C . L . 339 / 1	olla Dc 2c	Milano, Civiche Raccolte Archeologiche	A 15425	112	
C . L . 339 / 2	piatto	Milano, Civiche Raccolte Archeologiche	A 15428	181	
C . L . 360 / 1	situla 1b	Milano, Civiche Raccolte Archeologiche		94	
C . L . 417 / 1	oinochoe Cb	Roma, Museo di Villa Giulia		69	
C . L . 417 / 2	coppa Ba 4c	Roma, Museo di Villa Giulia		132	
C . L . 417 / 3	coppa Ba 4c	Roma, Museo di Villa Giulia		132	
C . L . 417 / 4	coppa Ba 4c	Roma, Museo di Villa Giulia		132	
C . L . 417 / 5	piatto Bb 1(a?)	Roma, Museo di Villa Giulia		174	
C . L . 461 / 1	olla Dd 1	Roma, Museo di Villa Giulia		116	
C . L . 461 / 2	olla Dd 1	Roma, Museo di Villa Giulia		116	
C . L . 461 / 3	piatto Bb 1(a?)	Roma, Museo di Villa Giulia		174	
C . L . 461 / 4	piatto Bb 1(a?)	Roma, Museo di Villa Giulia		174	
C . L . 461 / 5	piatto Ca 2b	Roma, Museo di Villa Giulia		180	
C . L . 461 / 6	piatto Ca 2b	Roma, Museo di Villa Giulia		180	
C . L . 471 / 1	oinochoe A?	Roma, Museo di Villa Giulia		48	
C . L . 608 / 1	oinochoe Cb	Cerveteri, Museo Archeologico Nazionale		69	
C . L . 608 / 1	piatto Bb 1a	Cerveteri, Museo Archeologico Nazionale		172	
C . L . 339c / 1	olla Dc 2c	Milano, Civiche Raccolte Archeologiche		112	
C . MA . 4 / 1	askos 1	Cerveteri, Museo Archeologico Nazionale	87916	33	
C . MA . 4 / 2	anfora Ab 3a	Cerveteri, Museo Archeologico Nazionale	s.n.	78	

Esemplare					*tipo*	*Luogo di conservazione*	*N. inv.*	*p.*	*tav.*
C	. MA	. 4	/	3	piatto Bb 1b	Cerveteri, Museo Archeologico Nazionale	87915	174	
C	. MA	. 4	/	5	coppa Ca 1a?	Cerveteri, Museo Archeologico Nazionale	87913	133	
C	. MA	. 45	/	1	olla Dc 3	Milano, Civiche Raccolte Archeologiche	A 15171	114	
C	. MA	. 76	/	1	anfora Ab 2	Milano, Civiche Raccolte Archeologiche	A 17769	77	12.3
C	. MA	. 76	/	2	anfora Ab 2	Milano, Civiche Raccolte Archeologiche	A 17768	77	
C	. MA	. 76	/	3	piatto Bb 1a	Milano, Civiche Raccolte Archeologiche	A 16746	172	
C	. MA	. 76	/	4	piatto Bb 1a	Milano, Civiche Raccolte Archeologiche	A 16747	172	
C	. MA	. 76	/	5	piatto Bb 1(a?)	Milano, Civiche Raccolte Archeologiche	s.n.	174	
C	. MA	. 77	/	1	olla Dc 3	Milano, Civiche Raccolte Archeologiche	A 21511	114	21.1
C	. MA	. 77	/	2	olla Dc 3	Milano, Civiche Raccolte Archeologiche	A 21513	114	
C	. MA	. 77	/	3	skyphos Bc 2	Milano, Civiche Raccolte Archeologiche	A 21512	156	
C	. MA	. 77	/	4	piatto Bb 1(a?)	Milano, Civiche Raccolte Archeologiche	A 16753	174	
C	. MA	. 77	/	5	piatto Bb 1(a?)	Milano, Civiche Raccolte Archeologiche	A 16754	174	
C	. MA	. 77	/	6	piatto Bb 1a	Milano, Civiche Raccolte Archeologiche	A 7774	172	
C	. MA	. 77	/	7	piatto Bb 1a	Milano, Civiche Raccolte Archeologiche	A 16750	172	
C	. MA	. 77	/	8	piatto Bb 1a	Milano, Civiche Raccolte Archeologiche	A 16751	172	
C	. MA	. 77	/	9	piatto Bb 1a	Milano, Civiche Raccolte Archeologiche	A 16752	172	
C	. MA	. 77	/	10	piatto Bb 1(a?)	Milano, Civiche Raccolte Archeologiche		174	
C	. MA	. 79	/	1	oinochoe Cc 1b	Milano, Civiche Raccolte Archeologiche	A 15175	70	
C	. MA	. 79	/	2	anfora Bc 1	Milano, Civiche Raccolte Archeologiche	A 15172	89	15.3
C	. MA	. 79	/	3	anfora Bc 1	Milano, Civiche Raccolte Archeologiche	A 16760	89	
C	. MA	. 79	/	4	olla Dc 3 variante	Milano, Civiche Raccolte Archeologiche	A 15173	114	21.2
C	. MA	. 83	/	1	anfora Bb	Milano, Civiche Raccolte Archeologiche	A 17775	88	14.4
C	. MA	. 83	/	2	skyphos Ba 3a	Milano, Civiche Raccolte Archeologiche	A 14986	148	
C	. MA	. 83	/	3	piatto Bb 1a	Milano, Civiche Raccolte Archeologiche	A 17776	172	
C	. MA	. 89	/	1	aryballos 2b	Milano, Civiche Raccolte Archeologiche	A 7932	26	
C	. MA	. 89	/	2	oinochoe Cb 5b	Milano, Civiche Raccolte Archeologiche	A 15179	66	9.7
C	. MA	. 89	/	3	situla 1a	Milano, Civiche Raccolte Archeologiche	A 15180	93	16.8
C	. MA	. 89	/	4	situla 1a	Milano, Civiche Raccolte Archeologiche	A 15181	93	
C	. MA	. 89	/	5	situla 1a	Milano, Civiche Raccolte Archeologiche		93	
C	. MA	. 89	/	6	aryballos 2b variante	Milano, Civiche Raccolte Archeologiche	A 21516	26	
C	. MA	. 89	/	7	olla Dc 2a	Milano, Civiche Raccolte Archeologiche	A 15185	111	
C	. MA	. 89	/	8	olla Dc 2c	Milano, Civiche Raccolte Archeologiche	A 15184	112	20.9
C	. MA	. 89	/	9	olla Dc 4a	Milano, Civiche Raccolte Archeologiche	A 15186	114	
C	. MA	. 89	/	10	olla Dc 4a	Milano, Civiche Raccolte Archeologiche	A 15183	114	21.3
C	. MA	. 89	/	11	olla Dc 4b	Milano, Civiche Raccolte Archeologiche	A 15187	114	
C	. MA	. 89	/	12	olla Dc 4b	Milano, Civiche Raccolte Archeologiche	A 15188	114	
C	. MA	. 89	/	13	olla Dc 4b	Milano, Civiche Raccolte Archeologiche	A 21517	114	
C	. MA	. 89	/	14	coperchio	Milano, Civiche Raccolte Archeologiche	A 15184	182	
C	. MA	. 89	/	15	coperchio	Milano, Civiche Raccolte Archeologiche	A 15185	182	
C	. MA	. 89	/	16	coperchio	Milano, Civiche Raccolte Archeologiche	A 15186	183	
C	. MA	. 89	/	17	coperchio	Milano, Civiche Raccolte Archeologiche	A15183	183	
C	. MA	. 89	/	18	coperchio	Milano, Civiche Raccolte Archeologiche	A 15187	183	
C	. MA	. 89	/	19	coperchio	Milano, Civiche Raccolte Archeologiche	A 15188	183	
C	. MA	. 89	/	20	skyphos Bc 1d	Milano, Civiche Raccolte Archeologiche	A 15189	154	28.7

Esemplare	*tipo*	*Luogo di conservazione*	*N. inv.*	*p.*	*tav.*
C . MA . 89 / 21	skyphos Bc 1d	Milano, Civiche Raccolte Archeologiche	A 15205	154	
C . MA . 89 / 22	piatto Bb 1a	Milano, Civiche Raccolte Archeologiche	A 17791	172	
C . MA . 89 / 23	piatto Ca 1	Milano, Civiche Raccolte Archeologiche	A 21518	179	
C . MA . 90 / 1	aryballos 2b	Milano, Civiche Raccolte Archeologiche	A 7794	26	
C . MA . 90 / 2	aryballos 2c	Milano, Civiche Raccolte Archeologiche	A 7780	26	
C . MA . 90 / 3	anfora Ab 4	Milano, Civiche Raccolte Archeologiche	A 17843	82	
C . MA . 90 / 4	anfora Ab 4	Milano, Civiche Raccolte Archeologiche	A 17844	82	
C . MA . 90 / 5	oinochoe Cb 4e variante	Milano, Civiche Raccolte Archeologiche	A 15122	65	9.5
C . MA . 90 / 6	anfora Bc 2b	Milano, Civiche Raccolte Archeologiche	A 15127	89	
C . MA . 90 / 7	anfora Bc 2b	Milano, Civiche Raccolte Archeologiche	A 15170	89	15.5
C . MA . 90 / 10	olla Dc 4b	Milano, Civiche Raccolte Archeologiche	A 21523	114	21.5
C . MA . 90 / 11	aryballos 2a	Milano, Civiche Raccolte Archeologiche	A 7788	25	
C . MA . 90 / 12	aryballos 2a	Milano, Civiche Raccolte Archeologiche	A 7791	25	
C . MA . 90 / 13	aryballos 2b	Milano, Civiche Raccolte Archeologiche	A 7787	26	
C . MA . 90 / 14	aryballos 2b	Milano, Civiche Raccolte Archeologiche	A 7790	26	
C . MA . 90 / 15	coppa Da 1c	Milano, Civiche Raccolte Archeologiche	A 15126	136	
C . MA . 90 / 16	piatto ca 1	Milano, Civiche Raccolte Archeologiche	A 7223	179	
C . MA . 90 / 17	piatto Bb 1a	Milano, Civiche Raccolte Archeologiche	A 17821	172	
C . MA . 90 / 18	piatto Bb 1a	Milano, Civiche Raccolte Archeologiche	A 17822	172	
C . MA . 90 / 19	piatto Bb 1a	Milano, Civiche Raccolte Archeologiche	A 17845	172	
C . MA . 90 / 20	piatto Bb 1a	Milano, Civiche Raccolte Archeologiche	A 17823	172	
C . MA . 90 / 21	piatto Bb 1a	Milano, Civiche Raccolte Archeologiche	A 7225	172	
C . MA . 90 / 22	piatto Bb 1b	Milano, Civiche Raccolte Archeologiche	A 7226	174	
C . MA . 90 / 23	piatto Bb 1b	Milano, Civiche Raccolte Archeologiche	A 7227	174	
C . MA . 90 / 24	piatto Bb 1b	Milano, Civiche Raccolte Archeologiche	A 7228	174	
C . MA . 90 / 25	piatto Bb 1a	Milano, Civiche Raccolte Archeologiche	A 7229	172	
C . MA . 297 / 1	oinochoe Cb	Cerveteri, Museo Archeologico Nazionale		68	10.6
C . MA . 297 / 2	anfora Cb	Cerveteri, Museo Archeologico Nazionale		90	15.6
C . MA . 297 / 3	olla Dc 2c	Cerveteri, Museo Archeologico Nazionale		112	
C . MA . 297 / 4	piatto Bb 1a	Cerveteri, Museo Archeologico Nazionale		172	
C . MA . 304 / 1	piatto Bb 1c	Roma, Museo di Villa Giulia		174	
C . MA . 352 / 1	oinochoe Cb 3f	Milano, Civiche Raccolte Archeologiche	A 14874	62	
C . MA . 352 / 2	oinochoe Cb	Milano, Civiche Raccolte Archeologiche	A 14875	68	10.8
C . MA . 352 / 3	attingitoio Bb 1a	Milano, Civiche Raccolte Archeologiche	A 15121	120	
C . MA . 352 / 4	skyphos Bc 1a	Milano, Civiche Raccolte Archeologiche	A 15124	152	
C . MA . 352 / 5	skyphos Bc 1a	Milano, Civiche Raccolte Archeologiche	A 15123	152	
C . MA . 352 / 6	skyphos Bc 1a?	Milano, Civiche Raccolte Archeologiche	A 14973	153	
C . MA . 352 / 7	piatto Bb 1a	Milano, Civiche Raccolte Archeologiche	A 17773	172	
C . MA . 352 / 8	piatto Bb 1a	Milano, Civiche Raccolte Archeologiche	A 17772	172	
C . MA . 352 / 9	coperchio	Milano, Civiche Raccolte Archeologiche	A 15209	183	
C . MA . 384 / 1	olla Dd 1a variante	Cerveteri, Museo Archeologico Nazionale		115	
C . MA . 410 / 1	olla Dd 1d	Cerveteri, Museo Archeologico Nazionale		116	
C . MA . 410 / 2	attingitoio Bb 1a	Cerveteri, Museo Archeologico Nazionale		121	
C . MA . 410 / 3	coppa Ba 3a	Cerveteri, Museo Archeologico Nazionale		130	

Esemplare	*tipo*	*Luogo di conservazione*	*N. inv.*	*p.*	*tav.*
C . MA . 410 / 4	piatto Bb 1a	Cerveteri, Museo Archeologico Nazionale		172	
C . MA . 410 / 5	piatto Ca 2b	Cerveteri, Museo Archeologico Nazionale		180	
C . MA . 410 / 6	piatto Ca 2b	Cerveteri, Museo Archeologico Nazionale		180	
C . MA . 426 / 1	anfora Bc	Cerveteri, Museo Archeologico Nazionale		116	15.2
C . MdO . t. / 1	oinochoe Cb	depositi SBAEM	106708	69	
C . Mn . 1 / 1	coppa Da 1a	Roma, Museo di Villa Giulia		136	
C . Mn . 18 / 1	piatto Bb 1a	Roma, Museo di Villa Giulia		172	
C . Mn . 18 / 2	piatto Bb *unicum*	Roma, Museo di Villa Giulia		176	32.4
C . Mn . 18 / 3	piatto Bb 1b	Roma, Museo di Villa Giulia		174	
C . Mn . 18 / 4	olla Dd 2	Roma, Museo di Villa Giulia		117	
C . S . 20 / 1	piatto Bb 1a	Cerveteri, Museo Archeologico Nazionale	31915	172	
C . S . 21 / 1	piatto Bb 1a	Roma, Museo di Villa Giulia	31937	172	
C . S . 3332 / 1	coppa Ea 1	depositi SBAEM	32692	140	
C . S . G / 1	piatto Ca	Vaticano, Museo Gregoriano Etrusco	19967, 22607-22610, 22612	180	
C . S . G / 2	piatto Bb 1a	Vaticano, Museo Gregoriano Etrusco	19943	172	
C . S . G / 3	piatto Bb 1a	Vaticano, Museo Gregoriano Etrusco	19944	172	
C . S . G / 4	piatto Ca 2a	Vaticano, Museo Gregoriano Etrusco	19968	180	33.2
C . S . G / 5	olla Dc 2b	Vaticano, Museo Gregoriano Etrusco	20009	111	
C . S . G / 6	piatto Ca 1	Vaticano, Museo Gregoriano Etrusco	19969	179	
C . S . G / 7	piatto Bb 1a	Vaticano, Museo Gregoriano Etrusco	16304	172	
C . S . G / 8	piatto Bb 1a	Vaticano, Museo Gregoriano Etrusco	36583	172	
C . S . G / 9	piatto Bb 1a	Vaticano, Museo Gregoriano Etrusco	19971	172	
C . S . G / 10	piatto Ca 2a	Vaticano, Museo Gregoriano Etrusco	19979	180	
C . S . G / 11	piatto Ca 2a	Vaticano, Museo Gregoriano Etrusco	16632	180	
C . S . R / 1	piatto Ca?	Vaticano, Museo Gregoriano Etrusco		181	
C . S . R / 2	coppa Da	Vaticano, Museo Gregoriano Etrusco		137	
C . S . R / 3	piatto	Vaticano, Museo Gregoriano Etrusco		182	
C . S . R / 4	piatto	Vaticano, Museo Gregoriano Etrusco		182	
C . . 39 / 1	anfora Ab 3b	depositi SBAEM		78	
C . . tC / 1	piatto Bb 1b	Copenhagen, Nationalmuseet	HIN 681	174	
C . . tC / 2	piatto Bb 1b	Copenhagen, Nationalmuseet	HIN 682	174	
Ca . . t / 1	oinochoe Aa 8	Castro, Museo Civico	72757-9 (?)	46	
Ca . . t / 2	attingitoio Aa 1b	Castro, Museo Civico	72756	119	
Ca . . t / 3	coppa Ba 3c	Castro, Museo Civico	72757-9 (?)	131	
Ca . . t / 4	coppa Db 1b	Castro, Museo Civico	72757-9 (?)	139	
Ce . . I / 1	piatto Bb 1a	Cerveteri, Museo Archeologico Nazionale		173	
Ce . . II / 1	anfora Ab 3c	Cerveteri, Museo Archeologico Nazionale		79	
Ce . . II / 2	piatto Bb 1 (a?)	Cerveteri, Museo Archeologico Nazionale		173	
Ce . . II / 3	piatto Bb 1a	Cerveteri, Museo Archeologico Nazionale		173	
Ce . . II / 4	piatto Bb 1a?	Cerveteri, Museo Archeologico Nazionale		173	
Ce . . II / 5	piatto Bb 1a?	Cerveteri, Museo Archeologico Nazionale		173	
Ci . . / 1	olla Ac 1	Civitavecchia, Museo Archeologico		97	
Gi . . t / 1	olla Bd	Barbarano Romano, Antiquarium	75868	102	18.1
M . 1956 / 1	tazza Aa 2a	Roma, Museo di Villa Giulia	64565	123	22.13

Esemplare	*tipo*	*Luogo di conservazione*	*N. inv.*	*p.*	*tav.*
M . 1956 / 2	coppa Ca 1b	Roma, Museo di Villa Giulia	64563bis	133	
M . 1956 / 4	coperchio	Roma, Museo di Villa Giulia	64175	183	
M / 1	coppa Db 1a	Grosseto, Museo Archeologico e d'Arte della Maremma	1779	138	
M / 2	skyphos Aa 1d	Grosseto, Museo Archeologico e d'Arte della Maremma	1774	144	
M / 3	skyphos Ba 2	Grosseto, Museo Archeologico e d'Arte della Maremma	1778	147	
M / 4	piatto Aa 2	Grosseto, Museo Archeologico e d'Arte della Maremma	2386	168	31.2
O . B . 1 / 1	olla Ba 1a	Orbetello, Antiquarium		99	
O . SD . II / 1	olla Dc 2c		308	112	
O . SD . II / 2	skyphos Ba 2?			147	
PB . a / 1	oinochoe Aa 1c	Pitigliano, Museo Civico		39	
PB . a / 2	oinochoe Aa 6c	Grosseto, Museo Archeologico e d'Arte della Maremma	24337	44	
PB . a / 3	oinochoe Aa 6c	Grosseto, Museo Archeologico e d'Arte della Maremma	1228	44	
PB . a / 4	oinochoe Aa 6c	Grosseto, Museo Archeologico e d'Arte della Maremma	23055	44	
PB . a / 5	oinochoe Aa 6c	Firenze, Museo Archeologico Nazionale (depositi)	76320	44	
PB . a / 6	anforetta Aa 1a variante	Firenze, Museo Archeologico Nazionale (depositi)	20838	91	16.4
PB . a / 7	anforetta Aa 1a	Grosseto, Museo Archeologico e d'Arte della Maremma	24345	91	
PB . a / 8	anforetta Aa 1a	Grosseto, Museo Archeologico e d'Arte della Maremma	22740	91	
PB . a / 9	olla Ba 1a	Grosseto, Museo Archeologico e d'Arte della Maremma	24338	99	17.2
PB . a / 10	olla Ba 1b	Grosseto, Museo Archeologico e d'Arte della Maremma	22854	99	
PB . a / 11	olla Ba 1b variante	Pitigliano, Museo Civico		99	17.4
PB . a / 12	olla Ca 1a?	Grosseto, Museo Archeologico e d'Arte della Maremma	24346	103	
PB . a / 13	olla Ca 1b	Grosseto, Museo Archeologico e d'Arte della Maremma	23084	103	18.6
PB . a / 14	olla Db 1	Grosseto, Museo Archeologico e d'Arte della Maremma	22852	109	
PB . a / 15	attingitoio Aa 1a	Grosseto, Museo Archeologico e d'Arte della Maremma	24306	118	
PB . a / 16	attingitoio Aa 2b	Grosseto, Museo Archeologico e d'Arte della Maremma	22899	119	
PB . a / 17	attingitoio Aa 2b	Pitigliano, Museo Civico		119	
PB . a / 18	tazza	Grosseto, Museo Archeologico e d'Arte della Maremma	SAT 24349	124	

Esemplare				*tipo*	*Luogo di conservazione*	*N. inv.*	*p.*	*tav.*
PB	. a	/	19	tazza Aa 2c	Grosseto, Museo Archeologico e d'Arte della Maremma	1213	123	
PB	. a	/	20	coppa Ca 1c	Grosseto, Museo Archeologico e d'Arte della Maremma	24341	133	24.3
PB	. a	/	21	coppa Ca 1c	Grosseto, Museo Archeologico e d'Arte della Maremma	23056	134	
PB	. a	/	22	coppa Ca 1c	Pitigliano, Museo Civico		134	
PB	. a	/	23	coppa Ca 1d	Grosseto, Museo Archeologico e d'Arte della Maremma	1505	134	24.4
PB	. a	/	24	coppa Ca 1d	Pitigliano, Museo Civico		134	
PB	. a	/	25	coppa Cb 1a	Grosseto, Museo Archeologico e d'Arte della Maremma	24294	134	
PB	. a	/	26	coppa Cb 1a	Grosseto, Museo Archeologico e d'Arte della Maremma		134	24.6
PB	. a	/	27	coppa Db 1a	Pitigliano, Museo Civico		138	25.1
PB	. a	/	28	coppa Db 1c	Grosseto, Museo Archeologico e d'Arte della Maremma	23227	139	
PB	. a	/	29	coppa Db 1b	Pitigliano, Museo Civico		138	
PB	. a	/	30	coppa Db 1b	Pitigliano, Museo Civico		138	
PB	. a	/	31	coppa Db 1b	Pitigliano, Museo Civico		138	
PB	. a	/	32	coppa Db 1b	Grosseto, Museo Archeologico e d'Arte della Maremma	24340	139	
PB	. a	/	33	coppa Db 1b	Grosseto, Museo Archeologico e d'Arte della Maremma	24339	139	
PB	. a	/	34	coppa Db 1c	Pitigliano, Museo Civico		139	
PB	. a	/	35	coppa Db 1c	Grosseto, Museo Archeologico e d'Arte della Maremma	1214	139	
PB	. a	/	36	coppa Db 1c	Grosseto, Museo Archeologico e d'Arte della Maremma	23090	139	
PB	. a	/	37	coppa Db 1c	Firenze, Museo Archeologico nazionale (depositi)	77129	139	
PB	. a	/	38	coppa Db 1c	Grosseto, Museo Archeologico e d'Arte della Maremma	24323	139	
PB	. a	/	40	skyphos Aa 1a	Grosseto, Museo Archeologico e d'Arte della Maremma	22735	143	
PB	. a	/	41	skyphos Aa 1a	Pitigliano, Museo Civico		143	26.1
PB	. a	/	42	skyphos Aa 1b	Grosseto, Museo Archeologico e d'Arte della Maremma	24342	143	
PB	. a	/	43	skyphos Aa 1b	Pitigliano, Museo Civico		143	26.3
PB	. a	/	44	skyphos Aa 1b	Pitigliano, Museo Civico		143	
PB	. a	/	45	skyphos Aa 1c	Grosseto, Museo Archeologico e d'Arte della Maremma	23060	143	
PB	. a	/	46	skyphos Aa 1c	Pitigliano, Museo Civico		143	
PB	. a	/	47	skyphos Aa 1c	Pitigliano, Museo Civico		143	
PB	. a	/	48	skyphos Aa 1d	Grosseto, Museo Archeologico e d'Arte della Maremma	22794	144	

Esemplare				*tipo*	*Luogo di conservazione*	*N. inv.*	*p.*	*tav.*
PB	. a	/	49	skyphos Aa 1d	Grosseto, Museo Archeologico e d'Arte della Maremma	24343	144	
PB	. a	/	50	skyphos Aa 1d	Grosseto, Museo Archeologico e d'Arte della Maremma	669	144	
PB	. a	/	51	skyphos Aa 2a	Grosseto, Museo Archeologico e d'Arte della Maremma	24310	144	26.8
PB	. a	/	52	skyphos Aa 2a	Pitigliano, Museo Civico		144	
PB	. a	/	53	skyphos Aa 2a	Pitigliano, Museo Civico		144	
PB	. a	/	54	skyphos Aa 2b	Grosseto, Museo Archeologico e d'Arte della Maremma	23063	144	
PB	. a	/	55	skyphos Aa 2b	Grosseto, Museo Archeologico e d'Arte della Maremma	1212	144	26.9
PB	. a	/	56	skyphos Ba 1a	Pitigliano, Museo Civico		146	
PB	. a	/	57	skyphos Ba 1a	Pitigliano, Museo Civico		146	
PB	. a	/	58	skyphos Ba 1a	Grosseto, Museo Archeologico e d'Arte della Maremma	24320	146	
PB	. a	/	59	skyphos Bc 1c	Firenze, Museo Archeologico nazionale (depositi)	77120	153	
PB	. a	/	60	kotyle Aa 2	Grosseto, Museo Archeologico e d'Arte della Maremma	24344	159	
PB	. a	/	61	kotyle Aa 2	Grosseto, Museo Archeologico e d'Arte della Maremma	24361	159	
PB	. a	/	62	kotyle Aa 2	Grosseto, Museo Archeologico e d'Arte della Maremma	24293	159	
PB	. a	/	63	kotyle Aa 2	Grosseto, Museo Archeologico e d'Arte della Maremma	24292	159	
PB	. a	/	64	kotyle Aa 2	Firenze, Museo Archeologico Nazionale (depositi)	95894	159	
PB	. a	/	65	kotyle Bb 4	Firenze, Museo Archeologico Nazionale (depositi)	95895	163	
PB	. a	/	66	piatto Aa 1	Grosseto, Museo Archeologico e d'Arte della Maremma	2555	168	
PB	. a	/	67	piatto Aa 1	Grosseto, Museo Archeologico e d'Arte della Maremma	1229	168	31.1
PB	. a	/	68	piatto Aa 2 variante	Grosseto, Museo Archeologico e d'Arte della Maremma	23061	169	
PB	. a	/	69	piatto Ba	Pitigliano, Museo Civico		170	31.7
PB	. a	/	70	piatto Ba 1b	Pitigliano, Museo Civico		170	
PB	. a	/	71	piatto Ba 1b	Pitigliano, Museo Civico		170	
PB	. a	/	72	piatto Ba 1b	Pitigliano, Museo Civico		170	
PB	. a	/	73	piatto Ba 1b	Pitigliano, Museo Civico		170	
PB	. a	/	74	piatto Ba 1b	Pitigliano, Museo Civico		170	31.5
PB	. a	/	75	piatto Ba 1b	Pitigliano, Museo Civico		170	
PB	. a	/	76	piatto Bc 1b	Firenze, Museo Archeologico Nazionale (depositi)	76321	177	
PB	. a	/	77	piatto Bc 1b	Firenze, Museo Archeologico Nazionale (depositi)	76322	177	32.8
PB	. a	/	78	piatto Bc 1b	Pitigliano, Museo Civico		177	

Esemplare	*tipo*	*Luogo di conservazione*	*N. inv.*	*p.*	*tav.*
PB . a / 79	piatto Bc 1b	Pitigliano, Museo Civico		177	
PB . a / 80	olla Ba 2	Pitigliano, Museo Civico		100	
PB . a / 81	Aryballos 2a	Firenze, Museo Archeologico Nazionale (depositi)		25	
PB . 4 / 1	coppa Ca 1e	Pitigliano, Museo Civico		134	
PB . 4 / 2	coperchio	Pitigliano, Museo Civico		183	
PB . 7 / 1	oinochoe Aa 1c	Pitigliano, Museo Civico		39	
PB . 8 / 1	olla Ba 1b	Pitigliano, Museo Civico		99	
PB . 12 / 1	coppa Db 1d	Berlino, Staatliche Museen	3454	139	
PB . 12 / 2	skyphos Aa 1d	Berlino, Staatliche Museen	3455	144	
PB . 17 / 1	oinochoe Aa 4b	Pitigliano, Museo Civico		43	
PB . 17 / 2	skyphos Aa 1c	Pitigliano, Museo Civico		143	
PB . 18 / 1	skyphos Aa 1c	Pitigliano, Museo Civico		143	
PB . 19 / 1	coppa Db 1d	Pitigliano, Museo Civico		139	
PB . 22 / 1	oinochoe Aa 4a	Pitigliano, Museo Civico		42	
PB . 24 / 1	skyphos Aa 1c	Pitigliano, Museo Civico		143	
PB . 24 / 2	skyphos Aa 1d	Pitigliano, Museo Civico		144	26.7
PB . 24 / 3	skyphos Aa 1d	Pitigliano, Museo Civico		144	
PB . 26 / 1	coppa Db 1d	Pitigliano, Museo Civico		139	
PB . I / 1	tazza Aa 2c	Firenze, Museo Archeologico Nazionale (depositi)	789930	123	
PB . I / 2	coppa Db 1b	Firenze, Museo Archeologico Nazionale (depositi)	78928	138	
PB . I / 3	skyphos Ab 1	Firenze, Museo Archeologico Nazionale (depositi)	78929	145	26.10
PB . II / 1	olla Ca 1a	Firenze, Museo Archeologico Nazionale (depositi)	78973	103	18.4
PB . II / 2	skyphos Aa 1c	Firenze, Museo Archeologico Nazionale (depositi)	78974	143	26.5
PB . III / 1	skyphos Aa 1c	Firenze, Museo Archeologico Nazionale (depositi)	76267	143	
PB . V / 1	skyphos Ab 1	Firenze, Museo Archeologico Nazionale (depositi)	76293	145	
PB . VI / 1	oinochoe Aa 6b	Firenze, Museo Archeologico Nazionale (depositi)	95826	44	
PB . VI / 2	oinochoe Aa 6c	Firenze, Museo Archeologico Nazionale (depositi)	95825	44	
PB . VI / 3	anforetta Aa 1a variante	Firenze, Museo Archeologico Nazionale (depositi)	95833		
PB . VI / 4	coppa Ca 1b	Firenze, Museo Archeologico Nazionale (depositi)	95828	133	24.2
PB . VI / 5	coppa Db 1b	Firenze, Museo Archeologico Nazionale (depositi)	95827	138	
PB . VI / 6	skyphos Aa 1c	Firenze, Museo Archeologico Nazionale (depositi)	95829	143	
PB . VI / 7	skyphos Aa 1c variante	Firenze, Museo Archeologico Nazionale (depositi)	95830	143	26.6
PB . VI / 8	skyphos Aa 1d	Firenze, Museo Archeologico Nazionale (depositi)	95836	144	

Esemplare					*tipo*	*Luogo di conservazione*	*N. inv.*	*p.*	*tav.*
PB	.	VII	/	1	askos 1	Firenze, Museo Archeologico Nazionale (depositi)	76019	33	2.3
PB	.	VII	/	2	skyphos Bc 1e	Firenze, Museo Archeologico Nazionale (depositi)	76015	154	28.4
PB	.	XXV	/	1	anforetta Aa 1a	Berlino, Staatliche Museen	3477	91	
PB	.	A	/	1	coppa Db 1b	University of California	8/1507	138	
PB	.	B	/	1	coppa Ca 1e	University of California	8/1575	134	24.5
PB	.	B	/	2	coppa Db 1d	University of California	8/1574	139	25.5
PB	.	C	/	1	coppa Db 1d	University of California	8/1661	139	
PB	.	C	/	2	skyphos Ba 1a	University of California	8/1662	146	26.11
PB	.	C	/	3	skyphos Ba 1a	University of California	8/1664	146	
PB	.	C	/	4	skyphos Ba 1a variante	University of California	8/1663	146	26.12
PB	.	C	/	5	skyphos Bc 2	University of California	8/1665	156	
PB	.	D	/	1	oinochoe Aa 1a	University of California	8/1692	39	
PB	.	D	/	2	oinochoe Aa 6b	University of California	8/1693	44	4.8
PB	.	D	/	3	olla Db 1 variante	University of California	8/1688	109	20.2
PB	.	D	/	4	coppa Db 1b	University of California	8/1689	138	
PB	.	D	/	5	skyphos Aa 1d	University of California	8/1691	144	
PB	.	D	/	6	skyphos Ba 1b variante	University of California	8/1690	146	26.14
PB	.	E	/	1	oinochoe Aa 6c	University of California	8/1744	44	
PB	.	E	/	2	coppa Aa 2b	University of California	8/1729	127	23.7
PB	.	E	/	3	skyphos Bc 1a variante	University of California	8/1751	153	28.3
PB	.	E	/	4	piatto Aa 1	University of California	8/1728	168	
PB	.	E	/	5	piatto Aa 2	University of California	8/ 1730	168	
PB	.	F	/	1	skyphos Bc 1c	University of California	8/1784	153	28.6
PB	.	F	/	2	skyphos Ba 2	University of California	8/1783	147	
PB	.	G	/	1	coppa Ba 1a	University of California	8/1847	127	
PB	.	G	/	2	coppa Ba 1a	University of California	8/1844	127	
PB	.	G	/	3	skyphos Ba 1b	University of California	8/1845	146	26.13
PB	.	G	/	4	skyphos Ba 1b	University of California	8/1846	146	
PB	.	t	/	1	anforetta Aa 1a	Chicago, Field Museum of Natural History	24916		
PB	.	t	/	2	olla Db 1	Chicago, Field Museum of Natural History	24914-5	109	20.1
PG	.	1	/	1	olla Dc 1b	depositi SSBAR	374600	110	
PG	.	1	/	2	olla Dc 1b variante	depositi SSBAR	374601	110	20.5
PG	.	1	/	3	olla Dd 1c	depositi SSBAR	374599	116	
PG	.	1	/	4	coppa Ba 1b	depositi SSBAR	374603	128	
PG	.	1	/	5	piatto Bb 1a	depositi SSBAR	374604	171	
PG	.	1	/	6	kotyle Cb 1	depositi SSBAR	374602	165	30.9
PG	.	2	/	1	olla Dc 1a	depositi SSBAR	374625	110	20.3
PG	.	2	/	2	olla Dc 1b	depositi SSBAR	374624	110	
PG	.	2	/	3	piatto Bb 1a	depositi SSBAR	374626	171	

Esemplare				*tipo*	*Luogo di conservazione*	*N. inv.*	*p.*	*tav.*
PG .	3	/	1	olla Dd 1a variante	depositi SSBAR	374641	115	21.7
Pi . a		/	1	olla Ca 1a variante	Grosseto, Museo Archeologico e d'Arte della Maremma	22699	103	18.5
Pi . a		/	2	piatto Aa 1	Grosseto, Museo Archeologico e d'Arte della Maremma	1279	168	
Pi . a		/	3	askos 1	Firenze, Museo Archeologico Nazionale (depositi)		33	
PS		/	167	piatto Bb 1a	Jerusalem, Israel Musem	IAA 72-5620	173	
PS		/	1	aryballos 2a	Roma, Museo di Villa Giulia	XIII 88	25	
PS		/	2	fiasca	Roma, Museo di Villa Giulia	I 109	30	1.10
PS		/	3	askos 1	collocazione sconosciuta		33	
PS		/	4	askos 1	collocazione sconosciuta		33	2.4
PS		/	5	askos 2	Stoccolma, Medelhavsmuseet	MM 1972:7	35	
PS		/	6	oinochoe	Firenze, Museo Archeologico Nazionale (depositi)	92184	73	
PS		/	7	oinochoe Aa 1a	Firenze, collezione Poggiali	CP 110	39	
PS		/	8	oinochoe Aa 1b	Roma, Museo di Villa Giulia		39	
PS		/	9	oinochoe Aa 1c	Bellinzona, Museo Civico	30	39	
PS		/	10	oinochoe Aa 2 variante	collocazione sconosciuta		41	3.7
PS		/	11	oinochoe Aa	Civitavecchia, Museo Archeologico	81772	47	
PS		/	12	oinochoe Aa 6c	Vaticano, Museo Gregoriano Etrusco		44	
PS		/	13	oinochoe Aa 6c	collocazione sconosciuta		45	4.9
PS		/	14	oinochoe Aa 8	University of Michigan Museum	2572	46	
PS		/	15	oinochoe B	Tübingen, Antikesammlung des Archäologischen Instituts der Universität	9467	56	
PS		/	16	oinochoe Bb	Roma, Museo di Villa Giulia	74092	56	6.10
PS		/	17	oinochoe Bb 2b variante	Londra, British Museum	49.5-18.18	49	5.7
PS		/	18	oinochoe Bb 5a variante	Roma, Musei Capitolini	483	52	5.14
PS		/	19	oinochoe Bb 5a	Roma, Museo di Villa Giulia	I 334	52	
PS		/	20	oinochoe Bb 5a	University of Michigan Museum	2571	52	
PS		/	21	oinochoe Bb 5b	Helsinki		53	
PS		/	22	oinochoe Bb 8	Roma, Museo di Villa Giulia	74916	54	
PS		/	23	anforetta Aa 1a	Londra, British Museum	GR1814.7-4.474	91	
PS		/	24	oinochoe Cb 1	Columbia, University of Missouri, Museum of Art and Archaeology	71.114	57	
PS		/	25	oinochoe Cb 2b	Torino, Museo di Antichità	3045	58	
PS		/	26	oinochoe Cb 2d	collocazione sconosciuta		59	
PS		/	27	oinochoe Cb	Roma, Museo di Villa Giulia	181	69	10.7
PS		/	28	oinochoe Cb 3a	Mainz, Römisch-Germanisches Zentralmuseum	0.29217	60	7.9
PS		/	29	oinochoe Cb 3c variante	Verona, Museo del Teatro Romano	9 Ce	61	8.2

Esemplare			*tipo*	*Luogo di conservazione*	*N. inv.*	*p.*	*tav.*
PS	/	30	oinochoe Cb 3c variante	collocazione sconosciuta		61	8.3
PS	/	31	oinochoe Cb	collocazione sconosciuta		69	
PS	/	32	oinochoe Cb 4c variante	Heidelberg, Universität	60/7	64	8.13
PS	/	33	oinochoe Cb 4e variante	collocazione sconosciuta		65	9.4
PS	/	34	oinochoe Cb 5c	Roma, Museo di Villa Giulia	179	67	9.8
PS	/	35	oinochoe Cb	collocazione sconosciuta		69	10.3
PS	/	36	oinochoe Cb	Parigi, Louvre		69	
PS	/	37	oinochoe Db 3 vicino a	Proceno, collezione Cecchini		72	11.7
PS	/	39	anfora Ab 1a	collocazione sconosciuta		75	
PS	/	40	anfora Ab 1a	Civitavecchia, Museo Archeologico	73839	75	12.1
PS	/	41	anfora Ab 1b	collocazione sconosciuta		75	
PS	/	42	anfora Ab 3a	collocazione sconosciuta		78	
PS	/	44	anfora Ab 3b	Stoccolma, Medelhavsmuseet	MM 1691:9	78	
PS	/	45	anfora Ab 3a	collezione privata		78	
PS	/	46	anfora Ab 3a	collocazione sconosciuta		78	
PS	/	47	anfora Ab 5c	Firenze, collezione Poggiali	CP 111	83	13.4
PS	/	48	anfora Ab 6a	Amsterdam, collezione privata		85	13.5
PS	/	49	anfora Ab 6a	Amsterdam, collezione privata		85	
PS	/	50	anfora Ab 6a variante	Tubingen, Antikesammlung des Archäologischen Instituts der Universität	S. 10 1306	85	13.6
PS	/	51	anfora Ab 6b	Bourges, Musée du Berry	888.71.19	85	13.8
PS	/	52	anfora Ab 6b	Bourges, Musée du Berry	888.71.27	85	
PS	/	53	anfora Bb	collocazione sconosciuta		88	14.7
PS	/	54	anfora Bb	Wurzburg, Martin von Wagner Museum	ZA 66	88	14.6
PS	/	55	anfora Bb	Frankfurt am Main, Museum für Vor- und Frühgeschischte	88.15.00	88	14.8
PS	/	56	anfora Ba	Erlangen, Antikensammlung der Friederich – Alexander – Universität		88	
PS	/	57	anfora Ba	Siena, Museo Archeologico (irreperibile)		88	14.2
PS	/	58	anfora Ba	collocazione sconosciuta		88	14.3
PS	/	60	anforetta Aa 1a?	Vaticano, Museo Gregoriano Etrusco		91	
PS	/	61	anforetta Aa 1a	Vaticano, Museo Gregoriano Etrusco		91	
PS	/	62	anforetta Aa 1a	Heidelberg, Universitat	64/8	91	
PS	/	63	anforetta Aa 1a variante	Firenze, collezione Poggiali	CP 109	91	16.2
PS	/	64	olla Ac 1	Mainz, Römisch-Germanisches Zentralmuseum	0.37936	97	17.1
PS	/	65	olla Ac 1 variante	Mainz, Römisch-Germanisches Zentralmuseum	0.38107	97	
PS	/	66	olla Ba	collocazione sconosciuta		101	
PS	/	67	olla Ba 1a	depositi SBAT	MS 117	99	

Esemplare		tipo	*Luogo di conservazione*	*N. inv.*	*p.*	*tav.*
PS	/ 68	olla Ba 2	Vaticano, Museo Gregoriano Etrusco		100	
PS	/ 69	olla Ba *unicum*	collocazione sconosciuta		101	
PS	/ 70	olla Bd	Kassel, Staatliche Kunstsammlungen		102	
PS	/ 71	olla Bd	Bruxelles, Museés royaux d'art et d'histoire	R 211	102	
PS	/ 72	olla C	La Haye, Musée Scheurleer	1867	109	
PS	/ 73	olla Cd 1b variante	Roma, Musei Capitolini	118	105	18.12
PS	/ 74	olla Ce 2b vicino a	collocazione sconosciuta		106	19.4
PS	/ 75	olla Ce 2b vicino a	collocazione sconosciuta		106	19.6
PS	/ 76	olla C	collocazione sconosciuta		109	
PS	/ 77	olla Dc 2a	Roma, Musei Capitolini	166	111	
PS	/ 78	olla Dc 2b	Roma, Musei Capitolini	97	111	
PS	/ 79	olla Dc 2b	Roma, Musei Capitolini	104	111	
PS	/ 80	olla Dc 4b	Roma, Musei Capitolini	202	114	
PS	/ 81	olla Dd 1a	Londra, British Museum	1921.11-29.1	115	21.6
PS	/ 82	olla Dd 1a	Budapest, Musée des Beaux-Arts	50.321	115	
PS	/ 82	olla Dd 1a	Budapest, Musée des Beaux-Arts	50.321	115	
PS	/ 83	olla Dd 1c	collocazione sconosciuta		116	
PS	/ 84	olla Dd	collocazione sconosciuta		117	
PS	/ 85	situla 1a	collocazione sconosciuta		93	
PS	/ 86	situla 1b	Roma, Museo di Villa Giulia	A 275	94	16.10
PS	/ 87	situla 1b	Roma, Museo di Villa Giulia	I 278	94	16.10
PS	/ 87	situla 2a	Roma, Museo di Villa Giulia	165	94	
PS	/ 88	situla 2b	Roma, Museo di Villa Giulia	I 270	94	16.10
PS	/ 89	situla 2b	Roma, Museo di Villa Giulia	I 283	95	16.14
PS	/ 90	situla *unicum*	Erlangen, Antikensammlung der Friederich – Alexander – Universität	I 517c	95	
PS	/ 91	situla	Roma, Museo di Villa Giulia		95	
PS	/ 92	situla	Roma, Museo di Villa Giulia		95	
PS	/ 93	attingitoio Aa 2b variante	depositi SBAT	MS 123	119	
PS	/ 94	attingitoio Aa 2a	Proceno, collezione Cecchini		119	
PS	/ 95	tazza Aa 2b	collocazione sconosciuta		123	
PS	/ 96	coppa Ba 3c	Roma, Musei Capitolini	482	131	
PS	/ 97	coppa Ba 4a	Harrow School	1.864.167	131	
PS	/ 98	coppa Ba 4c	Karlsruhe, Badisches Landesmuseum	B 1381	132	23.17
PS	/ 99	coppa Ba 4c	Budapest, Musée des Beaux-Arts	52.820	132	
PS	/ 100	coppa Ba 4c	collocazione sconosciuta		132	
PS	/ 101	coppa Ca 1?	Vaticano, Museo Gregoriano Etrusco		135	
Ps	/ 102	coppa Ca 1e	Bellinzona, Museo Civico	3932	134	
PS	/ 103	coppa Cb 1b	Bellinzona, Museo Civico	32	135	24.7
PS	/ 104	coppa Da	Firenze, collezione Poggiali	CP 106	137	24.16
PS	/ 105	coppa Da 1a	Vaticano, Museo Gregoriano Etrusco		136	
PS	/ 106	coppa Da 1a	Oxford, Ashmolean Museum	1972.25.00	136	24.8
PS	/ 107	coppa Da 1a	Poznan, Collezione M. Ruxer		136	

Esemplare			*tipo*	*Luogo di conservazione*	*N. inv.*	*p.*	*tav.*
PS	/	108	coppa Da 1a variante	collocazione sconosciuta		136	24.10
PS	/	109	coppa Da 1b	Malibu, Paul Getty Museum	83.AE.303	136	
PS	/	110	coppa Db 1a	Proceno, collezione Cecchini		138	
PS	/	111	coppa Db 1a	collocazione sconosciuta		138	
PS	/	112	coppa Db 1b	Vaticano, Museo Gregoriano Etrusco		139	
PS	/	113	coppa Db 1b	Belluno, Museo Civico	3944	139	
PS	/	114	coppa Db 1b	collocazione sconosciuta		139	
PS	/	115	coppa Db 1b	collocazione sconosciuta		139	
PS	/	116	coppa Db 1c	Belluno, Museo Civico	3942	139	
PS	/	117	coppa Db 1d variante	Belluno, Museo Civico	3944	139	25.7
PS	/	118	coppa Ea 1 vicino a	collocazione sconosciuta		140	
PS	/	119	coppa Ea 2	Roma, Musei Capitolini	324	141	
PS	/	121	skyphos Aa 1a variante	depositi SBAT	MS 100	143	26.2
PS	/	122	skyphos Ba 2	Proceno, collezione Cecchini		147	
PS	/	123	skyphos Ba 3b vicino a	Firenze, collezione Poggiali	CP 108	148	
PS	/	124	skyphos Bb 1b	collocazione sconosciuta		151	
PS	/	125	skyphos Bc 1a vicino a	Stoccolma, Medelhavsmuseet	MM 1936:6	153	28.2
PS	/	126	skyphos?	Vaticano, Museo Gregoriano Etrusco		156	
PS	/	127	kotyle Aa 2	Belluno, Museo Civico	3941	159	
PS	/	128	kotyle Aa 2	collocazione sconosciuta		159	
PS	/	129	kotyle Bb 3b variante	Torino, Museo di Antichità	3946 (ex 3081)	162	29.10
PS	/	130	kotyle Bb 3b variante	Malibu, Paul Getty Museum	83.AE.304	162	29.11
PS	/	131	piatto Ba	depositi SBAT	MS 99	170	
PS	/	132	piatto Bb 1c	Oxford, Ashmolean Museum	1.971.926	174	
PS	/	133	piatto Bb 1a	Malibu, Paul Getty Museum	96.AE.138.1	173	
PS	/	134	piatto Bb 1a	Malibu, Paul Getty Museum	96.AE.138.2	173	
PS	/	135	piatto Bb 1a	Stoccolma, Medelhavsmuseet	MM 1964:9	173	
PS	/	136	piatto Bb 1a	Tubingen, Antikesammlung des Archäologischen Instituts der Universität	S. 10 1310	173	
PS	/	137	piatto Bb 1a	collocazione sconosciuta		173	
PS	/	138	piatto Bb 1c	collocazione sconosciuta		175	32.2
PS	/	139	piatto Bb 1d	Tubingen, Antikesammlung des Archäologischen Instituts der Universität	S. 10 1309	175	32.3
PS	/	140	piatto Bb *unicum*	Malibu, Paul Getty Museum	96.AE.137.1	176	32.5
PS	/	141	piatto Bb *unicum*	Malibu, Paul Getty Museum	96.AE.137.2	176	32.6
PS	/	142	bacino	collocazione sconosciuta		182	
PS	/	143	askos 1	Monaco	G.	33	
PS	/	144	askos 2	Monaco	A 875	35	2.5

Esemplare					*tipo*	*Luogo di conservazione*	*N. inv.*	*p.*	*tav.*
PS			/	145	coppa Db 1b	Norcia, Museo Civico	2 bis	139	
PS			/	146	oinochoe Cb 3e	collocazione sconosciuta		62	
PS			/	147	anfora Ab 1a	Copenhagen, Nationalmuseet	14098	75	
PS			/	148	anfora Ab 2	Firenze, Museo Archeologico Nazionale	3701	77	
PS			/	149	anforetta Aa 1b variante	Firenze, Museo Archeologico Nazionale	3690	92	
PS			/	150	aryballos *unicum*	Londra, British Museum	GR.1965.2-22.1	26	
PS			/	151	olla Dd 2	Civitavecchia, Museo Archeologico	660430	117	
PS			/	152	olla Dd 2	Cecina, Museo Archeologico	1	117	
PS			/	153	olla Ce 2b vicino a	Budapest, Museo di Belle Arti	96.3.A	106	19.5
PS			/	154	piatto Bb 1b	Copenhagen, Ny Carlsberg Glyptotek	HIN 523=H 82 a	174	
PS			/	155	piatto Bb 1b	Copenhagen, Ny Carlsberg Glyptotek	HIN 227=H 82	174	
PS			/	156	oinochoe Cb 1	Haifa, Museo Marittimo d'Israele	6609	57	
PS			/	157	oinochoe Cb 1	collocazione sconosciuta		57	
PS			/	158	anfora Ab 3c	collocazione sconosciuta		79	
PS			/	160	askos 1	Basel, Antikenmuseum	97	33	
PS			/	161	anfora Ab 2	Torino, Museo Martini di storia dell'enologia		77	
PS			/	162	lekythos	collocazione sconosciuta		29	1.9
PS			/	163	anfora Ab 5a			83	
PS			/	164	anfora Ab 3b	Budapest, Museo di Belle Arti	3.AL	78	
PS			/	165	olla Dd 1a	Budapest, Museo di Belle Arti	4.AL	115	
PS			/	166	olla Dd 1b vicina a	Jerusalem, Israel Musem	IMJ 84.81.445	115	
PS			/	168	oinochoe Cb	Jerusalem, Israel Musem	IMJ 87.150.658	69	
PS			/	169	oinochoe Cb 6	Ginevra, collezione C.A.		68	
PS			/	170	coppa Da 1a variante	Bonn, Kunstmuseum	484	136	
PS			/	171	oinochoe Aa 8 variante	Bonn, Kunstmuseum	3352	46	
PS			/	172	oinochoe Cb 4d variante	Bonn, Kunstmuseum	1258	64	
PS			/	173	anfora ab 3b	Solothurn , collezione privata	s.n.	78	
PS			/	174	oinochoe Cb	Sidney, Nicholson Museum	12	69	
S	.		/	1	tazza Aa 2b	Grosseto, Museo Archeologica e d'Arte della Maremma	2306	123	
S	.		/	2	skyphos Aa	Grosseto, Museo Archeologica e d'Arte della Maremma	23583	145	
SG	.	1	/	1	oinochoe Cb 5c	Viterbo, Museo Archeologico Nazionale		67	
SG	.	11	/	1	oinochoe Cb 4d	Viterbo, Museo Archeologico Nazionale		64	
SG	.		/	1	piatto Bb 1a	Viterbo, Museo Archeologico Nazionale		173	
Si	.	A	/	1	oinochoe Bb 5a	depositi SBAEM	8499	52	
Si	.	A	/	2	anfora Ab 5a	depositi SBAEM	8533	83	
Si	.	A	/	3	anfora Ab 5b	depositi SBAEM	8332	83	13.3
Si	.	A	/	4	olla Dd 1c	depositi SBAEM	8497	116	

Esemplare	*tipo*	*Luogo di conservazione*	*N. inv.*	*p.*	*tav.*
Si . A / 5	coppa Ba 3c	depositi SBAEM	8546	131	
Si . A / 6	piatto Bb 1a	depositi SBAEM	8498	171	
Si . B / 1	anfora Ab 5b	depositi SBAEM	8535-36	83	
Si . B / 2	anfora Ab 5b	depositi SBAEM	8534	83	
SM . t / 1	olla Dc 4a variante	Casale di Malborghetto, Antiquarium	384786	114	21.4
SM . t / 10	olla Dd 1b	Casale di Malborghetto, Antiquarium	384781	115	
SM . t / 2	coppa Ba 3a	Casale di Malborghetto, Antiquarium	384779	130	
SM . t / 3	coppa Ba 3a	Casale di Malborghetto, Antiquarium	384778	130	23.12
SM . t / 4	coppa Ba 3a	Casale di Malborghetto, Antiquarium	384788	130	
SM . t / 5	coppa Ba 3a	Casale di Malborghetto, Antiquarium	384782	130	
SM . t / 6	coppa Ba 3a	Casale di Malborghetto, Antiquarium	s.n.	130	
SM . t / 7	piatto Bc 2	Casale di Malborghetto, Antiquarium	384784	177	
SM . t / 8	piatto Bc 2	Casale di Malborghetto, Antiquarium	384785	178	
T . a / 1	askos 1	Tarquinia, Museo Archeologico Nazionale	RC 1000	33	
T . a / 2	askos 1	Tarquinia, Museo Archeologico Nazionale	RC 1892	33	2.2
T . a / 3	bottiglia	Tarquinia, Museo Archeologico Nazionale	RC 1354	36	
T . a / 4	bottiglia	Tarquinia, Museo Archeologico Nazionale	RC 7991	36	2.10
T . a / 5	bottiglia	Tarquinia, Museo Archeologico Nazionale	RC 5894	36	2.9
T . a / 6	bottiglia	Tarquinia, Museo Archeologico Nazionale	473	36	
T . a / 7	bottiglia	Tarquinia, Museo Archeologico Nazionale	RC 8505	36	2.11
T . a / 8	oinochoe Aa	Tarquinia, Museo Archeologico Nazionale	RC 7128	47	4.14
T . a / 9	oinochoe Aa	Tarquinia, Museo Archeologico Nazionale	RC 6904	47	4.15
T . a / 10	oinochoe Aa 1	Tarquinia, Museo Archeologico Nazionale	RC 3307	39	
T . a / 11	oinochoe Aa 1a	Tarquinia, Museo Archeologico Nazionale	RC 2712	39	
T . a / 12	oinochoe Aa 1a	Tarquinia, Museo Archeologico Nazionale	RC 3481	39	
T . a / 13	oinochoe Aa 1a	Tarquinia, Museo Archeologico Nazionale	539	39	3.1
T . a / 14	oinochoe Aa 1c	Tarquinia, Museo Archeologico Nazionale	RC 3317	39	
T . a / 15	oinochoe Aa 1b	Tarquinia, Museo Archeologico Nazionale	RC 7885	39	3.2
T . a / 16	oinochoe Aa 1b	Tarquinia, Museo Archeologico Nazionale	RC 2212	39	
T . a / 17	oinochoe Aa 1c variante	Tarquinia, Museo Archeologico Nazionale	RC 7128	39	3.4
T . a / 18	oinochoe Aa 3b	Tarquinia, Museo Archeologico Nazionale	RC 6908	42	3.11
T . a / 19	oinochoe Aa 2	Tarquinia, Museo Archeologico Nazionale	RC 2918	41	
T . a / 20	oinochoe Aa 2	Tarquinia, Museo Archeologico Nazionale	RC 5674	41	3.5
T . a / 21	oinochoe Aa 2	Tarquinia, Museo Archeologico Nazionale	RC 2959	41	
T . a / 22	oinochoe Aa 2	Tarquinia, Museo Archeologico Nazionale	RC 8482	41	
T . a / 23	oinochoe Aa 2	Tarquinia, Museo Archeologico Nazionale	RC 1877	41	
T . a / 24	oinochoe Aa 3a	Tarquinia, Museo Archeologico Nazionale	RC 8481	41	3.8
T . a / 25	oinochoe Aa 3a	Tarquinia, Museo Archeologico Nazionale	RC 3381	41	
T . a / 26	oinochoe Aa 3a	Tarquinia, Museo Archeologico Nazionale	RC 8480	41	
T . a / 27	oinochoe Aa 3b	Tarquinia, Museo Archeologico Nazionale	RC 2190	42	
T . a / 28	oinochoe Aa 4a	Tarquinia, Museo Archeologico Nazionale	RC 7290	42	
T . a / 29	oinochoe Aa 4a	Tarquinia, Museo Archeologico Nazionale	132954	42	
T . a / 30	oinochoe Aa 4a	Tarquinia, Museo Archeologico Nazionale	RC 3380	42	
T . a / 31	oinochoe Aa 4a	Tarquinia, Museo Archeologico Nazionale	RC 4803	42	4.1

Esemplare	*tipo*	*Luogo di conservazione*	*N. inv.*	*p.*	*tav.*
T . a / 32	oinochoe Aa 4b	Tarquinia, Museo Archeologico Nazionale	RC 1933	42	4.2
T . a / 33	oinochoe Aa 4b	Tarquinia, Museo Archeologico Nazionale	RC 7445	43	
T . a / 34	oinochoe Aa 4b variante	Tarquinia, Museo Archeologico Nazionale	RC 8638	43	4.3
T . a / 35	oinochoe Aa 5a	Tarquinia, Museo Archeologico Nazionale	RC 1596	43	4.4
T . a / 36	oinochoe Aa 5a	Tarquinia, Museo Archeologico Nazionale	RC 2937	43	
T . a / 37	oinochoe Aa 5b	Tarquinia, Museo Archeologico Nazionale	RC 1749	43	4.5
T . a / 38	oinochoe Aa 5b	Tarquinia, Museo Archeologico Nazionale	RC 5495	43	
T . a / 39	oinochoe Aa 6a	Tarquinia, Museo Archeologico Nazionale	RC 2467	44	4.6
T . a / 40	oinochoe Aa 6a variante	Tarquinia, Museo Archeologico Nazionale	RC 8479	44	4.7
T . a / 41	oinochoe Aa 6c	Tarquinia, Museo Archeologico Nazionale	RC 3121	44	
T . a / 42	oinochoe Aa 8	Tarquinia, Museo Archeologico Nazionale	RC 8601	46	
T . a / 43	oinochoe Aa	Tarquinia, Museo Archeologico Nazionale	RC 8637	47	
T . a / 44	oinochoe Ab 1	Tarquinia, Museo Archeologico Nazionale	536	47	4.18
T . a / 45	oinochoe Ab 1	Tarquinia, Museo Archeologico Nazionale	RC 2915	47	
T . a / 47	oinochoe Aa 6a	Tarquinia, Museo Archeologico Nazionale	RC 2467	44	
T . a / 48	oinochoe Bb	Tarquinia, Museo Archeologico Nazionale	542	56	6.8
T . a / 49	oinochoe Bb 1	Tarquinia, Museo Archeologico Nazionale	RC 8636	48	
T . a / 50	oinochoe Bb 1	Tarquinia, Museo Archeologico Nazionale	RC 1878	48	5.1
T . a / 51	oinochoe Bb	Tarquinia, Museo Archeologico Nazionale	RC 7776	56	6.6
T . a / 52	oinochoe Bb	Tarquinia, Museo Archeologico Nazionale	RC 2022	56	6.7
T . a / 53	oinochoe Bb 2a	Tarquinia, Museo Archeologico Nazionale	RC 6869	49	5.2
T . a / 54	oinochoe Bb 2a	Tarquinia, Museo Archeologico Nazionale	RC 7209	49	
T . a / 55	oinochoe Bb 2a variante	Tarquinia, Museo Archeologico Nazionale	RC 2383	49	5.3
T . a / 56	oinochoe Bb 2b	Tarquinia, Museo Archeologico Nazionale	RC 3587	49	5.4
T . a / 57	oinochoe Bb 2b	Tarquinia, Museo Archeologico Nazionale	RC 7440	49	
T . a / 58	oinochoe Bb 2b	Tarquinia, Museo Archeologico Nazionale	RC 2422	49	5.6
T . a / 59	oinochoe Bb 2b	Tarquinia, Museo Archeologico Nazionale	RC 7441	49	
T . a / 60	oinochoe Bb 3a	Tarquinia, Museo Archeologico Nazionale	541	50	5.8
T . a / 61	oinochoe Bb 3b	Tarquinia, Museo Archeologico Nazionale	RC 8677	50	5.10
T . a / 62	oinochoe Bb 4a	Tarquinia, Museo Archeologico Nazionale	540	51	
T . a / 63	oinochoe Bb 4a	Tarquinia, Museo Archeologico Nazionale	556	51	5.11
T . a / 64	oinochoe Bb 4b	Tarquinia, Museo Archeologico Nazionale	RC 2938	51	
T . a / 65	oinochoe Bb 4b	Tarquinia, Museo Archeologico Nazionale	RC 5547	51	5.12
T . a / 66	oinochoe Bb 5a	Tarquinia, Museo Archeologico Nazionale	RC 2211	52	5.13
T . a / 67	oinochoe Bb 5a	Tarquinia, Museo Archeologico Nazionale	RC 8479	52	
T . a / 68	oinochoe Bb 5b	Tarquinia, Museo Archeologico Nazionale	RC 9603	53	
T . a / 69	oinochoe Bb 5b	Tarquinia, Museo Archeologico Nazionale	535	53	5.15
T . a / 70	oinochoe Bb 6	Tarquinia, Museo Archeologico Nazionale	RC 7865	53	5.16
T . a / 71	oinochoe Bb 7	Tarquinia, Museo Archeologico Nazionale	RC 2359	54	
T . a / 72	oinochoe Bb 7	Tarquinia, Museo Archeologico Nazionale	RC 8676	54	
T . a / 73	oinochoe Bb 7	Tarquinia, Museo Archeologico Nazionale	RC 7438	54	6.1
T . a / 74	oinochoe Bb 7	Tarquinia, Museo Archeologico Nazionale	RC 7439	54	
T . a / 75	oinochoe Bb 7	Tarquinia, Museo Archeologico Nazionale	RC 7888	54	

Esemplare	*tipo*	*Luogo di conservazione*	*N. inv.*	*p.*	*tav.*
T . a / 76	oinochoe Bb 7	Tarquinia, Museo Archeologico Nazionale	RC 7437	54	
T . a / 77	oinochoe Bb 8	Tarquinia, Museo Archeologico Nazionale	RC 2102	54	6.3
T . a / 78	oinochoe Bb 9a	Tarquinia, Museo Archeologico Nazionale	RC 7208	55	6.4
T . a / 79	oinochoe Bb 9a	Tarquinia, Museo Archeologico Nazionale	RC 5167	55	
T . a / 80	oinochoe Bb 9a	Tarquinia, Museo Archeologico Nazionale	132953	55	
T . a / 81	oinochoe Bb 9b	Tarquinia, Museo Archeologico Nazionale	RC 7935	55	6.5
T . a / 82	oinochoe Bb 9b	Tarquinia, Museo Archeologico Nazionale	RC 7934	55	
T . a / 83	oinochoe Cb 4a variante	Tarquinia, Museo Archeologico Nazionale	RC 2091	63	8.9
T . a / 84	oinochoe Cb 4a	Tarquinia, Museo Archeologico Nazionale	537	63	
T . a / 85	oinochoe Cb 4d variante	Tarquinia, Museo Archeologico Nazionale	s.n/132951	64	9.2
T . a / 86	oinochoe Cb 1	Tarquinia, Museo Archeologico Nazionale	RC 969	57	
T . a / 87	oinochoe Cb 1 variante	Tarquinia, Museo Archeologico Nazionale	RC 8553	57	7.2
T . a / 88	oinochoe Cb 2a	Tarquinia, Museo Archeologico Nazionale	1925	58	
T . a / 89	oinochoe Cb 2a	Tarquinia, Museo Archeologico Nazionale	RC 5327	58	7.3
T . a / 90	oinochoe Cb 2a	Tarquinia, Museo Archeologico Nazionale	132947	58	
T . a / 91	oinochoe Cb 2a	Tarquinia, Museo Archeologico Nazionale	RC 7867	58	
T . a / 92	oinochoe Cb 2b	Tarquinia, Museo Archeologico Nazionale	RC 7864	58	7.4
T . a / 93	oinochoe Cb 2b variante	Tarquinia, Museo Archeologico Nazionale	RC 7191	58	7.5
T . a / 94	oinochoe Cb 2c	Tarquinia, Museo Archeologico Nazionale	132946	59	
T . a / 95	oinochoe Cb 2c	Tarquinia, Museo Archeologico Nazionale	RC 2226	59	7.6
T . a / 96	oinochoe Cb 2c	Tarquinia, Museo Archeologico Nazionale	RC 7768	59	
T . a / 97	oinochoe Cb 2d	Tarquinia, Museo Archeologico Nazionale	RC 7436	59	
T . a / 98	oinochoe Cb 2d	Tarquinia, Museo Archeologico Nazionale	RC 8266	59	
T . a / 99	oinochoe Cb 3a	Tarquinia, Museo Archeologico Nazionale	RC 7796	60	
T . a / 100	oinochoe Cb 3d	Tarquinia, Museo Archeologico Nazionale	RC 7838	61	
T . a / 101	oinochoe Cb 3b	Tarquinia, Museo Archeologico Nazionale	538	60	7.10
T . a / 102	oinochoe Cb 3b	Tarquinia, Museo Archeologico Nazionale	RC 2945	61	
T . a / 103	oinochoe Cb 3b	Tarquinia, Museo Archeologico Nazionale	RC 4052	61	
T . a / 104	oinochoe Cb 3b	Tarquinia, Museo Archeologico Nazionale	RC 5496	61	
T . a / 105	oinochoe Cb 3d	Tarquinia, Museo Archeologico Nazionale	RC 7933	61	
T . a / 106	oinochoe Cb 3b	Tarquinia, Museo Archeologico Nazionale	RC 4053	61	
T . a / 107	oinochoe Cb 3b variante	Tarquinia, Museo Archeologico Nazionale	RC 2222	61	7.11
T . a / 108	oinochoe Cb 3d	Tarquinia, Museo Archeologico Nazionale	132948	61	8.4
T . a / 109	oinochoe Cb 3c	Tarquinia, Museo Archeologico Nazionale	534	61	
T . a / 110	oinochoe Cb 3c	Tarquinia, Museo Archeologico Nazionale	RC 1761	61	8.1
T . a / 112	oinochoe Cb 3e	Tarquinia, Museo Archeologico Nazionale	RC 7444	61	8.5
T . a / 113	oinochoe Cb 3e	Tarquinia, Museo Archeologico Nazionale	RC 8775	62	
T . a / 114	oinochoe Cb 4a	Tarquinia, Museo Archeologico Nazionale	RC 1858	63	8.7
T . a / 115	oinochoe Cb 4b	Tarquinia, Museo Archeologico Nazionale	RC 7887	64	
T . a / 116	oinochoe Cb 4b	Tarquinia, Museo Archeologico Nazionale	RC 7769	64	8.10
T . a / 117	oinochoe Cb 4c	Tarquinia, Museo Archeologico Nazionale	RC 8267	64	

Esemplare				*tipo*	*Luogo di conservazione*	*N. inv.*	*p.*	*tav.*
T	. a	/	118	oinochoe Cb 4c	Tarquinia, Museo Archeologico Nazionale	RC 7087	64	8.11
T	. a	/	119	oinochoe Cb 4d	Tarquinia, Museo Archeologico Nazionale	RC 1857	64	
T	. a	/	120	oinochoe Cb 4d	Tarquinia, Museo Archeologico Nazionale	RC 3325	64	
T	. a	/	121	oinochoe Cb 4d	Tarquinia, Museo Archeologico Nazionale	113	64	
T	. a	/	122	oinochoe Cb 4d	Tarquinia, Museo Archeologico Nazionale	RC 8755	64	
T	. a	/	123	oinochoe Cb 5b vicino a	Tarquinia, Museo Archeologico Nazionale	RC 7886	67	9.9
T	. a	/	124	oinochoe Cb 6	Tarquinia, Museo Archeologico Nazionale	RC 7163	68	9.10
T	. a	/	125	oinochoe Cb 6	Tarquinia, Museo Archeologico Nazionale	RC 5168	68	
T	. a	/	127	oinochoe Cb	Tarquinia, Museo Archeologico Nazionale	RC 1335	69	
T	. a	/	128	oinochoe Cb	Tarquinia, Museo Archeologico Nazionale	132952	69	10.10
T	. a	/	129	oinochoe Cb?	Tarquinia, Museo Archeologico Nazionale	RC 2834	69	10.9
T	. a	/	130	oinochoe Cb	Tarquinia, Museo Archeologico Nazionale	RC 2423	69	
T	. a	/	131	oinochoe Db 1	Tarquinia, Museo Archeologico Nazionale	RC 8611	71	
T	. a	/	132	oinochoe Db 1 variante	Tarquinia, Museo Archeologico Nazionale	RC 5461	71	11.2
T	. a	/	133	oinochoe	Tarquinia, Museo Archeologico Nazionale	132955	73	
T	. a	/	134	oinochoe Db 2a	Tarquinia, Museo Archeologico Nazionale	RC 1927	71	11.4
T	. a	/	135	oinochoe Db 3	Tarquinia, Museo Archeologico Nazionale	RC 2377	72	11.6
T	. a	/	136	oinochoe Db 3	Tarquinia, Museo Archeologico Nazionale	RC 2174	72	
T	. a	/	137	oinochoe Db 3	Tarquinia, Museo Archeologico Nazionale	RC 7795	72	
T	. a	/	138	anforetta Aa 1a	Tarquinia, Museo Archeologico Nazionale	RC 1321	91	
T	. a	/	139	anforetta Aa 1a	Tarquinia, Museo Archeologico Nazionale	RC 2121	91	
T	. a	/	140	anforetta Aa 1a	Tarquinia, Museo Archeologico Nazionale	RC 8693	91	
T	. a	/	141	anforetta Aa 1a	Tarquinia, Museo Archeologico Nazionale	RC 1920	91	16.1
T	. a	/	142	anforetta Aa 1a variante	Tarquinia, Museo Archeologico Nazionale	547	91	16.3
T	. a	/	143	anforetta Aa 1b	Tarquinia, Museo Archeologico Nazionale	RC 8288	92	
T	. a	/	144	anforetta Aa 1b	Tarquinia, Museo Archeologico Nazionale	rc 8289	92	
T	. a	/	145	anforetta Aa 1b	Tarquinia, Museo Archeologico Nazionale	RC 3682	92	16.5
T	. a	/	146	anforetta Bb 1	Tarquinia, Museo Archeologico Nazionale	RC 2649	93	16.7
T	. a	/	147	anforetta Bb 1	Tarquinia, Museo Archeologico Nazionale	RC 8484	93	
T	. a	/	148	olla Ba	Tarquinia, Museo Archeologico Nazionale	RC 3465	101	
T	. a	/	149	olla Ba 1b	Tarquinia, Museo Archeologico Nazionale	RC 8290	99	17.3
T	. a	/	150	olla Ba 2	Tarquinia, Museo Archeologico Nazionale	3201	100	17.6
T	. a	/	151	olla Bc 1	Tarquinia, Museo Archeologico Nazionale	RC 8765	101	
T	. a	/	152	olla Bc 1	Tarquinia, Museo Archeologico Nazionale	RC 1160	101	17.11
T	. a	/	153	olla Bc 1	Tarquinia, Museo Archeologico Nazionale	RC 1185	101	
T	. a	/	154	olla Dc 2a	Tarquinia, Museo Archeologico Nazionale	8539	111	
T	. a	/	155	olla Dc 2a	Tarquinia, Museo Archeologico Nazionale	8291	111	
T	. a	/	156	olla Dc 2a	Tarquinia, Museo Archeologico Nazionale	551	111	20.6
T	. a	/	157	olla Dc 2a	Tarquinia, Museo Archeologico Nazionale	RC 8612	111	
T	. a	/	158	olla Dc 2b	Tarquinia, Museo Archeologico Nazionale	RC 4874	111	
T	. a	/	159	olla Dc 2b	Tarquinia, Museo Archeologico Nazionale	RC 8791	111	
T	. a	/	160	olla Dc 2b	Tarquinia, Museo Archeologico Nazionale	RC 8521	111	
T	. a	/	161	olla Dc 2b	Tarquinia, Museo Archeologico Nazionale	RC 2388	111	

Esemplare	*tipo*	*Luogo di conservazione*	*N. inv.*	*p.*	*tav.*
T . a / 162	olla Dc 2c	Tarquinia, Museo Archeologico Nazionale	RC 1184	112	
T . a / 163	attingitoio Aa 1a	Tarquinia, Museo Archeologico Nazionale	RC 2715	118	
T . a / 164	attingitoio Aa 1a	Tarquinia, Museo Archeologico Nazionale	RC 7519	118	
T . a / 165	attingitoio Aa 1a	Tarquinia, Museo Archeologico Nazionale	RC 7006	118	22.1
T . a / 166	attingitoio Aa 1b	Tarquinia, Museo Archeologico Nazionale	RC 7104	118	22.2
T . a / 167	attingitoio Aa 1b	Tarquinia, Museo Archeologico Nazionale	RC 2216	119	
T . a / 168	attingitoio Aa 1b	Tarquinia, Museo Archeologico Nazionale	RC 8483	119	
T . a / 169	attingitoio Aa 2a	Tarquinia, Museo Archeologico Nazionale	RC 8777	119	
T . a / 170	attingitoio Aa 2a	Tarquinia, Museo Archeologico Nazionale	RC 7114	119	
T . a / 171	attingitoio Aa 2a	Tarquinia, Museo Archeologico Nazionale	RC 2189	119	22.3
T . a / 172	attingitoio Aa 2b	Tarquinia, Museo Archeologico Nazionale	RC 3382	119	22.4
T . a / 173	attingitoio Aa 2b	Tarquinia, Museo Archeologico Nazionale	RC 5512	119	
T . a / 174	attingitoio Aa 2b	Tarquinia, Museo Archeologico Nazionale		119	
T . a / 175	attingitoio Aa 3	Tarquinia, Museo Archeologico Nazionale	RC 7133	120	
T . a / 176	attingitoio Aa 3	Tarquinia, Museo Archeologico Nazionale	RC 3505	120	22.6
T . a / 177	attingitoio Bb 1a	Tarquinia, Museo Archeologico Nazionale	550	121	22.7
T . a / 178	attingitoio Bb 1b variante	Tarquinia, Museo Archeologico Nazionale	RC 7878	121	
T . a / 179	tazza Aa 1	Tarquinia, Museo Archeologico Nazionale	RC 5493	122	
T . a / 180	tazza Aa 1	Tarquinia, Museo Archeologico Nazionale	RC 7151	122	22.11
T . a / 181	tazza Aa 1	Tarquinia, Museo Archeologico Nazionale	RC 8557	122	
T . a / 182	tazza Aa 1	Tarquinia, Museo Archeologico Nazionale	RC 8875	122	
T . a / 183	tazza Aa 1 variante	Tarquinia, Museo Archeologico Nazionale	RC 5494	122	22.12
T . a / 184	tazza Aa 2c	Tarquinia, Museo Archeologico Nazionale	RC 8876	123	22.15
T . a / 185	coppa Aa 1b	Tarquinia, Museo Archeologico Nazionale	RC 7129	125	23.2
T . a / 186	coppa Aa 2a variante	Tarquinia, Museo Archeologico Nazionale	RC 8744	126	23.6
T . a / 187	coppa Aa 2b	Tarquinia, Museo Archeologico Nazionale	RC 2661	126	
T . a / 190	coppa Ba 1a	Tarquinia, Museo Archeologico Nazionale	RC 7121	127	
T . a / 191	coppa Ba 1a	Tarquinia, Museo Archeologico Nazionale	RC 5743	127	
T . a / 192	coppa Ba 1a	Tarquinia, Museo Archeologico Nazionale	RC 7136	127	
T . a / 193	coppa Ba 1a	Tarquinia, Museo Archeologico Nazionale	RC 7830	127	23.8
T . a / 194	coppa Ba 1a	Tarquinia, Museo Archeologico Nazionale	RC 7829	127	
T . a / 195	coppa Ba 1a	Tarquinia, Museo Archeologico Nazionale	RC 7828	127	
T . a / 196	coppa Ba 1b	Tarquinia, Museo Archeologico Nazionale	RC 7826	128	
T . a / 197	coppa Ba 1b	Tarquinia, Museo Archeologico Nazionale	RC 78 27	128	
T . a / 198	coppa Ba 1b	Tarquinia, Museo Archeologico Nazionale	1514	128	
T . a / 199	coppa Ba 1b	Tarquinia, Museo Archeologico Nazionale	RC 7326	128	
T . a / 200	coppa Ba 1b	Tarquinia, Museo Archeologico Nazionale	RC 7137	128	
T . a / 201	coppa Ba 1b	Tarquinia, Museo Archeologico Nazionale	s.n.	128	
T . a / 202	coppa Ba 1b	Tarquinia, Museo Archeologico Nazionale	RC 7675	128	23.9
T . a / 203	coppa Ba 1b	Tarquinia, Museo Archeologico Nazionale	RC 9182	128	
T . a / 204	coppa Ba 1b	Tarquinia, Museo Archeologico Nazionale	RC 8831	128	
T . a / 205	coppa Ba 2a	Tarquinia, Museo Archeologico Nazionale	s.n.	129	
T . a / 206	coppa Ba 2a	Tarquinia, Museo Archeologico Nazionale	RC 8028	129	

Esemplare				*tipo*	*Luogo di conservazione*	*N. inv.*	*p.*	*tav.*
T	. a	/	207	coppa Ba 2a	Tarquinia, Museo Archeologico Nazionale	s.n.	129	
T	. a	/	208	coppa Ba 2b	Tarquinia, Museo Archeologico Nazionale	132965	129	
T	. a	/	209	coppa Ba 2b	Tarquinia, Museo Archeologico Nazionale	RC 7123	129	
T	. a	/	210	coppa Ba 3a	Tarquinia, Museo Archeologico Nazionale	s.n.	130	
T	. a	/	211	coppa Ba 3a	Tarquinia, Museo Archeologico Nazionale	RC 1197	130	
T	. a	/	212	coppa Db 1a	Tarquinia, Museo Archeologico Nazionale	RC 2032	138	
T	. a	/	213	coppa Db 1b	Tarquinia, Museo Archeologico Nazionale	3169	138	25.2
T	. a	/	214	coppa Db 1b	Tarquinia, Museo Archeologico Nazionale	3122	138	
T	. a	/	215	skyphos Aa 1b variante 1	Tarquinia, Museo Archeologico Nazionale	RC 4804	143	26.4
T	. a	/	216	skyphos Ba 1a	Tarquinia, Museo Archeologico Nazionale	132858	145	
T	. a	/	217	skyphos Ba 1a	Tarquinia, Museo Archeologico Nazionale	132857	145	
T	. a	/	218	skyphos Ba 1b	Tarquinia, Museo Archeologico Nazionale	s.n.	146	
T	. a	/	219	skyphos Ba 3a	Tarquinia, Museo Archeologico Nazionale	RC 2713	148	27.2
T	. a	/	220	skyphos Ba 3b	Tarquinia, Museo Archeologico Nazionale	RC 7155	148	
T	. a	/	221	skyphos Ba 3b	Tarquinia, Museo Archeologico Nazionale	s.n.	148	27.3
T	. a	/	222	skyphos Ba 3b	Tarquinia, Museo Archeologico Nazionale	RC 8872	148	
T	. a	/	223	skyphos Ba 3c	Tarquinia, Museo Archeologico Nazionale	RC 8692	148	27.4
T	. a	/	224	skyphos Ba 3c	Tarquinia, Museo Archeologico Nazionale	s.n.	148	
T	. a	/	225	skyphos Ba	Tarquinia, Museo Archeologico Nazionale	RC 8013	150	
T	. a	/	226	skyphos Bb 1a	Tarquinia, Museo Archeologico Nazionale	RC 7980	150	
T	. a	/	227	skyphos Bb 1b	Tarquinia, Museo Archeologico Nazionale	RC 7979	150	
T	. a	/	228	skyphos Bb 1b	Tarquinia, Museo Archeologico Nazionale	RC 8682	151	
T	. a	/	229	skyphos Bb 1b	Tarquinia, Museo Archeologico Nazionale	RC 8520	151	
T	. a	/	230	skyphos Bb 1b	Tarquinia, Museo Archeologico Nazionale	559	151	
T	. a	/	231	skyphos Bb 2	Tarquinia, Museo Archeologico Nazionale	RC 8012	151	
T	. a	/	232	skyphos Bb	Tarquinia, Museo Archeologico Nazionale	RC 2214	152	27.12
T	. a	/	233	skyphos Bb	Tarquinia, Museo Archeologico Nazionale	RC 8009	152	27.13
T	. a	/	234	skyphos Bc 1	Tarquinia, Museo Archeologico Nazionale	RC 2476	154	
T	. a	/	235	skyphos Bc 1	Tarquinia, Museo Archeologico Nazionale	RC 8014	154	
T	. a	/	236	skyphos Bc 1	Tarquinia, Museo Archeologico Nazionale	RC 5672	154	
T	. a	/	237	skyphos Bc 1	Tarquinia, Museo Archeologico Nazionale	RC 8048	154	
T	. a	/	238	skyphos Bc 1	Tarquinia, Museo Archeologico Nazionale	RC 8010	154	
T	. a	/	239	skyphos Bc 1	Tarquinia, Museo Archeologico Nazionale	RC 8693	154	
T	. a	/	240	skyphos Bc 1a	Tarquinia, Museo Archeologico Nazionale	RC 5708	153	
T	. a	/	241	skyphos Bc 1a	Tarquinia, Museo Archeologico Nazionale	RC 7310	153	28.1
T	. a	/	242	skyphos Bc 1b	Tarquinia, Museo Archeologico Nazionale	RC 7131	153	
T	. a	/	243	skyphos Bc 1c	Tarquinia, Museo Archeologico Nazionale	1047	153	
T	. a	/	244	skyphos *unicum*	Tarquinia, Museo Archeologico Nazionale	RC 4883	156	28.10
T	. a	/	245	skyphos *unicum*	Tarquinia, Museo Archeologico Nazionale	RC 2981	156	28.11
T	. a	/	246	kotyle Aa 1	Tarquinia, Museo Archeologico Nazionale	RC 8487	158	
T	. a	/	247	kotyle Aa 1	Tarquinia, Museo Archeologico Nazionale	RC 8293	158	29.1
T	. a	/	248	kotyle Aa 1 variante	Tarquinia, Museo Archeologico Nazionale	RC 8488	158	29.2
T	. a	/	249	kotyle Aa 2	Tarquinia, Museo Archeologico Nazionale	RC 3254	158	
T	. a	/	250	kotyle Aa 2	Tarquinia, Museo Archeologico Nazionale	RC 2178	158	29.3

Esemplare	*tipo*	*Luogo di conservazione*	*N. inv.*	*p.*	*tav.*
T . a / 251	kotyle Aa 2	Tarquinia, Museo Archeologico Nazionale	RC 2188	158	
T . a / 252	kotyle Aa 3	Tarquinia, Museo Archeologico Nazionale	RC 8684	160	
T . a / 253	kotyle Bb 3a	Tarquinia, Museo Archeologico Nazionale	RC 1921	162	29.8
T . a / 254	kotyle Bb 3a	Tarquinia, Museo Archeologico Nazionale	RC 7978	162	
T . a / 255	kotyle Bb 3a	Tarquinia, Museo Archeologico Nazionale	RC 8486	162	
T . a / 256	kotyle Bb 3a	Tarquinia, Museo Archeologico Nazionale	RC 7977	162	
T . a / 257	kotyle Bb 3b	Tarquinia, Museo Archeologico Nazionale	RC 2663	162	
T . a / 258	kotyle Bb 3b	Tarquinia, Museo Archeologico Nazionale	RC 3509	162	
T . a / 259	kotyle Bb 3b	Tarquinia, Museo Archeologico Nazionale	RC 2714	162	29.9
T . a / 260	kotyle Bc	Tarquinia, Museo Archeologico Nazionale	RC 2961	164	30.6
T . a / 261	kotyle Cc 2a	Tarquinia, Museo Archeologico Nazionale	RC 5712	166	
T . a / 262	kotyle Cc 2a	Tarquinia, Museo Archeologico Nazionale	RC 1755	166	30.11
T . a / 263	piatto Ba 1a	Tarquinia, Museo Archeologico Nazionale	s.n.	170	31.4
T . a / 264	piatto Ba 1a	Tarquinia, Museo Archeologico Nazionale	s.n.	170	
T . a / 265	piatto Bc 1a	Tarquinia, Museo Archeologico Nazionale	RC 1144	177	32.7
T . a / 266	piatto Bc 1a	Tarquinia, Museo Archeologico Nazionale	RC 1159	177	
T . a / 267	piatto Bc 3	Tarquinia, Museo Archeologico Nazionale	RC 6500	178	
T . a / 268	piatto Bc 3	Tarquinia, Museo Archeologico Nazionale	RC 8499	178	32.10
T . a / 269	piatto Bc *unicum*	Tarquinia, Museo Archeologico Nazionale	RC 8555	178	32.11
T . a / 270	coperchio	Tarquinia, Museo Archeologico Nazionale	RC 8539	183	
T . a / 271	coperchio	Tarquinia, Museo Archeologico Nazionale	s.n.	183	
T . a / 272	coperchio	Tarquinia, Museo Archeologico Nazionale	s.n.	183	
T . a / 273	coperchio	Tarquinia, Museo Archeologico Nazionale	s.n.	183	
T . Ar . 12 / 1	coppa Aa 1c	Tarquinia, Museo Archeologico Nazionale	RC 658	126	23.3
T . Ar . t / 1	oinochoe Aa	Tarquinia, Museo Archeologico Nazionale	RC 6903	47	4.16
T . G . 8 / 1	oinochoe Aa 1c	Firenze, Museo Archeologico Nazionale	83474h	39	3.3
T . G . 8 / 2	oinochoe Aa 1c	Firenze, Museo Archeologico Nazionale	83474g	39	
T . G . 8 / 3	oinochoe Aa 1c	Firenze, Museo Archeologico Nazionale	83474h1	39	
T . G . 8 / 4	oinochoe Bb 3a	Firenze, Museo Archeologico Nazionale	83474d	50	
T . G . 8 / 5	oinochoe Bb 3a	Firenze, Museo Archeologico Nazionale	83474e	50	
T . G . 8 / 6	oinochoe Bb 3a vicino a	Firenze, Museo Archeologico Nazionale	83474f	50	5.9
T . G . 8 / 7	skyphos Ba 1b	Firenze, Museo Archeologico Nazionale	83471	146	
T . G . 8 / 8	coppa Ea 2	Firenze, Museo Archeologico Nazionale	83474o3	141	
T . G . 8 / 9	coppa Ea 2	Firenze, Museo Archeologico Nazionale	834741o	141	25.9
T . G . 8 / 10	coppa Ea 2	Firenze, Museo Archeologico Nazionale	83474o2	141	
T . G . 9 / 1	coppa Aa 1c	Firenze, Museo Archeologico Nazionale		126	
T . G . t / 1	oinochoe Cb 3a	Tarquinia, Museo Archeologico Nazionale	101173	60	
T . G . t / 2	oinochoe Cb 3b	Tarquinia, Museo Archeologico Nazionale	101172	60	
T . G . t / 3	oinochoe Cb 3c	Tarquinia, Museo Archeologico Nazionale	101171	61	
T . G . t / 4	oinochoe Cb 3c	Tarquinia, Museo Archeologico Nazionale	101170	61	
T . G . t / 5	oinochoe Cb 3c	Tarquinia, Museo Archeologico Nazionale	101169	61	
T . G . t / 6	oinochoe Cb	Tarquinia, Museo Archeologico Nazionale	101168	69	
T . G . t / 7	oinochoe Cb	Tarquinia, Museo Archeologico Nazionale	101167	69	10.5
T . G . t / 8	skyphos Ba 3d	Tarquinia, Museo Archeologico Nazionale	s.n.	149	27.5
T . G . t / 9	skyphos Bb 2	Tarquinia, Museo Archeologico Nazionale	s.n.	151	27.9

Esemplare					*tipo*	*Luogo di conservazione*	*N. inv.*	*p.*	*tav.*
T	. M	. 10	/	1	skyphos Ba 3c?			148	
T	. M	. 16	/	1	oinochoe Aa 2	Tarquinia, Museo Archeologico Nazionale	1587	40	
T	. M	. 16	/	2	anforetta Aa 1a	Tarquinia, Museo Archeologico Nazionale		91	
T	. M	. 17	/	1	oinochoe A?			48	
T	. M	. 25	/	1	aryballos 2c			26	
T	. M	. 25	/	2	oinochoe Cb 1			57	
T	. M	. 25	/	3	oinochoe Cb 3d			61	
T	. M	. 25	/	4	oinochoe Cb 3b			60	
T	. M	. 25	/	5	oinochoe Cb 3b			60	
T	. M	. 25	/	6	oinochoe Cb 3b			60	
T	. M	. 25	/	7	skyphos Bb 2 variante			152	27.11
T	. M	. 25	/	8	skyphos Bc 1b			153	
T	. M	. 25	/	9	skyphos Bc 1b			153	
T	. M	. 25	/	10	skyphos Bc 1b			153	
T	. M	. 25	/	11	skyphos Bc 1b			153	
T	. M	. 32	/	1	oinochoe Bb 5b			52	
T	. M	. 33	/	3	skyphos Ba 3 a-b?			148	
T	. M	. 38	/	1	aryballos			26	
T	. M	. 38	/	2	oinochoe Cb 3b variante	Tarquinia, Museo Archeologico Nazionale	1698	61	7.12
T	. M	. 38	/	3	oinochoe Db ?			72	
T	. M	. 38	/	4	skyphos Bb 2?			151	
T	. M	. 38	/	5	skyphos Bb 2?			151	
T	. M	. 38	/	6	kotyle			167	
T	. M	. 38	/	7	kotyle			167	
T	. M	. 43	/	1	bottiglia			36	2.12
T	. M	. 43	/	2	kotyle Aa 3			160	
T	. M	. 49	/	1	oinochoe Cb 4a variante			63	8.8
T	. M	. 49	/	2	skyphos Bc 1c			153	
T	. M	. 62	/	1	oinochoe Cb 2d variante	Tarquinia, Museo Archeologico Nazionale	RC 1827	59	7.8
T	. M	. 66	/	1	oinochoe Bb 7 variante	Tarquinia, Museo Archeologico Nazionale	1854	54	6.2
T	. M	. 83	/	1	anforetta Aa 1a	Tarquinia, Museo Archeologico Nazionale	2096	91	
T	. M	. 83	/	2	anforetta Aa 1a?	Tarquinia, Museo Archeologico Nazionale	2097	91	
T	. M	. 83	/	3	attingitoio Aa 1a	Tarquinia, Museo Archeologico Nazionale	2343	118	
T	. M	. 83	/	4	attingitoio Aa 1a	Tarquinia, Museo Archeologico Nazionale	2343bis	118	
T	. M	. 83	/	5	kotyle Aa 3	Tarquinia, Museo Archeologico Nazionale	RC 2095	160	29.4
T	. M	. 6337	/	1	oinochoe Bb 4a	Tarquinia, Museo Archeologico Nazionale		51	
T	. M	. 6337	/	2	skyphos Ba 3a	Tarquinia, Museo Archeologico Nazionale		148	
T	. M	. 6337	/	3	kotyle Bb 3a	Tarquinia, Museo Archeologico Nazionale		162	
T	. M	. 6337	/	4	kotyle Bb 3a	Tarquinia, Museo Archeologico Nazionale		162	
T	. M	. 6337	/	5	kotyle Bb 3a	Tarquinia, Museo Archeologico Nazionale		162	
T	. M	. G	/	1	bottiglia	Berlin, Staatliche Museen	F. 206	36	2.7

Esemplare	*tipo*	*Luogo di conservazione*	*N. inv.*	*p.*	*tav.*
T . M . G / 2	bottiglia	Berlin, Staatliche Museen	F. 207	36	
T . M . G / 3	oinochoe *unicum*	Berlin, Staatliche Museen	F. 203	73	
T . M . G / 4	tazza Ab	Berlin, Staatliche Museen	F 224	124	22.16
T . M . G / 5	coppa Aa 1a	Berlin, Staatliche Museen	F 231	125	
T . M . G / 6	coppa Aa 1a	Berlin, Staatliche Museen	F 228	125	
T . M . G / 7	coppa Aa 1a	Berlin, Staatliche Museen	F 230	125	23.1
T . M . G / 8	coppa Aa 1a	Berlin, Staatliche Museen	F 225	125	
T . M . G / 9	coppa Aa 1c variante	Berlin, Staatliche Museen	F 232	126	23.4
T . M . G / 10	piatto Bc 3	Berlin, Staatliche Museen	F 240	178	
T . M . G / 11	piatto Bc 3	Berlin, Staatliche Museen	F 241	178	
T . M . G / 12	coperchio	Berlin, Staatliche Museen	F 231	183	
T . M . m / 1	oinochoe Cb 1	Tarquinia, Museo Archeologico Nazionale	132949	57	
T . M . m / 2	oinochoe Cb 1	Tarquinia, Museo Archeologico Nazionale	132950	57	7.1
T . M . m / 3	oinochoe Cb 2d	Tarquinia, Museo Archeologico Nazionale	132945	59	
T . M . m / 4	oinochoe Cb 2d	Tarquinia, Museo Archeologico Nazionale	132944	59	
T . M . m / 5	oinochoe Cb 2d	Tarquinia, Museo Archeologico Nazionale	132943	59	7.7
T . M . m / 6	oinochoe Db 1	Tarquinia, Museo Archeologico Nazionale	132956	71	11.1
T . M . t / 1	oinochoe Aa 8	Tarquinia, Museo Archeologico Nazionale	RC 6907	46	4.12
T . M . t / 2	oinochoe Bb 1	Tarquinia, Museo Archeologico Nazionale		48	
T . M . t / 3	olla Ba	Tarquinia, Museo Archeologico Nazionale	RC 6910	100	17.9
T . M . tc / 1	oinochoe Bb 3b	Tarquinia, Museo Archeologico Nazionale	RC 7113	50	
T . M / 1	coppa Da	Tarquinia, Museo Archeologico Nazionale	1515	137	24.11
T . MT . 65,1 / 1	aryballos 2a		s.n.	25	1.2
T . MT . 65,1 / 2	oinochoe Cb 3a		s.n.	60	
T . MT . 65,1 / 3	oinochoe CB 3a?		s.n.	60	
T . MT . 65,1 / 4	coppa Ba 1-2?		s.n.	130	
T . MT . 65,1 / 5	skyphos Ba 3c		s.n.	148	
T . MT . 65,6 / 1	coppa Ba 2a		s.n.	129	
T . B / 1	oinochoe Bb 6	Tarquinia, Museo Archeologico Nazionale	RC 1941	53	
T . B / 2	kotyle Bc *unicum*	Tarquinia, Museo Archeologico Nazionale	RC 1940	164	30.7
T . t / 1	oinochoe Db 2b	Tarquinia, Museo Archeologico Nazionale	555	71	11.5
T . t / 2	oinochoe Db 2 avvicinabile a	Tarquinia, Museo Archeologico Nazionale	s.n.	71	11.3
Tr . t / 1	anfora Ab 6a	Trevignano Romano, Antiquarium	67304	84	
Tr . t / 2	anfora Ab 6a	Trevignano Romano, Antiquarium	67305	84	
Tr . t / 3	anfora Cb	Trevignano Romano, Antiquarium	67307	90	15.7
Tr . t / 4	anfora Cb	Trevignano Romano, Antiquarium	67306	90	15.8
Tr . t / 5	coppa Da 1c	Trevignano Romano, Antiquarium		136	24.12
Tr . t / 6	piatto Bb 1a	Trevignano Romano, Antiquarium		171	
Tu . AT . 2 / 1	skyphos Bb	Tuscania, Museo Archeologico		152	
Tu . AT . 2 / 2	skyphos Bc 1a vicino	Tuscania, Museo Archeologico		153	
Tu . AT . 27 / 1	kotyle Cc 2b	Tuscania, Museo Archeologico		166	
Tu . PM . 3 / 1	anforetta Aa 1b variante	Tuscania, Museo Archeologico		92	

Esemplare	*tipo*	*Luogo di conservazione*	*N. inv.*	*p.*	*tav.*
Tu . PM . 3 / 2	attingitoio Aa 1a	Tuscania, Museo Archeologico		118	
Tu . PM . 3 / 3	kotyle Aa 2	Tuscania, Museo Archeologico		159	
Tu . PM . R / 1	attingitoio Aa 1b	Tuscania, Museo Archeologico	446	119	
Tu . PM . R / 2	coppa Db 1a	Tuscania, Museo Archeologico	75431	138	
Tu . PM . R / 3	skyphos Aa 1d	Tuscania, Museo Archeologico		144	
Tu . PM . R / 4	kotyle Aa 2	Tuscania, Museo Archeologico		159	
Tu . PM . t/1969 / 1	askos 1	Tuscania, Museo Archeologico		33	
Tu . PM . t/1969 / 2	oinochoe Aa 6b vicina	Tuscania, Museo Archeologico		44	
Tu . PM . t/1969 / 3	oinochoe Db 1	Tuscania, Museo Archeologico		71	
Tu . S . t / 1	askos 1	Tuscania, Museo Archeologico		33	
Tu . S . t / 2	oinochoe Aa 8	Tuscania, Museo Archeologico		46	
V . a / 1	anfora Ab 3a	collocazione sconosciuta		77	33.7
V . a / 1 bis	askos 1	collocazione sconosciuta		33	1.1; 33
V . a / 2	olla Cd 1a	Amsterdam, Allard Pierson Museum		105	18.10
V . a / 3	olla Dd 1c variante	Amsterdam, collezione privata		116	21.10
V . a / 4	kotyle Cc 1	Amsterdam, collezione privata		166	
V . a / 5	anfora Ab 3	depositi SBAEM		78	
V . a / 6	kotyle Bb	depositi SBAEM		163	
V . a / 7	anfora Bb	Agliè, Palazzo Ducale	2540	88	
V . a / 8	anfora Ab 6b	Agliè, Palazzo Ducale	2555	85	
V . a / 9	olla Dd 1a	Agliè, Palazzo Ducale	2545	115	
V . a / 10	olla Dc 1b	Agliè, Palazzo Ducale	2557	110	
V . a / 11	oinochoe Aa	Agliè, Palazzo Ducale	2250	47	
V . a / 12	oinochoe Cb 4d	Agliè, Palazzo Ducale	2549	64	
V . a / 13	oinochoe Cc 1b	Agliè, Palazzo Ducale	2551	70	
V . a / 14	lekythos	Agliè, Palazzo Ducale	2556	29	1.8
V . a / 15	skyphos Ba 3c var.	Bonn, Kunstmuseum	1373	148	
V . C . I / 1	coppa Ba 2a	Roma, Museo di Villa Giulia		129	
V . C . II / 1	olla Bd	Roma, Museo di Villa Giulia		102	18.3
V . C . II / 2	kotyle	Roma, Museo di Villa Giulia		167	
V . C . III / 1	aryballos 2a	Roma, Museo di Villa Giulia		25	
V . C . III / 2	aryballos 2b	Roma, Museo di Villa Giulia		26	
V . C . III / 3	aryballos 2c	Roma, Museo di Villa Giulia		26	
V . C . III / 4	aryballos 3	Roma, Museo di Villa Giulia		26	
V . C . III / 5	olla Dc 2d	Roma, Museo di Villa Giulia		112	
V . C . III / 6	olla Dd 1b	Roma, Museo di Villa Giulia		115	21.8
V . C . III / 7	coppa Ba 3a	Roma, Museo di Villa Giulia		130	
V . C . III / 8	coppa Ba 3a	Roma, Museo di Villa Giulia		130	
V . C . III / 9	kotyle Bb 1	Roma, Museo di Villa Giulia		161	29.6
V . C . III / 10	coperchio	Roma, Museo di Villa Giulia		182	
V . C . IV / 1	oinochoe Cb 4e	Roma, Museo di Villa Giulia		65	
V . C . IV / 2	olla Cc 1	Roma, Museo di Villa Giulia		104	18.8
V . C . IV / 3	olla Dc 2d	Roma, Museo di Villa Giulia		112	20.10

Esemplare									*tipo*	*Luogo di conservazione*	*N. inv.*	*p.*	*tav.*
V	.	C	.	V	/	1			oinochoe Cb 4e	Roma, Museo di Villa Giulia		65	
V	.	C	.	V	/	2			anfora Bc 2b	Roma, Museo di Villa Giulia		89	
V	.	C	.	V	/	3			olla Cc	Roma, Museo di Villa Giulia		105	18.9
V	.	C	.	V	/	4			coppa Ba 1a	Roma, Museo di Villa Giulia		127	
V	.	C	.	V	/	5			skyphos Bc 1c	Roma, Museo di Villa Giulia		153	
V	.	C	.	V	/	6			kotyle	Roma, Museo di Villa Giulia		167	
V	.	C	.	VI	/	2			olla Dc 2c	Roma, Museo di Villa Giulia		112	
V	.	C	.	VIII	/	1			coppa Ba 2b	Roma, Museo di Villa Giulia		129	
V	.	C	.	IX	/	1			coppa Ba 1b	Roma, Museo di Villa Giulia		128	
V	.	CF	.	853	/	1			olla B	Roma, Museo di Villa Giulia		102	
V	.	CF	.	856	/	1			coppa Ba 3c	Roma, Museo di Villa Giulia		131	23.14
V	.	CF	.	863	/	1			aryballos 1	Roma, Museo di Villa Giulia	36297	25	
V	.	CF	.	863	/	2			aryballos 1	Roma, Museo di Villa Giulia	36299	25	
V	.	CF	.	863	/	3			aryballos 1	Roma, Museo di Villa Giulia	36300	25	
V	.	CF	.	863	/	4			aryballos 2b	Roma, Museo di Villa Giulia	36302	25	
V	.	CF	.	863	/	5			aryballos 3	Roma, Museo di Villa Giulia	36301	26	1.7
V	.	CF	.	868	/	1			anfora Ab 3b	Roma, Museo di Villa Giulia	36387/8	78	12.7
V	.	CF	.	1001	/	1			coppa Aa 1b	Roma, Museo di Villa Giulia		125	
V	.	CF	.	1001	/	2			kotyle Bb	Roma, Museo di Villa Giulia		163	30.1
V	.	CF	.	1090	/	1			anfora Bb	Roma, Museo di Villa Giulia		88	14.9
V	.	GG	.	2	/	1			anfora Ab 3a	Roma, Museo di Villa Giulia		78	
V	.	GG	.	2	/	2			anfora Ab 3a	Roma, Museo di Villa Giulia		78	
V	.	GG	.	2	/	3			olla Ce 3	Roma, Museo di Villa Giulia		108	
V	.	GG	.	2	/	4			piatto Bb 1a variante	Roma, Museo di Villa Giulia		173	
V	.	GG	.	2	/	5			piatto Bb 1a variante	Roma, Museo di Villa Giulia		173	
V	.	GG	.	3	/	1			anfora Ab 3b	Roma, Museo di Villa Giulia		78	
V	.	MA	.	t	/	1			anfora Ab 6b	Roma, Museo di Villa Giulia		85	
V	.	MC	.	12	/	1			oinochoe Cc 1b	Roma, Museo di Villa Giulia	37958	70	
V	.	MC	.	12	/	2			olla Dc 2b	Roma, Museo di Villa Giulia	37964	111	
V	.	MC	.	12	/	3			skyphos Bc 1e	Roma, Museo di Villa Giulia	37960	154	
V	.	MC	.	13	/	1			oinochoe Cb 4d	Roma, Museo di Villa Giulia	37998	64	
V	.	MC	.	13	/	2			oinochoe Cb 4d	Roma, Museo di Villa Giulia	37996	64	
V	.	MC	.	13	/	3			oinochoe Cb 4d	Roma, Museo di Villa Giulia	37997	64	
V	.	MC	.	13	/	4			olla Dc 2d	Roma, Museo di Villa Giulia	37995	112	
V	.	MC	.	13	/	5			coppa Ba 2a	Roma, Museo di Villa Giulia	37999	129	
V	.	MC	.	14	/	1			aryballos 1	Roma, Museo di Villa Giulia	38034	25	
V	.	MC	.	14	/	2			olla Dc 4a variante	Roma, Museo di Villa Giulia	38035	114	
V	.	MC	.	14	/	3			skyphos Bc 1a	Roma, Museo di Villa Giulia	38033	152	
V	.	MC	.	15	/	1			olla Dc 2b	Roma, Museo di Villa Giulia	38040	111	
V	.	MC	.	15	/	2			olla Dc 2c	Roma, Museo di Villa Giulia	38041	112	
V	.	MC	.	20	/	1			coppa Ba 3a	Roma, Museo di Villa Giulia	38053	130	
V	.	MC	.	21	/	1			oinochoe	Roma, Museo di Villa Giulia	38055	73	
V	.	MC	.	21	/	3			anfora Bc	Roma, Museo di Villa Giulia	38056	90	

Esemplare					*tipo*	*Luogo di conservazione*	*N. inv.*	*p.*	*tav.*
V	. MC	. 24	/	1	anfora Bc 2a	Roma, Museo di Villa Giulia	38073	89	
V	. MC	. 24	/	2	anfora Bc 2a	Roma, Museo di Villa Giulia	38072	89	
V	. MC	. 24	/	3	olla Bc 1	Roma, Museo di Villa Giulia	38091	101	
V	. MC	. 26	/	1	piatto Bb 1a	Roma, Museo di Villa Giulia	38115	171	
V	. MC	. 31	/	1	aryballos 2a vicino a	Roma, Museo di Villa Giulia	38169	25	
V	. MC	. 31	/	2	situla 2b	Roma, Museo di Villa Giulia	38164	94	
V	. MC	. 31	/	3	coppa Ba 1b	Roma, Museo di Villa Giulia	38163	128	
V	. MC	. 33	/	1	aryballos 1	Roma, Museo di Villa Giulia	38192	25	1.1
V	. MC	. 33	/	2	aryballos 2c	Roma, Museo di Villa Giulia	38197	26	
V	. MC	. 33	/	3	oinochoe Cb 4c variante	Roma, Museo di Villa Giulia	38191	64	8.12
V	. MC	. 33	/	4	situla 2a	Roma, Museo di Villa Giulia	38193	94	16.12
V	. MC	. 33	/	5	olla Dc	Roma, Museo di Villa Giulia	38196	115	
V	. MC	. 33	/	6	coppa Ba 2a	Roma, Museo di Villa Giulia	38195	129	23.10
V	. MC	. 33	/	7	kotyle Cb	Roma, Museo di Villa Giulia	38190	165	30.8
V	. MC	. 33	/	8	piatto Bb 1a	Roma, Museo di Villa Giulia	38194	171	31.8
V	. MC	. 34	/	1	oinochoe Cb 4e	Roma, Museo di Villa Giulia	38224	64	
V	. MC	. 34	/	2	oinochoe Cb 4e	Roma, Museo di Villa Giulia	38225	65	9.3
V	. MC	. 34	/	3	anfora Ab 5c	Roma, Museo di Villa Giulia	38222	83	
V	. MC	. 34	/	4	anfora Ab 5c	Roma, Museo di Villa Giulia	38223	83	
V	. MC	. 34	/	5	skyphos Bc 1b	Roma, Museo di Villa Giulia	38226	153	28.5
V	. MC	. 34	/	6	piatto Bb 1a	Roma, Museo di Villa Giulia	38227	171	
V	. MC	. 35	/	1	aryballos 2b	Roma, Museo di Villa Giulia	38246	25	
V	. MC	. 35	/	2	olla Dc 2e	Roma, Museo di Villa Giulia	38242	112	
V	. MC	. 35	/	3	olla Dc 2e	Roma, Museo di Villa Giulia	38243	112	20.11
V	. MC	. 35	/	4	piatto Bb 1a	Roma, Museo di Villa Giulia	38244	171	
V	. MC	. 39	/	1	oinochoe Cb 4d	Roma, Museo di Villa Giulia	38290	64	
V	. MC	. 39	/	2	oinochoe Cb 4d	Roma, Museo di Villa Giulia	38291	64	9.1
V	. MC	. 39	/	3	skyphos Bc 1b	Roma, Museo di Villa Giulia	38292	153	
V	. MC	. 42	/	1	olla Dc 2b	Roma, Museo di Villa Giulia	38330	111	20.7
V	. MC	. 42	/	2	kotyle Cc 1	Roma, Museo di Villa Giulia	38331	166	30.10
V	. MC	. 44	/	1	aryballos 2b	Roma, Museo di Villa Giulia	38373	25	
V	. MC	. 44	/	2	aryballos 2b	Roma, Museo di Villa Giulia	38374	25	1.3
V	. MC	. 44	/	3	aryballos 2b	Roma, Museo di Villa Giulia	38375	25	
V	. MC	. 44	/	4	aryballos 2b variante	Roma, Museo di Villa Giulia	38376	26	1.4
V	. MC	. 44	/	5	aryballos 2c	Roma, Museo di Villa Giulia	38372	26	1.6
V	. MC	. 44	/	6	situla 2b	Roma, Museo di Villa Giulia	38365	26	16.13
V	. MC	. 44	/	7	olla Cd 1b	Roma, Museo di Villa Giulia	38359	94	18.11
V	. MC	. 44	/	8	olla Dc 1b	Roma, Museo di Villa Giulia	38360	105	20.4
V	. MC	. 44	/	9	coppa Ba 2a	Roma, Museo di Villa Giulia	38367	110	
V	. MC	. 44	/	10	kotyle Cc 2b	Roma, Museo di Villa Giulia	38370	129	30.12
V	. MC	. 44	/	11	kotyle Cc 2b	Roma, Museo di Villa Giulia	38371	166	
V	. MC	. 44	/		aryballos 1?	Roma, Museo di Villa Giulia	38366	166	
V	. MC	. 47	/	1	olla Bc 2	Roma, Museo di Villa Giulia	38403	101	17.13

Esemplare	*tipo*	*Luogo di conservazione*	*N. inv.*	*p.*	*tav.*
V . MC . 47 / 2	coperchio	Roma, Museo di Villa Giulia	38404	182	
V . MC . 49 / 1	olla Cd 1b	Roma, Museo di Villa Giulia	38430	105	
V . MC . 49 / 2	coppa Ba 3a	Roma, Museo di Villa Giulia	38429	130	
V . MC . 49 / 3	kotyle Cc 1	Roma, Museo di Villa Giulia	38425	166	
V . MC . 56 / 1	olla Dc 2a	Roma, Museo di Villa Giulia	38446	111	
V . MC . 62 / 1	olla Dd 1c	Roma, Museo di Villa Giulia	38543	116	
V . MC . 62 / 2	olla Dd 1c	Roma, Museo di Villa Giulia	38511	116	
V . MC . 62 / 3	attingitoio Bb 1b	Roma, Museo di Villa Giulia	38514	121	
V . MC . 62 / 4	coppa Ba 2a	Roma, Museo di Villa Giulia	38516	129	
V . MC . 62 / 5	kotyle Cc 2b variante	Roma, Museo di Villa Giulia	38544	166	
V . MC . 64 / 1	oinochoe Cb 4d	Roma, Museo di Villa Giulia	38562	64	
V . MC . 64 / 2	situla 2b	Roma, Museo di Villa Giulia	38568	94	
V . MC . 64 / 3	situla 2a	Roma, Museo di Villa Giulia	38564	94	
V . MC . 64 / 4	olla Dd 1 a	Roma, Museo di Villa Giulia	38558	115	
V . MC . 64 / 5	olla Dd 1c	Roma, Museo di Villa Giulia	38555	116	
V . MC . 64 / 6	olla Dd 1c	Roma, Museo di Villa Giulia	38556	116	
V . MC . 64 / 7	coppa Ba 1a	Roma, Museo di Villa Giulia	38571	127	
V . MC . 64 / 8	coppa Da 2	Roma, Museo di Villa Giulia	38567	137	
V . MC . 64 / 9	skyphos Bc 1a	Roma, Museo di Villa Giulia	38569	152	
V . MC . 65 / 1	olla Dd 1c	Roma, Museo di Villa Giulia	38600	116	
V . MC . 67 / 1	olla Dc 2b	Roma, Museo di Villa Giulia	38633	111	
V . MC . 67 / 2	coppa Ba 2a	Roma, Museo di Villa Giulia	38631	129	
V . MC . 67 / 3	skyphos Bc 1b	Roma, Museo di Villa Giulia	38630	153	
V . MC . 67 / 4	kotyle Cc 1	Roma, Museo di Villa Giulia	38632	166	
V . MC . 67 / 5	coperchio	Roma, Museo di Villa Giulia	38634	182	
V . MC . 71 / 1	olla Ba 3	Roma, Museo di Villa Giulia	38665	100	
V . MC . 71 / 2	coppa Ba 1a	Roma, Museo di Villa Giulia	38668	127	
V . MC . 71 / 3	coppa Ba 3a	Roma, Museo di Villa Giulia	38669	130	
V . MC . 71 / 4	skyphos Bc 1a variante	Roma, Museo di Villa Giulia	38667	153	
V . MC . IV / 1	olla Cd 1a	Roma, Museo di Villa Giulia	58653	105	
V . MC . IV / 2	coppa Ba 3c	Roma, Museo di Villa Giulia	58653 H	131	
V . MC . IV / 3	kotyle Bb 2	Roma, Museo di Villa Giulia	58653 G	161	
V . MC . VII / 1	oinochoe Cc 1a	Roma, Museo di Villa Giulia	58648 A	70	10.12
V . MC . VII / 2	oinochoe Cc 1a	Roma, Museo di Villa Giulia	58648 M	70	
V . MC . VII / 3	oinochoe Cc 1b	Roma, Museo di Villa Giulia	58648 F	70	10.12
V . MC . VII / 4	oinochoe Cc 1b	Roma, Museo di Villa Giulia	58648 C	70	10.12
V . MC . VII / 5	olla Dc 2b	Roma, Museo di Villa Giulia	58648 C	111	
V . MC . VII / 6	skyphos Bc 1a	Roma, Museo di Villa Giulia	58648 B	152	
V . MM . 5 / 1	oinochoe Cb 4a	Roma, Museo di Villa Giulia		63	
V . MM . 5 / 2	anfora Ab	Roma, Museo di Villa Giulia		87	
V . MM . 5 / 3	anfora Ab	Roma, Museo di Villa Giulia		87	
V . MM . 5 / 4	anfora Ab	Roma, Museo di Villa Giulia		87	
V . MM . 5 / 5	anfora Ab	Roma, Museo di Villa Giulia		87	
V . MM . 5 / 6	coppa F	Roma, Museo di Villa Giulia		141	

Esemplare	*tipo*	*Luogo di conservazione*	*N. inv.*	*p.*	*tav.*
V . MM . 5 / 7	askos 1	Roma, Museo di Villa Giulia		33	
V . MM . 5 / 8	anfora Ab 5a	Roma, Museo di Villa Giulia		83	13.2
V . MM . 5 / 9	anfora Ab	Roma, Museo di Villa Giulia		87	
V . MM . 5 / 10	coppa F	Roma, Museo di Villa Giulia		141	
V . MM . 5 / 11	coppa F	Roma, Museo di Villa Giulia		141	
V . MM . 5 / 12	coppa F	Roma, Museo di Villa Giulia		142	
V . MM . 5 / 13	olla Dd	Roma, Museo di Villa Giulia		117	
V . MM . 5 / 14	piatto B?	Roma, Museo di Villa Giulia		179	
V . MM . 5 / 15	piatto B	Roma, Museo di Villa Giulia		179	
V . MM . B / 1	anfora Ab	Firenze, Museo Archeologico Nazionale	20285	87	
V . MM . B / 2	olla Ce 1	Firenze, Museo Archeologico Nazionale	81500	106	19.1
V . MM . B / 3	olla Ce 1	Firenze, Museo Archeologico Nazionale	81501	106	
V . MM . B / 4	coppa Ca 1a	Firenze, Museo Archeologico Nazionale	81502	133	
V . MM . B / 5	coperchio	Firenze, Museo Archeologico Nazionale	20286	182	
V . MM . B / 6	piatto Bb 1a	Firenze, Museo Archeologico Nazionale	94657	171	
V . MM . B / 7	piatto Bb 1a	Firenze, Museo Archeologico Nazionale	94658	171	
V . MM . C / 1	aryballos 2b variante	Firenze, Museo Archeologico Nazionale	81549	26	
V . MM . C / 2	oinochoe Cb 5b	Firenze, Museo Archeologico Nazionale	81546	66	
V . MM . C / 3	olla Dc 2a	Firenze, Museo Archeologico Nazionale	81545	111	
V . MM . D / 1	anfora Ab 6b	Firenze, Museo Archeologico Nazionale	81523a	85	
V . MM . D / 2	anfora Ab 6b	Firenze, Museo Archeologico Nazionale	81523b	85	
V . MM . D / 3	anfora Ab 6b	Firenze, Museo Archeologico Nazionale	81523c	85	
V . MM . D / 4	anfora Ab 6b	Firenze, Museo Archeologico Nazionale	81523d	85	
V . MM . D / 5	anfora Ab 6b ?	Firenze, Museo Archeologico Nazionale	81523e	85	
V . MM . F / 1	olla Ce	Firenze, Museo Archeologico Nazionale	81557	108	
V . MM / 1	aryballos 2a	Firenze, Museo Archeologico Nazionale	81568	25	
V . MM / 2	aryballos 2c variante	Firenze, Museo Archeologico Nazionale	81567	26	
V . MM / 3	anfora Ab	Firenze, Museo Archeologico Nazionale	81569	87	
V . MM / 4	kotyle Bb 2	Firenze, Museo Archeologico Nazionale	81566	161	29.7
V . MO . I / 3	anfora Ab?	Roma, Museo di Villa Giulia		87	
V . MO . II / 1	anfora Ab 6a	Roma, Museo di Villa Giulia	56118	84	
V . MO . II / 2	anfora Ab 6a	Roma, Museo di Villa Giulia		84	
V . MO . III / 5	anfora Ab ?	Roma, Museo di Villa Giulia		87	
V . P . XIII / 1	oinochoe Ab	Roma, Museo Preistorico Etnografico L. Pigorini	80708	47	4.17
V . P . XVI / 1	aryballos 2c	Roma, Museo Preistorico Etnografico L. Pigorini		26	
V . P . XVI / 2	olla Cc 1	Roma, Museo Preistorico Etnografico L. Pigorini	70741	104	
V . P . XVI / 3	skyphos Bc 2	Roma, Museo Preistorico Etnografico L. Pigorini	70752	156	
V . P . XX / 1	oinochoe Cb 5b	Roma, Museo Preistorico Etnografico L. Pigorini		66	
V . P . XX / 2	anfora Bc 2a	Roma, Museo Preistorico Etnografico L. Pigorini	70805	89	15.4

Esemplare	*tipo*	*Luogo di conservazione*	*N. inv.*	*p.*	*tav.*
V . P . XX / 3	coppa Ba 1b	Roma, Museo Preistorico Etnografico L. Pigorini		128	
V . P . XX / 4	coppa Ba 2b	Roma, Museo Preistorico Etnografico L. Pigorini		129	23.11
V . Pz . 1 / 1	oinochoe Cb 4d	Roma, Museo di Villa Giulia		64	
V . Pz . 1 / 2	anfora Ab 5a vicino a	Roma, Museo di Villa Giulia		83	
V . Pz . 1 / 3	olla Dc 2d	Roma, Museo di Villa Giulia		112	
V . Pz . 1 / 4	olla Dc 4a variante	Roma, Museo di Villa Giulia		114	
V . Pz . 1 / 5	olla Dc 2	Roma, Museo di Villa Giulia		112	
V . Pz . 1 / 6	kotyle Cc 2c	Roma, Museo di Villa Giulia		166	
V . Pz . 2 / 1	aryballos 1	Roma, Museo di Villa Giulia		25	
V . Pz . 2 / 2	oinochoe Cb 4d variante	Roma, Museo di Villa Giulia		64	
V . Pz . 2 / 3	oinochoe	Roma, Museo di Villa Giulia		73	
V . Pz . 2 / 4	olla D	Roma, Museo di Villa Giulia		118	
V . Pz . 2 / 5	anfora Ab	Roma, Museo di Villa Giulia		87	
V . Pz . 2 / 6	anfora Ab	Roma, Museo di Villa Giulia		87	
V . Pz . 2 / 7	coppa Ba 1a?	Roma, Museo di Villa Giulia		127	
V . Pz . 2 / 8	skyphos Bc 1b	Roma, Museo di Villa Giulia		153	
V . Pz . 2 / 9	kotyle	Roma, Museo di Villa Giulia		167	
V . Pz . 2 / 10	piatto Bb 1a	Roma, Museo di Villa Giulia		171	
V . Pz . 2 / 11	piatto B	Roma, Museo di Villa Giulia		179	
V . Pz . 3 / 1	oinochoe Cb 4?	Roma, Museo di Villa Giulia		65	
V . Pz . 3 / 2	coppa Ba 1b	Roma, Museo di Villa Giulia		128	
V . Pz . 3 / 3	piatto B	Roma, Museo di Villa Giulia		179	
V . Pz . 3 / 4	piatto B	Roma, Museo di Villa Giulia		179	
V . Pz . 4 / 1	anfora Ab	Roma, Museo di Villa Giulia		87	
V . Pz . 4 / 2	olla Dc 2	Roma, Museo di Villa Giulia		112	
V . Pz . 4 / 3	olla Dd 1	Roma, Museo di Villa Giulia		116	
V . Pz . 4 / 4	piatto B	Roma, Museo di Villa Giulia		179	
V . Pz . 4 / 5	piatto B	Roma, Museo di Villa Giulia		179	
V . Pz . 4 / 6	piatto Bb 1a	Roma, Museo di Villa Giulia		171	
V . Pz . 6 / 1	anfora Ab	Roma, Museo di Villa Giulia		87	
V . Pz . 6 / 2	skyphos Bc 1b	Roma, Museo di Villa Giulia		153	
V . Pz . 7 / 1	oinochoe Cb 4	Roma, Museo di Villa Giulia		65	
V . Pz . 7 / 3	olla Dc 2	Roma, Museo di Villa Giulia		112	
V . Pz . 7 / 4	skyphos Bc 2	Roma, Museo di Villa Giulia		156	
V . Pz . 7 / 5	kotyle Cc 1?	Roma, Museo di Villa Giulia		166	
V . Pz . 8 / 1	olla Dc 2a	Roma, Museo di Villa Giulia		111	
V . Pz . 8 / 2	coppa Ba 1a	Roma, Museo di Villa Giulia		127	
V . Pz . 8 / 3	coppa Ba 2b	Roma, Museo di Villa Giulia		129	
V . Pz . 8 / 4	coppa Ba 2b	Roma, Museo di Villa Giulia		129	
V . Pz . 8 / 5	skyphos Bc 1b	Roma, Museo di Villa Giulia		153	
V . Pz . 8 / 6	skyphos Bc 1b	Roma, Museo di Villa Giulia		153	

Esemplare					*tipo*	*Luogo di conservazione*	*N. inv.*	*p.*	*tav.*
V	. Pz	. 8	/	7	piatto Bc 2?	Roma, Museo di Villa Giulia		178	32.9
V	. Pz	. 8	/	8	piatto Bc 2?	Roma, Museo di Villa Giulia		178	
V	. Pz	. 8	/	9	piatto Bc 2?	Roma, Museo di Villa Giulia		178	
V	. Pz	. 9	/	1	olla Dc 2c	Roma, Museo di Villa Giulia		112	
V	. Pz	. 10	/	1	aryballos 2a	Roma, Museo di Villa Giulia		25	
V	. Pz	. 10	/	2	situla 2a	Roma, Museo di Villa Giulia		94	
V	. Pz	. 10	/	3	olla Dd 1b	Roma, Museo di Villa Giulia		115	
V	. Pz	. 10	/	4	piatto Bb 1a	Roma, Museo di Villa Giulia		171	
V	. R	. I	/	1	pisside	Roma, Museo di Villa Giulia		182	
V	. R	. II	/	1	anfora Ab 5b?	Roma, Museo di Villa Giulia		83	
V	. R	. II	/	2	olla Ce 2a??	Roma, Museo di Villa Giulia		106	
V	. R	. II	/	3	olla Ce 2b ??	Roma, Museo di Villa Giulia		106	
V	. R	. II	/	4	skyphos	Roma, Museo di Villa Giulia		156	
V	. R	. III	/	1	olla Ce 2a	Roma, Museo di Villa Giulia		106	
V	. R	. III	/	2	olla Dd 1 c-d	Roma, Museo di Villa Giulia		116	
V	. R	. IV	/	1	olla Ce 2b	Roma, Museo di Villa Giulia		106	
V	. R	. IV	/	2	olla Ce 2b	Roma, Museo di Villa Giulia		106	19.3
V	. R	. IV	/	3	kotyle Bb	Roma, Museo di Villa Giulia		106	30.2
V	. R	. IV	/	4	pisside	Roma, Museo di Villa Giulia		163	33.6
V	. R	. IV	/	2 bis	olla Ce 2a ??	Roma, Museo di Villa Giulia		182	
V	. R	. V	/	1	oinochoe Cb 5b	Roma, Museo di Villa Giulia		66	
V	. R	. V	/	2	coppa Ba 3a	Roma, Museo di Villa Giulia		130	
V	. R	. V	/	3	piatto Bb 1a	Roma, Museo di Villa Giulia		171	
V	. R	. V	/	4	coperchio	Roma, Museo di Villa Giulia		183	
V	. V	. VIII	/	1	coppa Ba 1b	Roma, Museo Preistorico Etnografico L. Pigorini		128	
V	. V	. VIII	/	2	skyphos Bb 1a	Roma, Museo Preistorico Etnografico L. Pigorini		150	
V	. V	. IX	/	1	oinochoe Aa 7	Roma, Museo Preistorico Etnografico L. Pigorini		45	4.10
V	. V	. IX	/	2	oinochoe Cb 5b	Roma, Museo Preistorico Etnografico L. Pigorini		66	
V	. V	. X	/	1	oinochoe Ab	Roma, Museo Preistorico Etnografico L. Pigorini	68094	47	
V	. V	. X	/	2	attingitoio Bb 1a	Roma, Museo Preistorico Etnografico L. Pigorini		120	
V	. V	. X	/	3	kotyle Ab 1	Roma, Museo Preistorico Etnografico L. Pigorini	68109	160	29.5
V	. V	. XI	/	1	oinochoe Aa 7	Roma, Museo Preistorico Etnografico L. Pigorini	68157	45	
V	. V	. XI	/	2	oinochoe Cb 4a	Roma, Museo Preistorico Etnografico L. Pigorini	68158	63	
V	. V	. XI	/	3	olla Ce 2a	Roma, Museo Preistorico Etnografico L. Pigorini	68162	106	19.2
V	. V	. XI	/	4	coppa Ca 1a	Roma, Museo Preistorico Etnografico L. Pigorini	68159	133	24.1
V	. V	. t	/	1	coppa Ba 3b	Roma, Museo di Villa Giulia		130	23.13
V	. V	. t	/	2	anfora Ab 6b	Roma, Museo di Villa Giulia	56927	85	

Esemplare	*tipo*	*Luogo di conservazione*	*N. inv.*	*p.*	*tav.*
V . V . t / 3	anfora Ab 6b	Roma, Museo di Villa Giulia	56928	85	
V . V . t / 4	coppa Ba 3b	Roma, Museo di Villa Giulia		131	
V . V . t / 5	anfora Ab 6b	Roma, Museo di Villa Giulia	56929	85	
V . V . t / 6	coppa Ba 1a	Roma, Museo di Villa Giulia		127	
V . V / 1	aryballos 2c	collocazione sconosciuta	65668	26	
V . V / 2	oinochoe Aa 7 vicino a	Civita Castellana, depositi SBAEM	65686	45	4.11
V . V / 3	anfora Bc	Civita Castellana, depositi SBAEM	65649	90	
V . V / 4	anfora	collocazione sconosciuta		86	
V . V / 5	anfora	collocazione sconosciuta		86	
V . V / 6	olla Bd	collocazione sconosciuta		102	18.2
V . V / 7	olla Ca 2	Civita Castellana, depositi SBAEM	65687	104	
V . V / 8	olla Ca 2	collocazione sconosciuta		104	18.7
V . V / 9	olla Ca 2	Civita Castellana, depositi SBAEM	65657	104	
V . V / 10	olla Dc 2b	collocazione sconosciuta		111	
V . V / 11	olla Dc 2d	Civita Castellana, depositi SBAEM	65660	112	
V . V / 12	coppa Ba 1a	Civita Castellana, depositi SBAEM	65689	127	
V . V / 13	coppa Ba 3c	Civita Castellana, depositi SBAEM	65690	131	
V . V / 15	coppa Ba 3?	Civita Castellana, depositi SBAEM	65650	131	
V . V / 16	skyphos Bc 1a	collocazione sconosciuta		152	
V . V / 17	skyphos Bc 1a	collocazione sconosciuta		152	
V . V / 18	skyphos	collocazione sconosciuta		156	
V . V / 19	kotyle Bb	Civita Castellana, depositi SBAEM	65661	163	30.4
V . V / 20	piatto Bb (1a?)	collocazione sconosciuta		171	
V . V / 21	oinochoe?	collocazione sconosciuta		73	
V . V / 21	piatto B	Civita Castellana, depositi SBAEM	65688	179	
V . V / 22	oinochoe?	collocazione sconosciuta		73	
V . 27 / 1	fiasca	depositi SBAEM		30	1.11
V . 27 / 2	kotyle Bb 4	depositi SBAEM		163	29.12
V . 37 / 1	kotyle Bb	depositi SBAEM		163	30.3
V . c / 1	anfora Ab 6a variante	depositi SBAEM		85	13.7
V . t / 1	anfora Bc 2a	Amsterdam, collezione privata		89	
V . t / 2	anfora Bc 2a	Amsterdam, collezione privata		89	
Vo . 1 / 1	oinochoe	Casale di Malborghetto, Antiquarium	38452	73	
Vo . 4 / 1	oinochoe Cb	Casale di Malborghetto, Antiquarium	384520	69	
Vo . 4 / 2	olla Ba 3	Casale di Malborghetto, Antiquarium	384499	100	17.7
Vo . 4 / 3	skyphos Bc 1d	Casale di Malborghetto, Antiquarium	384688	153	
Vo . 4 / 4	aryballos 2b variante	Casale di Malborghetto, Antiquarium	384519	26	1.5
Vo . 4 / 5	kotyle Cc 2b	Casale di Malborghetto, Antiquarium	384521	166	
Vo . 4 / 6	oinochoe Cb 4a-c?	Casale di Malborghetto, Antiquarium	384527	65	
Vo . 4 / 8	piatto Bb 1a	Casale di Malborghetto, Antiquarium	384469	171	
Vo . 5 / 1	attingitoio Bb 1b	Casale di Malborghetto, Antiquarium	384501	121	22.9
Vo . 5 / 2	coppa Ba 2b	Casale di Malborghetto, Antiquarium	384503	129	

Esemplare	*tipo*	*Luogo di conservazione*	*N. inv.*	*p.*	*tav.*
Vo . 5 / 3	skyphos Bc 1d	Casale di Malborghetto, Antiquarium	384502	154	
Vo . 10 / 1	oinochoe Cc 1b	Casale di Malborghetto, Antiquarium	384509	70	
Vo . 10 / 2	oinochoe Db 4 vicino a	Casale di Malborghetto, Antiquarium	384507	72	11.9
Vo . 10 / 3	kotyle Cc 2c	Casale di Malborghetto, Antiquarium	384531	166	30.13
Vo . 10 / 4	coppa Ba	Casale di Malborghetto, Antiquarium	384532	133	
Vu . a / 1	oinochoe Aa 4a	depositi SBAEM	8548	42	
Vu . a / 2	oinochoe Db 4	Grosseto, Museo Archeologico e d'Arte della Maremma	24398	72	11.8
Vu . a / 3	oinochoe Db 2a	Karlsruhe, Bandisches Landesmueseum	B 2176	71	
Vu . a / 4	anforetta Aa 1b variante	depositi SBAEM	8552	92	16.6
Vu . a / 5	olla Ac 1	Vulci, Museo Archeologico Nazionale		97	
Vu . a / 6	olla Ac 1	Vulci, Museo Archeologico Nazionale		97	
Vu . a / 7	olla Ba 1b	depositi SBAEM	62981	99	
Vu . a / 8	olla Db 1	Vulci, Museo Archeologico Nazionale	24399	109	
Vu . a / 9	olla Dd	depositi SBAEM		117	
Vu . a / 10	attingitoio Aa 2a	Grosseto, Museo Archeologico e d'Arte della Maremma	24400	119	
Vu . a / 11	coppa Db 1b	depositi SBAEM	8545	138	
Vu . a / 12	coppa Db 1b	Chianciano Terme, Museo Civico	114	138	
Vu . a / 13	coppa Db 1c	depositi SBAEM	62982	139	25.4
Vu . a / 14	coppa Db 1d variante	depositi SBAEM	8544	139	25.6
Vu . a / 15	skyphos Aa 1a	depositi SBAEM	8555 (?)	143	
Vu . a / 16	skyphos Aa 1b	depositi SBAEM	8556	143	
Vu . a / 17	skyphos Aa 1c	depositi SBAEM	8554	143	
Vu . a / 18	skyphos Aa 1d	depositi SBAEM	8555	144	
Vu . a / 19	piatto Aa 2 variante	Grosseto, Museo Archeologico e d'Arte della Maremma	1776	169	31.3
Vu . C . 1955 / 1	anfora Ba	Vulci, Museo Archeologico Nazionale	98864	87	
Vu . C . 1955 / 2	anfora Ba	Vulci, Museo Archeologico Nazionale	98865	87	
Vu . C . 1955 / 3	attingitoio Aa 2b	Vulci, Museo Archeologico Nazionale		119	
Vu . C . 1955 / 4	attingitoio Aa 2b variante	Vulci, Museo Archeologico Nazionale		119	22.5
Vu . C . 1955 / 5	tazza Aa 2a	Vulci, Museo Archeologico Nazionale		123	
Vu . C . 1955 / 6	tazza Aa 2a	Vulci, Museo Archeologico Nazionale		123	
Vu . C . 1955 / 7	coppa Da	Vulci, Museo Archeologico Nazionale		137	24.14
Vu . C . A / 1	bottiglia	Roma, Museo di Villa Giulia	64103	36	2.8
Vu . C . A / 2	skyphos Aa	Roma, Museo di Villa Giulia	64104	145	
Vu . C . B / 1	olla Ac 1	Roma, Museo di Villa Giulia	64163	97	
Vu . C . B / 2	skyphos	Roma, Museo di Villa Giulia	64165	156	
Vu . C / 1	coppa Db 1b variante	Museo Fiorentino di Preistoria		139	25.3
Vu . O . 1 / 1	skyphos Ba 2		136008	147	27.1
Vu . O . 1 / 2	skyphos Ba 2		136007	147	
Vu . O . 125 / 1	oinochoe Db 3			72	

Esemplare	*tipo*	*Luogo di conservazione*	*N. inv.*	*p.*	*tav.*
Vu . O . a / 1	skyphos Aa 1			144	
Vu . O . E / 1	piatto Ba 1b		136040	170	
Vu . O . E / 2	piatto Ba 1b		136039	170	
Vu . O . t / 1	oinochoe Aa 6a		75872	44	
Vu . O . t / 2	olla Ba 1c		75873	99	17.5
Vu . O . t / 3	coperchio		75873	183	
Vu . O /	olla Ba 1a			99	
Vu . P . 1963 / 1	anfora Ba	depositi SBAEM	M.S. 614	87	
Vu . P . G / 1	anfora *unicum*	Roma, Museo di Villa Giulia	135947	90	
Vu . P . G / 2	coppa Aa 2a	Roma, Museo di Villa Giulia	135949	126	23.5
Vu . P . G / 3	coppa Aa 2a	Roma, Museo di Villa Giulia	135950	126	
Vu . PA . 13 / 1	oinochoe Aa 6c	collocazione sconosciuta		44	
Vu . PA . 39 / 1	coppa Db 1d	collocazione sconosciuta		139	
Vu . PA . 56 / 1	oinochoe Cb 3c avvicinabile a	collocazione sconosciuta		61	
Vu . PM . 1966 / 1	oinochoe Bb	Roma, Museo di Villa Giulia	132593	56	6.9
Vu . PM . 1966 / 2	olla Ac 1	Roma, Museo di Villa Giulia	132595	97	
Vu . PM . 1966 / 3	coppa Aa 2a	Roma, Museo di Villa Giulia	132598	126	
Vu . 22 / 1	oinochoe Aa 3a vicino a	Philadelphia, University Museum	M.S. 612	41	3.10
Vu . 22 / 2	anfora Ba	Philadelphia, University Museum	M.S. 614	87	14.1
Vu . 22 / 3	attingitoio Ba 1	Philadelphia, University Museum	M.S. 608	121	
Vu . 22 / 4	coppa Ca 1c	Philadelphia, University Museum	M.S. 613	133	
Vu . 22 / 5	skyphos Aa 1d	Philadelphia, University Museum	M.S. 616	144	
Vu . 22 / 6	skyphos Bc 1a	Philadelphia, University Museum	M.S. 609	153	
Vu . 22 / 7	piatto Ba 1b variante	Philadelphia, University Museum	M.S. 605	170	31.6
Vu . 22 /	olla Bc	Philadelphia, University Museum	M.S. 611	143	
Vu . 42 / 1	skyphos Aa 1c	Philadelphia, University Museum	M.S. 680	182	
Vu . 42 / 2	piatto D	Philadelphia, University Museum	M.S. 677	41	
Vu t . / 1	oinochoe Db 4	Orbetello, Antiquarium	707	72	
Vu t . / 2	anforetta Aa 1a	Orbetello, Antiquarium	715	91	
Vu t . / 3	anforetta Aa 1a	Orbetello, Antiquarium	719	91	
Vu t . / 4	olla Ba *unicum*	Orbetello, Antiquarium	710	101	17.8
Vu t . / 5	attingitoio Aa 2b	Orbetello, Antiquarium	168	119	
Vu t . / 6	attingitoio Aa 2b	Orbetello, Antiquarium	796	119	
Vu t . / 7	attingitoio Aa 2b	Orbetello, Antiquarium	800	119	
Vu t . / 8	tazza Aa 2a	Orbetello, Antiquarium	720	123	
Vu t . / 9	tazza Aa 2b	Grosseto, Museo Archeologico e d'Arte della Maremma	SAT 23582	123	22.14
Vu t . / 10	coppa Ca 1d	Orbetello, Antiquarium	792	134	
Vu t . / 11	coppa Db	Orbetello, Antiquarium	916	140	
Vu t . / 12	coppa Db 1c	Orbetello, Antiquarium	709	139	
Vu t . / 13	coppa Db 1c	Orbetello, Antiquarium	714	139	
Vu t . / 14	skyphos Aa 1a variante	Orbetello, Antiquarium	158	143	

Esemplare		*tipo*	*Luogo di conservazione*	*N. inv.*	*p.*	*tav.*
Vu t .	/ 15	skyphos Aa 1c	Orbetello, Antiquarium	722	143	
Vu t .	/ 16	skyphos Aa 1c	Orbetello, Antiquarium	718	143	
Vu t .	/ 17	skyphos Aa 1c	Orbetello, Antiquarium	729	143	
Vu t .	/ 18	skyphos Ba 1a	Orbetello, Antiquarium	151	146	
Vu t .	/ 19	kotyle Aa 2	Orbetello, Antiquarium	716	159	
Vu t .	/ 20	kotyle Aa 2	Orbetello, Antiquarium	717	159	
Vu t .	/ 21	kotyle Cc 1	Orbetello, Antiquarium	289	166	
Vu t .	/ 22	piatto Aa 1	Orbetello, Antiquarium	728	168	
Vu t .	/ 23	piatto Aa 1	Orbetello, Antiquarium	728	168	
Vu t .	/ 24	coperchio	Orbetello, Antiquarium	438	183	
Vu t .	/ 25	coperchio	Orbetello, Antiquarium	790	183	

Appendice 5
Tabella di raccordo tipi - esemplari

Tipo	*Esemplare*	*p.*	*tav.*
anfora	C . a / 5	87	
anfora	C . B . 11 / 6	86	
anfora	C . L . 185 / 1	87	
anfora	C . B . III / 3	87	
anfora	C . B . III / 4	87	
anfora	C . B . III / 12	87	
anfora	V . V / 4	86	
anfora	V . V / 5	86	
anfora A ?	C . B . 11 / 5	86	
anfora Ab	C . a / 6	87	
anfora Ab	C . B . 75 / 7	87	
anfora Ab	C . B . 181 / 1	87	
anfora Ab	V . MM . 5 / 2	87	
anfora Ab	V . MM . 5 / 3	87	
anfora Ab	V . MM . 5 / 4	87	
anfora Ab	V . MM . 5 / 5	87	
anfora Ab	V . MM . 5 / 9	87	
anfora Ab	V . MM . B / 1	87	
anfora Ab	V . MM / 3	87	
anfora Ab	V . Pz . 2 / 5	87	
anfora Ab	V . Pz . 2 / 6	87	
anfora Ab	V . Pz . 4 / 1	87	
anfora Ab	V . Pz . 6 / 1	87	
anfora Ab ?	V . MO . III / 5	87	
anfora Ab 1a	C . a / 7	75	
anfora Ab 1a	C . B . IIIbis / 1	75	
anfora Ab 1a	PS / 39	75	
anfora Ab 1a	PS / 40	75	12.1
anfora Ab 1a	PS / 147	75	
anfora Ab 1b	C . a / 8	75	
anfora Ab 1b	C . B . 25 / 2	75	12.2
anfora Ab 1b	C . B . 25 / 3	75	
anfora Ab 1b	C . B . 79 / 1	75	
anfora Ab 1b	C . B . 2006 / 1	75	
anfora Ab 1b	C . B . 2006 / 2	75	
anfora Ab 1b	PS . / 41	75	
anfora Ab 1b?	C . B . 79 / 2	75	
anfora Ab 2	C . B . 25 / 4	77	
anfora Ab 2	C . B . 25 / 5	77	
anfora Ab 2	C . B . XX / 2	77	
anfora Ab 2	C . MA . 76 / 1	77	12.3
anfora Ab 2	C . MA . 76 / 2	77	
anfora Ab 2	PS / 148	77	
anfora Ab 2	PS / 161	77	
anfora Ab 3a	C . B . I / 1	78	
anfora Ab 3a	C . B . I / 2	78	12.4
anfora Ab 3a	C . B . 1 / 1	78	
anfora Ab 3a	C . MA . 4 / 2	78	
anfora Ab 3a	PS / 45	78	
anfora Ab 3a	PS / 46	78	
anfora Ab 3a	PS / 42	78	
anfora Ab 3a	V . a / 5	78	
anfora Ab 3a	V . a / 1	77	33.7
anfora Ab 3a	V . GG . 2 / 1	78	
anfora Ab 3a	V . GG . 2 / 2	78	
anfora Ab 3a vicina a	C . B . 11 / 1	78	12.5

Tipo	*Esemplare*	*p.*	*tav.*
anfora Ab 3a vicino a	C . B . A / 1	78	12.6
anfora Ab 3b	C . a / 9	78	
anfora Ab 3b	C . L . 154 / 1	78	
anfora Ab 3b	C . 39 / 1	78	
anfora Ab 3b	C . L . 245 / 1	78	
anfora Ab 3b	PS / 164	78	
anfora Ab 3b	PS / 173	78	
anfora Ab 3b	PS . / 44	78	
anfora Ab 3b	V . GG . 3 / 1	78	
anfora Ab 3b	V . CF . 868 / 1	78	12.7
anfora Ab 3b variante	C . B . 2 / 2	78	12.8
anfora Ab 3b?	C . L . 245 / 2	78	
anfora Ab 3c	C . a / 10	79	
anfora Ab 3c	C . a / 11	79	12.9
anfora Ab 3c	C . B . I / 3	79	
anfora Ab 3c	Ce . II / 1	79	
anfora Ab 3c	PS . / 158	79	
anfora Ab 3c variante	C . B . 26 / 1	79	12.10
anfora Ab 4	C . a / 12	82	13.1
anfora Ab 4	C . MA . 90 / 3	82	
anfora Ab 4	C . MA . 90 / 4	82	
anfora Ab 5a	PS / 163	83	
anfora Ab 5a	Si . A / 2	83	
anfora Ab 5a	V . MM . 5 / 8	83	13.2
anfora Ab 5a vicino a	V . Pz . 1 / 2	83	
anfora Ab 5b	Si . B / 1	83	
anfora Ab 5b	Si . B / 2	83	
anfora Ab 5b	Si . A / 3	83	13.3
anfora Ab 5b?	V . R . II / 1	83	
anfora Ab 5c	PS / 47	83	13.4
anfora Ab 5c	V . MC . 34 / 3	83	
anfora Ab 5c	V . MC . 34 / 4	83	
anfora Ab 6a	PS / 48	85	13.5
anfora Ab 6a	PS / 49	85	
anfora Ab 6a	Tr . t / 1	84	
anfora Ab 6a	Tr . t / 2	84	
anfora Ab 6a	V . MO . II / 1	84	
anfora Ab 6a	V . MO . II / 2	84	
anfora Ab 6a variante	PS / 50	85	13.6
anfora Ab 6a variante	V . c / 1	85	13.7
anfora Ab 6b	PS / 51	85	13.8
anfora Ab 6b	PS / 52	85	
anfora Ab 6b	V . a / 8	85	
anfora Ab 6b	V . MA . t / 1	85	
anfora Ab 6b	V . MM . D / 1	85	
anfora Ab 6b	V . MM . D / 2	85	
anfora Ab 6b	V . MM . D / 3	85	
anfora Ab 6b	V . MM . D / 4	85	
anfora Ab 6b	V . V . t / 2	85	
anfora Ab 6b	V . V . t / 3	85	
anfora Ab 6b	V . V . t / 5	85	
anfora Ab 6b ?	V . MM . D / 5	85	
anfora Ab 7	C . L . 64 / 1	86	13.9
anfora Ab 7	C . L . 64 / 2	86	
anfora Ab?	V . MO . I / 3	87	
anfora Ba	PS / 56	88	
anfora Ba	PS / 57	88	14.2
anfora Ba	PS / 58	88	14.3
anfora Ba	Vu . C . 1955 / 1	87	
anfora Ba	Vu . C . 1955 / 2	87	
anfora Ba	Vu . P . 1963 / 1	87	

Tipo	*Esemplare*	*p.*	*tav.*
anfora Ba	Vu . 22 / 2	87	14.1
anfora Bb	C . L . 75 / 2	88	14.5
anfora Bb	C . MA . 83 / 1	88	14.4
anfora Bb	PS / 53	88	14.7
anfora Bb	PS / 54	88	14.6
anfora Bb	PS / 55	88	14.8
anfora Bb	V . a / 7	88	
anfora Bb	V . CF . 1090 / 1	88	14.9
anfora Bb?	C . B . XVIII / 2	88	
anfora Bc	C . L . 143 / 1	90	15.1
anfora Bc	C . MA . 426 / 2	90	15.2
anfora Bc	V . V . / 3	90	
anfora Bc	V . MC . 21 / 3	90	
anfora Bc 1	C . MA . 79 / 2	89	15.3
anfora Bc 1	C . MA . 79 / 3	89	
anfora Bc 2a	C . Bu . 86 / 2	89	
anfora Bc 2a	C . Bu . 86 / 3	89	
anfora Bc 2a	V . MC . 24 / 1	89	
anfora Bc 2a	V . MC . 24 / 2	89	
anfora Bc 2a	V . P . XX / 2	89	15.4
anfora Bc 2a	V . t / 1	89	
anfora Bc 2a	V . t / 2	89	
anfora Bc 2b	C . MA . 90 / 6	89	
anfora Bc 2b	C . MA . 90 / 7	89	15.5
anfora Bc 2b	V . C . V / 2	89	
anfora Cb	C . MA . 297 / 2	90	15.6
anfora Cb	Tr . t / 3	90	15.7
anfora Cb	Tr . t / 4	90	15.8
anfora *unicum*	C . B . III / 5	90	
anfora *unicum*	Vu . P . G / 1	90	
anforetta Aa 1a	PB . a / 7	91	
anforetta Aa 1a	PB . a / 8	91	
anforetta Aa 1a	PB . t / 1	91	
anforetta Aa 1a	PB . XXV / 1	91	
anforetta Aa 1a	PS / 23	91	
anforetta Aa 1a	PS / 61	91	
anforetta Aa 1a	PS / 62	91	
anforetta Aa 1a	T . a / 138	91	
anforetta Aa 1a	T . a / 139	91	
anforetta Aa 1a	T . a / 140	91	
anforetta Aa 1a	T . a / 141	91	16.1
anforetta Aa 1a	T . M . 16 / 2	91	
anforetta Aa 1a	T . M . 83 / 1	91	
anforetta Aa 1a	Vu t / 2	91	
anforetta Aa 1a	Vu t / 3	91	
anforetta Aa 1a variante	PB . a / 6	91	16.4
anforetta Aa 1a variante	PB . VI / 3	91	
anforetta Aa 1a variante	PS / 63	91	16.2
anforetta Aa 1a variante	T . a / 142	91	16.3
anforetta Aa 1a?	PS . / 60	91	
anforetta Aa 1a?	T . M . 83 / 2	91	
anforetta Aa 1b	T . a / 143	92	
anforetta Aa 1b	T . a / 144	92	
anforetta Aa 1b	T . a / 145	92	16.5
anforetta Aa 1b variante	PS / 149	92	
anforetta Aa 1b variante	Tu . PM . 3 / 1	92	
anforetta Aa 1b variante	Vu . a / 4	92	16.6
anforetta Bb 1	T . a / 146	93	16.7
anforetta Bb 1	T . a / 147	93	
aryballos	T . M . 38 / 1	26	
aryballos 1	V . CF . 863 / 1	25	

Tipo	*Esemplare*							*p.*	*tav.*
aryballos 1	V	.	CF	.	863	/	2	25	
aryballos 1	V	.	CF	.	863	/	3	25	
aryballos 1	V	.	MC	.	14	/	1	25	
aryballos 1	V	.	MC	.	33	/	1	25	1.1
aryballos 1	V	.	Pz	.	2	/	1	25	
aryballos 1?	V	.	MC	.	44	/		25	
aryballos 2a	C	.	B	.	75	/	1	25	
aryballos 2a	C	.	MA	.	90	/	11	25	
aryballos 2a	C	.	MA	.	90	/	12	25	
aryballos 2a	PB	.	a	.		/	81	25	
aryballos 2a	PS					/	1	25	
aryballos 2a	T	.	MT	.	65,1	/	1	25	1.2
aryballos 2a	V	.	C	.	III	/	1	25	
aryballos 2a	V	.	MM	.		/	1	25	
aryballos 2a	V	.	Pz	.	10	/	1	25	
aryballos 2a vicino a	V	.	MC	.	31	/	1	25	
aryballos 2b	C	.	MA	.	89	/	1	26	
aryballos 2b	C	.	MA	.	90	/	1	26	
aryballos 2b	C	.	MA	.	90	/	13	26	
aryballos 2b	C	.	MA	.	90	/	14	26	
aryballos 2b	V	.	C	.	III	/	2	26	
aryballos 2b	V	.	CF	.	863	/	4	25	
aryballos 2b	V	.	MC	.	35	/	1	25	
aryballos 2b	V	.	MC	.	44	/	1	25	
aryballos 2b	V	.	MC	.	44	/	2	25	1.3
aryballos 2b	V	.	MC	.	44	/	3	26	
aryballos 2b variante	C	.	MA	.	89	/	6	26	
aryballos 2b variante	V	.	MC	.	44	/	4	26	1.4
aryballos 2b variante	V	.	MM	.	C	/	1	26	
aryballos 2b variante	Vo	.			4	/	4	26	1.5
aryballos 2c	C	.	MA	.	90	/	2	26	
aryballos 2c	T	.	M	.	25	/	1	26	
aryballos 2c	V	.	C	.	III	/	3	26	
aryballos 2c	V	.	MC	.	33	/	2	26	
aryballos 2c	V	.	MC	.	44	/	5	26	1.6
aryballos 2c	V	.	P	.	XVI	/	1	26	
aryballos 2c	V	.	V			/	1	26	
aryballos 2c variante	V	.	MM			/	2	26	
aryballos 3	V	.	C	.	III	/	4	26	
aryballos 3	V	.	CF	.	863	/	5	26	1.7
aryballos *unicum*	PS					/	150	26	
askos 1	C	.	a			/	19	33	
askos 1	C	.	MA	.	4	/	1	3	
askos 1	PS					/	4	33	2.4
askos 1	PS					/	143	33	
askos 1	T	.	a			/	1	33	
askos 1	Tu	.	PM	.	t/1969	/	1	33	
askos 1	Tu	.	S	.	t	/	1	33	
askos 1	V	.	a	.		/	1 bis	33	1.1; 33
askos 1	PB	.			VII	/	1	33	2.3
askos 1	Pi	.	a	.		/	3	33	
askos 1	PS					/	3	33	
askos 1	PS					/	160	33	
askos 1	T	.	a			/	2	33	2.2
askos 1	V	.	MM	.	5	/	7	33	
askos 2	C	.	B	.	78	/	1	35	2.6
askos 2	PS					/	144	35	2.5
askos 2	PS					/	5	35	
attingitoio Aa 1a	PB	.	a			/	15	118	
attingitoio Aa 1a	T	.	a			/	163	118	
attingitoio Aa 1a	T	.	a			/	164	118	

Tipo	*Esemplare*	*p.*	*tav.*
attingitoio Aa 1a	T . a / 165	118	22.1
attingitoio Aa 1a	T . M . 83 / 3	118	
attingitoio Aa 1a	T . M . 83 / 4	118	
attingitoio Aa 1a	Tu . PM . 3 / 2	118	
attingitoio Aa 1b	Ca . t / 2	119	
attingitoio Aa 1b	T . a / 166	118	22.2
attingitoio Aa 1b	T . a / 167	119	
attingitoio Aa 1b	T . a / 168	119	
attingitoio Aa 1b	Tu . PM . R / 1	119	
attingitoio Aa 2a	PS / 94	119	
attingitoio Aa 2a	T . a / 169	119	
attingitoio Aa 2a	T . a / 170	119	
attingitoio Aa 2a	T . a / 171	119	22.3
attingitoio Aa 2a	Vu . a / 10	119	
attingitoio Aa 2b	PB . a / 16	119	
attingitoio Aa 2b	PB . a / 17	119	
attingitoio Aa 2b	T . a / 172	119	22.4
attingitoio Aa 2b	T . a / 173	119	
attingitoio Aa 2b	T . a / 174	119	
attingitoio Aa 2b	Vu . C . 1955 / 3	119	
attingitoio Aa 2b	Vu t 5	119	
attingitoio Aa 2b	Vu t 6	119	
attingitoio Aa 2b	Vu t 7	119	
attingitoio Aa 2b variante	PS / 93	119	
attingitoio Aa 2b variante	Vu . C . 1955 / 4	119	22.5
attingitoio Aa 3	T . a / 175	120	
attingitoio Aa 3	T . a / 176	120	22.6
attingitoio B	Vu . 22 / 3	121	
attingitoio Bb	C . B . 71 / 3	121	
attingitoio Bb 1a	C . B . 75 / 16	120	
attingitoio Bb 1a	C . B . XVIII / 6	120	
attingitoio Bb 1a	C . L . 65 / 4	120	
attingitoio Bb 1a	C . L . 138 / 2	120	
attingitoio Bb 1a	C . L . 143 / 3	120	
attingitoio Bb 1a	C . L . 245 / 3	120	
attingitoio Bb 1a	C . MA . 352 / 3	120	
attingitoio Bb 1a	C . MA . 410 / 2	121	
attingitoio Bb 1a	T . a / 177	121	22.7
attingitoio Bb 1a	V . V . X / 2	120	
attingitoio Bb 1a variante	C . L . 64 / 5	121	22.8
attingitoio Bb 1a?	C . B . 75 / 17	120	
attingitoio Bb 1a?	C . L . 245 / 4	120	
attingitoio Bb 1b	V . MC . 62 / 3	121	
attingitoio Bb 1b	Vo . 5 / 1	121	22.9
attingitoio Bb 1b variante	T . a / 178	121	
bacino	PS / 142	182	
bottiglia	T . a / 3	36	
bottiglia	T . a / 4	36	2.10
bottiglia	T . a / 5	36	2.9
bottiglia	T . a / 6	36	
bottiglia	T . a / 7	36	2.11
bottiglia	T . M . 43 / 1	36	2.12
bottiglia	T . M . G / 1	36	2.7
bottiglia	T . M . G / 2	36	
bottiglia	Vu . C . A / 1	36	2.8
coperchio	C . B . 75 / 29	182	
coperchio	C . L . 185 / 5	183	19.8
coperchio	C . L . 185 / 6	183	19.9
coperchio	C . MA . 89 / 14	182	
coperchio	C . MA . 89 / 15	182	
coperchio	C . MA . 89 / 16	183	

Tipo	*Esemplare*	*p.*	*tav.*
coperchio	C . MA . 89 / 17	183	
coperchio	C . MA . 89 / 18	183	
coperchio	C . MA . 89 / 19	183	
coperchio	C . MA . 352 / 9	183	
coperchio	M . 1956 / 4	183	
coperchio	PB . 4 / 2	183	
coperchio	T . a / 270	183	
coperchio	T . a / 271	183	
coperchio	T . a / 272	183	
coperchio	T . a / 273	183	
coperchio	T . M . G / 12	183	
coperchio	V . C . III / 10	182	
coperchio	V . MC . 47 / 2	182	
coperchio	V . MC . 67 / 5	182	
coperchio	V . MM . B / 5	182	
coperchio	V . R . V / 4	183	
coperchio	Vu . O . t / 3	183	
coperchio	Vu t 24	183	
coperchio	Vu t 25	183	
coppa Aa 1a	T . M . G / 5	125	
coppa Aa 1a	T . M . G / 5	125	
coppa Aa 1a	T . M . G / 6	125	
coppa Aa 1a	T . M . G / 7	125	23.1
coppa Aa 1a	T . M . G / 8	125	
coppa Aa 1b	T . a / 185	125	23.2
coppa Aa 1b	V . CF . 1001 / 1	125	
coppa Aa 1c	T . Ar . 12 / 1	126	23.3
coppa Aa 1c	T . G . 9 / 1	126	
coppa Aa 1c variante	T . M . G / 9	126	23.4
coppa Aa 2a	Vu . P . G / 3	126	
coppa Aa 2a	Vu . P . G / 2	126	23.5
coppa Aa 2a	Vu . PM . 1966 / 3	126	
coppa Aa 2a variante	T . a / 186	126	23.6
coppa Aa 2b	PB . E / 2	127	23.7
coppa Aa 2b	T . a / 187	126	
coppa Ba	C . Bu . 182 / 5	133	
coppa Ba	Vo . 10 / 4	133	
coppa Ba 1-2?	T . MT . 65,1 / 4	130	
coppa Ba 1a	C . B . XI / 3	127	
coppa Ba 1a	C . B . XI / 4	127	
coppa Ba 1a	PB . G / 1	127	
coppa Ba 1a	PB . G / 2	127	
coppa Ba 1a	T . a / 190	127	
coppa Ba 1a	T . a / 191	127	
coppa Ba 1a	T . a / 192	127	
coppa Ba 1a	T . a / 193	127	23.8
coppa Ba 1a	T . a / 194	127	
coppa Ba 1a	T . a / 195	127	
coppa Ba 1a	V . C . V / 4	127	
coppa Ba 1a	V . MC . 64 / 7	127	
coppa Ba 1a	V . MC . 71 / 2	127	
coppa Ba 1a	V . Pz . 8 / 2	127	
coppa Ba 1a	V . V . t / 6	127	
coppa Ba 1a	V . V . / 12	127	
coppa Ba 1a?	V . Pz . 2 / 7	127	
coppa Ba 1b	PG . 1 / 4	128	
coppa Ba 1b	T . a / 196	128	
coppa Ba 1b	T . a / 197	128	
coppa Ba 1b	T . a / 198	128	
coppa Ba 1b	T . a / 199	128	
coppa Ba 1b	T . a / 200	128	

Tipo	*Esemplare*	*p.*	*tav.*
coppa Ba 1b	T . a / 201	128	
coppa Ba 1b	T . a / 202	128	23.9
coppa Ba 1b	T . a / 203	128	
coppa Ba 1b	T . a / 204	128	
coppa Ba 1b	V . C . IX / 1	128	
coppa Ba 1b	V . MC . 31 / 3	128	
coppa Ba 1b	V . P . XX / 3	128	
coppa Ba 1b	V . Pz . 3 / 2	128	
coppa Ba 1b	V . V . VIII / 1	128	
coppa Ba 2a	T . a / 205	129	
coppa Ba 2a	T . a / 206	129	
coppa Ba 2a	T . a / 207	129	
coppa Ba 2a	T . MT . 65,6 / 1	129	
coppa Ba 2a	V . C . I / 1	129	
coppa Ba 2a	V . MC . 13 / 5	129	
coppa Ba 2a	V . MC . 33 / 6	129	23.10
coppa Ba 2a	V . MC . 44 / 9	129	
coppa Ba 2a	V . MC . 62 / 4	129	
coppa Ba 2a	V . MC . 67 / 2	129	
coppa Ba 2b	T . a / 208	129	
coppa Ba 2b	T . a / 209	129	
coppa Ba 2b	V . C . VIII / 1	129	
coppa Ba 2b	V . P . XX / 4	129	23.11
coppa Ba 2b	V . Pz . 8 / 3	129	
coppa Ba 2b	V . Pz . 8 / 4	129	
coppa Ba 2b	Vo . 5 / 2	129	
coppa Ba 3?	V . V . / 15	131	
coppa Ba 3a	C . L . 165 / 2	130	
coppa Ba 3a	C . L . 274 / 3	130	
coppa Ba 3a	C . MA . 410 / 3	130	
coppa Ba 3a	SM . t / 2	130	
coppa Ba 3a	SM . t / 3	130	23.12
coppa Ba 3a	SM . t / 4	130	
coppa Ba 3a	SM . t / 5	130	
coppa Ba 3a	SM . t / 6	130	
coppa Ba 3a	T . a / 210	130	
coppa Ba 3a	T . a / 211	130	
coppa Ba 3a	V . C . III / 7	130	
coppa Ba 3a	V . C . III / 8	130	
coppa Ba 3a	V . MC . 20 / 1	130	
coppa Ba 3a	V . MC . 49 / 2	130	
coppa Ba 3a	V . MC . 71 / 3	130	
coppa Ba 3a	V . R . V / 2	130	
coppa Ba 3b	V . V . t / 1	130	23.13
coppa Ba 3b	V . V . t / 4	131	
coppa Ba 3c	Ca . t / 3	131	
coppa Ba 3c	PS / 96	131	
coppa Ba 3c	Si . A / 5	131	
coppa Ba 3c	V . CF . 856 / 1	131	23.14
coppa Ba 3c	V . MC . IV / 2	131	
coppa Ba 3c	V . V . / 13	131	
coppa Ba 4	C . B . 303 / 1	132	
coppa Ba 4a	C . B . 1 / 3	131	23.15
coppa Ba 4a	C . B . 2006 / 4	131	
coppa Ba 4a	PS / 97	131	
coppa Ba 4b	C . B . 26 / 2	132	23.16
coppa Ba 4b	C . B . 26 / 3	132	
coppa Ba 4b	C . B . 26 / 4	132	
coppa Ba 4b	C . B . 26 / 5	132	
coppa Ba 4b	C . B . 26 / 6	132	
coppa Ba 4b	C . B . 26 / 7	132	

Tipo	*Esemplare*	*p.*	*tav.*
coppa Ba 4c	C . a . / 14	132	
coppa Ba 4c	C . B . N / 1	132	
coppa Ba 4c	C . B . XVIII / 7	132	
coppa Ba 4c	C . L . 163 / 4	132	
coppa Ba 4c	C . L . 163 / 5	132	
coppa Ba 4c	C . L . 417 / 2	132	
coppa Ba 4c	C . L . 417 / 3	132	
coppa Ba 4c	C . L . 417 / 4	132	
coppa Ba 4c	PS / 98	132	23.17
coppa Ba 4c	PS / 99	132	
coppa Ba 4c	PS / 100	132	
coppa Ca 1?	PS / 101	135	
coppa Ca 1a	C . B . XX. / 5	133	
coppa Ca 1a	C . B . XXIV / 1	133	
coppa Ca 1a	V . MM . B / 4	133	
coppa Ca 1a	V . V . XI / 4	133	24.1
coppa Ca 1a?	C . B . N / 2	133	
coppa Ca 1a?	C . MA . 4 / 5	133	
coppa Ca 1b	M . 1956 / 2	133	
coppa Ca 1b	PB . VI / 4	133	24.2
coppa Ca 1c	PB . a / 20	133	24.3
coppa Ca 1c	PB . a / 21	134	
coppa Ca 1c	PB . a / 22	134	
coppa Ca 1c	Vu . 22 / 4	133	
coppa Ca 1d	PB . a / 23	134	24.4
coppa Ca 1d	PB . a / 24	134	
coppa Ca 1d	Vu t / 10	134	
coppa Ca 1e	PB . 4 / 1	134	
coppa Ca 1e	PB . B / 1	134	24.5
coppa Ca 1e	PS / 102	134	
coppa Cb 1a	PB . a / 25	134	
coppa Cb 1a	PB . a / 26	134	24.6
coppa Cb 1b	PS / 103	135	24.7
coppa Da	C . B . 79 / 3	136	
coppa Da	C . B . 81 / 1	136	
coppa Da	C . B . 86 / 1	136	
coppa Da	C . B . 181 / 3	136	
coppa Da	C . B . 404 / 4	136	
coppa Da	C . B . XXIV / 2	137	24.23
coppa Da	C . Bu . 182 / 6	137	
coppa Da	C . S . R / 2	137	
coppa Da	PS / 104	137	24.16
coppa Da	T . M . / 1	137	24.11
coppa Da	Vu . C . 1955 / 7	137	24.14
coppa Da 1	C . B . 36 / 1	136	
coppa Da 1	C . B . 36 / 2	136	
coppa Da 1?	C . B . 75 / 18	136	
coppa Da 1?	C . B . 75 / 19	136	
coppa Da 1a	C . a . / 15	136	
coppa Da 1a	C . B . 11 / 2	135	
coppa Da 1a	C . B . 11 / 7	135	
coppa Da 1a	C . B . 2006 / 5	136	
coppa Da 1a	C . Bu . 81 / 1	136	
coppa Da 1a	C . Bu . 86 / 6	136	
coppa Da 1a	C . L . 274 / 4	136	
coppa Da 1a	C . Mn . 1 / 1	136	
coppa Da 1a	PS / 105	136	
coppa Da 1a	PS / 106	136	24.8
coppa Da 1a	PS / 107	136	
coppa Da 1a variante	C . Bu . 94 / 3	136	24.9
coppa Da 1a variante	PS / 170	136	

Tipo	*Esemplare*	*p.*	*tav.*
coppa Da 1a variante	PS / 108	136	24.10
coppa Da 1a?	C . B . 11 / 8	135	
coppa Da 1a?	C . B . 11 / 9	135	
coppa Da 1a?	C . L . 67 / 3	136	
coppa Da 1b	C . L . 64 / 7	136	24.11
coppa Da 1b	PS / 109	136	
coppa Da 1c	C . L . 143 / 4	136	
coppa Da 1c	C . MA . 90 / 15	136	
coppa Da 1c	Tr . t / 5	136	24.12
coppa Da 2	V . MC . 64 / 8	137	
coppa Db	Vu t / 11	139	
coppa Db 1a	M . / 1	138	
coppa Db 1a	PB . a / 27	138	25.1
coppa Db 1a	PS / 110	138	
coppa Db 1a	PS / 111	138	
coppa Db 1a	T . a / 212	138	
coppa Db 1a	Tu . PM . R / 2	138	
coppa Db 1b	Ca . t / 4	139	
coppa Db 1b	PB . a / 29	138	
coppa Db 1b	PB . a / 30	138	
coppa Db 1b	PB . a / 31	138	
coppa Db 1b	PB . a / 32	139	
coppa Db 1b	PB . a / 33	139	
coppa Db 1b	PB . A / 1	138	
coppa Db 1b	PB . D / 4	138	
coppa Db 1b	PB . I / 2	138	
coppa Db 1b	PB . VI / 5	139	
coppa Db 1b	PS / 112	139	
coppa Db 1b	PS / 113	139	
coppa Db 1b	PS / 114	139	
coppa Db 1b	PS / 115	139	
coppa Db 1b	PS / 145	139	
coppa Db 1b	T . a / 213	138	25.2
coppa Db 1b	T . a / 214	138	
coppa Db 1b	Vu . a / 11	138	
coppa Db 1b	Vu . a / 12	138	
coppa Db 1b variante	Vu . C / 1	139	25.3
coppa Db 1c	PB . a / 34	139	
coppa Db 1c	PB . a / 35	139	
coppa Db 1c	PB . a / 36	139	
coppa Db 1c	PB . a / 37	139	
coppa Db 1c	PB . a / 38	139	
coppa Db 1c	PB . a / 28	139	
coppa Db 1c	PS / 116	139	
coppa Db 1c	Vu . a / 13	139	25.4
coppa Db 1c	Vu t / 12	139	
coppa Db 1c	Vu t / 13	139	
coppa Db 1d	PB . 12 / 1	139	
coppa Db 1d	PB . 19 / 1	139	
coppa Db 1d	PB . 26 / 1	139	
coppa Db 1d	PB . B / 2	139	25.5
coppa Db 1d	PB . C / 1	139	
coppa Db 1d	Vu . PA . 39 / 1	139	
coppa Db 1d variante	PS / 117	139	25.7
coppa Db 1d variante	Vu . a / 14	139	25.6
coppa Ea 1	C . B . XXIV / 3	140	
coppa Ea 1	C . Bu . 182 / 7	140	
coppa Ea 1	C . L . 66 / 3	140	
coppa Ea 1	C . L . 150 / 1	140	
coppa Ea 1	C . L . 245 / 5	140	25.8
coppa Ea 1	C . S . 3332 / 1	140	

Tipo	*Esemplare*							*p.*	*tav.*
coppa Ea 1 vicino a	PS					/	118	140	
coppa Ea 2	PS					/	119	141	
coppa Ea 2	T	.	G	.	8	/	8	141	
coppa Ea 2	T	.	G	.	8	/	9	141	25.9
coppa Ea 2	T	.	G	.	8	/	10	141	
coppa F	V	.	MM	.	5	/	6	141	
coppa F	V	.	MM	.	5	/	10	141	
coppa F	V	.	MM	.	5	/	11	141	
coppa F	V	.	MM	.	5	/	12	142	
fiasca	PS					/	2	30	1.10
fiasca	V	.		.	27	/	1	30	1.11
kotyle	C	.	B	.	2	/	4	167	
kotyle	C	.	L	.	66	/	5	167	
kotyle	T	.	M	.	38	/	6	167	
kotyle	T	.	M	.	38	/	7	167	
kotyle	V	.	Pz	.	2	/	9	167	
kotyle	V	.	C	.	II	/	2	167	
kotyle	V	.	C	.	V	/	6	167	
kotyle Aa	Ba	.			I	/	3	160	
kotyle Aa 1	T	.	a			/	246	158	
kotyle Aa 1	T	.	a			/	247	158	29.1
kotyle Aa 1 variante	T	.	a			/	248	158	29.2
kotyle Aa 2	PB	.	a			/	60	159	
kotyle Aa 2	PB	.	a			/	61	159	
kotyle Aa 2	PB	.	a			/	62	159	
kotyle Aa 2	PB	.	a			/	63	159	
kotyle Aa 2	PB	.	a			/	64	159	
kotyle Aa 2	PS					/	127	159	
kotyle Aa 2	PS					/	128	159	
kotyle Aa 2	T	.	a			/	249	158	
kotyle Aa 2	T	.	a			/	250	158	29.3
kotyle Aa 2	T	.	a			/	251	158	
kotyle Aa 2	Tu	.	PM	.	3	/	3	159	
kotyle Aa 2	Tu	.	PM	.	R	/	4	159	
kotyle Aa 2	Vu t					/	19	159	
kotyle Aa 2	Vu t					/	20	159	
kotyle Aa 3	T	.	a			/	252	160	
kotyle Aa 3	T	.	M	.	43	/	2	160	
kotyle Aa 3	T	.	M	.	83	/	5	160	29.4
kotyle Ab 1	V	.	V	.	X	/	3	160	29.5
kotyle Bb	C	.	B	.	176	/	1	163	
kotyle Bb	C	.	L	.	163	/	6	163	30.5
kotyle Bb	V	.	a			/	6	163	
kotyle Bb	V	.	CF	.	1001	/	2	163	30.1
kotyle Bb	V	.	R	.	IV	/	3	163	30.2
kotyle Bb	V	.	V	.		/	19	163	30.4
kotyle Bb	V	.			37	/	1	163	30.3
kotyle Bb 1	C	.	B	.	A	/	2	161	
kotyle Bb 1	V	.	C	.	III	/	9	161	29.6
kotyle Bb 2	V	.	MC	.	IV	/	3	161	
kotyle Bb 2	V	.	MM	.		/	4	161	29.7
kotyle Bb 2?	C	.	L	.	163	/	7	162	
kotyle Bb 3?	C	.	B	.	69	/	1	162	
kotyle Bb 3a	T	.	a			/	253	162	29.8
kotyle Bb 3a	T	.	a			/	254	162	
kotyle Bb 3a	T	.	a			/	255	162	
kotyle Bb 3a	T	.	a			/	256	162	
kotyle Bb 3a	T	.	M	.	6337	/	3	162	
kotyle Bb 3a	T	.	M	.	6337	/	4	162	
kotyle Bb 3a	T	.	M	.	6337	/	5	162	
kotyle Bb 3b	T	.	a			/	257	162	

Tipo	*Esemplare*							*p.*	*tav.*
kotyle Bb 3b	T	.	a			/	259	162	29.9
kotyle Bb 3b	T	.	a			/	258	162	
kotyle Bb 3b variante	PS					/	129	162	29.10
kotyle Bb 3b variante	PS					/	130	162	29.11
kotyle Bb 4	PB	.	a			/	65	163	
kotyle Bb 4	V	.			27	/	2	163	29.12
kotyle Bc	T	.	a			/	260	164	30.6
kotyle Bc *unicum*	T	.			B	/	2	164	30.7
kotyle Cb	PG	.			1	/	6	165	30.9
kotyle Cb	V	.	MC	.	33	/	7	165	30.8
kotyle Cc 1	V	.	a			/	4	166	
kotyle Cc 1	V	.	MC	.	42	/	2	166	30.10
kotyle Cc 1	V	.	MC	.	49	/	3	166	
kotyle Cc 1	V	.	MC	.	67	/	4	166	
kotyle Cc 1	Vu t					/	21	166	
kotyle Cc 1?	V	.	Pz	.	7	/	5	166	
kotyle Cc 2a	T	.	a			/	261	166	
kotyle Cc 2a	T	.	a			/	262	166	30.11
kotyle Cc 2b	Tu	.	AT	.	27	/	1	166	
kotyle Cc 2b	V	.	MC	.	44	/	10	166	30.12
kotyle Cc 2b	V	.	MC	.	44	/	11	166	
kotyle Cc 2b	Vo	.			4	/	5	166	
kotyle Cc 2b variante	V	.	MC	.	62	/	5	166	
kotyle Cc 2c	V	.	Pz	.	1	/	6	166	
kotyle Cc 2c	Vo	.			10	/	3	166	30.13
lekythos	PS					/	162	29	1.9
lekythos	V	.	a			/	14	29	1.8
oinochoe	Ba	.			I	/	2	73	
oinochoe	C	.	B	.	11	/	4	73	
oinochoe	C	.	B	.	403	/	3	73	
oinochoe	C	.	Bu	.	94	/	1	73	
oinochoe	C	.	Bu	.	94	/	2	73	
oinochoe	C	.	Bu	.	182	/	2	73	
oinochoe	C	.	L	.	66	/	1	73	
oinochoe	C	.	L	.	67	/	1	73	
oinochoe	C	.	B	.	404	/	3	73	
oinochoe	PS					/	6	73	
oinochoe	T	.	a	.		/	133	73	
oinochoe	V	.	MC	.	21	/	1	73	
oinochoe	V	.	Pz	.	2	/	3	73	
oinochoe	V	.	V			/	21	73	
oinochoe	V	.	V			/	22	73	
oinochoe	Vo	.			1	/	1	73	
oinochoe A	C	.	L	.	71	/	1	48	
oinochoe A?	C	.	B	.	IX.	/	1	48	
oinochoe A?	C	.	L	.	471	/	1	48	
oinochoe A?	T	.	M	.	17	/	1	48	
oinochoe Aa	PS					/	11	47	
oinochoe Aa	T	.	a			/	8	47	4.14
oinochoe Aa	T	.	a			/	9	47	4.15
oinochoe Aa	T	.	Ar	.	t	/	1	47	4.16
oinochoe Aa	T	.	a			/	43	47	
oinochoe Aa	V	.	a			/	11	47	
oinochoe Aa 1	T	.	a			/	10	39	
oinochoe Aa 1a	PB	.			D	/	1	39	
oinochoe Aa 1a	PS					/	7	39	
oinochoe Aa 1a	T	.	a			/	11	39	
oinochoe Aa 1a	T	.	a			/	12	39	
oinochoe Aa 1a	T	.	a			/	13	39	3.1
oinochoe Aa 1b	PS					/	8	39	
oinochoe Aa 1b	T	.	a			/	15	39	3.2

Tipo	*Esemplare*							*p.*	*tav.*
oinochoe Aa 1b	T	.	a			/	16	39	
oinochoe Aa 1c	PB	.	a			/	1	39	
oinochoe Aa 1c	PB	.			7	/	1	39	
oinochoe Aa 1c	PS					/	9	39	
oinochoe Aa 1c	T	.	a			/	14	39	
oinochoe Aa 1c	T	.	G	.	8	/	1	39	3.3
oinochoe Aa 1c	T	.	G	.	8	/	2	39	
oinochoe Aa 1c	T	.	G	.	8	/	3	39	
oinochoe Aa 1c variante	T	.	a			/	17	39	3.4
oinochoe Aa 2	T	.	a			/	19	41	
oinochoe Aa 2	T	.	a			/	20	41	3.5
oinochoe Aa 2	T	.	a			/	21	41	
oinochoe Aa 2	T	.	a			/	22	41	
oinochoe Aa 2	T	.	M	.	16	/	1	40	
oinochoe Aa 2	T	.	a			/	23	41	
oinochoe Aa 2 variante	PS					/	10	41	3.7
oinochoe Aa 2?	C	.	B	.	IX	/	2	40	
oinochoe Aa 3a	T	.	a			/	24	41	3.8
oinochoe Aa 3a	T	.	a			/	25	41	
oinochoe Aa 3a	T	.	a			/	26	41	
oinochoe Aa 3a vicino a	C	.	L	.	319	/	1	41	3.9
oinochoe Aa 3a vicino a	Vu	.			22	/	1	41	3.10
oinochoe Aa 3b	T	.	a			/	18	42	3.11
oinochoe Aa 3b	T	.	a			/	27	42	
oinochoe Aa 4a	PB	.			22	/	1	42	
oinochoe Aa 4a	T	.	a			/	28	42	
oinochoe Aa 4a	T	.	a			/	29	42	
oinochoe Aa 4a	T	.	a			/	30	42	
oinochoe Aa 4a	T	.	a			/	31	42	4.1
oinochoe Aa 4a	Vu	.	a			/	1	42	
oinochoe Aa 4b	Ba	.			I	/	1	42	
oinochoe Aa 4b	PB	.			17	/	1	43	
oinochoe Aa 4b	T	.	a			/	32	42	4.2
oinochoe Aa 4b	T	.	a			/	33	43	
oinochoe Aa 4b variante	T	.	a			/	34	43	4.3
oinochoe Aa 5a	T	.	a			/	35	43	4.4
oinochoe Aa 5a	T	.	a			/	36	43	
oinochoe Aa 5b	T	.	a			/	37	43	4.5
oinochoe Aa 5b	T	.	a			/	38	43	
oinochoe Aa 6a	T	.	a			/	39	44	4.6
oinochoe Aa 6a	T	.	a			/	47	44	
oinochoe Aa 6a	Vu	.	O	.	t	/	1	44	
oinochoe Aa 6a variante	T	.	a			/	40	44	4.7
oinochoe Aa 6b	PB	.			D	/	2	44	4.8
oinochoe Aa 6b	PB	.			VI	/	1	44	
oinochoe Aa 6b vicina	Tu	.	PM	.	t/1969	/	2	44	
oinochoe Aa 6c	PB	.	a			/	2	44	
oinochoe Aa 6c	PB	.	a			/	3	44	
oinochoe Aa 6c	PB	.	a			/	4	44	
oinochoe Aa 6c	PB	.	a			/	5	44	
oinochoe Aa 6c	PB	.		.	E	/	1	44	
oinochoe Aa 6c	PB	.		.	VI	/	2	44	
oinochoe Aa 6c	PS					/	12	44	
oinochoe Aa 6c	PS					/	13	45	4.9
oinochoe Aa 6c	T	.	a			/	41	44	
oinochoe Aa 6c	Vu	.	PA	.	13	/	1	44	
oinochoe Aa 7	V	.	V	.	IX	/	1	45	4.10
oinochoe Aa 7	V	.	V	.	XI	/	1	45	
oinochoe Aa 7 vicino a	V	.	V			/	2	45	4.11
oinochoe Aa 8	Ca	.			t	/	1	46	
oinochoe Aa 8	PS					/	14	46	

Tipo	*Esemplare*							*p.*	*tav.*
oinochoe Aa 8	T	.	a			/	42	46	
oinochoe Aa 8	T	.	M	.	t	/	1	46	4.12
oinochoe Aa 8	Tu	.	S	.	t	/	2	46	
oinochoe Aa 8 variante	C	.	L	.	274	/	1	46	4.13
oinochoe Aa 8 variante	PS					/	171	46	
oinochoe Ab	V	.	P	.	XIII	/	1	47	4.17
oinochoe Ab	V	.	V	.	X	/	1	47	
oinochoe Ab 1	T	.	a			/	44	47	4.18
oinochoe Ab 1	T	.	a			/	45	47	
oinochoe Bb	PS					/	15	56	
oinochoe Bb	PS					/	16	56	6.10
oinochoe Bb	T	.	a			/	48	56	6.8
oinochoe Bb	T	.	a			/	51	56	6.6
oinochoe Bb	T	.	a			/	52	56	6.7
oinochoe Bb	Vu	.	PM	.	1966	/	1	56	6.9
oinochoe Bb 1	T	.	a			/	49	48	
oinochoe Bb 1	T	.	a			/	50	48	5.1
oinochoe Bb 1	T	.	M	.	t	/	2	48	
oinochoe Bb 2a	T	.	a			/	53	49	5.2
oinochoe Bb 2a	T	.	a			/	54	49	
oinochoe Bb 2a variante	T	.	a			/	55	49	5.3
oinochoe Bb 2b	T	.	a			/	56	49	5.4
oinochoe Bb 2b	T	.	a			/	57	49	
oinochoe Bb 2b	T	.	a			/	58	49	5.6
oinochoe Bb 2b	T	.	a			/	59	49	
oinochoe Bb 2b variante	PS					/	17	49	5.7
oinochoe Bb 3a	T	.	a			/	60	50	5.8
oinochoe Bb 3a	T	.	G	.	8	/	4	50	
oinochoe Bb 3a	T	.	G	.	8	/	5	50	
oinochoe Bb 3a vicino a	T	.	G	.	8	/	6	50	5.9
oinochoe Bb 3b	T	.	a			/	61	50	5.10
oinochoe Bb 3b	T	.	M	.	tc	/	1	50	
oinochoe Bb 4a	T	.	a			/	62	51	
oinochoe Bb 4a	T	.	a			/	63	51	5.11
oinochoe Bb 4a	T	.	M	.	6337	/	1	51	
oinochoe Bb 4b	T	.	a			/	64	51	
oinochoe Bb 4b	T	.	a			/	65	51	5.12
oinochoe Bb 5a	PS					/	19	52	
oinochoe Bb 5a	PS					/	20	52	
oinochoe Bb 5a	Si	.			A	/	1	52	
oinochoe Bb 5a	T	.	a			/	66	52	5.13
oinochoe Bb 5a	T	.	a			/	67	52	
oinochoe Bb 5a variante	PS					/	18	52	5.14
oinochoe Bb 5b	PS					/	21	53	
oinochoe Bb 5b	T	.	a			/	68	53	
oinochoe Bb 5b	T	.	a			/	69	53	5.15
oinochoe Bb 5b	T	.	M	.	32	/	1	52	
oinochoe Bb 6	T	.	a			/	70	53	5.16
oinochoe Bb 6	T	.			B	/	1	53	
oinochoe Bb 7	T	.	a			/	71	54	
oinochoe Bb 7	T	.	a			/	72	54	
oinochoe Bb 7	T	.	a			/	73	54	6.1
oinochoe Bb 7	T	.	a			/	74	54	
oinochoe Bb 7	T	.	a			/	75	54	
oinochoe Bb 7	T	.	a			/	76	54	
oinochoe Bb 7 variante	T	.	M		66	/	1	54	6.2
oinochoe Bb 8	PS					/	22	54	
oinochoe Bb 8	T	.	a			/	77	54	6.3
oinochoe Bb 9a	T	.	a			/	78	55	6.4
oinochoe Bb 9a	T	.	a			/	79	55	
oinochoe Bb 9a	T	.	a			/	80	55	

Tipo	*Esemplare*	*p.*	*tav.*
oinochoe Bb 9b	T . a / 81	55	6.5
oinochoe Bb 9b	T . a / 82	55	
oinochoe Cb	C . a / 2	69	10.2
oinochoe Cb	C . B . 2 / 1	69	
oinochoe Cb	C . B . 2 / 9	69	
oinochoe Cb	C . L . 163 / 1	69	
oinochoe Cb	C . MdO . t / 1	69	
oinochoe Cb	C . a / 1	69	10.11
oinochoe Cb	C . B . XVII / 1	69	
oinochoe Cb	C . L . 417 / 1	69	
oinochoe Cb	C . L . 608 / 1	69	
oinochoe Cb	C . MA . 297 / 1	68	10.6
oinochoe Cb	C . MA . 352 / 2	68	10.8
oinochoe Cb	C . a / 3	69	10.4
oinochoe Cb	PS / 168	69	
oinochoe Cb	PS 174	69	
oinochoe Cb	PS / 27	69	10.7
oinochoe Cb	PS / 31	69	
oinochoe Cb	PS / 35	69	10.3
oinochoe Cb	PS / 36	69	
oinochoe Cb	T . a / 127	69	
oinochoe Cb	T . a / 128	69	10.10
oinochoe Cb	T . a / 130	69	
oinochoe Cb	T . G . t / 6	69	
oinochoe Cb	T . G . t / 7	69	10.5
oinochoe Cb	Vo . . 4 / 1	69	
oinochoe Cb 1	PS / 24	57	
oinochoe Cb 1	PS / 156	57	
oinochoe Cb 1	PS / 157	57	
oinochoe Cb 1	T . M . 25 / 2	57	
oinochoe Cb 1	T . M . m / 1	57	
oinochoe Cb 1	T . M . m / 2	57	7.1
oinochoe Cb 1	T . a / 86	57	
oinochoe Cb 1 variante	T . a / 87	57	7.2
oinochoe Cb 2a	T . a / 88	58	
oinochoe Cb 2a	T . a / 89	58	7.3
oinochoe Cb 2a	T . a / 90	58	
oinochoe Cb 2a	T . a / 91	58	
oinochoe Cb 2b	PS / 25	58	
oinochoe Cb 2b	T . a / 92	58	7.4
oinochoe Cb 2b variante	T . a / 93	58	7.5
oinochoe Cb 2c	T . a / 94	59	
oinochoe Cb 2c	T . a / 95	59	7.6
oinochoe Cb 2c	T . a / 96	59	
oinochoe Cb 2d	PS / 26	59	
oinochoe Cb 2d	T . a / 97	59	
oinochoe Cb 2d	T . a / 98	59	
oinochoe Cb 2d	T . M . m / 3	59	
oinochoe Cb 2d	T . M . m / 4	59	
oinochoe Cb 2d	T . M . m / 5	59	7.7
oinochoe Cb 2d variante	T . M . 62 / 1	59	7.8
oinochoe Cb 3a	PS / 28	60	7.9
oinochoe Cb 3a	T . a / 99	60	
oinochoe Cb 3a	T . G . t / 1	60	
oinochoe Cb 3a	T . MT . 65,1 / 2	60	
oinochoe CB 3a?	T . MT . 65,1 / 3	60	
oinochoe Cb 3b	T . a / 101	60	7.10
oinochoe Cb 3b	T . a / 102	61	
oinochoe Cb 3b	T . a / 103	61	
oinochoe Cb 3b	T . a / 104	61	
oinochoe Cb 3b	T . a / 106	61	

Tipo	*Esemplare*							*p.*	*tav.*
oinochoe Cb 3b	T	.	G	.	t	/	2	60	
oinochoe Cb 3b	T	.	M	.	25	/	4	60	
oinochoe Cb 3b	T	.	M	.	25	/	5	60	
oinochoe Cb 3b	T	.	M	.	25	/	6	60	
oinochoe Cb 3b variante	T	.	a			/	107	61	7.11
oinochoe Cb 3b variante	T	.	M	.	38	/	2	61	7.12
oinochoe Cb 3c	T	.	a			/	109	61	
oinochoe Cb 3c	T	.	a			/	110	61	8.1
oinochoe Cb 3c	T	.	G	.	t	/	3	61	
oinochoe Cb 3c	T	.	G	.	t	/	4	61	
oinochoe Cb 3c	T	.	G	.	t	/	5	61	
oinochoe Cb 3c avvicinabile a	Vu	.	PA	.	56	/	1	61	
oinochoe Cb 3c variante	PS					/	29	61	8.2
oinochoe Cb 3c variante	PS					/	30	61	8.3
oinochoe Cb 3d	T	.	a			/	100	61	
oinochoe Cb 3d	T	.	a			/	105	61	
oinochoe Cb 3d	T	.	a			/	108	61	8.4
oinochoe Cb 3d	T	.	M	.	25	/	3	61	
oinochoe Cb 3e	PS					/	146	62	
oinochoe Cb 3e	T	.	a			/	112	61	8.5
oinochoe Cb 3e	T	.	a			/	113	62	
oinochoe Cb 3f	C	.	a			/	4	62	8.6
oinochoe Cb 3f	C	.	MA	.	352	/	1	62	
oinochoe Cb 4	C	.	B	.	VIII	/	1	65	
oinochoe Cb 4	V	.	Pz	.	7	/	1	65	
oinochoe Cb 4 d-e?	C	.	Bu	.	DL	/	1	65	
oinochoe Cb 4?	V	.	Pz	.	3	/	1	65	
oinochoe Cb 4a	T	.	a			/	84	63	
oinochoe Cb 4a	T	.	a			/	114	63	8.7
oinochoe Cb 4a	V	.	MM	.	5	/	1	63	
oinochoe Cb 4a	V	.	V	.	XI	/	2	63	
oinochoe Cb 4a variante	T	.	a			/	83	63	8.9
oinochoe Cb 4a variante	T	.	M	.	49	/	1	63	8.8
oinochoe Cb 4a-c?	Vo	.			4	/	6	65	
oinochoe Cb 4b	T	.	a			/	115	64	
oinochoe Cb 4b	T	.	a			/	116	64	8.10
oinochoe Cb 4c	T	.	a			/	117	64	
oinochoe Cb 4c	T	.	a			/	118	64	8.11
oinochoe Cb 4c variante	PS					/	32	64	8.13
oinochoe Cb 4c variante	V	.	MC	.	33	/	3	64	8.12
oinochoe Cb 4d	C	.	Bu	.	182	/	1	64	
oinochoe Cb 4d	SG	.		.	11	/	1	64	
oinochoe Cb 4d	T	.	a			/	119	64	
oinochoe Cb 4d	T	.	a			/	120	64	
oinochoe Cb 4d	T	.	a			/	121	64	
oinochoe Cb 4d	T	.	a			/	122	64	
oinochoe Cb 4d	V	.	a			/	12	64	
oinochoe Cb 4d	V	.	MC	.	13	/	1	64	
oinochoe Cb 4d	V	.	MC	.	13	/	2	64	
oinochoe Cb 4d	V	.	MC	.	13	/	3	64	
oinochoe Cb 4d	V	.	MC	.	39	/	1	64	
oinochoe Cb 4d	V	.	MC	.	39	/	2	64	9.1
oinochoe Cb 4d	V	.	MC	.	64	/	1	64	
oinochoe Cb 4d	V	.	Pz	.	1	/	1	64	
oinochoe Cb 4d variante	T	.	a	.		/	85	64	9.2
oinochoe Cb 4d variante 2	V	.	Pz	.	2	/	2	64	
oinochoe Cb 4d variante.	PS					/	172	64	
oinochoe Cb 4e	V	.	C	.	IV	/	1	65	
oinochoe Cb 4e	V	.	C	.	V	/	1	65	
oinochoe Cb 4e	V	.	MC	.	34	/	1	64	
oinochoe Cb 4e	V	.	MC	.	34	/	2	65	9.3

Tipo	*Esemplare*							*p.*	*tav.*
oinochoe Cb 4e variante	C	.	MA	.	90	/	5	65	9.5
oinochoe Cb 4e variante	PS					/	33	65	9.4
oinochoe Cb 5a	C	.	L	.	65	/	1	66	
oinochoe Cb 5a	C	.	L	.	65	/	2	66	9.6
oinochoe Cb 5b	C	.	MA	.	89	/	2	66	9.7
oinochoe Cb 5b	V	.	MM	.	C	/	2	66	
oinochoe Cb 5b	V	.	P	.	XX	/	1	66	
oinochoe Cb 5b	V	.	R	.	V	/	1	66	
oinochoe Cb 5b	V	.	V	.	IX	/	2	66	
oinochoe Cb 5b vicino a	T	.	a			/	123	67	9.9
oinochoe Cb 5c	C	.	B	.	III	/	1	67	
oinochoe Cb 5c	C	.	B	.	XX	/	1	67	
oinochoe Cb 5c	PS					/	34	67	9.8
oinochoe Cb 5c	SG	.			1	/	1	67	
oinochoe Cb 6	PS					/	169	68	
oinochoe Cb 6	T	.	a			/	124	68	9.10
oinochoe Cb 6	T	.	a			/	125	68	
oinochoe Cb?	C	.	B	.	75	/	2	69	
oinochoe Cb?	C	.	B	.	75	/	3	69	
oinochoe Cb?	C	.	B	.	75	/	4	69	
oinochoe Cb?	C	.	B	.	75	/	5	69	
oinochoe Cb?	C	.	B	.	75	/	6	69	
oinochoe Cb?	C	.	B	.	227	/	1	69	
oinochoe Cb?	T	.	a			/	129	69	10.9
oinochoe Cc 1a	V	.	MC	.	VII	/	1	70	10.12
oinochoe Cc 1a	V	.	MC	.	VII	/	2	70	
oinochoe Cc 1b	C	.	MA	.	79	/	1	70	
oinochoe Cc 1b	V	.	a			/	13	70	
oinochoe Cc 1b	V	.	MC	.	12	/	1	70	
oinochoe Cc 1b	V	.	MC	.	VII	/	3	70	10.12
oinochoe Cc 1b	V	.	MC	.	VII	/	4	70	10.12
oinochoe Cc 1b	Vo	.			10	/	1	70	
oinochoe Cc 1b?	C	.	L	.	75	/	1	70	
oinochoe Db ?	T	.	M	.	38	/	3	72	
oinochoe Db 1	T	.	a			/	131	71	
oinochoe Db 1	T	.	M	.	m	/	6	71	11.1
oinochoe Db 1	Tu	.	PM	.	t/1969	/	3	71	
oinochoe Db 1 variante	T	.	a			/	132	71	11.2
oinochoe Db 2 avvicinabile a	T	.			t	/	2	71	11.3
oinochoe Db 2a	T	.	a			/	134	71	11.4
oinochoe Db 2a	Vu	.	a			/	3	71	
oinochoe Db 2b	T	.			t	/	1	71	11.5
oinochoe Db 3	T	.	a			/	135	72	11.6
oinochoe Db 3	T	.	a			/	136	72	
oinochoe Db 3	T	.	a			/	137	72	
oinochoe Db 3	Vu	.	O	.	125	/	1	72	
oinochoe Db 3 vicino a	PS					/	37	72	11.7
oinochoe Db 4	Vu	.	a	.		/	2	72	11.8
oinochoe Db 4	Vu t					/	1	72	
oinochoe Db 4 vicino a	Vo	.			10	/	2	72	11.9
oinochoe *unicum*	T	.	M	.	G	/	3	73	
olla Ac 1	Ci	.				/	1	97	
olla Ac 1	PS					/	64	97	17.1
olla Ac 1	Vu	.	a			/	5	97	
olla Ac 1	Vu	.	a			/	6	97	
olla Ac 1	Vu	.	C	.	B	/	1	97	
olla Ac 1	Vu	.	PM	.	1966	/	2	97	
olla Ac 1 variante	PS					/	65	97	
olla B *unicum*	C	.	B	.	2006	/	3	102	
olla B *unicum*	V	.	CF	.	853	/	1	102	
olla Ba	PS					/	66	101	

Tipo	*Esemplare*	*p.*	*tav.*
olla Ba	T . a / 148	101	
olla Ba	T . M . t / 3	100	17.9
olla Ba 1a	PB . a . / 9	99	17.2
olla Ba 1a	O . B . 1 / 1	99	
olla Ba 1a	PS / 67	99	
olla Ba 1a	Vu . O . / 1	99	
olla Ba 1b	PB . a / 10	99	
olla Ba 1b	PB . 8 / 1	99	
olla Ba 1b	T . a / 149	99	17.3
olla Ba 1b	Vu . a / 7	99	
olla Ba 1b variante	PB . a / 11	99	17.4
olla Ba 1c	Vu . O . t / 2	99	17.5
olla Ba 2	PB . a / 80	100	
olla Ba 2	PS / 68	100	
olla Ba 2	T . a / 150	100	17.6
olla Ba 3	V . MC . 71 / 1	100	
olla Ba 3	Vo . 4 / 2	100	17.7
olla Ba *unicum*	PS / 69	101	
olla Ba *unicum*	Vu t / 4	101	17.8
olla Bc	C . B . XI / 1	101	
olla Bc	Vu . 22 /	101	
olla Bc 1	T . a / 151	101	
olla Bc 1	T . a / 152	101	17.11
olla Bc 1	T . a / 153	101	
olla Bc 1	V . MC . 24 / 3	101	
olla Bc 1 variante	C . L . 66 / 2	101	17.12
olla Bc 2	V . MC . 47 / 1	101	17.13
olla Bd	Gi . t / 1	102	18.1
olla Bd	PS / 70	102	
olla Bd	PS / 71	102	
olla Bd	V . C . II / 1	102	18.3
olla Bd	V . V . / 6	102	18.2
olla C	C . B . VIII / 2	109	
olla C	PS / 76	109	
olla C	PS / 72	109	
olla Ca 1a	PB . a / 12	103	
olla Ca 1a	PB . II / 1	103	18.4
olla Ca 1a variante	Pi . a / 1	103	18.5
olla Ca 1b	PB . a / 13	103	18.6
olla Ca 2	V . V . / 7	104	
olla Ca 2	V . V . / 8	104	18.7
olla Ca 2	V . V . / 9	104	
olla Cc	V . C . V / 3	105	18.9
olla Cc 1	C . B . 75 / 10	104	
olla Cc 1	V . C . IV / 2	104	18.8
olla Cc 1	V . P . XVI / 2	104	
olla Cc?	C . B . 75 / 12	105	
olla Cc?	C . B . 75 / 13	105	
olla Cc?	C . B . 75 / 14	105	
olla Cc?	C . B . 75 / 15	105	
olla Cd 1a	V . a / 2	105	18.10
olla Cd 1a	V . MC . IV / 1	105	
olla Cd 1b	V . MC . 44 / 7	105	18.11
olla Cd 1b	V . MC . 49 / 1	105	
olla Cd 1b variante	PS / 73	105	18.12
olla Ce	C . L . 185 / 2	108	19.8
olla Ce	C . L . 185 / 3	108	19.9
olla Ce	V . MM . F / 1	108	
olla Ce 1	V . MM . B / 2	106	19.1
olla Ce 1	V . MM . B / 3	106	
olla Ce 2a	V . R . III / 1	106	

Tipo	*Esemplare*	*p.*	*tav.*
olla Ce 2a	V . V . XI / 3	106	19.2
olla Ce 2a ??	V . R . IV / 2 bis	106	
olla Ce 2a??	V . R . II / 2	106	
olla Ce 2b	V . R . IV / 1	106	
olla Ce 2b	V . R . IV / 2	106	19.3
olla Ce 2b ??	V . R . II / 3	106	
olla Ce 2b vicino a	PS / 74	106	19.4
olla Ce 2b vicino a	PS / 75	106	19.6
olla Ce 2b vicino a	PS / 153	106	19.5
olla Ce 3	C . B . 1 / 2	108	19.7
olla Ce 3	V . GG . 2 / 3	108	
olla D	C . L . 142 / 3	118	
olla D	C . L . 142 / 4	118	
olla D	V . Pz . 2 / 4	118	
olla Db 1	PB . a / 14	109	
olla Db 1	PB . t / 2	109	20.1
olla Db 1	Vu . a / 8	109	
olla Db 1 variante	PB . D / 3	109	20.2
olla Dc	C . L . 64 / 4	115	
olla Dc	V . MC . 33 / 5	115	
olla Dc 1a	PG . 2 / 1	110	20.3
olla Dc 1b	PG . 1 / 1	110	
olla Dc 1b	PG . 2 / 2	110	
olla Dc 1b	V . a / 10	110	
olla Dc 1b	V . MC . 44 / 8	110	20.4
olla Dc 1b variante	PG . 1 / 2	110	20.5
olla Dc 2	V . Pz . 1 / 5	112	
olla Dc 2	V . Pz . 4 / 2	112	
olla Dc 2	V . Pz . 7 / 3	112	
olla Dc 2?	C . B . 71 / 1	112	
olla Dc 2?	C . B . 71 / 2	112	
olla Dc 2a	C . L . 165 / 1	111	
olla Dc 2a	C . MA . 89 / 7	111	
olla Dc 2a	PS / 77	111	
olla Dc 2a	T . a / 154	111	
olla Dc 2a	T . a / 155	111	
olla Dc 2a	T . a / 156	111	20.6
olla Dc 2a	T . a / 157	111	
olla Dc 2a	V . MC . 56 / 1	111	
olla Dc 2a	V . MM . C / 3	111	
olla Dc 2a	V . Pz . 8 / 1	111	
olla Dc 2b	C . S . G / 5	111	
olla Dc 2b	PS / 78	111	
olla Dc 2b	PS / 79	111	
olla Dc 2b	T . a / 158	111	
olla Dc 2b	T . a / 159	111	
olla Dc 2b	T . a / 160	111	
olla Dc 2b	T . a / 161	111	
olla Dc 2b	V . MC . 12 / 2	111	
olla Dc 2b	V . MC . 15 / 1	111	
olla Dc 2b	V . MC . 42 / 1	111	20.7
olla Dc 2b	V . MC . 67 / 1	111	
olla Dc 2b	V . MC . VII / 5	111	
olla Dc 2b	V . V . / 10	111	
olla Dc 2b variante	C . B . 75 / 11	111	
olla Dc 2b variante	C . L . 64 / 3	112	20.8
olla Dc 2c	C . L . 143 / 2	112	
olla Dc 2c	C . L . 339 / 1	112	
olla Dc 2c	C . L . 339c / 1	112	
olla Dc 2c	C . MA . 89 / 8	112	20.9
olla Dc 2c	C . MA . 297 / 3	112	

Tipo	*Esemplare*	*p.*	*tav.*
olla Dc 2c	O . SD . II / 1	112	
olla Dc 2c	T . a / 162	112	
olla Dc 2c	V . C . VI / 2	112	
olla Dc 2c	V . MC . 15 / 2	112	
olla Dc 2c	V . Pz . 9 / 1	112	
olla Dc 2d	V . C . III / 5	112	
olla Dc 2d	V . C . IV / 3	112	20.10
olla Dc 2d	V . MC . 13 / 4	112	
olla Dc 2d	V . Pz . 1 / 3	112	
olla Dc 2d	V . V / 11	112	
olla Dc 2e	V . MC . 35 / 2	112	
olla Dc 2e	V . MC . 35 / 3	112	20.11
olla Dc 3	C . MA . 45 / 1	114	
olla Dc 3	C . MA . 77 / 1	114	21.1
olla Dc 3	C . MA . 77 / 2	114	
olla Dc 3 variante	C . MA . 79 / 4	114	21.2
olla Dc 4a	C . MA . 89 / 9	114	
olla Dc 4a	C . MA . 89 / 10	114	21.3
olla Dc 4a variante	SM . t / 1	114	21.4
olla Dc 4a variante	V . MC . 14 / 2	114	
olla Dc 4a variante	V . Pz . 1 / 4	114	
olla Dc 4b	C . MA . 89 / 11	114	
olla Dc 4b	C . MA . 89 / 12	114	
olla Dc 4b	C . MA . 89 / 13	114	
olla Dc 4b	C . MA . 90 / 10	114	21.5
olla Dc 4b	PS / 80	114	
olla Dc 4b?	C . B . XI / 2	114	
olla Dc?	C . B . 404 / 1	115	
olla Dd	PS / 84	117	
olla Dd	V . MM . 5 / 13	117	
olla Dd	Vu . a / 9	117	
olla Dd 1	C . B . 176 / 2	116	
olla Dd 1	C . B . XVIII / 4	116	
olla Dd 1	C . L . 142 / 1	116	
olla Dd 1	C . L . 142 / 2	116	
olla Dd 1	C . L . 461 / 1	116	
olla Dd 1	C . L . 461 / 2	116	
olla Dd 1	V . Pz . 4 / 3	116	
olla Dd 1 a	C . L . 63 / 3	115	
olla Dd 1 a	V . MC . 64 / 4	115	
olla Dd 1 c-d	V . R . III / 2	116	
olla Dd 1?	C . L . 67 / 2	116	
olla Dd 1?	C . L . 75 / 3	116	
olla Dd 1?	C . L . 145 / 1	116	
olla Dd 1a	PS / 81	115	21.6
olla Dd 1a	PS / 82	115	
olla Dd 1a	PS / 82	115	
olla Dd 1a	PS / 165	115	
olla Dd 1a	V . a / 9	115	
olla Dd 1a variante	C . MA . 384 / 1	115	
olla Dd 1a variante	PG . 3 / 1	115	21.7
olla Dd 1b	C . L . 71 / 2	115	
olla Dd 1b	SM . t / 10	115	
olla Dd 1b	V . C . III / 6	115	21.8
olla Dd 1b	V . Pz . 10 / 3	115	
olla Dd 1b vicina a	PS / 166	115	
olla Dd 1c	C . a / 13	116	21.9
olla Dd 1c	PG . 1 / 3	116	
olla Dd 1c	PS / 83	116	
olla Dd 1c	Si . . A / 4	116	
olla Dd 1c	V . MC . 62 / 1	116	

Tipo	*Esemplare*	*p.*	*tav.*
olla Dd 1c	V . MC . 62 / 2	116	
olla Dd 1c	V . MC . 64 / 5	116	
olla Dd 1c	V . MC . 64 / 6	116	
olla Dd 1c	V . MC . 65 / 1	116	
olla Dd 1c variante	V . a / 3	116	21.10
olla Dd 1d	C . L . 163 / 2	116	21.11
olla Dd 1d	C . L . 163 / 3	116	
olla Dd 1d	C . MA . 410 / 1	116	
olla Dd 2	C . B . XVIII / 5	117	
olla Dd 2	C . B . XX / 3	117	
olla Dd 2	C . L . 65 / 3	117	21.12
olla Dd 2	C . L . 155 / 1	117	
olla Dd 2	C . Mn . 18 / 4	117	
olla Dd 2	PS / 151	117	
olla Dd 2	PS / 152	117	
piatto	C . B . 11 / 15	181	
piatto	C . B . 75 / 23	181	
piatto	C . Bu . 86 /	181	
piatto	C . Bu . 86 / 8	181	
piatto	C . Bu . 94 / 9	181	
piatto	C . L . 339 / 2	181	
piatto	C . S . R / 3	182	
piatto	C . S . R / 4	182	
piatto Aa 1	PB . a / 66	168	
piatto Aa 1	PB . a / 67	168	31.1
piatto Aa 1	PB . E / 4	168	
piatto Aa 1	Pi . a / 2	168	
piatto Aa 1	Vu t / 22	168	
piatto Aa 1	Vu t / 23	168	
piatto Aa 2	M . / 4	168	31.2
piatto Aa 2	PB . E / 5	168	
piatto Aa 2 variante	PB . a / 68	169	
piatto Aa 2 variante	Vu . a / 19	169	31.3
piatto B	C . B . 11 / 16	179	
piatto B	C . L . 64 / 9	179	
piatto B	C . L . 64 / 10	179	
piatto B	C . L . 64 / 11	179	
piatto B	V . Pz . 2 / 11	179	
piatto B	V . MM . 5 / 15	179	
piatto B	V . Pz . 3 / 3	179	
piatto B	V . Pz . 3 / 4	179	
piatto B	V . Pz . 4 / 4	179	
piatto B	V . Pz . 4 / 5	179	
piatto B	V . V . / 21	179	
piatto B?	V . MM . 5 / 14	179	
piatto Ba	PB . a / 69	170	31.7
piatto Ba	PS / 131	170	
piatto Ba 1a	T . a / 263	170	31.4
piatto Ba 1a	T . a / 264	170	
piatto Ba 1b	C . B . 78 / 2	170	
piatto Ba 1b	PB . a / 70	170	
piatto Ba 1b	PB . a / 71	170	
piatto Ba 1b	PB . a / 72	170	
piatto Ba 1b	PB . a / 73	170	
piatto Ba 1b	PB . a / 74	170	31.5
piatto Ba 1b	PB . a / 75	170	
piatto Ba 1b	Vu . O . E / 1	170	
piatto Ba 1b	Vu . O . E / 2	170	
piatto Ba 1b variante	Vu . 22 / 7	170	31.6
piatto Ba 1b?	C . Bu . 182 / 8	170	
piatto Bb (1a?)	C . L . 73 / 2	171	

Tipo	*Esemplare*							*p.*	*tav.*
piatto Bb (1a?)	V	.	V	.		/	20	171	
piatto Bb 1(a?)	C	.	B	.	176	/	3	173	
piatto Bb 1(a?)	C	.	L	.	150	/	2	174	
piatto Bb 1(a?)	Ce	.			II	/	2	173	
piatto Bb 1(a?)	C	.	B	.	2	/	5	173	
piatto Bb 1(a?)	C	.	B	.	2	/	6	173	
piatto Bb 1(a?)	C	.	B	.	2	/	7	173	
piatto Bb 1(a?)	C	.	B	.	2	/	8	173	
piatto Bb 1(a?)	C	.	B	.	11	/	11	173	
piatto Bb 1(a?)	C	.	B	.	11	/	12	173	
piatto Bb 1(a?)	C	.	B	.	71	/	4	173	
piatto Bb 1(a?)	C	.	B	.	71	/	5	173	
piatto Bb 1(a?)	C	.	B	.	75	/	24	173	
piatto Bb 1(a?)	C	.	B	.	75	/	25	173	
piatto Bb 1(a?)	C	.	B	.	75	/	26	173	
piatto Bb 1(a?)	C	.	B	.	79	/	4	173	
piatto Bb 1(a?)	C	.	B	.	81	/	2	173	
piatto Bb 1(a?)	C	.	B	.	84	/	1	173	
piatto Bb 1(a?)	C	.	B	.	85	/	1	173	
piatto Bb 1(a?)	C	.	B	.	85	/	2	173	
piatto Bb 1(a?)	C	.	B	.	86	/	2	173	
piatto Bb 1(a?)	C	.	B	.	94	/	1	173	
piatto Bb 1(a?)	C	.	B	.	134	/	1	173	
piatto Bb 1(a?)	C	.	B	.	181	/	4	173	
piatto Bb 1(a?)	C	.	B	.	304	/	2	173	
piatto Bb 1(a?)	C	.	B	.	403	/	2	173	
piatto Bb 1(a?)	C	.	B	.	404	/	2	173	
piatto Bb 1(a?)	C	.	B	.	404	/	5	173	
piatto Bb 1(a?)	C	.	B	.	404	/	6	173	
piatto Bb 1(a?)	C	.	B	.	III	/	7	173	
piatto Bb 1(a?)	C	.	B	.	III	/	8	173	
piatto Bb 1(a?)	C	.	B	.	III	/	9	173	
piatto Bb 1(a?)	C	.	Bu	.	60	/	3	174	
piatto Bb 1(a?)	C	.	Bu	.	60	/	4	174	
piatto Bb 1(a?)	C	.	Bu	.	182	/	11	174	
piatto Bb 1(a?)	C	.	L	.	139	/	3	174	
piatto Bb 1(a?)	C	.	L	.	417	/	5	174	
piatto Bb 1(a?)	C	.	L	.	461	/	3	174	
piatto Bb 1(a?)	C	.	L	.	461	/	4	174	
piatto Bb 1(a?)	C	.	MA	.	76	/	5	174	
piatto Bb 1(a?)	C	.	MA	.	77	/	4	174	
piatto Bb 1(a?)	C	.	MA	.	77	/	5	174	
piatto Bb 1(a?)	C	.	MA	.	77	/	10	174	
piatto Bb 1(b?)	C	.	B	.	308	/	2	174	
piatto Bb 1a	Bl	.	V	.	3	/	1	173	
piatto Bb 1a	Ce	.			II	/	4	173	
piatto Bb 1a	Ce	.			II	/	5	173	
piatto Bb 1a	C	.	a			/	16	173	
piatto Bb 1a	C	.	B	.	2	/	2	171	
piatto Bb 1a	C	.	B	.	11	/	13	171	
piatto Bb 1a	C	.	B	.	11	/	14	171	
piatto Bb 1a	C	.	B	.	78	/	4	171	
piatto Bb 1a	C	.	B	.	2006	/	6	171	
piatto Bb 1a	C	.	B	.	A	/	4	171	
piatto Bb 1a	C	.	B	.	A	/	5	171	
piatto Bb 1a	C	.	B	.	III.	/	6	171	
piatto Bb 1a	C	.	B	.	IX.	/	3	171	
piatto Bb 1a	C	.	B	.	XI.	/	5	171	
piatto Bb 1a	C	.	L	.	64	/	8	171	
piatto Bb 1a	C	.	L	.	65	/	6	171	31.9
piatto Bb 1a	C	.	L	.	608	/	1	172	

Tipo	*Esemplare*	*p.*	*tav.*
piatto Bb 1a	C . MA . 76 / 3	172	
piatto Bb 1a	C . MA . 76 / 4	172	
piatto Bb 1a	C . MA . 77 / 6	172	
piatto Bb 1a	C . MA . 77 / 7	172	
piatto Bb 1a	C . MA . 77 / 8	172	
piatto Bb 1a	C . MA . 77 / 9	172	
piatto Bb 1a	C . MA . 83 / 3	172	
piatto Bb 1a	C . MA . 89 / 22	172	
piatto Bb 1a	C . MA . 90 / 17	172	
piatto Bb 1a	C . MA . 90 / 18	172	
piatto Bb 1a	C . MA . 90 / 19	172	
piatto Bb 1a	C . MA . 90 / 20	172	
piatto Bb 1a	C . MA . 90 / 21	172	
piatto Bb 1a	C . MA . 90 / 25	172	
piatto Bb 1a	C . MA . 297 / 4	172	
piatto Bb 1a	C . MA . 352 / 7	172	
piatto Bb 1a	C . MA . 352 / 8	172	
piatto Bb 1a	C . MA . 410 / 4	172	
piatto Bb 1a	C . Mn . 18 / 1	172	
piatto Bb 1a	C . S . 20 / 1	172	
piatto Bb 1a	C . S . 21 / 1	172	
piatto Bb 1a	C . S . G / 2	172	
piatto Bb 1a	C . S . G / 3	172	
piatto Bb 1a	C . S . G / 7	172	
piatto Bb 1a	C . S . G / 8	172	
piatto Bb 1a	C . S . G / 9	172	
piatto Bb 1a	C . B . A / 3	171	
piatto Bb 1a	Ce . I / 1	173	
piatto Bb 1a	Ce . II / 3	173	
piatto Bb 1a	PG . 1 / 5	171	
piatto Bb 1a	PG . 2 / 3	171	
piatto Bb 1a	PS / 137	173	
piatto Bb 1a	PS / 133	173	
piatto Bb 1a	PS / 134	173	
piatto Bb 1a	PS / 135	173	
piatto Bb 1a	PS / 136	173	
piatto Bb 1a	PS / 167	173	
piatto Bb 1a	SG / 1	173	
piatto Bb 1a	Si . A / 6	171	
piatto Bb 1a	Tr . t / 6	171	
piatto Bb 1a	V . MC . 26 / 1	171	
piatto Bb 1a	V . MC . 33 / 8	171	31.8
piatto Bb 1a	V . MC . 34 / 6	171	
piatto Bb 1a	V . MC . 35 / 4	171	
piatto Bb 1a	V . MM . B / 6	171	
piatto Bb 1a	V . MM . B / 7	171	
piatto Bb 1a	V . Pz . 2 / 10	171	
piatto Bb 1a	V . Pz . 4 / 6	171	
piatto Bb 1a	V . Pz . 10 / 4	171	
piatto Bb 1a	V . R . V / 3	171	
piatto Bb 1a	Vo . 4 / 8	171	
piatto Bb 1a variante	V . GG . 2 / 4	173	
piatto Bb 1a variante	V . GG . 2 / 5	173	
piatto Bb 1b	C . a . / 17	174	32.1
piatto Bb 1b	C . B . 1 / 4	174	
piatto Bb 1b	C . MA . 4 / 3	174	
piatto Bb 1b	C . MA . 90 / 22	174	
piatto Bb 1b	C . MA . 90 / 23	174	
piatto Bb 1b	C . MA . 90 / 24	174	
piatto Bb 1b	C . Mn . 18 / 3	174	
piatto Bb 1b	C . tC / 1	174	

Tipo	*Esemplare*	*p.*	*tav.*
piatto Bb 1b	C . tC / 2	174	
piatto Bb 1b	PS / 154	174	
piatto Bb 1b	PS / 155	174	
piatto Bb 1c	C . L . 226 / 1	174	
piatto Bb 1c	C . MA . 304 / 1	174	
piatto Bb 1c	PS / 132	174	
piatto Bb 1c	PS / 138	175	32.2
piatto Bb 1d	C . B . III / 10	175	
piatto Bb 1d	C . B . III / 11	175	
piatto Bb 1d	PS / 139	175	32.3
piatto Bb *unicum*	C . Mn . 18 / 2	176	32.4
piatto Bb *unicum*	PS / 140	176	32.5
piatto Bb *unicum*	PS / 141	176	32.6
piatto Bc 1a	T . a / 265	177	32.7
piatto Bc 1a	T . a / 266	177	
piatto Bc 1b	PB . a / 76	177	
piatto Bc 1b	PB . a / 77	177	32.8
piatto Bc 1b	PB . a / 78	177	
piatto Bc 1b	PB . a / 79	177	
piatto Bc 2	SM . t / 7	177	
piatto Bc 2	SM . t / 8	178	
piatto Bc 2?	V . Pz . 8 / 7	178	32.9
piatto Bc 2?	V . Pz . 8 / 8	178	
piatto Bc 2?	V . Pz . 8 / 9	178	
piatto Bc 3	T . a / 267	178	
piatto Bc 3	T . a / 268	178	32.10
piatto Bc 3	T . M . G / 10	178	
piatto Bc 3	T . M . G / 11	178	
piatto Bc *unicum*	T . a / 269	178	32.11
piatto Ca	C . B . 11 / 10	181	
piatto Ca	C . B . 75 / 21	181	
piatto Ca	C . B . 75 / 22	181	
piatto Ca	C . B . 75 / 28	181	
piatto Ca	C . B . 86 / 3	181	
piatto Ca	C . B . 86 / 4	181	
piatto Ca	C . S . G / 1	180	
piatto Ca 1	C . a / 18	179	
piatto Ca 1	C . B . 75 / 20	179	
piatto Ca 1	C . B . 75 / 27	179	33.1
piatto Ca 1	C . Bu . 182 / 10	179	
piatto Ca 1	C . MA . 89 / 23	179	
piatto Ca 1	C . MA . 90 / 16	179	
piatto Ca 1	C . S . G / 6	179	
piatto Ca 2?	C . B . 78 / 3	180	
piatto Ca 2a	C . B . XI / 6	180	
piatto Ca 2a	C . B . XX / 6	180	
piatto Ca 2a	C . S . G / 4	180	33.2
piatto Ca 2a	C . S . G / 10	180	
piatto Ca 2a	C . S . G / 11	180	
piatto Ca 2b	C . B . XVIII / 8	180	
piatto Ca 2b	C . Bu . 60 / 5	180	
piatto Ca 2b	C . Bu . 62 / 2	180	
piatto Ca 2b	C . L . 64 / 12	180	
piatto Ca 2b	C . L . 64 / 13	180	
piatto Ca 2b	C . L . 71 / 3	180	
piatto Ca 2b	C . L . 75 / 4	180	
piatto Ca 2b	C . L . 155 / 2	180	
piatto Ca 2b	C . L . 185 / 4	180	33.3
piatto Ca 2b	C . L . 461 / 5	180	
piatto Ca 2b	C . L . 461 / 6	180	
piatto Ca 2b	C . MA . 410 / 5	180	

Tipo	*Esemplare*	*p.*	*tav.*
piatto Ca 2b	C . MA . 410 / 6	180	
piatto Ca 2b variante	C . L . 65 / 7	180	33.4
piatto Ca?	C . B . 11 / 3	181	
piatto Ca?	C . Bu . 182 / 9	181	
piatto Ca?	C . L . 67 / 6	181	
piatto Ca?	C . S . R / 1	181	
piatto *unicum*	Vu . 42 / 2	182	
pisside	C . B . 2 / 3	182	33.5
pisside	V . R . I / 1	182	
pisside	V . R . IV / 4	182	33.6
situla	C . B . 103 / 1	95	
situla	C . B . 181 / 2	95	
situla	C . B . 308 / 1	95	
situla	C . B . XVIII / 3	95	
situla	C . L . 63 / 2	95	
situla	C . L . 154 / 2	95	
situla	PS / 91	95	
situla	PS / 92	95	
situla 1a	C . B . 25 / 1	93	
situla 1a	C . MA . 89 / 3	93	16.8
situla 1a	C . MA . 89 / 4	93	
situla 1a	C . MA . 89 / 5	93	
situla 1a	PS / 85	93	
situla 1a variante	C . L . 274 / 2	93	16.9
situla 1b	C . Bu . 182 / 4	94	
situla 1b	C . L . 63 / 1	94	
situla 1b	C . L . 360 / 1	94	
situla 1b	PS / 86	94	16.10
situla 1b	PS / 87	94	16.10
situla 1b variante	C . L . 138 / 1	94	16.11
situla 2a	PS / 87	94	
situla 2a	V . MC . 33 / 4	94	16.12
situla 2a	V . MC . 64 / 3	94	
situla 2a	V . Pz . 10 / 2	94	
situla 2a variante	C . Bu . 86 / 1	94	
situla 2a variante	C . L . 73 / 1	94	
situla 2b	PS / 88	94	16.10
situla 2b	PS / 89	95	16.14
situla 2b	V . MC . 31 / 2	94	
situla 2b	V . MC . 44 / 6	94	16.13
situla 2b	V . MC . 64 / 2	94	
situla *unicum*	PS / 90	95	
skyphos	C . B . 403 / 1	156	
skyphos	C . L . 142 / 5	156	
skyphos	C . L . 139 / 2	156	
skyphos	V . R . II / 4	156	
skyphos	V . V . / 18	156	
skyphos	Vu . C . B / 2	156	
skyphos Aa	S / 2	145	
skyphos Aa	Vu . C . A / 2	145	
skyphos Aa 1	Vu . O . a / 1	144	
skyphos Aa 1a	PB . a . / 40	143	
skyphos Aa 1a	PB . a . / 41	143	26.1
skyphos Aa 1a	Vu . a . / 15	143	
skyphos Aa 1a variante	PS / 121	143	26.2
skyphos Aa 1a variante	Vu t 14	143	
skyphos Aa 1b	PB . a / 42	143	
skyphos Aa 1b	PB . a / 43	143	26.3
skyphos Aa 1b	PB . a / 44	143	
skyphos Aa 1b	Vu . a / 16	143	
skyphos Aa 1b variante 1	T . a / 215	143	26.4

Tipo	*Esemplare*							*p.*	*tav.*
skyphos Aa 1c	PB	.	a			/	45	143	
skyphos Aa 1c	PB	.	a			/	46	143	
skyphos Aa 1c	PB	.	a			/	47	143	
skyphos Aa 1c	PB	.			17	/	2	143	
skyphos Aa 1c	PB	.			18	/	1	143	
skyphos Aa 1c	PB	.			24	/	1	143	
skyphos Aa 1c	PB	.			II	/	2	143	26.5
skyphos Aa 1c	PB	.			III	/	1	143	
skyphos Aa 1c	PB	.			VI	/	6	143	
skyphos Aa 1c	Vu	.	a			/	17	143	
skyphos Aa 1c	Vu	.			42	/	1	143	
skyphos Aa 1c	Vu t					/	17	143	
skyphos Aa 1c	Vu t					/	15	143	
skyphos Aa 1c	Vu t					/	16	143	
skyphos Aa 1c variante	PB	.			VI	/	7	143	26.6
skyphos Aa 1d	M	.				/	2	144	
skyphos Aa 1d	PB	.	a			/	48	144	
skyphos Aa 1d	PB	.	a			/	49	144	
skyphos Aa 1d	PB	.	a			/	50	144	
skyphos Aa 1d	PB	.			12	/	2	144	
skyphos Aa 1d	PB	.			24	/	2	144	26.7
skyphos Aa 1d	PB	.			24	/	3	144	
skyphos Aa 1d	PB	.			D	/	5	144	
skyphos Aa 1d	PB	.			VI	/	8	144	
skyphos Aa 1d	Tu	.	PM		R	/	3	144	
skyphos Aa 1d	Vu	.	a			/	18	144	
skyphos Aa 1d	Vu	.			22	/	5	144	
skyphos Aa 2a	PB	.	a			/	51	144	26.8
skyphos Aa 2a	PB	.	a			/	52	144	
skyphos Aa 2a	PB	.	a			/	53	144	
skyphos Aa 2b	PB	.	a			/	54	144	
skyphos Aa 2b	PB	.	a			/	55	144	26.9
skyphos Ab 1	PB	.			I	/	3	145	26.10
skyphos Ab 1	PB	.			V	/	1	145	
skyphos Ba	T	.	a			/	225	150	
skyphos Ba 1a	PB	.	a			/	56	146	
skyphos Ba 1a	PB	.	a			/	57	146	
skyphos Ba 1a	PB	.	a			/	58	146	
skyphos Ba 1a	PB	.			C	/	2	146	26.11
skyphos Ba 1a	PB	.			C	/	3	146	
skyphos Ba 1a	T	.	a			/	216	145	
skyphos Ba 1a	T	.	a			/	217	145	
skyphos Ba 1a	Vu t					/	18	146	
skyphos Ba 1a variante	PB	.			C	/	4	146	26.12
skyphos Ba 1b	PB	.			G	/	3	146	26.13
skyphos Ba 1b	PB	.			G	/	4	146	
skyphos Ba 1b	T	.	G	.	8	/	7	146	
skyphos Ba 1b	T	.	a			/	218	146	
skyphos Ba 1b variante	PB	.			D	/	6	146	26.14
skyphos Ba 2	M	.				/	3	147	
skyphos Ba 2	PB	.			F	/	2	147	
skyphos Ba 2	PS					/	122	147	
skyphos Ba 2	Vu	.	O	.	1	/	1	147	27.1
skyphos Ba 2	Vu	.	O	.	1	/	2	147	
skyphos Ba 2?	O	.	SD	.	II	/	2	147	
skyphos Ba 3 a-b?	T	.	M	.	33	/	3	148	
skyphos Ba 3a	C	.	Bu	.	81	/	2	148	
skyphos Ba 3a	C	.	MA	.	83	/	2	148	
skyphos Ba 3a	T	.	a			/	219	148	27.2
skyphos Ba 3a	T	.	M	.	6337	/	2	148	
skyphos Ba 3b	T	.	a			/	220	148	

Tipo	*Esemplare*							*p.*	*tav.*
skyphos Ba 3b	T	.	a			/	221	148	27.3
skyphos Ba 3b	T	.	a			/	222	148	
skyphos Ba 3b vicino a	PS					/	123	148	
skyphos Ba 3c	T	.	a			/	223	148	27.4
skyphos Ba 3c	T	.	a			/	224	148	
skyphos Ba 3c	T	.	MT	.	65,1	/	5	148	
skyphos Ba 3c var.	V	.	a	.		/	15	148	
skyphos Ba 3c?	T	.	M	.	10	/	1	148	
skyphos Ba 3d	T	.	G	.	t	/	8	149	27.5
skyphos Ba 3d?	C	.	L	.	67	/	4	148	
skyphos Ba 3d?	C	.	L	.	67	/	5	148	
skyphos Bb	T	.	a			/	232	152	27.12
skyphos Bb	T	.	a			/	233	152	27.13
skyphos Bb	Tu	.	AT	.	2	/	1	152	
skyphos Bb 1a	T	.	a			/	226	150	
skyphos Bb 1a	V	.	V	.	VIII	/	2	150	
skyphos Bb 1b	PS					/	124	151	
skyphos Bb 1b	T	.	a			/	227	150	
skyphos Bb 1b	T	.	a			/	228	151	
skyphos Bb 1b	T	.	a			/	229	151	
skyphos Bb 1b	T	.	a			/	230	151	
skyphos Bb 2	T	.	a			/	231	151	
skyphos Bb 2	T	.	G	.	t	/	9	151	27.9
skyphos Bb 2 variante	C	.	L	.	65	/	5	151	27.10
skyphos Bb 2 variante	T	.	M	.	25	/	7	152	27.11
skyphos Bb 2?	T	.	M	.	38	/	4	151	
skyphos Bb 2?	T	.	M	.	38	/	5	151	
skyphos Bc 1	C	.	Bu	.	60	/	1	154	
skyphos Bc 1	C	.	Bu	.	60	/	2	154	
skyphos Bc 1	T	.	a			/	234	154	
skyphos Bc 1	T	.	a			/	235	154	
skyphos Bc 1	T	.	a			/	236	154	
skyphos Bc 1	T	.	a			/	237	154	
skyphos Bc 1	T	.	a			/	238	154	
skyphos Bc 1	T	.	a			/	239	154	
skyphos Bc 1a	C	.	MA	.	352	/	4	152	
skyphos Bc 1a	C	.	MA	.	352	/	5	152	
skyphos Bc 1a	T	.	a			/	240	153	
skyphos Bc 1a	T	.	a			/	241	153	28.1
skyphos Bc 1a	V	.	MC	.	14	/	3	152	
skyphos Bc 1a	V	.	MC	.	64	/	9	152	
skyphos Bc 1a	V	.	MC	.	VII	/	6	152	
skyphos Bc 1a	V	.	V			/	16	152	
skyphos Bc 1a	V	.	V			/	17	152	
skyphos Bc 1a	Vu	.			22	/	6	153	
skyphos Bc 1a variante	PB	.			E	/	3	153	28.3
skyphos Bc 1a variante	V	.	MC	.	71	/	4	153	
skyphos Bc 1a vicino	Tu	.	AT	.	2	/	2	153	
skyphos Bc 1a vicino a	PS					/	125	153	28.2
skyphos Bc 1a?	C	.	MA	.	352	/	6	153	
skyphos Bc 1b	T	.	a			/	242	153	
skyphos Bc 1b	T	.	M	.	25	/	8	153	
skyphos Bc 1b	T	.	M	.	25	/	9	153	
skyphos Bc 1b	T	.	M	.	25	/	10	153	
skyphos Bc 1b	T	.	M	.	25	/	11	153	
skyphos Bc 1b	V	.	MC	.	34	/	5	153	28.5
skyphos Bc 1b	V	.	MC	.	39	/	3	153	
skyphos Bc 1b	V	.	MC	.	67	/	3	153	
skyphos Bc 1b	V	.	Pz	.	2	/	8	153	
skyphos Bc 1b	V	.	Pz	.	6	/	2	153	
skyphos Bc 1b	V	.	Pz	.	8	/	5	153	

Tipo	*Esemplare*							*p.*	*tav.*
skyphos Bc 1b	V	.	Pz	.	8	/	6	153	
skyphos Bc 1b-d	C	.	L	.	139	/	1	154	
skyphos Bc 1c	PB	.	a			/	59	153	
skyphos Bc 1c	PB	.			F	/	1	153	28.6
skyphos Bc 1c	T	.	a			/	243	153	
skyphos Bc 1c	T	.	M	.	49	/	2	153	
skyphos Bc 1c	V	.	C	.	V	/	5	153	
skyphos Bc 1d	C	.	Bu	.	86	/	7	154	
skyphos Bc 1d	C	.	MA	.	89	/	20	154	28.7
skyphos Bc 1d	C	.	MA	.	89	/	21	154	
skyphos Bc 1d	Vo	.			4	/	3	153	
skyphos Bc 1d	Vo	.			5	/	3	154	
skyphos Bc 1d variante	C	.	L	.	64	/	6	154	28.8
skyphos Bc 1e	PB	.			VII	/	2	154	28.4
skyphos Bc 1e	V	.	MC	.	12	/	3	154	
skyphos Bc 2	C	.	MA	.	77	/	3	156	
skyphos Bc 2	PB	.			C	/	5	156	
skyphos Bc 2	V	.	P	.	XVI	/	3	156	
skyphos Bc 2	V	.	Pz	.	7	/	4	156	
skyphos *unicum*	T	.	a			/	244	156	28.10
skyphos *unicum*	T	.	a			/	245	156	28.11
skyphos?	C	.	Bu	.	94	/	4	156	
skyphos?	PS					/	126	156	
tazza	PB	.	a			/	18	124	
tazza Aa 1	T	.	a			/	179	122	
tazza Aa 1	T	.	a			/	180	122	22.11
tazza Aa 1	T	.	a			/	181	122	
tazza Aa 1	T	.	a			/	182	122	
tazza Aa 1 variante	T	.	a			/	183	122	22.12
tazza Aa 2a	M	.			1956	/	1	123	22.13
tazza Aa 2a	Vu	.	C	.	1955	/	5	123	
tazza Aa 2a	Vu	.	C	.	1955	/	6	123	
tazza Aa 2a	Vu t					/	8	123	
tazza Aa 2b	PS					/	95	123	
tazza Aa 2b	S	.				/	1	123	
tazza Aa 2b	Vu t						9	123	22.14
tazza Aa 2c	PB	.	a			/	19	123	
tazza Aa 2c	PB	.			I	/	1	123	
tazza Aa 2c	T	.	a			/	184	123	22.15
tazza Ab	C	.	B	.	XX	/	4	124	
tazza Ab	C	.	L	.	65	/	5	124	22.17
tazza Ab	T	.	M	.	G	/	4	124	22.16

Abbreviazioni bibliografiche

ACCONCIA V., 2004, "I materiali dallo scavo della fornace", in A. CIACCI (a cura di), *Monteriggioni-Campassini. Un sito etrusco dell'Alta Val d'Elsa,* Firenze, pp. 170-172.

ACCONCIA V., BARTOLONI G., 2007, "La casa del re", in L. BOTTARELLI, M. COCCOLUTO, M.C. MILETI (a cura di), *Materiali per Populonia 6*, Pisa, pp. 11-29.

ACCONCIA V., BIANCIFIORI E., GALLUZZI G., MILETTI M., NERI S., PICUCCI S., TEN KORTENAAR S. cds, "Il bucchero di Populonia dalle ricerche dell'Università di Roma, "La Sapienza": nuove acquisizioni e problemi", in *Tra centro e periferia. Nuovi dati sul bucchero nell'Italia centrale tirrenica*, Officina Etruscologia 3.

ADEMBRI B. (a cura di), 2005, *Aeimnestos. Miscellanea di Studi per Mauro Cristofani*, Firenze.

ADRIANI A., 1930, "Veio. Macchia della Comunità", in *NSc*, pp. 46-56.

Agora VIII, T. H. BRANN, *The Athenian Agora VIII: Late Geometric and Protoattic Pottery,* Princeton 1962.

ÅKERSTRÖM Å., 1943, *Der geometrische Stil in Italien: archäologische Grundlagen der frühesten historischen Zeit Italiens,* Lund.

ALBANESE PROCELLI M. R., 2006, "Pilgrim flasks dalla Sicilia", in HERRING *et al.,* pp. 114-125.

ALBERICI C., 1997, "La tomba 66 dalla necropoli della Banditaccia (Caere): una sepoltura falisca o influssi falisci?", in *Notizie dal Chiostro Maggiore*, fasc. LIX-LX, pp. 15-44.

ALBERICI VARINI C., 1999, "Corredi funerari dalla necropoli ceretana della Banditaccia-Laghetto I. Tombe 64, 65, 68", in *Notizie dal Chiostro Maggiore*, suppl. XIX.

ALBIZZATI C., 1924-1929, *Vasi antichi dipinti del Vaticano,* fasc. IV, 19.

Alimentazione 1987, G. BARBIERI (a cura di), *L'alimentazione nel mondo antico. Gli Etruschi,* Roma.

Amsterdam 1989, BRIJDER H.A.G., BEELEN J., VAN DER MEER L.B., *De Etrusken*, catalogo della mostra (Amsterdam 1989), Amsterdam.

ANDRIOMENOU A., 1975, "Gheometrike kai upogheometrike kerameike ex Eretrias", in *AEphem*, pp. 206-229.

ANDRIOMENOU A., 1977, "Gheometrike kai upogheometrike kerameike ex Eretrias II", in *AEphem*, pp. 128-163.

ANDRIOMENOU A., 1981a, "Gheometrike kai upogheometrike kerameike ex Eretrias III (skyphoi)", in *AEphem*, pp. 84-113.

ANDRIOMENOU A., 1981b, "Apsidota oikodomemata kai kerameike tou 8 kai 7 p. Ch. en Eretria", in *ASAtene*, 59, pp. 187-236.

ARIAS P.E., 1969, "Una nuova «fiasca da pellegrino»", in *StEtr* XXXVII, pp. 27-37.

Atene 2003, N. C. STAMPOLIDI, (a cura di), *Ploes. Sea routes from Sidon to Huelva. Interconnections in the Mediterranean,* catalogo della mostra (Atene 2003), Atene.

Atti Firenze 1989, Atti del Secondo Congresso Internazionale Etrusco (Firenze 1985), Roma.

Atti Grosseto 1977, *La civiltà arcaica di Vulci e la sua espansione,* Atti del X Convegno di Studi Etruschi e Italici (Grosseto-Roselle-Vulci 1975), Firenze.

Atti Orvieto 2003, G.M. DELLA FINA (a cura di), *Tra Orvieto e Vulci*, Atti del X Convegno internazionale di Studi sulla Storia e l'Archeologia dell'Etruria (Orvieto 2002), *AnnFaina* X, Roma.

Atti Rieti 1996, *Identità e civiltà dei Sabini,* Atti del XVIII Convegno di Studi Etruschi e Italici (Rieti-Magliano Sabina 1993), Firenze.

Atti Roma 2005, *Dinamiche di sviluppo delle città nell'Etruria meridionale. Veio, Caere, Tarquinia, Vulci*, Atti del XXIII Congresso di Studi Etruschi e Italici (Roma – Veio – Cerveteri/Pyrgi, Tuscania, Vulci, Viterbo 2001), Pisa – Roma.

Atti Sassari 2002, *Etruria e Sardegna centro-settentrionale tra l'età del Bronzo finale e l'arcaismo*,

Atti del XXI Convegno di Studi Etruschi e Italici (Sassari – Alghero – Oristano – Torralba 1998), Pisa-Roma.

AUBET M. E., 1971, *Los marfiles orientalizantes de Praeneste,* Barcelona.

AUBET M.E, 1980, "Nuevos objectos orientales hallados en Vulci", in *CuadRom* 14, pp. 53-73.

BABBI A., PIERGROSSI A., 2005, Per una definizione relativa e assoluta del Villanoviano veiente e tarquiniese", in BARTOLONI, DELPINO 2005, pp. 293-318.

BAGLIONE M. P., DE LUCIA BROLLI M. A., 1990, "Nuovi dati sulla necropoli de "I Tufi" di Narce", in *La civiltà dei Falisci,* Atti del XV Convegno di Studi Etruschi e Italici (Civita Castellana 1987), Roma, pp. 61-102.

BAGLIONE M. P., DE LUCIA BROLLI M. A., 1997, "Veio e i Falisci", in BARTOLONI 1997, pp. 145-171.

BAGLIONE M. P., DE LUCIA BROLLI M. A., 1998, "Documenti inediti nell'archivio storico del Museo di Villa Giulia. Contributi all'archeologia di Narce", in *ArchCl* L, pp. 117-179.

BAGNASCO GIANNI G., 1986, "Ceramica italogeometrica di VIII/VII sec. a.C.", in *Milano* 1986b, pp. 149-151.

BAGNASCO GIANNI G., 1994, "Circolazioni culturali nel mondo antico. Un esempio in Etruria: il piatto spanti", in *StEtr* LIX, pp. 3-21.

BAGNASCO GIANNI G., 1996, "Imprestiti greci nell'Etruria del VII secolo a.C.: osservazioni archeologiche sui nomi di vasi", in A. ALONI, L. DE FINIS (a cura di), *Dall'Indo al Thule: i Greci, i Romani, gli altri,* Atti del convegno internazionale (Trento 1995), Trento, pp. 307-322.

BAGNASCO GIANNI G., 1999, "Ceramica depurata «acroma» e a «bande»", in C. CHIARAMONTE TRERÉ (a cura di), *Tarquinia. Scavi sistematici nell'abitato. Campagne 1982-1988. I materiali 1,* (Tarchna II), Roma, pp. 99-176.

BAGNASCO GIANNI G., 2001, "Ceramica etrusco-geometrica", in M. BONGHI JOVINO (a cura di), *Tarquinia. Scavi sistematici nell'abitato. Campagne 1982-1988. I materiali 2,* (Tarchna III), Roma 2001, pp. 339-369.

BAGNASCO GIANNI G. (a cura di), 2002, *Cerveteri. Importazioni e contesti nelle necropoli,* (Quaderni di Acme 52), Milano.

BAGNASCO GIANNI G., 2006, "A proposito della forma e della funzione della fiaschetta di Poggio Sommavilla", in HERRING *et al.* 2006, pp. 359-369.

BAILO MODESTI G., 1998, "Coppe a semicerchi penduli dalla necropoli di Pontecagnano", in M. BATS, B. D'AGOSTINO, *Euboica. L'Eubea e la presenza euboica in Calcidica e in Occidente,* Atti del Convegno Internazionale (Napoli 1996), Napoli, pp. 368-375.

BARNETT R., 1957, *A catalogue of Nimrud Ivories in the British Museum*, London.

BARTOLONI G., 1972, *Le Tombe da Poggio Buco nel Museo Archeologico di Firenze*, Firenze.

BARTOLONI G., 1975, "Tomba a fossa n. 152; Tomba a fossa n. 68 bis", in *Decima 1975,* pp. 294-322, 344-355.

BARTOLONI G., 1984, "Ancora sulla «*Metopengattung*»: il biconico dipinto da Pitigliano", in *Studi di antichità in onore di Guglielmo Maetzke*, pp. 103-113, Roma.

BARTOLONI G. (a cura di), 1997, *Le necropoli arcaiche di Veio. Giornata di studio in memoria di Massimo Pallottino*, Roma.

BARTOLONI G., 2002, "Appunti sull'introduzione del banchetto nel Lazio: la coppa del principe", in M.G. AMADASI GUZZO – M. LIVERANI – P. MATTHIAE (a cura di), *Da Pyrgi a Mozia. Studi sull'archeologia del Mediterraneo in memoria di Antonia Ciasca, VicOrQuad* 3/1, Roma, pp. 57-68.

BARTOLONI G., 2003, *Le società dell'Italia primitiva,* Roma 2003.

BARTOLONI G., DELPINO F., 1975, "Un tipo di orciolo a lamelle metalliche. Considerazioni sulla prima fase villanoviana", in *StEtr* XLIII, pp. 3-45.

BARTOLONI G., DELPINO F., 2005, (a cura di), *Oriente e Occidente: metodi e discipline a confronto. Riflessioni sulla cronologia dell'età del ferro italiana,* Atti dell'incontro di studi (Roma 2003), *Mediterranea* I, Pisa – Roma.

BARTOLONI G., DELPINO F., 2005a, "Introduzione ai lavori", in BARTOLONI, DELPINO 2005, pp. 9-12.

BARTOLONI P., 2005, "Rotte e traffici nella Sardegna del tardo Bronzo e del primo Ferro", in BERNARDINI, ZUCCA 2005, pp. 29-43.

BARTOLONI P., MOSCATI S., 1995, "La ceramica e la storia", in *RivStFen* 23, pp. 37-45.

BATINO S., 1998, "Contributo alla costruzione di una ideologia funeraria etrusca arcaica: i corredi ceretani tra l'orientalizzante recente e l'età arcaica", in *Ostraka* 7, pp. 7-38.

BEDINI A., 1990, "Abitato protostorico in località Acqua Acetosa Laurentina", in M. R. DI MINO, M. BERTINETTI (a cura di), *Archeologia a Roma. La materia e la tecnica dell'arte antica*, catalogo della mostra (Roma 1990), Roma, pp. 48-64.

BEDINI A., 1992, "Le site de Laurentina Acqua Acetosa", in A. LA REGINA (a cura di), *Rome. 1000 ans de civilisation*, catalogo della mostra (Montreal 1992), Roma, pp. 83-96.

BEIJER A., 1978, "Proposta per una suddivisione delle anfore a spirali", in *MededRom* 40, pp. 7-21.

BELLELLI V., 1997, "Dal Museo di Tarquinia: decoratori etruschi di «Running Dogs»", in *Miscellanea etrusco-italica* II, (QuadAEI 26), pp. 7-54.

BELLELLI V., 2007, "Influenze straniere e ispirazione locale: gli alabastra etrusco-corinzi di forma Ricci 121", in G. M. DELLA FINA (a cura di), *Etruschi, Greci, Fenici e Cartaginesi nel Mediterraneo centrale,* Atti del XIV Convegno internazionale di Studi sulla Storia e l'Archeologia dell'Etruria (Orvieto 2006), *AnnFaina* XIV, pp. 293-324.

BENSON J.L., 1970, *Horse, bird and man. The origins of greek painting,* Amhrest.

BENSON J.L., 1989, *Earlier Corinthian Workshops. A study of corinthian geometric and protocorinthian stylistic groups*, Amsterdam.

BENTON S., 1953, "Further Excavations at *Aetos*", in *BSA* 48, p. 255-358.

BERGGREN E., BERGGREN K., 1972, *San Giovenale I, 5. The necropoleis of Porzarago, Grotte Tufarina and Montevangone,* Stockholm.

Berlin 1988, *Die Welt der Etrusker. Archäologische Denkmäler aus Museen der sozialistischen Länder,* catalogo della mostra (Berlin), Berlin 1988.

BERNARDINI P., ZUCCA R. (a cura di), 2005, *Il Mediterraneo di Herakles,* Atti del Convegno di Studi (Sassari-Oristano 2004), Roma.

BETTELLI M., 1997, *Roma. La città prima della città: i tempi di una nascita*, Roma.

BETTINI M. C., 1988, "Un gruppo di askòi visentini", in *StEtr* LV, pp. 67-74.

BETTINI M. C., 2009, "Situle d'impasto dell'età del ferro in Etruria. Un vaso cerimoniale", in BRUNI 2009, pp. 111-123.

BIELLA M.C., 2007, *Impasti orientalizzanti con decorazione ad incavo nell'Italia centrale tirrenica*, Roma.

BIELLA M.C., cds, "Oggetti iscritti e tradizioni artigianali di età orientalizzante in agro falisco", in G. BAGNASCO GIANNI, M.C. BIELLA, M. CANTÙ, A. GOBBI, N. SCOCCIMARRO, "Quali Etruschi maestri di scrittura" *in Convivenze etniche e contatti di culture. Mamerco impara a scrivere*, Atti del Seminario di Studi (Milano 2009).

BIETTI SESTIERI A. M., DE SANTIS A., 1992, "La classificazione dei manufatti mobili", in A. M. BIETTI SESTIERI (a cura di), *La necropoli laziale di Osteria dell'Osa*, Roma, pp. 219-438.

BLAKEWAY A., 1932-1933, "Prolegomena to the study of Greek Commerce with Italy, Sicily and France in the Eight and Seventh Centuries B.C.", in *BSA* 33, p. 170-208.

BLAKEWAY A., 1935, "*Demaratus.* A Study in Some Aspects of the Earliest Hellenization of Latium and Etruria", in *JRS* 25, pp. 129-149.

BLINKEBERG C., JOHANSEN FRIIS K., 1924-1963, *CVA Copenhague, Musée National 5. Denmark 5,* Paris.

Blomberg M., Von Heland M., Thune Malmgren C., Wikander C., 1983, *CVA Stockholm, Medelhavsmuseet and Nationalmuseum* 1, *Sweden 2,* Stockholm.
Boardman J., 1952, "Pottery from Eretria", in *BSA* 47, pp. 1-48.
Boardman J., 1960, "The Multiple Brush", in *Antiquity* XXXIV, pp. 85-89.
Boardman J., 1998, *Early Greek Vase Painting*, London.
Boehlau J., 1888, "Bötische Vasen", in *JdI 3*, pp. 325-364.
Boehlau J., 1900, "Die Grabfunde von Pitigliano im Berliner Museum", in *JdI* XV, pp. 155-195.
Bocci P., 1961, "Alcuni vasi inediti del Museo di Firenze", in *StEtr* XXIX, pp. 89-107.
Boitani F., 1982, "Veio. Nuovi rinvenimenti nella necropoli di Monte Michele", in *Archeologia nella Tuscia* I (Viterbo 1980), Roma, pp. 95-103.
Boitani F., 1983, "Veio: la tomba "principesca" della necropoli di Monte Michele", in *StEtr* LI, 1983 (1985), pp. 533-556.
Boitani F. (a cura di), 1990, *La civiltà degli Etruschi. Scavi e studi recenti,* catalogo della mostra (Osaka-Tokyo 1990-1991), Roma.
Boitani F., 2001a, "La ceramica greca e di tipo greco a Veio nell'VIII sec. a.C.", in *Roma* 2001, pp. 106-11.
Boitani F., 2001b, "La tomba principesca n. 5 di Monte Michele", in *Roma* 2001, pp. 113-118.
Boitani F., 2003, "Necropoli di Monte Michele, tomba principesca", in *Formello* 2003, pp. 81-84.
Boitani F., 2005, "Le più antiche ceramiche greche e di tipo greco a Veio", in Bartoloni, Delpino 2005, pp. 319-332.
Boitani F., 2010, "Veio, la Tomba dei Leoni Ruggenti: dati preliminari", in *Daidalos* 10, pp. 23-47.
Boitani F., Neri S., Biagi F., cds, "Riflessi della ceramica geometrica nella più antica pittura veiente", in *Meetings between cultures in the ancient Mediterranean*, Proceedings of the 17th International Congress of Classical Archaeology (Roma 2006).
Bologna 2000, Aa.Vv., *Principi etruschi tra Mediterraneo ed Europa,* catalogo della mostra (Bologna 2000), Venezia.
Bonamici M., 1973, *I buccheri con figurazioni graffite,* Firenze.
Bonamici M., 2000, "La struttura economica", in *Venezia* 2000, pp. 73-87.
Bonamici M., 2003a, *Volterra. L'acropoli e il suo santuario. Scavi 1987-1995,* Pisa.
Bonamici M., 2000b, "Il bucchero nero", in Bonamici 2003a, pp. 199-211.
Bonamici M., Pistolesi M., 2003, "Impasti di età orientalizzante", in Bonamici 2003a, pp. 191-197.
Bonghi Jovino M., 1979, "L'Etruria e la Collezione Lerici", in *Le Civiche raccolte archeologiche di Milano*, Milano, pp. 130-137.
Bonn 2008, M. Bentz (a cura di), *Rasna. Die Etrusker*, catalogo della mostra (Bonn 2008), Bonn.
Borriello M., 1991, *CVA Napoli. Collezione Spinelli IV. Italia 166,* Roma.
Brandt J.R., Jarva E., Fischer-Hansen T., 1997, "Ceramica di origine e d'imitazione greca a Ficana nell'VIII sec. a.C.", in Bartoloni 1997, pp. 219-231.
Brann E., 1961, "Protoattic Well Groups from the Athenian Agora", in *Hesperia* XXX, pp. 305-379.
Briquel D., 1991, "Nota sui vasi con iscrizione «*karkanas*» del Museo del Louvre", in Naso 1991, pp. 120-126.
Brokaw C., 1964, "The Dating of the Protocorinthian Kotyle", in *Essays in Memory of Karl Lehmann*, New York, pp. 49-54.
Bruni S., 1986, "Macchia della Turchina", in *Milano* 1986b, pp. 224-230.

BRUNI S., 1994, "Prima di Damarato; nuovi dati sulla presenza di ceramiche greche a Tarquinia durante la prima metà dell'orientalizzante, in *La presenza etrusca nella Campania meridionale*, Atti delle giornate di studio (Salerno-Pontecagnano 1990), Firenze, pp. 293-312.

BRUNI S., 2004, "Presenze greche a Pisa", in G. M. DELLA FINA (a cura di), *I Greci in Etruria,* Atti dell'XI Convegno internazionale di Studi sulla Storia e l'Archeologia dell'Etruria (Orvieto 2003), *AnnFaina* XI, pp. 227-269.

BRUNI S., 2009, (a cura di), *Etruria e Italia preromana. Studi in onore di Giovannangelo Camporeale*, Pisa-Roma.

BRUNI S., 2009a, *Le ceramiche corinzie ed etrusco-corinzie*, (Gravisca. Scavi nel santuario greco), Bari.

BULANDA E., BULAS K., 1936, *CVA Pologne IV B*. Pologne 3, Varsavia-Cracovia.

BUCHNER G., 1981, "*Pithekoussai*: alcuni aspetti peculiari", in *Grecia, Italia e Sicilia* 1981, pp. 263-274.

BURANELLI F., 1980, "Nota su un sostegno fittile geometrico da Veio", in *MEFRA* 92, 1980/2, pp. 577-589.

BURANELLI F., 1981, "Proposta di interpretazione dello sviluppo topografico della necropoli di Casale del Fosso a Veio", in R. PERONI, (a cura di), *Necropoli e usi funerari nell'età del Ferro*, Bari, pp. 19-45.

BURANELLI F., 1982, "Un'iscrizione etrusca arcaica dalla tomba V di Riserva del Bagno a Veio", in *StEtr* L, pp. 91-102.

BURANELLI F., DRAGO L., PAOLINI L., "La necropoli di Casale del Fosso", in BARTOLONI 1997, pp. 63-83.

BUSING-KOLBE A., 1977, *CVA Mainz, Römisch-Germanisches Zentralmuseum 1. Deutschland 42,* Mainz.

CAMPOREALE G., 1962, "Brocchetta cipriota dalla tomba del Duce di Vetulonia", in *ArchCl* XIV, pp. 61-70.

CAMPOREALE G., 1964, "Rapporti tra Tarquinia e Vetulonia in epoca villanoviana", in *StEtr* XXXII, pp. 3-28.

CAMPOREALE G., 1977, "Irradiazione della cultura vulcente nell'Etruria centro-orientale", in *Atti Grosseto* 1977, pp. 215-233.

CAMPOREALE G., 1984, *La caccia in Etruria,* Roma 1984.

CAMPOREALE G., 1991, L*a collezione C. A. Impasti e buccheri, I,* Roma.

CAMPOREALE G., 1995, "Un ceramista ceretano a Massa Marittima nel tardo orientalizzante", in *StEtr* LX, (1994), pp. 69-77.

CANCIANI F., 1966, *CVA Heidelberg, Universität 3. Deutschland 27,* München.

CANCIANI F., 1974, *CVA. Tarquinia, Museo Nazionale 3. Italia 55*, Roma.

CANCIANI F., 1974-1975, "Un biconico dipinto da Vulci", in *DialA* 8, pp. 79-85.

CANCIANI F., 1976, "Tre nuovi vasi «italo-geometrici» del Museo di Villa Giulia", in *Prospettiva* 4, pp. 26-29.

CANCIANI F., 1987, "La ceramica geometrica", in MARTELLI 1987, pp. 9-15.

CANCIANI F., 2005, "Piatti tra geometrico e orientalizzante", in ADEMBRI 2005, pp. 210-211.

CAPPUCCINI L., 2007, "I kyathoi etruschi di Santa Teresa di Gavorrano e il ceramista *Paiθina*", in *RM* 113, pp. 217-240.

CARBONARA A., MESSINEO G., PELLEGRINO A., 1996, *La necropoli etrusca di Volusia*, Roma.

CARUSO I., 1986, "Attività archeologica a Barbarano Romano", in *Archeologia nella Tuscia* II, (Viterbo 1984), Roma, pp. 127-144.

CARUSO I., 2000, "L'orientalizzante nell'Etruria interna: l'esempio della necropoli di Barbarano Romano – S. Giuliano", in F. PRAYON – W. RÖLLING (a cura di), *Der Orient und Etrurien,* Atti del colloquio (Tübingen 1997), Pisa-Roma, pp. 245-252.

CARUSO I., 2005, "Trevignano Romano: influenze ceretane e veienti nelle fasi dell'orientalizzante recente e dell'arcaismo maturo", *Atti Roma* 2005, pp. 301-306.
CASCIANELLI M., 2003, *La Tomba Giulimondi di Cerveteri,* Città del Vaticano.
CATALDI M., 1975, "Tomba a fossa n. 7; tomba a fossa n. 4", in *Decima* 1975, pp. 322-344.
CATALDI M., 1986, "Materiale sporadico (Raccolta Tarquiniese)", in *Milano* 1986b, pp. 230-235.
CATALDI M., 2000, "La «tomba 1» di Poggio Cretoncini: contributo alla conoscenza dell'Orientalizzante tarquiniese", in *Damarato* 2000, pp. 76-85.
CATALDI M., 2001, "Tomba a fossa «dei due giovinetti» (6337)", in A. M. MORETTI SGUBINI (a cura di), T*arquinia etrusca. Una nuova storia*, catalogo della mostra (Tarquinia 2001), Roma, pp. 95-99.
CAVAGNARO VANONI L., 1966, *Materiali di antichità varia, V. Concessioni alla Fondazione Lerici*, Cerveteri, Roma.
CECCANTI M., COCCHI D., 1980, "Materiali ceramici rinvenuti a Vulci nella necropoli di Mandrione di Cavalupo", in *StEtr* XLVIII, pp. 21-26.
CELUZZA M. G. (a cura di), 2000, *Vulci e il suo territorio nelle collezioni del Museo Archeologico e d'Arte della Maremma*, catalogo della mostra (Bologna 2000), Milano.
CERCHIAI L., 2002, "Il piatto della tomba 65 di Acqua Acetosa Laurentina e i pericoli del mare", in *Ostraka* 11, pp. 29-39.
CHELINI C., 2004, "L'Antiquarium di Orbetello: ceramica etrusco-geometrica, etrusco-corinzia e buccheri", in *Daidalos* 6, pp. 31-112.
CHERICI A., 1988, *Ceramica etrusca della collezione Poggiali di Firenze,* Roma 1988.
CHILDE V.G., 1960, *I frammenti del passato*, trad. italiana Feltrinelli Milano, (ed. originale 1956).
CHRISTIANSEN J., 1973, "Italo-geometrisk keramik i Glyptoteket", in *MeddelGlypt* 30, pp. 37-60.
CHRISTIANSEN J., 1984, "A Pair of amphorae from Caere", in *AnalRom*13, pp. 7-23.
CIAMPOLTRINI G., PAOLETTI O., 1995, "L'insediamento costiero in Etruria nell'VIII secolo a.C.: il «caso» del territorio fra Chiarone e Albegna", in *StEtr* LX, (1994), pp. 47-67.
CIANFERONI G.C., 2002, "L'alta Valdelsa in età orientalizzante e arcaica", in M. MANGANELLI E. PACCHIANI (a cura di), *Città e territorio in Etruria. Per una definizione di città nell'Etruria Settentrionale,* Giornate di Studio (Colle di Val d'Elsa 1999), Colle di Val d'Elsa, pp. 83-125.
CLOSE BROOKS, J., 1965, "Proposta per una suddivisione in fasi", in *NSc*, pp. 53-64.
COEN A., 1991, *Complessi tombali di Cerveteri con urne cinerarie tardo-orientalizzanti*, Firenze.
COLDSTREAM J. N., 1968a, *Greek Geometric Pottery*, London (nuova ed. 2008).
COLDSTREAM J. N., 1968b, "A Figured Geometric Oinochoe from Italy", in *BICS* 15, pp. 86-95.
COLDSTREAM J. N., 1971, "The Cesnola Painter: a Change of Address", in *BICS* 18, pp. 1-15.
COLDSTREAM J. N., 1977, *Geometric Greece,* London.
COLDSTREAM J. N., 1981, "Some Poeculiarities of the Euboean Geometric Figured Style", in *Grecia, Italia e Sicilia* 1981, pp. 241-250.
COLDSTREAM J. N., 1983, "The Meaning of the Regional Styles in the Eighth Century B. C." in R. HAGG (ed.), *The Greek Renaissance of Eighth Century B.C.: Tradition and Innovation*", Proceedings of the Second International Symposium at the Swedish Institute in Athens (Athens 1981), (*Skrifter utgvina av svenska Institutet i Athen,* 4.XXX), Stockholm, pp. 17-25.
COLDSTREAM J. N., 1994, "Warriors, chariots, dogs and lions: a new attic geometric amphora", in *BICS* 39, pp. 85-94.
COLDSTREAM J. N., 1998, "Drinking and eating in Euboean Pithekoussai", in M. BATS, B. D'AGOSTINO (a cura di), *Euboica. L'Eubea e la presenza euboica in Calcidica e in Occidente,*

Atti del convegno internazionale (Napoli 1996), Napoli, pp. 303-310.
COLDSTREAM J. N., 2000, "Some inusual geometric scenes from euboean *Pithekoussai*", in *Damarato* 2000, pp. 92-98.
COLONNA G., 1961, "Il ciclo etrusco-corinzio dei Rosoni. Contributo alla conoscenza della ceramica e del commercio vulcente", in *StEtr* XXIX, pp. 83-84.
COLONNA G., 1968, "REE, Caere n. 2", in *StEtr* XXXVI, pp. 268-272.
COLONNA G., 1970, "Una nuova iscrizione etrusca del VII secolo e appunti sull'epigrafia ceretana dell'epoca", in *MEFRA* 82, pp. 637-672.
COLONNA G., 1973-1974, "Nomi etruschi di vasi", in *ArchCl* XXV-XXVI, pp. 132-150.
COLONNA G., 1977a, "Un tripode fittile geometrico dal Foro Romano", in *MEFRA* 89, pp. 471-491.
COLONNA G., 1977b, "La presenza di Vulci nelle valli del Fiora e dell'Albegna prima del IV sec. a.C.", in *Atti Grosseto* 1977, pp. 189-214.
COLONNA G., 1977c, "Nome gentilizio e società", in *StEtr* XLV, pp. 175-192.
COLONNA G., 1977d, "Osservazioni su due iscrizioni vulcenti del VII secolo", in *Atti Grosseto* 1977, pp. 77-81.
COLONNA G., 1980, "*PARERGON*. A proposito del frammento geometrico dal Foro", in *MEFRA* 92, 1980/2, pp. 591-605.
COLONNA G., 1981, "REE, Veii n. 30", in *StEtr* IL, p. 258.
COLONNA G., 1984, "Etrusco θAPNA: latino DAMNUM", in *Opus* 3.2, pp. 311-318.
COLONNA G., 1988, "La produzione artigianale", in *Storia di Roma I. Roma in Italia*, Torino, pp. 292-316.
COLONNA G, 1994, s.v. "Etrusca, arte", in *EAA*, Secondo suppl. II, 1971-1994, pp. 554-605.
COLONNA G., 1995, "Etruschi a Pitecusa nell'orientalizzante antico", in A. STORCHI MARINO (a cura di), *L'incidenza dell'antico. Studi in memoria di Ettore Lepore*, I, Atti del Convegno internazionale (Anacapri 1991), Napoli, pp. 325-342.
COLONNA G., 2000a, "*I Thyrrhenoi* e la battaglia del Mare Sardonio", in P. BERNARDINI, P.G. SPANU, R. ZUCCA (a cura di), Μάχη. *La battaglia del Mare Sardonio,* Cagliari-Oristano, pp. 47-56.
COLONNA G., 2000b, "La cultura orientalizzante in Etruria", in *Bologna* 2000, pp. 55-66.
COLONNA G., 2003, "I rapporti tra Orvieto e Vulci dal Villanoviano ai fratelli Vibenna", in *Atti Orvieto* 2003, pp. 511-533.
COLONNA G., DI PAOLO E., 1998, "Il letto vuoto, la distribuzione del corredo e la «finestra» della Tomba Regolini Galassi", in *Etrusca et Italica, scritti in ricordo di Massimo Pallottino*, Roma, pp. 131-172.
CONTI A., 2009, "Pitigliano, Poggio Buco", in *Grosseto* 2009, pp. 127-143.
COOK R. M., 1992, *Greek Painted Pottery,* (third edition), London.
CORDANO F., 1975, "Tomba 108", in *Decima* 1975, pp. 393-408.
Corinth VII:1, S. S. WEINBERG, *Corinth VII:1. The Geometric and Orientalizing Pottery,* Cambridge, Mass., 1943.
COSENTINO R., 1988, "scheda", in AA.VV., *I beni culturali della Difesa. La difesa dei beni culturali*, catalogo della mostra (Roma 1998), Roma, p. 77.
COURBIN P., 1966, *La céramique géométrique de l'Argolide,* Paris.
COZZA A., PASQUI A., 1981, *Carta archeologica d'Italia (1881-1897). Materiali per l'agro falisco,* (Forma Italiae II. 2), Firenze.
CRISTOFANI M., 1969, *Le Tombe da Monte Michele nel Museo Archeologico di Firenze*, Firenze.
CRISTOFANI M., 1972, "Osservazioni sul kyathos di Monteriggioni", in *StEtr* XL, pp. 84-94.
CRISTOFANI M., 1977, "Problemi poleografici dell'agro cosano e caletrano in età arcaica", in *Atti Grosseto* 1977, pp. 235-257.

CRISTOFANI M., 1983, "I Greci in Etruria", in *Forme di contatto e processi di trasformazione nelle società antiche*, Atti del Convegno di Cortona (Cortona 1981) (Collection de l'École Française de Rome 67), Pisa-Roma, pp. 239-255.
CRISTOFANI M., 1984, *Gli Etruschi. Una nuova immagine*, Firenze.
CRISTOFANI M., MARTELLI M., 1983, *L'oro degli Etruschi,* Novara.
CRISTOFANI M., RIZZO M. A., 1987, "Iscrizioni vascolari dal tumulo III di Cerveteri", in *StEtr* LIII (1985), pp. 151-159.
CRISTOFANI M., ZEVI F., 1965, "La tomba Campana di Veio. Il corredo", in *ArchCl* XVII, pp. 1-35.
CULICAN W., 1968, "Quelques aperçus sur les ateliers phéniciens", in *Syria* XLV, pp. 275-293.
CULTRERA G., 1930, "Tarquinia. Scoperte nella necropoli", in *NSc*, pp. 113-184.
D'AGOSTINO B., 1968, "Pontecagnano. Tombe orientalizzante in contrada S. Antonio", in *NSc*, pp. 75-196.
D'AGOSTINO B., 1979, "Le necropoli protostoriche della Valle del Sarno. La ceramica di tipo greco", in *AnnAStorAnt* I, pp. 59-75.
D'AGOSTINO B., 1990, "Relations between Campania, Southern Etruria and the Aegean in Eighth Century BC", in DESCOEUDRES 1990, pp. 73-85.
D'AGOSTINO B., 1999, "Il leone sogna la preda", in *AnnAStorAnt* n.s. 6, pp. 25-33.
D'AGOSTINO B., 2005, "Osservazioni sulla prima età del ferro nell'Italia meridionale", in BARTOLONI, DELPINO 2005, pp. 437-440.
Damarato 2000, AA. VV., *Damarato. Studi di antichità classica offerti a Paola Pelagatti*, Milano.
DAVISON J. M., 1972, *Seven italic tomb-groups from Narce,* Firenze.
DE AGOSTINO A., 1963, "La tomba delle Anatre a Veio", in *ArchCl* XV, pp. 219-222.
DE AGOSTINO A., 1964, *La tomba delle Anatre*, (Quaderni di Villa Giulia 1), Roma.
Decima 1975, Aa. Vv., "Castel di Decima (Roma). La necropoli arcaica", in *NSc*, pp. 233-408.
DEHL C., 1983, "Cronologia e diffusione della ceramica corinzia dell'VIII sec. a.C. in Italia", in *ArchCl* XXXV, pp. 186-204.
DEHL C., *Die korinthische Keramik des. 8 und frühen 7. Jhs. v. Chr. in Italien. Untersuchungen zu ihrer Chronologie und Ausbreitung* (Mitteilungen des Deutsches Archeologischen Instituts. Atenische Abteilung. Beihefte 11), Berlin 1984.
DE LA GENIÉRE J., 1968, *Recherches sur l'âge du fer en Italie méridionale. Sala Consilina*, Napoli.
Delos X, C. DUGAS, *Exploration archéologique de Delos X. Les vases de l'Heraion,* Paris 1928.
Delos XV, C. DUGAS, C. RHOMAIOS, *Exploration archéologique de Delos XV. Les vases prehelléniques et géometriques*, Paris 1934.
Delos XVII, C. DUGAS, *Exploration archéologique de Delos XVII. Les vases orientalisants de style non Melien*, Paris 1953.
Delos XLI, ZAPHIROPOULOS F., *Delos XLI. La céramique «melienne»,* Paris 2003.
DELPINO F., 1985, *Cronache veientane. Storia delle ricerche archeologiche a Veio I. Dal XIV alla metà del XIX secolo,* Roma.
DELPINO F., 2000, "Il principe e la cerimonia del banchetto", in *Bologna* 2000, pp. 193-195.
DELPINO F., FUGAZZOLA DELPINO M.A., 1976, "Vasi biconici tardo-geometrici", in *ArchCl* XXVIII, 1976, pp. 1-9.
DE MARINIS G., 1996, "Firenze: archeologia e storia dell'insediamento urbano", in *Alle origini di Firenze. Dalla preistoria alla città romana*, catalogo della mostra (Firenze 1996), Firenze, pp. 36-54.
DE PUMA R., 1986, *Etruscan tomb-groups. Ancient pottery and bronzes in Chicago's Field*

Museum of Natural History, Mainz am Rhein.
De Puma R., 2000, *CVA J. Paul Getty Museum-Malibu, 9. USA 34*, Malibu.
Dik R., Donker C.E., 1980, "Een etruskische amfoor in het Allard Pierson Museum", in *VerAmstMeded* 21, pp. 2-10.
De Santis A., 1997, "Alcune considerazioni sul territorio veiente in età orientalizzante e arcaica", in Bartoloni 1997, pp. 101-143.
De Santis A., 2003, "Necropoli di Vaccareccia, il tumulo", in *Formello* 2003, pp. 84-99.
De Spagnolis M., 2001, *Pompei e la valle del Sarno in epoca preromana,* Roma.
Descoeudres J. P., 1990 (a cura di), *Greek Colonists and Native Populations,* Atti del Convegno (Canberra 1990), Oxford.
Dik R., 1980, "Un'anfora etrusca con raffigurazioni orientalizzanti da Veio", in *MededRom* 42, pp. 15-30.
Dik R., 1981a, "Un'anfora orientalizzante etrusca nel museo Allard Pierson", in *BABesch* 56, pp. 45-74.
Dik R., 1981b, "Un'oinochoe ceretana con decorazione di pesci: implicazioni culturali", in *MededRom* 43, pp. 69-81.
Donati L., 1989, *Le tombe da Saturnia nel Museo Archeologico di Firenze,* Firenze.
Dräger O., 1996, *CVA Erlangen, Antikesammlung der Friederich-Alexander-Univesität, 1. Deutscland 67* München.
Drago Troccoli L., 2005, "Una coppa di principi nella necropoli di Casale del Fosso a Veio", in *Atti Roma* 2005, pp. 87-124.
Guidi A., 1993, *La necropoli veiente di Quattro Fontanili nel quadro della fase recente della prima età del Ferro*, Firenze.
Edinburgh 2004, *Treasures from Tuscany. The etruscan legacy*, catalogo della mostra (Edinburgh 2004), Edinburgh.
Fadda M. A., 2002, "Nuove acquisizioni sull'architettura cultuale della Sardegna nuragica", in *Atti Sassari* 2002, pp. 311-331.
Falconi Amorelli M. T., 1969, "Corredi di tre tombe rinvenute a Vulci nella necropoli di Mandrione di Cavalupo", in *StEtr* XXXVII, pp. 181-211.
Falconi Amorelli M. T., 1971, "Materiali archeologici da Vulci", in *StEtr* XXXIX, pp. 193-211.
Falconi Amorelli M. T., 1977, "Inediti e semiediti di Vulci", in *Atti Grosseto* 1977, pp. 71-76.
Falconi Amorelli M. T., 1983, *Vulci. Scavi Bendinelli (1919-1923),* Roma.
Fariello Sarno M., 2000, "Il territorio caudino", in *Studi sull'Italia dei Sanniti,* Roma, pp. 56-68.
Felletti Maj B. M., 1953, *CVA Museo Preistorico L. Pigorini, I. Italia 21*, Roma.
Firenze 1985, M. Cristofani (a cura di), *Civiltà degli Etruschi*, catalogo della mostra (Firenze 1985), Milano.
Formazione 1980, *La formazione della città nel Lazio,* Atti del seminario (Roma 1977), in *DialA* n.s. 2, 1-2.
Formello 2003, I. Van Kampen (a cura di), *Dalla capanna alla casa. I primi abitanti di Veio*, catalogo della mostra (Formello 2003), Roma.
Fortini P. (a cura di), 1987, *Monte Romano. Indagine di un territorio e materiali dall'Antiquarium*, Roma.
Frère D., 2007, "Parfums, huiles et crèmes parfumées en Etruria orientalisante", in *Mediterranea* III (2006), pp. 87-119.
Gabrici E., 1913a, "Cuma", in *MonAnt* XXII, pp. 5-448.
Gabrici E., 1913b, "Cenni sull'origine dello stile geometrico di Cuma e sulla propagazione sua in Italia", in *MemNap* 2, pp. 57-108.
Galante G., 2002, *La necropoli di Macchia della Comunità. Tombe 1-32,* tesi di laurea,

Cattedra di Etruscologia e Archeologia Italica (rel. Prof.ssa G. Bartoloni), Università "La Sapienza" di Roma, A.A. 2001-2002.
GALLI E., 1912, "Il sepolcreto visentino delle Bucacce", in *MonAnt* XXI, pp. 409-498.
GARDIN J.C., 1979, *Une archeologie theorique,* Paris.
GARDNER P., 1904, "Vase added to the Ashmolean Museum", in *JHS* 24, pp. 213-216.
GARGANA A., 1932, "Bieda. Ritrovamento di tombe etrusche in contrada «Pian del Vescovo»", in *NSc*, pp. 485-505.
GASTALDI P., 1979, "Le necropoli della Valle del Sarno: proposta per una suddivisione in fasi", in *AnnAStorAnt* I, pp. 13-57.
GAUNT J., 2005, *CVA Harrow School. Great Britain 21* Oxford.
GIEROW P. G., 1964, *The Iron Age culture of Latium II. The Alban Hills,* (Acta Instituti Romani Regni Sueciae 4, XXIV, 2), Lund.
GIEROW P. G., 1966, *The Iron Age Culture of Latium I. Classification and analysis,* (Acta Instituti Romani Regni Sueciae 4, XXIV, 2), Lund.
GIGLIOLI G.Q., BIANCO V., 1965, *CVA Roma, Musei Capitolini III C. Italia 39,* Roma.
GILOTTA F., 1985, "Etrusco-geometrica, ceramica", in M. CRISTOFANI (a cura di), *Dizionario della civiltà etrusca,* Firenze, pp. 102-103.
GINGE B., 1996, *Excavations at Satricum (Borgo Le Ferriere) 1907-1910: Northwest necropoli, Southwest sanctuary and Acropolis,* Amsterdam.
GIULIANO A., 2005, "Protoattici in Occidente", in ADEMBRI 2005, pp. 64-72.
GJERSTAD E., 1956, *Early Rome II. The Tombs,* (Acta Instituti Romani Regni Sueciae 4, XVII, 2), Lund.
GJERSTAD E., 1966, *Early Rome IV. Synthesis of Archaeological evidence,* (Acta Instituti Romani Regni Sueciae 4, XVII, 4), Lund.
GRAN-AYMERICH J., 1991, "A propos du calice d'impasto et des oenochoes peintes avec inscription «karkanas» du Musée du Louvre", in NASO 1991, pp. 111-120.
Grecia, Italia e Sicilia 1981-1983, *Grecia, Italia e Sicilia nell'VIII e nel VII secolo a.C.,* Atti del Convegno internazionale (Atene 1979), *ASAtene* 59-61.
GREGORI D., 1991, "Una bottega vetuloniese di buccheri ed impasti orientalizzanti decorati a stampiglia", in *Studi e Materiali* VI, pp. 64-81.
Grosseto 2009, M.G. CELUZZA (a cura di), *Signori di Maremma. Elites etrusche fra Populonia e il Vulcente,* catalogo della mostra (Grosseto 2009), Firenze.
GSELL S., 1891, *Fouilles dans la Nécropole de Vulci,* Paris.
GUERRESCHI G., CESCHIN N., 1985, "Codice d'analisi della ceramica preistorica. Seconda edizione riveduta e ampliata", in *Padusa* 21, pp. 3-54.
GUIDI A., 1980, *Subiaco. La collezione Ceselli nel monastero di Santa Scolastica,* Roma.
HAFNER G., 1951, *CVA Karlsruhe, Bandisches Landesmuseum 1. Deutschland 7,* München.
HALL DOHAN E., 1942, *Italic tomb-groups in the University Museum*, Philadelphia.
HAMPE R., 1960, *Früattische Grabfund,* Mainz a. Kh.
HELBIG W., 1885, "Scavi di Corneto", in *Bullettino dell'Istituto di Corrispondenza Archeologica*, pp. 77-82.
HENCKEN H., 1968, *Tarquinia, Villanovians and early Etruscans,* Cambridge.
HERRING E., LEMOS I., LO SCHIAVO F., VAGNETTI L., WHITEHOUSE R., WILKINS J. (a cura di), 2006, *Across Frontiers. Etruscans, Greeks, Phoenicians and Cypriots. Studies in honour of David Ridgway and Francesca Serra Ridgway*, London.
HESS R., 1963, *Raccolta R.H. Aus einer privaten Antikensammlung,* Basel.
HIRSCHLAND RAMAGE N., 1970, "Studies in Early Etruscan Bucchero", in *BSR* XXXVIII, pp. 1-61.
HOFFMANN A., 2004, "Katalog", in *Die Etrusker*, catalogo della mostra (Hamburg 2004), Hamburg, pp. 88-121.

HÖLBL G., 1979, *Beziehungen der Ägyptischen Kultur zu Altitalien,* Leiden.
ISLER H. P., 1983, "Ceramisti greci in Etruria", in *NumAntCl*, XII, pp. 8-48.
JACOPI G., 1955, *CVA Museo Nazionale Tarquiniense I. Italia 25*, Roma.
Jerusalem 1991, I. JUCKER (a cura di), *Italy of the Etruscans*, catalogo della mostra (Jerusalem 1991), Jerusalem.
JOHANNOWSKY W., 1983, *Materiali di età arcaica dalla Campania,* Napoli.
JOHANSEN K. F., 1923, *Les vases Sicyoniens,* Paris.
JURGEIT F., 1999, "Sulla tomba del Guerriero di Tarquina", in A. MANDOLESI, A. NASO (a cura di), *Ricerche archeologiche in Etruria meridionale nel XIX secolo,* Atti dell'incontro di studio (Tarquinia 1996), Firenze, pp. 33-36.
Kerameikos V: 1, K. KUBLER, *Kerameikos V: 1. Die Nekropole des 10. bis. 8. Jahrhunderts,* Berlin 1954.
Kerameikos VI: 1-2, K. KUBLER, *Kerameikos VI: 1-2. Die Nekropole des späten 8. bis frühen 6. Jahrhunderts,* Berlin 1959.
KNAUSS F., 1997, *Der lineare Inselstil. Eine kykladische Keramikwerkstatt am Übergang von der spätgeometrischen zur archaischen Zeit,* Saarbrücken.
KRAIKER W., 1951, *Aigin, Die vasen des 10 bis 7 Jaharhunderts v. Chr.,* Berlin.
KUNISCH N., 1994, *Ornamente geometrischer Vasen,* Köln.
La céramique 1982, AA.VV., *La céramique grecque ou de tradition grecque au VIII siécle en Italie centrale et méridionale,* (Cahiers du Centre J. Bérard, III), Napoli.
LAFORGIA E. (a cura di), 2003, *Il Museo Archeologico di Calatia,* Napoli.
LAMBRUGO C., 2002, "Ceramica protocorinzia e corinzia", in BAGNASCO GIANNI 2002, pp. 539-557.
LA PLACE G., 1964, *Essai de tipologie systématique*, in Annali dell'Università di Ferrara, n.s., Sez. XV, vol. I, suppl. II.
LA ROCCA E., 1974-1975, "Due tombe dell'Esquilino. Alcune novità sul commercio euboico in Italia centrale nell'VIII sec. a.C.", in *DialA* 8, pp. 86-105.
LA ROCCA E., 1977, "Note sulle importazioni greche in territorio laziale nell'VIII sec. a.C.", in *PP* XXXII, pp. 375-397.
LA ROCCA E., 1978, "Crateri in argilla figulina del Geometrico Recente a Vulci. Aspetti della produzione ceramica d'imitazione euboica nel villanoviano avanzato", in *MEFRA* 90, pp. 465-514.
LEACH S.S., 1987, *Subgeometric pottery from southern Etruria,* Goteborg.
Lefkandi I, M. R. POPHAN, L. H. SACKETT. P. G. THEMELIS, *Lefkandi I. The Iron Age. The Settlement and the Cemeteries,* Oxford 1979.
Les Cyclades 1983, *Les Cyclades. Materiaux pour une étude de gèographie historique*, Table ronde réunie à l'Université (Dijon 1982), Dijon.
LEVI D., 1933, "La necropoli etrusca del Lago dell'Accesa e altre scoperte archeologiche nel territorio di Massa Marittima", in *MonAnt* XXXV, cc. 5-132.
LO PORTO F. G., 1969, *CVA Museo di Antichità di Torino 2, III C. Italia 40*, Roma.
LO SCHIAVO F., 1996, "Una «fiasca del pellegrino» miniaturistica", in *Alle soglie della classicità. Il mediterraneo tra tradizione e innovazione. Studi in onore di Sabatino Moscati*, Pisa-Roma, pp. 843-848.
LO SCHIAVO F., 2000, "Forme di contenitori di bronzo e di ceramica: documenti e ipotesi", in *La ceramica fenicia di Sardegna. Dati, problematiche, confronti.* Atti del I Congresso internazionale sulcitano (S. Antioco 1997), Roma, pp. 207-223.
LO SCHIAVO F., 2002, "Osservazioni sul problema dei rapporti fra Sardegna ed Etruria in età Nuragica. II", in *Atti Sassari* 2002, pp. 51-70.
LULLIES R., 1952, *CVA München, Museum Antiker Kleinkunst 3. Deutschland 9*, München.
LUSING SCHEURLEER C. W., 1927, *CVA Musée Scheurleer (La Haye) I. Pays-Bas I*, Paris.

MAGGIANI A., 1981, "La media valle del Fiora", in M. CRISTOFANI (a cura di), *Gli Etruschi in Maremma,* Milano 1981, pp. 77-95.
MAGGIANI A., 1998, "Ceramiche tardo-geometriche da Massaciuccoli (Massarosa – LU)", in *StEtr* LXII (1996), pp. 57-61.
MAGGIANI A., 1999, "Una iscrizione «paleoumbra» da Chiusi", in *RdA*, XXIII, pp. 64-71.
MAGGIANI A., 2006, "Rotte e tappe nel Tirreno settentrionale", in *Gli Etruschi da Genova ad Ampurias,* Atti del XXIV Convegno di Studi Etruschi e Italici (Marseille – Lattes 2002), Pisa-Roma, pp. 435-453.
MANGANI E., 1994, "La collezione Orsini nel Museo Civico di Belluno", in B.M. SCARFÌ (a cura di), *Studi di archeologia della X Regio in ricordo di Michele Tombolani,* Roma, pp. 111-123.
MANGANI E., 1995, "Corredi vulcenti degli scavi Gsell al Museo Pigorini", in *BPI* LXXXVI, pp. 373-438.
MANGANI E., PAOLETTI O., 1986, *CVA Grosseto, Museo Archeologico e d'arte della Maremma. I. Italia 62*, Roma.
MARCHESE L., 1944-1945, "Tarquinia. Tombe etrusche e romane in località «Monterozzi, ai Primi archi»", in *NSc*, pp. 16-22.
MARCHETTI M. H., 1999, *La necropoli etrusca di Pozzuolo a Veio,* tesi di diploma, I Scuola di Specializzazione in Archeologia (rel. prof. G. Colonna), Università "La Sapienza" di Roma, A.A. 1998-1999.
MARTELLI M., 1974, "intervento" in *Civiltà arcaica dei Sabini nella Valle del Tevere,* II, Incontro di studio in occasione della Mostra (1973), Roma, pp. 114-118.
MARTELLI M., 1981, "Populonia: cultura locale e contatti con il mondo greco", in *L'Etruria mineraria,* Atti del XII Convegno di Studi Etruschi e Italici (Firenze-Populonia-Piombino 1979), Firenze, pp. 399-427.
MARTELLI M., 1984, "Prima di Aristonothos", in *Prospettiva* 38, pp. 2-15.
MARTELLI M., 1987, (a cura di), *La ceramica degli Etruschi,* Novara.
MARTELLI M., 1987a, "La ceramica orientalizzante", in MARTELLI 1987, pp. 16-22.
MARTELLI M., 1987b, "Per il Pittore delle Gru", in *Prospettiva* 48, pp. 2-11.
MARTELLI M., 1987c, "Del Pittore di Amsterdam e di un episodio del nostos odissaico. Ricerche di ceramografia etrusca orientalizzante", in *Prospettiva* 50, pp. 4-14.
MARTELLI M., 1987d, "La ceramica etrusco-corinzia", in MARTELLI 1987, pp. 23-30, 269-296.
MARTELLI M., 1988, "Un'anfora orientalizzante ceretana a Würzburg ovvero il Pittore dell'Eptacordo", in *AA*, pp. 285-296.
MARTELLI M., 1989, "La ceramica greca in Etruria: problemi e prospettiva di ricerca", in *Atti del Secondo Congresso Internazionale Etrusco* (Firenze 1985), Roma, pp. 781-812.
MARTELLI M. (a cura di), 1994, *Thyrrhenoi Philotechnoi,* Atti della giornata di studio (Viterbo 1990), Roma.
MARTELLI M., 1994a, "Sulla produzione di vetri orientalizzanti", in MARTELLI 1994, pp. 75-97.
MARTELLI M., 2001, "Nuove proposte per i Pittori dell'Eptacordo e delle Gru", in *Prospettiva* 101, pp. 2-18.
MARTELLI M., 2008, "Il fasto delle metropoli dell'Etruria meridionale. Importazioni, imitazioni e arte suntuaria", in M. TORELLI, A.M. MORETTI SGUBINI (a cura di), *Etruschi. Le antiche metropoli del Lazio,* catalogo della mostra (Roma 2008), Verona, pp. 121-139.
MARZOLI D., 1989, *Bronzefeldflaschen in Italien*, (PBF II.4), Munchen.
MARZOLI D., 1998, "Bronzene Feldflaschen aus hervorragenden Gräbern der italischen Eisenzeit", in *Archäologische Untersuchungen zu den Beziehungen zwischen Altitalien und der Zone nordwäwarts der Alpen während der frühen Eisenzeit Alteuropas*, Ergebnisse eines Kolloquiums in Regensburg (1994), Regensburg, pp. 69-82.

Massimo I., 1973, *Studio del corredo delle tombe di Riserva del Bagno a Veio,* tesi di laurea, Cattedra di Etruscologia e Archeologia Italica (rel. Prof. M. Pallottino), Università "La Sapienza" di Roma, A.A. 1972-1973.

Matteucig G., 1951, *Poggio Buco. The necropolis of Statonia,* Berkeley.

MAV II, C. Ricci, *Materiali di antichità varia, II. Scavi di Vulci. Materiale concesso alla società Hercle*, Roma 1964.

Mayence F., Verhoogen V., 1949, *CVA Bruxelles, Musées Royaux d'Art et d'Histoire,* III. *Belgique 3,* Bruxelles.

Medoro A., 2003, "Necropoli di Riserva del Bagno, tomba delle Anatre", in *Formello* 2003, pp. 73-80.

Megara Hyblaea II, G. Vallet, F. Villard, *Megara Hyblaea II. La céramique archaïque*, Paris 1964.

Metzger I.R., Ronzani M.C., Bloesch H., 1979, *CVA Ostschweiz Ticino. Schweiz 5*, Zurich.

Michelucci M., 1991, "Contributo alla ricostruzione del popolamento dell'*ager caletranus* in età arcaica. La necropoli di Orbetello", in *StEtr* LVII, pp. 11-52.

Michetti M. L., 2003, "Proceno: un insediamento di confine", in *Atti Orvieto* 2003, pp. 153-189.

Michetti M. L., 2009, "Note su un'anfora orientalizzante dal tumulo di Monte Aguzzo a Veio", in Bruni 2009, pp. 607-615.

Micozzi M., 1994, «White on red». *Una produzione vascolare dell'orientalizzante etrusco*, Roma.

Milano 1980, *Gli Etruschi e Cerveteri, Nuove acquisizioni delle Civiche Raccolte Archeologiche*, catalogo della mostra (Milano 1980), Milano.

Milano 1986a, Bosio B., Pugnetti A. 1986 (a cura di), *Gli Etruschi di Cerveteri*, catalogo della mostra (Milano 1986), Modena.

Milano 1986b, Bonghi Jovino M., 1986 (a cura di), *Gli Etruschi di Tarquinia*, catalogo della mostra (Milano 1986), Modena.

Minetti A., 2004, *L'orientalizzante a Chiusi e nel suo territorio,* Roma.

Mingazzini P., 1930, *I vasi della Collezione Castellani*, Roma.

Mingazzini P., 1967, "Qual'era la forma del vaso chiamato dai Greci kothon?", in *AA*, pp. 344-361.

Mingazzini P., 1969, *CVA Capua, Museo Campano IV. Italia 44,* Roma.

Modenese C., 1997, "Uno skyphos ceretano del pittore delle Gru?", in *Notizie dal Chiostro Maggiore* fasc. LIX-LX, pp. 7-14.

Monaci M. G., 1965, "Catalogo del Museo Archeologico Vescovile di Pienza", in *StEtr* XXXIII, pp. 425-468.

Montelius O., 1895-1910, *La civilisation primitive en Italie depuis l'introduction des métaux*, Berlin.

Montelius O., 1912, *Die vorklassische Chronologie Italiens*, Stockholm.

Morel J.P., 1981, *Céramique campanienne. Les formes*, (B.E.F.A.R.), Roma.

Moretti Sgubini A. M., 1986, "Contributi all'archeologia vulcente", in *Archeologia nella Tuscia* II, Viterbo, pp. 73-104.

Moretti Sgubini A. M., 1994, "Ricerche archeologiche a Vulci: 1985-1990", in Martelli 1994, pp. 9-49.

Moretti Sgubini A. M., 2000, "Importazioni a Tuscania nell'Orientalizzante medio", in *Damarato* 2000, pp. 181-194.

Moretti Sgubini A. M., 2001, "Le necropoli", in *Roma* 2001, pp. 187-252.

Moretti Sgubini A. M., 2003, "Ultime scoperte a Vulci", in *Atti Orvieto* 2003, pp. 9-53.

Moretti Sgubini A. M., 2004, "Vulci, la tomba del guerriero della Polledrara", in A. M. Moretti Sgubini (a cura di), *Scavo nello scavo. Gli Etruschi non visti*, catalogo della

mostra (Viterbo 2004), Viterbo, pp. 150-165.
MORRIS S. P., 1984, *The Black and the White Styl. Athens and Aigina in the Orientalizing Period*, London.
MÜLLER W., 1959, *CVA Leipzig, Archäologisches Institu der Karl – Marx – Universität, 1. Deutschland 14*, Berlin.
MURA SOMMELLA A., 2004-2005, "Aspetti dell'Orientalizzante Antico a Capena. La tomba di un principe guerriero", in *RendPontAc* LXXVII, pp. 219-287.
Narce 1894, F. BARNABEI, G. F. GAMURRINI, A. COZZA, A. PASQUI, *Degli scavi di antichità nel territorio falisco, MonAnt* IV.
NASO A., 1991, *La Tomba dei denti di lupo a Cerveteri*, Firenze.
NEEFT C. W., 1975, "Corinthian Fragments from Argos at Utrecht and the Corinthian Late Geometric Kotyle", in *BABesch* 50, pp. 97-134.
NEEFT C. W., 1987, *Protocorinthian Subgeometric Aryballoi*, Amsterdam.
NERI S., 2002, *La necropoli di Macchia della Comunità a Veio. Tombe 33-59,* tesi di laurea, Cattedra di Etruscologia e Archeologia Italica (rel. Prof.ssa G. Bartoloni), Università "La Sapienza" di Roma, A.A. 2001-2002.
NERI S., 2008, "Una nuova fiasca del pellegrino: integrazioni al repertorio vascolare veiente dell'Orientalizzante", in *Aristonothos. Scritti per il Mediterraneo antico* 3, pp. 87-109.
ÖSTENBERG C.E., VESSBERG O.,1972, *San Giovenale, 1.6. The necropolis at La Staffa*, (Skrifter Utgivna av Svenska institutet i Rom, IV, 26, 1, 6), Stockholm.
PALM J., 1952, "Veiian tomb groups in the Museo Preistorico, Rome", in *OpRom* 7, pp. 50-86.
PALMIERI A., 2005, "Il tumulo Zanobi, o della Madonna del Pianto, a Tarquinia", in *StEtr* LXX, (2004), pp. 3-25.
PAOLETTI O., 2009, "Ceramica figurata etrusco-geometrica: qualche osservazione", in BRUNI 2009, pp. 653-660.
PAOLUCCI G. (a cura di), 1991, *La collezione Terrosi nel Museo civico di Chianciano Terme*, Chianciano Terme.
PAPI R., 1988, "Materiali sporadici dalla necropoli della Vaccareccia di Veio", in *QuadChieti* 4, pp. 87-144.
PARETI L., 1947, *La tomba Regolini Galassi nel Museo Gregoriano Etrusco*, Città del Vaticano.
PARIBENI R., 1906, " Necropoli del territorio capenate", in *MonAnt* XVI, cc. 277-490.
Paris 1977, AA.VV., *Naissance de Rome*, catalogo della mostra (Paris 1977), Paris.
Paris 1992, *Gli Etruschi e l'Europa*, catalogo della mostra (Paris-Berlin 1992-1993), Milano.
PARISE BADONI F. (a cura di), 2000, *Ceramiche d'impasto dell'età orientalizzante in Italia,* (Dizionari terminologici dell'I.C.C.D, nuova serie), Firenze.
PASQUI A., 1885, "Seconda relazione del predetto sig. A. Pasqui intorno alle ricerche fatte dal 5 novembre 1883 al 5 maggio 1884", in *NSc*, pp. 462-473.
PAYNE H., 1933, *Protokorinthische Vasenmalerei,* Berlin.
PELAGATTI P., 1981, "Bilancio degli scavi di Naxos per l'VIII e il VII sec. a.C.", in *Grecia, Italia e Sicilia* 1981, pp. 291-312.
PELLEGRINI E., 1989, *La necropoli di Poggio Buco*, Firenze.
PELLEGRINI E., 2003, "Ricerche nei centri di Pitigliano e Poggio Buco", in *Atti Orvieto* 2003, pp. 301-328.
PELLEGRINI E., RAFANELLI S., 2005, "Architettura funeraria nelle necropoli etrusche di Poggio Buco e Pitigliano", in *StEtr* LXX, (2004), pp. 27-59.
Perachora II, T. J. DUNBABIN (ed.), *Perachora: the Sanctuaries of Hera Akraia and Limenia II,* Oxford.
PERONI R., 1967, "Tipologia e analisi stilistica dei materiali della preistoria: breve messa a punto", in *DialA* 1-2, pp. 155-158.

PERONI R., 1994, *Introduzione alla protostoria italiana*, Roma.
PESERICO A., 1996, "L'interazione culturale greco-fenicia: dall'Egeo al Tirreno centro-meridionale", in E. ACQUARO (a cura di), *Alle soglie della classicità. Il Mediterraneo tra tradizione e innovazione. Studi in onore di Sabatino Moscati*, Pisa-Roma, pp. 899-916.
PETRIZZI C., 1986, "Il tumulo monumentale di Poggio Gallinaro", in *Milano* 1986b, pp. 206-215.
PIANA AGOSTINETTI P. (a cura di), 1988-1989, "Il concetto di tipo: un'esperienza nel campo della ceramica", in *Origini* XIV.2, pp. 653-696.
PIETILÄ-CASTRÉN L., BERG R., PARKO H., PENNONEN A.M., TUUKKANEN T., WIKSTRÖM H., YLIKARJULA N., 2003, *CVA Finland 1*, Helsinki.
Piombino 1989, A. ROMUALDI, (a cura di), *Il patrimonio disperso. Reperti archeologici sequestrati dalla Guardia di Finanza*, catalogo della mostra (Piombino 1989), Roma.
Pithekoussai I, G. BUCHNER, D. RIDGWAY, *Pithekoussai I. La necropoli: tombe 1-723 scavate dal 1952 al 1961, MonAnt* s.m. 4, Roma 1993.
PIZZIRANI C., 2005, "Da Odisseo alle Nereidi. Riflessioni sull'iconografia etrusca del mare attraverso i secoli", in *Ocnus* 13, pp. 251-270.
POHL I., 1972, *The iron Age Necropolis of Sorbo at Cerveteri,* Stockholm.
Portoferraio 1985, G. CAMPOREALE (a cura di), 1985, *L'Etruria mineraria*, catalogo della mostra (Portoferraio-Massa Marittima-Populonia), Milano 1985.
POTTIER E., 1897, *Vases antiques du Louvre*, Paris.
PRAYON F., 1975, *Früetruskische Grab- und Hausarchitektur, RM* suppl. XXII, Heidelberg.
PUCCI G., 1983, "Ceramica, tipi, segni", in *Opus* 2, pp. 273-290.
RADDATZ K., 1983, "Ein Grabfund aus Veji im Südlichen Etrurien", in *JbZMusMainz*, 30, pp. 207-231.
RASMUSSEN T. B., 1979, *Bucchero Pottery from Southern Etruria,* Cambridge.
RATHJE A., 1983, "A Banquet Service from the Latin City of Ficana", in *AnalRom* XII, pp. 7-29.
RATHJE A., 1997, "Gli Etruschi e gli altri: il caso di Veio", in BARTOLONI 1997, pp. 201-205.
RENDELI M., 2005, "La Sardegna e gli Eubei", in BERNARDINI, ZUCCA 2005, pp. 91-124.
REUSSER C., 1988, *Etrusckische Kunst. Antikenmuseum Basel und Sammlung Ludwig,* Basel.
RICCI G., 1955, "Caere. Scavi di Raniero Mengarelli", in *MonAnt* XLII, cc. 201-1048.
RICCI PORTOGHESI L., 1968, "Sopra alcuni vasi geometrici a decorazione bicroma provenienti da Tarquinia", in *StEtr* XXXVI, pp. 309-318.
RICCIONI G., 1961, *CVA Verona, Museo del Teatro Romano, I. Italia 34,* Roma.
RIDGWAY D., 1968, Recensione a P.G. GIEROW, *Early Rome, 4. Synthesis of archaeological evidences*, in *JRS* 58, pp. 235-240.
RIDGWAY D., 1976, "Italy before the Romans I", in *JRS* LXVI, pp. 206-213.
RIDGWAY D., 1977, Recensione a F. CANCIANI, *CVA, Italia LV. Museo Archeologico Nazionale di Tarquinia, III,* Roma, 1974, in *ArchCl* XXIX, pp. 218-223.
RIDGWAY D., 1990, "The First Western Greeks and their Neighbours, 1935-1985", in DESCOEUDRES 1990, pp. 61-72.
RIDGWAY D., 1992, "Demaratus and his predecessors", in G. KOPKE, I. TOKUMARU, *Greece between East and West: 10th-8th Centuries B.C.*, Papers of the Meeting at the Institute of Fine Arts, New York University (New York 1990), Mainz, pp. 85- 92.
RIDGWAY D., DERIU A., BOITANI F., 1985, "Provenence and Firing Techniques of Geometric Pottery from Veii: A Mossbauer Investigation", in *BSA* 80, pp. 139-150.
RIZZO D., 1996, "Recenti scoperte nell'area di Nepi", in *Atti Rieti* 1996, pp. 477-494.
RIZZO M. A., 1985, "Appendice I", in P. PELAGATTI, "Il Museo di Villa Giulia e gli altri musei dell'Etruria meridionale nell'ultimo triennio", in *StEtr* LI, (1983), pp. 511-534.
RIZZO M. A., 1989a, "Ceramica etrusco-geometrica da Caere", in *Miscellanea ceretana I*,

QuadAEI 17, pp. 9-39.

RIZZO M. A., 1989b, "Cerveteri. Il tumulo di Montetosto", in *Atti Firenze* 1989, pp. 153-161.

RIZZO M. A., 1989c, "La tomba delle Anatre", in M. A. RIZZO (a cura di), *Pittura Etrusca al Museo di Villa Giulia*, catalogo della mostra (Roma 1989), Roma, pp. 103-107.

RIZZO M. A., 1990, *Le anfore da trasporto e il commercio etrusco arcaico I. Complessi tombali dall'Etruria meridionale,* Roma.

RIZZO M. A., 2001. "Le tombe orientalizzanti di San Paolo", in *Roma* 2001, pp. 163-176.

RIZZO M. A., 2005, "Ceramica geometrica greca e di tipo greco da Cerveteri (dalla necropoli del Laghetto e dall'abitato)", in BARTOLONI, DELPINO 2005, pp. 333-378.

RIZZO M. A., 2006, "La tomba di Monte dell'Oro e l'orientalizzante ceretano", in M. PANDOLFINI ANGELETTI (a cura di), *Archeologia in Etruria meridionale.* Atti delle giornate in ricordo di Mario Moretti (Civita Castellana 2003), Roma, pp. 371-417.

RIZZO M. A., 2007, "Una kotyle del Pittore di Bellerofonte di Egina ed altre importazioni greche ed orientali dalla tomba 4 di Monte Abatone a Cerveteri", in *BdA* 140, pp. 1-56.

ROBERTSON M., 1948, "Excavations in Ithaca V:The Geometric and Later Finds from Aetos", in *BSA*, 43, pp. 1-124.

Roma 1976, *Civiltà del Lazio primitivo,* catalogo della mostra (Roma 1976), Roma.

Roma 1980, *Ficana. Una pietra miliare sulla strada per Roma,* catalogo della mostra (Roma 1980), Roma.

Roma 1990, M. CRISTOFANI (a cura di), *La grande Roma dei Tarquini*, catalogo della mostra (Roma 1990), Roma.

Roma 2001, A. M. MORETTI SGUBINI (a cura di), *Veio, Cerveteri, Vulci. Città d'Etruria a confronto,* catalogo della mostra (Roma 2001), Roma.

Roma 2006, M. A. TOMEI (a cura di), *Roma. Memorie dal sottosuolo. Ritrovamenti archeologici 1980/2006,* catalogo della mostra (Roma 2006), Milano.

ROMANELLI P., 1943, "Tarquinia. Rinvenimenti fortuiti nella necropoli e nel territorio (1930-1938), in *NSc*, pp. 213-261.

ROMBOS T., 1988, *The Iconography of Attic Late Geometric II Pottery,* London 1988.

ROUILLARD P., 1980, *CVA Musée des Beaux Arts à Tours, Musée du Berry à Bourges. France 30,* Paris.

RÜCKERT A., 1976, *Frühe Keramik Bootiens, Antike Kunst, (*Beiheft 10).

RÜKERT B., 1996, *CVA Tübingen, Antikesammlung des Archäologischen Instituts der Universität, 6. Deutschland 68*, München.

RUDIGER H., 1960, *Askòi,* Diss. Freiburg.

RUDIGER U., 1966-1967, "Askòi in Unteritalien", in *RM* 73/74, pp. 1-9.

RUGGIERI G., MORETTI SGUBINI A.M., 1986, "Per un Museo Archeologico Nazionale nel convento rinascimentale di Santa Maria del Riposo a Tuscania", in *Archeologia nella Tuscia* II, (Viterbo 1984), Roma, pp. 229-258.

RYSTEDT E., 1976, "An Etruscan bird plate", in *MedelhavsMusB* 11, pp. 50-54.

SALVIAT F., 1983a, "La céramique thasienne orientalisante et l'origine des vases «méliens»", in *Les Cyclades* 1983, pp. 185-190.

SALVIAT F., 1983b, "Plats creux insulaires à décor orientalisant à Thasos", in *Les Cyclades* 1983, pp. 201-216.

Samos V, H. WALTER, *Samos V, Frühe samische Gefässe: Chronologie und Landschaftsstile ostgriechischen Gefässe,* Bonn 1968.

SANSICA G., 1999, "La ceramica etrusco-corinzia", in CHIARAMONTE TRERÉ 1999, pp. 177-204.

SANTORO P., 1983, "Sequenza culturale della necropoli di Colle del Forno in Sabina", in *StEtr* LI (1985), pp. 13-37.

SANTORO P., 1996, "Nuove evidenze archeologiche da Colle del Giglio", in *Atti Rieti* 1996, pp. 207-214.

SARTORI A., 1997, "Il mare pescoso nel passato", in A. DONATI, P. PASINI (a cura di), *Pesca e pescatori nell'antichità*, Milano, pp. 85-107.

SARTORI A., 1999, "Una «tomba della caccia e della pesca» anche a Cerveteri? Note su alcuni nuovi documenti di ceramica etrusco-geometrica", in *Notizie dal Chiostro Maggiore* fasc. LXIII-LXIV, pp. 123-131.

SARTORI A., 2002, "Caere. Nuovi documenti dalla necropoli della Banditaccia. Tombe B 25, B 26, B 69", *Notizie dal Chiostro Maggiore,* suppl. XXI.

SCHAUENBURG K., 1954, *CVA Heidelberg, Universität*, 1. *Deutschland 10*, München.

SCHWEITZER B., 1971, *Greek Geometric Art,* Kleve.

SCIACCA F., 2003, "La Tomba Calabresi", in F. SCIACCA, L. DI BLASI, *La Tomba Calabresi e la Tomba del Tripode di Cerveteri,* Città del Vaticano, pp. 9-199.

SIEDENTOPF B. H., 1982, *CVA Nordrhein-Westfalien 1. Deutschland 49*, München.

SIEVEKING J., HACKL R., 1912, *Die konigliche Vasensammlung zu München*, München.

SIMON E., 1982, *The Kurashiki Ninagawa Museum*, Mainz.

SPINOLA O., 1979, *Museo Martini di storia dell'enologia*, Torino.

Solothurn 1967, *Kunst der Antike aus Privatbesitz Bern-Biel-Solthurn*, catalogo della mostra (Solothurn 1967), Solothurn.

STEINGRÄBER S., 2006, *Affreschi Etruschi. Dal periodo geometrico all'ellenismo,* San Giovanni Lupatoto.

STEFANI E., 1916, "Terni. Scoperta di antichi sepolcri nella contrada «S. Pietro in Campo» presso la stazione ferroviaria di Terni", in *NSc*, pp. 191-226.

STEFANI E., 1928, "Scoperta di antichi sepolcri nella tenuta di Monte Oliviero, presso Prima Porta", in *NSc*, pp. 95-105.

STEFANI E., 1935, "Veio. Esplorazione del tumulo di Vaccareccia", in *NSc*, pp. 329-361.

STEFANI E., 1958, "Capena. Ricerche archeologiche nella contrada «Le Saliere», in *MonAnt* XLIV, cc. 1-204.

STRØM I., 1962, "Some Groups of Cycladic Vase-painting from the Seventh Century B.C.", in *ActaA* 33, pp. 221-278.

STRØM I., 1971, *Problems concerning the Origin and Early Development of the Etruscan Orientalizing Style,* Odense.

STRØM I., 1990. "Relations between Etruria and Campania around 700 B.C.", in DESCOEUDRES 1990, pp. 87-97.

SZILÀGYI J. G., 1972, "Le fabbriche di ceramica etrusco-corinzia a Tarquinia", in *StEtr* XL, pp. 19-73.

SZILÀGYI J. G., 1981, *CVA Budapest, Muséè des Beaux-Arts 1, Hongrie 1*, Budapest.

SZILÀGYI J. G., 1989, "La pittura figurata dall'etrusco-geometrico all'etrusco-corinzio", in *Atti Firenze* 1989, pp. 613-636.

SZILÀGYI J. G., 1992, *Ceramica etrusco-corinzi figurata. Parte I. 630-580,* Firenze.

SZILÀGYI J. G., 2006, "Dall'Attica a Narce, via Pitecusa", in *Mediterranea* II, (2005), pp. 27-55.

SZILÀGYI J. G., 2007, *CVA Budapest, Musée des Beaux-Arts*, *2. Hongrie 2,* Roma.

TANCI S., TORTOIOLI C., 2002, *La ceramica italo-geometrica* (Materiali dal Museo Archeologico Nazionale di Tarquinia, XV), Roma.

TEN KORTENAAR S., NERI S., NIZZO V., 2006, "La necropoli di Piano e Poggio delle Granate", in M. APROSIO, C. MASCIONE (a cura di), *Materiali per Populonia 5*, Pisa, pp. 325-358.

TOMS J., 1986, "The relative cronology of the villanovian cemetery of Quattro Fontanili at Veii", in *AnnAStorAnt* 8, pp. 41-97.

TORELLI M., MENICHETTI M., 1997, "Attorno a Demarato", in *Corinto e l'Occidente*, Atti del XXXIV Convegno di Studi sulla Magna Grecia (Taranto 1994), Napoli, pp. 625-654.

Toti O., 1967, "S. Marinella. Saggio di scavo eseguito nell'abitato protostorico de «La Castellina»", in *NSc*, pp. 55-86.
Trendall A. D., 1948, *Handbook to the Nicholson Museum*, Sidney.
Tronchetti P., 1979, "Per la cronologia del Tophet di S. Antioco", in *RivStFen* VII.2, pp. 201-205.
Turchetti M. A. (a cura di), 2002, *La collezione Massenzi. I reperti archeologici*, Norcia.
Turfa J. M., 2005, *Catalogue of Etruscan Gallery of the University of Pennsylvania Museum of Archaeology and Anthropology,* Philadelphia.
Vagnetti L., 1971, *Il deposito votivo di Campetti a Veio. Materiale degli scavi 1937-1938*, Firenze.
Van der Wielen-Van Ommeren F., De Lachenal L. (a cura di), 2006, *La dea di Sibari e il santuario ritrovato. Studi sui rinvenimenti dal Timpone Motta di Francavilla Marittima. I.1. Ceramiche di importazione, di produzione coloniale e indigena,* (*BA*, volume speciale).
Van der Wielen-Van Ommeren F., De Lachenal L. (a cura di), 2008, *La dea di Sibari e il santuario ritrovato. Studi sui rinvenimenti dal Timpone Motta di Francavilla Marittima. I.2. Ceramiche di importazione, di produzione coloniale e indigena,* (*BA*, volume speciale).
Van Ingen W., 1933, *CVA University of Michigan, 1 IV B. USA 3*, Cambridge, Mass.
Venezia 2000, M. Torelli (a cura di), *Gli Etruschi*, catalogo della mostra (Venezia 2000), Milano.
Vighi R., 1935, "Veio. Scavi nella necropoli degli alunni dell'anno 1927-1928 del Corso di Topografia dell'Italia Antica della R. Università di Roma", in *NSc*, pp. 39-68.
Viterbo 1970, *Nuovi tesori dell'antica Tuscia*, catalogo della mostra (Viterbo 1970), Viterbo.
Volterra 2007, *Etruschi di Volterra*, catalogo della mostra (Volterra 2007), Milano.
Waarsenburg D., 1995, *The Northwest necropolis of Satricum,* Amsterdam.
Ward Perkins J. B., 1961, *Veii. The historical topography of the ancient city*, in *BSR* 29.
Wikander C., 1988, *Acquarossa, I.2. The painted architectural Terracottas. Typological and decorative analysis,* Stockholm.
Williams D., 1986, "Greek potters and their descendants in Campania and Southern Etruria, c. 720-630 BC", in J. Swaddling (a cura di), *Italian Iron Age Artefacts in the British Museum,* Papers of the Sixth British Museum Classical Colloquium, London, pp. 295-304.
Young R. S., 1939, "Late Geometric Graves and a Seventh Century Well in the Agora", in *Hesperia*, Supplement II.
Young R. S., 1942, "Graves from the Phaleron Cemetery", in *AJA* XLVI, pp. 23-57.
Zampieri G., 1991, *Ceramica greca, etrusca e italiota del Museo Civico di Padova,* I, Roma.
Zaphiropoulos F., 1983, "Euboikoi anforeis thes Thera", in *Grecia, Italia e Sicilia* 1981-1983, pp. 153-170.
Zevi F., 1969, "Nuovi vasi del Pittore della Sfinge Barbuta", in *StEtr* XXXVII, pp. 39-58.
Zevi F., 1975, "Tomba a fossa n. 15", in *Decima* 1975, pp. 251-294.

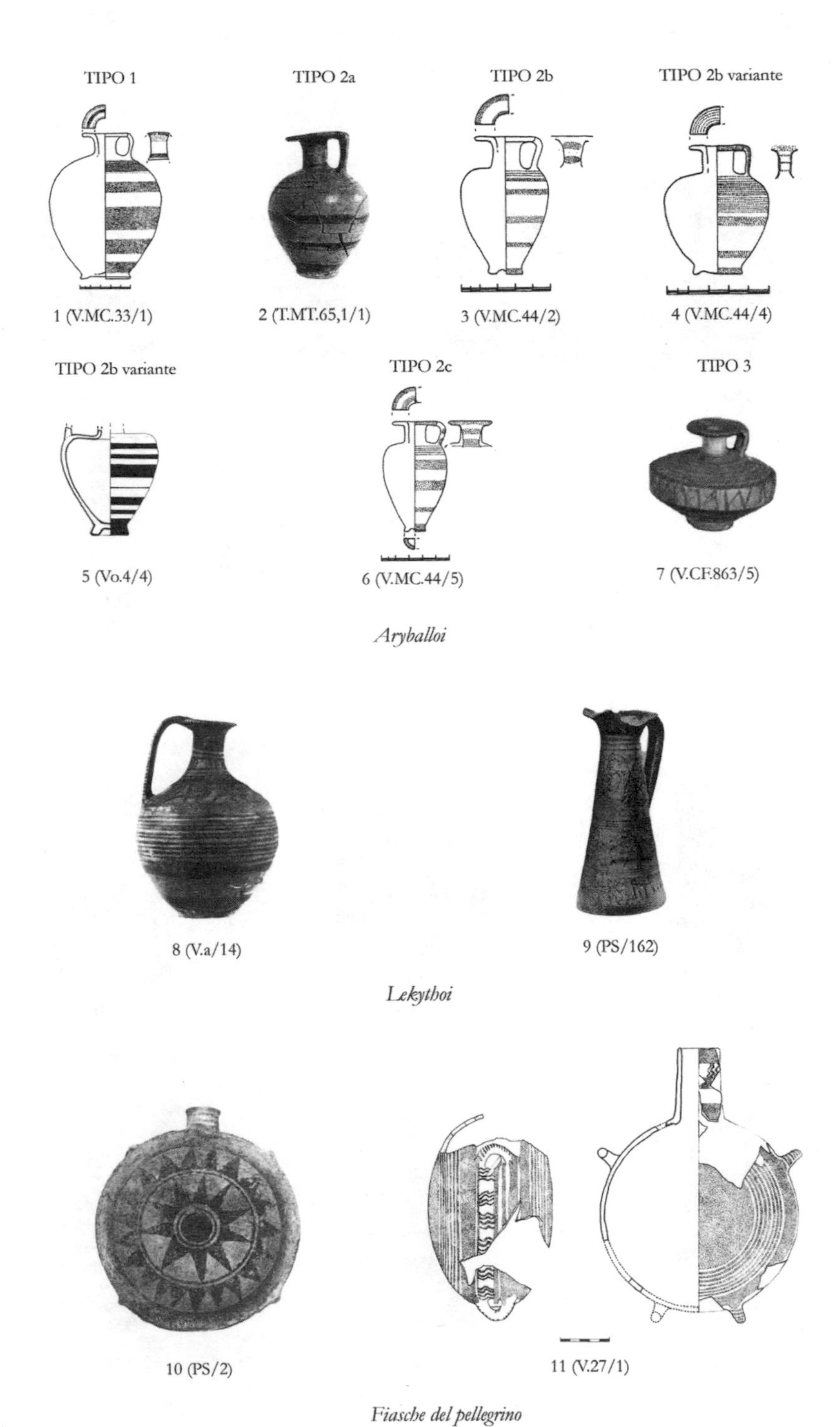
TIPO 1
TIPO 2a
TIPO 2b
TIPO 2b variante
1 (V.MC.33/1)
2 (T.MT.65,1/1)
3 (V.MC.44/2)
4 (V.MC.44/4)
TIPO 2b variante
TIPO 2c
TIPO 3
5 (Vo.4/4)
6 (V.MC.44/5)
7 (V.CF.863/5)
Aryballoi
8 (V.a/14)
9 (PS/162)
Lekythoi
10 (PS/2)
11 (V.27/1)
Fiasche del pellegrino

Tav. 1

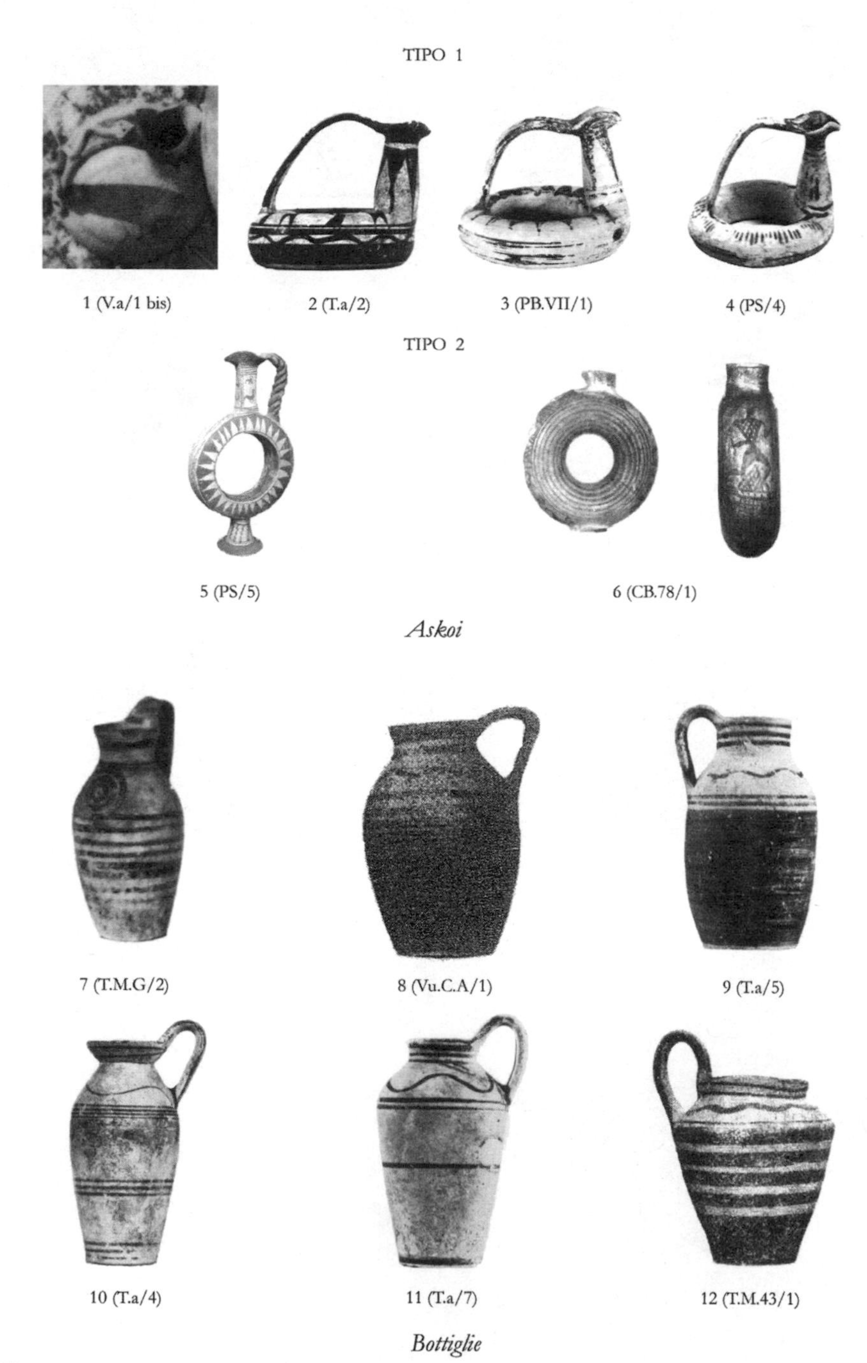

TIPO 1

1 (V.a/1 bis) 2 (T.a/2) 3 (PB.VII/1) 4 (PS/4)

TIPO 2

5 (PS/5) 6 (CB.78/1)

Askoi

7 (T.M.G/2) 8 (Vu.C.A/1) 9 (T.a/5)

10 (T.a/4) 11 (T.a/7) 12 (T.M.43/1)

Bottiglie

Tav. 2

GRUPPO Aa

TIPO Aa 1a

1 (T.a/13)

TIPO Aa 1b

2 (T.a/15)

TIPO Aa 1c

3 (T.G.8/1)

TIPO Aa 1c variante

4 (T.a/17)

TIPO Aa 2

5 (T.a/20)

6 (T.a/22)

TIPO Aa 2 variante

7 (PS/10)

TIPO Aa 3a

8 (T. a/24)

vicino al TIPO Aa 3a

9 (C.L.319/1)

10 (Vu.22/1)

TIPO Aa 3b

11 (T.a/18)

Oinochoai

Tav. 3

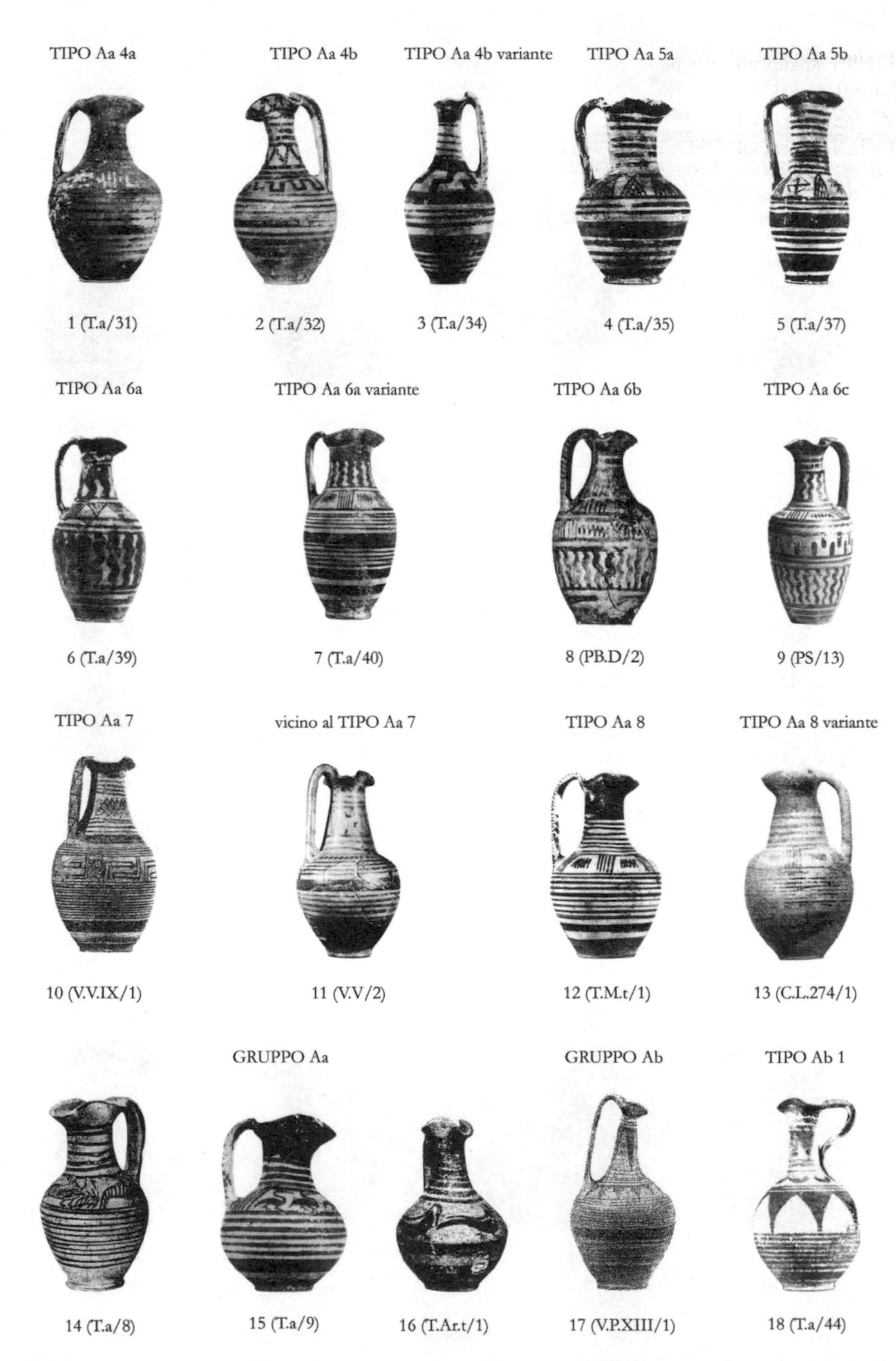
TIPO Aa 4a
TIPO Aa 4b
TIPO Aa 4b variante
TIPO Aa 5a
TIPO Aa 5b
1 (T.a/31)
2 (T.a/32)
3 (T.a/34)
4 (T.a/35)
5 (T.a/37)
TIPO Aa 6a
TIPO Aa 6a variante
TIPO Aa 6b
TIPO Aa 6c
6 (T.a/39)
7 (T.a/40)
8 (PB.D/2)
9 (PS/13)
TIPO Aa 7
vicino al TIPO Aa 7
TIPO Aa 8
TIPO Aa 8 variante
10 (V.V.IX/1)
11 (V.V/2)
12 (T.M.t/1)
13 (C.L.274/1)
GRUPPO Aa
GRUPPO Ab
TIPO Ab 1
14 (T.a/8)
15 (T.a/9)
16 (T.Ar.t/1)
17 (V.P.XIII/1)
18 (T.a/44)

Tav. 4

GRUPPO Bb

TIPO Bb 1

1 (T.a/50)

TIPO Bb 2a

2 (T.a/53)

TIPO Bb 2a variante

3 (T.a/55)

TIPO Bb 2b

4 (T.a/56)

5 (T.a/58)

TIPO Bb 2b variante

6 (PS/17)

TIPO Bb 3a

7 (T.a/60)

vicino al TIPO Bb 3

8 (T.G.8/6)

TIPO Bb 3b

9 (T.a/61)

TIPO Bb 4a

10 (T.a/63)

TIPO Bb 4b

11 (T.a/65)

TIPO Bb 5a

12 (T.a/66)

TIPO Bb 5a variante

13 (PS/18)

TIPO Bb 5b

14 (T.a/69)

TIPO Bb 6

15 (T.a/70)

Tav. 5

TIPO Bb 7

TIPO Bb 7 variante

TIPO Bb 8

1 (T.a/73)

2 (T.M.66/1)

3 (T.a/77)

TIPO Bb 9a

TIPO Bb 9b

4 (T.a/78)

5 (T.a/81)

GRUPPO Bb

6 (T.a/51)

7 (T.a/52)

8 (T.a/48)

9 (Vu.PM.1966/1)

10 (PS/16)

Tav. 6

GRUPPO Cb

TIPO Cb 1

1 (T.M.m/2)

TIPO Cb 1 variante

2 (T.a/87)

TIPO Cb 2a

3 (T.a/89)

TIPO Cb 2b

4 (T.a/92)

TIPO Cb 2b variante

5 (T.a/93)

TIPO Cb 2c

6 (T.a/95)

TIPO Cb 2d

7 (T.M.m/5)

TIPO Cb 2d variante

8 (T.M.62/1)

TIPO Cb 3a

9 (PS/28)

TIPO Cb 3b

10 (T.a/101)

TIPO Cb 3b varianti

11 (T.a/107)

12 (T.M.38/2)

Tav. 7

TIPO Cb 3c | TIPO Cb 3c varianti | TIPO Cb 3d

1 (T.a/110) 2 (PS/29) 3 (PS/30) 4 (T.a/108)

TIPO Cb 3e | TIPO Cb 3f | TIPO Cb 4a | TIPO Cb 4a variante

5 (T.a/112) 6 (C.a/4) 7 (T.a/114) 8 (T.M.49/1)

TIPO Cb 4a variante | TIPO Cb 4b | TIPO Cb 4c | TIPO Cb 4c varianti

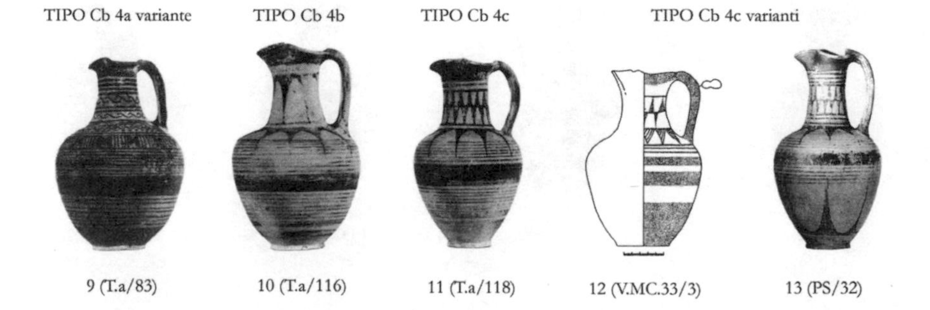

9 (T.a/83) 10 (T.a/116) 11 (T.a/118) 12 (V.MC.33/3) 13 (PS/32)

Tav. 8

TIPO Cb d

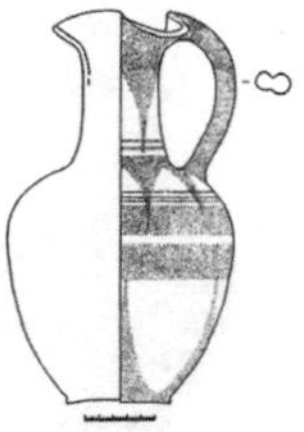

1 (V.MC.39/2)

TIPO CB 4d variante

2 (T.a/85)

TIPO Cb 4e

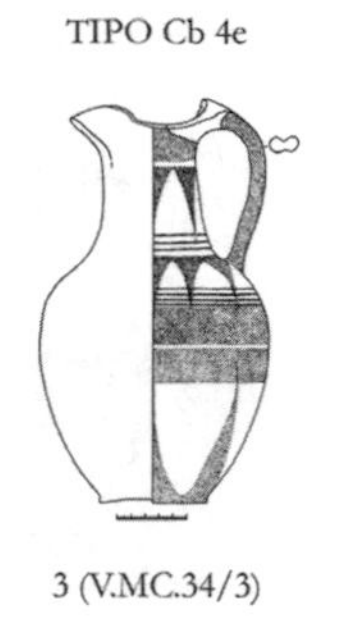

3 (V.MC.34/3)

TIPO Cb 4e variante

4 (PS/33)

TIPO Cb 4e variante

5 (C.MA.90/5)

TIPO Cb 5a

6 (C.L.65/2)

TIPO Cb 5b

7 (C.MA.89/2)

TIPO Cb 5c

8 (PS/34)

vicino al TIPO Cb 5b

9 (T.a/123)

TIPO Cb 6

10 (T.a/124)

Tav. 9

GRUPPO Cb

1 (C.B.2/9)

2 (C.a/2)

3 (PS/35)

4 (C.a/3)

5 (T.G.t/7)

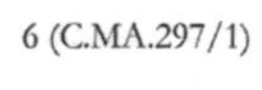

6 (C.MA.297/1)

7 (PS/27)

8 (C.MA.352/2)

9 (T.a/129)

10 (T.a/128)

11 (C.a/1)

GRUPPO Cc

TIPO Cc 1a-b

12 (V.MC.VII/3,1,4)

Tav. 10

GRUPPO Db

TIPO Db 1 — 1 (T.a/131)

TIPO Db 1 variante — 2 (T.a/132)

vicino al TIPO Db 2 — 3 (T.t/2)

TIPO Db 2a — 4 (T.a/134)

TIPO Db 2b — 5 (T.t/1)

TIPO Db 3 — 6 (T.a/135)

vicino al TIPO Db 3 — 7 (PS/37)

TIPO Db 4 — 8 (Vu.a/2)

vicino al TIPO Db 4 — 9 (Vo.10/2)

Tav. 11

GRUPPO Ab

TIPO Ab 1a

1 (PS/40)

TIPO Ab 1b

2 (C.B.25/2)

TIPO Ab 2

3 (C.MA.76/2)

TIPO Ab 3a

4 (C.B.I/2)

vicino al TIPO Ab 3a

5 (C.B.A/1)

6 (C.B.11/1)

TIPO Ab 3b

7 (V.C.F.868/1)

TIPO Ab 3b variante

8 (C.B.2/2)

TIPO Ab 3c

9 (C.a/11)

TIPO Ab 3c variante

10 (C.B.26/3)

Anfore

Tav. 12

TIPO Ab 4
TIPO Ab 5a
TIPO Ab 5b
TIPO Ab 5c
1 (C.a/12)
2 (V.MM.5/8)
3 (Si.A/3)
4 (PS/47)
TIPO Ab 6a
TIPO Ab 6a varianti
5 (PS/48)
6 (PS/50)
7 (V.c/1)
TIPO Ab 6b
TIPO Ab 7
8 (PS/51)
9 (C.L.64/1)

Tav. 13

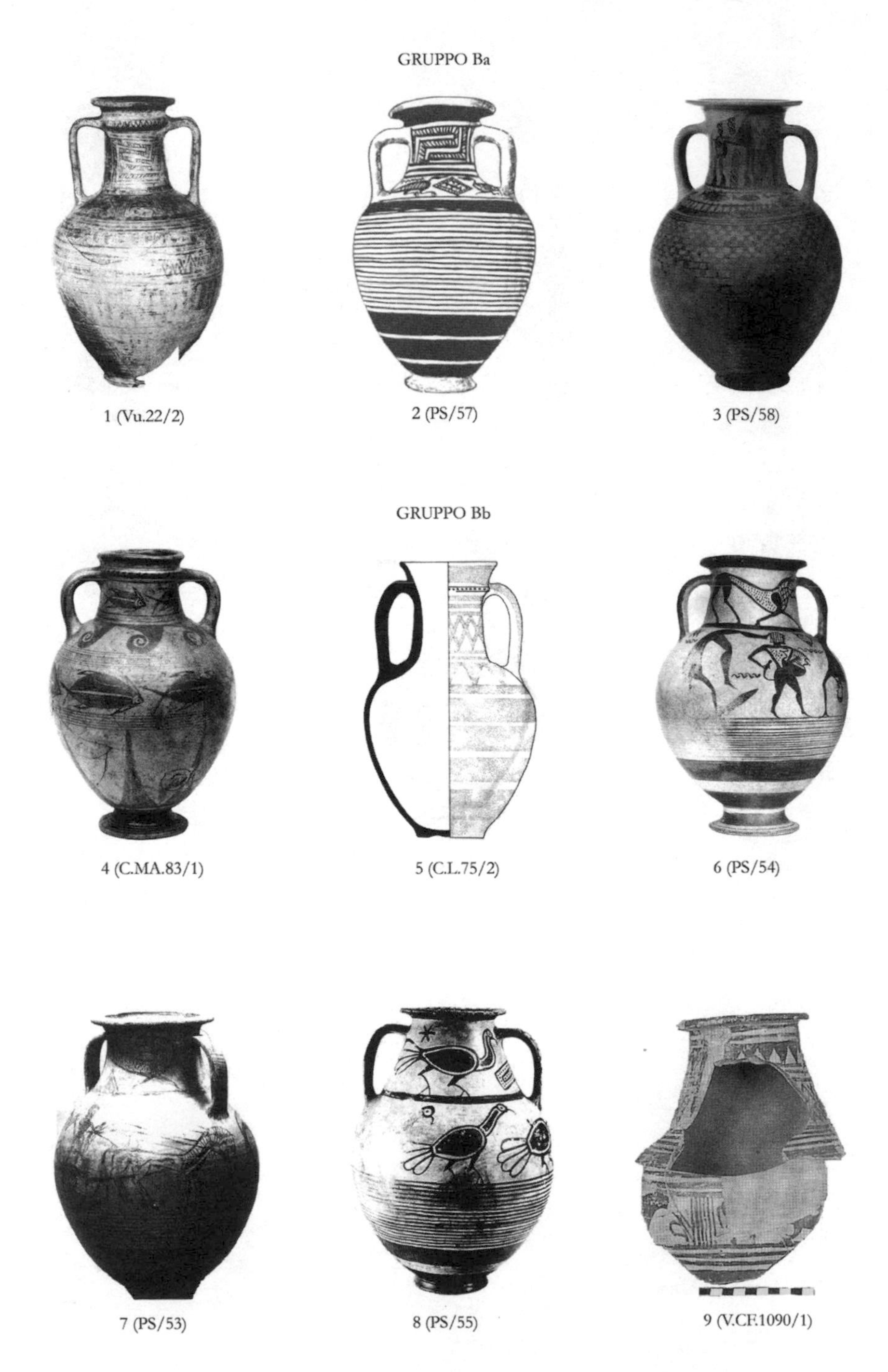

GRUPPO Ba

1 (Vu.22/2)

2 (PS/57)

3 (PS/58)

GRUPPO Bb

4 (C.MA.83/1)

5 (C.L.75/2)

6 (PS/54)

7 (PS/53)

8 (PS/55)

9 (V.CF.1090/1)

Tav. 14

GRUPPO Bc

1 (C.L.143/1)

2 (C.MA.426/2)

TIPO Bc 1

3 (C.MA.79/2)

TIPO Bc 2a

4 (V.P.XX/2)

TIPO Bc 2b

5 (C.MA.90/7)

GRUPPO C

6 (C.MA.297/2)

7 (Tr.t/3)

8 (Tr.t/4)

Tav. 15

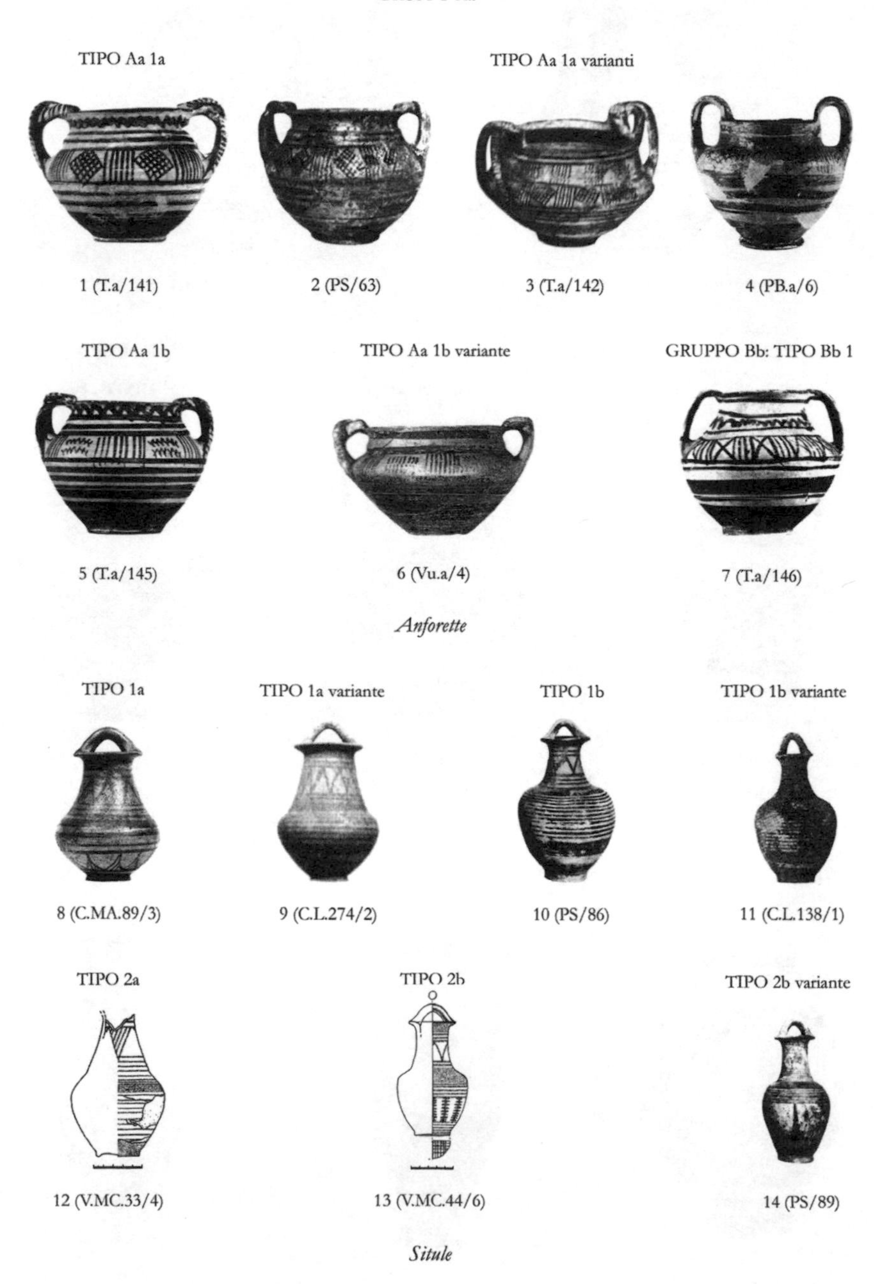
GRUPPO Aa
TIPO Aa 1a
TIPO Aa 1a varianti
1 (T.a/141)
2 (PS/63)
3 (T.a/142)
4 (PB.a/6)
TIPO Aa 1b
TIPO Aa 1b variante
GRUPPO Bb: TIPO Bb 1
5 (T.a/145)
6 (Vu.a/4)
7 (T.a/146)
Anforette
TIPO 1a
TIPO 1a variante
TIPO 1b
TIPO 1b variante
8 (C.MA.89/3)
9 (C.L.274/2)
10 (PS/86)
11 (C.L.138/1)
TIPO 2a
TIPO 2b
TIPO 2b variante
12 (V.MC.33/4)
13 (V.MC.44/6)
14 (PS/89)
Situle

Tav. 16

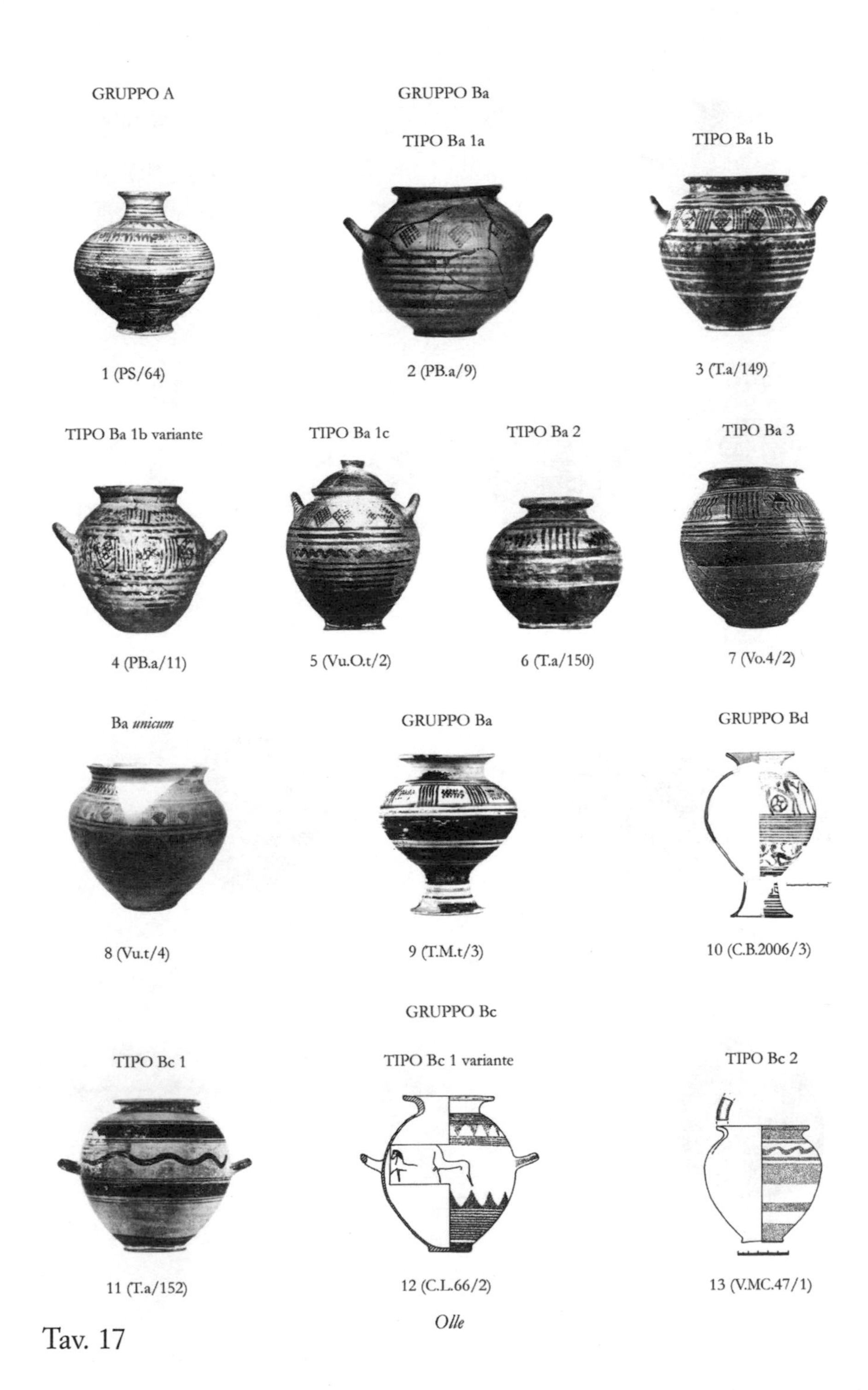
GRUPPO A
GRUPPO Ba
TIPO Ba 1a
TIPO Ba 1b
1 (PS/64)
2 (PB.a/9)
3 (T.a/149)
TIPO Ba 1b variante
TIPO Ba 1c
TIPO Ba 2
TIPO Ba 3
4 (PB.a/11)
5 (Vu.O.t/2)
6 (T.a/150)
7 (Vo.4/2)
Ba *unicum*
GRUPPO Ba
GRUPPO Bd
8 (Vu.t/4)
9 (T.M.t/3)
10 (C.B.2006/3)
GRUPPO Bc
TIPO Bc 1
TIPO Bc 1 variante
TIPO Bc 2
11 (T.a/152)
12 (C.L.66/2)
13 (V.MC.47/1)

Olle

Tav. 17

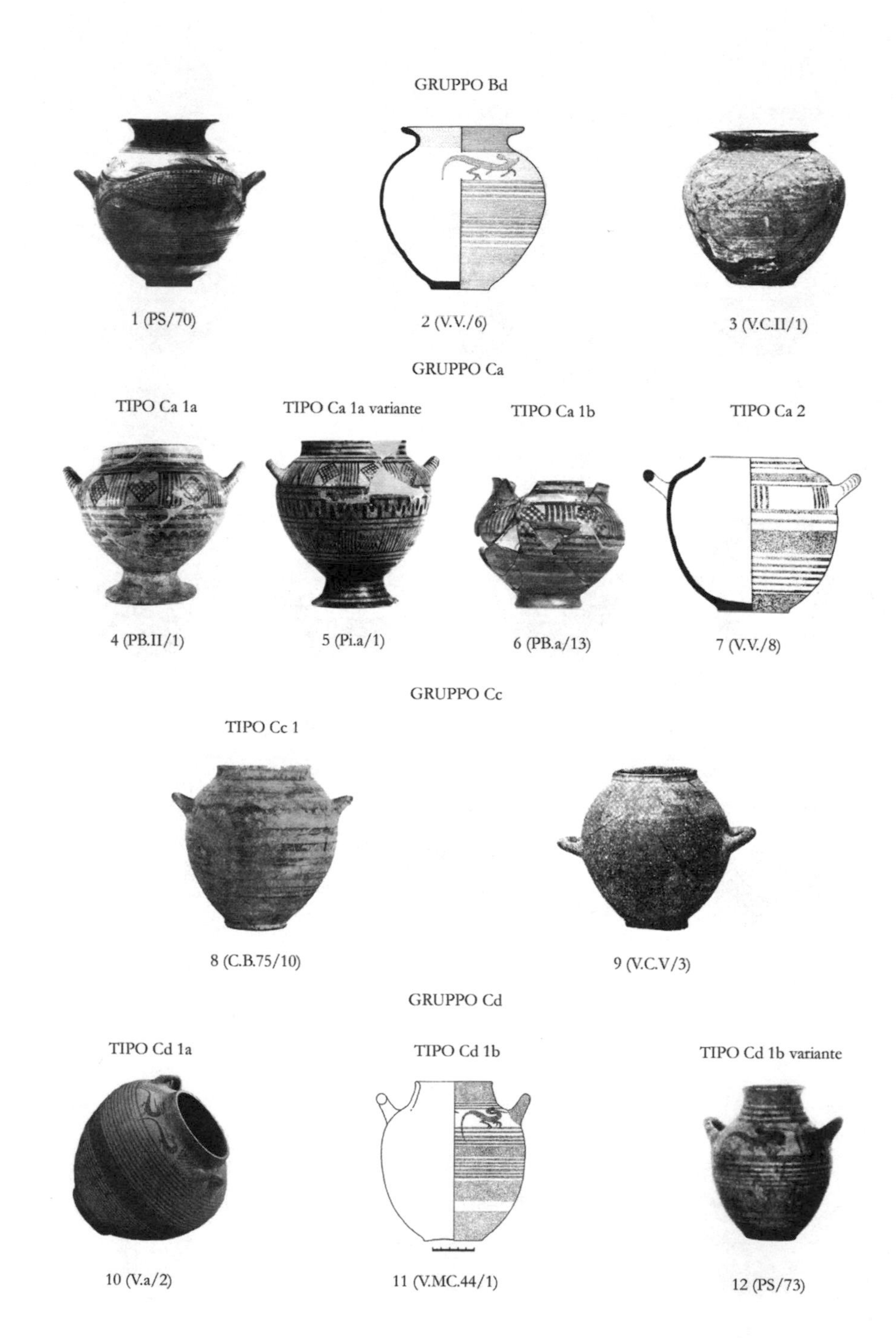
GRUPPO Bd
1 (PS/70)
2 (V.V./6)
3 (V.C.II/1)
GRUPPO Ca
TIPO Ca 1a
TIPO Ca 1a variante
TIPO Ca 1b
TIPO Ca 2
4 (PB.II/1)
5 (Pi.a/1)
6 (PB.a/13)
7 (V.V./8)
GRUPPO Cc
TIPO Cc 1
8 (C.B.75/10)
9 (V.C.V/3)
GRUPPO Cd
TIPO Cd 1a
TIPO Cd 1b
TIPO Cd 1b variante
10 (V.a/2)
11 (V.MC.44/1)
12 (PS/73)

Tav. 18

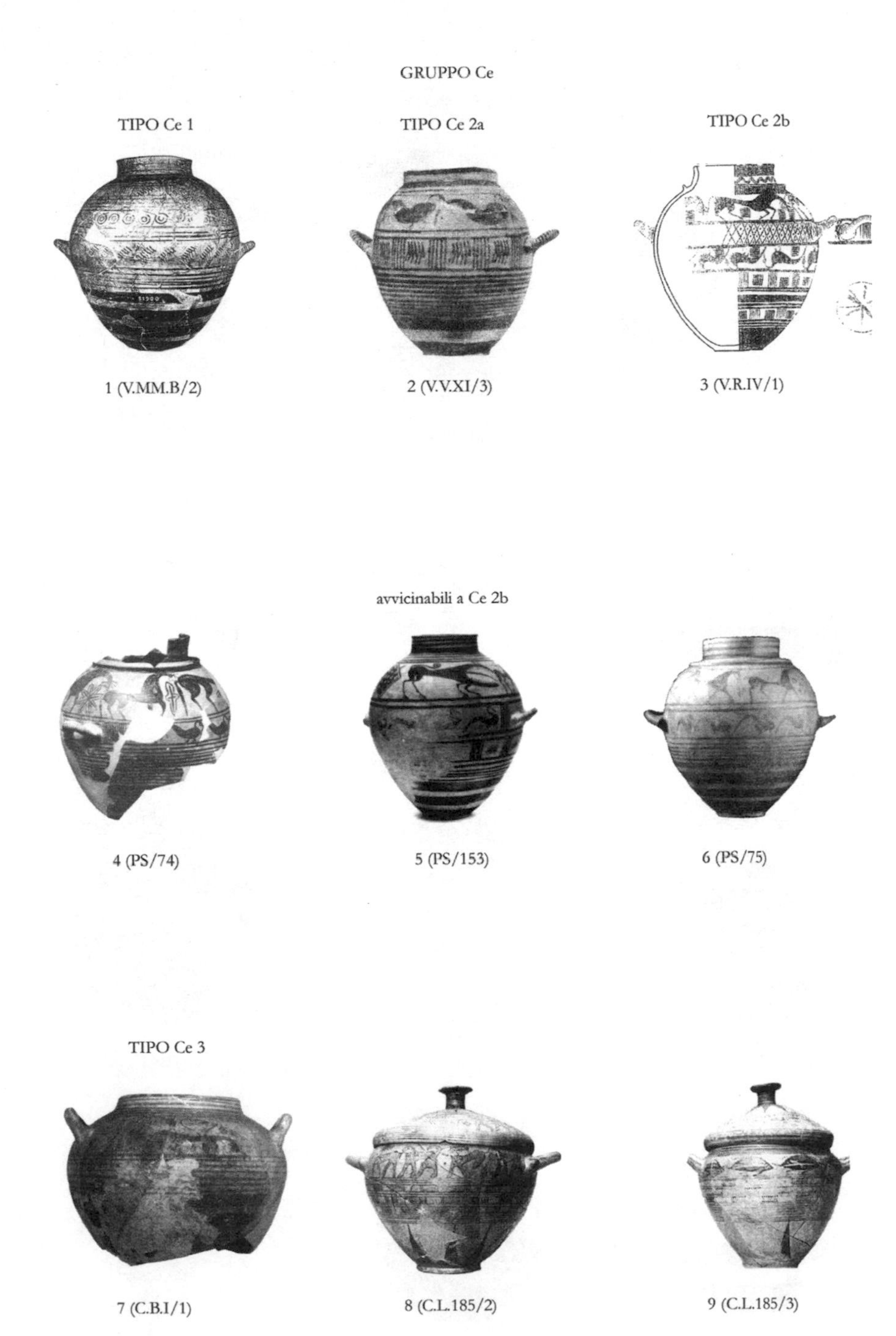
GRUPPO Ce

TIPO Ce 1

TIPO Ce 2a

TIPO Ce 2b

1 (V.MM.B/2)

2 (V.V.XI/3)

3 (V.R.IV/1)

avvicinabili a Ce 2b

4 (PS/74)

5 (PS/153)

6 (PS/75)

TIPO Ce 3

7 (C.B.I/1)

8 (C.L.185/2)

9 (C.L.185/3)

Tav. 19

GRUPPO Db

TIPO Db 1

1 (PB.t/2)

TIPO Db 1 variante

2 (PB.D/3)

GRUPPO Dc

TIPO Dc 1a

3 (PG.2/1)

TIPO Dc 1b

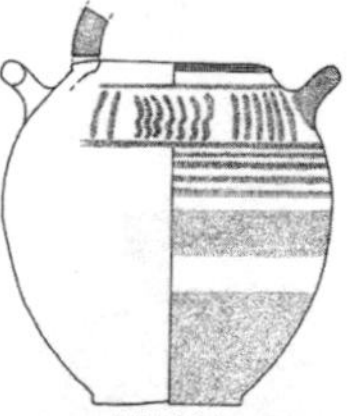

4 (V.MC.44/8)

TIPO Dc 1b variante

5 (PG.1/2)

TIPO Dc 2a

6 (T.a/156)

TIPO Dc 2b

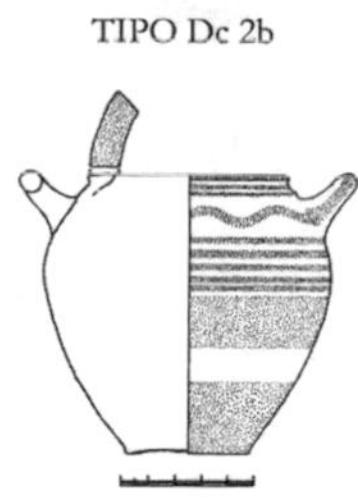

7 (V.MC.42/1)

TIPO Dc 2b variante

8 (C.L.64/3)

TIPO Dc 2c

9 (C.MA.89/8)

TIPO Dc 2d

10 (V.C.IV/3)

TIPO Dc 2e

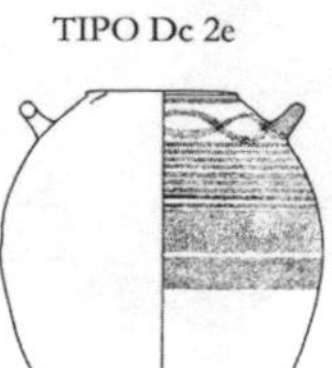

11 (V.MC.35/3)

Tav. 20

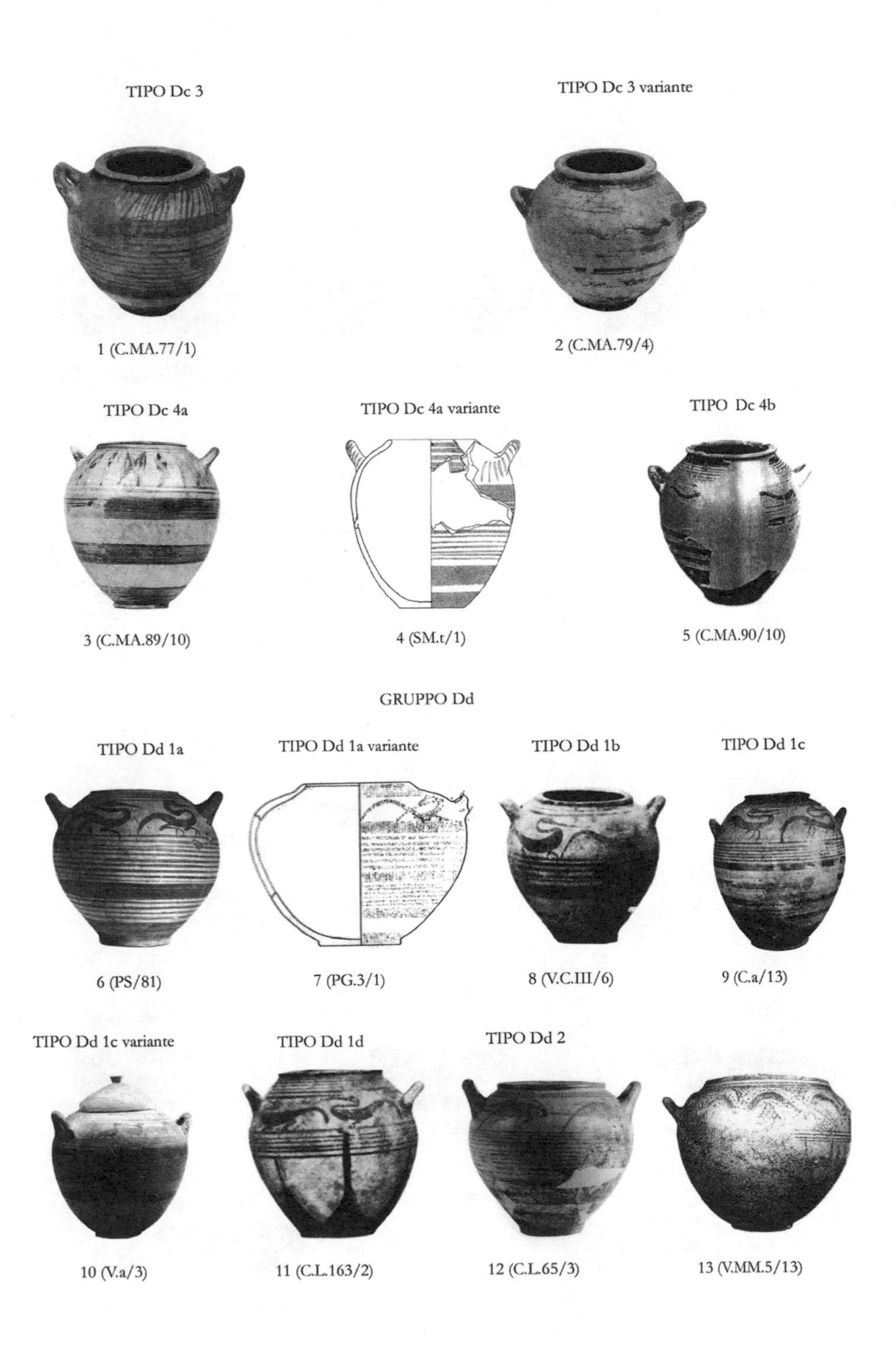
TIPO Dc 3
TIPO Dc 3 variante
1 (C.MA.77/1)
2 (C.MA.79/4)
TIPO Dc 4a
TIPO Dc 4a variante
TIPO Dc 4b
3 (C.MA.89/10)
4 (SM.t/1)
5 (C.MA.90/10)
GRUPPO Dd
TIPO Dd 1a
TIPO Dd 1a variante
TIPO Dd 1b
TIPO Dd 1c
6 (PS/81)
7 (PG.3/1)
8 (V.C.III/6)
9 (C.a/13)
TIPO Dd 1c variante
TIPO Dd 1d
TIPO Dd 2
10 (V.a/3)
11 (C.L.163/2)
12 (C.L.65/3)
13 (V.MM.5/13)

Tav. 21

GRUPPO Aa

TIPO Aa 1a | TIPO Aa 1b | TIPO Aa 2a | TIPO Aa 2b | TIPO Aa 2b var. | TIPO Aa 3

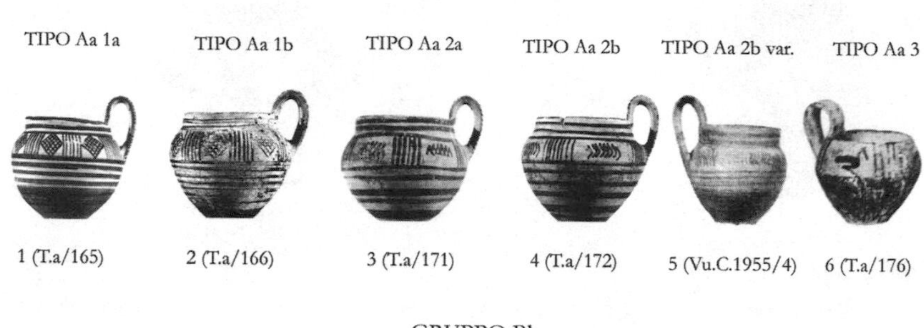

1 (T.a/165) | 2 (T.a/166) | 3 (T.a/171) | 4 (T.a/172) | 5 (Vu.C.1955/4) | 6 (T.a/176)

GRUPPO Bb

TIPO Bb 1a | TIPO Bb 1a var. | TIPO Bb 1b | TIPO Bb 1b var.

7 (T.a/177) | 8 (C.L.64/5) | 9 (Vo.5/1) | 10 (T.a/178)

Attingitoi

GRUPPO Aa

TIPO Aa 1 | TIPO Aa 1 var.

11 (T.a/180) | 12 (T.a/183)

TIPO Aa 2a | TIPO Aa 2b | TIPO Aa 2c

13 (M.1956/1) | 14 (Vu t/9) | 15 (T.a/184)

GRUPPO Ab

16 (T.M.G/4) | 17 (C.L.65/5)

Tazze

Tav. 22

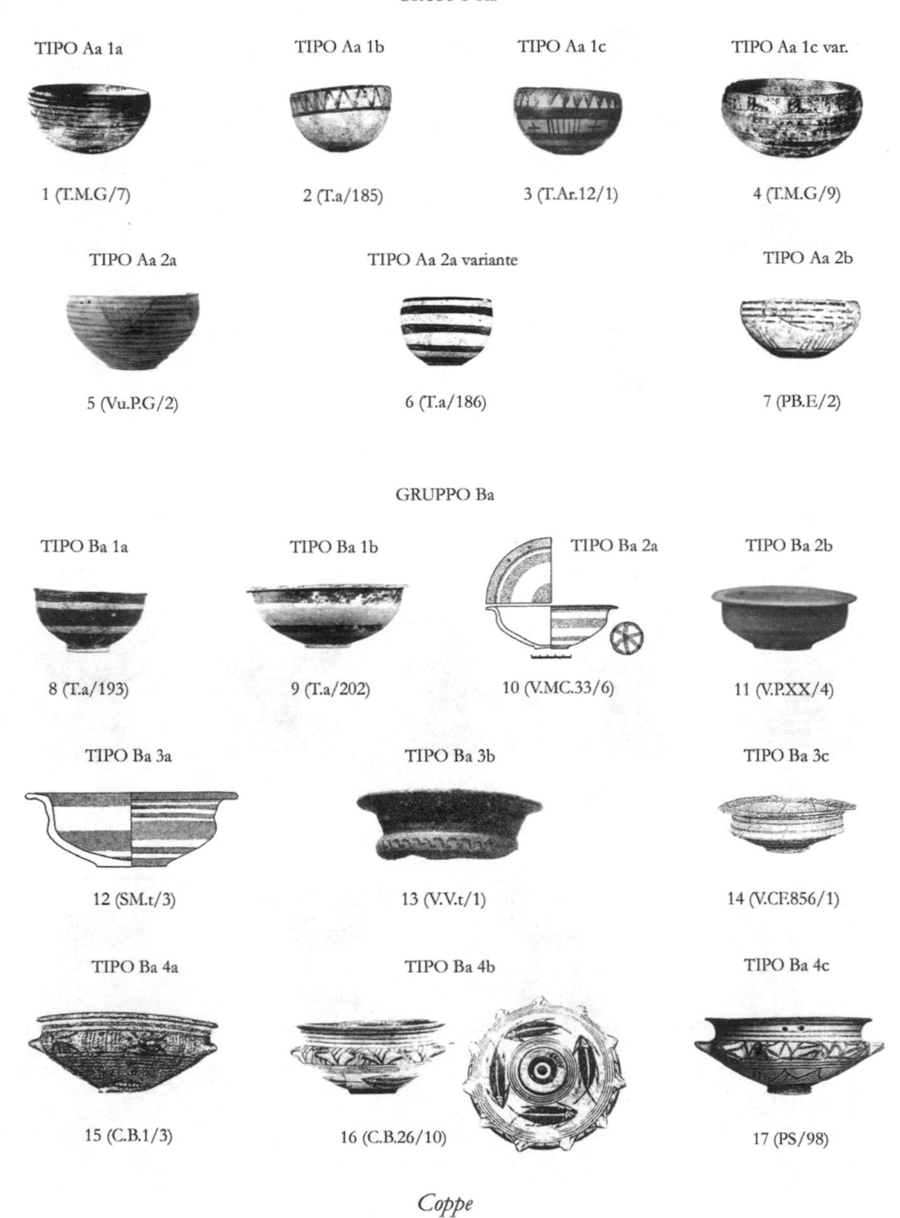
GRUPPO Aa
TIPO Aa 1a
TIPO Aa 1b
TIPO Aa 1c
TIPO Aa 1c var.
1 (T.M.G/7)
2 (T.a/185)
3 (T.Ar.12/1)
4 (T.M.G/9)
TIPO Aa 2a
TIPO Aa 2a variante
TIPO Aa 2b
5 (Vu.P.G/2)
6 (T.a/186)
7 (PB.E/2)
GRUPPO Ba
TIPO Ba 1a
TIPO Ba 1b
TIPO Ba 2a
TIPO Ba 2b
8 (T.a/193)
9 (T.a/202)
10 (V.MC.33/6)
11 (V.P.XX/4)
TIPO Ba 3a
TIPO Ba 3b
TIPO Ba 3c
12 (SM.t/3)
13 (V.V.t/1)
14 (V.CF.856/1)
TIPO Ba 4a
TIPO Ba 4b
TIPO Ba 4c
15 (C.B.1/3)
16 (C.B.26/10)
17 (PS/98)

Coppe

Tav. 23

GRUPPO Ca

TIPO Ca 1a — 1 (V.V.XI/4)

TIPO Ca 1b — 2 (PB.VI/4)

TIPO Ca 1c — 3 (PB.a/20)

TIPO Ca 1d — 4 (PB.a/23)

TIPO Ca 1e — 5 (PB.B/1)

GRUPPO Cb

TIPO Cb 1a — 6 (PB.a/26)

TIPO Cb 1b — 7 (PS/103)

GRUPPO Da

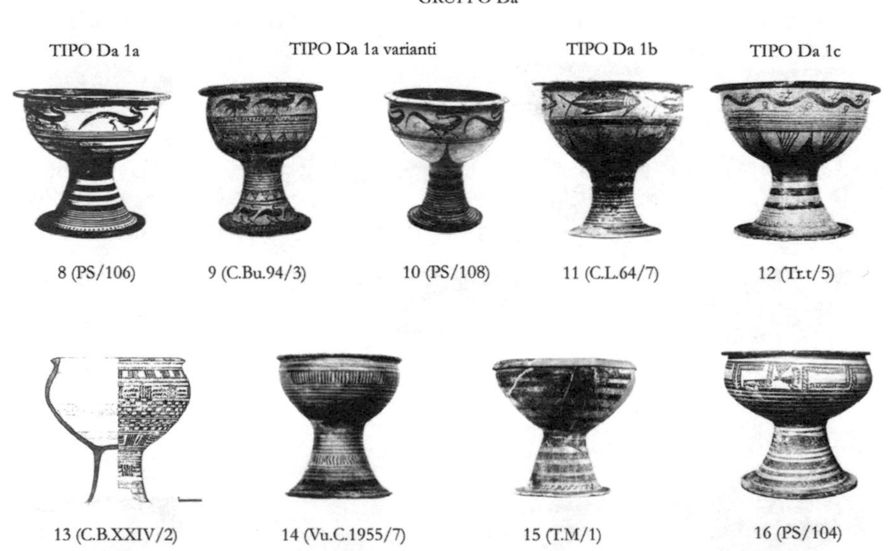

TIPO Da 1a — 8 (PS/106)

TIPO Da 1a varianti — 9 (C.Bu.94/3), 10 (PS/108)

TIPO Da 1b — 11 (C.L.64/7)

TIPO Da 1c — 12 (Tr.t/5)

13 (C.B.XXIV/2) 14 (Vu.C.1955/7) 15 (T.M/1) 16 (PS/104)

Tav. 24

GRUPPO Db

TIPO Db 1a

1 (PB.a/27)

TIPO Db 1b

2 (T.a/213)

TIPO Db 1b variante

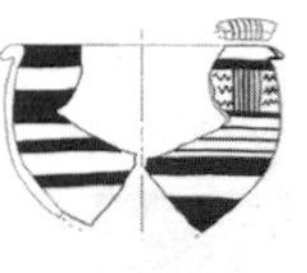

3 (Vu.C/1)

TIPO Db 1c

4 (Vu.a/13)

TIPO Db 1d

5 (PB.B/2)

TIPO Db 1d varianti

6 (Vu.a/14)

7 (PS/117)

GRUPPO Ea

TIPO Ea 1

8 (C.L.245/5)

TIPO Ea 2

9 (T.G.8/9)

Tav. 25

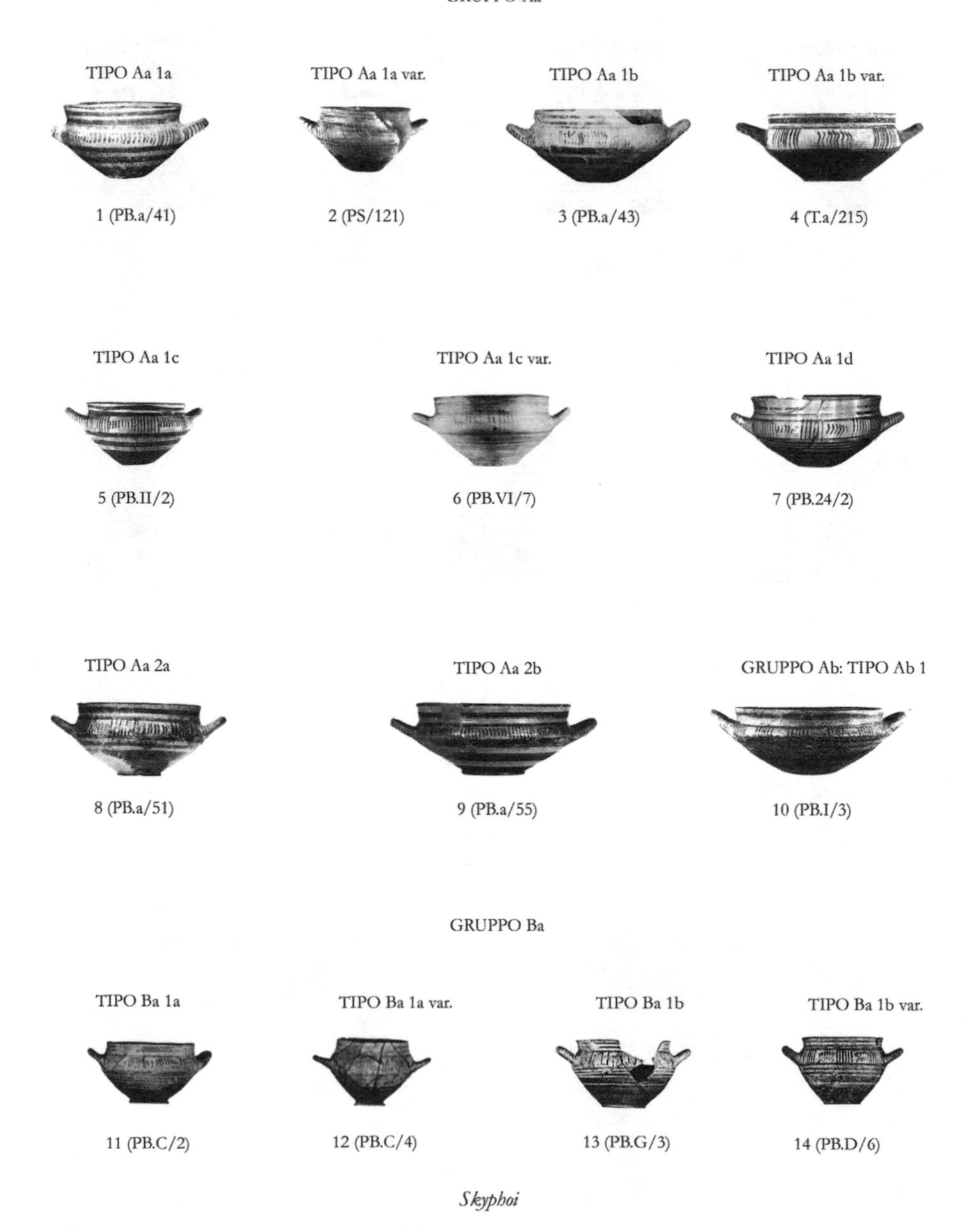

Skyphoi

Tav. 26

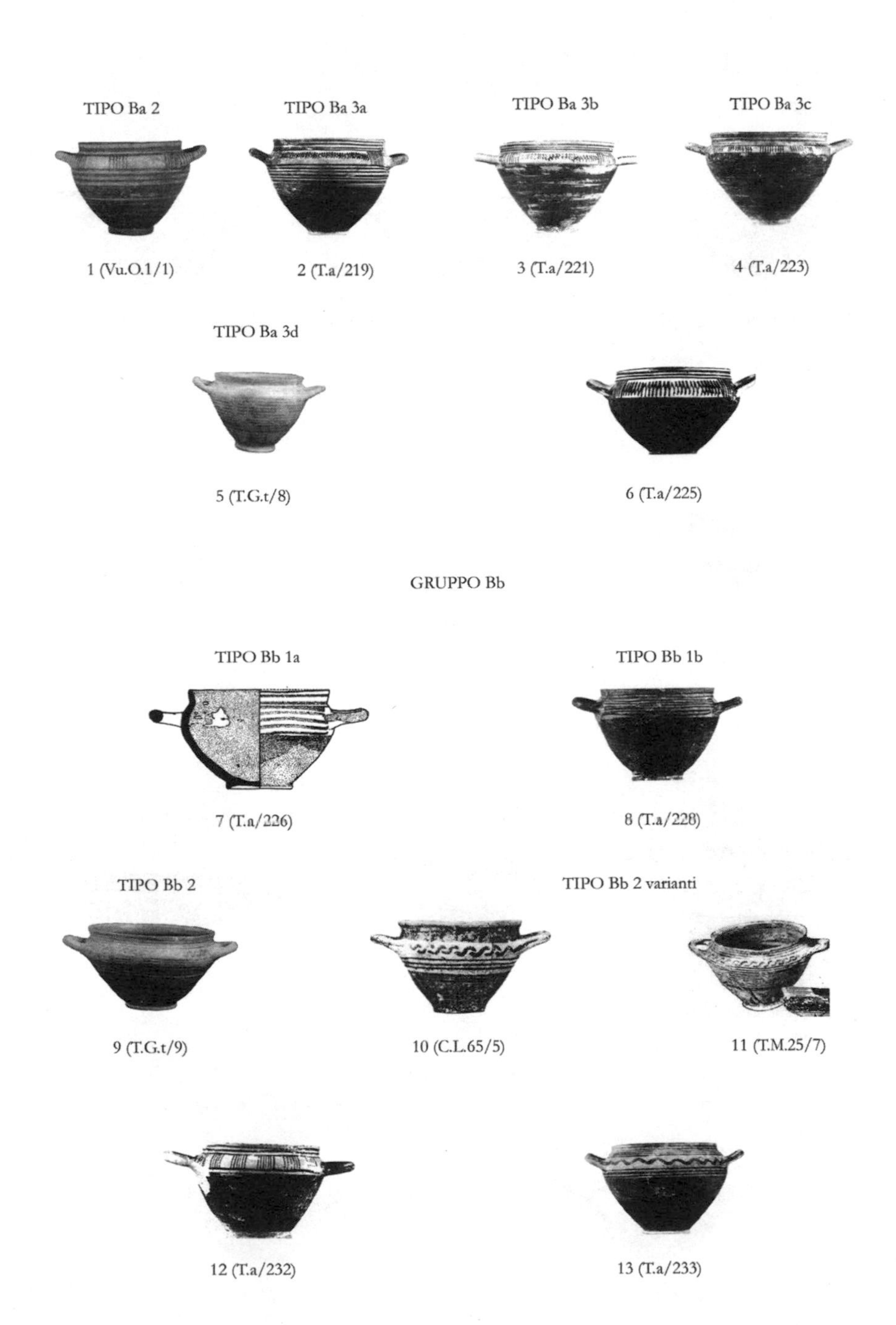
TIPO Ba 2
TIPO Ba 3a
TIPO Ba 3b
TIPO Ba 3c
1 (Vu.O.1/1)
2 (T.a/219)
3 (T.a/221)
4 (T.a/223)
TIPO Ba 3d
5 (T.G.t/8)
6 (T.a/225)
GRUPPO Bb
TIPO Bb 1a
TIPO Bb 1b
7 (T.a/226)
8 (T.a/228)
TIPO Bb 2
TIPO Bb 2 varianti
9 (T.G.t/9)
10 (C.L.65/5)
11 (T.M.25/7)
12 (T.a/232)
13 (T.a/233)

Tav. 27

GRUPPO Bc

TIPO Bc 1a

TIPO Bc 1a varianti

1 (T.a/241)

2 (PS/125)

3 (PB.E/4)

TIPO B c 1e

TIPO Bc 1b

TIPO Bc 1c

4 (PB.VII/2)

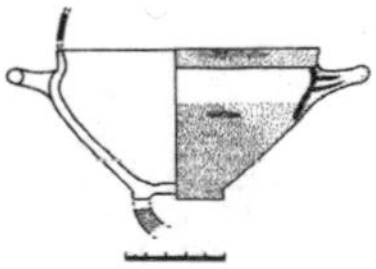

5 (V.MC.34/5)

6 (PB.F/1)

TIPO Bc 1d

TIPO Bc 1d var.

TIPO Bc 2

7 (C.MA.89/20)

8 (C.L.64/6)

9 (C.MA.77/3)

Unica

10 (T.a/244)

11 (T.a/245)

Tav. 28

GRUPPO Aa

TIPO Aa 1 — TIPO Aa 1 var. — TIPO Aa 2 — TIPO Aa 3

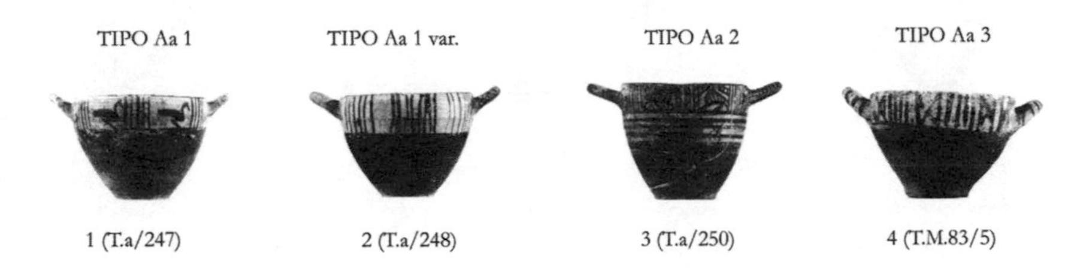

1 (T.a/247) — 2 (T.a/248) — 3 (T.a/250) — 4 (T.M.83/5)

GRUPPO Ab

5 (V.V.X/3)

GRUPPO Bb

TIPO Bb 1 — TIPO Bb 2 — TIPO Bb 3a — TIPO Bb 3b

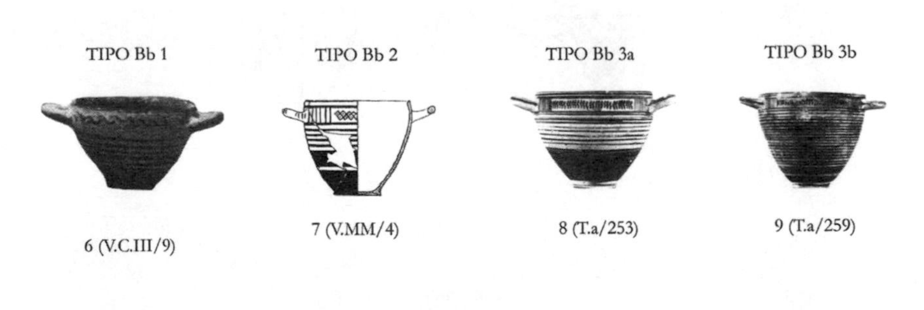

6 (V.C.III/9) — 7 (V.MM/4) — 8 (T.a/253) — 9 (T.a/259)

TIPO Bb 3b varianti — TIPO Bb 4

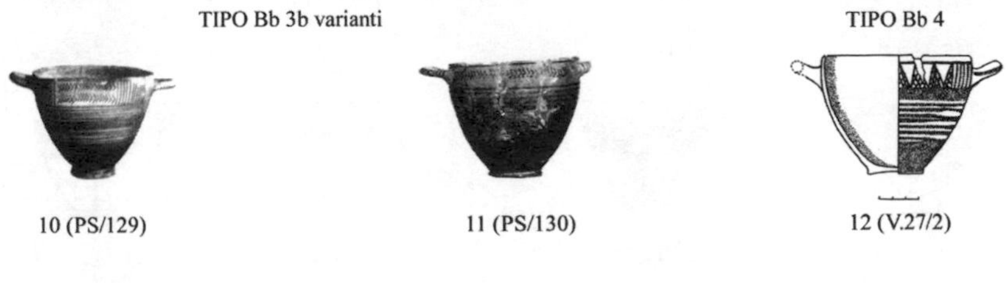

10 (PS/129) — 11 (PS/130) — 12 (V.27/2)

Kotylai

Tav. 29

GRUPPO Bb

1 (V.CF.1001/2)

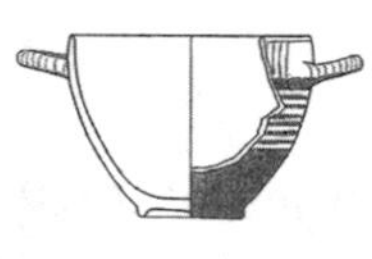

2 (V.R.IV/3)

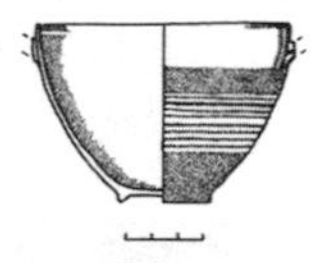

3 (V.37/1)

GRUPPO Bb

4 (V.V/19)

5 (C.L.163/6)

GRUPPO Bc

6 (T.a/260)

Unicum

7 (T.B/2)

GRUPPO Cb

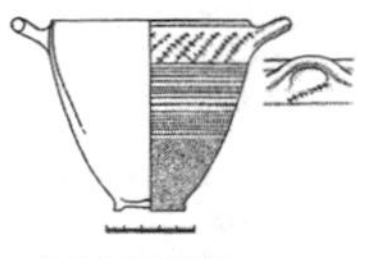

8 (V.MC.33/7)

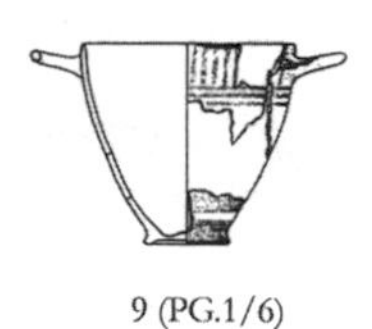

9 (PG.1/6)

GRUPPO Cc

TIPO Cc 1

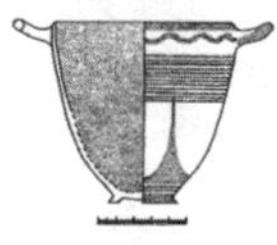

10 (V.MC.42/2)

TIPO Cc 2a

11 (T.a/262)

TIPO Cc 2b

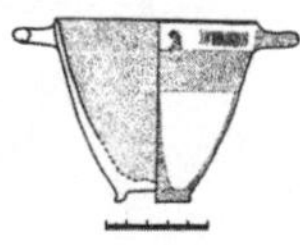

12 (V.MC.44/10)

TIPO Cc 2c

13 (Vo.10/3)

Tav. 30

GRUPPO Aa

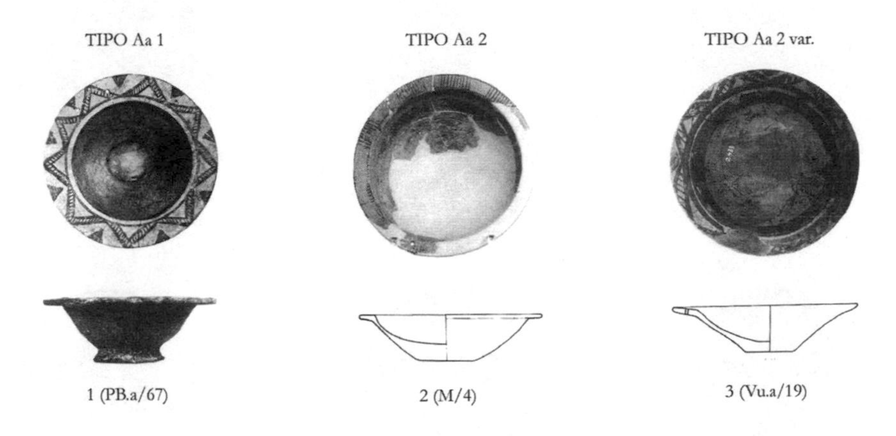

GRUPPO Ba

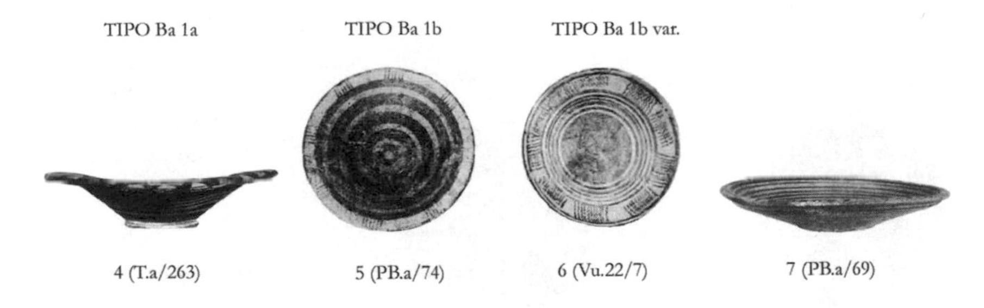

GRUPPO Bb

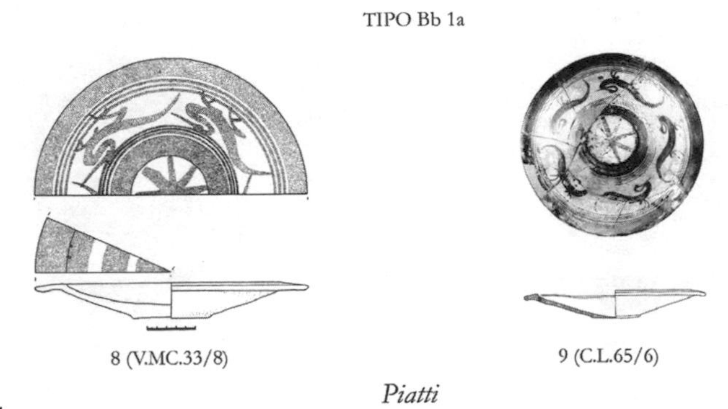

Piatti

Tav. 31

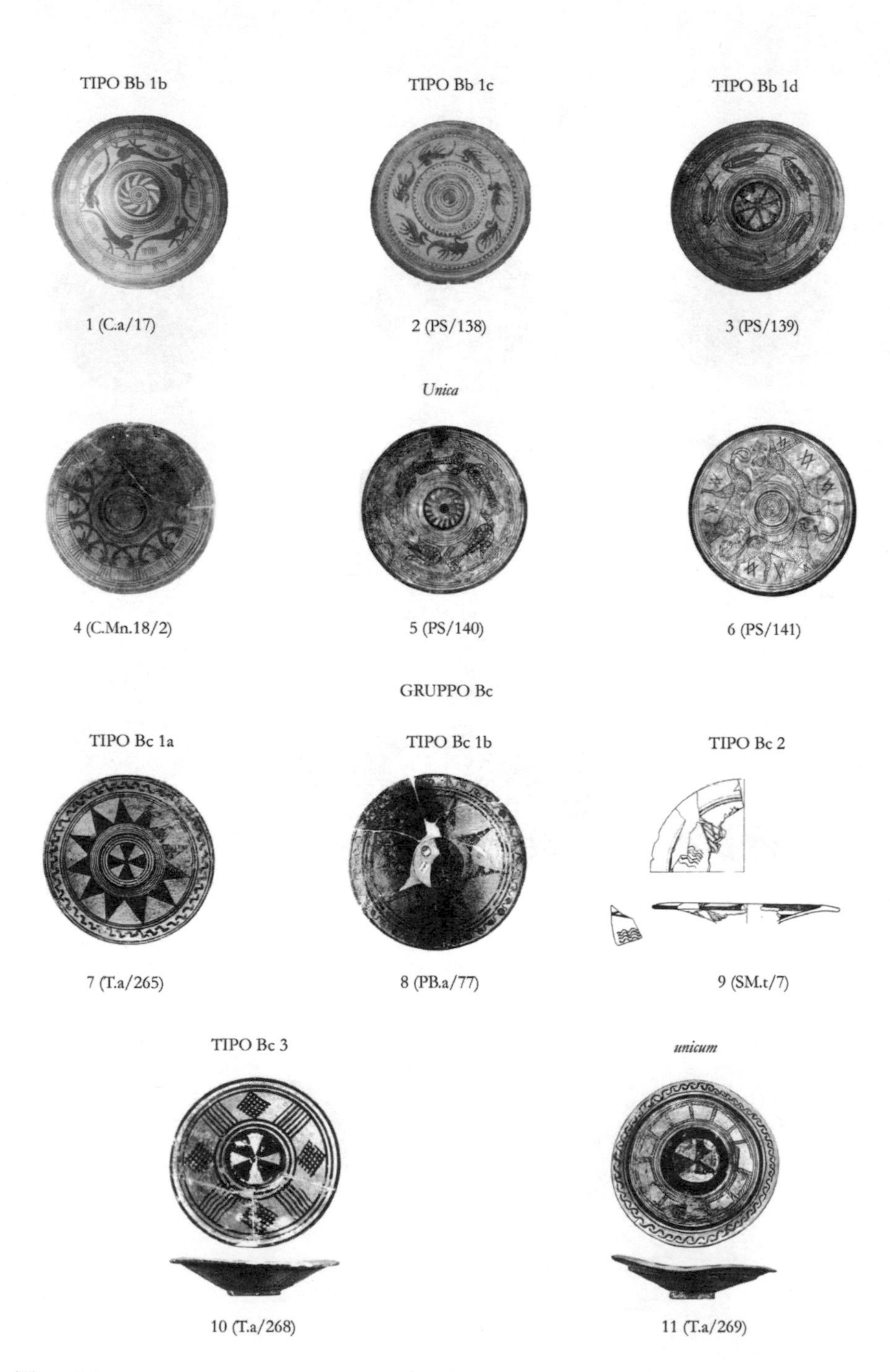

TIPO Bb 1b — 1 (C.a/17)
TIPO Bb 1c — 2 (PS/138)
TIPO Bb 1d — 3 (PS/139)

4 (C.Mn.18/2)

Unica — 5 (PS/140)

6 (PS/141)

GRUPPO Bc

TIPO Bc 1a — 7 (T.a/265)
TIPO Bc 1b — 8 (PB.a/77)
TIPO Bc 2 — 9 (SM.t/7)

TIPO Bc 3 — 10 (T.a/268)

unicum — 11 (T.a/269)

Tav. 32

GRUPPO Ca

TIPO Ca 1 | TIPO Ca 2a | TIPO Ca 2b

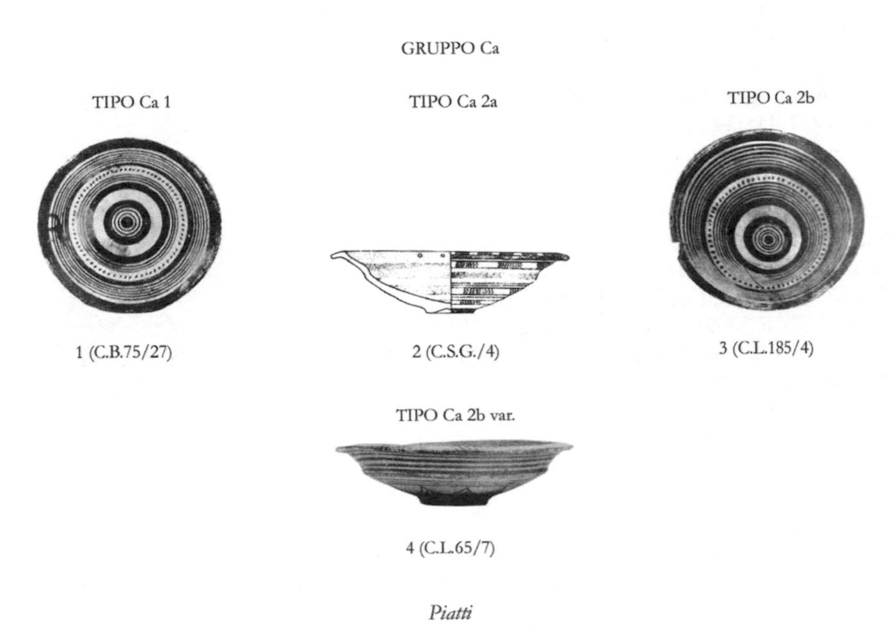

1 (C.B.75/27) | 2 (C.S.G./4) | 3 (C.L.185/4)

TIPO Ca 2b var.

4 (C.L.65/7)

Piatti

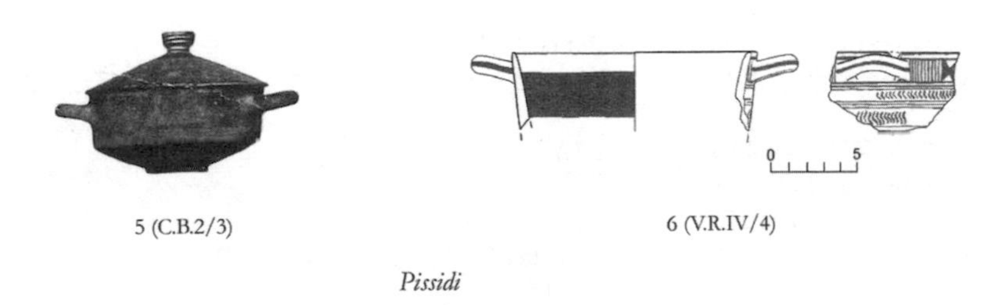

5 (C.B.2/3) | 6 (V.R.IV/4)

Pissidi

7 Veio: anfora V.a/1 e askos V.a/1 bis

Tav. 33

Fonti delle immagini

Disegni dell'autore: tav. 1.1, 3, 4, 6, 10; tav. 8.12; tav. 9.1, 3; tav. 16.12-13; tav. 17.13; tav. 18.11; tav. 20.4, 7, 11; tav. 23.10; tav. 28.5; tav. 29.12; tav. 30.3, 8, 10, 12; tav. 31.8
Fotografia di proprietà privata: tav. 2.1, tav. 33.7
ALBERICI 1997: tav. 17.12
ALBERICI VARINI 1999: tav. 13.9; tav. 22.8, 17; tav. 24.11; tav. 31.9; tav. 33.4
ADRIANI 1930, tav. 10.12
Amsterdam 1989: tav. 18.10; tav. 21.10
Antiken - Kabinett, Frankfurt 1998: tav. 32.1
Archeologia, F. Semenzato, Roma 1990: tav. 10.3
BARTOLONI 1972: tav. 2.3; tav. 16.4; tav. 18.4; tav. 24.2; tav. 26.5-6, 10; tav. 28.4; tav. 32.8
BLOMBERG *et al.* 1983: tav. 28.2
BOITANI 1985: tav. 13.2; tav. 21.13
BRUNI 1986: tav. 1.2
BURANELLI *et a*l. 1997: tav. 1.7; tav. 14.9; tav. 23.14; tav. 30.1
BUSING-KOLBE 1977: tav. 7.9; tav. 17.1
CANCIANI 1966: tav. 8.13
CANCIANI 1974: tav. 2.2, 9-11; tav. 3.1-2, 5-6, 8, 11; tav. 4.1-7, 12, 15, 18; tav. 5.1-4, 7, 9-12, 14-15; tav. 6.1-8; tav. 7.1-8, 10-12; tav. 8.1, 4-5, 7-11; tav. 9.2, 10; tav. 11.1-2, 4-6; tav. 16.1, 5,7; tav. 17.3, 6, 9, 11; tav. 20.6; tav. 22.1-4, 7, 10-11, 15; tav. 23.2-3, 6, 8-9; tav. 24.15; tav. 25.2; tav. 26.4; tav. 27.2-4, 6, 8, 12-13; tav. 28.1, 10-11; tav. 29.1-4, 8-9; tav. 30.6-7, 11; tav. 31.4; tav. 32.7, 10-11
CANCIANI 1976: tav. 6.10
CANCIANI 1987: tav. 5.6; tav. 14.2; tav. 17.5
CARBONARA *et al.* 1996: tav. 1.5; tav. 11.9; tav. 17.7; tav. 21.4; tav. 22.9; tav. 23.12; tav. 30.13; tav. 32.9
CARUSO 2005: tav. 15.7-8; tav. 24.12
CASCIANELLI 2003: tav. 33.2
CATALDI 1986: tav. 27.7
CAVAGNARO VANONI 1966: tav. 15.1; tav. 16.11; tav. 19.8-9; tav. 20.8; tav. 21.11-12; tav. 24.9; tav. 25.8; tav. 27.10; tav. 28.8; tav. 30.5
CECCANTI, COCCHI 1980: tav. 25.3
CELUZZA 2000: tav. 31.2
CHELINI 2004: tav. 17.8
CHERICI 1988: tav. 13.4; tav. 16.2; tav. 24.16
Christie's, Antiquities, June, 12, 2000 : tav. 32.2
COEN 1991: tav. 15.2
CRISTOFANI 1969: tav. 19.1; tav. 29.7
CRISTOFANI, ZEVI 1965: tav. 13.7
CULTRERA 1930: tav. 2.12; tav. 27.11
DELPINO 1985: tav. 1.6
DE PUMA 1986: tav. 20.1
DE PUMA 2000: tav. 29.11; tav. 32.5-6
DE SANTIS 1997: tav. 20.3, 5 ; tav. 21.7; tav. 30.9
DIK 1980: tav. 12.9
DIK 1981 a: tav. 12.8; tav. 13.1, 5
DIK 1981b: tav. 10.2;

Addendum

Non ho potuto organicamente considerare nel testo, giunto ormai ad una fase troppo avanzata di revisione, due contributi freschi di stampa.

Nel volume dedicato a Sybille Haynes, Dyfri Williams[1] presenta un'interessante oinochoe italo-geometrica, con bocca conformata a testa d'ariete, transitata sul mercato antiquario e in seguito acquisita dal British Museum. Ritengo che il pezzo, per il quale l'editore richiama rari omologhi nella produzione in impasto inornato, sia senza alcun dubbio attribuibile al Pittore di Narce, per la decorazione con aironi e caratteristici quadrupedi gradienti, intervallati da motivi a clessidra, e per la presenza di un listello plastico alla base del collo, che evoca elementi simili, ma funzionali, ricorrenti nelle olle prodotte dal ceramografo.

Sul Pittore di Narce si sofferma Marina Martelli, nel suo ultimo lavoro dedicato alla ceramografia orientalizzante[2]. La studiosa pone l'accento sull'origine attica dell'artigiano, attivo nel primo quarto del VII sec. a.C., e non solo su quella dei motivi e delle iconografie da esso adottati, come già evidenziato da J. G. Szilàgyi; integra il *dossier* delle attribuzioni con due nuovi esemplari, riconducendo alla paternità del maestro, e non dell'*atelier*, le olle della tomba delle Anatre; riferisce ad un'unica bottega attenta alla lezione greca, ma non esplicitamente identificata, le megalografie del sepolcro delle Anatre e della tomba dei Leoni Ruggenti, ponendo in tal modo la cronologia di quest'ultimo contesto tra il 680 e il 675 a.C.

Pur condividendo l'ipotesi che una stessa cerchia di artigiani appartenenti alla categoria dei pittori vascolari possa aver operato nelle due camere veienti, tanto da ritenere anzi probabile circoscriverne l'ambito alla stessa officina gravitante attorno al Pittore di Narce, non trovo convincente l'appiattimento cronologico tra i due monumenti proposto da M. Martelli. A favore di una maggiore antichità della tomba dei Leoni Ruggenti, occorre prendere atto dei

---

[1] D. Williams, "The Ridgway Ram Vase", in J. Swaddling, P. Perkins (edd.), *Etruscan by Definition. The Cultural, Regional and Personal Identity of the Etruscans. Papers in Honour of Sybille Haynes, MBE,* London 2009, pp. 21-24. Ringrazio M. C. Biella per avermi prontamente segnalato l'articolo.

[2] M. Martelli, "Variazioni sul tema etrusco-geometrico", in *Prospettiva* 132, 2008, pp. 2-30; un ampio spazio è, inoltre, dedicato alle officine e ai ceramografi di osservanza geometrica, tra i quali si segnala, per l'attinenza al successivo sviluppo della ceramografia veiente, il Pittore di Casale del Fosso, ritenuto un immigrato dall'Attica o da Naxos attivo negli ultimi decenni dell'VIII sec. a.C., contrariamente all'ipotesi formulata da J. G. Szilàgyi circa l'origine euboico-pitecusana e la cronologia più alta del maestro (Szilàgyi 2007, comm. a tav. 1).

dati forniti dalla composizione del corredo, presentato da F. Boitani[3] e noto alla studiosa solo attraverso una delle prime comunicazioni preliminari. Risulta significativa la presenza nel complesso di un'olla del Pittore di Narce, affine ad un altro esemplare, di recente riconosciuto come opera autografa, deposto nella tomba 821 di Casale del Fosso, datata attorno al 700 a.C.[4]. Entrambi i vasi, ascritti alla fase iniziale dell'attività del Pittore, si distinguono, oltre che per la complessità del registro figurato, per essere modellati in impasto dipinto, tecnica questa che, seppure non incompatibile, potrebbe forse risultare inconsueta per un maestro greco. Taluni elementi della decorazione parietale della tomba dei Leoni Ruggenti, tra i quali una certa esuberanza decorativa e le tracce di numerosi ripensamenti, lontani dalla regolarità e dall'equilibrio del fregio delle Anatre, sembrano, poi, tradire un carattere di sperimentalità. La distanza stilistica e compositiva che pare separare le pitture dei due complessi sembra trovare un'eco in quella intercorrente tra le opere del Pittore ivi contenute, lasciando affiorare la traccia di un unitario percorso formativo.

Marina Martelli arricchisce, infine, la conoscenza del panorama ceretano con il riconoscimento di un nuovo ceramografo (anch'esso di origine attica), il Pittore dei Capri, cui attribuisce due delle anfore afferenti al tipo Ab 3b della presente classificazione.

primavera 2010

---

[3] Nel corredo personale sono presenti, tra gli altri, una fibula ad arco rivestito con confronti tra la fine dell'VIII e gli inizi del VII sec. a.C., un pendente a *Ptah-Pateco* in *faïence* e uno in ambra configurato a scimmietta, mentre in quello di accompagno ricorrono anforette a spirali d'impasto dei tipi Beijer Ib e IIa, numerose tazze di varia foggia, tra le quali una su alto piede con ansa conformata ad ariete, vasi d'impasto rosso, una kotyle d'imitazione protocorinzia, piattini tripodi italo-geometrici e un tripode bronzeo del tipo a cavallini, diffuso non oltre l'orientalizzante antico in Etruria e nel *Latium Vetus*. Evidenti risultano le analogie con altri complessi dell'orientalizzante antico veiente di Vaccareccia (tt. VI, VIII), Monte Michele (t. B) e Casale del Fosso (Boitani 2010, pp. 34-36, con rif.).

[4] Boitani 2010, p. 32; Boitani et al. cds.

Finito di stampare
nel mese di luglio 2010
dalla tipografia DigitaleDigitale - Roma